COLLECTION
« TOUTE LA VILLE EN PARLE »

PIERRE DE BOISDEFFRE

PIERRE DE BOISDEFFRE

de la LITTÉ

1939 - 1959

UNE

HISTOIRE
VIVANTE

RATURE

d'AUJOURD'HUI

LE LIVRE CONTEMPORAIN

DU MÊME AUTEUR

Chez le même éditeur

BARRÈS PARMI NOUS (avec des inédits de Gide, Maurras, Malraux), 1952.

Chez d'autres éditeurs

Aux Editions Alsatia :

MÉTAMORPHOSE DE LA LITTÉRATURE, *Grand Prix de la Critique* 1950. 10e mille.

    I. *De Barrès à Malraux.* (Barrès, Gide, Mauriac, Bernanos, Montherlant, Malraux.)

    II. *De Proust à Sartre* (Proust, Valéry, Cocteau, Anouilh, Sartre, Camus et une étude sur *la condition de la littérature.*)

Aux Editions Universitaires :

ANDRÉ MALRAUX *(Classiques du XXe siècle)*, 1952. 20e mille.

DES VIVANTS ET DES MORTS... essais, suivis d'une lettre de Pierre Emmanuel, 1954.

Aux Editions Bloud et Gay :

VOCATION DE L'EUROPE (avec J. Bouchaud), 1950.

Aux Editions de la Table Ronde :

LES FINS DERNIÈRES, roman, 1952.

L'AMOUR ET L'ENNUI, roman, 1959.

TABLE DES MATIÈRES

CHAPITRE DEUXIÈME

LA LIBÉRATION
(1944-1949)

PREMIÈRE PARTIE

LE ROMAN

INTRODUCTION

LA FLORAISON ROMANESQUE

Chapitre Premier

MAITRES D'HIER ET D'AUJOURD'HUI

Chapitre Deuxième

QUELQUES MAITRES DU NOUVEAU ROMAN FRANÇAIS

Chapitre Troisième

QUELQUES ASPECTS MAJEURS DU JEUNE ROMAN

CHAPITRE QUATRIÈME

EN PARCOURANT LES PROVINCES DU ROMAN

DEUXIÈME PARTIE

LA POÉSIE

PROLOGUE

L'HÉRITAGE

CHAPITRE PREMIER

GRANDES FIGURES DE LA POÉSIE CONTEMPORAINE

CHAPITRE DEUXIÈME

LA POÉSIE VIVANTE D'AUJOURD'HUI

TROISIÈME PARTIE

LE THÉATRE

CHAPITRE PREMIER

CHAPITRE DEUXIÈME

LE THÉATRE D'IDÉES

CHAPITRE TROISIÈME

L'ANTITHÉÂTRE

QUATRIÈME PARTIE
LA VIE DES IDÉES

Chapitre Premier
LA CRITIQUE ET L'ESSAI

Chapitre Deuxième
LE MOUVEMENT DES IDÉES

CONCLUSION
LA LITTÉRATURE D'AUJOURD'HUI
ANNONCE-T-ELLE
UN NOUVEAU LANGAGE DE FORMES ?

APPENDICE

DOCUMENTS

« *La critique est mort-née, au principe
et au cours de laquelle ne soit présent
l'amour des Lettres.* Il y a un amour
des Lettres pour elles-mêmes, hors
duquel il n'y a pas de critique ni d'histoire littéraire vivantes, comme il y a
un amour physique du théâtre hors
duquel il n'y a pas de vraie littérature
dramatique, comme il y a un amour
de l'Etat sans lequel il n'y a pas, dans
un homme politique, d'âme politique.
On voudra bien prendre ce tableau de
la littérature française comme on a pris
autrefois le « Tableau de Paris» de
Mercier : l'auteur l'a écrit d'abord
comme citoyen, bourgeois, badaud de
la République des Lettres, ayant sa
place à la terrasse du café de leur
commerce, emboîtant le pas à leurs
musiques militaires, fier des monuments de sa ville et assidu aux séances
de la société qui les conserve, faisant
le matin sa tournée des œuvres nouvelles, en rapportant une sous le bras
comme un melon bien choisi, abritant
sous son parapluie la jolie idée qu'il
aura suivie, comme dit à peu près
Diderot, et se résignant d'ailleurs à
ce que son idée ait été déjà plus ou
moins suivie par Diderot ou par d'autres. Et je sais bien qu'il y a des formes
plus héroïques et plus fulgurantes de
l'amour des Lettres. Alors elles transcendent la critique. Elles n'appartiennent plus au bourgeois de la ville,
mais au dominateur de la cité. Cette
fonction de Périclès de la République
des Lettres, qu'ambitionnait Brunetière, n'est pas de notre plan. »

ALBERT THIBAUDET

A R.-M. ALBÉRÈS et ALAIN BOSQUET

tous deux orfèvres...

AVERTISSEMENT
pour la seconde édition
(1959)

« *Soyons certains qu'en publiant* Une Histoire vivante de la littérature d'aujourd'hui, *M. Pierre de Boisdeffre n'aura fait que des mécontents... Mécontents les écrivains dont il parle et dont l'œuvre se trouve résumée en une demi-page, parfois en une phrase, souvent en une mention. Scandalisés ceux qu'il n'a pas cités et qui sont légion. Indignés les critiques dont le jugement n'aura pas été suivi. Soulevés d'indignation les éditeurs qui n'auront pas vu leurs poulains primés... mécontent aussi le lecteur qui ne trouvera pas ses favoris aux places de choix.* » *Cette opinion d'un critique résume parfaitement les difficultés d'une entreprise dont nous n'avions pas la naïveté de croire qu'elle satisferait tout un chacun. A moins d'être une sorte de lieu neutre, d'étendue vague ouverte à toutes les prétentions, elle impliquait en effet des choix qui suscitaient par eux-mêmes la critique. Mieux encore que les réactions de la presse écrite et parlée (1), le large accueil du public, tant français qu'étranger, a répondu à notre attente.*

On n'a pas fait d'objection au dessein de l'ouvrage, à son plan. Ce qu'on a surtout discuté, ce sont les proportions. Les uns ont regretté de voir mesurer la place à des écrivains illustres — de Mauriac à Giono et de Marcel Aymé à Montherlant — ou qui mériteraient de l'être — comme Henri Pourrat, Michel Leiris ou Audiberti. A cela, il est facile de répondre que, sans négliger les auteurs dont la carrière est déjà longue, nous voulions mettre

---

(1) L'on enregistra quelques mouvements d'humeur et des silences significatifs, à côté desquels on soulignera l'équité de critiques importants, Robert Kemp en tête, et de cette presse de province, beaucoup plus attentive qu'on ne le dit à la vie des œuvres de création.

en lumière — *parce que cela n'avait pas été fait jusqu'ici* — *les meilleurs témoins de la* nouvelle *littérature française. On n'a pas voulu non plus céder au facile petit jeu d'exclusives en vertu duquel telle tendance de la littérature prétend tenir les autres hors du coup. (La République des Lettres, comme l'autre, aurait besoin d'une Constitution pluraliste.) C'est pourquoi on a fait place dans ce livre à Sartre et à Camus, à Aragon et à Drieu, à Simone de Beauvoir et à Simone Weil, au roman ou au théâtre traditionnels et à l'antiroman ou à l'antithéâtre. L'apothéose de la « Littérature » y est représentée par Julien Gracq et sa destruction par Samuel Beckett. Le roman « conventionnel » (au sens où l'on parle d'armes conventionnelles) y est solidement défendu par les Bazin, les Curtis, les Gary, les Groussard, mais les recherches « ésotériques » y ont aussi leur place et ne s'y bornent pas aux manifestes d'Alain Robbe-Grillet. Des poètes « ultra » (ultra-classiques) comme Chabaneix ou André Berry y voisinent avec des révolutionnaires (comme Pichette), avec des lettristes (comme Isou) ou des a-poètes (comme Ponge ou Guillevic), Et Jean Genêt, romancier et dramaturge, n'est pas moins bien traité que Félicien Marceau.*

Ce souci « panoramique » explique la principale critique faite au livre : celui d'embrasser trop d'œuvres (en fait, 1.400 noms et non 2 ou 3.000, comme on l'a écrit, sont cités à l'Index et tous ne sont pas des contemporains). Non sans avoir déploré quelques omissions, chaque critique, en effet, n'a pas manqué de conclure que l'ouvrage aurait pu être raccourci d'une bonne centaine de pages, voire d'un bon quart. Mais nous avions l'ambition d'être complet, donc de n'exclure. a priori aucune œuvre, même naissante où pût se deviner un des écrivains de demain. En attendant de pouvoir faire un tri plus serré, il s'agissait de classer (quitte à changer plus tard quelques étiquettes) et d'informer (l'Index alphabétique permet de se servir du volume comme d'un dictionnaire).

Soigneusement mise à jour et complétée, cette nouvelle édition reste donc fidèle au plan primitif. Si les « jugements » n'ont pas subi de modifications, on a pourtant rectifié quelques erreurs de détail, ajouté quelques noms, abrégé quelques énumérations, allégé quelques citations; le chapitre qui concerne le mouvement des idées a été repris et élargi, les documents en appendice et la bibliographie enrichis, les notices qui figurent en bas de page ont été toutes revues et mises à jour. Ces compléments —

*en attendant, dans quelques lustres, une inévitable refonte —
permettront de disposer de ce volume comme d'un guide dont
l'expérience a accru la valeur, (sans pouvoir le rendre infail-
lible!)*

Tel qu'il est, ce livre permet-il de répondre dès maintenant
à la grave question que nous a posée la critique : la production
littéraire des années 1938-1958 est-elle comparable, en importance et en qualité, à celle des vingt années qui la précèdent ?
Non, répond R.-M. Albérès, car entre 1918 et 1938, « *notre
littérature a vu naître des génies, une fermentation, des thèmes
nouveaux*», alors qu'entre 1945 et 1958 elle n'aurait vu paraître
que « *des hommes brillants, des livres dont on parle, mais point
de courant de pensée ni d'imagination, point non plus de grands
créateurs... dans l'ensemble, 1945-1958 est une époque plate,
malgré pas mal de tam-tam, en face de 1918-1938*». « *Littérature
de J 3 sous-alimentés*», titrait hâtivement le journal Arts. A ne
s'en tenir qu'aux apparences, ces vingt dernières années ne
sauraient faire oublier, en effet, celles qui ont vu les premiers
succès de Mauriac, de Montherlant, de Giono ou de Malraux,
encore moins, bien entendu, le premier quart du siècle qui va
du jeune théâtre de Claudel au monument proustien. Mais il
est trop tôt pour condamner une époque acculée par l'histoire,
qui se souvient encore de la douceur de vivre et ne se résigne pas
à l'Absurde. Les formes nouvelles qui s'élaborent ne sont encore
que des ébauches. Nous saurons dans vingt ans si elles caractérisaient une décadence ou si elles annonçaient au contraire une
littérature nouvelle, classique ou romantique, peu importe.
La situation n'était pas plus claire en 1640, ni même en 1890...

P. B.

Paris, septembre 1958.

AVERTISSEMENT
pour la première édition
(1958)

Une histoire vivante de la littérature d'aujourd'hui...
*l'auteur ne se dissimule ni l'ambition d'un titre qui promet
beaucoup et risque de ne satisfaire personne, ni les périls d'une
entreprise semée d'écueils, qui évoque la quadrature du cercle :
il s'agit de photographier un cheval au galop, d'inscrire dans
un cadre durable un monde en devenir. Lorsqu'il s'agit d'une
actualité mouvante, un tel effort a quelque chose d'insensé :
même l'*Histoire de la littérature française de 1789 à nos
jours, *le chef-d'œuvre d'Albert Thibaudet, a subi l'érosion du
temps et ses derniers chapitres sont aujourd'hui à peu près
inutilisables.*

*Mais s'il n'est guère possible de prendre de la littérature en
train de se faire cette vue cavalière qui fit la gloire d'un Taine
ou d'un Michelet, une critique vivante ne saurait borner son
inventaire aux formes ossifiées de la littérature non plus qu'aux
écrivains entrés dans la lumière refroidie de l'histoire. Son rôle
est au contraire de tirer dès* maintenant *(mais sans assurance
excessive), les œuvres qui comptent du flot d'une production
incessante, de désigner sans plus attendre ceux de nos contemporains que signale le caractère exemplaire de leur expérience
ou de leur style. Tel est l'objet de ce livre.*

*
* *

Celui-ci est d'abord une histoire. *Il n'est ni un pamphlet
ni une esthétique, ni même un manuel, encore qu'il participe de
ces trois genres. Il tente de situer les écrivains en fonction de leur
avenir, de saisir les œuvres dans leur durée et d'enregistrer le*

mouvement d'une littérature où s'inscrivent des centaines d'efforts individuels.

Qui dit histoire dit héritage et tradition : *la littérature de ces vingt dernières années n'est pas sortie tout armée du cerveau de quelques auteurs, eussent-ils nom Sartre ou Camus ; elle est la résultante de forces et d'influences qui ne datent pas toutes de ce siècle. On n'a donc pas hésité à rappeler ce que nous devons à d'illustres devanciers, à commencer par la grande génération symboliste avec laquelle débute la métamorphose de notre littérature. On ne s'étonnera donc pas de voir Gide et Valéry, Claudel et Maurras, Colette ou Romain Rolland tenir leur place dans ce concert.*

D'une manière générale, on a situé les œuvres, non à leur apparition dans le temps (où elles passèrent souvent inaperçues, comme le montre l'exemple de Claudel, de Gide ou de Valéry), mais en fonction de leur maximum d'influence : *de ce point de vue, Gide dispose de plus de pouvoir en 1947 qu'en 1897 ou même qu'en 1909, Malraux en 1945 qu'en 1927 ou même qu'en 1933, Sartre en 1944 qu'en 1938 ; il faut attendre dix années pour que Julien Gracq trouve un public et la mort de Simone Weil pour que soit découverte son œuvre. En littérature non plus, il n'y a pas de génération spontanée.*

*   *

Chemin faisant, nous avons eu à résoudre trois catégories de difficultés.

La première tenait à l'interférence de l'histoire littéraire avec l'histoire tout court. *Aujourd'hui, en effet, l'histoire joue le rôle d'une transcendance, et donne à chaque ouvrage son éclairage et sa signification ; il n'est pas d'écrivains qui ne soient, de gré ou de force, « engagés ». Nous n'avons pas cru qu'il fût possible de parler de la littérature d'hier sans évoquer les événements en fonction desquels se sont situés, qu'ils le voulussent ou non, nos écrivains. Nous aurions considéré comme une lâcheté de faire le silence sur le petit nombre de ceux qui, par faiblesse ou par ignorance, se sont accommodés de la présence de l'ennemi. On s'en scandalisera peut-être : mais Maurras, Brasillach et Drieu avaient leur place dans ce livre, au même titre que Romain Rolland, Saint-Exupéry et Jean Prévost, à qui va pourtant toute notre estime. On pensera peut-être que nous avons attaché trop d'importance à la vie de nos lettres sous l'occupation, à la littérature clandestine ou à l'« épuration» littéraire : mais toutes trois font partie de cette histoire et nous n'avons pu les négliger. Bien entendu, cet ouvrage n'est pas une histoire politique, mais la politique y tient une place dans la mesure où elle s'est traduite dans les idées et dans les œuvres.*

La seconde difficulté tenait au choix des œuvres. *Avouons-le : à l'exception de celles qui, par leur masse, leur signification, leur influence, ont déjà pris leur place dans l'évolution de nos Lettres — les dernières sont celles de Giono, d'Eluard, d'Aragon, de Montherlant, de Saint-Exupéry, de Breton, de Drieu, de Malraux, de Sartre, de Simone de Beauvoir, d'Anouilh et de Camus — ce choix ne peut être qu'arbitraire. Ici, il a fallu parier. C'est en nous fondant sur notre seul goût, sans prétendre faire œuvre de juge, que nous avons mis en évidence Genêt, Beckett ou Roger Vailland, que nous avons accordé plus de place à Pierre Emmanuel qu'à Guillevic, à Françoise Mallet-Joris qu'à Françoise d'Eaubonne, à Roger Nimier qu'à Gabriel Véraldi, sans nous dissimuler ce que ces préférences pouvaient avoir d'injustifié, sinon d'injuste. Au surplus, il ne s'agissait pas d'établir un palmarès ou un bilan, mais de soumettre à l'épreuve d'une critique plus précise quelques œuvres tirées d'un vivier agité. Ne pas nous limiter à quelques dizaines de noms privilégiés (étant entendu que toute œuvre significative ferait l'objet d'une mention) nous aurait contraint à étendre ce volume aux dimensions d'un nouveau Littré.*

La dernière difficulté, *qui touche de près à la précédente,* tenait au classement des œuvres. *Celui-ci pose des problèmes quasi insolubles. Faut-il grouper les œuvres par époques, par générations ou par moments, par genres, par tendances ou par écoles, en fonction du style, du thème ou du public,* le débat reste ouvert qui oppose les « philosophes» de la littérature, *à la manière de Nisard ou de Brunetière (et, plus près de nous, de Georges Poulet, d'Albérès ou de Gaëtan Picon) et ses « historiens», de Thibaudet à Henri Clouard et à René Lalou. Nous n'avons pas pensé qu'il fût possible d'adopter, pour une période aussi proche de l'actualité, une division systématique. Nous avons essayé de retenir de chaque critère ce qui servait notre dessein : nous avons classé ainsi, tour à tour, par générations et par genres.*

Après un « Livre Premier» où la présentation des « témoins» majeurs de l'époque — de Sartre à Françoise Sagan — succède à un historique des vingt dernières années, de la « littérature engagée» à la génération de 1950, nous avons abordé la géographie des œuvres. Après un « prologue» dédié aux « vieux de la montagne» — les derniers symbolistes — et à quelques maîtres, nous avons pénétré dans cette forêt vierge qu'est le roman d'aujourd'hui. Nos premiers pas étaient aisés, puisque nous retrouvions les larges avenues ouvertes par la génération de 1885 — Martin du Gard, Romains, Mauriac, Chardonne, Morand, Jouhandeau — ou par celle de 1900 — Montherlant, Giono, Céline, Marcel Aymé, Audiberti. Ensuite, il a fallu choisir, détacher quelques œuvres significatives du nouveau roman français, de Jean Genêt à Samuel Beckett. Sans ignorer la masse des écrivains fidèles aux procédés traditionnels du roman — d'Hervé Bazin à Michel de Saint-Pierre — nous tenions à faire une place à ceux qui, partis de recherches encore ésotériques, prônent une littérature « objective», libérée de toute arrière-pensée psychologique ou morale, — hier encore littérature d'initiés qui gagne aujourd'hui, avec Alain Robbe-Grillet, Michel Butor ou Nathalie Sarraute, le grand public. Ainsi d'école en tendance, avons-nous patiemment exploré les mille et un bosquets du jeune roman.

C'est en suivant la même ligne de crête — celle qui départage les « conservateurs» et les « révolutionnaires» du langage — que nous avons tenté d'éclairer les aspects, multiples et apparemment contradictoires, de la nouvelle poésie française, depuis les grandes figures de Supervielle, de Perse, de Jouve, de René Char, de Patrice de la Tour du Pin, jusqu'à cette avant-garde dont Henri Pichette, Yves Bonnefoy, Alain Bosquet sont aujourd'hui les représentants les plus assurés.

Dernières étapes de notre périple : le théâtre (en insistant sur le théâtre d'idées et l'Antithéâtre) et la vie des Idées (non seulement l'essai, mais aussi la philosophie, la pensée politique, l'histoire, et même les sciences, dans la mesure où elles informent la création littéraire, ont été l'objet d'un rapide survol) ; en appendice, une bibliographie et quelques documents suivis d'un index alphabétique permettront au lecteur de disposer d'une information exacte sur la vie littéraire de ces vingt dernières années.

Au terme de cet inventaire, nous avons dégagé quelques conclusions pour en arriver à poser cette question finale : notre littérature annonce-t-elle un nouveau langage de formes ?

Cet ouvrage, est-il besoin de le dire, doit beaucoup aux travaux de nos devanciers (1). *Il n'est pour ainsi dire pas d'essai consacré, depuis la Libération, à la chose littéraire, qui n'ait retenu notre attention, pas de courrier ou de panorama que nous n'ayons consulté ou utilisé ; citer ici quelques noms, fussent-ils ceux d'Henri Clouard, d'Emile Henriot, de Robert Kemp, d'Albérès, d'Alain Bosquet, de Pierre Brodin ou de Gaëtan Picon, ne diminue pas notre dette à l'égard de tous les autres. Enfin, les éditeurs ont beaucoup facilité notre tâche en nous faisant bénéficier d'une indispensable documentation. Sans leur aide, les trois mille heures de travail consacrées à cette* Histoire *n'auraient pas suffi à éclairer les vingt années de littérature qui vont des débuts de Sartre à ceux de Françoise Sagan.*

Sans doute y verra-t-on plus clair dans vingt ans sur la littérature qui se fait aujourd'hui. Mais « *nous sommes des gens pressés. Nous avons hâte de nous connaître et de nous juger* (2)».

P. B.

---

(1) On trouvera en appendice la liste des ouvrages à consulter.
(2) Jean-Paul Sartre.

INTRODUCTION

I

LA LITTÉRATURE, QUATRIÈME POUVOIR...

SI le prestige de la France a été cruellement atteint par le désastre de 1940 et par le vieillissement de nos institutions, celui de sa littérature n'a jamais été plus haut. Tout se passe comme si la République des Lettres occupait peu à peu dans l'estime publique la place que lui abandonnait l'Etat républicain. Dans un pays qui ne conduit plus les affaires du monde, qui n'a plus vu, depuis vingt ans, le Prix Nobel récompenser un seul de ses savants, l'art et la littérature sont les derniers domaines où sa suprématie reste incontestée. La notoriété internationale d'un Sartre ou d'un Camus ne le cède guère à celle d'un Proust ou d'un Gide et l'Ecole de Paris continue d'être le pôle d'attraction de tous les arts du monde. Il en résulte un curieux déplacement des valeurs. Un sénateur américain est une puissance ; son homologue français, fût-il ministre, est à peine une curiosité. Il est de bon ton de moquer l'Académie française, mais celle-ci est plus respectée, plus enviée que le Parlement. Le matin de décembre où le Prix Goncourt est décerné fait oublier l'actualité politique. Et quand meurent un Bernanos, un Mounier ou un Eluard, il y a plus d'émotion vraie que lorsqu'un homme d'Etat disparaît. C'est d'ailleurs aux Lettres que tels de nos leaders les plus célèbres doivent une bonne part de leur prestige — hier Léon Blum et Edouard Herriot, aujourd'hui le général de Gaulle ou M. Jacques Soustelle.

Un étranger, bon observateur de la réalité française,

M. Herbert Lüthy notait avec surprise (1) qu'en France les
écrivains occupent la première place dans la hiérarchie des
valeurs parce que « supérieurs à toute spécialisation, ils
incarnent la civilisation elle-même». Ils sont des hommes
publics, plus que les politiciens. Une interview de Malraux,
un article de Sartre, une épigramme de Mauriac impressionnent une opinion que laissent indifférente les discours domini-
caux de nos Excellences. Depuis que leurs œuvres sont passées
au rang de biens nationaux, les écrivains ont pris conscience
de leur importance ; il en est même auxquels cette considération fait un peu perdre la tête : « ... Leurs plats préférés et
leurs dadas font concurrence, dans les colonnes des quotidiens,
aux grands événements mondiaux. On publie leurs lettres
intimes de leur vivant... Rien de ce qui les touche n'est privé
et, tels les dieux de la Grèce, ils paraissent nus, sans honte,
aux feux de la rampe. Le plus étonnant est qu'ils trouvent
le temps et le moyen d'écrire (2).»

Le fait est là : *la littérature est devenue*, au même titre que
la presse où elle s'exprime largement (en France, la pensée
politique se forge souvent dans les cercles et les revues littéraires), *un quatrième pouvoir* (3). Le gouvernement spirituel
de la France siège, plus qu'à l'Hôtel Matignon, au milieu de
ces Champs-Elysées imaginaires où Mauriac et Sartre, Malraux, Camus, Simone de Beauvoir et dix autres disputent
de la question capitale : « Qu'est-ce que l'homme ? Que doit-
il faire ? » C'est dire que si, en France, l'« amour est beaucoup
plus que l'amour», la littérature est aussi beaucoup plus que
la littérature.

---

(1) et (2) *A l'heure de son clocher* (Calmann-Lévy).

(3) Ajoutons, d'ailleurs, que l'édition est *aussi* une grande industrie nationale
qui exporte en livres le quart de son chiffre d'affaires (6 milliards en 1954) ;
et si la « littérature» proprement dite ne couvre que le tiers de l'édition française, elle représente la moitié de nos exportations en livres.

II

NOTRE LITTÉRATURE
EST UN LANGAGE DE FORMES

D E l'avis de tous les observateurs — de Friedrich Sieburg
à Keyserling et d'Ernst-Robert Curtius à Lüthy —
la France s'est mieux exprimée dans son abondante
production littéraire que dans toute autre activité. Fonction
sociale par excellence, « seule science possible dans une société
faite de relations individuelles » (1), la littérature jouerait
le rôle d'une *Catharsis* collective. « Les Français ne sont pas
une nation philosophique, ni même une nation essentiellement artistique, mais en revanche ils sont *la* nation littéraire
par excellence. Nulle part, dans le monde moderne, la littérature, il s'en faut de beaucoup, ne joue un rôle aussi grand
qu'en France », notait Keyserling (2) qui reprochait déjà à
notre pays de projeter toutes les valeurs sur le plan irréel
des idées. A chaque Français déçu par l'Histoire, son patrimoine spirituel apporte une consolation et une certitude.
« Pas de lecture qui ne se termine en mission », écrivait Giraudoux, nous montrant (3) chaque Français « remis par sa
langue et par son écriture dans une chair et à un poste qui
ne comportent ni la ride, ni la haine stérile, ni l'abandon »,
« responsable du printemps français avec Charles d'Orléans,
de la douceur française avec Marivaux, de la colère française
avec d'Aubigné ».

Dans cette perspective, le monde semble n'avoir été créé,
selon le mot de Mallarmé, que pour aboutir à un beau livre.
Le langage n'est plus un moyen ; l'écrivain ne se contente

---

(1) LUTHY, *op. cit.*
(2) *Analyse spectrale de l'Europe.*
(3) Dans *Littérature.*

pas de lui conférer la transparence, l'impersonnalité de la
vitre qui nous sépare du monde réel, il le considère comme
le pôle de la création. Il n'est d'ailleurs pas jugé sur la *matière*
qu'il apporte, mais sur la *manière* dont il la traite ; on ne lui
demande pas, même s'il est romancier, de créer un *monde*
mais un *style*. Le style sauve tout, justifie tout et fait tout
oublier. L'art est un langage de formes et n'est rien d'autre ;
tout ce qui, dans la production littéraire, échappe à sa transfiguration, se trouve rejeté dans la mer innombrable de
l'imprimé.

En ce XXᵉ siècle où la France risque à tout moment d'être
entraînée dans le duel des géants, la rivalité des apprentis
sorciers et le déchaînement des techniques, l'art reste encore
le laboratoire où l'on s'efforce de « donner un sens plus pur
aux mots de la tribu», où les mots sont pesés et taillés comme
autant de pierres précieuses. A l'époque des idoles, des
monstres et des robots, les écrivains français continuent de
pétrir la statue d'un héros imaginaire qui s'est appelé tour à
tour le chevalier, l'honnête homme, le poète engagé, l'aventurier prométhéen. Comme au temps de Michelet, comme à
celui de Pascal, l'esprit français, qu'il affirme ou qu'il nie
l'existence d'un Créateur, reste fidèle à la définition de
Bergson : il est *une machine à faire des dieux*.

III

UNE MÉTAMORPHOSE :

DU SYMBOLISME A LA LITTÉRATURE ENGAGÉE

ENTRE 1900 et 1917, la littérature française subit une profonde métamorphose. Au début du siècle (1) paraît une floraison d'œuvres — Claudel, Gide, Proust, Valéry — qui constituent en elles-mêmes une Renaissance : un nouvel âge de notre littérature s'ouvre qui ne doit pas plus au romantisme qu'au naturalisme, et qui n'est pas non plus un retour au classicisme (2). Si ces écrivains, tenus alors pour des révolutionnaires, sont appelés à faire un jour figure de classiques, c'est en ceci : ils ordonnent leur œuvre en fonction du seul langage. Leurs premiers livres naissent dans un monde encore en sécurité, protégé de la guerre, du désordre, de la révolution, en ce « moment délicieux» qui, selon Valéry, sépare l'ordre du désordre. « Les institutions tiennent encore. Elles sont grandes et imposantes. Mais sans que rien de visible soit altéré en elles, elles n'ont guère plus que cette belle présence... Le corps social perd doucement son lendemain. C'est l'heure de la jouissance et de la consommation générales» (3), celle de la « douceur de vivre». Dans ces années

(1) Et même un peu avant : la première version de *Tête d'Or* est de 1889 (l'année du *Disciple*...), *Ubu-Roi*, si « moderne», et l'*Introduction à la méthode de Léonard de Vinci* sont de 1895.

(2) Mais cette révolution — car c'en est une — ne se limite pas à la littérature. Elle va se propager, gagner la peinture — et c'est l'explosion du cubisme, les premiers papiers-collés de Braque et de Picasso, la naissance de l'art abstrait — l'architecture — Perret bâtit l'église du Raincy, premier jet du béton armé. C'est seulement au lendemain de la Grande Guerre, quand l'Ecole de Paris, longtemps méconnue en France, aura triomphé dans le monde entier, que nous commencerons à admettre que l'architecture de nos mots, de nos formes et de nos images a changé de mesure — révolution comparable à celle qui vit, voici cinq siècles, la peinture conquérir la troisième dimension.

(3) *Variété.*

qui précèdent la guerre de 1914, Barrès, Péguy, Psichari
appellent les jeunes Français aux armes ; Romain Rolland
rêve sur les vies héroïques de Beethoven, de Michel-Ange,
de Tolstoï ; le cubisme bouleverse les arts plastiques. *Le
Grand Meaulnes* d'Alain-Fournier, *Barnabooth* de Valery
Larbaud, *Provinciales* de Giraudoux, *Alcools* d'Apollinaire
qui paraissent à la veille de la guerre, annoncent de nouveaux
courants et sont aussi les dernières images des temps heureux
qu'abolit le tocsin. En arrivant à Paris ce fatal 31 juillet 1914,
jour de la mobilisation, le poète Guillaume Apollinaire et
son ami André Rouveyre comprirent soudain :

*Que la petite auto nous avait conduits dans une époque nouvelle
Et bien qu'étant déjà tous deux des hommes mûrs
Nous venions cependant de naître.*

Une guerre totale de quatre années décapite la France et
fauche sa jeunesse (parmi les écrivains, Péguy, Psichari,
Alain-Fournier, Emile Clermont, André Lafon, Louis Per-
gaud, Apollinaire, pour s'en tenir aux plus connus). *Pourtant,
jamais la littérature et l'art français n'ont paru si éclatants.*
Tandis que les « quadragénaires stockés dans les chapelles »
(pour reprendre l'expression que Thibaudet appliquait à la
génération de Claudel et de Gide) accédaient enfin à la célébrité internationale, leurs épigones — Mauriac, Montherlant,
Morand, Cocteau, Drieu, Duhamel, Romains, Martin du Gard,
et bientôt Giono, Bernanos et Malraux — se voyaient dis-
pensés du stage exigé jusqu'ici des candidats à la gloire littéraire. Un instant, dans le feu d'artifice des « golden twenties »
célébrées par Scott Fitzgerald, on put croire que le Progrès
allait reprendre son cours pacifique et rémunérateur : l'exotisme de Morand, de Valery Larbaud, l'évasion poétique de
Cendrars et de Giraudoux, l'alibi du bonheur bourgeois dans
les romans de Chardonne traduisent cette démobilisation
des esprits. Mais, au même moment, Valéry déclarait : « Nous
autres, civilisations, nous savons que nous sommes mortelles » et peignait « l'impuissance de la connaissance à sauver
quoi que ce soit », la science « atteinte mortellement dans ses
ambitions et comme deshonorée », tandis que le surréalisme
mettait en accusation la société, la raison et le langage.

IV

L'AVENTURE SURRÉALISTE

LE surréalisme se développe dans deux directions. Il se propose d'abord d'« échapper aux contraintes qui pèsent sur la pensée surveillée », d'explorer ces « champs magnétiques » de l'inconscient que Freud vient de mettre à la mode, de retrouver « l'effervescent contact de l'esprit avec la réalité ». Mais les surréalistes ne se contentent pas de fixer des images que Breton compare à celles de l'opium, de faire appel à l'enfance et au rêve (comme hier Hölderlin, Kleist et Nerval), ils veulent unir poésie et révolution, *changer le monde* comme le veut Marx, *et la vie*, comme Rimbaud. En s'attaquant au langage, ils croient frapper la société à la tête ; en contribuant au « discrédit total du monde de la réalité », préparer l'avènement de la Révolution. Avec eux, la poésie dépasse la littérature, prétend être une expérience vitale et prend la place de la religion. Comme le notait Jacques Rivière, « l'écrivain est devenu prêtre ; tous ses gestes n'ont plus tendu qu'à amener dans cette hostie qu'était l'œuvre la *présence réelle* ».

Paradoxalement, le surréalisme, impuissant à faire la Révolution, a fini par s'agréger au patrimoine. On lui doit peu d'œuvres exemplaires, mais toute une génération a subi son influence. Les plus vivants poètes de ce temps se situent par rapport à lui : Cendrars, dont l'admirable *Prose du Transsibérien* fait regretter qu'il n'ait pas mieux dominé ses richesses, Aragon, Eluard, Breton, Desnos, bien sûr, Reverdy et Max Jacob, André Salmon, le tendre Fargue et l'obscur Jean de Boschère, jusqu'à la génération de Prévert et de René Char.

A partir des années quarante, la réalité quotidienne deviendra surréaliste : *Le Procès* de Kafka se jouera dans toutes les capitales et chaque soir la radio de Londres émettra d'étonnants *à la manière de* Péret ou de Ribemont-Dessaignes. A quoi bon rivaliser avec cet hermétisme tragique ? Aragon, Eluard, Desnos abandonneront leurs recherches oniriques pour chanter l'amour et la patrie. Impuissant à « refaire de toutes pièces l'entendement humain», le surréalisme finira par figurer, lui aussi, dans les manuels d'histoire littéraire. « Il noircit beaucoup de papier, dira cruellement Jean-Paul Sartre, mais il ne détruit jamais rien pour de vrai... Ce monde, perpétuellement anéanti sans qu'on touche à un grain de ses blés... est tout simplement *mis entre parenthèses* (1). »

(1) *Situations.*

V

LA GÉNÉRATION DE 1930

CETTE critique métaphysique de l'existence est reprise et approfondie, à partir des années 1930, par une nouvelle génération où les philosophes prennent la relève des poètes et des romanciers. A l'humanisme pacifiant prêché par Martin du Gard, Duhamel et Romains, la génération de Mounier, de Sartre et de Malraux oppose une conscience tendue des périls ; à la possession d'un monde rationnel et perfectible succède la hantise de l'histoire et de ses responsabilités. Le monde protégé de la jeunesse de Gide et de Mauriac est déjà loin ; la disponibilité, l'évasion ne tentent plus personne. Gide lui-même, à la suite des surréalistes, se rapproche du communisme. Céline met à jour dans le *Voyage au bout de la Nuit* et dans l'inoubliable *Mort à crédit*, la cruauté d'un univers sans âme, qui inspirera, à la veille de la deuxième guerre mondiale, *la Nausée* de Sartre et les affreuses nouvelles du *Mur*. Des camarades de la rue d'Ulm et de la Sorbonne dénoncent le « désordre établi» et tentent de définir les grandes lignes d'un humanisme socialiste, de type marxiste ou chrétien (Arnaud Dandieu, Georges Izard, Daniel-Rops lancent *l'Ordre Nouveau*, Emmanuel Mounier fonde *Esprit*). La guerre d'Espagne sera la grande affaire de cette génération avide d'engagement et de responsabilité. Les intellectuels courent s'engager dans les Brigades Internationales (Malraux, Koestler, Hemingway). Bernanos, peu suspect de sympathies révolutionnaires, flétrit la terreur blanche à Majorque dans *les Grands Cimetières sous la Lune*. La guerre, enfin, va achever de dévaloriser la littérature de dilettantisme et de divertissement au profit du témoignage.

Que lègue l'entre-deux-guerres à la littérature d'aujourd'hui ?
D'abord, *les grands massifs littéraires* dont Proust et Claudel,
Gide, Valéry, Alain, Romain Rolland avaient jeté les bases
au début du siècle mais qui n'ont pris qu'avec le temps toute
leur signification. Puis, *les ambitieux romans-cycles de la
génération de 1885 :* les portraits d'une inspiration humaniste
et sociale de Roger Martin du Gard et de Jules Romains, de
Georges Duhamel et de Jacques de Lacretelle ; les romans du
bonheur de Chardonne, de Maurois, d'Arland ; *les romans
chrétiens à signification métaphysique* de Bernanos, de Mauriac,
de Joseph Malègue, de Julien Green, de Daniel-Rops, de Van
der Meersch auquel on peut rattacher le théâtre de Gabriel
Marcel et les essais de Jacques Maritain. Ensuite, une *littérature de pensée vécue,* aux confins du roman d'aventures
et du dialogue d'idées, inspirée par une morale de l'action et
que le don du style transfigure : les romans et les essais de
Drieu la Rochelle et de Montherlant, de Malraux, de Jean
Prévost, de Saint-Exupéry.

Ne cherchons pas à classer le théâtre de Giraudoux, les
nouvelles de Morand, les romans de Céline et de Giono, les
anas de Jouhandeau (dont il sera parlé plus loin) ni les beaux
textes de Breton, de Desnos ou de Soupault, conclusion paradoxale de l'aventure surréaliste. N'oublions pas enfin que
cette période bénéficie des travaux du plus grand critique
français depuis Sainte-Beuve — le Bourguignon Albert
Thibaudet — amateur de grands crus gastronomiques et
littéraires, capable de s'intéresser également à Flaubert et
à Marcel Proust, aux « princes lorrains » et aux surréalistes (1).
Mais déjà ont paru les premières œuvres de ceux qui seront,
quinze ans plus tard, les grands témoins du demi-siècle :
un récit et des nouvelles de Sartre, un essai de Camus, quelques articles de Simone Weil.

La deuxième guerre mondiale va hâter le mûrissement de
cette dernière génération. Les puissants fleuves romanesques
des Mauriac, des Montherlant, des Giono ne seront pas détournés de leur cours ; mais d'autres trouveront leur orientation
décisive. Dix années de « littérature engagée » vont déferler
sur la France, auxquelles succéderont, à partir de 1950, en

---

(1) N'oublions pas non plus Charles du Bos, ce métaphysicien chrétien de
la critique qui tient dans l'essai le rôle que Proust a tenu dans le roman.

réaction contre des œuvres trop dépendantes de la politique et de la philosophie, des ouvrages plus libres à l'égard de l'actualité, plus exigeants quant à la forme et qui rappelleront parfois, curieusement, la mode des années 1920. Aux démonstrations péremptoires de Sartre et de son école répondront des œuvres dégagées de Malraux et de Camus, et, chez les écrivains de la dernière génération, des romans plus proches de la *Princesse de Clèves* et d'*Adolphe* que du roman américain, des essais de ton très libre et même désinvolte. Ne nous plaignons pas de ces contradictions : elles alimentent une des riches productions de notre histoire littéraire.

LIVRE PREMIER

LES GRANDS TÉMOINS
DE LA LITTÉRATURE D'AUJOURD'HUI

De Sartre à Françoise Sagan

CHAPITRE PREMIER

GUERRE, OCCUPATION, RÉSISTANCE

(1939-1944)

I

LITTÉRATURE FRANÇAISE
A L'HEURE ALLEMANDE

1

Le climat de la guerre et de l'occupation

Si l'histoire de l'entre-deux-guerres, selon Herbert Lüthy (1), se résume en « une tentative désespérée de la France de fermer ses fenêtres au monde et de construire autour d'elle une muraille de Chine», la deuxième guerre mondiale a appris à chaque Français qu'il était« lié au monde» pour le meilleur et pour le pire. S'interrogeant sur « l'étrange défaite » de 1940, l'historien Marc Bloch constatait : « Ce qui vient d'être vaincu, c'est notre chère petite ville. Ses journées au rythme trop lent, la lenteur de ses autobus, ses administrations somnolentes... l'oisiveté de ses cafés de garnison, ses politicailleries à courte vue, son artisanat de gagne-petit... sa méfiance envers toute surprise... voilà ce qui a succombé devant le train d'enfer... d'une Allemagne aux ruches bourdonnantes (2).» Cette France de la« petite ville» crut trouver un moment, dans les institutions patriarcales et désuètes de l'Etat vichyssois, dans ses corporations, son retour à la terre et son exaltation de la tradition, un régime à sa mesure. Rappelez-vous le triste spectacle de la France, au début de l'occupation allemande. La « grande nation» était pratiquement rayée de la carte du monde ; le froid, la faim, la misère régnaient maintenant sur ses villes heureuses. Dieu avait cessé d'être français ; la patrie de la liberté livrait à l'ennemi les réfugiés qui lui avaient demandé asile.

(1) *A l'heure de son clocher, op. cit.*
(2) Marc Bloch, *L'Etrange Défaite* (Albin Michel).

L'opinion publique, dans sa grande majorité, n'avait pas
répondu à l'appel du général de Gaulle ; elle avait accueilli
l'armistice avec soulagement et ne songeait pas encore à
contester l'autorité du gouvernement « légitime » auquel une
république agonisante avait donné l'investiture. Elle se rac-
crochait à la fiction d'une zone « libre » — jusqu'en novembre
1942 —, à l'intégrité de l'Empire, aux vertus rassurantes du
Maréchal Pétain. Même en zone occupée, « les Allemands
ne parcouraient pas les rues l'arme au poing, ils ne forçaient
pas les civils à descendre devant eux des trottoirs, ils offraient
dans le métro leur place aux vieilles femmes, s'attendris-
saient volontiers sur les enfants. On leur avait dit de se montrer
corrects, ils se montraient corrects, avec timidité et application », a noté lui-même Jean-Paul Sartre (1), pourtant peu
suspect de sympathie pour l'occupant. « Et n'allez pas non
plus imaginer chez les Français, je ne sais quel regard écrasant de mépris. Certes, l'immense majorité de la population
s'est abstenue de tout contact avec l'armée allemande, mais
il ne faut pas oublier que l'occupation a été quotidienne.
Quelqu'un à qui on demandait : « Qu'avez-vous fait sous
la Terreur ? » répondit : « J'ai vécu. » C'est la réponse que
nous pourrions tous faire aujourd'hui. »

Le fossé n'était pas encore creusé qui devait, bientôt,
séparer « Résistance » et « Collaboration ». Le peuple français,
écrasé par la défaite, se repliait sur lui-même. « En réalité,
il n'y avait pas de bloc de Vichy, mais un régime d'occasion
qui tentait de sauver ce qui pouvait être sauvé... L'écroulement militaire de 1940 avait été si brutal et si soudain qu'il
était apparu comme une catastrophe naturelle devant laquelle
on ne prend pas position, mais à laquelle on se plie... Et la
Résistance elle-même n'était pas un bloc, mais le bassin où
venaient se réunir tous ceux que le patriotisme, les convictions politiques, la terreur croissante, la chasse aux hommes
des recruteurs du travail obligatoire ou, plus tard, la certitude
de la défaite allemande, jetaient dans l'opposition, dans l'exil
ou l'illégalité (2). »

L'histoire de l'occupation reste à faire : il ne sera pas facile
de la délivrer de la simplification des propagandes. Au fur

(1) « La République du Silence » (in *Situations*, II).
(2) Luthy, *op. cit.*

et à mesure, la présence de l'ennemi se faisait plus lourde, sa défaite plus certaine, le devoir de résister plus clair. Encore n'était-il pas facile de savoir si cette résistance devait être active ou passive. Pour qu'elle fût efficace, « il eût fallu que le cheminot refusât de conduire son train... le paysan de labourer. Le vainqueur en eût peut-être été gêné, mais la nation se fût assuré de périr tout entière dans le plus bref délai» (ces lignes de Sartre enferment la seule justification possible du régime de Vichy). Travailler, assurer au pays, malgré réquisitions et bombardements, un minimum vital et un semblant d'organisation économique, étaient donc aussi des devoirs : nécessairement, la Résistance active était le lot d'une minorité.

Dans ces conditions, quel était le rôle de l'écrivain ? Devait-il prendre parti publiquement, « s'engager» ou, dédaignant l'actualité, se consacrer à des œuvres inactuelles ? De toute manière, un beau livre était une porte ouverte sur l'avenir, une liberté donnée à l'esprit. En ce temps-là, bien des poèmes d'amour furent entendus comme la voix même de la liberté. Les plus audacieux de nos écrivains, un Aragon, un Eluard, avancèrent d'abord sous ce masque.

2

ÉCRIVAINS FRANÇAIS A L'HEURE ALLEMANDE

Quelques-uns d'entre eux s'étaient fort bien accommodés de la défaite et de ses conséquences. « Les deux Abel», Hermant le romancier des Courpière, et le poète Bonnard, devenu ministre de l'Education Nationale, avaient suivi la mauvaise pente d'une vanité sénile.

Pour l'honneur de la littérature française, on compte sur les doigts les cas de trahison explicite, alors que la résistance intellectuelle a suscité chez les écrivains des dévouements qui allèrent parfois jusqu'au sacrifice total. Avant d'aborder le magnifique inventaire des lettres françaises à l'heure du silence, de l'exil ou de la clandestinité, il convient de rappeler les raisons, qui ne furent pas toutes déshonorantes, qui poussèrent quelques écrivains à accepter le « nouvel ordre européen».

Alphonse de Châteaubriant (1) crut trouver ainsi dans la mythologie national-socialiste, un écho à ses lyriques invocations.

Bagatelles pour un Massacre, tout inspiré par un antisémitisme viscéral, *l'Ecole des Cadavres*, gammes délirantes où il annonçait l'hécatombe, pouvaient, certes, laisser deviner la position qu'allait prendre Louis-Ferdinand Céline (2), emporté par son mépris haineux de la démocratie bourgeoise. De même avait-on vu, à l'automne 1939, Jean Giono (3), fidèle à sa mystique anarchiste, refuser de répondre à la conscription. Interné quelques semaines au fort Saint-Nicolas, puis libéré, il publiait *Triomphe de la Vie*, dont la propagande de Vichy devait faire grand cas, montant en épingle son apologie de l'artisanat, du passé, des « vraies richesses ».

Du moins le cas Giono souligne-t-il le caractère exceptionnel, lorsqu'il s'agit d'écrivains de cette qualité, d'une collaboration qui n'alla jamais jusqu'à la trahison. Le voyage à Weimar de quelques irresponsables, de regrettables chroniques de Jacques Chardonne, le *Journal* intelligent et ambigu d'Alfred Fabre-Luce, le lyrisme égaré d'Alphonse de Châteaubriant ont peu de poids lorsqu'on les compare au choix de Maurras, de Brasillach et de Drieu.

3

CHARLES MAURRAS
(1868-1952)

Encore serait-il absurde de faire de Maurras un « collaborateur » : pas un instant, l'Allemand n'a cessé d'être pour lui l'ennemi. La « divine surprise » ne fut pas celle que lui

---

(1) Alphonse de Châteaubriant, né à Rennes en 1877, mort à Kitzbühl en 1951, après avoir passé en exil les dernières années de sa vie (il avait été directeur de *la Gerbe* sous l'occupation), avait obtenu le Prix Goncourt 1911 pour *Monsieur des Lourdines*, son premier roman, et le Grand Prix du roman de l'Académie française pour *la Brière* (1923). Son dernier livre est une *Lettre à la chrétienté mourante*.

(2) Cf. PREMIÈRE PARTIE, LE ROMAN, Rancœur et passion de Céline.

(3) Cf. *idem*, Revanche et Triomphe de Giono.

causa la défaite de 1940 qu'il avait redoutée, sinon prévue,
mais la venue de ses idées au pouvoir en la personne du
« plus Français des Français», le Maréchal Pétain. Entêté
dans ses refus et ses exclusives, le chef du nationalisme
intégral devait se montrer aussi hostile aux « collaborateurs»
parisiens (il désavoua Brasillach et Rebatet) qu'aux gaullistes :
il pensait tenir ainsi la balance égale entre les ennemis de la
France (il était, d'ailleurs, haï par Laval et par la gauche de
la collaboration) sans s'apercevoir qu'il faisait le jeu du pire.

En 1940, la défaite avait conféré à ses avertissements un
sens prophétique. Son prestige était encore intact ; il n'était
pas interdit de croire que Maurras recevrait un jour ces
obsèques nationales que Bernanos lui avait prédites dans
les Grands Cimetières sous la Lune. (« Ses obsèques seront une
grande manifestation d'Union nationale. La dépouille de
l'illustre écrivain, désormais glacée, recevra les services de
M. de Borniol et les hommages de vingt mille autres Borniols
politiques et patriotes, avec leurs insignes, leurs oriflammes,
leurs chants guerriers, vingt mille Borniols qui, de génération
en génération, portent gravement en terre les espérances de
la patrie.»)

Chaque matin, pendant quatre ans, on le vit, dans *l'Action
française*, réaffirmer sa haine de la démocratie, comme s'il
ne s'apercevait pas que la présence de l'armée allemande
sur le sol français changeait du tout au tout le sens de sa
lutte. « L'homme d'action, avait-il écrit, n'est qu'un ouvrier
dont l'art consiste à s'emparer des fortunes heureuses... art
de guetter l'heureux hasard» ; mais un malheureux hasard
avait fait de lui le complice involontaire de cette hégémonie
allemande sur l'Europe contre laquelle il avait si longtemps
lutté. Certes, les mots d'*intelligences avec l'ennemi*, appliqués
à un homme de sa trempe (par la Cour de Justice du Rhône
qui devait, le 25 janvier 1945, le condamner à la réclusion
perpétuelle) ont quelque chose d'odieux, de dérisoire. C'est
plutôt d'une *mésintelligence des devoirs de l'esprit* qu'il faudrait parler, mésintelligence qui l'inclinait à taxer ses ennemis
— qu'ils fussent juifs, francs-maçons ou seulement démocrates-
chrétiens — d'indignité permanente à l'égard d'une patrie
française qui resta toujours pour lui plus abstraite que chari-
nelle.

4

LE DÉSESPOIR DE DRIEU LA ROCHELLE
(1893-1945)

Le cas Drieu (1) est plus tragique. L'auteur de *Mesure de la France* avait été la plus ardente promesse de l'entre-deux-guerres : il n'avait même été que promesse. On l'attendait à chacun de ses livres, déçu, mais plein d'espoir ; en lui, la qualité de l'homme était minée par le sentiment irrémédiable de la décadence française. Rarement le contraste entre l'acuité de l'intelligence et la faiblesse du caractère aura été poussé à un tel degré. Sans illusion sur l'avenir, Drieu, d'instinct, choisissait le pire. Dès 1920, il dénonçait le malthusianisme de ses compatriotes : « Si les Français veulent rester un grand peuple, il faut qu'ils commencent par avoir des

---

(1) Pierre Drieu la Rochelle est né à Paris en 1893. Il fréquente l'Ecole des Sciences Politiques avec Raymond Lefèvre et Vaillant-Couturier. Après une guerre brillante (blessé trois fois), il publie des poèmes de guerre, orgueilleux, de ton claudélien : *Interrogation* (1917) et *Fond de cantine* (1919), et *Mesure de la France* (1922) qui le rend notoire. Entré à la *N.R.F.*, il mène une triple activité d'écrivain, de journaliste et d'homme politique ; fonde *les Derniers Jours* (1937) avec Emmanuel Berl et dirige la *N.R.F.* de 1940 à 1944. Marié deux fois, il se tue dans la nuit du 15 mars 1945.

On notera avec curiosité que son cadet Brasillach, proche de lui par le romantisme français, l'avait exécuté dans un de ses *Portraits (Drieu la Rochelle ou le feu de paille)* où il le décrivait (en 1939) comme « un feu follet dans la nuit, un feu éphémère qui eut un instant quelque chose de magique ». Dans l'« énumération de volumes à demi-oubliés » tenait désormais pour Brasillach, l'aventure d'une génération littéraire, « une aventure désormais close ».

Principaux ouvrages de Drieu :

Essais : *Mesure de la France* (1922) ; *le Jeune Européen* (1927) ; *Genève Moscou* (1928) ; *Socialisme fasciste, l'Europe contre les patries*, etc.

Romans : *L'Homme couvert de femmes* (1925), *Blèche* (1929), *la Comédie de Charleroi* (1934), *le Feu follet* (1931), *Drôle de voyage* (1933), *Rêveuse Bourgeoisie* (1937), *Gilles* (1939), *l'Homme à Cheval* (1943), *le Journal d'un Homme trompé*.

Un recueil de nouvelles : *Plainte contre inconnu* (dans lequel figure *la Valise vide*).

Au théâtre : *Chef* et *l'Eau fraîche*.

Un posthume : *Récit secret*.

Sur l'homme et l'œuvre, on pourra consulter : PIERRE ANDREU, *Drieu, témoin et visionnaire* (Grasset) ; POL VANDROMME, *Drieu la Rochelle* (Editions Universitaires) ; DRIEU LA ROCHELLE, *témoignages et documents* (*Défense de l'Occident*, février-mars 1958) ; Bernard FRANK, *La panoplie littéraire* (Julliard, 1958).

enfants.» Mais lui-même se gardait d'en faire. L'« homme couvert de femmes» fuyait de lit en lit, en proie à la « fascination du vide». S'il n'avait pas fait la guerre *pour rire* en 1914 (comme devait l'en accuser Sartre) — il avait été blessé à Verdun — il était monté au front, comme Montherlant, avec une âme d'amateur. Lui aussi avait célébré l'amitié virile, la « souveraine présence de l'âme de la guerre» qu'il chercherait en vain, la paix revenue. Tour à tour, le cubisme, le surréalisme, le marxisme l'avaient tenté. Nostalgique de l'ordre, il allait «faire sa prière au dieu des révolutions», longtemps hésitant entre le fascisme et le communisme. Il avait deviné que l'Europe risquait d'être écrasée entre les deux nouveaux colosses, l'Américain et le Russe («l'Amérique s'est levée, écrivait-il en 1920, et toute l'échelle des grandeurs politiques est à refaire... Peuples d'Europe, réduits et exténués, nous sommes entre ces deux masses : Amérique et Russie»), mais il cessait bientôt de croire aux solutions qu'il proposait. Ses romans ne le satisfaisaient pas plus que ses essais : car les héros qu'il ne pouvait se retenir de peindre — le plus vivant, Gilles, lui ressemble comme un frère — étaient, comme lui, paralysés par cette incapacité de choisir qui devait bientôt l'entraîner vers le pire.

« *Un homme actif et pessimiste à la fois, c'est ou ce sera un fasciste, sauf s'il a une fidélité derrière lui*» : les dernières années de Drieu illustrent cette maxime de Malraux (dans *l'Espoir*). Le 6 février 1934, Drieu avait frémi de bonheur en songeant que l'Europe allait renaître à «la vraie vie, pleine de danses, de chants et de prières». On le vit donner une adhésion, vite déçue, au P.P.F. de Jacques Doriot; puis, lorsque vinrent une guerre et une défaite qu'il avait prévues et prédites, son pessimisme l'emporta et lui dicta de «laisser mourir la France pour qu'elle revive». N'avait-il pas lui-même défendu « l'Europe contre les patries» ? Il accepta donc de prendre, dans Paris occupé, la direction de la *N.R.F.*, aux premiers numéros de laquelle collaborèrent non seulement Chardonne et Ramon Fernandez, mais Gide, Valéry, Louis de Broglie, Marcel Arland, Léon-Paul Fargue et même Aragon et Eluard. Mais bientôt, il devint évident que la *N.R.F.* jouait sa partie dans l'Europe allemande, dont Drieu célébrait dans *la Gerbe* (d'Alphonse de Châteaubriant) et dans *Révolution Nationale* « la convergence et la plénitude

de tous les grands éléments humains : force du corps, élan
de l'âme et savante maîtrise de l'esprit». Le 30 mars 1941,
éclairé par la parution des *Chroniques* de Chardonne, Gide
télégraphiait à Drieu pour lui demander d'enlever son nom
de la couverture de la revue.

Drieu allait rester seul. L'«orgueil de la collaboration»
lui dicta des lignes insensées («L'hitlérisme me paraît plus
que jamais comme le dernier rempart de quelque liberté en
Europe») et des actes d'autant plus absurdes (après avoir
sabordé la *N.R.F.* en mars 1943, il reparut sur les estrades
du P.P.F. au milieu d'officiers nazis) qu'ils étaient loin
de correspondre à sa pensée : mais il ne voulait pas qu'on
pût croire qu'il fuyait un navire qui faisait eau de toutes
parts. (Il dit même à Pierre Andreu : «Il y a tant de gens qui
me haïssent, j'ai voulu leur donner une raison bien claire de
me haïr et de me tuer.») A l'étranger, des amis lui avaient
ménagé des retraites sûres : il refusa de s'y rendre.

La Libération arriva. Il aurait supporté d'être vaincu, non
d'être déshonoré. Il n'était pas, il n'avait jamais été «un
intellectuel qui mesure prudemment ses paroles». Il avait
perdu, on le déclarait traître, tout était dans l'ordre : il pré-
féra disparaître plutôt qu'affronter ses juges. Une fois de plus,
il hésita, manqua deux fois son suicide avant de finir par se
tuer, non sans laisser derrière lui, comme une dernière justification, ce bouleversant *Récit* posthume où il a placé toute
sa vie sous la lumière de la mort, de la tentation du suicide
qui l'aurait toujours habité.

Dix ans après cette fin lamentable, Drieu se rapproche de
nous : une légende se forme, ses livres, oubliés de son vivant,
se mettent à lui composer une biographie imaginaire à laquelle
les héros de *la Valise vide*, de *Gilles*, de *l'Homme à cheval*
prêtent leurs traits et leurs propos. Sa lucidité, surtout, paraît
prophétique. N'écrivait-il pas, en 1943, dans la *N.R.F.*
allemande : «La seule puissance capable de remplacer l'Allemagne en Europe est la Russie» ? N'annonçait-il pas :
«Les hommes de la Résistance verront qu'ils ne sont pas plus
nombreux que ne l'étaient ceux du 6 Février, les vrais. La
Résistance se dissoudra en un instant, comme le 6 Février,
comme le Front Populaire.» Le terrible portrait de Sartre,
dans *les Lettres françaises* clandestines, ne le cerne déjà plus
(«un long type triste au crâne énorme et bosselé, avec un

visage fané de jeune homme qui n'a pas su vieillir, écrivait Sartre du Drieu de 1944... il ne pensait rien, il ne sentait rien, il n'aimait rien, il était lâche et mou, sans ressort physique ni moral, une valise vide... Il fit la fête, prit de la drogue, tout cela modérément, par pauvreté de sang, et puis, au moment où sa stupeur haineuse devant lui-même menaçait de tourner au tragique, il trouva le truc pour se supporter : ce n'était pas sa faute s'il était un mauvais petit garçon dans un corps d'homme, c'est que notre époque était « celle des grandes faillites »). Et l'on est presque tenté d'oublier ce destin manqué, cette fuite devant la vie et devant la mort, parce qu'il a trouvé, pour annoncer la nouvelle après-guerre, cette phrase à la Léon Bloy : « Deux ou trois années de films américains et après, la fin du monde. »

5

Mort et survie de Robert Brasillach
(1909-1945)

Drieu fuit devant son destin : Brasillach (1) lui fait face : d'où l'hommage qu'ont rendu ses adversaires à son courage,

(1) Robert Brasillach est né à Perpignan le 31 mars 1909. Père officier, tué au Maroc en 1914. Enfance à Sens ; études au lycée Louis-le-Grand (où il est l'élève d'André Bellessort et le camarade de Roger Vailland). Ecole normale supérieure (avec Maurice Bardèche, qui deviendra son beau-frère, et Roger Vailland). Collabore à *l'Action Française*, puis à *Je suis Partout*. Se rend au congrès national-socialiste de Nuremberg, l'été 1937. Mobilisé en 1939-1940, sur le front de l'Est, fait prisonnier, puis libéré en avril 1941, Brasillach reprend sa collaboration à *Je suis Partout*, qu'il quitte en août 1943. A la Libération, il refuse de passer à l'étranger ; emprisonné à Fresnes, il est condamné à mort et exécuté le 6 février 1945 (une supplique au général de Gaulle, signée des plus grands noms de la littérature, était restée sans effet).
Principaux ouvrages :
Poèmes de Fresnes (1949).
Essais : *Virgile* (1931), *Portraits* (1935), *Corneille* (1938), *Lettre à un soldat de la classe soixante* (1948), *les Quatre Jeudis* (1950).
Romans : *Voleur d'étincelles* (1932), *l'Enfant de la nuit* (1934), *Comme le temps passe* (1937), *les Sept Couleurs* (1939), *la Conquérante* (1943).
Souvenirs : *Notre avant-guerre* (1941).
Théâtre : *La Reine de Césarée* (1957).
En collaboration avec Maurice Bardèche : *Histoire du Cinéma* (1935).
Sur l'homme et l'œuvre, on pourra consulter : Pol Vandromme : *Robert Brasillach* (Plon, 1956).

faute de pouvoir le rendre à ses idées. Il avait été, tout jeune,
le meilleur critique de sa génération — plein d'agilité, de feu,
de sens poétique. Une enfance« enchantée et un peu folle» (1),
une liberté d'esprit poussée jusqu'au canular, l'horreur de
la vie bourgeoise et de ses contraintes, « un grand amour
et un très grand besoin du bonheur», et, par-dessus tout,
la passion de la littérature avaient fait de cet enfant « paresseux et timide» un frère spirituel de Musset et d'Alain-
Fournier. (Le couple fraternel Brasillach-Bardèche rappelle,
avec une note tragique, cet autre couple enchanté de la
littérature que formèrent, vingt ans plus tôt, Jacques
Rivière et Alain-Fournier.) Dans une époque heureuse, le
destin de Robert Brasillach n'aurait été qu'une vie comblée.
Il était taillé pour être, sinon le poète qu'il avait rêvé, du
moins un critique de la race royale, un de ceux qui joignent
à une culture étendue et assimilée le goût, le sens critique,
le regard aigu, le bonheur d'expression indispensables à
l'exercice de ce métier décrié, difficile et passionnant, qui
exige tout de l'écrivain et n'apporte rien à l'homme. Ses
portraits de *Virgile* et de *Corneille*, son admirable *Anthologie
de la Poésie grecque*, les articles excitants et salubres réunis
dans *les Quatre Jeudis* font de ce normalien nourri de culture
classique un digne héritier de Jules Lemaître et d'Emile
Faguet. Ses romans, sans le mettre au rang des grands créateurs de types, appartiennent, comme son *Histoire du Cinéma*
et comme ses essais, à la sensibilité de l'entre-deux-guerres.
Les meilleurs — *Comme le temps passe, les Sept Couleurs* —
sont des chroniques : l'histoire d'une génération trop vite
arrachée à la douceur de la vie par l'approche de lendemains
tragiques.

Comment ce garçon, équilibré, humaniste, sans sectarisme,
en vint-il à approuver, puis à collaborer à l'entreprise hitlé-
rienne ? L'atonie morale et spirituelle d'une IIIe République
qui avait déjà son avenir derrière elle, son incapacité à faire
à temps sa révolution, à intégrer sa classe ouvrière, des scandales répétés dont l'affaire Stavisky fut le plus voyant, la
virulence d'adversaires — au premier rang desquels un des
grands esprits du temps : Charles Maurras — étaient parvenus
à persuader de la malfaisance du régime une grande partie

---

(1) Pol Vandromme : *Robert Brasillach, l'homme et l'œuvre* (Plon).

de l'opinion et de la jeunesse bourgeoises. A cela, il faut ajouter
la montée, que beaucoup crurent irrésistible, d'un fascisme
dont on ignorait encore ce qu'il dissimulait de crimes. Pourtant, aucune de ces explications ne paraît suffisante : car,
après tout, l'un des camarades d'Ecole de Brasillach, le surréaliste Roger Vailland aboutit, lui, au communisme.

Introduit à *l'Action française* par Henri Massis, persuadé,
comme ses amis Jean-Pierre Maxence et Thierry Maulnier,
que le 6 Février donnait « une doctrine à l'émeute, une tac-
tique au coup de force», un avenir à la contre-révolution,
séduit par l'exemple allemand comme par la figure d'un
José Antonio Primo de Rivera, Brasillach était revenu
converti d'un voyage à Nuremberg, l'été 1937. La mise en
scène wagnérienne de la parade nationale-socialiste l'avait
bouleversé. (« Devant ces décors graves et délicieux du romantisme ancien, devant cette floraison immense des drapeaux,
devant ces croix venues d'Orient, je me demandais... si tout
était possible.») Il admira « cette justice qui règne par la
force». Il avait trente ans : il dit adieu à sa jeunesse et
« s'engagea».

On connaît la suite : une guerre, qu'il fit courageusement,
quelques mois de captivité — à Neuf-Brisach, puis en Westphalie, où il se persuada qu'il habitait « une sorte de refuge
de montagne au décor un peu rude, mais propre, après une
journée au grand air». (« La captivité, comme le collège...
est une promiscuité, mais c'est aussi une proximité... »
Brasillach crut trouver dans cette retraite« la figure purifiée...
sans couleur mais non sans ligne, d'un destin encore difficile
à percer».) Revenu en France en avril 1941, il reprit sa collaboration à *Je suis Partout*, entraîné par d'anciennes amitiés
et par l'absurde romantisme du fascisme. Sans doute se retira-
t-il, au mois d'août 1943, dépassé par les extrémistes de la
collaboration. Mais il était déjà trop tard. Pas plus que Drieu,
il ne songea d'ailleurs à se désolidariser de ceux qui apparais-
saient déjà comme les vaincus (1) ; aussi refusa-t-il de gagner
la Suisse ou l'Espagne. L'été 1944, il s'enivra de promenades

---

(1) Au contraire : il écrivit alors le plus « engagé» de ses articles, où se
trouvait la phrase accablante, qui devait lui coûter la vie : « Nous sommes
quelques Français de raison à avoir couché avec l'Allemagne, et ce souvenir
nous en restera doux...»

dans un Paris sourdement ébranlé, devinant « à chaque pas
la catastrophe sans visage », mais goûtant une dernière fois
un « ciel merveilleux » et ces paysages « magiques » qu'étaient
pour lui la Seine, le Louvre, Notre-Dame, « en se demandant
ce que tout cela deviendrait demain ». La Libération arriva ;
on arrêta sa mère ; Brasillach se constitua prisonnier. « Il
attendait des juges, un esprit public, une épreuve. Il comprit
très vite qu'il n'y avait rien de tout cela, mais une loterie (1). »

En prison, il continua de vivre comme si rien n'avait
changé, se préparant à son procès « comme on attend un
examen ». « Il faudra jouer un rôle dans la comédie, puisque
l'essentiel est de bien se tenir jusqu'au bout et que le dernier
mot de la morale reste l'allure (2). » « Pour l'instant, disait-il
encore, je ne puis être que pour la fidélité, même à ce à quoi
je ne crois plus. » Les jeux étaient faits, et la brillante plai-
doirie de Me Isorni ne put rien contre le solide, l'écrasant
réquisitoire de Me Reboul : mais à tous, le procès donna une
étonnante impression de dignité, de grandeur antique. Et
les plus grands noms de la littérature — d'Aragon à François
Mauriac — s'inscrivirent au bas du recours en grâce. « Sa
politique, dit Svetlana Pitoeff, n'a jamais été la mienne.
Mais c'est à présent que je sens combien peu cela importe
en regard de ce qu'il a prouvé : la dignité humaine, le courage
des responsabilités, la hauteur. » En rejoignant, à trente-cinq
ans, les morts du 6 Février, Brasillach gagnait une légende.
Il ne faudrait pas, toutefois, que celle-ci nous fasse absoudre
indistinctement ses erreurs, ni oublier que d'autres — de
Robert Desnos à Jean Prévost — ont su, mieux que lui,
unir la défense de leurs idées et l'amour vrai de la patrie.

Si Drieu a raté et sa vie et sa mort, Brasillach — dont
l'œuvre restera inséparable de cet entre-deux-guerres qu'il
a tant aimé parce qu'il fut la saison amère et douce de sa
jeunesse — n'a pas raté la sienne : ses poèmes de Fresnes sont
nés de ce « qui perd gagne » qu'est, selon Sartre, la création
poétique. L'un et l'autre avaient espéré retrouver, sous le
stuc délabré de la civilisation bourgeoise, les assises profondes

---

(1) Maurice Bardèche.
(2) *Lettre à un soldat de la classe soixante.*

de la nation ; ils crurent pouvoir mener cette tâche révolutionnaire sous le regard et avec l'approbation de l'ennemi, en
consentant, au besoin, qu'elle fût dirigée par lui. Brasillach
et Drieu furent les cygnes d'une collaboration qui eut aussi,
ne l'oublions pas, ses hyènes et ses chacals : pour approcher
ces derniers, il n'y a qu'à se reporter aux *Décombres* de
Lucien Rebatet (1).

(1) Le régime de Vichy faisait volontiers le procès de la littérature de l'entre-
deux-guerres, coupable, selon lui, d'avoir démoralisé la belle jeunesse de
France. La Milice chahute et fait interdire conférences et pièce de théâtre.
A Paris, quelques « spécialistes », le plus souvent inconnus, dénonçaient à qui
mieux mieux l'« esprit de la *N.R.F.* ». L'un d'entre eux, Paul Riche, écrivait
le 18 octobre 1940 : « Une équipe de malfaiteurs a fonctionné dans la littérature française de 1909 à 1939, sous les ordres d'un chef-bandit : Gallimard.
Gide, Corydon, Aragon, archevêque de *Ce Soir*, Naville, le banquier anarchiste, Eluard, le fruit pourri, Péret, l'insulteur et tous les autres mono-
manes, toxicomanes et gibiers de clinique, voilà l'équipe Gallimard. Au cinéma,
Prévert agissait avec son complice Carné, le grand chef d'école du film-
voyous... » On voit le ton !
Faut-il rappeler comment Bergson, qui mourut en 1941, fut traité, non
seulement dans la presse de l'occupation, mais même dans celle de la zone
libre ? L'académicien Louis Bertrand écrivit dans un journal d'Alger : « Bergson
qui vient de mourir était, paraît-il, un grand philosophe... Ce que je sais, c'est
que c'était aussi un grand bavard. Je me souviens notamment d'une séance,
à l'Académie, à laquelle il était venu spécialement pour nous parler d'un
certain Thibaudet. Ce Thibaudet était un lourdaud, tout au plus bon à classer
des fiches bibliographiques *(sic)*, et que les feuilles partisanes voulaient faire
passer pour un grand critique », etc.

II

LA LITTÉRATURE DU SILENCE ET DE L'EXIL

COMMENT les écrivains, ces sentinelles avancées de la sensibilité nationale, auraient-ils pu rester indifférents devant les malheurs de la patrie ? Mais leur liberté d'expression n'était pas la même.

Hors de France, ils restaient libres de tout dire. En zone occupée, il ne pouvait en être question. En France, la majorité d'entre eux se cantonna d'abord dans des œuvres inactuelles. A sa table dès l'aube, Valéry continuait à remplir des *Carnets* dont il tira ses dernières *Variétés*, *Mauvaises Pensées et autres*, écrivait *Mon Faust* et commençait *l'Ange*, tout en poursuivant son cours de poétique au Collège de France. Inaccessible aux avances de l'occupant, il fut pour beaucoup (ainsi que Georges Duhamel, alors Secrétaire Perpétuel) dans la dignité d'attitude de l'Académie française qui suspendit élections et réceptions jusqu'à la libération du territoire. Duhamel achevait sa *Chronique des Pasquier*, Giraudoux, abrégeant une existence de perpétuel nomade (il devait mourir à Paris, le 31 janvier 1944), abandonnait la Carrière et publiait *Littérature*, Louis Gillet menait en zone libre une activité de critique d'art et de conférencier (sur Joyce et Claudel dont il avait été le premier à parler à la *Revue des Deux Mondes*), Claudel voyait enfin, grâce aux efforts de Vaudoyer et de Jean-Louis Barrault, *le Soulier de Satin* accéder à la scène (et à la première scène de Paris : la Comédie-Française qui venait de créer avec éclat *la Reine Morte* de Henry de Montherlant), Mauriac publiait *la Pharisienne* et se penchait sur la *Vie de sainte Marguerite de Cortone*, Daniel-Rops entreprenait sa monumentale *Histoire de l'Eglise du Christ*, couronnement de deux grands succès de librairie, *le Peuple de la Bible* et *Jésus en son temps*, Maxence Van der Meersch, enfin, lançait contre le corps médical le puissant brûlot de *Corps et Ames*. Et le Paris de l'occupation faisait aussi le succès du premier récit de Camus (*l'Etranger*, 1942), des premières pièces de Sartre (*les Mouches*, 1943), de débutants (aujourd'hui disparus) comme Marius Grout (*Passage de l'Homme*, 1943) ou Roger Breuil *(Augusta, la Galopine)*.

D'autres, dès la débâcle, avaient choisi l'exil. Jean-Richard Bloch avait gagné Moscou. Aux Etats-Unis, puis au Mexique, Jules Romains poursuivait la série des *Hommes de Bonne Volonté (Cette grande lueur à l'Est ; le Monde est ton aventure)*, éclairait, pour les lecteurs du *Saturday Evening Post*, *les Sept Mystères de l'Europe* et découvrait l'Amérique avec son héros Salsette. A New York, Henry Bernstein animait l'organisation gaulliste *France for Ever* et Henri Focillon fondait *l'Ecole libre des Hautes Etudes*, véritable Université française de l'exil. André Maurois, Julien Green et Jacques Maritain professaient dans des universités américaines. Tandis que Maritain publiait *Ransoming the Time*, suivi d'*Art et Poésie*, sa femme, Raïssa Maritain, dédiait le premier tome de ses *Grandes Amitiés* aux souvenirs de leur jeunesse, évoquant leurs conversations avec Péguy, Bergson, Massis, le Père Clérissac, Max Jacob, Maurice Sachs et Jean Cocteau. De Mexico, André Breton tentait de rassembler les survivants du surréalisme. Chassé du Quai d'Orsay dont il avait été, plus de dix ans, le Secrétaire Général et l'Eminence grise, l'ambassadeur Alexis Léger, radié de la Légion d'honneur et déchu de la nationalité française, entrait à la Bibliothèque du Congrès américain. Après vingt ans d'interruption, il reprenait son œuvre poétique, publiait à Chicago les beaux vers d'*Exil* (1942), puis, à New York, son *Poème à l'Etrangère*, commençait *Pluies* et *Neiges*. A Montevideo, les malheurs de la France inspiraient à un autre poète de grande race, Jules Supervielle, ses *Poèmes à la France malheureuse*. Enfin, la Suisse, où Albert Béguin fondait les *Cahiers du Rhône*, était un refuge pour les écrivains libres et un vivant foyer de culture française ; Pierre-Jean Jouve y dédiait son œuvre poétique à « la Vierge de Paris».

1

LES HÉSITATIONS D'ANDRÉ GIDE

En face d'événements politiques dont la signification morale n'était pas également claire pour tous, la valse-hésitation d'André Gide apparaît bien dans sa manière, souple, prudente et subtile. Son *Journal* de 1939-1940 témoigne d'un scepticisme presque total à l'égard d'une civilisation dont la guerre démontrait la fragilité. (« Oui, tout cela pourrait bien disparaître, cet effort de culture qui nous paraissait admirable... nul abri n'est sûr ; une bombe peut avoir raison d'un musée... On se cramponne à des épaves. ») Il refusa de parler à la Radio pendant la « drôle de guerre », de collaborer à ces « émissions d'oxygène » qui contenaient trop « d'aboiements patriotiques ». Les premiers messages du Maréchal Pétain le consolèrent de ces « *flatus vocis* ». Il accepta même de collaborer à la *N.R.F.* de Drieu, se résignant à l'inéluctable et tentant de faire « de soumission sagesse ». Un livre de Jacques Chardonne — *Voir la figure* — lui dessilla les yeux, et il rompit avec la revue. Cependant, les milieux vichyssois redoublaient d'attaques contre l'auteur de *l'Immoraliste* ; et la milice interdisait à Nice la conférence qu'il voulait consacrer à Michaux. De Nice, Gide gagna Tunis, puis, en 1943, Alger où il devait passer la fin de la guerre. Les communistes qui n'avaient pas oublié *le Retour d'U.R.S.S.* devaient prendre prétexte de quelques pages du *Journal* publiées à Alger, pour demander que leur auteur fût déféré devant un tribunal militaire...

Gide n'avait pu se mettre au diapason des fureurs et des envolées de la Libération ; chez lui, du moins en politique, le scepticisme l'avait emporté sur la ferveur. N'assurait-il pas que « cet esprit, ce mauvais esprit qu'ils blâmèrent en moi, fut celui qui sauva la France » ? De retour en France (1), il ne devait pas tarder à reprendre sa place, et à siéger au milieu de l'amphithéâtre littéraire — non plus au centre mais au plafond.

(1) Cf. LIVRE SECOND, PROLOGUE, II, III, la biographie de l'écrivain et l'analyse de l'œuvre.

2

L'ADIEU DE SAINT-EXUPÉRY

Démobilisé en août 1940, après avoir participé à la campagne de France, Antoine de Saint-Exupéry (1) avait gagné
l'Amérique à l'automne. Il devait y séjourner plus de deux
ans, y publier *Pilote de Guerre* (dont la traduction — *Flight
to Arras* — resta six mois en tête des best-sellers américains),
Lettre à un Otage et *le Petit Prince*. En 1943, il gagna l'Algérie
pour reprendre une place au combat. Mais il eut toutes les
peines du monde — car il avait quarante-quatre ans — à
se faire accepter comme pilote, et ce n'est que le 16 mai 1944
qu'il put enfin rejoindre les rescapés de son escadrille de
1939, son cher groupe 2/33. Toute l'année 1943, il avait
travaillé à *Citadelle*, commencée depuis plus de sept ans.

En France, la censure allemande avait d'abord laissé
paraître *Pilote de Guerre*, n'en supprimant que ces quatre
mots : « Hitler est un idiot ». Le livre était salutaire, il réagis-
sait contre le défaitisme à la mode. Saint-Exupéry n'y disait-
il pas : « Je ne renierai jamais les miens... S'ils me couvrent
de honte, j'enfermerai cette honte dans mon cœur, et me tai-
rai... Ainsi, je ne me désolidariserai pas d'une défaite qui,
souvent, m'humiliera. Je suis de France. La France formait
des Renoir, des Pascal, des Pasteur, des Guillaumet... Elle
formait aussi des incapables, des politiciens et des tricheurs.
Mais il me paraît trop aisé de me réclamer des uns et de nier
toute parenté avec les autres. La défaite divise... Il y a là
menace de mort : je ne contribuerai pas à ces divisions, en
rejetant la responsabilité du désastre sur ceux des miens qui
pensent autrement que moi. Il n'y a rien à tirer de ces procès
sans juges... »

C'est que la France n'était pas pour lui « une déesse abstraite », ni un concept d'historien, mais une chair vivante.
« Je suis de Guillaumet. Je suis du groupe 2/33. Je suis de
mon pays... Comment serais-je sans espoir ? » A Alger, sa

(1) On trouvera, pp. 153-156, une biographie de Saint-Exupéry et une
analyse de son œuvre.

déception fut vive : il voulait voler et on le lui refusait ; il
rêvait d'une France unie, et il retrouvait ces polémiques,
ces exclusives, ces fanatismes dont il était si las. Comme
Bernanos, il était « *malade de la France* » : et l'on trouve dans
son admirable *Lettre au général X*, quelques-uns des thèmes
qui seront, un peu plus tard, ceux du Bernanos de *la France
contre les robots* : « Je suis triste pour ma génération qui est
vide de toute substance humaine... Je hais mon époque de
toutes mes forces. L'homme y meurt de soif.

« Ah ! Général, il n'y a qu'un problème... Rendre aux
hommes une signification spirituelle, des inquiétudes spirituelles. Faire pleuvoir sur eux quelque chose qui ressemble
à un chant grégorien. Si j'avais la foi, il est bien certain que
passé cette époque de « job nécessaire et ingrat », je ne sup-
porterais plus que Solesmes. On ne peut plus vivre de frigi-
daires, de politique, de bilans et de mots croisés, voyez-vous.
On ne peut plus... Rien qu'à entendre un chant villageois
du xve siècle, on mesure la pente descendue. Il ne reste rien
que la voix du robot de la propagande. Deux milliards
d'hommes n'entendent plus que le robot, ne comprennent
plus que le robot, se font robot...»

De telles paroles se passent de commentaires ; elles sont
l'expression d'une âme pure.

Ce n'est pas assez de dire que Saint-Exupéry fut un héros :
il fut un héros sans tache. Il n'a pas cherché à laisser « une
cicatrice sur la terre », fût-ce aux dépens de ses semblables.
Il n'a pas de sang sur les mains ; il a pris tour à tour la défense
des républicains d'Espagne et des Juifs persécutés, mais aussi
celle des Français égarés. Il n'a pas cherché la gloire pour
lui-même et c'est pourquoi rien n'a terni la sienne. Le génie
de l'enfance l'habitait comme il habita Bernanos ; il fait de
lui l'un des plus humains de nos écrivains, et donne à son
œuvre un air d'innocence et d'amitié.

3

LE SACRIFICE DE JEAN PRÉVOST
(1901-1944)

Parmi les témoins de cette génération, une place doit être faite à Jean Prévost (1) qui n'a jamais séparé sa vie de ses idées, depuis ses années d'Ecole jusqu'à l'ultime sacrifice qui les a authentifiées. L'œuvre, cependant, est moins belle, moins significative que la vie, peut-être parce que lui a manqué le prolongement métaphysique qui donne leur vraie grandeur aux messages de Malraux, de Bernanos ou de Saint-Exupéry. L'œuvre est abondante, variée, mais le sceau de la nécessité lui fait défaut. Peut-être aussi cet élève d'Alain a-t-il été la victime du génie dialectique de son maître, de cette pensée en spirale, plus habile à s'exprimer en de multiples propos qu'à fructifier en de vastes perspectives spirituelles et morales. Notoire dès l'Ecole normale, entré tout jeune dans la carrière, Jean Prévost nous laisse des œuvres diverses, intelligentes, nourries d'une riche et vaste culture mais qui restent toujours littéraires, à fleur d'idées et de nerfs. Dans ses essais — *Tentative de Solitude, Brûlures de la Prière, Plaisir des Sports* — il ne fait guère que développer des thèmes chers à sa génération (la virilité, les joies du corps, déjà exaltées par Montherlant, Braga, Drieu...) avec une méfiance instinctive envers le mysticisme et l'intelligence pure auxquels il oppose le contact direct et la saine résistance des choses. Le critique et l'essayiste se montrent plus à leur aise, en louant des esprits voués au plaisir de vivre, des « épicuriens » de la qualité de Montaigne, de Saint-Evremond, de Hérault de Seychelles, de Stendhal, de Sainte-Beuve. Le romancier ne dissimule pas l'affection

(1) Né en 1901, de père normand, de mère lorraine, Jean Prévost a commencé son œuvre dès son entrée à l'Ecole normale, par des essais éthiques (*Tentative de Solitude*, 1925 ; *Plaisir des Sports*, 1926 ; *Dix-Huitième Année*, 1930), puis littéraires (*les Epicuriens français*, 1931 ; *la Création chez Stendhal*, 1942), auxquels devaient succéder des romans (*les Frères Bouquinquant*, 1930 ; *Rachel*, 1932 ; *le Sel sur la Plaie*, 1934 ; *la Chasse du Matin*, 1937). Jean Prévost est mort au combat dans le maquis du Vercors, sous le nom du capitaine Goderville (1944).

Sur l'œuvre, on pourra consulter : P.-H. SIMON : *Procès du Héros* (Le Seuil).

qu'il porte aux simples, à ces gens du peuple dont il a peint les menues joies et les grandes misères, dans ce chef-d'œuvre du roman populiste que sont *les Frères Bouquinquant*. Loin de fuir le risque et l'épreuve, Jean Prévost s'est vaillamment porté au-devant d'eux, « persuadé qu'un homme n'a le droit de vivre, de parler, d'écrire, qu'autant qu'il a connu et accepté dans son existence le danger de mort ». Ce romancier de l'ambition (dans *le Sel sur la Plaie*), tombé en héros au Vercors, n'a pas eu le loisir de se réaliser complètement : c'est Stendhal avant *la Chartreuse*.

4

LA PASSION DE BERNANOS
(1888-1948)

De son côté, Bernanos (1), dans la solitude d'une hacienda brésilienne, faisait l'examen de conscience de la France. Il avait quitté son pays dès 1938, « parce que la vérité y était devenue stérile », parce qu'une parole libre y était aussitôt étouffée. Les « jours hideux » de Munich et le coup de Prague lui avaient inspiré *Nous autres Français* ; et la guerre cet amer *Journal* qui ne fut publié qu'après sa mort, sous le beau titre des *Enfants humiliés* ; ses écrits de combat — *Lettre aux Anglais*, *Nous autres Français*, *Scandale de la Vérité*, les articles réunis dans *le Chemin de la Croix des Ames* — développent des thèmes longuement mûris : haine du « réalisme politique », « la plus dégoûtante création du monde moderne », dénonciation d'une civilisation trahie par ses élites, dont le matérialisme a trouvé son ultime accomplissement dans les dictatures totalitaires, foi (qui devait être déçue) dans la Résistance française pour donner « un sens à la guerre des démocraties » et réaliser la Révolution. Mais Bernanos découvrirait vite que la France de la Libération n'était pas celle dont il avait rêvé ; il ne le lui pardonnera pas, emmuré dans cet exil de l'âme qui fit de sa vie une longue tragédie.

---

(1) On trouvera, p. 149 et suivantes, une biographie de l'homme et une analyse de l'œuvre.

5

La littérature de captivité : prisonniers et déportés

Il y avait des écrivains parmi les 1.500.000 prisonniers
de guerre faits par l'Allemagne en 1940. D'autres sont nés
avec la captivité. Une littérature de témoignage s'est créée,
où l'artiste s'efface derrière la réalité qu'il décrit. « Point
d'épopée, ni de légende... nul ne hausse le ton, et si le lyrisme
parfois nous touche, ce lyrisme est sans apprêt. La littérature apparaît ici communautaire. Elle rapporte et témoigne
non pour un seul mais pour tous (1)». A côté d'écrivains
qui usent des loisirs de la captivité pour mener à bien une
œuvre déjà entrevue (un poète comme Patrice de la Tour
du Pin y édifie sa *Somme de Poésie*, des romanciers comme
Roger Ikor, Pierre Gascar, Paul-André Lesort y commencent leur œuvre) mais sans rapport avec la captivité, d'autres,
au contraire, s'attachent à décrire scrupuleusement leur nouvelle vie (comme Francis Ambrière dans *les Grandes Vacances*), ou à la transposer dans une œuvre originale (*le
Caporal épinglé* de Jacques Perret reste un modèle du genre).

Mais la deuxième guerre mondiale qui frustra pendant
quatre ans douze millions d'hommes de leur liberté, a inau-
guré un nouveau type abominable de captivité : la déportation pour des fins politiques ou raciales, l'enfer concentrationnaire. A travers ces hauts-lieux sinistres qu'obs-
curcit la fumée des crématoires — Buchenwald, Dachau,
Oranienburg, Bergen-Belsen, Ravensbrück — l'esprit souffle
chez ceux dont rien n'a pu entamer la volonté de résistance
et la foi. Dans ce monde absurde, dont Kafka semble avoir
prévu, trente années à l'avance, la logique implacable,
quelques êtres, fraternellement unis face à la torture et
à la mort, affirment la dignité de l'homme. Des livres comme
les Jours de notre Mort, *l'Espèce humaine*, *l'Homme et la Bête*,
les souvenirs de Mme Buber-Neumann et ceux d'Edmond
Michelet recueilleront un jour ces témoignages d'une lutte
qui fut plus qu'une lutte pour la vie, une affirmation de la
grandeur de l'homme au milieu de son pire abaissement.

(1) J. Majault.

Ces témoignages, ceux de la Résistance, connus seulement
à partir de 1945, dévaloriseront la littérature de type traditionnel. Des héros surhumains ou inhumains placés dans un
monde absurde, celui de l'aliénation totale (où l'excès de la
souffrance la prive de son sens), remplaceront pendant quelques
années l'honnête homme, le héros classique, l'aventurier
prométhéen ; et la réapparition de la torture dans le monde
moderne fera pâlir les révélations de la psychologie, fût-elle
classique ou freudienne. « La fumée des fours crématoires a
fait taire le chant tragique qui, de Chateaubriand à Barrès, de
Wagner à Thomas Mann, ne pouvait épuiser ses modulations.
Désormais dans le voisinage de la mort, les supplices rempla-
cent l'extase et le sadisme la volupté. Peu à peu s'exténuent,
d'autre part, l'immense certitude de guérison que le chrétien
associait à la mort, l'espoir infini d'une patrie dont la mort
était la « sentinelle ailée» (1). »

(1) Rachel Bespaloff : *Esprit.*

III

LA RÉSISTANCE INTELLECTUELLE

Pour les uns — une poignée — l'exil, et pour les autres — l'immense majorité — le silence, ou des ouvrages et des propos inactuels ; cette réponse des écrivains à la fatalité qui s'était abattue sur la France parut insuffisante à ceux qui ne se résignaient pas à l'absence de leur pays dans le grand combat que le monde libre livrait alors au fascisme. Ces écrivains admettaient difficilement la présence, dans les revues et dans les périodiques tolérés par l'ennemi, de tant de signatures honorables Pour eux, comme devait le déclarer Jacques Debû-Bridel (1), l'un des animateurs des Editions de Minuit, « écrire aux côtés des agents nazis, c'était sinon trahir, du moins couvrir et achalander la trahison. L'article en soi anodin de tel grand romancier, de tel grand poète, hier homme de gauche, de tel critique littéraire d'un des plus grands journaux de la Troisième République, ou de tel académicien bien-pensant publié dans tel journal ou revue allemande de langue française, atteignit plus sans doute le moral du pays et l'influence de la pensée française que la vraie propagande allemande. Et que dire de ces écrivains, soi-disant patriotes, qui publiaient, pour garantir leur tranquillité, ou satisfaire leur vanité, tel livre contre l'Angleterre, alors qu'elle luttait seule pour la cause de la liberté ? »

Le silence, si digne soit-il, ne suffirait pas à sauvegarder l'influence et la renommée de la pensée française. Le rayonnement spirituel de la France était en cause.

_____

(1) *Les Editions de Minuit* (aux Editions de Minuit, 1945). On trouvera dans ce petit livre un historique de la littérature clandestine.

Dès 1941, deux écrivains de la *N.R.F.*, Paulhan et Blanzat,
avaient ronéotypé un journal *(Résistance)* puis une revue
(la Pensée libre) clandestins. Arrêté, puis libéré (sur l'intervention de Drieu la Rochelle, qui occupait, rue Sébastien-
Bottin, un bureau voisin du sien), Paulhan conçut avec le
romancier Pierre de Lescure et le professeur d'anglais Decour-
demanche (dit Jacques Decour) l'idée d'un « Comité National
des Ecrivains» qui rassemblerait les écrivains «libres» et
leur offrirait un moyen d'expression — qui fut *les Lettres
françaises*. Au début de 1942, cet embryon de C.N.E. groupait
Jacques Debû-Bridel, Charles Vildrac, Jean Guéhenno et
un dominicain combattif, le Père Maydieu ; un manifeste,
rédigé par Decour, devait paraître en tête du premier numéro
des *Lettres françaises* (avec le bouleversant récit de la mort des
otages de Châteaubriant). Mais Decour fut arrêté (il devait
être fusillé le 30 mai avec les philosophes Politzer et Salomon),
et le numéro détruit.

On peut suivre le développement de la Résistance intellectuelle au fil des numéros des *Lettres françaises* (le premier
parut le 20 septembre 1942, pour l'anniversaire de Valmy),
peu à peu étoffés et enrichis de contributions nouvelles :
Claude Morgan, Edith Thomas, Eluard, Aragon, Sartre,
Jean Lescure, Louis Parrot, Mauriac y collaborèrent sous des
pseudonymes parfois transparents. En octobre 1943, la feuille
ronéotypée était devenue un petit journal imprimé ; des
recensions littéraires (sur *la Lutte avec l'Ange* de Malraux,
les Mouches de Sartre), des poèmes y côtoyaient les textes
d'actualité, plus polémiques.

Dix-huit mois auparavant, Pierre de Lescure et Jacques
Debû-Bridel, aidés par un courageux imprimeur, M. Aulard,
avaient lancé les Editions de Minuit, avec le mystérieux
récit d'un inconnu, le célèbre *Silence de la Mer* de Vercors.
Cette nouvelle fut bientôt suivie d'autres textes, de Paulhan,
de Julien Benda *(le Rapport d'Uriel)*, d'Elsa Triolet *(les
Amants d'Avignon)*, d'Edith Thomas, de Mauriac *(le Cahier
Noir)* et d'Aragon *(le Musée Grévin)*, de l'*Ode à la France*
de Charles Morgan et des *33 Sonnets* de Jean Cassou, de fragments du *Journal* de Gide, etc. (40 volumes publiés entre
1942 et la Libération). « La propagande n'est pas notre
domaine, affirmaient les fondateurs des Editions de Minuit.
Nous entendons préserver notre vie intérieure et servir libre-

ment notre art. Peu importe les noms... Il s'agit de la pureté
spirituelle de l'homme (1).»

1

L'honneur des poètes

Mais cet esprit de la liberté n'avait pas cessé de s'exprimer
par la voix de nos poètes. Dès l'hiver 1939-1940, Pierre
Seghers lançait, du front, la revue *Poètes casqués* qui devait
se perpétuer jusqu'en 1949 dans les cahiers mensuels de
Poésie. Puis, Max-Pol Fouchet lança *Fontaine*, René Taver-
nier, *Confluences*, et, un peu plus tard, Jean Amrouche, à
Alger, fit paraître *l'Arche*. Une moisson de poètes leva, des
dizaines de noms nouveaux — de Pierre Emmanuel à Loys
Masson, d'Alain Borne à André Frénaud... — dont aucun
n'était insignifiant. La poésie devint, quelques années,
la forme la plus vivante de l'expression littéraire, parce qu'elle
rendait un son libre sous le paravent des mots, parce que le
visage de la vérité s'y profilait sous le masque de la rhétorique.
Pierre Jean Jouve (qui rêvait alors de faire un livre « qui
ne fût pas lié seulement au fait historique» mais en dégageât
la signification métaphysique : ce devait être *la Vierge de
Paris*) l'a justement dit : « Si la confrontation des idées de
cette guerre n'était pas un objet de poésie, la catastrophe
l'était à n'en pas douter. La poésie n'est pas limitée. Pourquoi
eût-elle refusé de sentir, d'exprimer un événement tragique
national, c'est-à-dire enraciné dans le sol comme la poésie
elle-même ?» Abandonnant « leurs encriers de couleur et
leurs pinceaux mystérieux», les poètes se mirent à la tâche.
(Le dernier carré des surréalistes, groupé à Mexico autour
d'André Breton, protesta. Leurs convictions antinazies
n'étaient pas niables, mais ils estimaient que la poésie avait
tout à perdre à se soumettre à d'autres impératifs que les
siens propres ; dès 1945, Benjamin Péret stigmatisera *le
Déshonneur des Poètes*.) Un problème d'expression se posait:
la défaite et l'occupation avaient brutalement dévalorisé

(1) J. Debu-Bridel : *op. cit.*

les efforts des surréalistes pour démonétiser le langage intellectuel. On vit les plus notoires brûler ce qu'ils avaient adoré, réhabiliter le rythme et même la rime. Un revenant des folles années du *Grand Jeu*, le surréaliste Robert Desnos, tournant le dos aux monstres sacrés de sa jeunesse — Lautréamont, Rimbaud, Mallarmé — enfonçait allégrement des portes ouvertes par le bon Malherbe et le sage Boileau : « Au-delà de l'automatisme, il y a le délibéré ; au-delà de la poésie, il y a le poème, au-delà de la poésie subie, il y a la poésie imposée, au-delà de la poésie libre, il y a le poète libre... Les portes ne s'ouvriront peut-être qu'avec un mot trouvé dans les ballades en jargon de Villon. » Déjà, Aragon avait osé écrire : « ... La rime reprend sa dignité, parce qu'elle est l'introductrice des choses nouvelles dans l'ancien et haut langage qui est à soi-même sa fin, et qu'on nomme poésie. Alors la rime cesse d'être dérision, parce qu'elle participe à la nécessité du monde réel, qu'elle est le chaînon qui lie les choses à la chanson, et qui fait que les choses chantent.

« Jamais peut-être faire chanter les choses n'a été plus urgente et noble mission à l'homme, qu'à cette heure où il est plus profondément humilié, plus entièrement dégradé que jamais (1). »

Dès l'automne 1940, une poésie nationale était en train de naître, ou de renaître. Cessant de s'intéresser aux seuls jeux du langage, à la mise en accusation du monde, les poètes célébraient maintenant ces biens menacés : l'honneur, la liberté, la dignité de vivre, l'amour.

Un numéro spécial de *Fontaine* était consacré à *la France* et à *l'Europe française ;* Aragon y affirmait (dans *la Leçon de Ribérac*) que tous les types légendaires de l'Europe étaient issus de l'œuvre de Chrétien de Troyes. Dans le sixième numéro de *Poésie 1941* — dédié à l'anniversaire de Rimbaud — André Gide protestait contre les interprétations tendancieuses de nos grands écrivains disparus, à commencer par Péguy, rappelé au service par Vichy. (« Humble devant Dieu seulement, mais en conteste avec les hommes et protestant contre l'autorité, je ne suis nullement certain qu'il reconnaîtrait pour siens nombre de ceux qui se réclament à présent

---

(1) Notons à ce propos que, dès 1925, le poète soviétique Maïakovsky, avait écrit : « Sans rimes, les vers tomberaient en morceaux. »

de lui... S'il vivait encore, ce dreyfusard, ce révolté contre les orthodoxies, que dirait-il de se voir adopté par tant de bien-pensants qui ne retiennent de lui que ce qui convient à leurs vœux ?»)

Seghers, Audisio, Alain Borne, Pierre Emmanuel célébraient la grandeur — et la folie — de la condition humaine. Dans toutes les revues poétiques de l'époque (*les Cahiers de Vulturne*, de René Lacôte, les *Cahiers de la Mort enchantée* de Jean Vagne, les *Editions de la Main à plume*, l'*Arbalète*, l'*Eternelle revue*...) nous trouvons la même foi dans la rédemption de l'homme par une poésie qui s'adresse à tous et dans la rédemption de la France par l'épreuve. Max-Pol Fouchet consacrait un Cahier de *Fontaine* à *la Poésie comme exercice spirituel* (avec des poèmes d'Eluard rassemblés depuis dans *le Livre ouvert*).

Et Pierre Jean Jouve tirait (dans *Poésie 1942*) la leçon de la défaite : « Dans la douleur et l'abomination, nous arrivons à comprendre. La France a périodiquement besoin du malheur pour se connaître et s'accepter avec ses fautes, mais aussi dans sa pureté ; ce par quoi nous venons de passer éclaire mieux Rimbaud que dix livres de commentaires littéraires. L'éclosion de Rimbaud est celle d'une fleur désespérée du malheur national.»

Parmi toutes ces revues, il faut faire une place de choix à *Messages* où le poète Jean Lescure (qu'il ne faut pas confondre avec le romancier Pierre de Lescure, co-fondateur des Editions de Minuit) aidé par Paul Bodin et Georges Sonnier, sut rassembler les premiers représentants de ce qu'on n'appelait pas encore la Résistance, parmi lesquels des poètes tels que Pierre Emmanuel, Jean Grenier, Jean Follain, Francis Ponge, Raymond Queneau, Loys Masson. Un numéro spécial (intitulé *Domaine français*), devait grouper dans un éclatant sommaire presque tous les représentants des lettres françaises libres : Aragon, Claudel, Mauriac, Pierre-Jean Jouve, Albert Camus, Jean Paulhan, Paul Eluard, André Rousseaux, Georges Duhamel, Michel Carrouges, Jean-Paul Sartre, Pierre Seghers... Prévoyant l'interdiction de *Messages*, Jean Lescure et Paul Eluard préparèrent un volume collectif destiné aux Editions de Minuit : ce fut *l'Honneur des Poètes* où parurent quelques-uns des textes significatifs de la Résistance poétique (Aragon, Eluard, Jean Cassou...)

L'épreuve de la guerre eut donc pour conséquence de réveiller nos poètes. Quelques-uns demeurèrent fidèles à la contestation du langage qui s'était exprimée dans le surréalisme, et virent dans l'événement une invitation expresse à faire l'apologie du silence (1). Mais on en vit plus d'un ressusciter, à la suite d'Aragon, l'éloquence, la poésie de circonstance, le poème d'amour... et même la rime.

Cette poésie de la guerre eut ses mousquetaires : entre tous nous choisirons trois survivants du Surréalisme (deux illustres — Aragon, Eluard — l'autre, Desnos connu seulement de la chapelle), auxquels nous ajouterons, selon la tradition, un quatrième — la jeune révélation de Pierre Emmanuel.

2

ARAGON (2), POÈTE DE LA FRANCE

Qui l'eût dit, qui l'eût cru ? L'auteur, plus qu'à demi libertin, du *Paysan de Paris*, le romancier véhément des

---

(1) Un numéro de *Messages*, interdit en France, parut à Bruxelles sous le titre *Exercice du Silence*. Dans le manifeste, Jean Lescure décrivait cette contradiction : « Tout se passe comme si ce temps du retentissement le plus grand, homologue au silence, portait en lui une exigence de dépassement dans la durée, et de rupture désolante ; comme s'il était aussi le temps de la catastrophe, de la parole... » Le silence, concluait Jean Lescure, peut atteindre un degré où il éclate, où il faut que les pierres parlent. Un poème de Paul Eluard illustrait ce point de vue :

> *Aucun secret, tout m'échappe,*
> *Je vois ce qui disparaît,*
> *Je comprends que je n'ai rien,*
> *Et je m'imagine à peine*
> *Entre les murs, une absence,*
> *Puis l'exil dans les ténèbres,*
> *Les yeux purs, la tête inerte.*

Dans le même numéro, Raymond Queneau publiait son *Explication des métaphores* et Jean Lescure concluait ainsi son *Bestiaire du silence* :

> *Tout est possible encore à la parole détachée*
> *Que ne prononce nulle pierre ni la nuit,*
> *Mais tout déjà se veut autour du même mot,*
> *Dans le surgissement immobile du feu.*

(2) Louis Aragon est né à Paris le 3 octobre 1897. Etudes de médecine. Quelques mois au front en 1918. Participation au mouvement Dada (1919-1922), puis au surréalisme. Codirecteur de la revue *Littérature* (1919), puis de la *Révolution surréaliste* (1924). Adhère au parti communiste (1927). Par-

Beaux Quartiers, Aragon le Révolté devint, à la faveur de la guerre, « un grand écrivain français traditionnel » (1). La défaite l'avait amené à redécouvrir, avec la patrie charnelle, le patrimoine spirituel de la France. Comme hier d'Aubigné ou Hugo, il allait écrire des poèmes de circonstance avec les moyens traditionnels de la prosodie classique. Las de cette période où la décomposition du vers était devenue aussi habituelle que « le taratata des pieds bien comptés du dix-huitième siècle », persuadé que la poésie logorrhéique de l'entre-deux-guerres aurait le même sort que « les vers à l'aune du temps des bergeries », il n'hésita pas à emprunter les rythmes et les moyens prosodiques de nos vieilles chansons françaises, à imiter Camoens, Charles d'Orléans, Agrippa d'Aubigné, et à faire des vers anciens sur des pensers nouveaux. La rime lui était apparue, en cet automne 1940, comme l'élément caractéristique qui a libéré notre poésie de l'emprise latine, et en a fait la poésie française. Pour renouer avec ce qu'il appelle « l'âge d'or de la littérature française médiévale » (en prenant au passage la défense de cette « morale de midinettes » raillée par Montherlant, en laquelle il retrouve la morale courtoise des troubadours), Aragon ressuscite le vers que chantaient Yvain, Lancelot, Perceval et Tristan.

ticipe à Kharkov au Congrès des Ecrivains révolutionnaires (1930) et rompt avec le surréalisme. Directeur de *Ce Soir* (1937-1940). Fait prisonnier, puis libéré, se réfugie en zone sud. Résistance et clandestinité. Prend la direction des *Lettres Françaises*. Président du C.N.E. Membre du Comité central du P.C.F. (1956).

Principaux ouvrages :

Poèmes : *Feu de Joie* (1920), *le Mouvement perpétuel* (1925), *Hourra l'Oural* (1934), *le Crève-Cœur* (1941), *Les yeux d'Elsa* (1942), *le Musée Grévin* (1943), *la Diane française* (1944), *En étrange pays dans mon pays lui-même* (1945), *le nouveau Crève-Cœur* (1948), *les Yeux et la Mémoire*, *Mes Caravanes* (1948-1954).

Romans et Nouvelles : *Anicet ou le Panorama* (1921), *le Paysan de Paris* (1926), *les Cloches de Bâle* (1933), *les Beaux Quartiers* (1936), *les Voyageurs de l'Impériale* (1942), *Aurélien* (1945), *les Communistes* (1949-1951, 6 vol.), *la Semaine Sainte* (1958).

Essais : *Le Libertinage* (1924), *Traité du Style* (1928), *la Peinture au défi* (1930), *Pour un réalisme socialiste* (1934), *Matisse en France* (1943), *Servitude et grandeur des Français* (1945), *l'Homme communiste* (1946), *Chroniques du bel canto* (1947).

Sur l'homme et l'œuvre, on pourra consulter : CLAUDE ROY : *Aragon* (Seghers, 1945), MAURICE NADEAU : *Histoire du Surréalisme* (Le Seuil).

(1) G. PICON.

Le Crève-Cœur, qui parut à l'automne 1940 (les Lilas et les Roses avaient vu le jour dans le Figaro), fut accueilli avec gratitude (1). On y reconnut la voix de la patrie blessée. Un large public aima ces poèmes émus et douloureux, encore frémissants du vent de la défaite. Aragon réconciliait l'esprit de révolte qui l'avait conduit du surréalisme au communisme avec nos plus vieilles traditions poétiques, célébrant d'un même cœur et d'une même voix la liberté, la femme aimée et la patrie. Tantôt, il pare de grâces verlainiennes l'évocation des malheurs de la France :

> O mois des floraisons mois des métamorphoses
> Mai qui fut sans nuages et juin poignardé
> Je n'oublierai jamais les lilas ni les roses
> Ni ceux que le printemps dans ses plis a gardés (2).

Tantôt il pastiche Apollinaire ou Villon :

> Ma patrie est comme une barque
> Qu'abandonnèrent ses haleurs
> Et je ressemble à ce monarque
> Plus malheureux que le malheur
> Qui restait roi de ses douleurs (3).

Aragon allait aussi réhabiliter le plus difficile de tous les genres — le poème d'amour — afin de montrer un instant à son pays déchiré le « visage resplendissant» de l'amour.

> Le temps d'apprendre à vivre il est déjà trop tard
> Que pleurent dans la nuit nos cœurs à l'unisson
> Ce qu'il faut de malheurs pour la moindre chanson
> Ce qu'il faut de regrets pour payer un frisson
> Ce qu'il faut de sanglots pour un air de guitare
>   Il n'y a pas d'amour heureux
>
> Il n'y a pas d'amour qui ne soit à douleur
> Il n'y a pas d'amour dont on ne soit meurtri
> Il n'y a pas d'amour dont on ne soit flétri

(1) A l'exception de quelques poètes que ce retour aux règles agaça.
(2) « Les Lilas et les Roses» (le Crève-Cœur).
(3) « Richard II Quarante» (le Crève-Cœur).

> *Et pas plus que de toi l'amour de la patrie*
> *Il n'y a pas d'amour qui ne vive de pleurs*
> *Il n'y a pas d'amour heureux*
> *Mais c'est notre amour à tous deux* (1).

On s'est montré sévère envers la poésie pétrarquisante d'Aragon ; les tenants de la poésie pure l'ont taxée de facilité, tandis que les inventeurs d'un nouveau langage raillaient ce retour aux règles, à l'alexandrin, au sonnet, ces pastiches de Villon ou d'Apollinaire. Pourtant, ces poèmes illustraient l'enseignement d'Apollinaire, inscrivant une poésie vivante dans une forme héritée :

> *Tes yeux sont si profonds qu'en me penchant pour boire*
> *J'ai vu tous les soleils y venir se mirer*
> *S'y jeter à mourir tous les désespérés*
> *Tes yeux sont si profonds que j'en perds la mémoire* (1).

Il est vrai que la préciosité du poète est trop consciente pour être tout à fait naturelle. L'auteur du *Crève-Cœur* n'a pas oublié *Persécuté-Persécuteur* : il y avait déjà des sonnets dans *le Mouvement perpétuel*. Tels rythmes des *Yeux d'Elsa* étaient déjà ceux de *la Grande Gaîté* :

> *Elle a les plus beaux yeux du monde*
> *Ah la belle la belle la belle jambe*
> *Que ça nous fait.*

Mais si Georges-Emmanuel Clancier a pu retrouver dans la prose du *Paysan de Paris* des vers blancs qui pourraient être d'Apollinaire ou de Baudelaire, qu'importe, c'est que la langue d'Aragon charrie naturellement les beaux vers comme un fleuve se couvre de glaçons à la fonte des neiges ! Et je sais peu de mots mieux accordés à leur objet, plus déchirants dans leur pudeur que ceux qui ouvrent la *Complainte de Richard II*.

Mais dès qu'un refrain mécanique se substitue au rythme vivant, la répétition mélodique prend la place de l'invention verbale ; on s'en aperçoit dans la *Valse d'Elsa* qui pétille encore de trouvailles exquises :

---

(1) *Les Yeux d'Elsa.*

Cette valse	est un vin	qui ressemble	au Saumur
Cette valse	est le vin	que j'ai bu	dans tes bras
Tes cheveux	en sont l'or	et mes vers	s'en émurent
	Valsons-la	comme on saute un mur	
Ton nom s'y murmure		Elsa valse	et valsera

Souviens-toi	des chansons	que chantait	pour nous plaire
La négresse	au teint clair	ce minuit	qu'on poudra...
... Tu faisais	des bijoux	pour la ville	et le soir
Tout tournait	en colliers	dans tes mains	d'Opéra...

Mais la *Diane française*, parue après la Libération, ne sonnait plus qu'une musique militaire, dont les refrains, déjà politisés *(Mon parti m'a rendu mes yeux et ma mémoire)* annonçaient les chansons de marche, bien cadencées, par lesquelles Aragon célébrera désormais l'épopée, les héros et les fastes du communisme.

Finis les jeux et les cabrioles ! Un seul poème a désormais son aveu : ce poème de louange et de célébration (parfois de dénonciation) dont le ronron rappelle curieusement celui du Péguy des *Tapisseries*. A peine Aragon évoque-t-il encore (mais c'est la dernière fois) les joies éphémères et la douceur menacée de la vie :

> *Une mer qui ressemble aux jardins suspendus*
> *Une mer où la nuit en plein jour se devine*
> *Et qui pour s'endormir comme un refrain perdu*
> *   Cherche l'épaule des collines*

> *Tendre camélia sur les neiges rosies...*
> *... Qu'est-ce que c'est mes yeux que cet égarement*
> *Qui fait que vous cédez à ce libertinage*
> *On m'accuse déjà je ne sais trop comment*
> *   De trop aimer les paysages*

Plus souvent il raille l'hypocrite passé :

> *Nous avions doucement des idées généreuses*
> *Les pauvres attendaient chapeau bas leur écot*
> *La morale gardait les mouvements d'un Greuze*
> *Monsieur Cognacq primait les familles nombreuses*
> *Dans son square rêvait Madame Boucicaut*

Surtout, il dénonce les menaces qui pèsent sur notre temps :

> *Cessez partout le feu sur l'homme et la nature*
> *Sur la serre et le champ les jardins les pâtures*
> *Sur la table et le banc sur l'arbre et la toiture*
> *Sur le ciel où l'audace et l'oiseau s'aventurent*
> *Sur le passé de pierre où rêve la sculpture...*
> *Sur ce cœur dans son cœur qu'une mère défend*
> *Cessez le feu partout sur la femme et l'enfant* (1).

Certes, le chantre de Maurice Thorez (« les vélos rapprochant leurs nickels éblouis — se disent il revient...») n'a plus rien qui puisse nous émouvoir. Mais ce n'est pas une raison pour oublier qu'avec Aragon la voix même de la France en ces temps amers s'exprima par la bouche d'un grand poète.

3

ELUARD, CHANTRE D'AMOUR ET DE LIBERTÉ

Parce qu'il a moins enflé sa voix, parce qu'il a donné libre cours à son chant discret et profond, Eluard (2) souffrira moins qu'Aragon de la *décristallisation* qui frappe toute poésie inspirée par l'événement. Il est resté lui-même, seul, libre, et fraternel.

---

(1) *Les Yeux et la Mémoire.*
(2) Eugène Grindel (en littérature Paul Eluard) est né à Saint-Denis, le 14 décembre 1895. Père comptable, mère couturière. Etudes primaires supérieures interrompues par le sanatorium. Mobilisé comme infirmier, puis comme fantassin, est gazé en 1917. Participe au mouvement surréaliste. Voyage autour du monde en 1924. Pendant la guerre, participe à la résistance intellectuelle (*l'Honneur des Poètes*, avec Jean Lescure) et collabore aux Editions de Minuit. Membre du parti communiste depuis 1942. Meurt à Paris le 18 novembre 1952.
   Principaux ouvrages poétiques : *Le Devoir et l'Inquiétude* (1917), *Mourir de ne pas mourir* (1922), *Capitale de la Douleur* (1926), *l'Amour, la Poésie* (1929), *la Vie immédiate* (1932), *Cours naturel* (1938), *le Livre ouvert* (1941), *Poésie et Vérité* (1942), *Au rendez-vous allemand* (1944), *Poésie ininterrompue* (1946), *Corps mémorable*, *Poèmes politiques* (1948).
   En collaboration : *Les malheurs des Immortels* (avec Max Ernst, 1922),

Paul Eluard était, comme on l'a rappelé au moment de sa mort (le 18 novembre 1952), la poésie même pour toute sa génération — et pas seulement pour la sienne, pour tous ceux qui avaient reconnu dans ses poèmes leur propre espoir, vibré à l'unisson de ce cœur qui refusait le poids du monde, « au crible de la vie fait passer le ciel pur».

Les premiers poèmes d'Eluard étaient déjà remplis de cet amour de la vie.

> Je fis un feu, l'amour m'ayant abandonné,
> Un feu pour être son ami...
> Je lui donnai ce que le jour m'avait donné :
> ... Les nids et leurs oiseaux, les maisons et leurs clés...

Que reste-t-il de l'Eluard surréaliste ? Il avait appris de Lautréamont que « la poésie doit être faite par tous ; non par un », de Breton (avec qui il écrivit l'Immaculée Conception) qu'elle doit se proposer « l'assimilation continue de l'irrationnel» en dehors de toute préoccupation esthétique ou morale ; et lui-même la confondait avec l'exaltation passionnée de la liberté. La guerre d'Espagne lui enseigna que les poètes sont, comme tous les hommes, « profondément enfoncés dans la vie commune» : Eluard comprit qu'il ne pourrait plus demeurer « le front collé aux vitres comme font les veilleurs de chagrin». Son Cours naturel (1938) fit entendre un cri d'alarme pour « délivrer l'immense pitié de ce temps sourd aux appels déchirants... de ce temps s'ensevelissant sous les ruines de la liberté» :

> Regardez travailler les bâtisseurs de ruines
> Ils sont riches, patients, ordonnés, noirs et bêtes
> Mais ils font de leur mieux pour être seuls sur terre
> Ils sont au bord de l'homme et le comblent d'ordures...

En pleine occupation, il pariera pour « les lendemains qui chantent», pour que l'homme délivré de son passé absurde

---

152 proverbes mis au goût du jour (avec Benjamin Péret, 1925), Ralentir, travaux (avec André Breton et René Char), l'Immaculée Conception (avec André Breton, 1930).

Sur l'homme et l'œuvre, on pourra consulter : Louis Parrot : Paul Eluard (Seghers, 1947).

— *Dresse devant son frère un visage semblable — Et donne
à la raison des ailes vagabondes,* célébrera :

> Le seul rêve des innocents
> Un seul murmure un seul matin
> Et les saisons à l'unisson...

A peine, (dans *le Livre ouvert* paru en 1941) sait-il encore
chanter ces fleurs tant aimées, mais qu'il savait maintenant
mortelles :

> Fleurs à l'haleine colorée
> Fruits sans détours câlins et purs
> Fleurs récitantes passionnées
> Fruits confidents de la chaleur
> J'ai beau vous unir vous mêler
> Aux choses que je sais par cœur
> Je vous perds le temps est passé
> De penser en dehors des murs.

Il allait adhérer (1942) au parti communiste dont l'avait
tenu longtemps éloigné un farouche amour de la liberté,
parce que le communisme se confondait maintenant pour lui
avec un immense espoir de libération.

Chez Eluard, comme chez Aragon, le poème d'amour fut
l'expression de cet espoir ; un nom de femme devait d'abord
clore la Litanie célèbre qui, mise en musique par Francis
Poulenc et traduite en plus de dix langues, allait servir
d'épitaphe à la Résistance européenne :

> Sur mes cahiers d'écolier
> Sur mon pupitre et les arbres
> Sur le sable sur la neige
> J'écris ton nom

> ... Sur mon chien gourmand et tendre
> Sur ses oreilles dressées
> Sur sa patte maladroite
> J'écris ton nom

> Sur toute chair accordée
> Sur le front de mes amis

> *Sur chaque main qui se tend*
> *J'écris ton nom.*
>
> *... Liberté.*

Dans le Paris des hivers de guerre, puis en Lozère, Eluard (qui fut l'un des fondateurs des *Lettres Françaises* et des Editions de Minuit) n'eut d'autre patrie que « la faim, la misère et l'amour » — et la liberté qu'il chanta dans *Poésie et Vérité*.

Parmi ses poèmes de guerre, quelques-uns, très courts (ceux surtout qui composent *Au Rendez-vous allemand*), approchent de la perfection, tel celui-ci qui commence par ces deux vers :

> *La nuit qui précéda sa mort*
> *Fut la plus courte de sa vie.*

Le Paris d'avril 1944 lui inspira une cantate qui rappelle celle de Péguy :

... Ville entre nos poignets comme un lien rompu, entre nos yeux comme un œil déjà vu, ville répétée comme un poème.
Ville ressemblante
Ville de la transparence, ville innocente.
Ville durable où j'ai vécu notre victoire sur la mort.

Par la suite, Eluard devait perdre une part de ce qui fit son charme et son secret. Faite pour le silence, une solitude à deux partagée, l'espace intérieur, le corps profond des choses et leur face nocturne, cette voix, mal préparée à chanter les produits stéréotypés du bonheur collectif, s'essouffle vite sur l'Agora. Au lieu d'épouser le corps vivant des choses, elle s'est mise à les énumérer *(Neuf cent mille prisonniers — Cinq cent mille politiques...)*

Mais Eluard reste, avec moins d'emphase rhétorique que le chantre d'Elsa, le poète de l'amour. De Gala à Nush, il les a toutes chantées, Gertrude et Dorothy, Mary, Claire, Alberta,

> *Belles-de-nuit, belles-de-feu, belles-de-pluie*
> *Le cœur tremblant, les mains cachées, les yeux au vent...*

Que de textes dédiés aux seins fragiles, aux épaules nues, aux cheveux dénoués, qui racontent « toujours le même aveu, la même jeunesse, le même geste ingénu... la même révélation !» Qui mieux que lui sut peindre la femme

> *Chargée*
> *De fruits légers aux lèvres*
> *Parée*
> *De mille fleurs variées*
> *Glorieuse*
> *Dans les bras du soleil*
> *Heureuse*
> *D'un oiseau familier...*
> *Plus belle*
> *Que le ciel du matin*
> *Fidèle...*

La sensation chez Eluard, souvent exquise, est toujours exacte et fidèle ; moins certaine, sa prosodie sait se plier à la fraîche impulsion de ses sens ; mais le goût n'est pas toujours sûr, ni le sens critique comme en témoignent trop de ses *Poèmes politiques*, ainsi que cette *Première Anthologie vivante de la Poésie du Passé*, si riche en chansons et en poètes mineurs mais d'où sont écartés, d'un revers de la main, Corneille, Racine, « hommes de théâtre, prisonniers du sublime qu'ils prêtent aux Grands» et La Fontaine parce qu'«il a plaidé dans ses fables pour le droit du plus fort». Il faut qu'un sentiment profond l'étreigne pour qu'Eluard se révèle grand dans le grand ; nul n'est moins rhéteur que lui. Mais sa patrie, ses amis assassinés, la mort de sa femme lui ont arraché d'inoubliables cris :

> *Notre vie tu l'as faite elle est ensevelie...*
> *Notre vie disais-tu si contente de vivre...*
> *Mais la mort a rompu l'équilibre du temps...*
> *La mort visible boit et mange à mes dépens...*
>
> *Toi qui fus de ma chair la conscience sensible*
> *Toi que j'aime à jamais toi qui m'as inventé*
> *Tu ne supportais pas l'oppression ni l'injure...*
> *Tu rêvais d'être libre et je te continue.*

Après la mort de Nush, « quand il n'eut plus au fond de lui-même que la vision de sa femme morte », il fut secoué d'une grande révolte. A-t-il écrit les *Poèmes politiques* pour se raccrocher au réel, à la « vérité pratique » (?) à « l'efficience humaine » (comme dit Aragon dans sa préface) ? Mais le marxisme n'avait pas de réponse pour ce malheur irréparable qui atteignait le poète au plus profond de lui-même.

Eluard reste l'un des grands lyriques de notre temps — le plus intime et sans doute le plus vrai — le chantre inoubliable des joies familières, de l'humble amitié des choses, des heures monotones :

> *Jour de lenteur, jours de pluie,*
> *Jours de miroirs brisés et d'aiguilles perdues,*
> *Jours de paupières closes à l'horizon des mers*
> *D'heures toutes semblables, jours de captivité...*

des jardins :

> *Groseille de mendicité*
> *Dahlia moulin foyer du vent*
> *Quetsche taillée dans une valse*
> *Tulipe meurtrie par la lune...*
> *Pavot traîné par des infirmes...*
> *Noisette aux ciseaux enfantins...*

d'un fol espoir :

> *Il fallait y croire il fallait*
> *Croire que l'homme a le pouvoir*
> *D'être libre d'être meilleur*
> *Que le destin qui lui est fait...*

4

Robert Desnos ou l'anarchie vaincue

Le troisième grand témoin de la poésie française de la guerre fut Robert Desnos (1). Ce Parisien de la Bastille

---

(1) Robert Desnos est né à Paris, le 4 juillet 1900. Successivement secrétaire de Jean de Bonnefon, courtier en publicité, caissier à *Paris-Soir*, puis jour-

— né (le 4 juillet 1900) dans cet étonnant quartier Saint-
Martin où le vieux Paris semble s'être réfugié, entre les
rues évocatrices de la Grande-Truanderie et des Blancs-
Manteaux — s'était donné corps et âme à l'aventure surréaliste et avait pris part aux expériences de sommeil hypnotique, inaugurées par René Crevel auxquelles participèrent
d'autres poètes dont René Daumal. (Ces travaux pratiques
aboutirent aux proses poétiques de *Rrose Sélavy*.) Mais
d'autre part, à une époque où *la Liberté ou l'Amour* le faisait
poursuivre en correctionnelle, Desnos tentait de mettre
les ressources de la prosodie classique au service de ses
explorations. Et c'est le vieil alexandrin qu'il empruntait
pour chanter la tristesse des nuits sans amour :

> *Entendez-vous chanter des voix dans les montagnes*
> *Et retentir le bruit des cors et des buccins ?*
> *Pourquoi ne chantons-nous que les refrains de bagne*
> *Au son d'un éternel et lugubre tocsin ?*

En 1930, Desnos s'était séparé brutalement d'André
Breton, avant de participer aux premières applications du
surréalisme au cinéma.

Puis, ce fut la guerre. Les souffrances et les tragédies de
l'occupation, la persécution des Juifs faisaient pâlir l'aventure
surréaliste ; il n'était plus question de jouer au cadavre
exquis, ni de tirer au hasard dans la foule : la Gestapo s'en
chargeait. Desnos publiait *Fortunes* (qui contient la plupart
de ses poèmes écrits depuis 1929 ; ceux d'avant 1929 avaient

---

naliste, Desnos publie ses premiers poèmes dans une revue socialiste, *la Tribune des Jeunes* (1917), puis dans *le Trait d'Union* et dans *Littérature*, organe
des surréalistes. Il participe aux expériences de sommeil hypnotique organisées
par André Breton (1922), dont les résultats seront recueillis dans *Rrose Sélavy*
(*Littérature*, 1922). « Desnos a joué dans le surréalisme un rôle nécessaire,
inoubliable » (Breton) avant de se séparer, en 1930, d'André Breton. Participe
à la Résistance, est arrêté par la Gestapo le 22 février 1944, déporté à Auschwitz, puis à Terezin (Tchécoslovaquie) où il meurt du typhus le 8 juin 1945.

Principaux ouvrages poétiques : *Deuil pour Deuil* (1924), *la Liberté ou
l'Amour* (1927), *Corps et Biens* (1930), *les Sans Cou* (1934), *Fortunes* (1942),
Etat de Veille (1943), *Choix de Poèmes* (1945), *Domaine public* (1953).

Un roman : *le Vin est tiré* (1943).

Sur l'homme et l'œuvre, on pourra consulter : PIERRE BERGER : *Robert
Desnos* (Seghers, 1949) et les *Souvenirs* de YOUKI DESNOS (Fayard).

été publiés en 1930 dans *Corps et Biens*), un roman sur la drogue — *le vin est tiré* —, un nouveau recueil de poèmes :
Quarts de veille. Comme le *Crève-Cœur* d'Aragon, ces mélancoliques complaintes étaient traversées d'espérance :

> *Agé de cent mille ans, j'aurai encor la force*
> *De t'attendre, ô demain pressenti par l'espoir...*

> *Mais depuis trop de mois nous vivons à la veille*
> *Nous veillons, nous gardons la lumière et le feu,*
> *Nous parlons à voix basse et nous tendons l'oreille*
> *A maint bruit vite éteint et perdu comme au jeu.*

Entré dans la Résistance, Desnos continuait d'écrire.
Il veillait sur Paris occupé comme le veilleur du Pont-au-
Change qu'il a chanté, publiant, sous des pseudonymes divers,
les poèmes poignants que rassemblerait plus tard le *Choix*
des Editions de Minuit :

> *Toute noblesse humaine étant emprisonnée*
> *J'étais libre parmi les esclaves masqués.*
> *J'ai vécu dans ces temps et pourtant j'étais libre.*
> *Je regardais le fleuve et la terre et le ciel*
> *Tourner autour de moi, garder leur équilibre*
> *Et les saisons fournir leurs oiseaux et leur miel.*
> *Vous qui vivez, qu'avez-vous fait de ces fortunes ?*

Le 22 février 1944, la Gestapo faisait irruption chez Robert
Desnos ; à Fresnes, le poète célébra les hérauts de la liberté :
« imprimeurs, porteurs de bombes, déboulonneurs de rails,
incendiaires, distributeurs de tracts, contrebandiers, porteurs
de messages ». A Compiègne, il composa ce dialogue alterné
de chœurs et de voix qui fait songer à une ballade de
Villon :

> *A Paris, près de Bourg-la-Reine*
> *J'ai laissé seuls mes amours*
> *Ah ! que les bercent les sirènes*
> *Je dors tranquille, ô mes amours*
> *Et je cueille, à l'Hay, les roses*
> *Que je vous porterai un jour*

Alourdies de parfums et de rêves
Et comme vos paupières écloses
Au clair soleil d'une vie moins brève...

Le 27 avril, il était emmené vers Buchenwald. Déporté, il trouvait le courage d'écrire à sa femme Youki : « Nos retrouvailles embelliront notre vie pour au moins trente ans ; de mon côté, je prends une bonne gorgée de jeunesse, je reviendrai rempli d'amour et de forces. »

Les derniers témoignages recueillis sur les derniers mois de Desnos (à Auschwitz, puis à Terezin) évoquent la *Légende dorée*. C'est à l'étudiant tchèque Joseph Stuna, compagnon de ses dernières heures, que Desnos remit son dernier poème dédié à sa femme :

J'ai rêvé tellement fort de toi,
J'ai tellement marché, tellement parlé,
Tellement aimé ton ombre,
Qu'il ne me reste plus rien de toi...

Au plus fort de l'exil, il avait redécouvert le sens de la vie qu'il croyait avoir perdu au temps du surréalisme. Alors, il osa chanter sans honte le pain et le vin, la table et le lit et sacrer l'humble bien de tous les jours. Mais ce qui transfigure le plus beau de ses poèmes, c'est un incoercible espoir :

Or, du fond de la nuit, nous témoignons encore
De la splendeur du jour et de tous ses présents.
Si nous ne dormons pas, c'est pour guetter l'aurore
Qui prouvera qu'enfin nous vivons au présent.

Aussi ne retenons-nous de ses vers écrits sous la potence qu'un chant de victoire :

Levez-vous : il est temps, l'eau coule en la baignoire
Il faut laver ce corps que la nuit a souillé
Il faut nourrir ce corps affamé de victoire
Il faut vêtir ce corps après l'avoir mouillé.

Levez-vous, il est temps, midi à sons de trompe
Annonce son passage à l'écluse et rêvé
Le monde enfin s'incarne et déroule ses pompes...

5

L'ITINÉRAIRE DE PIERRE EMMANUEL

Entre tant de poètes suscités par la guerre et dont chacun mériterait une étude — de Loys Masson à André Frénaud, de Gabriel Audisio à Pierre Seghers et d'Alain Borne à Guillevic — retenons pour le moment le nom de Pierre Emmanuel, témoin exemplaire de cette génération chez qui la révolte de Rimbaud s'unit au message plus profond d'un christianisme revivifié. Bien que ses *Elégies* aient paru dès 1938 dans les *Cahiers des Poètes catholiques* de Pierre-Louis Flouquet, c'est la Résistance qui a fait connaître le nom de ce jeune Béarnais (1) qui, dès le premier numéro de *Messages* (la revue de Jean Lescure dont nous avons dit plus haut quelle avait été l'importance dans la résurrection du sentiment national dans les lettres de l'occupation), apparut comme une des voix authentiques de sa génération. La parution de *Tombeau d'Orphée* devait confirmer les dons de ce poète de vingt-cinq ans accordé d'instinct à la solitude d'un temps tragique comme à son intense besoin de communion.

La solitude, Pierre Emmanuel l'avait éprouvée tout au long de sa rêveuse adolescence lorsque, replié sur lui-même, il cultivait le beau désespoir des cadets de Baudelaire. « Etre seul est un grand courage, écrivait-il alors, donne à l'homme la force de s'aimer assez pour être seul. » De son enfance, il n'avait gardé « ni un souvenir émerveillé, ni un paysage apaisant » (2) ; et son éducation chrétienne ne lui avait laissé qu'un sentiment d'humiliation, l'empreinte d'une tristesse resserrante. « Pas un mot de nos devoirs sociaux, rien qui nous rappelât que la vérité religieuse est totale... simple-

(1) Né à Pau en 1916, Noël Mathieu (en littérature Pierre Emmanuel), s'est fait connaître par son *Tombeau d'Orphée* (1942), que suivirent *Jours de Colère, Combats avec tes défenseurs, Cantos, le Poète et son Christ, la Liberté guide nos pas* (1945), *Orphiques, Sodome, Chansons du Dé à coudre, Babel* (1952), *Visage, Nuage, Versant de l'Age* (Seuil, 1958).

Un roman : *Car enfin je vous aime.*

Essais : *Poésie, raison ardente* (1947), *Qui est cet homme* (1947), *l'Ouvrier de la onzième heure.*

(2) B. D'ASTORG : *Aspects de la littérature européenne depuis 1945* (Seuil).

ment, quelques conseils éculés, une morale bourgeoise sans
âme, dont le précepte capital semble être : « En dehors du
mariage, tu ne coucheras pas » (1). » Ses vrais maîtres avaient
été des poètes — Baudelaire, Rimbaud, Eluard, Michaux,
Supervielle — et ce fut Pierre-Jean Jouve qui le révéla à
lui-même. La lecture de *Sueur de Sang*, puis celle des Romantiques allemands, lui découvrit le pouvoir de libération du
langage, du moins lorsqu'il s'agit de ce langage de l'être,
« d'autant plus universel qu'il est davantage singulier », qui
fait du poète « un homme qui prend chaque mot dans sa
plénitude, qui met sa vie dans ses mots, et ses mots dans
sa vie ».

En l'arrachant aux illusions de la douleur romantique, en
lui enseignant l'impossibilité de vivre seul au milieu des
hommes, la guerre et la Résistance allaient permettre à Pierre
Emmanuel d'échapper à ses fatalités intérieures et d'accéder
du singulier à l'universel : il devait composer une bonne part
de ses poèmes dans ce haut-lieu de la pensée libre qu'était
alors Dieulefit — où, d'Emmanuel Mounier à André Rousseaux,
s'étaient réfugiés quelques-uns des animateurs de cette insurrection spirituelle que fut aussi la Résistance. Sans doute, la
désillusion ne devait-elle pas tarder : elle survint dès l'été
1944, où Pierre Emmanuel, appelé à siéger dans un comité
départemental de la Libération, fut témoin de certains « jugements » dont l'écho amer devait se retrouver dans *l'Ouvrier
de la onzième heure*. Cofondateur des *Etoiles* (l'autre directeur était l'écrivain communiste Georges Sadoul), Pierre
Emmanuel devait s'éloigner du communisme à la suite d'un
voyage dans les démocraties populaires où il était allé chercher le feu sacré : ce fut un éteignoir qu'il y trouva (1947).

La poésie de guerre de Pierre Emmanuel exprime d'une
manière frappante les ambitions de sa génération : sa recherche
d'une mythologie neuve, à la mesure d'un temps tragique,
son refus de toute morale apprise — comme s'il s'agissait de
répondre à la désintégration du monde et de la matière par
une désagrégation de l'esprit lui-même. Si Pierre Emmanuel
participa quelque temps à ces illusions, il eut aussi le mérite
d'en percevoir assez vite la vanité et de réagir contre la litté-

(1) *Qui est cet homme ?*

rature du désespoir, qui « flatte le goût du malheur que l'adolescence porte en elle », contre les excès d'une intelligence
« purement instrumentale » qui, satisfaite de son propre jeu,
conduit au doute absolu, condamnée, pour se survivre,
« à se disséquer indéfiniment ».

Dans ses premiers vers, un torrent d'éloquence indignée
charrie maladroitement métaphores et symboles ; à l'influence du vieux Hugo et du jeune Rimbaud, succède celle
d'Agrippa d'Aubigné. Une plainte se fait jour, sous les images :
celle d'Orphée descendu aux Enfers aux prises avec ses fatalités, qui veut en triompher — ou disparaître :

> *Orphée marche traînant un cadavre en lambeaux*
> *et chante gloire avec horreur dans les tombeaux*
> *mais les morts en son chant coulent comme des pierres*
> *Eurydice à jamais délivrée ne se plaint*
> *qu'en songe et rien n'est vrai de ce chant que le crime*
> *d'avoir livré à Dieu la bien-aimée. Orphée*
> *voit les tombes gavées de sang se débonder*
> *la pierre sous ses pas suer comme une éponge*
> *les hymnes des vivants grossir la voix du Styx*
> *et la chair saturer le fer l'âme chercher*
> *le cloaque pour y prendre forme : au plus bas*
> *du chaos, Lui s'acharne à vivre et désespère*
> *de féconder jamais tous les charniers.*

Pierre Emmanuel ne devait pas se contenter longtemps du
verbalisme insoutenable de tels vers. Répudiant le désordre
de l'histoire et l'anarchie des mots que rien n'assemble, il osa
réclamer « des œuvres construites et voulues qui rejettent
comme une faiblesse la discontinuité des impressions lyriques ».
En dix ans, on devait voir le poète, passant de l'image au
symbole, accéder à la maîtrise de son univers et de son langage.
Dans de brefs *Cantos* :

> *Ce sont toujours les mêmes mots*
> *qui hasardent le monde*
> *C'est la même colombe*
> *qui surplombe*
> *les eaux*

dans tels sonnets qui font songer à Nerval, Novalis ou Hölderlin :

> *Le sommeil enchanté glace le vallon vert*
> *— ce ciel a la couleur naïve des légendes.*
> *Un château figurant la Mort hante les airs*
> *comme un long cri de solitude sur la lande*

mais surtout dans la prose royale de *Babel*, chargée de signes,
à la fois stable et ailée, comme un Parthénon, avec des images
qui font parfois songer à Claudel ou à Saint-John Perse,
Pierre Emmanuel offrait à son Créateur l'inventaire d'un
monde crucifié :

> *Il suffit d'un seul cœur souffrant pour que le flux*
> *De la colère monte aux genoux de l'histoire,*
> *Et toujours un roseau survit à la mémoire*
> *Pour sentir battre en lui les eaux qui ne sont plus*
>
> *Celui qui ne sait plus que se taire et qui va*
> *N'ayant pour compagnon que son pas implacable,*
> *Celui que son amour n'aimant personne accable*
> *Et qui, seul dans la nuit, tend vers l'ombre les bras*
> *Son cœur te contient toute ô cité qui l'ignore*

Mais l'ultime invocation du récitant de *Babel* réconcilie
l'Univers avec son Créateur :

> *Dieu en moi n'a point peur de la mort : il a sur elle créance*
> *de mon âme... le vieil âge une fois charrié vers la mer et les*
> *millénaires confondus, la montagne de la dédicace reverdit, les*
> *torrents se révèlent guéables, le pâtre se remet en chemin vers*
> *l'alpe neuve une fois de plus, et le fleuve dans son lit se retire,*
> *bercé par le frémissement des roseaux. O mort, où est ta victoire ?*
> *Tout recommence comme si tu n'étais pas, et cet homme aux*
> *veines ouvertes qui saignait sa résine comme un pin, le voici*
> *au sommet du mont, intact et lisse, le voici, à peine si le sang*
> *ancien lui rosit par endroits l'écorce.*
> *Tant que je vivrai, Seigneur, je Te louerai !*
> *Fais de moi ce pin, ta sentinelle ! Que tout saignant au fort*
> *des guerres, je continue de pousser ma sève jusqu'au faîte où*

je touche à ton Nom. Si telle est ta volonté que je meure pour m'inscrire en faux contre la mort... reprends ce souffle que Tu m'as donné, ne permets pas qu'il se disperse dans le vent, et rapelle à Toi ces paroles que Tu voulus proférer par ma bouche, ce Verbe humain qui n'est pas de l'homme, qui lui est identique mais étranger comme le son l'est à l'instrument.

... Des mains de l'homme qui l'ont dépêtrée du sang des guerres et de la boue des charniers, veuille accepter, Seigneur, cette colombe...

Ici, Pierre Emmanuel se montrait bien près de remplir son grand dessein ; si chacun de ses mots s'ordonnait en une même prière, c'est que la Grâce était sur sa parole.

Cette grâce — qui fut, un moment privilégié, celle d'une pléiade de poètes, comme si notre patrie s'était réfugiée dans son langage, dans une parole que le malheur avait purifiée — inspire encore le dernier recueil d'Emmanuel : *Versant de l'Âge* (1958). Un court traité de morale y précède de larges psaumes ou de nouveaux Cantos. L'auteur ne dédaigne pas les vastes paraboles. Mais, s'il compare au Christ « Satan d'Hiroshima » ou la germination d'une herbe à la Genèse, c'est en poète métaphysicien que rien ne peut détourner de sa vocation : *nommer* les choses pour qu'elles *soient*.

CHAPITRE DEUXIÈME

LA LIBÉRATION

(1944 - 1949)

I

LE CLIMAT DE LA LIBÉRATION

L A France libérée ne ressemblait plus à l'île heureuse et
menacée de l'entre-deux-guerres. Couverte de ruines,
épuisée, divisée en profondeur par la querelle de la
légitimité qui avait opposé quatre années le gaullisme au
régime de Vichy, consciente de n'avoir été qu'un faible
appoint dans le colossal effort de guerre des Trois Grands,
« vieille *prima donna* dépouillée et ruinée, qui pleure dans
l'ombre ses bijoux perdus, le collier étincelant de ses ports et
de ses villes anciennes, sacrifiés aux nécessités d'une juste
guerre » (1), la France de 1944 n'était pas près d'oublier la
défaite. Aux illusions d'hier — lorsqu'elle se croyait aimée et
admirée de tous, indispensable au bonheur du monde — avait
succédé une amère lucidité. « L'humanité a terriblement vieilli,
écrivait Mauriac au printemps 1945. Elle sort de ce nouveau
bain de sang avec une tête froide et qui ne rêve plus. Accrou-
pie sur ses charniers, on dirait qu'elle berce contre sa poitrine
une petite fille morte — celle que Péguy appelait « la petite
fille Espérance » (2). » Et les guides les plus écoutés — à
commencer par l'éditorialiste anonyme de *Combat*, Albert
Camus — la mettaient en garde contre les rêves de grandeur
dont le général de Gaulle était alors le symbole.

---

(1) FRANÇOIS MAURIAC : *Journal*, IV, 9 mars 1945 (Flammarion).
(2) ID., *ibid.*, 23 mars 1945.

1

L'ÉPURATION LITTÉRAIRE

Le climat de suspicion, voire de délation, que le parti communiste, au nom de ses 75.000 fusillés (1) faisait régner sur la France de 1944, s'étendit à la littérature. « Selon un *credo* à peu près universellement admis, quiconque s'attaquait aux communistes était de ce fait anticommuniste, donc élève de Gœbbels et ennemi de la démocratie... le parti communiste pouvait ainsi, à sa volonté, absoudre ou damner (2). » Passé maître dans la technique de l'« amalgame », il excellait à truffer d'otages (François Mauriac, Mgr Chevrot, le R.P. Chaillet) les organisations qu'il contrôlait — *Front National, Comité National des Ecrivains, Union Nationale des Intellectuels, Maison de la Pensée Française* — et à imposer ses hommes, ses vues et ses méthodes, sous le couvert de l'union sacrée contre le fascisme. Aragon, grand maître d'un C.N.E. brusquement grossi, à la Libération, d'un flot d'écrivains dont la Résistance avait parfois été purement virtuelle, faisait régner la « terreur dans les Lettres » ; sur la liste noire du C.N.E. figuraient non seulement des collaborateurs patentés mais de mauvais esprits dont il fallait fermer la bouche en leur interdisant de publier. Quelques écrivains — Gabriel Marcel, François Mauriac — eurent le courage de protester contre les excès d'une épuration qui tenait autant au désir d'évincer des concurrents de poids (Giono, Marcel Aymé, Jouhandeau) qu'à la ferveur patriotique.

Jean Paulhan prit, sur le mode plaisant, la défense des suspects : « Chers amis, écrivit-il aux membres du C.N.E., l'épuration, vous le savez, mène la vie dure aux écrivains. Les ingénieurs, entrepreneurs et maçons qui ont bâti le mur de l'Atlantique, se promènent parmi nous bien tranquillement. Ils s'emploient à bâtir de nouveaux murs. Ils bâtissent les murs des nouvelles prisons, où l'on enferme les journalistes qui ont eu le tort d'écrire que le mur de l'Atlantique était

---

(1) On sait que le procès de Nuremberg recensa 29.660 Français fusillés par les Allemands.

(2) LUTHY, *op. cit.*

bien bâti... Je me demande, quand je vous vois tous acharnés à la mort d'un Brasillach ou d'un Rebatet — furieux, et parlant avec Claude Morgan d'« insulte à tous nos martyrs » si d'aventure quelque victime vous échappe — je vous demande si vous êtes tout à fait innocents de ces hommes que, si allégrement, vous envoyez au poteau (1). » De tels propos paraissaient scandaleux. Camus le Juste, avouant « n'avoir pas d'imagination pour les fers que, selon M. Mauriac, les condamnés de la trahison portent aux chevilles », trouvait au mot de pardon « des airs d'injure » (2).

Ainsi périrent Brasillach et Paul Chack, ainsi Béraud fut-il condamné à mort, comme l'aurait été Drieu. Mais, peu à peu, les signatures honnies reparurent dans les périodiques (on vit même les incorruptibles *Lettres Françaises* publier un roman de Pierre Benoit) et certaines condamnations de 1944 parurent incompréhensibles : la mort, comme à la Révolution, avait cessé d'être à la mode.

2

LES COURANTS D'IDÉES
PRESTIGE ET SÉDUCTION DU MARXISME

Au tripartisme politique correspondit curieusement dans le domaine de l'intelligence, un autre tripartisme : marxistes, existentialistes et personnalistes se partagèrent le gouvernement des esprits. Ils avaient, comme les partis au pouvoir, leur « programme du C.N.R. » — la « charte du C.N.E. », à base d'engagement, d'humanisme, de révolution.

Les communistes donnaient le ton. « Le communisme est notre tentation parce qu'il constitue de nos jours la seule conception du monde qui soit totale et vivante. Il est plus qu'une philosophie, plus qu'une morale, plus qu'une doctrine... Il apparaît comme la seule doctrine capable de combler l'abîme creusé par la faillite du christianisme et de l'individualisme classique. Marx a succédé à saint Thomas et à Descartes, comme un âge nouveau succède à un âge révo-

---

(1) *Lettre aux membres du C.N.E.* (6 juillet 1947).
(2) *Combat.*

lu (1).» La force, le succès impressionnent les intellectuels : nombre d'entre eux crurent, la Libération venue, que le communisme était porté sur les ailes de l'histoire, qu'il était la voix même de l'époque et que rien ne prévaudrait contre lui. Même des écrivains aussi « à droite » que Thierry Maulnier, qui devait dénoncer dans ses Chroniques de *la Table Ronde* la terreur révolutionnaire, prenait parti (dans *Violence et Conscience*) pour l'abolition du capitalisme au sein d'une économie collective. Merleau-Ponty, lui, prétendait substituer à la justice classique une justice révolutionnaire, « car être révolutionnaire, c'est juger ce qui est au nom de ce qui n'est pas encore, en le prenant comme plus réel que le réel ». « La justice bourgeoise prend pour instance dernière le passé, la justice révolutionnaire l'avenir. Elle juge au nom de cette vérité que la Révolution est en train de rendre vraie, ses débats font partie de la *praxis*, qui peut bien être motivée mais qui dépasse tous ses motifs. C'est pourquoi elle ne s'occupe pas de savoir quels ont été les mobiles ou les intentions, nobles ou ignobles, de l'accusé : il s'agit de savoir si en fait sa conduite, étalée sur le plan de la *praxis* collective, est ou non révolutionnaire (2). » Les nazis ne parlaient pas autrement, et Merleau-Ponty (qui, dix ans plus tard, à la lumière de la guerre de Corée, rompra avec les communistes et ira jusqu'à taxer Sartre d'*ultra-bolchevisme*) justifiait sans vergogne les Procès de Moscou, où « le procureur et les accusés parlent au nom de l'histoire universelle, pourtant inachevée, parce qu'ils pensent la toucher dans l'absolu marxiste de l'action indivisiblement subjective et objective », procès qui avaient surtout le mérite à ses yeux de n'être « compréhensibles qu'entre révolutionnaires, c'est-à-dire entre hommes convaincus de *faire l'histoire*, et qui par suite voient déjà le présent comme passé et comme traîtres les hésitants ». A quoi le sociologue Jules Monnerot répliquait avec esprit : « L'individu qui empoisonne sa vieille tante pour en hériter plus vite, voit déjà le présent comme passé et l'existence de sa vieille tante comme un anachronisme qu'il est peu enclin à tolérer davantage (3). »

(1) PAUL VAN DEN BOSCH, *les Enfants de l'Absurde* (La Table Ronde).
(2) MAURICE MERLEAU-PONTY, *Humanisme et Terreur* (Gallimard).
(3) *Liquidation et Justification* (*La Nef*, 1947).

Au prestige de la puissance et du succès s'en ajoutaient
d'autres, moins grossiers. « Beaucoup d'intellectuels qui ne
veulent rien savoir de la dialectique vont de l'athéisme à la
Révolution... parce qu'elle détruit un monde médiocre ou
odieux. Entre l'avant-garde littéraire et l'avant-garde politique, observe Raymond Aron (1), joue la complicité de la
haine éprouvée contre l'ordre ou le désordre établi. *La Révolution bénéficie du prestige de la Révolte.*» Et beaucoup d'intellectuels pensaient avec Malraux que la dignité de l'esprit
réside dans l'accusation de la vie et que « toute pensée qui
justifie l'univers s'avilit dès qu'elle est autre chose qu'un
espoir».

Pour peindre l'homme communiste, Aragon trouvait des
accents inspirés : « Qui ne voit que le communiste est de nos
jours l'héritier, le représentant de toute grandeur humaine,
de tout esprit de sacrifice, de tout héroïsme français... ? Le
communiste n'attend rien pour lui-même. S'il donne sa vie,
comme soixante-quinze mille des nôtres l'ont fait devant les
fusils des pelotons d'exécution allemands... sa récompense
est que les siens seront, grâce à ce sacrifice, un tout petit peu
plus près du bonheur que s'il n'avait pas accepté le martyre...
La croyance au progrès indéfini et infini de l'homme, en la
montée de l'humanité vers un soleil que, lui, ne verra point,
mais dont il aura obscurément préparé l'aurore, voilà l'idéal
du communiste... L'homme communiste, c'est celui qui met
l'homme au-dessus de lui-même... celui qui ne demande rien,
mais qui veut tout pour l'homme (2).» Le martyre d'un
Jacques Decour, d'un Georges Politzer, d'un Valentin
Feldman (on attribue à ce disciple de Victor Basch un mot
admirable, face au peloton d'exécution : « Imbéciles, c'est
pour vous que je meurs !»), l'exemple d'un Langevin, d'un
Joliot-Curie, d'un Eluard, se conjuguaient avec la vitalité
d'une jeune génération de philosophes groupés autour de Henri
Lefebvre et de Jean Kanapa, de polémistes du mordant de
Pierre Hervé, de Roger Garaudy, de Pierre Courtade, de
poètes du talent de Seghers et de Guillevic pour donner au
communisme une grande puissance d'influence et de séduction.
Non seulement les publications officielles du parti *(la Pensée,*

(1) *L'Opium des Intellectuels* (Calmann-Lévy).
(2) *L'Homme communiste* (Gallimard, 1946).

la Nouvelle Critique, les Cahiers du Communisme) mais toute
une frange de périodiques à grand tirage (*les Lettres Françaises*, qui oublièrent bientôt le nom de leur fondateur, Jean
Paulhan (1), *Europe, Poésie*) servaient alors de véhicules
à la pensée marxiste, elle-même objet de commentaires et
de polémiques dans la quasi-totalité des revues. Un marxisme
vulgarisé inspirait mille variétés de cet « humanisme révolutionnaire», qui fut, de 1944 à 1947, le *Sésame ouvre-toi!* de
la pensée française.

---

(1) Le journal portait à la Libération : *fondé en 1942 par Jacques Decour
(fusillé par les Allemands) et Jean Paulhan.* Les trois derniers mots furent
omis au bout de quelques mois, lorsque Paulhan eut accepté de publier aux
côtés de « collaborateurs».

II

AUTOUR DE L'EXISTENTIALISME

D E cet humanisme, l'existentialisme s'affirmait aussi le
défenseur. Bénéficiant, dans les milieux intellectuels,
du discrédit qui frappait alors l'ensemble des modes
de pensée rationnelle, cette philosophie nouvelle, vigoureuse
et cohérente, parut, par son pessimisme foncier, parfaitement
adaptée aux besoins de l'époque. Elle bénéficiait en outre,
en la personne d'un nouveau venu, Jean-Paul Sartre, d'un
propagandiste de génie. Grâce à lui, l'existentialisme allait,
pendant plusieurs années, donner le ton à toute l'activité
littéraire.

1

L'HOMME NOUVEAU : JEAN-PAUL SARTRE

Jean-Paul Sartre (1) a su mener à bien, à l'abri d'une sage
carrière de professeur, une œuvre monumentale, qui ne recule

(1) J.-P. Sartre est né à Paris, le 21 juin 1905. (Famille de bonne bourgeoisie périgourdine, mi-catholique, mi-protestante : Sartre est cousin du
docteur Schweitzer.) Père et beau-père polytechniciens. Orphelin de père en
1907 ; rebelle aux mathématiques fait de brillantes études de lettres au lycée de
La Rochelle, puis à Paris, à Henri-IV. Ecole normale supérieure (1924-1928),
licence, puis agrégation de philosophie (reçu premier en 1929). Professeur
au Havre, puis à Laon et à Paris (lycée Pasteur) ; une année à l'Institut
français de Berlin (1933-1934 ; élève de Husserl). Collabore à la *N.R.F.* (notes
sur Faulkner, Dos Passos, Mauriac, Giraudoux), à *Europe* et à la *Revue de
Métaphysique et de Morale.*
    Avant la guerre, un roman refusé : *la Défaite.* Un essai sur *l'Imagination*
(1936), suivi d'une *Esquisse d'une Théorie des Emotions* (1939). Premier succès

devant aucune audace. On parlera peut-être un jour de lui comme Péguy évoquait Descartes, « ce cavalier français qui partit d'un si bon pas ».

Converti à la phénoménologie allemande par un séjour à Berlin où il subit la forte influence de Heidegger et de Husserl, Sartre avait participé aux dégoûts, aux espoirs et aux révoltes de sa génération — celle de Mounier, de Merleau-Ponty, de Nizan. Admirateur de Gide et de Malraux, il était retenu sur le bord de l'engagement politique (que lui prêchait son ami Nizan (1), le romancier des *Chiens de garde*, converti au communisme) par un sens critique aigu, le goût gidien de la liberté et l'amour de l'art. Les événements de l'entre-deux-guerres l'amenèrent à s'apercevoir que « la libération à l'égard des préjugés n'éliminait pas le tragique de la vie et la respon-

de librairie : *la Nausée* (1938), puis *le Mur* (1939). Mobilisé en 1939 (comme brancardier), Sartre est fait prisonnier en juin 1940, au Stalag XII D (à Trèves) ; libéré le 1er avril 1941, au titre sanitaire, reprend un poste au lycée Pasteur, puis à Condorcet. Il publie *l'Etre et le Néant* et fait jouer (chez Dullin) *les Mouches* (1943), puis *Huis Clos* (1944), mis en scène par Albert Camus. Quitte l'Université en 1945 ; directeur des *Temps Modernes*; voyage aux Etats-Unis ; publie les deux premiers volumes des *Chemins de la Liberté*; conférence au club *Maintenant* (octobre 1945) sur le thème « l'Existentialisme est un humanisme». S'aligne sur le parti communiste de 1952 à 1956.

Jean-Paul Sartre a publié :

Des ouvrages de philosophie : *l'Imagination* (1936), *Esquisse d'une théorie des Emotions* (1939) ; *l'Imaginaire* (1940) ; *l'Etre et le Néant* (1943).

Des pièces de théâtre : *Les Mouches* (1943) ; *Huis Clos* (1944) ; *Morts sans sépulture* (1946) ; *la Putain respectueuse* (1946) ; *les Mains sales* (1948); *le Diable et le Bon Dieu* (1951), *Kean* (d'après Alexandre Dumas, 1954); *Nekrassov* (1955).

Des essais : *l'Existentialisme est un humanisme* (1946) ; *Baudelaire* (1947) ; *Réflexions sur la question juive* (1947) ; *Entretiens sur la Politique* (avec David Rousset et Gérard Rosenthal, 1949) ; *Saint-Genêt, comédien et martyr* (1952) ; une longue *Préface* au *Traître* d'André Gorz (1958) et trois volumes de *Situations* (1947, 1948, 1949).

Sur l'homme et l'œuvre, on pourra consulter : D. TROISFONTAINES : *le Choix de J.-P. Sartre* (Aubier, 1945) ; MARC BEIGBEDER : *l'Homme Sartre* (Bordas, 1947) ; PIERRE DE BOISDEFFRE : *Métamorphose de la Littérature*, II (Alsatia, 1951) ; R.-M. ALBÉRÈS : *Jean-Paul Sartre* (Editions Universitaires, 1953) ; F. JEANSON : *Sartre par lui-même* (Le Seuil, 1956).

(1) Paul Nizan (1905-1940), tombé à trente-cinq ans en pleine campagne de France, est l'une des figures attachantes de l'entre-deux-guerres : celle d'un écrivain converti au communisme mais qui n'admit pas de transiger avec l'honneur : il rompit avec le parti communiste au lendemain du pacte germano-soviétique et fut tué au combat.

Principaux romans : *Antoine Bloyé, les Chiens de garde, la Conspiration.*

sabilité de l'homme» (1). Tandis qu'il donnait à la *N.R.F.* de
lucides notes critiques et vulgarisait dans ses premiers essais
(*l'Imagination*, 1936 ; *Esquisse d'une Théorie des Emotions*,
1939) les thèses et le vocabulaire de la phénoménologie allemande, il exprimait avec de plus en plus d'âpreté son dégoût
de la société bourgeoise et des conventions sociales — c'est-
à-dire celui d'une vie où rien n'est fondé en vérité. « Le
Roquentin de *la Nausée* est ce héros de Gide vieilli qui, à
force de rejeter le « manteau des mœurs» et les habitudes
toutes faites, à force de lucidité et d'esprit critique, se trouve
sans aliment pour vivre, possesseur en effet d'une liberté qui
n'est faussée et contrainte par rien, mais qui ne trouve non
plus rien à quoi s'appliquer (2).» Sartre prêtait à son héros —
un autodidacte déraciné — le langage et les obsessions d'un
poète — mais d'un poète fasciné par l'envers *obscène* des
choses, par la *facticité* d'un monde dont il ne distingue que les
aspects écœurants. Un an plus tard (1939) les affreuses nouvelles du *Mur* semblaient sorties de l'enfer de Goya, de
Jérôme Bosch, des visionnaires de l'absurde. Ces livres
firent scandale ; ils annonçaient un des talents originaux du
demi-siècle.

La notoriété de Sartre, restreinte jusqu'à la guerre, devait
s'affirmer sous l'occupation. *L'Etre et le Néant* (1943) fit de
lui le chef de file de la nouvelle génération philosophique.
Les Mouches, jouées la même année par Dullin, puis *Huis
Clos* (1944) annonçaient une dramaturgie d'un type nouveau (3), étroitement inspirée par une philosophie rigoureuse.
La Libération fit de Sartre l'écrivain le plus célèbre de France
et une vedette internationale, tandis que l'existentialisme
devenait une mode, la tarte à la crème des journalistes en
mal de copie et des gens du monde en quête d'idées, le seul
article d'exportation qu'une France épuisée pouvait encore
proposer à un monde avide d'idées neuves, de scandale et
de liberté. Dans la mesure où il exprimait la « conscience
mystifiée» de l'intelligentzia occidentale, l'existentialisme,
avec sa lucidité sans complaisance, son langage technique, ses

---

(1) R.-M. ALBÉRÈS, *Jean-Paul Sartre* (Editions Universitaires).
(2) *Ibid.*
(3) Cf. TROISIÈME PARTIE, 2ᵉ chapitre, III, 2.

descriptions réalistes, parut donner une image « authentique »
d'une Europe que le malheur avait pour longtemps délivrée
de toute hypocrisie.

2

L'EXISTENTIALISME SARTRIEN

Ce raz de marée idéologique avait derrière lui une longue
histoire. Sa lignée d'ancêtres part de Socrate et de saint
Augustin, passe par Pascal, Maine de Biran, Kierkegaard,
pour aboutir d'une part, à Max Weber et aux existentialistes
allemands — Heidegger, Jaspers, Husserl surtout —, de
l'autre à des marxistes comme Lucakcs et Gramsci, et à des
chrétiens comme Alphonse de Waehlens et Gabriel Marcel
(qui accepta un moment le titre ambigu d'*existentialiste
chrétien*).

Pour Sartre (mais Gabriel Marcel contesterait ce point
de vue) une telle philosophie, abandonnant les grandes perspectives métaphysiques des idéalismes classiques, cherche
une délimitation rigoureuse de l'existence. Il ne s'agit plus
de déduire l'homme d'une *nature* préétablie et fixée pour
toujours, mais de le fonder sur des *projets* quotidiens. Marx
aurait pu contresigner la devise sartrienne : « Faire et en faisant se faire, et n'être rien que ce que l'homme s'est fait. » Et,
pour résumer sa doctrine, Sartre a trouvé cette formule frappante : *l'Existence précède l'Essence.*

Ce don de la formule-choc fait de Sartre un remarquable
propagandiste : clair, efficace, riche d'images et de métaphores (elles sont le ferment de la pâte assez indigeste que
serait, sans elles, *l'Etre et le Néant*). En cédant à l'excitant
démon de la polémique, il a rendu familières au grand public
des thèses destinées à rester dans le domaine des spécialistes.
Rappelons ici quelques-unes de ses définitions :

— *L'homme est l'être chez qui l'existence précède l'essence.*
Il surgit dans le monde comme pure contingence, il existe
avant de se définir. On ne peut le déduire d'une réalité préexis-
tante *puisqu'il n'y a pas de Dieu pour le concevoir. L'homme
n'est rien d'autre que ce qu'il se fait.* Il ne se définit que par
ses actes.

— *Le monde n'est pas intelligible à priori* : pure facticité,
il n'a d'autre signification que celle que lui donne l'homme.
C'est à l'homme et à lui seul qu'il appartient de choisir un
sens pour ce monde.

— Si Dieu n'existe pas, s'il n'y a pas de nature humaine,
si le monde est inintelligible en soi, l'homme n'a ni ordres
ni justification à recevoir d'autrui, il est *condamné à être
libre*, à s'inventer à chaque minute.

— Si l'homme est libre, il est pleinement *responsable* de
son existence. Ni son tempérament, ni ses passions, ni les
circonstances ne pourront lui servir d'excuse. Il n'a fait que
ce qu'il a voulu ; il n'a voulu que ce qu'il a fait.

— Si l'homme est libre, il n'y a ni Bien ni Mal, parce qu'on
ne peut choisir pour soi que le Bien et le seul jugement qui
puisse être porté sur les actes humains ne concerne pas leur
valeur mais leur *authenticité*.

On voit quelle morale pratique découle de cet unique
postulat initial : si l'homme existe, il n'y a pas de Dieu. Sartre
refuse toute forme de pensée religieuse qui aboutirait à détacher l'homme de sa propre vie. L'homme ne peut gagner son
procès en appel, se désolidariser de ce monde et de cette vie.
Avec le poète Francis Ponge, Sartre affirme que *l'homme
est l'avenir de l'homme*. Pour défendre l'existentialisme du
reproche de démoraliser, il assure que « l'angoisse ne se distingue pas du sens des responsabilités » et que « le désespoir
ne fait qu'un avec la volonté ». Il lui suffit d'un imperceptible
coup de pouce pour tirer une morale de l'action de sa vision
pessimiste et limitée de l'existence ; il voudrait mettre l'accent sur les engagements humanistes, l'effort, le combat, la
solidarité, la générosité, et va jusqu'à éviter de prononcer
le mot d'absurde. Cependant, il éprouve de grandes difficultés
à équilibrer dans son œuvre la part critique — forte, vigoureuse, impitoyable — et la part créatrice. Mais s'il n'est pas
encore parvenu à nous offrir une incarnation romanesque
satisfaisante de l'athéisme radical qu'il a choisi, c'est peut-
être parce que la propagande a, depuis 1945, requis le meilleur
de lui-même.

3

DE LA FONDATION DES « TEMPS MODERNES »
A LA TRAGÉDIE HONGROISE,
OU LES AVATARS DE LA DIALECTIQUE

Le roman de Simone de Beauvoir, *les Mandarins*, montre quelle était l'ambition de Jean-Paul Sartre en fondant les *Temps Modernes* : il ne s'agissait pas seulement de donner un moyen d'expression à la nouvelle école, mais d'ouvrir, par un regroupement des révolutionnaires, la voie à la transformation radicale de la société bourgeoise. Le premier numéro parut le 1er octobre 1945 ; une présentation de Sartre y servait de manifeste à la « littérature engagée». Le Comité de rédaction groupait cinq de ses amis (Raymond Aron et Albert Ollivier rejoindraient bientôt le R.P.F. ; le philosophe Maurice Merleau-Ponty ferait un jour dissidence ; seuls resteraient fidèles Simone de Beauvoir et Michel Leiris) auxquels s'était joint (pour peu de temps) l'éclectique Jean Paulhan.

Les affirmations de Sartre situaient la revue dans un contexte moins littéraire que politique : « ... On ne peut pas tirer son épingle du jeu... L'écrivain est en *situation* dans son époque... Je tiens Flaubert et Goncourt pour responsables de la répression qui suivit la Commune parce qu'ils n'ont pas écrit une ligne pour l'empêcher.» *Produire certains change-ments dans la société*, tel était le but affiché de la revue, qui posait des questions précises : « Comment rééquipera-t-on le pays ? ... Y aura-t-il une révolution et que sera-t-elle ?» Aux sommaires, peu de « littérature», mais des commentaires politiques, des « situations», des « études», surtout des « documents» (journal d'une prostituée, d'un schizo-phrène, etc.).

De plus en plus, *Sartre opta pour une littérature politique*. Sa condamnation absolue de la bourgeoisie l'entraîna vers une collaboration d'abord réticente, puis conditionnelle, et enfin sans réserves, avec les communistes. Il avait cependant longtemps hésité à les suivre, car « la politique du communisme stalinien est incompatible en France avec l'exercice honnête du métier littéraire» ; elle fait de l'écrivain un présumé

coupable et le bouc émissaire de toutes les purges politiques.
« Si vraiment les deux termes de l'alternative sont la bourgeoisie et le P.C., alors le choix est impossible.» Dans *Matérialisme et Révolution*, Sartre s'efforça de démontrer qu'une
philosophie révolutionnaire devait dépasser à la fois l'idéalisme bourgeois et le mythe matérialiste pour apparaître
comme la vérité de l'homme, « concrète, voulue, créée,
maintenue, conquise à travers les luttes sociales par les
hommes qui travaillent à la libération de l'homme».

Conscient d'écrire « contre tout le monde», d'avoir des
lecteurs, mais pas de public, d'être renié à la fois par le
parti communiste et par la bourgeoisie, Sartre s'efforça
de toucher directement les masses en fondant le *Rassemblement Démocratique Révolutionnaire :* l'échec fut total, le nouveau
parti ne parvenant guère à réunir que quelques intellectuels.
Lorsque David Rousset souleva devant l'opinion internationale la question du régime concentrationnaire soviétique
(fin 1949), Sartre refusa de le suivre sur une voie qui menait
à « la mobilisation du monde entier contre l'U.R.S.S. beaucoup plus qu'à l'allégement de la peine des concentration-
naires de Sibérie». En décembre 1952, en participant à
Vienne au *Conseil mondial de la Paix*, il s'alignait sur les
positions communistes qu'il avait, au printemps de la même
année, commentées et défendues dans les *Temps Modernes*.
Auparavant, il avait mis Camus, coupable de déviationnisme
de droite, au ban de l'intelligentzia : en dénonçant, dans
l'Homme révolté, la logique absurde des révolutions déifiées,
l'auteur de *la Peste* venait de ruiner cette eschatologie révolutionnaire au nom de laquelle les communistes justifiaient
les excès du stalinisme. Il faudra la révolte de la Hongrie pour
que s'ouvrent les yeux de Sartre et pour qu'il dénonce à la fois
« la faillite complète du socialisme en tant que marchandise
importée d'U.R.S.S.», l'horreur de la répression, et le cynisme
des dirigeants communistes français dont chaque phrase,
chaque geste, lui apparaîtra soudain comme « l'aboutissement
de trente ans de mensonges et de sclérose».

Ainsi, *au terme de sa collaboration avec le P.C., Sartre se
heurte à une incompatibilité fondamentale*. Solitaire, il ne peut
rester un guide. Compagnon de route, il risque de devenir
un otage. Mais, plus profondément, ce qui l'empêche de
s'accorder à la *praxis* communiste, c'est sa morale. Pour

Sartre, en effet, « toute morale qui ne se donne pas explicitement comme impossible aujourd'hui, contribue à la mystification et à l'aliénation des hommes (1) ».

C'est dire qu'en attendant de nous offrir une morale pour
après-demain, il s'emploie à dévaloriser celles d'aujourd'hui.
A la société sans classes qu'il souhaite devrait répondre un
monde sans valeurs, fondé sur une liberté totale, où chaque
homme puisse affirmer sa propre personnalité sans avoir à
s'intégrer dans une société ordonnée. Les communistes
estiment au contraire que « la revendication de la morale se
fait aujourd'hui contre la bourgeoisie, contre les idéologies
pessimistes et avilissantes, contre la littérature noire (2) »
et Aragon, comme hier Jdanov, récuse en leur nom tout art
que n'inspirerait pas « la conviction d'une victoire définitive
du Bien» : « Ce sont ceux qui sont incapables de faire de la
bonne littérature avec de bons sentiments qui répandent le
bruit que c'est avec de mauvais sentiments qu'on fait de la
bonne littérature... le succès d'un Sartre est facile : il suffit
de naître un peu chacal (3).»

4

LE DILEMME DE JEAN-PAUL SARTRE

En s'élevant contre l'opposition du Bien et du Mal, Sartre
optait pour une morale fondée non plus sur le contenu des
actes humains, mais sur leur seule authenticité. A l'attitude
rigide de « l'homme de Bien», il oppose la spontanéité de
l'instinct. Il peint l'honnête homme comme un être « sourd,
muet, paralysé», emprisonné dans les bandelettes de l'obéissance et de la tradition et qui repousse comme une tentation
diabolique « tout ce grouillement vague et criant qui est
encore lui-même, mais un lui-même sauvage, libre, extérieur
aux limites qu'il s'est tracées» (4). En d'autres termes, le

(1) *Saint-Genêt.*
(2) JEAN KANAPA, *La Nouvelle Critique*, octobre 1949.
(3) ARAGON, Préface à une réédition de *Jean-Christophe.*
(4) *Saint-Genêt.*

Mal ne serait autre que la projection de la Peur qui saisit l'homme devant sa liberté.

Ce schéma simpliste se retrouve dans toute son œuvre. Son réquisitoire contre Baudelaire n'a pas d'autre origine. Le Baudelaire de Sartre, qui s'est « laissé juger», qui a « accepté ses juges», a choisi « d'exister pour lui-même comme il était pour les autres » : il s'est posé « comme pure essence». Toutes ses fautes (il n'a jamais songé à détruire l'esprit de famille, il a choisi d'avoir une conscience perpétuellement déchirée, il n'a manifesté « aucun intérêt sincère pour la Révolution», etc...) proviennent de ce crime initial. Au contraire, Jean Genêt, qui revendique sa damnation avec superbe, est justifié par sa révolte : en récusant le regard des Autres, il est resté « pour lui-même le témoin suprême et la dernière instance».

Tout cela fait de bonne (et paradoxale) critique. Mais comment bâtir une grande œuvre romanesque sur une morale aussi négative ? De fait, on ne voit pas de « héros positif » dans l'œuvre de Sartre. Ses meilleures pages décrivent un univers obsessionnel, des héros englués dans une horreur tiède, ineffaçable. Pour le Roquentin de *la Nausée*, le monde est une sorte d'enfer mou, plein d'intimités sordides, de pollutions nocturnes, d'odeurs suspectes, de frissons pâteux, de plantes vénéneuses, de bêtes puantes (cloportes, cancre-lats, limaces...). Dans ce monde dont rien ne voile l'obscénité, l'homme (« veule, alangui, obscène, digérant, ballottant de mornes pensées») se sent *de trop* : « Je rêvais vaguement de me supprimer... Mais ma mort même eût été de trop... J'étais de trop pour l'éternité», soupire Roquentin, qui pro-nonce la formule magique : « Tout existant naît sans raison, se prolonge par faiblesse et meurt par rencontre.» *L'Enfance d'un Chef* (dans *le Mur*) double cette démonstration d'une satire impitoyable de la mauvaise foi sous-jacente à cet « esprit de sérieux qui, comme on sait, règne sur le monde». Certains personnages des *Chemins de la Liberté* prolongeront cette satire, avec plus ou moins de bonheur.

Mais entre temps, l'ambition de Sartre a grandi : il a voulu nous montrer que l'homme pouvait tirer d'une vie *injusti-fiable* une existence *responsable* : tel est le miracle de la liberté. Mais, s'il est conscient de sa liberté, Mathieu (des *Chemins de la Liberté*) ne sait à quoi l'employer ; par crainte de la perdre, il n'ose pas s'en servir. Il faudra la guerre pour qu'il se décide à assurer la solidarité qui le lie à ses semblables. Encore ne se délivrera-t-il de ses scrupules (dans *la Mort dans l'Ame*) qu'en se jetant dans un combat désespéré.

Toute l'œuvre de Sartre, si on la prend au sérieux, est une condamnation de la « littérature » : il ne faut donc pas s'étonner qu'on l'ait vu, depuis 1952, se consacrer presque exclusivement à la propagande et au témoignage. Il est devenu banal de relever l'opposition entre ses origines bourgeoises et ses objectifs révolutionnaires, entre son univers obsessionnel et une éthique de la liberté. On ne peut contester l'actualité des thèses qu'il défend, sa force de conviction, son talent. Son seul théâtre (1) lui mériterait d'ailleurs une place importante dans l'histoire littéraire de ces quinze dernières années. Son influence est celle d'un éducateur puissant, du plus actif *agent de démoralisation* qu'ait connu la France depuis Gide. Mais son œuvre romanesque reste fragile ; trop d'idéologie l'encombre. Si le philosophe a déjà perdu une part de son crédit, il reste l'*animateur :* polémiste de classe, propagandiste habile, passionné, toujours clair. Le meilleur Sartre est là : un pyrotechnicien des idées.

5

L'ŒUVRE DE SIMONE DE BEAUVOIR

A la popularité de Sartre, le public a vite associé le nom de Simone de Beauvoir (2). Reçue en 1929 à l'agrégation de philosophie, Simone de Beauvoir rencontrait à la Sorbonne Sartre, Merleau-Ponty, Simone Weil ; renonçant

---

(1) Cf. TROISIÈME PARTIE, 2ᵉ chapitre III, 2.

(2) Née à Paris en 1908, Simone de Beauvoir, agrégée de philosophie en 1929, a d'abord appartenu à l'Université. Professeur à Marseille, Rouen et Paris, elle donna sa démission en 1943 et publia son premier roman, *l'Invitée*. Vinrent ensuite : *le Sang des Autres* (1944), *Tous les Hommes sont mortels* (1947), *les Mandarins* (Prix Goncourt 1954). Elle a aussi publié des essais : *Pyrrhus et Cinéas* (1944), *Pour une Morale de l'Ambiguïté*, *l'Amérique au Jour le Jour* (1947), *le Deuxième Sexe* (1949), *la Longue Marche* (essai sur la Chine, 1957), *Privilèges* (1958), *Mémoires d'une jeune fille rangée* (1958). Sur l'œuvre, on pourra consulter : Geneviève GENNARI : *Simone de Beauvoir* (Editions Universitaires, 1958). Simone de Beauvoir est, enfin, une grande voyageuse (Grèce, Italie, Afrique du Nord, Europe centrale, Etats-Unis, Mexique, Chine).

à suivre les traditions d'un milieu catholique et bourgeois,
elle trouvait, dans ce qu'on n'appelait pas encore l'existentialisme, une morale à la mesure d'une personnalité forte,
violente et révoltée. Treize années d'enseignement l'amenèrent à se consacrer totalement à cette tâche, puis à une
œuvre qui en était, comme celle de Sartre, le prolongement.

Comme Sartre, Simone de Beauvoir récuse l'art pour l'art,
la Carte du Tendre et les passions intemporelles ; comme lui,
elle opte pour une littérature engagée dans l'action. En outre,
renonçant aux privilèges de l'Éternel Féminin, elle affirme
l'égale vocation de l'homme et de la femme, fondée sur une
« structure ontologique commune», indépendante de la
sexualité. Ce n'est pas la *nature* de la femme qui l'a fait naître
dans la dépendance ; c'est le regard de l'homme qui lui refuse
sa liberté. Si la notion de liberté commande l'œuvre de
Sartre, celle de *transcendance* (une transcendance purement
humaine) inspire la morale de Simone de Beauvoir : « Il n'y
a pas d'autre justification présente de l'existence que son
expansion vers un avenir indéfiniment ouvert (1).» Lorsque
la femme choisit d'être *pour-autrui* — fût-ce pour l'homme
qu'elle aime — elle se dégrade, son drame naît de « ce conflit
entre la revendication fondamentale de tout sujet qui se pose
comme l'essentiel et les exigences de sa situation (2)». Cette
revendication d'un sujet transcendant et libre contre les
« mythes» qui l'ont emprisonnée devait s'exprimer dans
le Deuxième Sexe.

L'Invitée.

Avant de donner à la femme d'aujourd'hui son Évangile
existentialiste, Simone de Beauvoir avait décrit dans *l'In-*
vitée (1943) son odyssée douloureuse. Ce récit impudique et
poignant, l'un des meilleurs qui aient paru en France dans
la lignée de *la Nausée*, vaut moins par son idéologie et sa morale anticonformistes (celles du petit milieu de théâtre que
l'auteur avait pu observer ; les héros vivent leur vie sans nul
souci de bienséance ou de moralité bourgeoise) que par « l'art
extrême des dialogues, la perfection du récit et la confidence
d'une âme orgueilleuse et sèche, ardente et séparée, déchirée

_____

(1) et (2) *Le Deuxième Sexe*.

entre son besoin des autres — une volonté toute féminine
de bonheur — et le vertige d'un orgueil qui souffre de l'existence des autres comme d'un défi et d'une négation (1)».
Françoise a accueilli à son pseudo-foyer une insupportable
« invitée». Elle s'aperçoit que Xavière l'empêche d'être libre,
elle ne pourra le redevenir que lorsqu'elle aura décidé de se
débarrasser de son bourreau — en qui elle admire et redoute
à la fois la nudité sauvage de l'instinct, la spontanéité d'un
être jeune qui vit totalement dans l'instant, refuse de prévoir et s'accorde toute licence. A cette histoire amère et
vraie, l'approche de la guerre, l'angoisse de la destruction,
ajoutaient leur toile de fond tragique.

Cet arrière-plan d'angoisse cosmique se retrouve dans toute
l'œuvre de Simone de Beauvoir : *Le Sang des Autres* (1944),
directement inspiré par l'actualité politique (le chef d'un
réseau de résistance découvre que toutes les décisions qu'il
a prises ont été payées par d'autres ; responsable de la mort
de celle qu'il aime, il se décide à assumer cette malédiction
d'être homme qui est aussi sa seule raison de vivre) ; dans
Tous les Hommes sont mortels (1947), satire trop apparente
du rêve d'immortalité qui sommeille en chacun de nous ;
comme dans *les Mandarins* (Prix Goncourt 1954), miroir amer
où la gauche intellectuelle a pu contempler son Odyssée,
dix ans après l'avoir vécue.

Une Odyssée existentialiste : les Mandarins.

Le destin de ce livre est singulier : écrit *sur* et *pour* une
chapelle, le Prix Goncourt (un prix qui eut toutes les allures
d'un concordat, d'ailleurs précaire et révocable, entre l'existentialisme et l'Académie, la littérature inavouable et celle
des honnêtes gens, la Révolution et le Désordre établi)
lui a donné un public massif ; un écrivain de gauche y rend la
gauche pitoyable ; un philosophe finit par y exprimer le
contraire de ce qu'il entend démontrer.

« Le drôle, le triste, le déplaisant, c'est que Mᵐᵉ de Beauvoir s'est arrangée pour que ces luttes des intellectuels de
gauche aient l'air plus absurdes, plus folles qu'elles ne le
sont... Elle a supprimé l'histoire de ce livre engagé. Elle

_____

(1) G. PICON, *op. cit.*

a transformé en esthétique (et quelle esthétique !) une
expérience concrète et qu'elle ne pouvait pas se permettre
de romancer... Il fallait écrire un livre de souvenirs, un livre
scandaleux, ou se taire», a dit durement Bernard Frank,
pourtant fort proche de l'auteur, rejoignant paradoxalement
(une fois n'est pas coutume) l'avis de Jacques Laurent. Mais
au même moment M. Emile Henriot louait gravement l'auteur de *l'Invitée* d'avoir écrit un bon roman « d'existentialisme bien organisé et optimiste».

Il ne faut pas chercher dans *les Mandarins* une vaste
fresque d'histoire à la manière de Zola ou de Dos Passos :
un mince pinceau de lumière n'éclaire qu'un petit nombre
de personnages groupés autour du narrateur. « Les seuls
adversaires de l'intellectuel de gauche dans *les Mandarins*
sont des intellectuels de gauche que d'autres intellectuels de
gauche ne considèrent plus comme des intellectuels de
gauche (1).» Ni communistes ni chrétiens, un monde réduit
à son abstraction géométrique, où Henri Perron ressemble
vaguement à Camus, Dubreuilh vaguement à Sartre, Anne
vaguement à Simone de Beauvoir elle-même, tandis que l'insupportable Nadine (le seul personnage vivant du livre) a
des traits de la Xavière de *l'Invitée* — dont on retrouve, d'ailleurs, le décor nocturne de coulisses de théâtre et de bars
à la mode.

Le thème politique du livre pourrait se résumer ainsi :
dans le monde où nous vivons un intellectuel de gauche
peut-il exercer une action publique en restant honnête et
sincère ? Lui est-il possible de ne trahir ni la Révolution ni
la Vérité ? La réponse est : Non ! Robert Dubreuilh voudrait
mettre son hebdomadaire (*l'Espoir*, alias *les Temps Modernes*)
au service d'un parti politique de type nouveau (le F.R.L.,
qui ressemble comme un frère au R.D.R. de Sartre). Son
ami, Henri Perron, voudrait rester à l'écart des partis. Il
soupire : « C'est drôle, dès qu'on fait un truc convenable, au
lieu de vous conférer des droits, ça vous crée des devoirs.»
Il se décide à publier des documents écrasants sur le régime
concentrationnaire soviétique. Ses amis le désavouent.

Le thème second des *Mandarins* est plus émouvant : c'est
la recherche du bonheur par des êtres qui veulent créer *leur*

(1) Bernard FRANK : *Le Dernier des Mohicans* (Fasquelle).

morale. Nadine, demi-folle et demi-putain, fait une fin
édifiante, épouse Henri, et tout laisse espérer que ce couple
mal assorti sera un ménage heureux. Paule, la maîtresse
qu'Henri abandonne, entre en clinique et son amie Anne
se demande : « De quoi, au juste, vont-ils la guérir ? Qui
sera-t-elle après ? Oh ! somme toute, c'était facile à prévoir.
Elle serait comme moi, comme des millions d'autres : une
femme qui attend de mourir sans plus savoir pourquoi elle vit. »

Anne a cru trouver le bonheur dans les bras d'un écrivain
rencontré à Chicago. Cet amour — la courte flambée charnelle
qui a transfiguré la femme vieillissante — ne l'a pas arrachée
à sa solitude. A des souvenirs qui réveillent autant d'agonies
(« Que de morts je porte en moi ! Morte, la petite fille qui
croyait au paradis ; morte la jeune fille qui pensait immortels
les livres, les idées et l'homme qu'elle aimait ; morte, la jeune
femme qui se promenait comblée dans un monde promis au
bonheur ; morte l'amoureuse qui se réveillait en riant dans
les bras de Lewis... »), elle tente d'opposer un tenace espoir :
« Puisque mon cœur continue à battre, il faudra bien qu'il
batte pour quelque chose, pour quelqu'un. Puisque je ne suis
pas sourde, j'entendrai de nouveau appeler ? Qui sait ? Peut-
être un jour serai-je de nouveau heureuse ? Qui sait ? »
Anne — comme Simone de Beauvoir — voulait s'ouvrir un
chemin dans un monde absurde ; mais le monde moral authentiquement voulu dont elle rêvait n'était pas accessible et
elle aussi s'est trouvée broyée dans l'étau de la fin et des
moyens.

Incapables de remplacer ce qu'ils détruisent, les *Mandarins*
doivent s'accepter, accepter ce désordre qu'ils dénonçaient.
Telle est la leçon du livre d'où se dégage un pathétique amer
et vrai.

*
* *

Essayiste, Simone de Beauvoir joue sa partie, sur le mode
mineur, dans le concert existentialiste. *Pyrrhus et Cinéas*
(1944), *Pour une morale de l'ambiguïté* (1947) développent,
en termes clairs et parfois saisissants, une philosophie orientée
vers l'action, une morale presque masculine à force de volonté :
l'homme doit se détourner d'un inaccessible infini, trouver
un point d'appui en lui-même, assumer la responsabilité

d'un monde qui est aussi son œuvre, et dont il n'a pas le droit
de s'évader. « S'il advenait que chaque homme fasse ce qu'il
doit, en chacun l'existence serait sauvée sans qu'il y ait lieu
de rêver d'un paradis où tous seraient réconciliés dans la
mort. » Au lieu de penser, avec Dostoïevski : « Si Dieu n'existe
pas tout est permis », Simone de Beauvoir affirme que l'absence de Dieu, loin d'autoriser la licence, donne aux engagements de l'homme un caractère absolu et définitif. Elle ne
conçoit la liberté de l'homme que dans son affirmation
concrète pour tous : « il faut que la joie d'exister soit affirmée
en chacun, à chaque instant ». Cet optimisme humaniste
distingue Simone de Beauvoir de Sartre, encore qu'elle ne
soit guère parvenue, jusqu'ici, à animer concrètement les
valeurs qu'elle défend.

L'Amérique au jour le jour (1948) a été mal accueillie par
les Américains (1). En quatre mois de séjour, l'auteur n'avait
pas cru utile de visiter une seule usine, de rencontrer un seul
parlementaire, un seul patron, un seul dirigeant syndical,
d'assister à une séance du Congrès. Les « Américains » qu'elle
avait fréquentés étaient, presque tous, des non-intégrés
— immigrés de fraîche date, intellectuels, Juifs ou Noirs.
D'instinct, elle avait cherché l'envers du décor : les misérables *flop-houses* et les *slums* de Chicago ou de Harlem. Mais
si l'on met à part quelques erreurs de détail, ses descriptions,
d'une grande beauté, prouvent qu'elle a aimé ce continent
vertigineux, dont elle a mesuré « l'énormité des chances et
des risques ».

La Longue Marche (1957), récit d'un court voyage en Chine,
manifeste un enthousiasme que ne tempère presque aucune
réserve. Mais l'essai est ouvert, intelligent, tourné vers
l'avenir.

Le livre le plus célèbre de Simone de Beauvoir reste, aujour-
d'hui encore, *le Deuxième Sexe* (1949). Sans se soucier d'épar-
gner la sensibilité de ses lecteurs (« je laisse à d'autres l'usage
du dictionnaire des synonymes »), elle tente d'y démontrer
que la femme n'est en somme, à deux ou trois particularités
anatomiques près, qu'un homme mutilé par un long et brutal
esclavage : « Ce n'est pas la nature qui définit la femme, c'est

(1) Cf. notamment William PHILIPPS : *A French lady on the dark continent*,
« The Partisan Review », 1953.

elle qui la définit en la reprenant à son compte dans son
affectivité... *on ne naît pas femme, on le devient.* » Depuis les
brillants réquisitoires (dont Montherlant, en particulier, fait
les frais) que lui inspire le « mythe » de l'Eternel Féminin
jusqu'aux descriptions cliniques qu'elle emprunte à des
spécialistes, tout, dans ce pamphlet trahit une hargne étrange.
Simone de Beauvoir ne se révolte pas seulement contre la
loi du mâle, mais contre sa propre condition. Elle hait et
méprise le mariage (« Depuis des siècles on a toujours admis
que le lit était un service dont le mâle remercie (la femme)
en assurant son entretien. Mais c'est se donner un maître :
il n'y a, dans ce rapport, aucune réciprocité ») presque autant
que la maternité (« étrange compromis de narcissisme, d'altruisme, de rêve, de sincérité, de mauvaise foi, de dévouement,
de cynisme »). Ne va-t-elle pas jusqu'à affirmer que le principe
du mariage est obscène « parce qu'il transforme en droits et
devoirs un échange qui doit être fondé sur un élan spontané » ;
que les parents sont pour l'enfant « la compagnie la moins
souhaitable » ; et que l'amour de la mère n'est qu'une « néfaste
oppression »... ? Sans doute n'a-t-elle pas tort de préférer
aux rapports de dépendance qui ont trop longtemps pesé
sur la condition de l'épouse, l'échange spontané, le don gratuit de l'amour. Mais si elle allait jusqu'au bout de sa recherche elle devrait trouver dans l'idéal chrétien du mariage, le
type de ces liens « fondés en pure générosité » qu'elle indique
en passant et qui peuvent faire de l'amour « la plus féconde
source de joie, de richesse, de force qui se propose à un être
humain ». Comme l'observait justement Emmanuel Mounier (1), « mieux maîtrisé, le ressentiment eût moins gêné la
lucidité de l'auteur. Il eût dénoncé les hypocrisies du mariage
inauthentiquement vécu, et montré sous l'idéalisation men-
songère que la réussite du mariage est rare et fragile, comme
celle de toutes les hautes vocations de l'homme... Ce livre
est trop constamment le livre d'une femme seule et volontaire,
qui veut tout décider avec une suffisance stérile : l'amour,
l'enfant, sa vie. »

Les *Mémoires d'une Jeune Fille rangée* (1958) — qui vont
de l'enfance bourgeoise jusqu'à la rencontre avec Sartre —
sont un document irremplaçable sur les circonstances dans

_____

(1) Dans une note d'*Esprit* (mars 1949).

lesquelles une jeune fille, élevée dans le respect des traditions, a choisi librement ses valeurs, dût-elle rompre avec tout ce qu'elle avait reçu des siens.

Ce ne sont ni l'intelligence ni le talent qui font défaut à Simone de Beauvoir, mais peut-être l'humilité nécessaire pour accueillir les dons spontanés de la vie. C'est peu dire que de noter qu'elle n'accède jamais à la poésie — et lorsqu'elle y tend, ses mots détonnent, comme une faute de goût (le banal *cristal noir* du ciel qui surgit à la première page des *Mandarins*). Et cette œuvre d'une ambition toute masculine suscite plus de curiosité qu'elle n'exerce d'influence vraie.

III

LES GRANDES CONSCIENCES

1

EMMANUEL MOUNIER ET LE PERSONNALISME

LE personnalisme occupa, sur le plan des idées et toutes proportions gardées, dans les années qui suivirent la Libération, la place du M.R.P. entre le parti communiste et la S.F.I.O. Il participa des mêmes ardeurs généreuses, quitte à se voir sollicité en tous sens, souvent trahi et quelquefois dénoncé, en tout cas suspecté d'hérésie sur sa droite comme sur sa gauche. Le mouvement lui-même est né, vers les années trente, des efforts de jeunes soucieux (comme l'avaient été, un siècle plus tôt, les disciples de Montalembert, de Lacordaire et de Lamennais, et, au début du XXe siècle, ceux de Marc Sangnier) de mieux accorder l'esprit de l'époque et celui de l'Evangile, de réconcilier la raison et la foi, l'Eglise et la Démocratie. Désolidariser l'ordre chrétien du « désordre établi » leur semblait d'autant plus nécessaire qu'ils redoutaient de voir le premier entraîné dans la ruine du capitalisme : la crise de 1929 leur apparaissait plus qu'une crise économique, une crise de civilisation. Arnaud Dandieu, Daniel-Rops, Robert Aron firent surgir l'*Ordre Nouveau*. Dans une maison de Font-Romeu, prêtée par Mme Daniélou, de jeunes intellectuels — Georges Izard, Etienne Borne, Georges Duveau, Pierre-Henri Simon, Jean Daniélou — décidèrent de lancer un mouvement — auquel fut donné le nom de « Troisième Force » et une revue qui devait être *Esprit*. Emmanuel Mounier y avait lu un manifeste, *Refaire la Renaissance* (« Dans ce monde inerte, indifférent, inébranlable, la sainteté est désormais la seule politique valable et l'intelligence, pour l'accompagner, doit garder la pureté de l'éclair»), plus « mystique» que « politique». Le premier numéro d'*Esprit* parut en octobre 1932 ; Mounier était directeur, Georges Izard secrétaire général (1), Nicolas Berdiaeff, Jean Lacroix, Denis de Rougemont comptaient parmi les principaux collaborateurs. Désormais, la vie de Mounier se confondit avec la direction d'*Esprit* et *Esprit* avec le destin du personnalisme.

« Philosophe égaré dans la politique» (2), Mounier (3), homme de bonne foi et de bonne volonté, figure attachante, chrétien exemplaire, ne péchait pas par un excès de rigueur. Le personnalisme ne devait jamais acquérir la cohérence

---

(1) Il devait s'en désolidariser peu après.

(2) Jacques Madaule.

(3) Né à Grenoble en 1905, Emmanuel Mounier, fils de pharmacien, resté très fier de ses ascendances paysannes, interrompt ses études de médecine pour préparer l'agrégation de philosophie sous la direction de Jacques Chevalier (en équipe avec Jean-Paul Sartre). Venu à Paris à vingt-deux ans, il s'y lie avec Jean Guitton, Gabriel Marcel, Louis Massignon, Daniel Halévy, Jacques Maritain, Nicolas Berdiaeff et Ramon Fernandez. Agrégé de philosophie en 1928, il abandonne l'enseignement pour se consacrer à *Esprit*, dont l'histoire est liée à celle de toute la pensée française de gauche depuis vingt ans. Mounier réagit vigoureusement contre la liaison de l'Eglise catholique et de la droite. Pacifiste, s'il condamna Munich, ce fut en réclamant le désarmement de la France. En 1940, il vit disparaître sans regret un régime faible et méprisé, accueillit avec sympathie la Révolution Nationale, accepta même de professer à Uriage. Mais il s'aperçut rapidement que le régime de Vichy trahissait ses espoirs de rénovation.

Esprit devint alors un des refuges de la résistance intellectuelle ; la publication du *Supplément aux Mémoires d'un âne*, de Beigbeder, lui valut d'être interdit. Entré dans le mouvement *Combat*, Mounier fut arrêté, fit la grève de la faim (avec Bertie Albrecht). Libéré, il se replia à Dieulefit, où la revue tint des congrès clandestins. A la Libération, Mounier apparut un moment comme le « *spiritus rector* » des chrétiens engagés ; il salua la naissance de plusieurs mouvements personnalistes européens. Persuadé qu'« un communisme réintégré à la tradition française était susceptible de refaire un socialisme français », il commença un long bout de chemin avec l'extrême-gauche auquel devait mettre fin l'« excommunication» de Tito et le procès Rajk. Mounier mourut subitement d'une crise cardiaque le 22 février 1950.

Principaux ouvrages : *Péguy*, *la Révolution personnaliste et communautaire* (1935), *l'Affrontement chrétien* (1944), *Traité du Caractère* (1946), *l'Espoir des Désespérés*, *les Certitudes difficiles*, *Feu la Chrétienté*, *Carnets de route*.

Sur l'homme et l'œuvre on pourra consulter : un numéro spécial d'*Esprit* (décembre 1950) ; *Mounier et sa génération* (1956).

d'un *système*, d'une vision totale du monde, mais rester une *attitude* ouverte, une interprétation de l'histoire en fonction de la vocation de la personne. Le mouvement a les mêmes ancêtres que l'existentialisme : les philosophes de l'intériorité, Pascal, Kierkegaard, et, plus près de nous, Péguy, le Gabriel Marcel de l'*Homo Viator* et du *Journal métaphysique*, le Nicolas Berdiaeff d'*Un nouveau Moyen Age*. Comme l'existentialisme, il affirme la solidarité humaine, et veut « au lieu de nous isoler, nous jeter d'emblée dans une philosophie de la nature et de la collectivité». Comme le marxisme, il affirme la valeur rédemptrice du travail et voit dans la classe ouvrière le moteur de l'histoire moderne ; comme lui, il affirme que l'« homme se voit appelé à devenir le démiurge du monde et de sa propre condition», et réclame une « dialectique anthropocosmique». Mais il s'en distingue en refusant le postulat matérialiste et en affirmant la vocation transcendante de l'homme.

« Le devoir d'incarnation nous oblige à tenir ensemble les positions les plus contradictoires pour le bon sens» : cette affirmation de Mounier éclaire une évolution politique ondoyante que n'a jamais pourtant cessé d'inspirer le souci de la personne humaine. Il avait commencé par déclarer que les mots « droite, gauche» n'avaient plus de sens mais son anticapitalisme l'entraîna vite à condamner radicalement l'« ordre» bourgeois, puis la « civilisation» occidentale, enfin les « valeurs» spirituelles qui lui sont liées. Un moment, il donna même l'impression d'avoir cessé de croire à la « validité des patries». Sans se dissimuler « les écrans de la scolastique, du mensonge, du caporalisme» que le communisme dresse entre le peuple et la vérité, il avait fini par se persuader que « chaque flèche dirigée sur le parti atteint dans sa chair même l'espoir des désespérés», d'où une longue et vaine collaboration avec des « frères de lutte» qui voyaient en lui un otage plus qu'un allié.

L'homme devait son influence à la qualité de sa foi, à l'ardeur de son « témoignage», au prestige du philosophe, à son sens exigeant de la dignité humaine. Il a fait beaucoup pour détacher — paradoxalement — de la démocratie chrétienne ou du socialisme parlementaire les jeunes intellectuels chrétiens ou socialistes, et l'aile progressiste, si active, si influente, du catholicisme français, s'est toujours réclamée de son exemple. Le mouvement personnaliste compte plus d'un philosophe (Jean Lacroix, Paul Ricœur, l'abbé Duméry), d'un romancier (Jean Cayrol, Paul-André Lesort) ou d'un critique (Albert Béguin, Bertrand d'Astorg) de valeur ; *Esprit* rassemble encore quelques-uns des écrivains les plus vivants de ce temps et ses numéros spéciaux jalonnent l'histoire de la plus récente pensée française. Revue et mouvement auront eu le mérite de jeter un pont entre le marxisme, l'existentialisme et la pensée chrétienne.

2

APPARITION DE CAMUS

Le même hiver de la Libération qui consacra le prestige de Malraux et la célébrité de Sartre vit monter une nouvelle étoile, celle d'Albert Camus (1). Certes, l'auteur du *Mythe de Sisyphe* et de *l'Etranger* n'était plus un inconnu dans les milieux littéraires ; l'événement donna brusquement à son œuvre une résonance internationale et fit de l'éditorialiste anonyme de *Combat* un des guides les plus écoutés de l'époque. Rapprochant le rédacteur clandestin de *Combat*

---

(1) Albert Camus est né à Mondovi (Algérie), le 7 novembre 1913, d'un père ouvrier agricole (tué à la Marne) et d'une mère espagnole. Etudes contrariées par la misère et par la tuberculose qui l'oblige à abandonner la préparation de l'agrégation de philosophie (diplôme d'études supérieures sur Plotin et saint Augustin). Voyages, théâtre en équipe, journalisme à Paris. Publie en 1937 *l'Envers et l'Endroit*, puis *Noces* (1938). Résistance avec René Leynaud (fusillé en 1944). A la Libération, dirige le journal *Combat*. Prix des Critiques 1947 pour *la Peste*. Neuvième Prix Nobel français de littérature en 1957.

Deux récits : *l'Etranger* (1942), *la Peste* (1947); des essais : *l'Envers et l'Endroit*, *le Mythe de Sisyphe* (1942), *Lettres à un ami allemand* (1945), *Actuelles* (3 volumes), *l'Homme révolté* (1951) ; puis de nouveau, des textes purement littéraires : *l'Eté* (1954), *la Chute* (1956), *l'Exil et le Royaume* (1957). (Tous ces volumes chez Gallimard.)

En collaboration avec Arthur Koestler et Jean Bloch-Michel : *Réflexions sur la peine capitale*.

Au théâtre, Camus a fait représenter : *la Révolte dans les Asturies* (ouvrage collectif, Alger, 1936), *le Malentendu*, *Caligula* (1945), *l'Etat de Siège* (1948), *les Justes* (1949) et adapté *Requiem pour une nonne* de Faulkner (1956).

Sur l'homme et l'œuvre, on pourra consulter : ROBERT DE LUPPÉ : *Albert Camus* (Editions Universitaires, 1952) ; ALBERT MAQUET : *Albert Camus ou l'Invincible été* (Debresse, 1956) ; ROGER QUILLIOT : *la Mer et les Prisons* (Gallimard, 1957).

de son héros Meursault qui poussait l'honnêteté jusqu'à refuser de dire qu'il aimait sa mère, les lecteurs de Camus admiraient en lui, selon le mot de Jean-Paul Sartre, « la conjonction exemplaire d'un homme et d'une œuvre, du militant de la résistance avec l'héritier de Chateaubriand ». On lui savait gré d'unir « le sentiment de la grandeur au goût passionné de la beauté » et « la joie de vivre au sens de la mort ».

On prit aussi la mauvaise habitude d'embarquer Camus sur la galère existentialiste, au nom d'une même mythologie, celle de l'Absurde : en fait, les vérités que développaient respectivement l'auteur de *l'Etranger* et celui de *Huis Clos* ne pouvaient à la longue que se dépasser ou s'exclure ; rien de commun entre la « nausée » de Sartre et l'élan qui pousse Camus vers les nourritures terrestres, entre la rigoureuse logique du premier et la nostalgie du second. Il faudra pourtant la querelle de 1952 qui mit fin à l'amitié des deux hommes pour que l'équivoque soit dissipée. Après avoir paru faire son chemin dans le sillage de Sartre, l'œuvre de Camus avait déjà gagné la haute mer. Son public, depuis l'immense succès de *la Peste* (1947), n'avait cessé de s'étendre. Encore un peu de temps et l'écrivain serait plus lu, plus respecté qu'hier Anatole France ou Paul Bourget. Ce romancier janséniste serait devenu le directeur de conscience d'une bourgeoisie en quête de justifications et l'héritier, consacré par le Prix Nobel (1957), de Gide et de Romain Rolland.

Les contrastes du bonheur et de la misère, de l'angoisse et de la joie de vivre composent le paysage originel de Camus : d'un monde de pierre il tire une musique et voudrait que la vie s'accorde à cette musique, qu'il soit possible d'arracher au temps, à la souffrance et à la mort le fruit doré du monde, de contempler « le ciel qui dure » sans cesser de partager « le sort des hommes qui luttent ». Toute l'œuvre oscille entre cet amour et cette anxiété, entre la « mer et les prisons ».

Le Mythe de Sisyphe (1942) apporta la première description cohérente d'une sensibilité absurde. A partir du « seul problème philosophique sérieux », celui du suicide, Camus y examinait la possibilité de « créer des morts conscientes », autrement dit de vivre sans illusion. Comment accorder l'esprit de l'homme avec sa nature, son élan vers l'éternel et le caractère fini de son existence ? Faute de résoudre cette antinomie, Camus optait pour une révolte qui donne à la vie sa grandeur, en opposant à l'absurdité du monde une création qui la nie : « créer, c'est vivre deux fois ».

Pour exprimer cette philosophie, Camus sut trouver des images plus convaincantes que ses démonstrations : pour son coup d'essai il fit un coup de maître, et ce fut *l'Etranger* (1942). Le mérite de ce « court roman de moraliste, resté très proche, au fond, d'un conte de Voltaire » (1) n'était pas seulement d'introduire en France l'écriture impersonnelle des romanciers américains — phrases courtes et sèches, notations brèves, successions d'actes où le *Je* du narrateur se confond avec l'objectif d'une caméra — mais de donner au héros absurde une résonance profondément humaine : l'« Etranger » Meursault, bouc émissaire d'une société de pharisiens et de Pilates, accède à l'existence authentique au moment où l'excès même de l'injustice qui lui est faite l'accule à la révolte. En prenant, au pied de l'échafaud, conscience de sa misère, il conquiert sa dignité d'homme.

C'est donc une humanité « absurde » que Camus va évoquer dans son œuvre : le « malentendu » tragique qui jette sur la terre des existants qui n'ont pas demandé à vivre et qui crient en vain « vers la mer ou vers l'amour » (2), qui ont besoin « de la lune ou du bonheur, ou de l'immortalité, de quelque chose qui soit dément peut-être, mais qui ne soit pas de ce monde » (3). Après nous avoir montré dans *Caligula* (1945) les excès d'une liberté sans frontières, Camus allait s'employer, dans *la Peste* (Prix des Critiques 1947) à trouver une réponse à l'injustice faite à l'homme. Le succès du livre, qui fit en six mois le chemin que la *Condition humaine* avait mis quinze ans à accomplir (le tirage approche aujourd'hui du quatre centième mille) tient à son exacte correspondance à la mentalité de l'époque : nos contemporains se sont aussitôt reconnus dans cette allégorie transparente où une épidémie symbolique avait pris la place de la guerre, de l'occupation, des terreurs de l'an mil et de l'univers concentrationnaire. Les héros de *la Peste* s'aperçoivent qu'ils ne sont pas seulement victimes, mais complices du fléau. « Chacun la porte en soi, la peste...

---

(1) J.-P. SARTRE, « Explication de *l'Etranger* » (*Situations*, II).
(2) *Le Malentendu.*
(3) *Caligula.*

Ce qui est naturel, c'est le microbe... L'honnête homme, celui qui n'infecte personne, c'est celui qui a le moins de distractions possible.» Faute de connaître « de vrais médecins», ils décident donc de se « mettre du côté des victimes, en toute occasion, pour limiter les dégats». L'un d'eux, Tarrou, va plus loin ; ce qui le préoccupe, c'est de savoir comment on devient un saint : « Peut-on être un saint sans Dieu, c'est le seul problème concret que je connaisse aujourd'hui.» Si ambiguë qu'elle soit, la formule a fait grand bruit ; on a voulu y voir une réponse à l'absurde, l'expression d'un héroïsme et d'une sainteté laïcisés et démystifiés. En fait, Camus, sous les dehors d'une fiction symbolique, s'orientait vers la définition d'une morale pratique, le service de l'homme succédant à la notion chrétienne de salut. Il s'agit moins de faire une fin sublime que d'aider à vivre et de lutter pour la vie. « Le salut de l'homme est un trop grand mot pour moi... C'est sa santé qui m'intéresse.» A la morale de la révolte (que la folie de Caligula poussait à la limite) a donc succédé chez Camus une autre morale, plus optimiste, orientée vers la solidarité humaine, qui permet aux hommes de surmonter l'absurdité originelle.

Si l'on excepte ses derniers récits, d'un beau travail littéraire (mais d'un style si tendu qu'il ne laisse aucune place à la collaboration du lecteur), l'ouvrage le plus important d'Albert Camus reste à ce jour *l'Homme révolté*. Ni les articles réunis dans les deux volumes d'*Actuelles*, ni les textes, échelonnés sur quinze ans, qu'a rassemblés *l'Eté* n'ont modifié sensiblement l'optique de ce livre. Ils définiraient plutôt, comme *l'Homme révolté* lui-même, une ligne de résistance à l'histoire. « On ne vit pas que de lutte et de haine. On ne meurt pas toujours les armes à la main. Il y a l'histoire et il y a autre chose, le simple bonheur... la beauté (1).» Au monde moderne, Camus oppose l'exemple de la Grèce qui « n'a rien poussé à bout, ni le sacré, ni la raison », qui « a fait la part de tout, équilibrant l'ombre par la lumière. Notre Europe au contraire, lancée à la conquête de la totalité, est fille de la démesure... Plaçant l'histoire sur le trône de Dieu, nous marchons vers la théocratie, comme ceux que les Grecs appelaient Barbares et qu'ils ont combattus jusqu'à la mort dans les eaux de

(1) *Actuelles*, I.

Salamine». Comme le Saint-Exupéry de *Citadelle*, Camus déplore l'influence de la ville sur la civilisation d'aujourd'hui, amputée de ce qui fait sa permanence, « la nature, la mer, la colline, la méditation des soirs». *La Chute* (1956) est un réquisitoire impitoyable, maquillé en confession sans pénitence, contre l'homme moderne, ce monstre froid, cynique et triste, qui s'accuse mais ne peut supporter qu'on le juge ; et si les nouvelles qui composent *l'Exil et le Royaume* (1957) (deux d'entre elles, *l'Hôte* et *la Pierre qui pousse*, sont des manières de chefs-d'œuvre) opposent à une société désespérante les sursauts de la bonté humaine, elles sont surtout un adieu à l'Histoire.

Adieu dont *l'Homme révolté* (1951) nous a donné les raisons : une réflexion commencée autour du suicide et de l'absurde aboutissait, dix ans plus tard, à reposer le problème de la responsabilité de l'homme. Camus dénonçait la logique stérile d'une Révolte qui ne déifie la liberté que pour aboutir à la Terreur ; « dans l'univers purement historique qu'elles ont choisi, révolte et révolution débouchent dans le même dilemme : ou la police ou la folie». Aux entreprises ambitieuses qui transportent l'absolu dans l'histoire et la religion dans la politique, l'auteur de *l'Homme révolté* opposait l'apparent détachement de la « pensée de midi». Certes, cette part positive, si on la compare à la forte critique de la révolte, ne fait pas le poids. Mais elle a le mérite de traduire une grande modestie : l'homme bute contre le mal et ne peut prétendre lui substituer en un jour le souverain bien. Il lui faut lutter à ras de terre, « réparer dans la création tout ce qui peut l'être» et d'abord « maîtriser en lui tout ce qui doit l'être». « Après quoi, les enfants mourront toujours injustement, même dans la société parfaite. Dans son plus grand effort, l'homme ne peut que se proposer de diminuer arithmétiquement la douleur du monde... Mais le « pourquoi» de Dmitri Karamazov continuera de retentir ; l'art et la révolte ne mourront qu'avec le dernier homme (1).»

Le grand mérite de Camus est d'avoir su exprimer la sensibilité tragique de l'époque avec une sobriété classique et d'avoir porté témoignage sans jamais trahir son art. Qu'il n'y ait pas toujours également réussi, des œuvres comme

(1) *L'Homme révolté.*

le Malentendu, l'Etat de Siège ou *la Chute* le démontrent, et souvent ses personnages paraissent écrasés sous leurs symboles. Mais la voix qui s'exprime par leur bouche — celle d'un chrétien sans la foi — est l'une des plus nobles de ce temps, dont le Prix Nobel — honneur que n'obtinrent ni Valéry ni Claudel — devait, en dépit de sa jeunesse (Camus a aujourd'hui quarante-quatre ans), consacrer la notoriété internationale.

3

PRESTIGE DE MALRAUX

En 1945, le prestige de Malraux était à son zénith. Deux générations, celle de l'entre-deux-guerres et celle de la Libération, le tenaient pour ce *contemporain capital* qu'avait été, trente années plus tôt, André Gide : un homme qui pouvait parler de la mort parce qu'il l'avait affrontée, de l'histoire parce qu'il avait contribué à la faire (1). A l'excep-

(1) André Malraux est né à Paris, le 3 novembre 1901. Les informations qu'on possède sur la première partie de son existence sont confuses et contradictoires. A-t-il vraiment fréquenté l'Ecole des Langues orientales ? Quel rôle a-t-il joué en Chine auprès du Kuo-Min-Tang ? Mystère... Parti en 1923 avec sa femme, Clara Malraux, prospecter les confins du Siam et du Cambodge, sous le couvert d'une mission archéologique dans le Haut-Laos, arrêté sous l'inculpation d'avoir descellé les bas-reliefs « apsaras » de Bentaï Srei, il avait gagné Canton puis Shanghaï (où il semble avoir appartenu à l'état-major de Borodine), pour revenir en France en 1927. Au lendemain d'un raid au-dessus de l'Arabie séoudite (avec Corniglion-Molinier), il expose à la N.R.F. des têtes en stuc (de l'ancien royaume indo-scythe) ramenées de Kaboul. Adhère au *Comité mondial antifasciste* et à la *Ligue internationale contre l'antisémitisme*, accourt à Berlin (avec Gide) prendre la défense de Dimitrov (accusé d'avoir organisé l'incendie du Reichstag) ; participe à Moscou au premier Congrès des Ecrivains soviétiques (août 1934). En 1936, s'engage en Espagne dans les rangs républicains (chef de l'escadrille *España*, commande l'aviation républicaine à la bataille de Medellin) ; blessé, fait une tournée de conférences en Amérique du Nord ; tourne *l'Espoir*. Mobilisé en 1939, fait prisonnier, s'évade, participe à la Résistance ; arrêté puis libéré l'été 1944, prend le commandement de la brigade Alsace-Lorraine : campagne d'Alsace. Attaché culturel dans le cabinet du général de Gaulle, puis ministre de l'Information (novembre 1945-janvier 1946). Délégué national à la propagande du *Rassemblement du Peuple Français* (1947-1952). *Membre du conseil des Musées de France* (1952). Voyage dans le Moyen-Orient et aux Etats-Unis (1953). Ministre délégué à la Présidence du Conseil dans le gouvernement de Gaulle du 1er juin 1958.

tion des communistes qui déjà, quoique en sourdine, le trai-
taient de renégat, et des fascistes, qui ne lui pardonnaient
pas la guerre d'Espagne, il n'était pas considéré seulement
comme un grand écrivain, mais comme un guide. La deuxième
guerre mondiale avait encore fortifié sa légende : l'aventurier
de Chine et d'Espagne avait appartenu, disait-on, à *l'Intelligence Service*. Arrêté à Gannat l'été 1944 par les Allemands,
à peine libéré par les F.F.I., il avait pris le commandement de
la *Brigade Alsace-Lorraine*, qu'il avait conduite à la victoire
du Rhône au Rhin. A la fin de 1945, il entrait au gouvernement — ministre de l'Information dans le cabinet d'Union
Nationale formé par le général de Gaulle. C'était la revanche
de Stendhal...

Son œuvre elle-même paraissait prophétique. Le monde
s'était mis, brusquement, à ressembler à ses livres et cette
morale absurde qu'il avait décrite dès la *Tentation de l'Occident* s'exprimait maintenant à travers les œuvres de Sartre,
de Camus, de Simone de Beauvoir, confirmée par les témoignages terrifiants sur l'enfer concentrationnaire. Les mots-
Sésame de la Révolte, c'est lui qui les avait prononcés, quinze
ans avant Sartre et Camus : « Etre plus qu'homme dans un
monde d'hommes. Echapper à la condition humaine... Non
pas puissant, tout-puissant... Tout homme rêve d'être Dieu. »
Lui qui avait posé la question essentielle : « Que faire d'une
âme s'il n'y a ni Dieu, ni Christ ? » Lui encore qui avait donné
une réponse aux navigateurs sans étoiles : « La Révolution,
on ne peut pas l'envoyer au feu ; tout ce qui n'est pas elle
est pire qu'elle... L'individu s'oppose à la collectivité, mais il
s'en nourrit. Et l'important est bien moins de savoir à quoi
il s'oppose que ce dont il se nourrit... Tout homme est fou,
mais qu'est-ce qu'une destinée humaine, sinon une vie d'ef-

Principaux ouvrages : essais : *Lunes en papier* (1921), *la Tentation de l'Occident* (Grasset, 1926), *D'une Jeunesse européenne* (1927).

Romans : *les Conquérants* (Prix interallié 1928), *la Voie royale* (1930), *la
Condition humaine* (Prix Goncourt, 1933), *le Temps du Mépris* (1935), *l'Espoir*
(1937), *les Noyers de l'Altenburg* (1943).

Sur l'art : *Esquisse d'une Psychologie du Cinéma* (1947), *Psychologie de
l'Art* (1947-1949), *les Voix du Silence* (1951), *le Musée imaginaire de la Sculp-
ture mondiale* (1952-1954), *La Métamorphose des Dieux*, I (1957).

Sur l'homme et l'œuvre, on pourra consulter : PIERRE DE BOISDEFFRE :
André Malraux (Editions Universitaires, 1952) ; GAÉTAN PICON : *Malraux
par lui-même* (Le Seuil, 1953).

fort pour unir ce fou et l'univers ?» Dans l'aventure, dans la
guerre civile, dans la Révolution, il avait cherché le vrai
visage de l'homme, au-delà des réflexes conditionnés par la
vie bourgeoise et le progrès technique, au-delà aussi des
morales et des religions : ses romans des années 1930 montraient déjà l'homme du demi-siècle livré à lui-même, découvrant dans la lutte, l'humiliation, la victoire ou la mort, la
seule grandeur qui puisse être la sienne, celle d'un défi héroïque
à la condition d'homme. En 1945, à l'heure où la France sor-
tait pantelante d'une des pires épreuves de son histoire, le
style de Malraux paraissait le seul viril, le seul vrai.

Il suivit de Gaulle dans sa retraite, sans rien perdre de son
prestige. Sa conférence à la Sorbonne, sur l'homme et la
culture, fut, comme celle de Sartre au *Club Maintenant*,
une manière d'événement. Lorsqu'on apprit qu'il était parmi
les premiers compagnons du Rassemblement du Peuple
Français (délégué national à la Propagande), il y eut un peu
de stupeur chez ses disciples de gauche, et la revue *Esprit*
lui consacra (octobre 1948) un numéro spécial amer.

Mais la jeune génération l'écoutait comme un oracle : une
extraordinaire consonance à l'époque semblait l'accorder
d'instinct au rythme de l'histoire. Il avait été avec les communistes quand ceux-ci n'étaient pas nombreux en Occident ; il
les avait quittés au moment où il devenait facile d'être avec
eux, où la fiction du *Front National* permettait à François
Mauriac de siéger sur leurs estrades. Ses romans, remplis de
morts et de tortures, avaient paru d'abord plus qu'exotiques,
invraisemblables : mais la torture avait déferlé sur l'Europe.
Il avait nié l'amour, réhabilité Laclos, mis l'érotisme au
niveau des métaphysiques : et l'époque avait accepté la libération des sens, reconnu Sade pour un de ses ancêtres. On ne
trouvait dans son œuvre ni enfants (à peine les gosses tra-
versent-ils une ou deux scènes de *l'Espoir*) ni familles (Kyo
et May sont des camarades, unis par un même combat), mais
des armées de solitaires, lucides, détachés de tout, et d'abord
du bonheur, à la recherche de « la vie fondamentale » (« ... douleur, amour, humiliation, innocence »). Dans cette vision
il y avait peu de place pour l'espoir, mais l'Europe n'était-elle
pas devenue un vaste camp de personnes déplacées ?

Militant, Malraux avait combattu pour un humanisme
libéral ; romancier, au contraire, il n'était pas sans complicité

avec le mal. Plus tard, on irait jusqu'à l'accuser « d'avoir
mis la torture presque à égalité avec la mort, et par suite d'y
avoir consenti (1)». Mais, dès 1933, Robert Brasillach s'était
indigné : « C'est le sang qui est maître de M. André Malraux.
C'est lui qui explique sa fureur sensuelle comme sa fureur
destructrice... ses personnages qu'on veut nous donner en
modèles, apparaissent comme l'incarnation même (du)
sadisme... Ne nous laissons pas prendre à certain ton de hauteur, à certain orgueil désespéré, à une *allure*, qui ont vraiment
un charme pernicieux et même de la grandeur. Mais grandeur
inhumaine, grandeur barbare... M. Malraux n'a jamais fait
que mettre dans ses livres le goût malsain de l'héroïsme (2).»
La dénonciation est curieuse, venant d'un homme qui allait
justement céder, quelques années plus tard, aux mêmes tentations. Mais Malraux lui-même n'avait pas dit autre chose :
« Un homme actif et pessimiste à la fois, c'est ou ce sera un
fasciste — sauf s'il a une fidélité derrière lui (3).» Seulement,
il avait su faire succéder une fidélité humaniste et française
à la fidélité humaniste et révolutionnaire de sa jeunesse.
Car « il n'était pas entendu que les « lendemains qui chantent » seraient ce long hululement qui monte de la Caspienne
à la mer Blanche et que leur chant serait le chant des bagnards». De Michelet à Jaurès, « ce fut une sorte d'évidence,
tout au long du siècle dernier, qu'on deviendrait d'autant
plus homme qu'on serait moins lié à la patrie» ; mais « le
grand geste de dédain» avec lequel la Russie de Staline écarte
le chant de l'Internationale « balaie d'un seul coup les rêves
du XIXe siècle. Nous savons désormais qu'on ne sera pas
d'autant plus homme qu'on sera moins Français, mais qu'on
sera simplement davantage Russe. Pour le meilleur comme
pour le pire, nous sommes liés à la patrie...» (4).

Malraux ne s'est pas contenté de tourner le dos aux communistes : il a mis un point final à son œuvre romanesque.
Si l'on met à part les remarquables *Noyers de l'Altenburg*
(qui seraient, plutôt qu'un roman, une sorte de poème philosophique dédié au mystère du Cosmos), Malraux n'a plus

(1) ROGER IKOR : *Mise au net* (Albin Michel).
(2) R. BRASILLACH, *Portraits* (Plon).
(3) *L'Espoir*.
(4) *Appel aux Intellectuels*, mars 1948.

écrit, depuis la guerre, une seule œuvre romanesque. Il s'est
consacré à ses discours, à des préfaces, et surtout à l'immense
inventaire de notre production artistique dont la *Psychologie
de l'Art* devait dégager les grands thèmes. La Résistance et la
guerre auraient pu lui fournir des thèmes comparables à
ceux de *la Condition humaine* et de *l'Espoir*. « Après la Chine,
l'Allemagne, l'Espagne, tout le monde attendait que la
France fît à son tour la matière d'un nouveau roman. Le
nouveau roman n'est pas venu. Pourquoi? «Pourquoi ce silence
total sur nos tortures ?» demande Roger Ikor, qui ajoute :
« Si la haute littérature est prescience autant que souvenir,
si ce qu'elle prévoit, elle contribue à le créer, a-t-il redouté
qu'un roman sur nos années terribles ne servît, lui aussi, à
former l'avenir à son image ?... Tout le redoutable pouvoir
du romancier Malraux avant la guerre se fondait sur l'accord entre ses démons propres et ceux de la société. Ceux-ci
jugulés, n'était-ce pas assumer une responsabilité assez
effrayante que de remettre ceux-là en service... Par son silence,
on dirait véritablement que Malraux donne l'exemple ; que
de lui-même, il se classe au nombre des romanciers que nous
devrions traiter, aujourd'hui, en maudits — si nous avions
conscience de notre mission (1). »

Que la source fût tarie ou qu'une secrète inhibition pesât
désormais sur la conscience du créateur, toujours est-il que
Malraux, au lendemain d'une nouvelle expérience politique
avortée (le gaullisme) s'enferma dans une méditation sur le
sens de l'histoire. La Mort, l'Aventure, la Révolution n'avaient
pas répondu à son anxieuse interrogation sur le destin de
l'homme. Il se retournait donc vers l'Art. « Le plus grand
mystère n'est pas que nous soyons jetés au hasard sur la terre...
c'est que dans cette prison, nous tirions de nous-mêmes des
images assez puissantes pour nier notre néant.» De l'inventaire de tous les arts du monde (avec une prédilection pour
ceux qui n'appartiennent pas à l'histoire), Malraux tirait
cette conclusion : « L'obscur acharnement des hommes pour
recréer le monde n'est pas vain, parce que rien ne redevient
présence au-delà de la mort, à l'exception des formes recréées...
L'humanisme, ce n'est pas dire : « Ce que j'ai fait, aucun
animal ne l'aurait fait», c'est dire : « J'ai refusé ce que voulait

---

(1) R. Ikor, *op. cit.*

en moi la bête et suis devenu homme sans le secours des dieux.»
Sans doute, pour un croyant, ce long dialogue des métamorphoses et des résurrections s'unit-il en l'une des voix divines ;
mais peut-être est-il beau que l'animal qui sait qu'il doit
mourir, en contemplant l'implacable ironie des nébuleuses,
lui arrache le chant des constellations ; et qu'il le lance aux
siècles, auxquels il imposera des paroles inconnues (1). »
Alors que la science ne procurerait à l'homme qu'une connaissance du monde — et celle d'aujourd'hui remet en question,
dit Malraux, le vieil accord de l'homme et du cosmos (« la
théorie du champ unifié rend compte d'un univers où l'homme
est superflu») — l'art, à l'instar des religions, nous en donne-
rait un « sentiment fondamental». Certes, l'art ne nous révèle
rien de notre nature (mais « peut-être l'homme ne peut-il
pas plus se concevoir que les yeux se regarder sans miroir»),
mais il nous atteint « comme un piège où l'univers s'est pris» :
c'est assez pour que Malraux puisse affirmer le caractère *sacré*
de tous les grands arts du monde. Finalement, sa religion de
l'homme n'a fait que changer de prêtre : « l'art est un anti-
destin... L'histoire de l'art tout entière devrait être une
histoire de la délivrance».

La *Psychologie de l'Art* a été accueillie avec un respect
admiratif : on a été jusqu'à dire qu'elle aurait pour notre
génération l'importance de l'*Origine de la Tragédie* de
Nietzsche ou de l'*Avenir de la Science* de Renan. Les *Voix
du Silence*, qui en ont réuni et ordonné la matière en un seul
volume, ont été un des grands succès de librairie de ces dernières années (2). Mais une telle œuvre, volontairement
inactuelle, a souligné la retraite de Malraux, s'enfermant dans
la préparation de ses « Musées imaginaires », comme en un
invisible couvent, étrangement silencieux sur des événements
qui, vingt ans plus tôt, l'eussent accaparé (il n'a pas dit un
mot sur l'Algérie, ni sur la Hongrie).

En douze ans — qui ont consommé la triple faillite de la
Libération, de l'Union française et du Système parlementaire — Malraux, après avoir été porté par toutes les grandes

(1) *Psychologie de l'Art* (la Création artistique).
(2) 70.000 exemplaires, tirage jamais atteint pour un volume de ce prix.
Les réactions sont venues des spécialistes : la plus dure devait être celle d'un
historien de l'art byzantin, M. Georges Duthuit, qui devait consacrer trois
volumes à démolir les thèses de ce « Musée inimaginable » (José Corti, 1956).

vagues du siècle, se retrouvait silencieux et seul — comme de Gaulle, avant de réapparaître à ses côtés dans le gouvernement du 1er juin 1958.

L'œuvre, en tout cas, a changé de sens. Les romans révolutionnaires cernent une époque déjà révolue (1). Ils prédisaient la victoire du communisme en Asie où le communisme est vainqueur, mais n'a pas libéré l'homme. *L'Espoir*, description d'une défaite, garde, au contraire, valeur d'exemple. L'aventure imaginaire (qui inspirait les premiers contes farfelus et *la Voie Royale*) paraît non seulement exotique mais gratuite. L'aventure révolutionnaire, ses leçons d'héroïsme, de dignité et de fraternité humaines, souffre de la réprobation qui s'attache au souvenir du stalinisme. Les beaux dialogues d'idées soulignent la disproportion entre la manière (héroïque) dont les personnages vivent le drame et la réponse métaphysique (insuffisante) qu'ils formulent. Mais l'écrivain garde un prestige encore accru par le mystère qui l'entoure.

Publiant peu, se montrant moins encore, Malraux exerce une influence d'autant plus remarquable que sa présence se fait plus parcimonieuse. Ses conférences (quatre ou cinq en dix ans) font accourir les foules ; ses préfaces sont autant d'événements. C'est que Malraux n'a pas dit son dernier mot : on l'attend à chacun de ses textes. L'impression d'inachèvement, d'ambiguïté que laisse son œuvre la plus récente — une insaisissable *Métamorphose des Dieux* — ne fait qu'accentuer cette curiosité. Qu'attend-il, que veut-il, qu'espère-t-il ? Nul ne le sait. Depuis 1945, enveloppé d'éclatantes formules comme Moïse sous les éclairs du Sinaï, Malraux se tait...

---

(1) On l'a constaté à la représentation, en décembre 1954, sur la scène du théâtre Hébertot, d'une *Condition humaine* saisie hors de l'histoire et comme figée par une mise en scène expressionniste (adaptation de Marcelle Tassencourt et Thierry Maulnier).

IV

DU COTÉ DE CHEZ MARX

1

LA ROYAUTÉ D'ARAGON

L'ÉTÉ 1944 fut aussi l'apogée d'Aragon (1). Tout ruis-
selant des feux de ses poèmes de guerre, ce bel astre
aux couleurs multiples passait alors à sa périhélie.
Redevenu directeur de *Ce Soir*, éminence grise des *Lettres
françaises* et du C.N.E., seul écrivain admis au Comité Central
du Parti Communiste, il faisait peser « aussi bien aux *Lettres
françaises* qu'au *Comité National des Ecrivains* ou aux *Editeurs français réunis*, une tyrannie suspicieuse, exigeante et
intarissablement bavarde (2)». Devant ce « long prince beige
et blanc que l'âge n'a pas réussi à vieillir», l'admiration le
disputait à l'agacement et la sympathie à l'inquiétude. L'auteur d'*Anicet* et du *Libertinage* était monté en grade. Il était
devenu quelque chose comme le Préfet de Police des Lettres
— un inquisiteur moralisant, impitoyable à l'ennemi de
classe, habile à deviner chez son interlocuteur des pensées
inavouables, prêt à blâmer, à excommunier à la moindre
incartade. Le puissant romancier des *Beaux Quartiers* et
d'*Aurélien* était déjà menacé par le didactisme, la volonté
de prouver qui transformeraient en un lourd pensum sa
fresque des *Communistes* tandis que le poète d'*Elsa* commençait à trahir un goût prématuré pour la litanie politique.

(1) Cf. pp. 78-83 les indications biographiques et l'analyse de l'œuvre
poétique.
(2) F. NOURISSIER, *Les Chiens à fouetter* (Fasquelle).

Il se montrait sévère envers sa propre jeunesse où la
révolte avait pris le masque du scandale, et que l'avant-garde
littéraire opposait volontiers au visage impassible de sa
maturité. A celle qu'il aime, n'avait-il pas écrit :

> *Va ! tu n'as rien perdu de ce mauvais jeune homme...*
> *Tu ne l'as pas connu cette ombre ce néant...*

Il ne voulait plus se souvenir de l'étincelant et scandaleux
jeune homme qu'il avait été, aimant et cherchant le scandale
sans jamais oublier de plaire, mais pénétré du sentiment du
« merveilleux quotidien », « habile détecteur de l'insolite » (1),
féroce envers les auteurs à la mode (Maurois, Bremond,
Benda), le « mal du siècle » (« Tuez-vous ou ne vous tuez pas.
Mais ne traînez pas sur le monde vos limaces d'agonie... »),
les morts célèbres (Anatole France, « que saluent à la fois le
tapir Maurras et Moscou la gâteuse »), les faux révolutionnaires (Freud, « fardé outrageusement... fait la retape des
écrivains sur le retour »). Dès 1930, au lendemain d'un voyage
en U.R.S.S. où l'avait entraîné la belle-sœur de Maïakovski,
Elsa Triolet, qui allait devenir sa compagne, Aragon brûlant
ce qu'il avait adoré, se convertissait au communisme. Des
poèmes médiocres (*Hourra l'Oural*, 1934), un puissant panorama romanesque de la décomposition bourgeoise (la trilogie
du *Monde Réel*, 1934-1939) avaient été le fruit de cette conversion. En 1945, paraissait *Aurélien*, le meilleur de ses romans,
où la richesse de la culture et la lucidité éclairent une fresque
puissante de la Troisième République. Dans la série des
Communistes, Aragon ne devait retenir de ce portrait à double
face que les éléments destinés à mettre en relief l'épopée
quotidienne de héros selon son cœur.

Le poète (dont la guerre venait de faire un barde national),
comme le romancier, avait fait l'unité. Mais à quel prix !
Finies les riches et précieuses trouvailles de tant d'années...
Un seul poème a désormais son aveu : ce poème de louange
et de célébration qu'il consacre à son parti.

Le polémiste des *Lettres françaises* disperse son génie dans
les multiples manifestes que l'actualité lui arrache (*Les*

---

(1) André Breton.

*Egmont d'aujourd'hui s'appellent André Stil ; La vraie
Liberté de la culture ;* une exception, pourtant : *le Neveu de
M. Duval,* œuvre engagée s'il en est, n'est pas indigne de
Diderot). L'auteur de *Matisse en France* et de *la Lumière
de Stendhal* reste pourtant un de nos meilleurs critiques ;
celui du *Paysan de Paris* et de *la Semaine Sainte* (1958), un des
maîtres de la prose ; celui du *Musée Grévin,* un de nos plus
habiles poètes.

2

VERCORS ENTRE LA BONNE ET LA MAUVAISE CONSCIENCE

Quoiqu'il eût publié, entre les deux guerres, plus d'une
« curiosité» littéraire (*Vingt et une recettes pratiques de
mort violente, Un homme coupé en tranches, Hypothèses sur
les amateurs de peinture,* etc...) le public lettré ne connaissait
guère le nom du dessinateur Jean Bruller (1) (né à Paris
en 1902) lorsque parut, dans la clandestinité, à l'enseigne
des Editions de Minuit et sous le pseudonyme de Vercors,
l'énigmatique *Silence de la Mer.*

Un dialogue, capté dans un restaurant du Paris de l'occupation entre deux officiers allemands — un « bon» et un
« méchant» — avait suggéré à Vercors le thème de ce court
récit, dont la pudeur d'inspiration n'avait d'égale que la

---

(1) Jean Bruller (en littérature Vercors) est né à Paris, le 26 février 1902.
Ingénieur électricien, connu comme dessinateur par ses *Relevés trimestriels*
(estampes, 1932-1940), il devient célèbre sous le nom de Vercors, avec la
publication clandestine du *Silence de la Mer* (1943). Il a présidé le C.N.E.
  Principaux ouvrages : albums : *Vingt et une recettes pratiques de mort violente,
Hypothèse sur les amateurs de peinture* (1927), *Un homme coupé en tranches*
(1929), etc.
  Romans : *le Silence de la Mer* (1942), *la Marche à l'Etoile* (1943), *les Armes
de la Nuit* (1946), *la Puissance du Jour* (1951), *les Animaux dénaturés* (1952),
Colères (1956).
  Essais : *le Sable du Temps* (1945), *Portrait d'une amitié* (1945), *Plus ou moins
homme* (1949), *les Pas dans le Sable* (1954), *les Divagations d'un Français en
Chine* (1956), *P.P.C.* (1957). (Tous ces ouvrages chez Albin Michel.)
  Sur l'homme et l'œuvre, on pourra consulter : PIERRE BRODIN : *Présences
contemporaines* (Debresse), CHARLES MOELLER : *Littérature du XXᵉ siècle et
Christianisme,* III (Casterman).

sobriété du style. Le héros, Werner von Ebrennac, frère
cadet, mais spirituel et affiné, du lourd héros de *Colette
Baudoche*, croit au mariage franco-allemand, même s'il est
célébré à la faveur de la guerre. Il n'est pas seulement « cor-
rect » il est« convenable », il n'est pas seulement « convenable »,
il est musicien. Lorsque, au contact des siens, il aura perdu
ses illusions, il demandera à rejoindre le front russe. Venant
d'un « résistant », le portrait fit scandale chez nos alliés, pour
qui toute incarnation de « l'officier hitlérien » ne pouvait être
que diabolique : Arthur Kœstler et Ilya Ehrenbourg dénon-
cèrent tous deux (instructive rencontre !) ce qu'ils prirent
pour une invraisemblance doublée d'une faute de goût.

Mais, comme l'a noté Sartre, une œuvre qui eût présenté
aux Français de 1941 « les soldats allemands comme des
ogres eût fait rire et manqué son but. Dès la fin de 1942,
le Silence de la Mer avait perdu son efficace : c'est que la
guerre recommençait sur notre territoire... Une invisible
barrière de feu séparait à nouveau les Allemands des Français... au milieu des bombardements et des massacres, des
villages brûlés, des déportations, le roman de Vercors semblait
une idylle : il avait perdu son public. Son public, c'était
l'homme de 41, humilié par la défaite, mais surpris par la
courtoisie apprise de l'occupant... A cet homme-là, il était
vain de présenter les Allemands comme des brutes sangui-
naires... puisqu'il avait découvert avec surprise que la plupart d'entre eux étaient « des hommes comme nous », il
fallait lui remontrer que, même en ce cas, la fraternité était
impossible... le roman de Vercors veut combattre dans
l'esprit de la bourgeoisie française de 41 les effets de l'entrevue de Montoire. Un an et demi après la défaite, il était viru-
lent, vivant, efficace. Dans un demi-siècle, il ne passionnera
plus personne. Un public mal renseigné le lira encore comme
un conte agréable et un peu languissant sur la guerre de 1939.
Il paraît que les bananes ont meilleur goût quand on vient
de les cueillir : les ouvrages de l'esprit, pareillement, doivent
se consommer sur place (1). »

La notoriété soudaine de Vercors a fait de lui un écrivain
prolifique, sinon prolixe. Successivement, il fit paraître la

(1) *Situations.*

Marche à l'Etoile, Souffrance de mon Pays, le Songe, le Sable du Temps, les Armes de la Nuit, l'Imprimerie de Verdun, les Yeux et la Lumière, Plus ou moins homme (entre 1944 et 1950) que devaient suivre *les Animaux dénaturés, les Pas dans le Sable, Colères. La Marche à l'Etoile* (1943) est une œuvre d'actualité — l'histoire d'un juif tchèque renié par cette France qu'il avait choisie par amour ; *les Animaux dénaturés*, un conte moins amer que ceux de Swift, moins détaché que ceux de Voltaire, moins brillant que ceux de Huxley, où l'auteur, à propos d'une espèce d'hommes-singes, cherche une définition de l'homme. Contrairement à ce qu'on pourrait croire, le pessimisme de Vercors ne date pas de la guerre ; son œuvre picturale en porte un amer témoignage. « Comme à tout jeune esprit lucide, c'est l'absurdité du monde qui m'est apparue tout d'abord.» Comme l'Arnaud de *Les Yeux et la Lumière*, il a pris le parti « sans espoir de rien», de « voguer sur la vie». Vivre, mais ne rien prendre au sérieux, sinon la dignité de l'homme : « il n'est qu'un monde que l'homme ait avec soi en commune mesure, et c'est l'humanité. Il n'est pour nous qu'un univers, ce sont les hommes. Tout autre est illusoire, projection décharnée de notre orgueil». C'est au nom de la défense de l'homme qu'il protestera contre toutes les injustices, du Procès Rajk à la guerre d'Algérie. « Je refuse qu'on trompe le peuple, même pour son bien. Car celui qui me trompe une fois, comment saurai-je depuis quand il me trompe et jusqu'où il me trompera ? Comment saurai-je si ce qu'il aime, c'est le peuple ou si c'est le pouvoir ?»

La pensée de Vercors s'apparente davantage au stoïcisme de Camus qu'à l'athéisme méthodique de Sartre. Elle ne se refuse pas à l'espoir — un espoir où les promesses de la science viennent confirmer un impératif moral. A la première réaction stoïque — « l'honneur d'être homme, c'est ce courage sans récompense, c'est de vivre sans connaître encore sa raison de vivre» — en succède une autre, optimiste : « A mesure que l'humanité croît en nombre, elle va croître en connaissance et en sagesse, à un rythme qui deviendra vite vertigineux.» Si cette prosopopée triomphante nous éloigne du climat anxieux de l'existentialisme pour s'accorder à la promesse marxiste, elle ne saurait être une réponse à l'inquiétude métaphysique de notre temps. Dans son style comme dans sa pensée, Vercors reste à mi-chemin des grandes options

décisives de l'époque, et la noblesse de l'homme ne parvient
pas à dissimuler les limites de l'œuvre. Au moins a-t-il eu
le courage de tirer, *in extremis* (1), la leçon de douze années
de collaboration avec le parti communiste, préférant, en fin
de compte, la pureté du solitaire à l'efficacité du combattant.

(1) Dans *P.P.C.* (Albin Michel, 1957), écrit « pour prendre congé », dossier
de douze années d'action publique.

V

UNE ÉMINENCE GRISE : JEAN PAULHAN

VERS 1945, la République des Lettres, dont il avait été vingt ans, comme jadis Machiavel auprès du Conseil des Dix, le secrétaire particulier, fit du plus secret et du plus influent des écrivains français un homme public : Grand Prix de Littérature de l'Académie française, Commandeur de la Légion d'honneur, Jean Paulhan entrait dans la célébrité bourgeoise sans qu'il lui fût demandé de renier les mânes de Sade, la littérature noire et les peintres maudits.

Né à Nîmes vers 1885 (1) (dit-il), fils du philosophe Frédéric Paulhan, Jean Paulhan, après avoir exercé divers métiers vaguement mystérieux (chercheur d'or à Madagascar, professeur aux Langues orientales, rédacteur au *Spectateur*) était entré à la *N.R.F.* en 1920. Désormais, sa vie se confond avec l'activité de la revue, dont il devient le rédacteur en chef à la mort de Jacques Rivière. Nous avons dit plus haut son rôle dans la littérature clandestine qui lui permit de s'élever contre les « proscriptions» du C.N.E. avant de couper défini-

---

(1) En fait, Jean Paulhan est né à Nîmes, en 1884. Licence ès lettres. Professeur au lycée de Tananarive, puis à l'école des Langues orientales. Secrétaire (1920), puis directeur (1925-1940) de la *Nouvelle Revue française*. Fondateur des *Lettres françaises* clandestines (1941). Grand Prix de Littérature de l'Académie française (1945). Grand Prix de la Ville de Paris (1951). Rédacteur en chef de la *Nouvelle Nouvelle Revue française* (1953).

Principaux ouvrages : *Le guerrier appliqué* (1915), *le Pont traversé* (1920), *les Fleurs de Tarbes* (1941), *Clef de la Poésie* (1944), *F.F. ou le Critique* (1945), *Entretiens sur des faits divers* (1945), *De la paille et du grain* (1948), *Lettre aux directeurs de la Résistance* (1952).

Sur l'homme et l'œuvre, on pourra consulter : Maurice TOESCA : *Jean Paulhan, écrivain appliqué* (1948) ; M.-J. LEFEBVE : *Jean Paulhan, une philosophie et une pratique de l'expression et de la réflexion* (Gallimard).

tivement les ponts, dans une *Lettre*, qui scandalisa, avec les
« directeurs de la Résistance » (1). Durant l'intermède de la
guerre, prolongé par les incertitudes de la Libération (et par
la condamnation dont restait grevée la *N.R.F.* de Drieu, à
laquelle il avait substitué les luxueux et inefficaces *Cahiers
de la Pléiade*), réfugié aux *Temps Modernes*, puis à la *Table
Ronde*, il parut en exil jusqu'au 1ᵉʳ janvier 1953, où, en compagnie de son inséparable Marcel Arland, il put enfin ressusciter
la « chère vieille tondue » (comme dit Mauriac). On s'aperçut
avec surprise que la *N.R.F.*, de chapelle était devenue Pan-
théon (au sommaire, Proust et Kafka, Saint-John Perse et
Giono...). Si la tenue, « le col haussé, le côté inspecteur des
finances des lettres » font du tort à la *N.R.F.*, la dictature
bicéphale des deux directeurs n'est pas sans efficace. « Nulle
note ne paraît sans que les deux compères, muets comme
des carpes, aient échangé une multitude de petits billets.
Jugements laconiques, questions sournoises, pièges matois,
ces billets ont un air compassé, naïf auquel il ne faut pas se
fier. L'originalité maladive de l'un, les scrupules paysans de
l'autre, s'étalent pudiquement dans ces griffonnages. Abandonnée à la seule stérilité de celui-ci, ou à la seule rageuse
probité de celui-là, la revue eût mal tourné. Mais attelés
ensemble, ces deux hommes si mal faits pour le trait, mènent
assez allègrement la vieille limousine (2). »

Paulhan, qui a lu tous les livres, connu tous les peintres,
a la sagesse d'écrire peu. Peu de livres, à peine d'idées. — Ce
qui l'intéresse, c'est le langage, auquel il voue une attention
soupçonneuse, qui ne fait pas grâce d'une virgule. Cet ami
d'Apollinaire et d'Eluard a écrit une *Clé de la Poésie* en
deux cents pages sans même s'approcher de la serrure. Le
meilleur des *Fleurs de Tarbes*, son grand œuvre (cent soixante-
quatre pages), est contenu dans les citations (un écheveau
de critiques du *Songe*). Le goût du paradoxe poussé jusqu'à
la perversité nous vaut le meilleur et le pire de ces curiosités
appliquées. Le meilleur, ce sont ces maximes détachées :

— *Il est bien vrai que les gens gagnent à être connus. Ils
y gagnent en mystère.*

(1) Louis Martin-Chauffier devait alors l'accuser de n'être entré dans la
Résistance que « par goût de la mystification ».
(2) F. Nourissier, *les Chiens à fouetter.*

— *Si j'étais huître, je ne cultiverais pas ma perle.*
— *Le verbalisme, c'est la pensée des autres.*
— *L'esprit occupe à chaque instant tout l'espace dont il dispose.*
— *L'esprit est un monde à l'envers. Le clair y procède de l'obscur, la pensée y sort des mots.*

Est-ce la peur des lieux communs (parce qu'ils sont les plus fréquentés) — pourtant réhabilités dans *les Fleurs de Tarbes* — qui le pousse à majorer le rare, l'exceptionnel ou l'inaudible, à préférer au Tintoret ou aux Grecs, Fautrier, Dubuffet, Malcolm de Chazal à Montherlant et feu Félix Fénéon à Barrès ? A force de dénoncer « la terreur dans les Lettres», il en fait régner une autre ; devant elle chaque écrivain devient suspect, coupable de rhétorique, de clartés interdites, de séduction... « Paulhan aide moins qu'il ne supplicie. Votre texte, ce texte rare et bref, ou bien ce pavé de huit cents pages manuscrites, Paulhan l'aimera sans mesure, sans réserves. Il vous le dira par des pneumatiques écrits sur carte rose ou bleue, il vous le fera abréger s'il est bref, allonger s'il est interminable. Il l'aimera longtemps, voluptueusement. Un jour, peut-être, il changera d'avis. Il cessera d'aimer. Il détestera. Il vous incitera à d'autres recherches, bien différentes. Il regrettera cette page merveilleuse que vous aviez écrite, un soir, voici trois ans, et que vous avez déchirée, oubliée, que vous doutez même d'avoir écrite jamais. C'était là votre vrai ton ; là qu'éclatait la joie de conter, que coulait le naturel, etc. Ces jeux peuvent durer de longues années...

« Ami, disciple, protégé de Paulhan, vous deviendrez un être fantomatique, inquiet, qui hantera les mercredis de la *N.R.F.*, humble, toujours affamé de confirmation, perdu d'angoisse lorsque la voix interrogative et fluette de votre directeur prendra une nuance de regret ou de doute... Vous cultiverez le petit texte, le « récit», le conte gris, la précieuse pâleur de l'ennui... Vous ne croirez plus qu'en une littérature du murmure (1).»

Sans doute, Paulhan affirme-t-il voir dans l'acceptation du langage « la condition et non point l'obstacle de l'expression de la pensée». Mais en fait, tout se passe comme s'il

---

(1) F. Nourissier, *op. cit.*

poursuivait les stylistes (taxés du crime de rhétorique) d'une rancune qui l'amène à mépriser nos plus grands lyriques, de Chateaubriand à Barrès. Par ailleurs, le naturel qu'il prône est souvent le comble de l'artifice, tandis qu'un démon curieux pousse le préfacier d'*Histoire d'O* du côté de l'érotisme, comme si, de ces vaines recherches, l'humain pouvait jamais jaillir. Si l'esprit de contradiction qui l'anima est une des formes de l'esprit de création, son œuvre ne semble avoir été écrite que pour justifier la campagne de Julien Benda contre l'alexandrisme « avec son cri de guerre contre le développement, sa vénération du court et de l'exquis, sa création de l'épigramme, de l'anthologie, sa dévotion aux problèmes du langage, son mépris pour le fond, son estime pour la seule poésie (1) ». Prospecteur dilettante et curieux des confins de la littérature, Jean Paulhan n'a pas contribué, c'est le moins qu'on puisse dire, à faire passer un grand souffle humain dans la nouvelle littérature française.

(1) Julien Benda, *la France byzantine.*

CHAPITRE TROISIÈME

LE TOURNANT DE 1950

*La désaffection qui se manifeste à partir de 1947, dans de
vastes secteurs de l'opinion, à l'égard des hommes et des idées
de la Libération et qui deviendra sensible vers 1950, est due
d'abord, aux déceptions politiques causées par les débuts cahotiques de la IVᵉ République. Sur le plan des idées, l'existentialisme a fait le plein et commence à trouver des adversaires.
Raymond Aron, Thierry Maulnier, Jules Monnerot, réagissent
contre les simplifications grossières de la philosophie marxiste
de l'histoire. Les derniers livres de Bernanos, l'ouvrage posthume de Saint-Exupéry, le premier recueil de Simone Weil
ont ici la valeur d'un test : ils annoncent une réaction antimoderne.*

I

UNE RÉACTION ANTIMODERNE

A NTIMODERNE : le mot est de Jacques Maritain. L'idée
a eu des défenseurs passionnés du côté des héritiers de
Joseph de Maistre, Charles Maurras et Henri Massis,
dont toute l'œuvre est une critique systématique des idées modernes (Réforme, Révolution, Romantisme et tous les maux
qu'ils ont engendrés), mais aussi chez des écrivains résolument
engagés dans leur temps et qu'on ne saurait pas plus ranger
dans le camp de la réaction que dans celui de la Révolution :
Bernanos, fuyard de l'*Action française* passé du côté des Républicains d'Espagne, puis des Résistants de France, Saint-
Exupéry, pur témoin d'une France combattante, Simone
Weil enfin, militante d'extrême-gauche, engagée dans le
syndicalisme révolutionnaire, puis dans les Brigades internationales. Si l'on tient à leur trouver des ancêtres, il ne faut
pas les chercher dans la seule tradition antidémocratique
(encore que Louis Veuillot et Edouard Drumont aient fortement influencé Bernanos), mais du côté de ces « prophètes »
chrétiens que furent Léon Bloy et Péguy.

1

LES FUREURS DE BERNANOS

Nous avons quitté Bernanos (1) abordant le sol de France
avec des sentiments mêlés, peut-être excessifs — mépris

(1) Cf. p. 70. — Georges Bernanos est né à Paris, le 20 février 1888, dans une
famille berrichonne aux ascendances espagnoles. Enfance dans le Nord. Etudes
au collège des Jésuites de Vaugirard (où il eut pour camarades les frères de

violent envers un pays émasculé par le réalisme politique,
espoir immense dans sa rénovation révolutionnaire. « Il ne
s'agit pas d'expier la honte, il s'agit de la réparer... Dans
la grandeur et dans le risque... La Révolution est ce
risque (1). » A peine de retour (juillet 1945) il s'aperçut qu'on
allait pourrir la paix comme on avait pourri la guerre. Deux
pouvoirs allaient s'affronter : les masses et l'argent, un homme
neuf ne naîtrait pas de ce conflit, mais la liberté allait périr.
La mollesse des uns, l'esprit de vengeance ou le confusionnisme
des autres faisaient lever en Bernanos des fureurs qui le laissaient exsangue. Il s'indigna de voir Mauriac lui proposer à
l'Académie le fauteuil de Renan et André Mandouze l'inviter
à rejoindre un parti des pauvres vite confondu avec « la tribu
marxiste en route vers la terre Promise ». A force de dénoncer
ses tares, il avait fini par prendre en horreur la Bourgeoisie
dont il était issu et cette Droite dont il avait été l'enfant
turbulent et chéri. « Tout ce qu'on appelle la droite, qui va
des prétendus monarchistes de *l'Action française* aux radi-

Gaulle), puis au petit séminaire de Bourges. Etudiant en lettres et en droit, il est
camelot du Roy ; journaliste d'*Action française*, il fait de la prison. Quatre
ans de guerre dans les tranchées, puis agent d'assurances à Bar-le-Duc. *Sous
le Soleil de Satan*, que Henri Massis fait accepter à Plon, lancé par un retentis-
sant article de Léon Daudet, le rend aussitôt célèbre (1926), et lui permet de se
consacrer à son activité d'écrivain (elle ne suffira jamais à assurer sa vie matérielle). La condamnation de l'*Action française*, des deuils familiaux, la rupture
avec Maurras, un grave accident d'automobile qui le laisse infirme (1933),
l'ébranlent et le décident à émigrer aux Baléares : il y compose le *Journal d'un
Curé de Campagne* (1936). D'abord franquiste, il se déchaîne contre la Terreur
blanche ; au lendemain de Munich, il gagne le Paraguay, puis le Brésil où il
passera toute la guerre. De retour en France, écœuré de tout sauf de Dieu, il
meurt d'une maladie de foie le 5 juillet 1948.

　Principales œuvres :
　Romans : *Sous le Soleil de Satan* (1926), *l'Imposture* (1927), *un Crime* (1935),
Journal d'un Curé de Campagne (Grand Prix du Roman de l'Académie fran-
çaise, 1936), *Nouvelle Histoire de Mouchette* (1937), *Monsieur Ouine* (1943).
　Essais : *la Grande Peur des Bien-Pensants* (1931), *les Grands Cimetières sous
la Lune* (1938), *Scandale de la Vérité* (1939), *Lettre aux Anglais* (1942), *la France
contre les Robots* (1944), *les Enfants humiliés* (1949), *la Liberté, pourquoi faire ?*
(1954), *le Crépuscule des Vieux* (1956).
　Sur l'homme et l'œuvre, on pourra consulter : Luc Estang : *Présence de
Bernanos* (Plon, 1947) ; Pierre de Boisdeffre : *Métamorphose de la Littérature*, I (Alsatia, 1950) ; Louis Chaigne : *Georges Bernanos* (Editions Universitaires, 1954) ; Albert Béguin : *Bernanos par lui-même* (le Seuil, 1954) ; Hans
Urs von Balthasar : *le Chrétien Bernanos* (le Seuil, 1956).
　(1) *Le Chemin de la Croix des Ames.*

caux-socialistes prétendus nationaux... s'est spontanément
agglutiné, aggloméré autour du désastre comme un essaim
d'abeilles errant autour de sa reine. Je ne dis pas qu'ils aient
voulu ce désastre d'une volonté délibérée. Ils l'attendaient.
Cette monstrueuse attente les juge (1).» Mais ce n'était pas
seulement la bourgeoisie, ni ce Maurras dont il avait été le
disciple, qu'il rejetait maintenant dans une commune exécra-
tion, c'était le monde moderne tout entier qu'il taxait d'indignité, « l'espèce de civilisation qu'on appelle encore de ce
nom — alors qu'aucune barbarie n'a fait mieux qu'elle (2)».
Confondant progrès technique et monde totalitaire, il annonçait la naissance d'un sous-homme, réduit à l'état d'animal
supérieur dans un monde devenu « aussi inhabitable pour
l'homme chrétien que celui de l'époque glaciaire pour les
mammouths (3)». Autant il était salutaire qu'une voix
grave se fît entendre, en pleine euphorie de la Libération,
pour en dénoncer les équivoques et les palinodies, pour
inviter les Français à résister aux idoles, autant sa dénonciation de la « Machinerie » relève-t-elle des utopies sentimentales
du XIXe siècle.

En revanche, on doit savoir gré à Bernanos d'avoir mené
un combat inlassable pour rendre à ses contemporains le sens
de l'honneur. « Il y a un honneur chrétien... Il est humain et
divin tout ensemble... Il est la fusion mystérieuse de l'honneur humain et de la charité du Christ (4).» C'est au nom de
cet honneur chrétien qu'il tenait tête aux docteurs, s'en
remettant « à Dieu plutôt qu'aux gens d'Eglise » qui n'avaient
selon lui, la garde ni de l'honneur, ni de la terre des Français.
« Les disciplines de l'Eglise ne peuvent suffire à former le
chevalier chrétien... L'Eglise n'est pas une maîtresse d'honneur, elle est une maîtresse de charité (5).» Dès Munich, il
avait demandé que de jeunes chrétiens français fassent entre
eux, une fois pour toutes, le serment de ne jamais mentir :
« Que cette seconde chevalerie commence par sauver l'honneur. Et puisque le mot lui-même a perdu son sens, qu'elle
sauve l'honneur de l'Honneur (6).» Chevalerie : le grand mot

(1) *Lettre aux Anglais.*
(2) et (3) *La Liberté, pourquoi faire ?*
(4) *Les Grands Cimetières sous la lune.*
(5) *Nous autres Français.*
(6) *Scandale de la Vérité.*

est lâché, la nostalgie de cette chrétienté médiévale sur laquelle
Bernanos se faisait, sans doute, quelque illusion. Au fidèle,
il oppose l'Homme chrétien — ou, si l'on veut, Joinville au
militant d'action catholique (1).

Il avait conscience de compter parmi les derniers Français
qui « marchent à l'Honneur comme on marche au canon »,
dût-il abandonner une époque où tout ce qui lui était cher
était méprisé ou trahi. Les amis de sa jeunesse — Vallery-
Radot, Massis, Eusèbe de Brémond d'Ars — étaient loin,
il en avait fait d'autres au Brésil, puis en France — au premier rang, André Rousseaux et Albert Béguin, qui devait
être son exécuteur testamentaire ; il s'en fit un troisième,
qui l'éblouit et qu'il aima comme un frère inconnu, découvert
sur le tard : André Malraux, comme lui détaché de son siècle
et comme lui solitaire, compagnon lui aussi d'un certain
général de Gaulle...

De Sisteron à Bandol, de la Chapelle Vendômoise à Ham-
mamet, puis à Gabès, criant son dégoût contre les mensonges
de la IVe République, malade de la France (2), persuadé
que l'éclipse de l'Europe était celle de la civilisation tout
entière, que l'homme chrétien était menacé de mort, le vieux
nomade (qui rêvait d'offrir aux foules des cinémas les dialogues
des carmélites de Compiègne, et s'était juré de ne plus écrire
qu'un seul livre : *la Vie de Jésus*) allait entrer dans la mort le
5 juillet 1948, comme un enfant partagé entre l'espoir et la
déception.

Bernanos s'est peint par avance dans ce portrait de Léon
Daudet, qui pourrait lui servir d'épitaphe : « On ne saurait
faire le compte de ses injustices, du moins les porte-t-il sur
sa figure, elles s'y inscrivent ainsi que les cicatrices au torse
d'un vieux gladiateur. Certes, quiconque a aimé le visage
humain ne peut regarder sans frémir cette face terrible dont
l'énorme sensualité dévorerait jusqu'aux larmes. Qu'importe !

(1) Le Père Hans Urs von Balthasar note à ce propos que Bernanos est toujours resté fidèle à une conception aristocratique de la morale et de la vie —
d'où sa fureur de voir le nazisme déshonorer ses propres valeurs (*Le Chrétien
Bernanos*, le Seuil, 1956).
(2) « La France, cria-t-il, est en train de mourir d'un cancer généralisé...
Les générations actuelles sont les plus médiocres que la France ait connues,
mais chaque jour qui passe les décime, l'heure viendra où elles rempliront les
cimetières... La France doit tenir bon jusque-là. »

Ce n'est pas là le visage du Pharisien. Il est tout ce qu'on voudra, sauf un sépulcre et moins encore un sépulcre blanchi. Plus qu'aucun des nôtres, au contraire, il est fait pour la sueur d'agonie, pour cette autre espèce de larmes purificatrices, plus intimes et plus profondes, que virent couler une nuit entre les nuits, les oliviers prophétiques. Certains êtres que rien n'assouvit, ne sauraient trouver leur rafraîchissement dans l'eau vive promise à la Samaritaine, il leur faut le fiel et le vinaigre de la Totale Agonie (1).»

2

Le message de Saint-Exupéry

Si l'adieu de Saint-Exupéry (2) n'a obtenu, l'été 1944, qu'un écho de circonstance — hommage rendu à l'homme et au sacrifice, autant et plus qu'à l'œuvre — il devait prendre, avec le recul du temps, le caractère d'un avertissement. La publication posthume de *Citadelle* devait mettre à jour une « philosophie» déjà contenue dans la fable du *Petit Prince*.

---

(1) *Les Grands Cimetières sous la lune.*

(2) Antoine de Saint-Exupéry est né à Lyon le 29 juin 1900, dans une famille de l'aristocratie limousine. Orphelin de père en 1904, il fait des études médiocres, échoue à l'Ecole Navale, et passe son brevet de pilote au cours de son service militaire. Engagé en 1926, après avoir essayé divers métiers, par Latécoère, il assure les courriers sur la ligne Toulouse-Casablanca-Dakar, puis sur l'Atlantique-Sud. Après la liquidation de l'Aéropostale et le succès de *Vol de Nuit* (Prix Fémina 1931), journalisme, grands reportages et conférences (Espagne, Allemagne, Afrique du Nord, Moscou, Indochine). Tente de relier sur son Simoun New-York à la Terre de Feu. Mobilisé en 1939, affecté au groupe 2/33, quitte la France à l'automne 1940 pour les Etats-Unis. En avril 1943, gagne Alger et s'entraîne sur des Lightnings. Abattu par un avion allemand au large de la Corse, à sa neuvième mission de guerre (31 juillet 1944).

Ouvrages : *Courrier Sud* (1928), *Vol de Nuit* (préface d'André Gide, Prix Fémina 1931), *Terre des Hommes* (Grand Prix du Roman de l'Académie française 1939), *Pilote de guerre* (1942), *Lettre à un Otage* (New-York, 1943), le *Petit Prince* (New-York, 1943 ; Paris, 1945).

Posthumes : *Citadelle* (1948), *Lettres de Jeunesse* (1953), *Carnets* (1953), *Lettres à sa Mère, Un sens à la Vie* (1956).

Sur l'homme et l'œuvre, on pourra consulter : Jules Roy : *Passion de Saint-Exupéry* (Gallimard, 1950) ; Jean-Claude Ibert : *Saint-Exupéry* (Editions Universitaires, 1954) ; Luc Estang : *Saint-Exupéry par lui-même* (le Seuil, 1956).

Le premier appel entendu est celui du désert (1). Comme
hier Psichari et le Père de Foucauld, Saint-Exupéry secoue
la poussière de ses sandales sur nos villes. Il aurait pu contresigner la protestation d'un Philippe Diolé contre ce « décor
inventé de rues, de squares et de maisons» que notre civilisation interpose entre l'homme et le monde. « Ce n'est pas
seulement le décor qui est fabriqué, élaboré en ce XXᵉ siècle,
ce sont les sentiments et la vie intérieure. Des existences
entières se situent entre le métro et le cinéma et ne se nour-
rissent plus que d'images en conserve ou de voix enregistrées
et d'émotions feintes... Il faut contourner toute cette fausse
réalité pour retrouver la vraie (2).» Saint-Exupéry n'a pas
seulement emprunté au désert le décor et les exemples
d'énergie virile de ses premiers livres (*Courrier Sud* et *Vol
de Nuit*) mais il y a médité une morale et une métaphysique. L'avion n'a pas été pour lui qu'une machine mais
un instrument d'analyse, qui lui a permis de prendre sa propre
mesure en même temps que celle de la terre. Saint-Exupéry
a d'abord été l'homme du Cap Juby, de l'Aéropostale, le pilote
de nuit, puis de guerre auquel le vol enseigna la vraie fraternité, celle du métier où l'homme se donne totalement à sa
tâche, où il n'y a pas de compromis possible avec le but à
atteindre, où il faut vaincre (transporter le courrier à l'heure
dite, repérer l'objectif) ou périr. La vie en équipe lui a découvert la haute qualité des relations humaines. Mais, dans la
solitude des escales, il a aussi médité sur l'homme et sur sa
civilisation ; il veut fonder celle-ci, non sur un langage, mais
sur des actes. (Il y a moins de romantisme chez Saint-Exupéry
que chez Malraux ; ce qu'il exalte, c'est l'*action* plus que l'aventure, le *sacrifice*, non la mort absurde.) L'amour de Saint-
Exupéry pour l'ordre prolonge son goût du concret ; chez lui,
nulle complaisance pour le nihilisme, pour la révolte, ni
même pour la révolution. *Le héros selon son cœur est un architecte* et, s'il le peut, un bâtisseur d'empire. Nul, plus que
Saint-Exupéry, n'a raillé les idolâtres de la liberté, « race de
chiens qui se croient libres parce que libres de changer d'avis,

(1) Cf. notamment l'essai de JEAN HUGUET : *Saint-Exupéry ou l'Enseignement du Désert* (la Colombe).
(2) *Le plus beau désert du monde* (Albin Michel). A noter que les écrivains
existentialistes (Sartre, Simone de Beauvoir), au contraire, ne veulent connaître que la ville.

de renier (et comment sauraient-ils qu'ils renient puisqu'ils
sont juges d'eux-mêmes ?)», malheur à ceux qui « ne sont
citadelle, fermée sur ses trésors, où les hommes, de génération
en génération, se délèguent par leur mot de passe» (1).
Il oppose avec mépris à ceux qui« laissent croître leurs enfants
sans les pétrir», sa civilisation.

De l'action, Saint-Exupéry s'élève à la morale, puis à la
contemplation. Il cesse de considérer les objets pour s'attacher au« sens qui les noue entre eux», passe du nomadisme
à l'enracinement. Il entrevoit qu'une civilisation implique
ordre et durée. Il la définit comme« un héritage de croyances,
de coutumes et de connaissances, lentement acquises au cours
des siècles... qui se justifient d'elles-mêmes». Au sommet de
l'édifice, il place un chef qui oppose son arbitraire au mol
effritement des choses. « Je gouverne et je choisis... Je suis
la vie et j'organise. J'édifie les glaciers contre les intérêts des
mares. Peu m'importent si les grenouilles coassent à l'injustice.» Déclarations qui vont à l'encontre de toute une
éthique moderne, et qui fondent la morale, non pas sur le
droit des plus nombreux, mais sur celui des meilleurs. Car
Saint-Exupéry ne reconnaît point « les droits des pierres
contre le temple, ni les droits des mots contre le poème, ni
les droits de l'homme contre l'empire».

Cet idéal aristocratique oppose donc aux philosophies
contemporaines — qu'elles aient nom marxisme, existentialisme, personnalisme — la transcendance d'un Dieu imper-
sonnel, qui ne s'incarne pas, ne répond pas, demeure inaccessible — comme l'Absolu : « Obstiné, je montais vers Dieu
pour lui demander la raison des choses... Mais au sommet
de la montagne, je ne découvris qu'un bloc pesant de granit
noir — lequel était Dieu ... Je n'avais point touché Dieu mais
un dieu qui se laisse toucher n'est plus un dieu... pour la
première fois, je devinais que la grandeur de la prière réside
d'abord en ce qu'il n'y est point répondu et que n'entre point
dans cet échange la laideur d'un commerce. Et que l'apprentissage de la prière est l'apprentissage du silence. Et que
commence l'amour là seulement où il n'est plus de don à
attendre (2).»

_____

(1) et (2) *Citadelle*.

N'allons pas croire, pourtant, que Saint-Exupéry proposait en exemple les systèmes politiques ou religieux qui sacrifient l'homme à une grandeur d'illusion. Il sait que « l'ordre pour l'ordre châtre l'homme de son pouvoir essentiel qui est de transformer le monde et soi-même. La vie crée l'ordre, mais l'ordre ne crée pas la vie ». Hier, la civilisation chrétienne, héritière de Dieu, avait conféré à chaque homme une dignité inaliénable. L'« humanisme » moderne a dilapidé l'héritage : « Peu à peu, oubliant l'Homme, nous avons borné notre morale aux problèmes de l'individu. » Les pierres ont renié l'architecte et se sont mises à errer dans le vide. A ce désordre, Saint-Exupéry répond fièrement : « Citadelle, je te construirai dans le cœur de l'homme ! »

Le ton de *Citadelle* — celui des litanies arabes — a surpris. On en a relevé les digressions interminables, les lourdeurs. Certes, la langue de *Citadelle* est une lourde gangue (n'oublions pas que Saint-Exupéry aurait sûrement élagué le livre, dicté, et non écrit) ; sous les mots incertains la pensée se cherche encore. Mais la parabole n'est pas sans grandeur ; ni les images sans beauté. N'en déplaise à un éminent critique (1), l'homme, dans *Citadelle*, n'est pas trahi par l'écrivain. Et c'est le meilleur de lui-même qu'il nous livre, l'effort d'une pensée qui « n'espère rien de l'homme s'il travaille pour sa propre vie et non pour son éternité ».

A ceux qui se souvenaient d'un autre Saint-Exupéry — plus simple, plus humain, plein de gentillesse et même de candeur — la publication de ses *Lettres* est venue rappeler ce qu'il était en effet dans l'intimité — habité du doute, mais aussi du don de l'enfance. Elle n'a pas démenti la qualité de l'écrivain, dont les merveilleuses *Lettres* à Renée de Saussine annonçaient la naissance, « Samson émerveillé d'être ce page pris dans un piège d'oiseleur ».

(1) Marcel Arland.

3

LE TÉMOIGNAGE DE SIMONE WEIL

Au début de 1948, un petit livre de deux cents pages lançait dans le grand public le nom de Simone Weil (1) : les pensées réunies par Gustave Thibon sous le titre *la Pesanteur et la Grâce* dépassaient la littérature pour nous faire accéder à un domaine voisin de la sainteté. L'Absolu s'y trouvait vécu comme une passion, la plus déchirante de toutes, par une jeune fille qui avait été tour à tour professeur de philosophie, militante syndicaliste, ouvrière d'usine, combattante des Brigades Internationales, fille de ferme, agent de la France libre, sans jamais cesser de contempler le malheur du monde — malheur qu'elle avait assumé dans sa chair jusqu'au martyre et jusqu'à la mort.

(1) Simone Weil est née à Paris, le 3 février 1909. Son père était chirurgien. Etudes au lycée Victor-Duruy (avec Le Senne), puis à Henri-IV (avec Alain). De 1928 à 1931, élève à l'Ecole Normale supérieure ; agrégée de philosophie en 1931. Professeur au Puy, à Auxerre, à Roanne. En 1934, s'engage aux usines Renault, de Billancourt, comme fraiseuse. Professeur au lycée de Bourges, elle le quitte en 1936 pour rejoindre les Brigades internationales ; un accident (elle s'ébouillante) la ramène en France. Elle prend un congé, après un séjour comme professeur à Saint-Quentin, quitte Paris en juin 1940 pour gagner Marseille avec sa famille (elle y fait la connaissance de Gustave Thibon et du Père Perrin), travaille comme ouvrière agricole sur la propriété de Gustave Thibon, et se résigne à quitter la France avec sa famille, en mai 1942. Passe quelques mois à New York, puis rejoint Londres, où elle travaille pour les services de la France Libre : elle espère se faire parachuter en France. Malade, hospitalisée à Middlesex en avril 1943, elle meurt au sanatorium d'Ashford, le 24 août 1943.

Ouvrages : avant la guerre, nombreux articles dans *Révolution prolétarienne, Critique Sociale, Nouveaux Cahiers, Cahiers du Sud, Libres Propos*.

En 1947, *la Pesanteur et la Grâce* (choix de textes présentés par Gustave Thibon) inaugure son œuvre posthume. Puis viennent : *l'Enracinement* (1949), *Attente de Dieu* (1950), *la Connaissance surnaturelle* (1950), *Lettre à un religieux* (1951), *Intuitions préchrétiennes* (1951), *la Condition ouvrière* (1951), *la Source grecque* (1953), *Oppression et Liberté* (1955), *Ecrits de Londres* (1957) et trois volumes de *Cahiers*.

Au théâtre : *Venise sauvée*.

Sur l'œuvre et la vie, si étroitement mêlées, on pourra consulter : J.-M. PERRIN et G. THIBON : *Simone Weil telle que nous l'avons connue* (la Colombe, 1952) ; CH. MOELLER : *Littérature du XXᵉ siècle et Christianisme* (Casterman, 1953) ; M.-M. DAVY : *Simone Weil* (Editions Universitaires, 1956).

Née à Paris en 1909, Simone Weil — fille d'un chirurgien israélite — appartenait à la génération de 1930, celle de Sartre et de Mounier. Elève d'Alain, reçue brillamment à l'Ecole Normale supérieure, puis à l'agrégation de philosophie, elle aurait pu se consacrer à une œuvre qui aurait suffi à sa réputation. Au lieu de quoi, lorsqu'elle disparut à trente-quatre ans, elle n'avait publié qu'une poignée d'articles, et avait si totalement renoncé à laisser une œuvre qu'elle avait prié Gustave Thibon de recueillir ses pensées pour les incorporer dans ses ouvrages (« je serais très heureuse qu'elles se logent sous votre plume en changeant de forme de manière à refléter votre image. Cela diminuerait un peu pour moi le sentiment... que je suis incapable... de servir la vérité»). Elle laissait le souvenir d'une intellectuelle passionnée, excentrique (beaucoup la jugeaient infréquentable), absolument insoucieuse du qu'en dira-t-on (1).

Une même exigence de purification, de dépouillement absolu anime sa vie (2) et son œuvre. Celle-ci, à propos de laquelle on devait évoquer Pascal et Kierkegaard, fut tout de suite saluée (par Gabriel Marcel, Julien Green, André Rousseaux, Albert Camus) comme un des témoignages exemplaires de ce demi-siècle. La publication d'ouvrages contestés, mais décisifs — l'Enracinement, la Connaissance surnaturelle, la Condition ouvrière, la Source grecque... — devait confirmer ce jugement.

Œuvre inachevée, pleine d'interrogations anxieuses, et à laquelle il ne faut demander d'autre logique que celle du cœur. « C'est dans la mesure où elle fut un témoin de l'absolu, observe Gabriel Marcel (3), qu'elle fut vouée à demeurer en marge d'une certaine cohérence intellectuelle. Car rien ne ressemble moins à un témoin de l'absolu qu'un doctrinaire.» Une dépréciation, quasi manichéenne, de la Création, paralysa

---

(1) Ne répondait-elle pas à l'Inspecteur général qui la menaçait des foudres universitaires qu'elle avait toujours considéré la révocation comme « le couronnement normal d'une carrière administrative» ?

(2) On cite d'elle d'innombrables traits d'une charité toute volontaire. Si quelqu'un a vécu ses idées, c'est bien elle qui distribuait aux pauvres la part de son salaire excédant l'allocation de chômage des ouvriers du Puy; pendant la guerre, elle enverra à des prisonniers politiques la moitié de ses tickets d'alimentation

(3) Préface du livre de M.-M. DAVY (Simone Weil) (Editions Universitaires).

son « attente de Dieu », d'un Dieu qui se serait, en créant le
monde, « nié en notre faveur pour nous donner la possibilité
de nous nier pour lui » — seule réponse humaine possible à
la folie de l'Amour divin. Le long malentendu qui a séparé
Simone Weil de l'Eglise catholique — et qui s'exprime
notamment dans sa *Lettre à un religieux* — a sa source dans
cette conception d'une création essentiellement liée au péché
originel ; elle les voyait comme les deux faces « d'un acte
unique d'abdication » : l'Eglise portait le poids de ce péché
et Simone Weil ne pouvait se retenir de l'identifier au « Gros
Animal » platonicien.

Toute sa conception de l'histoire est dominée par ce mythe
qu'elle applique simultanément à l'Eglise, à la Bête de l'Apocalypse et aux sociétés humaines. Dans les prétendus « jugements de l'histoire », elle ne voit qu'une « compilation des
dépositions faites par les assassins relativement à leurs victimes et à eux-mêmes ». Par principe, elle donne toujours
raison aux vaincus, aux Grecs et à Troie contre Rome, à
Darius contre Alexandre, aux Albigeois contre la France de
Saint Louis. Elle demande : « Qui peut admirer Alexandre s'il
n'a l'âme basse ? » D'où sa répulsion envers la France triomphante, que ce soit celle de Louis XIV ou celle de Napoléon.
Il y a ainsi dans *l'Enracinement* — véritable traité de civilisation jailli d'un rapport sur la France occupée, écrit à Londres
en 1943, à la demande de Maurice Schumann — à côté
d'admirables pages, une profonde méconnaissance de la
monarchie française. De même Simone Weil n'éclaire-t-elle
« la source grecque » d'une lumière chrétienne (« Combien
notre vie changerait si l'on voyait que la géométrie grecque
et la foi chrétienne ont jailli de la même source ! ») que pour
stigmatiser avec plus de force Israël et Rome, coupables
d'avoir mis sur le christianisme une empreinte détestable.
« Notre civilisation ne doit rien à Israël et fort peu de chose
au christianisme, elle doit presque tout à l'antiquité pré-
chrétienne. Le christianisme, annexé par l'impérialisme juif,
puis par le détestable esprit de Rome, a déraciné spirituelle-
ment le monde et il n'est pratiquement pas sorti de la race
blanche. »

D'une manière aussi instinctive, Simone Weil refuse ce
qu'elle appelle le « patriotisme » de l'Eglise, qu'elle oppose
à l'esprit évangélique. « Tout se passe, soupire-t-elle, comme

si avec le temps on n'avait regardé non plus Jésus mais l'Eglise comme étant Dieu incarné. Un catholique dirige sa pensée secondairement vers la vérité, mais d'abord vers la conformité à la doctrine de l'Eglise.» « L'Eglise n'est parfaitement pure que sous un rapport, en tant que conservatrice des sacrements. Ce qui est parfait, ce n'est pas l'Eglise, c'est le corps et le sang du Christ sur les autels.» « On ne peut jamais trop résister à Dieu, allait-elle jusqu'à écrire, si on le fait par pur souci de la vérité. Le Christ aime qu'on lui préfère la vérité, car, avant d'être le Christ, il est Vérité.»

Il lui semblait parfois distinguer dans le christianisme « deux religions distinctes», celles des mystiques et l'autre. Et Simone Weil avait choisi la première : « Si l'Evangile omettait toute mention de la Résurrection du Christ la foi me serait plus facile, la croix seule me suffit.» Plus disposée à mourir pour l'Eglise qu'à y entrer, elle se demandait si, « en ces temps où une si grande partie de l'humanité est submergée de matérialisme, Dieu ne veut pas qu'il y ait des hommes et des femmes qui se soient donnés à lui et au Christ et qui pourtant demeurent hors de l'Eglise.»

Il ne faut pas juger ses ouvrages comme s'il s'agissait d'une œuvre achevée. Ni le bouillant génie qui l'habitait, ni le germe de Dieu qui hantait sa pensée n'ont eu le temps de produire en elle tous leurs effets. Elle n'eut d'autre vocation que de « contempler dans sa réalité le malheur du monde».

Il y a loin de son martyre aux imprécations de Léon Bloy, qui semble n'avoir pris dans le christianisme que ce qui pouvait servir un tempérament de fiel.

Avec Simone Weil — nouveau et sublime fruit de la greffe juive sur le vieux tronc de l'Occident — la pensée française a trouvé son Kierkegaard : un Témoin de l'Absolu au siècle du nihilisme.

II

LE TOURNANT DE 1950

L'ANNÉE 1950 marque un tournant de l'après-guerre. La guerre froide menaçant, avec la guerre de Corée, de se métamorphoser en un conflit mondial, la France s'est trouvée, cette année-là, soudée au bloc atlantique et a dit adieu aux espoirs d'entente entre tous les peuples et de paix perpétuelle conçus au lendemain de la Libération. Au tripartisme a succédé un nouvel équilibre, centré à droite, dont le ministère de M. Antoine Pinay, homme de la Monarchie de Juillet et du Juste Milieu égaré en plein xxe siècle, devait être, en 1952, le symbole rassurant. Au même moment, pourtant, la France venait de proposer à l'Europe, avec le Plan Schuman, une ébauche d'intégration économique qui aurait pu faire de notre continent divisé une puissance mondiale à part entière dans les décisions des Grands.

1

LES « ENFANTS DE L'ABSURDE »

Si l'historien enregistre cette triple victoire de la petite ville sur Paris, du libéralisme sur le dirigisme socialiste et du conservatisme provincial sur les espoirs révolutionnaires de la Libération, le critique littéraire constate qu'un vent nouveau souffle aussi sur les esprits et sur les cœurs. La génération de 1950 — celle des « enfants de l'absurde » (1)

(1) C'est le titre d'un essai postérieur de Paul van den Bosch (La Table Ronde).

— entre en lice ; elle juge ses aînés avec impertinence et
liberté. Nés autour de 1925, de jeunes écrivains dressent dans
leurs premiers livres l'acte de naissance de leur génération
confession désenchantée et sans illusion : « Vingt ans et les
fumées d'Hiroshima pour nous apprendre que le monde n'était
ni sérieux, ni durable... Chargées de cadavres, quelques années
ont glissé parmi nos rires, notre dégoût. Fâchés contre ce
pays, mécontents de sa fausse gloire, une belle carrière de
révolté s'ouvrait devant nous... Hélas ! A peine avions-nous
fait un pas dans cette voie, nous reculions avec horreur : il
y avait une académie de la révolution, un conseil supérieur
du désordre et la poussière déjà collait sur une flaque de sang,
précieusement conservée comme emblème national. Quitte
à désespérer nos vieilles tantes démocrates, il fallait trouver
autre chose... Nous ne paraîtrons plus dans le monde, avant
des années, comme les enfants de cette France victorieuse
de 1918, que ses alliés eux-mêmes redoutaient (1).» Cette
génération a reçu le baptême de l'histoire l'été 1940, elle a
connu les épreuves de l'occupation, les espoirs déçus de la
Libération, elle a grandi dans un monde « absurde» où rien
n'a pu combler sa soif. « Nous sommes les revenants d'une
guerre que nous n'avons pas faite, dit l'un d'entre eux.
Pour avoir ouvert les yeux sur un monde désenchanté, nous
sommes, plus que quiconque, les enfants de l'absurde...
Certains jours, le non-sens du monde pèse sur nous comme
une tare. Il nous semble que Dieu est mort de vieillesse et
que nous n'y sommes pour rien... Nous ne sommes pas aigris :
nous partons à zéro. Nous sommes nés dans les ruines... A
notre naissance, l'or s'était déjà changé en pierre. La vie
quotidienne a-t-elle déjà paru aussi fragile à d'autres générations (2) ? »

2

Retour a 1920

Ces jeunes écrivains se distinguaient de leurs devanciers
immédiats par divers traits : venus à l'âge d'homme en 1945,

---

(1) Roger Nimier, *le Grand d'Espagne* (La Table Ronde).
(2) P. van den Bosch, *les Enfants de l'Absurde*.

ils ne partageaient plus les passions de leurs aînés ; le fascisme
ou l'antifascisme les laissaient indifférents ou sceptiques ;
ils méprisaient la « littérature engagée», le document, le
témoignage, en honneur dans la littérature de 1945, et
cultivaient à nouveau le style ; peu ou point philosophes,
ils se souciaient moins de convaincre que de séduire. A Camus,
à Sartre, à Simone Weil, on les vit opposer des revenants
de 1920 : Morand, Cocteau, Chardonne, Jouhandeau, André
Fraigneau. Les cols roulés, les Gauloises bleues, les cheveux
sales cessèrent d'être à la mode. Les écrivains changèrent de
chemise, s'interrompirent de signer des manifestes, retour-
nèrent dans les salons. On les vit conduire (mal) de belles
voitures : Roger Nimier fut aussi célèbre pour sa Delahaye
que l'avait été, trente ans plus tôt, Paul Morand, se faisant
offrir une voiture par Bernard Grasset. Grâce à lui, et avant
Françoise Sagan, la Jaguar entra dans la littérature. Celle-ci
changeait à vue d'œil : les romans dégonflaient, cessaient
d'être des « tranches de vie». On revenait à Benjamin Constant, à Madame de La Fayette, à la ligne de cœur du roman
français, au fameux récit classique. Aux à la manière de
Kafka, de Faulkner ou de Sartre succédaient de courts récits
glacés, d'un humour désinvolte et pince-sans-rire. L'angoisse,
le délaissement, la solitude n'étaient plus les seuls thèmes
d'un roman ; ce demi-dieu d'hier, l'agrégé, maintenant faisait rire. En 1945, les écrivains rêvaient d'être Dieu ; dix
ans plus tard, ils ne demandaient plus qu'à plaire.

3

L'EXISTENTIALISME RIDICULISÉ

Ces écrivains montèrent à l'assaut des tranchées existentialistes, prenant pour têtes de turcs les pontifes du jour,
Jean-Paul Sartre, Simone de Beauvoir, Merleau-Ponty et
même Camus, qui avait le tort d'être un « bon existentialiste (1)».

(1) Camus, « une des figures les plus émouvantes de la littérature moderne ».
« Il me rappelle le « bon juif» de mon enfance, dit l'impitoyable Bernard Frank.
Camus avait tellement l'air d'avoir lu Saint-Exupéry, d'aimer l'Homme et
l'Art, comme il faut les aimer. Il écrivait si peu, et sur les arbres, les fleurs, les
oiseaux, etc. » (*Le Dernier des Mohicans*, Fasquelle.)

Ils rappelèrent au service des écrivains oubliés ou mécompris. Nimier célébrait Larbaud et Céline ; d'autres réhabilitaient Barrès, hier encore méprisé ; tous raillaient l'idylle révolutionnaire de 1945 (Sade et Rimbaud travestis en Pères de l'Eglise, et, dans la bergerie communiste, la Révolution tenue en laisse par la Justice et la Philosophie) et la nouvelle hagiographie littéraire. « On canonise à tour de bras, et M. Jean Paulhan déniche au moins son saint par jour, tantôt à la Martinique et tantôt à la Réunion... Les saints ont la vie dure ; on ne les tire plus par quatre chevaux... on les béatifie de leur vivant. Leur passion est douce : celle de saint François Mauriac s'écoule entre un fauteuil à l'Académie, quatre arpents de vignes et quelques visites expiatoires dans les caves de Saint-Germain-des-Prés ; André Breton conduit ses disciples aux conférences de Notre-Dame (1).»

Roger Nimier s'adressait à un « Grand d'Espagne» bien différent du Bernanos empaillé par les démocrates-chrétiens : il peignait un colonel de Cuirassiers, blessé à Waterloo, s'appuyant sur deux cannes, lancé dans des monologues de demi-solde inspiré, tout à fait scandaleux parce qu'il énonçait des « vérités désagréables... M. Bidault n'était pas un grand homme, les Parisiens n'avaient pas épouvanté la Wehrmacht, les partis au pouvoir représentaient trois impostures égales».

Inquiet de voir d'aussi jeunes gens soutenir des « valeurs peu nouvelles», M. Albert Béguin relevait dans leur style « toutes les qualités traditionnelles de certaine école critique de droite, un peu de sécheresse maurrassienne, mâtinée de raideur à la façon de Massis et de clarté à la Thierry Maulnier». La fin de sa philippique trahissait son amertume : « se donnant pour insolents et n'étant peut-être qu'impatients d'écrire» ces jeunes étaient « très évidemment des respectueux (sans allusion, bien entendu, au sens que ce mot a pris depuis une certaine pièce de Sartre)» déclarait le critique de *Témoignage Chrétien*, « enclin à écouter une jeunesse qui parle en son propre nom plutôt que ces juvéniles vieillards entourés de garanties et les poches pleines de certificats (2)».

---

(1) *Métamorphose de la Littérature*, II (Alsatia).
(2) « La vertu d'insolence», *Témoignage Chrétien*.

4

DU COTÉ DE JACQUES LAURENT

D'autre « hussards» s'élancèrent à l'assaut des tranchées existentialistes. Il n'y eut bientôt plus de semaine où un jeune écrivain ne menât sa petite charge personnelle à l'assaut des lignes progressistes. On vit ainsi Jacques Laurent (1) dénoncer le tour de passe-passe qui avait fait de l'existentialisme, méthode nouvelle en philosophie, une philosophie pour notre temps, puis l'image exacte de *la* philosophie, et démolir avec allégresse les ambitieux monuments bâtis par Sartre et ses disciples. Le prolifique auteur de *Caroline chérie* manifesta dans des pamphlets brillants et courts, le mépris que lui inspirait la littérature qui pense. Il démontra dans *Arts, la Table Ronde,* puis dans *la Parisienne,* que les existentialistes ignoraient le français, qu'ils étaient bêtes, ennuyeux et ridicules, de vrais Allemands. En rapprochant *Paul* (Bourget) et *Jean-Paul* (Sartre) sous le signe de la littérature à thèse, il mit les rieurs de son côté aux dépens d'un modèle qui avait cinq ans fait figure du premier philosophe français. La coexistence en un même écrivain d'un critique brillant et d'un romancier populaire qui, sous de multiples pseudonymes, raccroche le public des courriers du cœur, a souvent surpris. Ses « amis» expliquent, paraît-il, que le « bon» Laurent est introuvable : « derrière lui (dans des livres de jeunesse épuisés que personne n'a jamais lus) ou devant lui (dans des livres qui ne sont pas encore écrits). C'est que Laurent est un homme trop bon, doué d'un cœur trop large.

---

(1) J. Laurent-Cély (en littérature Cécil Saint-Laurent) est né à Paris en 1919. Directeur d'*Arts* et de *la Parisienne,* il a publié sous le nom de Cécil Saint-Laurent, des romans populaires : *Caroline Chérie, le Fils de Caroline Chérie, Un caprice de Caroline, Mademoiselle des Champs-Elysées, A bouche que veux-tu, Bonjour, Clotilde,* etc.

Sous le nom d'Albéric Varenne, des ouvrages historiques : *Quand la France occupait l'Europe, Histoire de la Police.*

Sous le nom de Jacques Laurent, des romans : *les Corps tranquilles, la Mer à boire, le Petit Canard.*

Des essais : *Paul et Jean-Paul.*

En collaboration avec Claude Martine, des pastiches : *Neuf perles de Culture* (1952).

Il n'a pas le temps d'écrire pour ses lecteurs, il est trop pris par ses éditeurs, il n'écrit que pour eux, il se mettrait en quatre pour eux (son nom par exemple), oui, les éditeurs mangent littéralement Laurent... ils ont bien le droit — avouez-le — de garder pour eux, pour eux seuls, un écrivain, un seul. Les éditeurs ont su joindre d'ailleurs l'utile à l'agréable... (ils) ont la sagesse d'écouler des monceaux de Laurent en A.-O.F. et en A.-E.F. Nos bons nègres aiment Laurent comme ils aiment les tissus aux couleurs *bariolées*, la verroterie, l'eau de feu... (1)».

Si Laurent est « le penseur, le touche-à-tout de génie, c'est Voltaire, c'est le Sartre de la droite », il est aussi le chef de file d'une alerte cohorte de romanciers et d'essayistes qu'il conduit à la bataille dans *Arts* et *la Parisienne* : romanciers comme Félicien Marceau, Michel Déon, François Nourissier, Guy Dupré, essayistes comme Paul Sérant, François Brigneau, Claude Elsen, sans parler de francstireurs comme Stephen Hecquet ou Nimier. Sa revue, *La Parisienne*, jetée dans la bataille littéraire le 1er janvier 1953 — sous l'étendard de cette jeune Crétoise dont le portrait, peint il y a trois cents ans, ornait naguère le Malet et Isaac — se refuse à être « un cours du soir habile ». « Prohibition du témoignage, le témoignage est un matériau, une revue doit publier de l'élaboré. Point de passion spéciale pour l'actualité. Notre ambition n'est pas de guider, mais de séduire... *La Parisienne* est une imprudente qui touche à tout par amour de l'art. » Les signatures — Paul Morand, Emmanuel Berl, Jouhandeau, Cocteau, Fabre-Luce — en accentuent le côté « retour à 1920 ». (Du côté des jeunes : Peyrefitte, Blondin, Michel Mohrt, Nimier, Jean-Paul Clébert.) La revue a presque lancé une mode, mais son penchant pour le canular la fait parfois ressembler, dit-on, à une vitrine de « Farces et Attrapes ».

5

Une revenante : la *N.R.F.*

La même année 1953, ce retour de la littérature à des sources formelles a reçu une confirmation éclatante avec la

(1) B. FRANK, *op. cit.*

reparution de *la Nouvelle Revue française*, « la chère vieille
tondue» dont « les cheveux avaient mis huit ans à repousser»,
qui, de Gide à Drieu, avait épousé la ligne de cœur de la littérature française. Le manifeste des *Temps Modernes* (« notre
intention est de concourir à produire certains changements
dans la société qui nous entoure...») était loin ! Il n'était
plus question que de « maintenir contre la mode, contre les
ridicules invites des prix, du succès, voire de la radio et du
cinéma, le pur climat qui permette la formation d'œuvres
authentiques». François Mauriac qui avait mené au même
combat *La Table Ronde* prit la mouche : « Il y a loin du destin
de Drieu à celui de M. Gaston Gallimard. Les choses eussent-
elles tourné autrement, M. Gallimard aurait eu bonne mine.
Quoi qu'il advînt, il était paré. Drieu, lui, avait joué quitte
ou double... — *Les ridicules invites des prix ! O pureté !*...
Supputez les millions que la firme Gallimard doit au prix
Goncourt et ne parlez plus jamais... de mettre en garde les
jeunes romanciers contre «les ridicules invites des prix».
La Nouvelle N.R.F. (Paulhan avait imposé ce titre bizarre)
offrit des sommaires éclatants (Valéry, Proust, Kafka pour
les morts ; Malraux, Saint-John Perse, Jouhandeau, Chardonne pour les vivants), mais elle ne retrouva pas la liberté,
le sérieux dans l'audace qui avaient marqué ses belles années.

Plus à gauche, *les Lettres Nouvelles*, surgies également
au début de 1953, invitaient, sous l'impulsion de Maurice
Nadeau, les jeunes à laisser « vedettes et chefs de file à leurs
querelles» et à promouvoir « une littérature en marche».
Les dieux, ici, s'appelaient Machiavel, Sade, Hegel, Rimbaud, Jaspers, Henry Miller, Samuel Beckett — ceux de la
révolte. *Les Lettres Nouvelles* devaient rester une « revue de
professeurs, moins sérieuse que *Critique*, moins vive de ton
que *Les Temps Modernes*, où les maîtres-mots sont « sociologie» et « dialectique», le maître-pays la Chine, et les grands
morts Joyce et Kafka». (1)

De toute manière, un tournant était pris : la littérature
engagée était morte jusqu'au jour où, la politique aidant, elle
renaîtra de ses cendres...

---

(1) NOURISSIER : *op. cit.*

III

TROIS TÉMOINS DE LA « NOUVELLE VAGUE »

1

UN HUSSARD TRISTE : ROGER NIMIER

DE cette frairie de jeunes écrivains séduisants et provo-
cants — de Jacques Laurent à Michel Déon et à
François Nourissier — apparus dans les lettres, autour
de 1950, le plus typique reste Roger Nimier (1) — notre Brummel. On ne peut rêver plus de talent et plus de défauts : le
goût de déplaire poussé jusqu'à la provocation, un bon usage
du mépris, une apparente frivolité dissimulant beaucoup de
travail et de culture, un dandysme sardonique, plus d'ironie
que d'humour et d'âcreté que d'ironie, le tact dans l'insolence
et l'art de savoir jusqu'où il peut aller trop loin sont ses
moindres travers. Enfin, la modestie n'est pas son fort. Mais
l'écrivain est racé. Il a su se donner un style original, qui

---

(1) Roger Nimier de la Perrière est né à Paris en 1925. « Ses ancêtres appartiennent à la maison des comtes de la Perrière, corsaires malouins. » Fils de
l'inventeur de l'horloge parlante et d'un « premier prix de violon du Conser-
vatoire qui abandonna la musique lors de son mariage ».
Apprit le latin en un an grâce au professeur qui avait été celui de Monther-
ant. Deuxième prix de philosophie au Concours général.
Engagé volontaire en 1944, se bat à Royan.
Considère comme ses maîtres : Retz, Saint-Simon, Balzac, Stendhal, Proust,
Valéry-Larbaud, Chardonne, Jouhandeau, Bernanos et Malraux.
Il a publié :
Des romans : *les Epées* (1949), *Perfide*, *le Hussard Bleu* (1950), *les Enfants
t ristes* (1951), *Histoire d'un Amour* (1952) (aux Editions Gallimard).
Des essais : *le Grand d'Espagne* (la Table Ronde, 1950), *Amour et Néant*
(Gallimard, 1951).

paraît simple et qui est le contraire du naturel, où l'on retrouve les influences de Retz et de Stendhal, de Valery Larbaud et de Marcel Aymé. Surtout, il a senti que l'existentialisme n'avait pas d'avenir littéraire et que sa génération désenchantée cherchait un autre romantisme : celui de la lucidité. Sous des dehors brillants et secs, Nimier cultive *un beau désespoir*.

Il était déjà tout entier dans *les Epées*, son premier livre, âcre et déplaisant (qui s'ouvrait sur une description du plaisir solitaire). Le héros — un petit garçon plutôt blond, nommé François Sanders — y cultivait la provocation, l'immoralité, l'insolence, par jeu, par ennui, par désespoir peut-être. Bref, il tournait mal, passant de la Résistance à la Milice, et vouait à son pays « crapuleux et charmant» un mépris trop bavard pour n'être pas entaché de quelque complicité (il parle de la France comme d'une « fille molle et fardée qui entasse les perles fausses et se bourre d'opium, tout en se cherchant un maquereau bien carré des épaules»). Le style sauvait ce livre ambigu, nerveux, dévoré par une flamme amère.

Après *le Grand d'Espagne*, charge allègre contre la démocratie chrétienne et les bons sentiments, et *Perfide*, petit complot romancé où l'on voyait des lycéens turbulents aimer des femmes du monde et chahuter le gouvernement, François Sanders reparaissait dans *le Hussard bleu* (1950), étincelant « roman» — aujourd'hui encore le meilleur livre de Nimier — où les monologues intérieurs sont autant de morceaux de bravoure. Un officier réactionnaire et vichyssois, un capitaine pédéraste, un ancien F.T.P., un brigadier truculent, un soldat gracieux, une Allemande facile nous y introduisaient dans la familiarité d'un régiment français en occupation dans l'Allemagne de 1945. L'allégresse, la vivacité de ces dialogues semés d'argot, le cynisme désinvolte des héros, un arrière-goût discret de romantisme donnaient à cet étourdissant récit une allure rapide et brillante.

Avec *le Hussard bleu*, Nimier est devenu l'auteur à succès, très « Parisien» de sa génération. Chroniqueur dramatique et littéraire, rédacteur en chef de périodiques à grand tirage *(Opéra, le Nouveau Fémina)*, il fait désormais partie du Tout-Paris. Son œuvre s'en ressent et ses derniers récits risquent d'amorcer une pente descendante. Il y a encore beaucoup de verve et de talent, en dépit d'une construction

assez lâche, dans *les Enfants tristes* (1951), dont les héros se
situent entre ceux de *Perfide* et ceux du *Hussard bleu*, entre
la comédie bourgeoise et la tragédie. Moins extravagants que
ceux de Cocteau, ces « enfants terribles » sont, eux aussi, des
malheureux : enfants gâtés qui n'ont su ni se vaincre, ni se
donner. Le héros, Olivier Malentraide, n'est pas à l'aise dans
sa peau ; son beau-père, qu'il exaspère, sa mère, qu'il débauche
en parodiant le roman de Tristan, ses cousines qu'il ennuie,
personne ne trouve grâce devant lui. Nul ne lui accorderait
d'excuses s'il ne devenait un jeune écrivain à succès, que
les petites filles du monde se disputent. Tout cela finira très
mal, dans un double accident mortel. A défaut de peindre
une nouvelle jeunesse braquée contre le conformisme des
vieux, Nimier a bien décrit le petit monde des « coquetelles »
et des dîners en ville. Il n'a pas retrouvé la même verve
dans *Histoire d'un Amour* (1953), dont le thème, traité
avec une sécheresse glacée, annonce curieusement celui de
Bonjour, Tristesse.

Que manque-t-il à Roger Nimier ? Ni le talent ni le style
ni même le succès. Peut-être un peu d'humanité (« Tout ce
qui est humain m'est étranger » dit fièrement François
Sanders). Il ne suffit pas d'aimer la guerre, la boxe et les soldats de plomb pour faire oublier Retz et Montherlant. Nimier
est-il vraiment convaincu que pour être Pascal ou Voltaire
« il suffit d'écrire comme Pascal ou comme Voltaire » ? Et
que dissimule cette armure provocante ? Le sentiment d'un
manque, une secrète faiblesse ou la pudeur d'une âme
bien née ?

2

Antoine Blondin ou aux innocents les mains pleines

En 1949, Roger Nimier, Jacques Laurent, Roland Laudenbach saluèrent avec enthousiasme le premier roman
qu'Antoine Blondin avait intitulé *l'Europe buissonnière.*
Les enfants du Bon Dieu (1952) et *l'Humeur vagabonde* (1955)
ont confirmé la réputation de ce romancier primesautier

qu'on a pu comparer à « un Giraudoux dégagé des servitudes normaliennes (1) ».

Comme Nimier, mais avec plus d'aisance, de charme, de
spontanéité, Blondin (né en 1922, fils d'une sage poétesse,
Germaine Blondin) (2) apportait dans le roman des années 50,
étouffé par la politique, un ton nouveau, aéré, dégagé de
l'actualité, ironique sans être acerbe, anxieux sans poser
au tragique, une manière de se jouer de l'histoire qui contrastait avec la dévotion à l'Histoire des romanciers engagés.
Non seulement Hegel et Marx mais Hemingway et Kafka
cessaient d'être les dieux lares de la littérature. Blondin
rappelait à l'honneur ces oubliés qu'étaient alors Giraudoux,
Morand, Cocteau, Marcel Aymé.

Une verve ingénieuse, des trouvailles d'idées (le jeune
professeur des *Enfants du Bon Dieu* refuse de signer le traité
de Westphalie et procure à Louis XVI une fausse clé pour
s'échapper du Temple) et de style (« Denise nous était arrivée
en juin quarante avec un matelas sur la tête. Je n'avais eu
de cesse que je ne le lui eusse mis sous les reins. Ce point
acquis, nous avions construit un pavillon en meulière autour
de ce matelas, entrepris un élevage autour de ce pavillon,
dressé des barbelés autour de cet élevage. J'ignorais si je
devais me compter au nombre des deux millions de prisonniers dont il était question (3) ») donnent à ses romans un
caractère féerique. Leurs héros, que la réalité ne prend
jamais au dépourvu, illustrent ce que Barrès appelait le
bohémianisme de l'esprit. Si la sagesse consiste à mépriser
conventions et préjugés, à tirer son épingle du jeu social avec
humour et liberté, ces personnages farfelus, moins innocents
qu'ils n'en ont l'air, seraient alors les seuls sages que mérite
notre temps.

La désinvolture avec laquelle Antoine Blondin traite le
roman, les raccourcis qu'il imagine, ses images ingénieuses,
composent une poésie libre et séduisante ; encore ne faudrait-il
pas lui donner une valeur d'exemple : l'étoffe de ses récits

(1) Yves Gandon.
(2) Antoine Blondin, né à Paris en 1922, se consacre, depuis la Libération,
à la littérature et au journalisme. Marié, deux enfants. A publié trois romans :
l'Europe buissonnière (Prix des Deux-Magots, 1949), *les Enfants du Bon Dieu*
(1952), *l'Humeur vagabonde* (1955), aux Editions de la Table Ronde.
(3) *L'Humeur vagabonde* (la Table Ronde).

est « plus chatoyante que solide » (1) et la morale de l'auteur
n'est pas « aussi fraîche que son esprit » (2). Il y a quelque
excès dans les dithyrambes que les amis de Blondin lui pro-
diguent. « Chacun de ses livres est salué par une salve insensée
d'adjectifs. Un critique se permet-il quelque réserve ? Aussitôt
son éditeur demi-solde de cette droite littéraire voit rouge,
s'étrangle de fureur. On n'a pas le droit de dire que c'est un
auteur charmant, c'est une injure de prétendre qu'il écrit
bien, il est bien mieux, il est bien plus, il est l'époque à lui
tout seul. C'est Giraudoux moins les procédés, Le Sage moins
les longueurs, Swift moins le grinçant, Charlot moins les mous-
taches (3). » Ne majorons pas en effet les exploits de ce romancier funambule, qui travaille avec instinct, librement et sans
filet, mais à peu de hauteur et non sans quelques clins d'œil
au public.

3

Françoise Sagan ou les écueils de la gloire

Au printemps de 1954, la surprise et le scandale ont fait
en trois semaines de Françoise Sagan (4), la vedette la plus
adulée, l'écrivain le plus célèbre de France — le seul dont la
légende jouisse, comme hier celle de Sartre, d'une notoriété
internationale. L'*aura* romantique de l'adolescence a suscité

(1) René Lalou.
(2) Alain Palante.
(3) B. FRANK, *op. cit.*
(4) Françoise Quoirez (en littérature Françoise Sagan) est née à Cajarc (Lot),
le 21 juin 1935. Père industriel. Etudes chaotiques (renvoyée plusieurs fois,
notamment du couvent des Oiseaux et du Sacré-Cœur). Bachelière en 1951-
1952 ; recalée à sa propédeutique. Ecrit à dix-huit ans et en trois semaines,
l'été 1953, *Bonjour Tristesse* (remis en janvier 1954 à Julliard, publié en mai ;
Prix des Critiques en juin (760e mille). Deux voyages aux Etats-Unis ; un
accident d'automobile en 1957.
En 1956 : *Un certain sourire* (500e mille).
En 1957 : *Dans un mois, dans un an.*
(Ces trois volumes aux Editions Julliard.)
Françoise Sagan compose aussi des chansons et a créé avec Michel Magne,
à l'Opéra de Monte-Carlo, un ballet : *le Rendez-vous manqué.*
Sur l'auteur et l'œuvre, on pourra consulter :
Georges HOURDIN, *le cas Françoise Sagan* (Cerf. 1958) ; Gérard MOURGUE,
Françoise Sagan (Editions Universitaires, 1958).

autour d'elle, à l'instar d'un James Dean, autre vedette
dont quatre-vingts clubs géants célèbrent au-delà de l'Océan
la disparition tragique, un véritable culte. Ses héroïnes ont
l'intelligence, le cynisme triste, les séductions déplaisantes
d'une certaine jeunesse d'aujourd'hui. Sans doute la précocité
de l'auteur (une jeune fille du Seizième échappée du couvent
des Oiseaux), ainsi qu'un titre admirable emprunté à Paul
Eluard — ont-ils été pour beaucoup dans le succès météo-
rique de *Bonjour Tristesse* (Prix des Critiques 1954). (Un an
plus tard, les mêmes éléments devaient se retrouver dans
l'impur triomphe fait à Minou Drouet.) Mais ce maigre
récit dominé valait aussi par la netteté limpide du style et
l'exemplaire lucidité du narrateur. Une toute jeune fille y
exprimait des sentiments troubles dans une langue pure ;
elle parvenait à donner à l'ennui les traits d'une passion ;
c'est en ceci que *Bonjour Tristesse* est « représentatif » d'une
jeunesse à laquelle le monde moderne n'a su proposer ni foi
ni bonheur : l'ennui vit en ses héros « comme une bête chaude
et vivante ».

La Cécile de *Bonjour Tristesse* a dix-sept ans et se trouve
« parfaitement heureuse » parce qu'elle possède amant,
voiture, argent, un père séduisant et complice. Ce père, elle
entend le garder pour elle ; elle souhaite auprès de lui des
maîtresses faciles plutôt qu'une femme qui deviendrait vite
une rivale. Lorsque celle-ci (Anne, sa meilleure amie) se présente, Cécile la précipite à l'abîme avec la férocité d'une femme
jalouse. Rien d'estimable en Cécile, ni l'esprit, ni le cœur,
ni même le bon sens, sinon une lucidité impitoyable : la seule
arme d'une génération désenchantée.

La Dominique d'*Un certain sourire* qui, déjà lasse d'un
amant de son âge, s'offre une aventure avec un quadragé-
naire intelligent, se refuse, lorsqu'elle l'a perdu, à toute
concession au romantisme : « A nouveau, je le savais, j'étais
seule. J'eus envie de me dire ce mot à moi-même : seule, seule.
Mais enfin quoi ? J'étais une femme qui avait aimé un homme.
C'était une histoire simple. Il n'y avait pas de quoi faire des
grimaces. » Il n'y a rien en elle que de « petites pensées gla-
ciales et glissantes comme des poissons », rien ne vient remplir
le vide de sa vie, ce grand espace triste qui la sépare de la
mort. Aussi : « Je m'ennuyais passionnément ; attendre sans
attendre que les vacances soient finies ; cette absence d'émo-

tions véritables me semblait la manière la plus normale de
vivre. Vivre, au fond, c'était s'arranger pour être le plus
content possible. Et ce n'était déjà pas si facile.» Sur cette
mer d'ennui viendra flotter l'île d'un amour — plutôt une
esquisse qui deviendra vite un souvenir. Puis il faudra recommencer à vivre « comme avant».

Dans un mois, dans un an (1957), le troisième récit de
Françoise Sagan, accentue encore cette vision désenchantée ;
la ville et la province y sont un peu plus désincarnées, les êtres
un peu plus seuls, un peu plus tristes, un peu plus vides ; les
mêmes bonheurs d'écriture éclairent les mêmes instants
parfaits ; et pour finir, le désespoir, vieux maître de la solitude, s'empare de ces vies désaffectées.

Dans ce monde étroit où la politique n'existe pas, la famille
guère plus, où l'argent ne se gagne pas, où rien ne compte
parce que rien ne se mérite, l'amour reste la grande affaire
de ces êtres condamnés à vivre les uns en face des autres, à
éprouver dans leur chair lasse et dans leur esprit déçu que
« l'enfer, c'est les autres». Les plus vieux — le couple sympathique et pitoyable que forment Alain et Fanny Maligrasse
— vivent de l'amour des autres et cherchent à recueillir les
miettes du festin. Les plus jeunes — Edouard Maligrasse,
perdu dans le rêve amoureux que lui inspire la « belle et
violente» Béatrice, laquelle ne songe qu'au théâtre et aux
moyens de s'y faire un nom ; Jacques qui promène tranquillement parmi ces Byzantins l'indifférence, la solidité, la santé,
l'égoïsme d'un plésiosaure — ne se posent guère de questions.
Mais Bernard, qui n'aime plus Nicole et qui poursuit Josée,
mais Alain qui, dans l'alcool, tente de fuir Béatrice — de se
fuir — commencent enfin à se connaître, à mesurer leur
déchéance. Même Josée qui est belle, riche, convoitée, aimée,
devine qu'elle entendra toujours le même morceau de musique,
obsédant et inutile, qu'elle aimera, cessera d'aimer, recommen-
cera, jusqu'au jour où elle sera de nouveau seule, au moment
de franchir, encombrée de souvenirs inutiles, mais les mains
toujours vides, les invisibles portes du silence et de la nuit.

L'intrigue simple des premiers récits s'est un peu compliquée, et la ronde décevante de l'amour passe d'un personnage
à l'autre sans enchaîner personne. Bernard fuit sa femme qui
l'aime ; il fuirait au bout du monde pour ne pas retrouver le
soir, fixés sur lui, ses deux yeux anxieux. « Il a une femme qui

l'aime vraiment, qui est vraiment en danger, il est au bord
d'un vrai drame, mais la seule vérité pour lui, c'est cette
erreur qu'il commet», que Josée lui laisse commettre, cette
vieille liaison sans avenir qu'elle ressuscite, sans pitié ni
ironie, simplement parce qu'elle le comprend trop bien :
« Un jour, sans doute, elle se tromperait comme lui, et comme
lui elle jouerait au bonheur avec un faux partenaire... Elle
lui accordait deux jours de sa propre vie, deux jours heureux.
Et sans doute cela lui coûterait cher, à elle comme à lui.
Mais elle pensait... qu'elle pouvait prendre le relais. Même
si c'était par les miséricordieuses voies du mensonge.»
    En mettant bout à bout les constats d'impuissance de
chaque personnage, on formerait une seule phrase mélodieuse,
écho moderne de la fameuse plainte racinienne que Françoise
Sagan cite avec un peu de complaisance :

> *Dans un mois, dans un an, comment souffrirons-nous*
> *Seigneur, que tant de mers me séparent de vous ?*
> *Que le jour recommence...*

    La tristesse reste le maître-mot de l'œuvre. Dans son pre-
mier récit, Françoise Sagan le prononçait avec presque trop
d'adresse ; « Sur ce sentiment inconnu dont l'ennui, la douceur
m'obsèdent, j'hésite à apposer le nom, le beau nom grave
de tristesse... Je ne la connaissais pas, elle, mais l'ennui, le
regret, plus rarement le remords.» Aux dernières lignes
revenait la même plainte : « Quand nous nous retrouvons,
mon père et moi, nous rions ensemble, nous parlons de nos
conquêtes... nous sommes heureux... Seulement, quand je
suis dans mon lit, à l'aube, avec le seul bruit des voitures dans
Paris, ma mémoire parfois me trahit : l'été revient et tous ses
souvenirs. Anne, Anne ! Je répète ce nom très bas, et très
longtemps dans le noir. Quelque chose monte alors en moi que
j'accueille par son nom, les yeux fermés : Bonjour, Tristesse.»
    Dans le dernier roman de Sagan, le sentiment est plus
insistant encore, presque déchirant.
    « On naît en criant, ce n'est pas pour rien, la suite ne peut
être que des atténuations de ce cri !» Tout le reste n'est que
fuites, sursauts, comédies. « Car le malheur n'apprend rien et
les résignés sont laids.»
    Et Paris vide résonne du pas inlassable de Bernard mar-

chant « vers les ponts dorés avec ses regrets et déjà le souvenir
de ces regrets. Poitiers pluvieux se levait de cet éclatant
Paris. Puis en septembre, les autres revinrent ; il rencontra
Josée au volant de sa voiture et elle se gara le long du trottoir
pour lui parler... Il regardait son visage mince et hâlé sous
la masse noire de ses cheveux et il pensait qu'il ne s'en remet-
trait jamais.»

Alors, il commence à découvrir l'impasse où il s'est engagé :
« Ce n'était ni sa passion pour Josée, ni son échec en littérature, ni sa désaffection de Nicole. Mais quelque chose qui
manquait à cette passion, à cette impuissance, à cette désaffection.»

*L'introduction du désespoir dans une vie orientée par le
plaisir :* tel pourrait être un des prochains thèmes de Françoise Sagan.

*
* *

Il ne serait pas difficile de trouver à cette œuvre des anté-
cédents et des influences ; elle s'inscrit dans la tradition
revendicative de la littérature féminine, de George Sand à
Simone de Beauvoir. La volonté d'une femme de « vivre sa
vie » sans référence à une morale formulée *a priori* y compte
au moins autant que l'appréhension d'une solitude sans
emploi. Les trois romans de Françoise Sagan sont un bon
exemple d'*existentialisme assimilé* et traduit à l'intention
du grand public en un clair langage romanesque. Le besoin
et le vide de l'amour, son simulacre et ses mensonges, et
cette absence qui vous saisit lorsque soudain il se retire,
confèrent à ces petits livres une sorte de sagesse amère et
dérisoire.

Comment Françoise Sagan mûrira-t-elle ? Cette Colette
maigre, douce-amère, privée de globules rouges, est entrée
dans les Lettres si bien armée, si sûre de ses pouvoirs et de
sa pauvre expérience, qu'on la voit mal s'approfondir et
vieillir. Tout restera-t-il à la surface, dans des récits légers et
limpides, impitoyables et superficiels ? Ou bien ira-t-elle
chercher, sous l'apparente résignation de ses petits personnages corrompus, les secrets douloureux d'une vie plus profonde ? Nul ne peut répondre à sa place...

PREMIÈRE CONCLUSION

LE BILAN DE VINGT ANNÉES
ET LES MYTHES DU DEMI-SIÈCLE

AVANT d'aborder la géographie des œuvres, faisons un retour en arrière, et tentons de résumer cette longue décennie (n'en précisons pas trop les dates) qui commence avec la guerre et vient d'expirer à l'heure où nous écrivons. De 1944 à 1958, quels ont été les mythes essentiels, les ferments les plus actifs de notre littérature ? Que reste-t-il de la vague existentialiste de la Libération ? Une nouvelle littérature est-elle née, et laquelle ?

Fortement engagée dans l'histoire à la suite de la guerre, notre littérature commence à s'en détacher à partir de 1950. Elle affirme d'abord — avec Sartre, Malraux, Camus, Simone de Beauvoir — la pleine responsabilité de l'homme dans un monde absurde. Des héros interchangeables — de l'*Antigone* d'Anouilh aux aventuriers de Malraux et aux anti-bourgeois de Sartre — protestent avec fracas contre les dieux, les morales toutes faites, les sociétés closes auxquels ils opposent la liberté sans limites du héros prométhéen. Le décor est celui de la tragédie historique : la guerre, la révolution, la lutte clandestine, la déportation. Prisonniers (Francis Ambrière, Jacques Perret, Raymond Las Vergnas), déportés (David Rousset, Louis Martin-Chauffier, Robert Antelme, Jean Cayrol), résistants (Rémy, Roger Vailland, Dominique Ponchardier), combattants (Jules Roy, Romain Gary, Robert Merle) apportent tour à tour leur témoignage. Pour eux la catastrophe demeure inexplicable : nous voici loin des récits humanistes, chargés de tendresse humaine et de pitié, des témoins de l'autre guerre, de Dorgelès à Duhamel. Le

monde des années 1940 semble jailli des rêves prophétiques
de Kafka et des romantiques allemands ; sa philosophie
s'accorde au pessimisme historique d'un Nietzsche ou d'un
Spengler et dément la tradition cartésienne de l'intelligence
française : « immense victoire pour l'Allemagne », déplore
Julien Benda. La torture elle-même est entrée dans la littérature qui l'a recueillie des mains brûlantes de la guerre.
Sade devient un contemporain exemplaire, au même titre
qu'Henry Miller : car, au même moment, *le thème de la
sexualité triomphante répond* (et qui pourrait s'en étonner ?)
à celui de la mort absurde. Et c'est un critique chrétien qui
pourra répondre, après inventaire de la littérature de 1945 :
« Que nous reste-t-il de sacré ? Rien et pas même l'enfance (1). »

   Un thème domine cette littérature de la guerre et de l'après-
guerre : *celui du Procès.* Toute société est coupable, mais
nul ne peut affirmer qu'il est innocent. La dialectique de
l'aveu qui, de Prague à Moscou, domine alors toute une politique, ravage aussi les consciences : elle envahit la poésie
(érotique avec Jouve, politique avec Eluard ou Guillevic,
chrétienne avec Emmanuel, ou simplement absurde avec
Michaux), le théâtre d'avant-garde (de Pichette à Schéhadé,
Beckett, Adamov et Ionesco), le roman, et suscite d'innombrables essais. Si *la Peste* de Camus fut le livre-clef de l'année
1947, c'est qu'il portait à la puissance d'un mythe cette idée
qu'aujourd'hui toute société porte en elle-même son enfer,
que toute cité peut mourir de la peste.

   Sur le plan technique, *le roman de 1945 se caractérise par
le refus de la psychologie.* « L'esprit d'analyse a vécu »,
Sartre du moins l'affirme : « l'âge du roman américain »
(pour reprendre l'expression de Mme Claude-Edmonde Magny)
est arrivé ; on porte aux nues les œuvres de Faulkner, de Dos
Passos, d'Hemingway, de Steinbeck et même de Caldwell
au moment même où l'Amérique redécouvre Henry James
et s'initie à Proust. Il ne s'agit plus de comprendre, encore
moins d'expliquer, mais de subir le choc d'une réalité immédiate et obsédante. On fait un dogme de « l'inexistence du
psychologique » de la « vanité de l'introspection », de leur
malfaisance et de leur duperie. Le roman d'analyse, depuis

---

(1) B. D'ASTORG : *Aspects de la littérature européenne depuis 1945* (Seuil).

Madame de La Fayette jusqu'à Proust, nous donnait, paraît-il, une « trop fière idée» de nous-même, de notre «illusoire dignité de roseau pensant » : Sartre et ses disciples (*les Temps Modernes* publient des *documents*, des confessions de voyous ou de souteneurs) se chargeront de nous montrer notre vrai visage. « A quoi sert-il de lutter et de prier, d'espérer et de croire ? Le monde où souffrent et meurent les hommes est le même que celui où souffrent et meurent les fourmis : un monde cruel et incompréhensible, où la seule chose qui compte est de porter toujours plus loin une brindille absurde, un fétu de paille, toujours plus loin, à la sueur de son front, et au prix de ses larmes de sang, toujours plus loin ! Sans jamais s'arrêter pour souffler ou pour demander pourquoi (1)...»

Mais la littérature de 1945, à d'illustres exceptions près, a tourné court (d'aucuns disent : a fait faillite — la même mésaventure est arrivée à peu près au même moment aux idées de la Libération). La paix revenue, les lecteurs retrouvèrent peu à peu leurs petites habitudes et demandèrent au roman — ô scandale ! — un délassement. Le «monde absurde», l'«univers concentrationnaire» apparurent ce qu'ils avaient été : une épreuve, un cauchemar, une menace latente, non un fait de civilisation. Camus, Malraux eux-mêmes se sont « dégagés» de l'actualité. La littérature s'est séparée en deux camps : d'un côté, des héritiers du surréalisme ont tenté de fonder une mythologie neuve. Celle-ci s'est donné pour but la transfiguration poétique de la réalité (avec les œuvres néo-romantiques ou ésotériques de Dhôtel et de Bosco, de Julien Gracq, de Pieyre de Mandiargues, de Georges Schéhadé), l'élévation de la situation historique au niveau d'une métaphysique (dans l'œuvre de Beckett, la poésie d'avant-garde et l'antithéâtre) ou la contestation du langage (par Cioran, Georges Bataille, Maurice Blanchot), tandis qu'une nouvelle école romanesque (Nathalie Sarraute, Butor, Robbe-Grillet) proposait une littérature du signe et de l'objet. (On en est encore ici au stade des recherches de laboratoire.) Au même moment, et en sens inverse, toute une part de la jeune littérature récusait la prédication morale de la Libération et pastichait, consciemment ou non, les romanciers célèbres de 1925 (Chardonne, Morand). Avec elle, la forme

(1) ROMAIN GARY : *Education européenne.*

revenait au premier plan des préoccupations des écrivains
de 1950. On trouvait dans leurs œuvres une allure brillante,
qui n'excluait pas la préciosité (Nimier, Blondin), plus d'humour que de conviction, une affectation de ne pas se prendre
au sérieux et de se méfier de la philosophie, qui avait été la
reine incontestée de la littérature des années 1945-1950.
Giono seconde manière, Jacques Laurent, Nimier lançaient
ce héros stendhalien : *le hussard*. « L'idéal d'une génération
a été Fabrice del Dongo, vu sous les traits de Gérard Philipe » (1). La littérature est redevenue *décorative*.

Mais ce serait une erreur de croire que cette littérature
« légère » l'ait définitivement emporté. A la recherche difficile
d'une « nouvelle gauche », correspondra sans doute, sur le
plan littéraire, l'apparition d'une avant-garde, qui se pro-
posera de traduire la nouvelle situation historique. Et déjà
la guerre d'Algérie donne naissance à toute une littérature
de témoignage et d'action.

Mais, sur le plan littéraire comme ailleurs, ce ne sont pas
les intentions qui comptent : la seule garantie de l'œuvre
est sa perfection intrinsèque, l'accord d'une forme et d'une
pensée devenues indissociables. En abordant maintenant la
répartition des œuvres dans l'espace et dans le temps (2),
nous constaterons qu'un très petit nombre d'entre elles
répond à cette définition. Depuis les massifs-clefs de la grande
génération symboliste (Proust, Claudel, Valéry, Gide, Colette,
Romain Rolland) et les témoignages métaphysiques de la
guerre (Malraux, Sartre, Camus, Simone de Beauvoir), les
romans les plus significatifs restent ceux de la génération
de 1885 (Mauriac, Bernanos, Duhamel, Romains, Morand,
Chardonne, Jouhandeau, Martin du Gard...) et de leurs
épigones, nés au début du siècle (Giono, Céline, Marcel
Aymé...). On compte sur les doigts les révélations indiscu-
tables de l'après-guerre (Jean Genêt, Samuel Beckett) et les
plus remarquables prolongent une expérience antérieure
(Julien Gracq, Roger Vailland). Sans doute, le roman compte-
t-il d'excellents artisans, auxquels nous n'avons pas craint
de faire une large place (Roger Peyrefitte, Hervé Bazin,

---

(1) R.-M. ALBÉRÈS : *Bilan littéraire du XXe siècle* (Aubier).
(2) Nous ne reviendrons pas sur celles déjà analysées dans ce Livre Premier
(Sartre, S. de Beauvoir, Camus, Malraux, Vercors, Paulhan, etc...).

Jean-Louis Curtis, Luc Estang, Serge Groussard, Félicien
Marceau, Françoise Mallet-Joris, Michel de Saint-Pierre et
vingt autres) mais les talents vraiment originaux sont rares.
De même la poésie reste-t-elle tributaire de l'entre-deux
guerres : Supervielle, Saint-John Perse, Jouve, René Char
continuent à dominer la scène. Dans la foule des nouveaux
venus, à peine quelques noms se détachent-ils : Pierre Emmanuel, Jean Grosjean, Henri Pichette, Yves Bonnefoy, Edouard
Glissant, Alain Bosquet, Charles Le Quintrec... Le théâtre
est encore moins favorisé : le boulevard n'appartient pas à
la littérature (lui a-t-il jamais appartenu ?), le théâtre d'idées
se limite à quelques noms d'écrivains trop peu soucieux des
moyens propres à la scène, l'avant-garde (Adamov, Ionesco)
est trop ambitieuse. Le théâtre français n'a pas trouvé son
Bertold Brecht. Reste l'essai, où le talent foisonne : mais ce
n'est pas très bon signe pour une littérature, que la critique
l'emporte avec tant d'évidence sur la création...

LIVRE SECOND

GÉOGRAPHIE DE LA LITTÉRATURE
D'AUJOURD'HUI

Si nous voulons prendre une vue d'ensemble de la littérature française d'aujourd'hui, que nous venons de survoler cavalièrement, il nous faut en aborder maintenant, de manière plus précise, la géographie.

En 1958, notre horizon reste barré par une puissante chaîne de montagnes dont le relief aigu traduit la récente origine : ces Alpes de notre littérature que constituent les œuvres de Proust, de Claudel, de Valéry et que n'ont pas encore fait oublier leurs épigones, eussent-ils nom Malraux, Sartre ou Camus. Sans décrire ici par le menu leur œuvre et leur figure, essayons de les situer par rapport à leurs héritiers et de dire ce que leur doit notre littérature actuelle.

PROLOGUE

LES VIEUX DE LA MONTAGNE

I

MAURRAS, CLAUDEL
ROMAIN ROLLAND, ANDRÉ SUARÈS (1)

I L est facile de railler ces burgraves. Mais il serait injuste
d'oublier que l'intelligence française reste, pour une bonne
part, façonnée par leurs mains de cyclopes.

1

CE QUI SUBSISTE DE MAURRAS

Nous avons rappelé plus haut (2) les dernières années de
Maurras, le démenti lamentable qu'elles infligèrent à une
action de plus d'un demi-siècle. Mais le courage de l'homme (3)

(1) Rappelons les grands noms de la génération qui eut vingt ans autour de
1890. Elle comprend le dernier des romantiques (Edmond Rostand, 1868-
1918), des romanciers aussi célèbres hier qu'oubliés aujourd'hui (Marcel
Prévost et Abel Hermant, nés en 1862, morts l'un en 1941, l'autre en 1950 ;
Louis Bertrand, 1866-1941), des isolés comme Maurras, Alain, Suarès, Julien
Benda, Daniel Halévy, enfin la glorieuse équipe issue du symbolisme : Maeterlinck (1862-1949), Francis Jammes, Gide et Claudel (nés tous les trois en 1868),
Pierre Louys (1870-1925) et Marcel Proust (1871-1922). Puis viennent Péguy
(1873-1914), les Tharaud, Colette et le critique Albert Thibaudet (1873-1936).
(2) Pp. 54-55.
(3) Charles Maurras est né à Martigues, en Provence, le 20 avril 1868, d'une
famille de fonctionnaires. Orphelin à six ans, fait de brillantes études au
Collège d'Aix, sous la direction du futur évêque de Moulins, M. Penon. Surdité

— tour à tour renié par le prince, le pontife et le pays dont il s'était fait le défenseur — mérite le respect — et aussi cette rigueur inflexible avec laquelle il a accueilli les coups du sort. On peut haïr Maurras — et l'on n'y a pas manqué — le mépriser est impossible. Dans sa prison de Clairvaux, puis dans la clinique de Tours où il termina ses jours, le 16 novembre 1952, il devait poursuivre, sous de multiples pseudonymes (Pierre Garnier, Octave Martin, Léon Rameau...) un effort d'éducation politique qui ne trouvait plus d'écho parce qu'il avait cessé d'être en prise sur la réalité française. Si justifiée qu'ait été sa critique de la démocratie formelle — elle a même été prophétique — elle ne suffisait plus à définir une action politique concrète. Homme du XIXe siècle, Maurras ignora pratiquement jusqu'à sa mort ce qu'étaient le capitalisme et le socialisme modernes.

Son œuvre littéraire, comme ses ouvrages de philosophie politique, a vieilli. Pourtant, ses réflexions d'octogénaire — son *Pascal puni* ou les poèmes qui composent la *Balance intérieure* — témoignent encore d'une étonnante fermeté. Et quelle surprise de constater, en rouvrant *le Chemin de*

totale à quatorze ans. Arrive à Paris en 1886, débuts littéraires sous la triple influence d'Anatole France, de Moréas et de Barrès. Voyage à Athènes en 1896 (« reporter sportif » aux Jeux Olympiques, d'où il rapporte *Anthinéa*). Prend une part active à l'affaire Dreyfus. Fonde *l'Action Française* en 1899. Mène, en 1900, une *Enquête sur la Monarchie* où il se rallie à la légitimité. Condamné en 1926 par le Pape Pie XI (cette condamnation sera levée en 1939 par son successeur Pie XII). Emprisonné huit mois en 1936-1937. Elu à l'Académie française en 1938. En 1940, se rallie avec éclat au gouvernement du Maréchal Pétain. Arrêté en septembre 1944, condamné à la détention perpétuelle, emprisonné à Riom, puis à Clairvaux. Libéré en avril 1952, Maurras meurt le 16 novembre dans une clinique de Tours.

Principaux ouvrages :

Philosophie : *le Chemin de Paradis* (1895), *Trois Idées Politiques* (1898), *Anthinéa* (1901), *l'Avenir de l'Intelligence* (1905), *Romantisme et Révolution* (1922), *les Vergers sur la Mer*, *Mes Idées Politiques* (1937), *Pascal puni* (1954).

Poèmes : *le Mystère d'Ulysse* (1923), *la Musique intérieure* (1925), *la Balance intérieure* (1952).

Essais et souvenirs : *l'Avenir de l'Intelligence* (1905), *les Amants de Venise* (1902), *Au Signe de Flore* (1931), etc...

Sur l'homme et l'œuvre, on pourra consulter :

ALBERT THIBAUDET : *les Idées de Charles Maurras* (Gallimard, 1919) ; ROBERT BRASILLACH, *Portraits* (Plon, 1935) ; HENRI MASSIS : *Maurras et notre temps* (Plon, 2 vol., 1951) ; MICHEL MOURRE : *Charles Maurras* (Editions Universitaires, 1953).

Paradis, qu'il était, dans sa jeunesse, plus proche du Barrès de *l'Homme libre*, sinon du Gide des *Nourritures*, que du philosophe implacable qu'il allait devenir ! Le critique — s'il avait consenti à lire d'autres œuvres que des classiques, exclusivement limités à l'héritage gréco-latin — était de premier ordre, et ses *Trois Idées Politiques* restent un exemple remarquable d'utilisation des œuvres (ici, celles de Chateaubriand, de Michelet, de Sainte-Beuve) à des fins qui leur sont étrangères. En fait, il avait tourné le dos à la littérature depuis l'*Enquête sur la Monarchie* (1901). *Anthinéa*, qui date de la même année, reste un livre-sommet, digne du XVIIᵉ siècle, un des plus beaux éloges que la raison humaine ait suscités — si discutable que soit sa conception du génie français (un Ordre immuable et fermé que Maurras oppose à l'Indéterminé germanique, à l'*Urvolk* fichtéen).

Le poète, trop volontaire, abstrait et froid le plus souvent, a connu des réussites mineures :

> *Psyché, vous êtes ma souffrance*
> *Vous vous mourez au vent d'Ailleurs*
> *Vos yeux sont las de l'apparence*
> *Et vacillants comme des fleurs.*

Et même des apostrophes valéryennes :

> *Toi qui brilles enfoncée au plus tendre du cœur,*
> *Beauté, fer éclatant...*

Homme de l'Inquisition et de la Contre-Réforme, Maurras a nourri pour l'Ordre une passion dévorante, sans s'apercevoir que l'Ordre n'est, sans la Vie qui l'anime, qu'un rempart promis à la ruine. Incapable de s'apercevoir que ses velléités girondines (sa défense des corps intermédiaires et des libertés municipales contre le centralisme révolutionnaire) étaient démenties par les conséquences de son action politique, que la « France seule » était condamnée à la mort lente, Maurras reste pourtant un des grands esprits du siècle, un éducateur de l'intelligence ; pour le meilleur et pour le pire, il a marqué son temps : non seulement des historiens de la qualité de Jacques Bainville ou de Pierre Gaxotte, des critiques tels que Henri Massis, Robert Brasillach, Thierry Maulnier,

Pierre Boutang, Michel Mourre, ont été ses disciples mais
combien d'autres, d'André Rousseaux à Claude Roy, n'ont-
ils pas subi son influence, quittes à se tourner ensuite avec
éclat contre le maître de leur jeunesse ?

Que restera-t-il de Maurras ? Le pamphlétaire et le journaliste appartiennent à l'écume d'un temps marqué par la
violence et par la haine. Le meilleur, c'est cette langue incisive,
où l'injure elle-même a la dignité d'une sentence. Le pire...
Oublions le pire. Paix au Maurras d'*Aspects de la France!*
Celui que nous aimons est l'auteur d'*Anthinéa* et du *Chemin
de Paradis.*

2

LA MONTAGNE CLAUDÉLIENNE

Autre vieux de la montagne, massif et sourd, Paul Claudel (1) vieillissait dans les honneurs et dans une gloire d'au-

(1) Paul Claudel est né le 6 août 1868, à Villeneuve-sur-Fère-en-Tardenois
(Aisne), dans une famille de petite bourgeoisie, proche de la terre (son père
était conservateur des hypothèques). Etudes en province, puis à Paris, au
lycée Louis-le-Grand. Droit et Sciences Politiques. Le 25 décembre 1886, à
Notre-Dame, il se convertit. Longue et brillante carrière diplomatique, à
Boston puis en Chine (jusqu'à la veille de la guerre), à Prague, Hambourg,
Rome, Rio de Janeiro et Copenhague. Ambassadeur de France à Tokyo (1921),
Washington (1927) et Bruxelles (1933). Elu le 4 avril 1946 à l'Académie française (sans visites ni candidature). Grand-Croix de la Légion d'honneur. Il
meurt à Paris, le 23 février 1955. Obsèques officielles à Notre-Dame.

Principales œuvres :

Théâtre : *Tête d'Or* (1889), *la Ville* (1890), *la Jeune Fille Violaine* (1892),
l'Echange (1893), *le Repos du Septième Jour* (1901), *Partage de Midi* (1906),
l'Otage (1911), *le Pain dur* (1918), *le Père humilié* (1920), *le Soulier de Satin*
(1928).

Poésie : *Cinq grandes Odes pour saluer le siècle nouveau* (1910), *la Cantate à
trois voix* (1913), *Corona benignitatis anni dei* (1914).

Prose : *Connaissance de l'Est* (1900), *Art poétique* (1907), *l'Oiseau noir dans
le Soleil levant* (1927), *Positions et Propositions* (2 volumes, 1928 et 1934),
Conversations dans le Loir-et-Cher (1929), *Introduction à la Peinture hollandaise*
(1935), *l'Œil écoute* (1946).

Plusieurs volumes de *Correspondance* (avec Jacques Rivière, André Gide,
André Suarès, Francis Jammes et Gabriel Frizeau).

Sur l'homme et l'œuvre, on pourra consulter :

JACQUES MADAULE : *le Génie de Paul Claudel* et *le Drame de Paul Claudel*
(Desclée) ; LOUIS BARJON : *Paul Claudel* (Editions Universitaîres).

tant plus délectables qu'ils avaient été plus tardifs. En 1935 encore, l'Académie française lui avait préféré Claude Farrère (inspirant à Giraudoux un article vengeur). En 1946, elle l'appelait enfin — sans visites ni candidature. Entre-temps, Claudel était passé des chapelles aux plus vastes scènes, *le Soulier de Satin* avait été joué à la Comédie-Française et *Partage de Midi* au Théâtre Marigny. Cette vie réussie, cette carrière comblée d'un homme qui devait mourir ambassadeur de France, Grand-Croix de la Légion d'honneur, et dont le catafalque recevrait, sur le parvis de Notre-Dame, l'hommage des grands corps de l'Etat, n'étaient pas acceptées sans réticences ni quolibets par un temps plus respectueux des poètes maudits que des gloires officielles.

Cette manière de gagner sur les deux tableaux, et, pour ce chrétien, d'avoir en quelque sorte anticipé sur la récompense divine, avait quelque chose de provocant que Claudel s'ingéniait à souligner. (Ne se comparait-il pas lui-même à Turelure ?) Les années l'avaient confirmé dans ses certitudes et dans ses outrances ; il avait, de son propre aveu, « perdu tout sens critique », et parlait de Gœthe comme d'un « grand âne solennel » — épithète qui aurait pu aussi lui convenir. La nouvelle génération littéraire était abusée par son *personnage*, choquée par son intransigeance, son incuriosité, cette espèce d'imperméabilité volontaire dont il se targuait. Ce chrétien donnait de la foi une image susceptible d'en détourner « ceux qui cherchent en gémissant ».

« Comprendre, ce n'est pas mon rôle. L'incompréhension, affirmait-il, fait partie de mes attributs. » Indifférent aux révoltes et aux aspirations des générations nouvelles, il était sans pitié pour les « empoisonneurs » au nombre desquels il rangeait naturellement son ancien ami André Gide. (« Combien de lettres n'ai-je pas reçues de jeunes hommes égarés ? disait-il en 1947 à Dominique Arban. Au départ de leur chemin vers le mal, il y a toujours Gide... Son *Journal* n'est qu'une série de poses devant lui-même... un monument d'insincérité... Il s'époussette avec un plumeau de colibri. Le drame cardinal de son existence, il n'en parle même pas (1). ») Il n'a guère consacré les dix dernières années de sa vie — outre maint remaniements de ses pièces, qu'il a parfois

---

(1) Interview parue dans *Combat* (28 mars 1947).

gravement mutilées — qu'à une longue méditation sur
l'Ecriture Sainte, afin de rendre au peuple chrétien « cette
moitié de son héritage » dont on l'aurait dépouillé : « S'il ne
tenait qu'à moi, la Bible ferait la base de l'éducation des
enfants comme les poèmes d'Homère qu'elle domine d'une
telle hauteur l'étaient autrefois de celle des jeunes Grecs. »

Il est difficile de ne pas reconnaître en Claudel « une des
plus convaincantes images du génie, l'expression volcanique
de ce pouvoir qui crée et soulève les mondes (1) ». *Tête d'Or*,
Connaissance de l'Est, *le Repos du Septième Jour*, de larges
fragments de *Partage de Midi* et du *Soulier de Satin* sont marqués de ce sceau impérieux. L'originalité de Claudel consiste
à avoir opposé au scepticisme ou au désespoir de ses contemporains une certitude absolue dans la promesse chrétienne
de la Rédemption. La seule question qu'il semble s'être posée
tout le long de son œuvre est de savoir quel usage un chrétien
pouvait faire de cet appétit de possession, de cette *libido
dominandi* qui est au cœur de tout homme jeune.

« Le chrétien seul connaît le désir. Quelle tragédie comparable à celle-là, qui a des siècles pour scène et des millions
d'hommes pour acteurs ? » Ce drame de la possession de soi-
même et du monde occupe presque toute l'œuvre théâtrale
de Claudel, et c'est déjà lui qu'exprimait, avec une force
sauvage, son *Tête d'Or* (qui s'achevait pourtant sur une invocation à la Sagesse). Bientôt, la réflexion de Claudel vint
s'ordonner autour de cette interrogation : quelle est la place
du péché dans l'économie divine ? A quoi il allait donner la
réponse elliptique du *Repos du Septième Jour* : « Le mal est
dans le monde comme un esclave qui fait monter l'eau. »
Dans *la Jeune Fille Violaine*, qui donnera naissance à *l'Annonce*, le sacrifice de Violaine figure le salut de tous : elle cède
son fiancé à sa sœur dont elle ressuscite l'enfant mort, et
symboliquement, le monde, lui aussi, est sauvé : le Pape rentre
dans Rome et Jeanne d'Arc fait couronner le roi à Reims,
dans la cathédrale bâtie par Pierre de Craon, guéri de la lèpre
et pardonné.

Le conflit est plus violent encore dans *Partage de Midi*,
directement inspiré par l'expérience humaine du poète.
Pour arracher Mésa — un pharisien — « un avare, un

<hr />

(1) G. Picon, *Panorama de la littérature contemporaine*.

égoïste, un rétréci, un dur», parfaitement insoucieux du prochain — à lui-même, il ne faudra rien moins que cette confrontation de quarante jours avec une femme qu'il aimera jusqu'à la perdition du corps et de l'âme. (« Il faut bien qu'elle serve à quelque chose, la sale bête ! Une croix comme une autre.»)

La leçon de *Partage de Midi*, un poème de *Corona benigni-tatis Anni Dei* l'exprime avec une tension douloureuse :

Je suis ici, l'autre est ailleurs, et le silence est terrible
Nous sommes des malheureux et Satan nous vanne dans son
                                                    [crible.
Je souffre, et l'autre souffre, et il n'y a point de chemin
Entre elle et moi, de l'autre à moi point de parole ni de main.
Rien que la nuit qui est commune et incommunicable,
La nuit où l'on ne fait point d'œuvre et l'affreux amour
                                                    [impraticable.

Mais la conclusion est celle d'un chrétien :

Je sais que là où le péché abonde, là Votre miséricorde surabonde.

La trilogie de *l'Otage*, du *Pain dur* et du *Père humilié* devait transposer sur le plan social les contradictions de la chair et de l'esprit. Comme l'*Annonce* figure le passage du Moyen Age aux temps modernes, l'*Otage* traduit celui de l'Ancien Régime à la Révolution : drame réaliste dont *le Pain dur* reste l'expression la plus forte. Déjà, Claudel abandonnait l'espèce de primitivisme jaillissant de ses premières œuvres pour cet art monumental, baroque et polyphonique dont *Christophe Colomb* et surtout *le Soulier de Satin* sont les sommets. *Le Soulier*, sorte de *Tête d'Or* refait aux dimensions du monde, donne une conclusion optimiste au drame de *Partage de Midi*, en nous montrant que « le pire n'est pas toujours sûr» et que « toutes choses coopèrent pour le bien».

*
* *

La poésie de Claudel est plus optimiste encore que son théâtre ; elle est un tête-à-tête ininterrompu avec « l'immense octave» de la création ; elle en étudie le relief, les grandes perspectives, la disposition ; « Sans maître et sans exemple, placé au milieu du monde comme Adam entre les eaux du Paradis », le poète sait qu'« aucune chose n'est de trop pour rendre gloire à Dieu », et que chacune subsiste « dans un rapport infini avec toutes les autres ».

Si la poésie de Claudel rejoint la prière, c'est qu'elle tend, par les moyens qui lui sont propres, à dégager l'essence des choses, à saisir l'ordre des causes et la fin de l'univers, à retrouver la perfection originelle que le péché nous a fait oublier. D'où le caractère *cosmique* de l'œuvre : il s'agit d'achever la création de Dieu, de parfaire l'éternel horizon, de « tracer une grande voie triomphale au travers de la Terre », d'écrire « le grand poème de l'homme enfin par-delà les causes secondes réconcilié aux forces éternelles ». Le nominalisme de Claudel fait du poète le ministre de Dieu :

Ainsi quand tu parles, ô poète, dans une énumération délectable
      Proférant de chaque chose le nom,
Comme un père tu l'appelles mystérieusement dans son principe
                                        [et selon que jadis
Tu participas à sa création, tu coopères à son existence !

Peu importe que le poète n'use que des humbles mots de tous les jours :

Vous ne trouverez point de rimes dans mes vers ni aucun sor-
tilège. Ce sont vos phrases mêmes...
Ces fleurs sont vos fleurs et vous dites que vous ne les reconnais-
sez pas.
Et ces pieds sont vos pieds, mais voici que je parle sur la mer
et que je foule les eaux de la mer en triomphe !

*   *
*

Ce ton, exceptionnel dans notre littérature, donne à l'œuvre de Claudel un accent inimitable. Lorsqu'il disparut à quatre-vingt-six ans, frappé en pleine gloire et dans l'apothéose d'une reprise de l'*Annonce* au Théâtre-Français, on s'aperçut qu'il était, sinon notre Shakespeare, du moins notre Hugo. Aragon lui-même, de qui tout le séparait, ne constatait-il pas alors que « non seulement la poésie, mais la prose françaises ne pouvaient plus être après lui» ce qu'elles étaient lorsqu'il les a trouvées « à cette fin du siècle dernier, à l'heure où Mallarmé mourait».

Si loin qu'elle soit de nous, l'œuvre de Claudel apparaît comme une réconciliation de l'homme, chargé du péché originel, mais racheté par la Croix, avec sa destinée.

Le revêtement de l'œuvre peut s'effriter mais les fondations sont solides. Qu'on pense à ce qu'étaient devenus l'art et la pensée catholiques après deux siècles de jansénisme ! A son siècle stupéfait, Claudel a fait entendre l'écho perdu de Vézelay, ressuscité l'univers de la Contre-Réforme, son intolérance, sa violence et ses richesses. Que tout ne soit pas pur dans une telle entreprise, qui le nierait ? Il n'en reste pas moins qu'une telle œuvre est une épopée.

3

LES ILLUSIONS DE ROMAIN ROLLAND (1)

Lorsqu'il disparut, au printemps 1944, dans une petite maison de Vézelay, Romain Rolland, le plus mystique des

---

(1) Romain Rolland est né à Clamecy le 29 janvier 1866, d'une famille bourgeoise aisée, marquée par les luttes religieuses. Venu à Paris en 1880, il respire « les vapeurs de l'abîme », perd la foi et entre à l'Ecole Normale supérieure (1886). Une passion : la musique, à laquelle il regrettera toujours de n'avoir pas consacré sa vie. (« J'étais fait pour être musicien... Ma vie est donc, jusqu'à un certain point, manquée.») Agrégé d'histoire (1889), élève à l'Ecole française de Rome (où il rencontre Malwida de Meysenbug), il collabore aux *Cahiers de la Quinzaine* de Péguy où paraît *Jean-Christophe*. En août 1914, il reste en Suisse et se place « au-dessus de la mêlée » ; reçoit le Prix Nobel en 1916 (il en fait don à la Croix-Rouge internationale). Compagnon de route des communistes (voyage à Moscou, chez Gorki, 1935), se passionne pour Gandhi. Rentre en France (après vingt-six ans passés en Suisse) en 1937. Meurt à Vézelay le 30 décembre 1944.

Principaux ouvrages :

Théâtre : *Aërt* (1897), *les Loups* (1898), *Danton* (1900).

Romans : *Jean-Christophe* (10 volumes, 1903-1912), *Colas Breugnon* (1919), *Clérambault* (1920), *l'Ame enchantée* (7 volumes, 1922-1933).

Biographies : *Vies* de Beethoven, de Michel-Ange, de Tolstoï (1903-1905-1911), *Mahatma Gandhi* (1924), *Péguy* (1944).

Journal : *le Cloître de la rue d'Ulm, Journal des années de guerre*.

Plusieurs volumes de *Correspondance* (avec Malwida de Meysenbug, Louis

écrivains français vivants, était aussi, paradoxalement, l'un
des plus illustres répondants du parti communiste français.
« Nous ne choisissons pas. Notre destin choisit. Et la sagesse
est de nous montrer dignes de son choix, quel qu'il soit.»
Cette maxime de Romain Rolland illustre sa propre vie. Il
voulut être musicien, mais l'opposition de sa famille et son
manque de volonté le réduisirent à « penser des idées musicales sous une forme littéraire». Sans la guerre de 1914, et
le sursaut de sa chair devant cette « héroïque jeunesse sacri-
fiée», il serait entré sans histoires à l'Académie française qui
venait de lui décerner son *Grand Prix de Littérature* et où
Lavisse préparait déjà sa candidature. Et sans le fascisme et
le deuxième conflit mondial, il aurait sans doute répudié
publiquement des excès qui, depuis les Procès de Moscou, lui
faisaient horreur. Echo sonore, Romain Rolland a participé
à tous les grands mouvements de son siècle avec la volonté
de n'être accaparé par aucun, de « conserver intacte la lumineuse raison, outragée par tous les partis». D'abord épris
d'individualités héroïques (Michel-Ange) il opposa la singularité du génie à une société « incapable de comprendre
l'héroïsme et surtout la pureté». Puis une guerre fratricide
lui enjoignit de rappeler qu'« un grand peuple assailli... n'a
pas seulement des frontières à défendre : il a aussi sa raison».

L'évolution sanglante du siècle devait accuser la distance
qui séparait un monde de violence et d'iniquité des nobles
aspirations humanitaires de Romain Rolland. Ecartelé
entre Lénine et Gandhi, entre la Révolution et la non-violence,
il devait, la mort dans l'âme, accepter peu à peu les moyens
auxquels, hier encore, il se refusait de toute son âme. Lorsqu'il meurt en décembre 1944, il vient de renouveler à Maurice
Thorez l'expression de sa fidélité révolutionnaire. Mais son
œuvre, que viendront confirmer ses écrits posthumes, témoigne
d'une pensée moins engagée, proche de Tolstoï et des premiers chrétiens (1).

Gillet, Richard Strauss, André Suarès, Charles Péguy). Un volume de *Mémoires*.
  Sur l'homme et l'œuvre, on pourra consulter :
  Un numéro spécial du *Disque Vert*; J.-B. BARRÈRE : *Romain Rolland par
lui-même* (Le Seuil).
  (1) Il y a, à la fin de son *Péguy* — son dernier livre — quelques lignes qui,
s'appliquant à son modèle, le définissent aussi lui-même : « Aux catholiques, il
rappelait la condition *sine qua non :* la réintégration de l'Adam qui peine sur

4

ANDRÉ SUARÈS L'OUBLIÉ

En élargissant l'audience de Romain Rolland, la politique
a popularisé son œuvre (mais elle l'a aussi, sur le plan littéraire, dévalorisée). Au contraire, rien n'a pu, jusqu'ici, protéger de l'oubli celle d'André Suarès (1). Pourtant, dès l'Ecole
Normale, ses camarades lui reconnaissaient du génie, et, de
Gide à Romain Rolland, ne lui marchandèrent pas leur admiration. Si le sens de la grandeur et le lyrisme du style suffi-
saient à mettre un auteur au premier rang, Suarès n'aurait
rien à envier à ses contemporains, en dépit de la distance
qu'un orgueil poussé jusqu'au fanatisme mit peu à peu entre
eux et lui. Il y a quelque chose de pathétique dans le spectacle
de cet écrivain qui a tenté de surmonter les complexes de sa
race en célébrant le Surhomme nietzschéen et de répondre
à la médiocrité de son existence par l'affirmation d'une
volonté de puissance qui, incapable de s'exprimer dans les
faits, se réfugiait dans les mots. En effet, nul n'admira davantage « le souverain spectacle de l'action », nul ne rêva plus
de « la gloire de l'homme qui veut et qui règne » que Suarès
le solitaire dont les passions, tout intellectuelles, rappellent,

son sillon, au creux de la misère humaine, — l'Incarnation. Aux socialistes,
dont il était, il enjoignait le service exact, quoi qu'il en coûte, de la justice,
qu'ils invoquent dans la défaite, et dont, à peine vainqueurs, ils prétendent
toujours user à leur profit. — Aux révolutionnaires, il eût enseigné le respect
des valeurs spirituelles, que ces maladroits ont si souvent tendance à méses-
timer, quand ils croient tenir en main la force, alors que leur vraie force, profonde, durable, repose sur la foi qui soulève les montagnes. — Aux nationa-
listes... il eût dit, comme Gandhi : « Que la patrie reste pure, ou qu'elle meure ! »
« Pour tous, il eût été le regard héroïque de la plus inflexible conscience
morale. »

(1) Yves Scantrel (en littérature André Suarès), né à Marseille en 1866, entra
à vingt ans à l'Ecole Normale supérieure où il eut pour camarades Georges
Dumas (le psychologue) et Romain Rolland à qui l'unit un même culte de
Wagner et des « vies héroïques ». Premiers ouvrages consacrés à Pascal, à Tolstoï, à Dostoïevski, puis à Wagner et à Debussy. Suarès a consacré à l'Italie des
itinéraires lyriques (le Voyage du Condottiere, Vers Venise) et longtemps
collaboré à la Nouvelle Revue française (Chroniques de Caërdal) ; ses poèmes
(Marsilho, Nef de Paris), sont proches de l'unanimisme par leur sens de la vie
profonde et mystérieuse des grandes cités. Suarès est mort en 1953, quelque
temps après avoir reçu le Grand Prix de Littérature de la Ville de Paris.

par le sens de l'Absolu qu'elles expriment, celles d'autres
prophètes d'Israël, de Spinoza à Simone Weil. Il avait transposé dans l'art son sens religieux et cherchait dans l'émotion
esthétique un substitut à la foi ; en vain Claudel tenta-t-il
de le conquérir à la foi catholique : Suarès ne reconnut jamais
d'autre dieu que son art. « La vie ne se justifie que par la
grandeur et la beauté. Tout le reste est bassesse et sombre
farce.»

De grands esprits — Léonard, Shakespeare, Gœthe ou
Tolstoï — des artistes (Benvenuto Cellini « ivre de beauté,
de la moins réelle, de la plus rêvée»), des musiciens (Wagner,
puis Debussy), ont été tour à tour ses idoles. Pour elles, il
s'est peu à peu retranché du monde, poursuivant seul sa route,
en proie à une sorte de rêve intérieur. Perpétuel désadapté,
constatant avec amertume, mais sans rien renier de son
intransigeance, que presque tous ses pairs obtenaient la gloire,
les honneurs, il s'enferma dans son œuvre comme Proust
ou Kafka. Mais dépourvu de leur génie créateur, il devait
trouver hors de lui des œuvres, des exemples ou des images
susceptibles de mettre en marche le mécanisme de son esprit.

Ses admirations et ses dégoûts l'égarent et, dans une
œuvre où le commentaire tient la plus large place, les éclipses
de son jugement surprennent : Suarès met Racine et Rigaud
dans le même sac, abomine tout le XVIIᵉ siècle, mais place
Meyerbeer au-dessus de tous les musiciens d'opéra. Sa tragédie d'*Electre et Oreste* sent le pastiche et ses poèmes se diluent
dans le sentiment puissant et informe qui les anime. Pourtant,
on trouve dans ses portraits, dans son *Voyage du Condottiere*
(voyage d'amant d'une Italie disparue, celle de la Renaissance) quelques-unes des belles pages de notre littérature
du XXᵉ siècle. Voilà qui devrait au moins l'arracher à l'injuste oubli, quasi total, où il est tombé.

II

EN PLEINE GLOIRE : GIRAUDOUX, VALÉRY, GIDE

1

L'ÉCLIPSE DE GIRAUDOUX

JEAN GIRAUDOUX (1) s'était éclipsé discrètement, à la
veille de la Libération. Personne n'avait mesuré, sous
l'étincelant revêtement de ses propos, la gravité, le
désespoir du moraliste. Et les créations posthumes — de
la Folle de Chaillot à *Pour Lucrèce* — qui devaient prolonger
son rayonnement, n'ont pas encore dissipé le malentendu qui
pèse sur une œuvre moins légère qu'aiguë.

(1) Fils d'instituteur, Jean Giraudoux est né à Bellac en 1882. Ecole Normale
supérieure, puis lecteur de français en Allemagne. Diplomate de 1910 à 1940.
Chef du service de presse du Quai d'Orsay, puis inspecteur des postes diplomatiques et consulaires ; commissaire à l'Information (1939-1940). Mort à Paris,
le 31 janvier 1944.
    Principales œuvres :
    Nouvelles et Souvenirs : *Provinciales* (1909), *Adorable Clio* (1920).
    Romans : *Simon le Pathétique* (1918), *Suzanne et le Pacifique* (1921), *Siegfried
et le Limousin* (1922), *Juliette au pays des hommes* (1924), *Bella* (1926), *Eglan-
tine* (1927), *Aventures de Jérôme Bardini* (1930), *Combat avec l'Ange* (1934),
Choix des Elus (1938).
    Théâtre : *Siegfried* (1928), *Amphitryon 38* (1929), *Intermezzo* (1933), *la
Guerre de Troie n'aura pas lieu* (1935), *Electre* (1937), *Sodome et Gomorrhe*
(1943), *la Folle de Chaillot* (1945), *Pour Lucrèce* (1954).
    Essais : *les Cinq Tentations de Jean de la Fontaine* (1938), *Littérature* (1941).
Portugal (1958).
    Politique : *de Pleins Pouvoirs à Sans Pouvoirs* (1950).
    Sur l'homme et l'œuvre, on pourra consulter :
    CHRIS MARKER : *Giraudoux par lui-même* (Seuil, 1952) ; V.-H. DEBIDOUR :
Jean Giraudoux (Editions Universitaires, 1955) ; M.-L. BIDAL : *Giraudoux
tel qu'en lui-même* (Corrêa, 1956) ; R.-M. ALBÉRÈS : *Esthétique et morale chez
Jean Giraudoux* (Nizet, 1957).

Les dernières années de sa vie avaient désenchanté le
magicien. Le propagandiste s'était montré impuissant à
toucher les foules. Le diplomate avait quitté la Carrière sans
occuper une Ambassade. Le patriote constatait l'abaissement
de son pays. Le pacifiste mourait en pleine guerre. Giraudoux
avait déjà consigné ses déceptions dans *Sans Pouvoirs* et
Pleins Pouvoirs (dont on n'a pas assez loué la ferveur et la
lucidité) et dit son espoir de voir un jour les villes et les campagnes françaises retrouver leur saveur et leur beauté. Comme
Saint-Exupéry, comme Bernanos, il sentait venir l'avènement des robots et protestait contre la déshumanisation de
la vie moderne. Son pessimisme allait s'accentuant. Dans
Sodome et Gomorrhe (1943), il sonda la malédiction du couple,
avant de porter, dans *la Folle de Chaillot* (1944), sous le masque
bariolé d'une comédie poussée à la caricature, une condamnation irrémédiable de la société contemporaine.

Toute tentative pour « tirer à soi » l'auteur de *Bella*, du
côté de la droite (sous l'occupation) ou de la gauche (depuis
la Libération) est vouée à l'échec parce que les intuitions
profondes et les impulsions essentielles de Giraudoux ne se
situent pas au niveau de notre réalité. Il s'attache au mystère
des êtres avec l'espoir de retrouver dans sa pureté l'existence
originelle. Parle-t-il de villes ou de pays connus, c'est comme
s'il s'agissait d'une province imaginaire et féerique qu'il
invente à Châteauroux comme à Munich, à Paris comme à
Coulonges ; évoque-t-il les créatures, il les pousse au mythe
et voit dans le couple humain un seul être mystérieux, une
âme en deux corps jumeaux — une essence. Les instants
et les choses ne lui suggèrent ni leçons, ni conclusions, mais
évoquent pour lui un mystère, qu'il appelle amour ou bonheur, peu importe. Et sans doute était-il conscient de n'avoir
que peu d'attaches avec le réel puisqu'il dénonce dans sa
Littérature (1941) — peut-être le plus beau de ses livres —
son péché mignon : une culture qui l'isole du peuple et l'en
éloigne au moment même où il voudrait le retrouver. Par là
Giraudoux, mort en 1944, est moins proche de nous que de
cette grande génération symboliste qu'il admirait tant et à
laquelle il appartenait, sinon en fait, du moins en esprit,
né à la vie littéraire au contact de ces romantiques allemands
chez lesquels il avait, très tôt, puisé toute sa philosophie.

2

VALÉRY OU L'INTEMPOREL

Le 20 juillet 1945, sur la terrasse de Chaillot, entre les
deux frontons où s'inscrivaient, en lettres d'or, les devises
que le poète avait dictées dix années plus tôt, le gouvernement du général de Gaulle et les corps constitués rendaient
un dernier hommage à Paul Valéry (1) : une France exsangue
reconnaissait en lui le plus raffiné de son génie — ce *ministère
de la Parole*, plus durable que les voix tumultueuses de la
guerre et de la révolution. Hommage mérité par l'œuvre
et par l'homme (dont la dignité, sous l'occupation, avait
été au-dessus de tout éloge) mais qui contredisait le sentiment que l'une et l'autre avaient cessé de nous concerner.
L'œuvre avait déjà pris place dans les nobles plates-bandes
d'un classicisme décoratif ; on y trouve en effet « plus de cha-

(1) Paul Valéry est né à Sète le 30 octobre 1871. Etudes de Droit à Montpellier. Employé au ministère de la Guerre, à Paris, puis secrétaire d'Edouard
Lebey, directeur de l'agence Havas. Au lendemain de ses premiers vers et d'un
essai sur Léonard (1895), Valéry s'enferme dans un silence de vingt ans.
La jeune Parque (1917) le rend notoire. Célèbre dès le début de l'entre-deux-
guerres, est élu à l'Académie française en 1926. Président de l'Institut de
Coopération intellectuelle de la S.D.N. en 1933 ; administrateur du Centre
méditerranéen de Nice. Professeur de Poétique au Collège de France (1938-
1945). Grand Officier de la Légion d'honneur. Mort à Paris, le 20 juillet 1945.
Principales œuvres :
Poèmes : *la Jeune Parque* (1917), *Album de vers anciens* (1920), *Charmes*
(1922), *le Cimetière marin* (1926), *l'Ange* (1946).
Proses : *Eupalinos* (1921), *l'Ame et la Danse* (1925).
Théâtre : *Amphier, Sémiramis, Mon Faust* (1945).
Essais : *Introduction à la méthode de Léonard de Vinci* (1895), *la Conquête
allemande* (1897), *la Soirée avec M. Teste* (1906), *Variété* (5 volumes), *Mauvaises
pensées et autres* (1941).
Correspondance avec André Gide (1955) et Gustave Fourment (1957).
Sur l'homme et l'œuvre, on pourra consulter :
HENRI BREMOND : *la Poésie pure* (Grasset, 1926) ; PAUL SOUDAY : *Paul
Valéry* (Kra, 1927) ; GUSTAVE COHEN : *Explication du Cimetière marin* (Galli-
mard, 1946) ; EDMOND BUCHET : *Ecrivains intelligents du XXᵉ siècle* (Corrêa,
1946) ; PIERRE DE BOISDEFFRE : *Métamorphose de la Littérature*, II (Alsatia,
1950) ; JEAN SOULAIROL : *Paul Valéry* (La Colombe, 1952) ; EDMÉE DE LA
ROCHEFOUCAULD : *Paul Valéry* (Editions Universitaires, 1954) ; HENRI
MONDOR : *Précocité de Valéry* (Gallimard, 1957), *Propos familiers de Paul
Valéry* (Grasset, 1957).

piteaux que de colonnes, plus de colonnes que de temples » (1),
parce que l'intellect valéryen, exclusivement préoccupé
d'une *forme*, l'a privée de ses ferments les plus actifs en la
désactualisant, en la désolidarisant de son temps. Son
auteur se voulait supérieur à toute création ; il ne s'inté-
ressait qu'à la manière dont un ouvrage s'édifiait et non à
ses résultats. Aussi nous laisse-t-il quelques proses achevées,
des maximes définitives sur l'avenir de notre civilisation,
sans parler des strophes immortelles de *Charmes* et de *la
Jeune Parque*, mais non le monument inentamable que
laisseraient espérer ces fragments étincelants. A la fin de sa
vie, Valéry semble avoir perçu la vanité de cette intelligence
qu'il avait placée si haut. Revenu de tout, son Faust contemple avec dédain, au fond de cette tombe qu'est un livre,
« aussi morts l'un que l'autre, le Héros et son Historien».
Et son dernier porte-parole, l'Ange, de murmurer : « Tête
charmante et triste, il y a donc autre chose que la lumière ? »

Le sentiment qu'il avait gardé de ses limites n'est pas le
moins remarquable trait du poète : jamais sa gloire ne lui
monta à la tête. Valéry allait jusqu'à dire (à son ami Gide,
dans une lettre gardée dans ses dossiers) que la principale
cause de « l'étonnante extension» de son nom résidait dans
« la grande misère de notre temps en fait de valeurs intellectuelles». Et ses *Cahiers*, « désordre organique de préceptes,
de formules, de figures et de croquis», dont le *Centre National
de la Recherche Scientifique* a commencé la reproduction
photographique (2), témoignent non seulement d'un labeur
immense (dissimulé sous le brio mondain de sa conversation)
mais de la rigueur obstinée avec laquelle, comme son maître
Léonard, au lieu de suivre des fantômes, il a voulu définir
ses termes, sa méthode et ne rien laisser à l'invérifiable.

---

(1) G. Picon, *op. cit.*
(2) Le premier des trente-deux volumes (1894-1900), préfacé par Louis de
Broglie est paru.

3

SÉRÉNITÉ D'ANDRÉ GIDE

Paris revit, dès 1946, le curieux masque asiatique d'André Gide (1) et la célèbre cape jetée sur les hautes épaules nonchalantes. L'année suivante, le Prix Nobel confirma la réputation de « premier écrivain français vivant » que lui accordaient un référendum de *Combat* (devant Camus, Sartre et Malraux) et les suffrages des étudiants allemands. Si longtemps haï et discuté, Gide dominait maintenant nos querelles et le prestige de son style n'était même plus discuté. On s'étonnait qu'il eût traversé tant de combats, que *Corydon, le Voyage au Congo, le Retour d'U.R.S.S.* eussent suscité tant de polémiques. On ne comprenait pas davantage en lisant ses *Feuillets d'Automne*, qu'il ait été si longtemps attiré par le christianisme, au point de jouer avec Claudel comme une souris (très agile) avec un chat (immobile, sourd et peu sagace). La recherche individuelle du bonheur et la libération des instincts que nous propose son œuvre avaient, depuis long-

(1) Gide naît à Paris, le 22 novembre 1869, d'une famille de bonne bourgeoisie, mi-catholique, mi-protestante, mi-normande, mi-languedocienne. (Son père, professeur de Droit, meurt en 1880 ; son oncle est l'économiste Charles Gide.) Elevé par sa mère ; études irrégulières (notamment à l'Ecole Alsacienne). Premier voyage en Afrique du Nord en 1893 ; deux ans plus tard, Gide épouse sa cousine, Madeleine Rondeaux. Ses premiers livres paraissent à partir de 1891 — sans aucun succès. En 1908, fondation de la *Nouvelle Revue française*, dont il est l'Eminence grise. Multiples voyages en Europe, autour de la Méditerranée, en Afrique Noire (1926) et en U.R.S.S. (1936). Prix Nobel, 1947. Gide est mort à Paris, le 19 février 1951.

Principaux ouvrages : *Les Cahiers d'André Walter* (1891), *Paludes* (1895), *les Nourritures terrestres* (1897), *l'Immoraliste* (1902), *la Porte étroite* (1909), *les Caves du Vatican* (1914), *la Symphonie pastorale* (1919), *les Faux Monnayeurs*, roman ; *Si le Grain ne meurt* (1926), *les Nouvelles Nourritures* (1935), *Retour d'U.R.S.S.* (1936), Plusieurs volumes de correspondance (avec Claudel, Valéry, Francis Jammes), *Journal* (1939), *Thésée* (1946), *Et nunc manet in te* (1951).

Sur l'homme et l'œuvre, on pourra consulter :

LÉON PIERRE-QUINT : *André Gide* (Stock) ; JEAN HYTIER : *André Gide* (Charlot) ; ROGER MARTIN DU GARD : *Notes sur André Gide* (Gallimard) ; PIERRE DE BOISDEFFRE : *Métamorphose de la Littérature*, I (Alsatia) ; MARC BEIGBEDER : *André Gide* (Editions Universitaires) ; JEAN DELAY : *la Jeunesse d'André Gide* (2 vol., Gallimard) ; *Hommage à Gide* (Gallimard).

temps, perdu leur actualité ; son goût pour les « postulations
simultanées», cet esprit de contradiction qui le poussait à
annuler chacun de ses livres par le suivant faisaient figure
d'anachronisme en un temps où le double jeu était particulièrement mal vu. Et Gide s'inquiétait de voir préférer, sous
prétexte d'engagement, la propagande à la littérature.
(« J'appelle journalisme tout ce qui intéressera demain moins
qu'aujourd'hui».)

Précurseur en matière de mœurs, il l'était pourtant aussi
dans un autre domaine : son athéisme, lentement conquis
contre lui-même et contre les influences les plus fortes (celles
de son éducation, de son épouse), n'a pas été décidé à priori,
mais lentement découvert. Cet athéisme « existentiel» place
Gide parmi les témoins de cet humanisme athée que cherche
encore le xxe siècle, et Sartre est allé jusqu'à dire : « Ce que
Gide nous offre de plus précieux, c'est sa décision de vivre
jusqu'au bout l'agonie et la mort de Dieu.»

Dans les *Feuillets d'Automne* (1947), son testament spirituel,
on le voit s'efforcer de substituer (selon le mot de Jean Guitton) à une morale axée sur Dieu une religion axée sur
l'homme :« Je n'oppose pas à la Foi le doute ; mais l'affirmation : ce qui ne saurait être n'est pas.»

« Cet état d'athéisme complet, il faut beaucoup de vertu
pour y atteindre ; plus encore pour s'y maintenir... L'homme
ne peut-il apprendre à exiger de soi, par vertu, ce qu'il croit
exigé de Dieu ? Elle ne sera gagnée, cette étrange partie que
voici que nous jouons sur terre, que si c'est à la *vertu* que l'idée
de Dieu, en se retirant, cède la place ; que si c'est la vertu
de l'homme, sa dignité, qui remplace et supplante Dieu.
Dieu n'est plus qu'en vertu de l'homme. *Et eritis sicut dei...*

« Dieu, c'est vertu. Mais qu'est-ce que j'entends par là ?
Il faudrait définir ; je n'y parviens pas. Je n'y parviendrai
que par la suite. Mais déjà, j'aurai beaucoup fait si j'enlève
Dieu de l'autel et mets l'Homme à sa place. Provisoirement,
je penserai que la vertu, c'est ce que l'individu peut obtenir
de soi de meilleur.

« Dieu est à venir. Je me persuade et me redis sans cesse
que : Il dépend de nous. C'est par nous que Dieu s'obtient.»

Ainsi, de la ferveur et des inquiétudes qui avaient marqué
sa jeunesse, était-il parvenu sur le tard à une sérénité gœ-
théenne, qui lui avait fait dire dans son *Thésée* (1946) :« C'est

consentant que j'approche la mort solitaire. J'ai goûté des biens de la terre. Il m'est doux de penser qu'après moi les hommes se reconnaîtront plus heureux, meilleurs et plus libres. Pour le bien de l'humanité future, j'ai fait mon œuvre. J'ai vécu. »

Gide a aménagé sa tombe avec un soin que Chateaubriand lui-même aurait envié. A peine disparu, la « bombe » d'*Et nunc manet in te...* — journal intime où la beauté de la langue masque difficilement un intolérable égocentrisme — dévoilait le secret de sa vie conjugale ; dans cette confession trompeuse, Gide se présentait en bourreau tout en trouvant le moyen de diminuer sa victime, l'austère et tendre Alissa de *la Porte étroite*. Mais les amis ou confidents — le plus objectif fut Roger Martin du Gard (1), le plus cruel Pierre Herbart (2), le plus loyal Jean Schlumberger (3) — ne tardèrent pas à déboulonner la statue.

Les problèmes moraux qui l'avaient si longtemps occupé avaient cessé de l'intéresser ; depuis la publication de son *Journal* (et l'échec de ses espérances politiques) Gide ne se préoccupait plus guère que de sa *figure*. « Comédien ? Peut-être, mais c'est moi-même que je joue — les plus habiles sont les mieux compris. » Il avait fini par trouver son équilibre, mais en sacrifiant, peut-être, la meilleure part de lui-même, depuis le jour où la prise de conscience de son homosexualité avait fait de lui le combattant, clandestin puis presque officiel, d'une mauvaise cause. Du moins, dans sa longue existence, a-t-il entrevu ou abordé presque tous les grands problèmes qui se sont posés aux hommes de sa génération — et son *Journal* reste le plus complet témoignage que nous possédions sur la vie et les préoccupations d'un homme de lettres. Son esprit a passé dans les mœurs comme un virus traverse un filtre : telles portes que tant d'autres enfoncent avec fracas, c'est lui qui les entrebâilla le premier. Il avait porté dans son art cette rigueur que d'autres appliquent à leur conduite ; son œuvre fut pour lui, comme pour Proust, la dure école de la vérité. Enfin, même dans ses plus troublantes pages, Gide n'a rien avili ; ce qui le rend à tant d'égards anachronique est aussi ce qui peut assurer sa survie.

(1) *Notes sur André Gide* (Gallimard).
(2) *A la Recherche d'André Gide* (Gallimard).
(3) *Madeleine et André Gide* (Gallimard).

III

UN ÉCRIVAIN CORNÉLIEN :
JEAN SCHLUMBERGER (1)

TÉMOIN de toute la vie de Gide, son ami Jean Schlumberger (qui devait consacrer au couple un portrait tout
en nuances, où la vérité n'offense pas l'amitié), au lieu
de le suivre sur la pente de toutes les libertés, a construit
son œuvre et sa vie dans une perspective cornélienne. L'un
des premiers à plaider pour une éthique où l'ascèse triomphe
de l'instinct, où la volonté ait le pas sur l'intelligence, l'auteur de l'*Inquiète Paternité* (1913) annonçait cette littérature
héroïque que devaient illustrer Malraux et Saint-Exupéry ;
— ajoutons qu'il fut aussi l'un des premiers à proclamer la
grandeur de Claudel et à réhabiliter Corneille (dont il ne se
dissimulait pourtant aucune des limites). Son dernier recueil
de nouvelles (*Passion*, 1956) prouve en outre qu'il n'a rien
perdu de ses pouvoirs : il y démontre, après dix ans de littérature noire, qu'un langage pur peut tout traduire, ennoblir
tout, et ne rien trahir. Moins connu du public que les grands
écrivains de sa génération, Schlumberger s'imposera au fur
et à mesure qu'on reconnaîtra mieux en lui un talent d'autant
plus frappant qu'il se veut plus sobre, une intelligence d'autant plus éclairante qu'elle respecte le mystère des êtres.

(1) Jean Schlumberger est né à Guebwiller en 1877. Cofondateur de la
Nouvelle Revue française (1909), administrateur du théâtre du Vieux-Colom-
bier (1913). Grand Prix National des Lettres (1955).
   Principaux ouvrages :
   Romans : *l'Inquiète Paternité* (1913), *Un homme heureux* (1921), *le Lion
devenu vieux* (1924), *Saint-Saturnin* (1931).
   Essais : *Dialogues avec le corps endormi* (1927), *Plaisir à Corneille* (1936),
Jalons (1941), *Eveils* (1949), *Madeleine et André Gide* (1956).
   Nouvelles : *Passion* (1956).
   Sur l'homme et l'œuvre, on pourra consulter : MARIE DELCOURT : *Jean
Schlumberger* (Gallimard, 1945).

IV

HEUREUSE COLETTE

Moins exigeante quant à son inspiration, Colette (1) a vu sa gloire grandir jusqu'à sa mort. Elle s'était donné, dans sa vie, toute licence, sauf une : celle de remettre en question le monde où elle vivait. Aussi a-t-on fini par oublier les scandales de sa vie privée, pour lui accorder, de l'Académie royale belge (où elle succéda à Anna de Noailles) aux obsèques officielles sur le parvis du Palais-Royal, en passant par l'Académie Goncourt et le grand cordon de la Légion d'honneur, des récompenses auxquelles les femmes ont rarement accès. Elle parlait de la mort avec la même ironie tendre avec laquelle elle regardait les hommes, heureuse de retourner à cette bonne terre qu'elle n'avait pas cessé d'aimer. D'instinct, et dès l'enfance, elle avait

(1) Gabrielle-Sidonie Colette est née le 28 janvier 1873 à Saint-Sauveur-en-Puisaye, d'une famille de paysans et de petits bourgeois (son père, officier retraité, était instituteur). A vingt ans, elle épouse le publiciste et romancier Henry Gauthier-Villars (en littérature Willy), de quatorze ans plus âgé qu'elle, qui la fait pénétrer dans le monde interlope du Boulevard, et l'invite à rédiger ses souvenirs d'enfance : ainsi paraît (sous la signature de Willy) *Claudine à l'Ecole* (1900). Après son divorce (1906), Colette fait du music-hall, notamment au Moulin-Rouge. En 1912, elle épouse Henry de Jouvenel, rédacteur en chef du *Matin*, où elle publie des contes et des chroniques ; divorcée en 1924, elle se remarie avec Maurice Goudeket ; en 1936, succède à Anna de Noailles à l'Académie royale de Belgique ; en 1944, est élue à l'Académie Goncourt. Grand Officier de la Légion d'honneur. Elle meurt le 3 août 1954. Obsèques officielles civiles.

Principales œuvres : après la série des *Claudine* (4 volumes, 1900-1903, en collaboration avec Willy), *Minne et les Egarements de Minne* (1905) formeront *l'Ingénue Libertine* ; puis vinrent *la Vagabonde* (1911), *Chéri* (1920), *le Blé en Herbe* (1923), *la Fin de Chéri* (1926), *la Naissance du Jour* (1928), *la Seconde* (1929), *Julie de Carneilhan* (1941), *le Képi* (1943), *Gigi* (1944).

Souvenirs : *l'Envers du Music-Hall* (1913), *Mes Apprentissages* (1936), *l'Etoile Vesper* (1946), *le Fanal bleu* (1949).

Parmi les ouvrages consacrés à sa personne et à son œuvre, on pourra consulter : Germaine Beaumont : *Colette* (Le Seuil) ; Robert Brasillach : *Portraits* (Plon) ; Maria le Hardouin : *Colette* (Editions Universitaires).

voulu s'alléger des tourments et des risques inhérents à la
vie humaine — ces tourments que les écrivains les plus représentatifs du siècle allaient au contraire, à partir de la guerre
de 1914, assumer en les aggravant — pour n'en retenir que
la saveur animale et les plaisirs sans lendemain. Même lorsqu'elle parle le langage de la passion, voire celui de la souffrance, c'est toujours avec le sentiment que les pires maux
sont relatifs et que le cycle indifférent de Cybèle leur fera
succéder de beaux jours.

Si l'exotisme trouble de ses romans (un exotisme 1900,
peuplé de demi-mondaines), la veulerie de ses héros qui
contemplent leurs souillures d'un regard tranquille, leurs
charmes grivois, ont été si facilement acceptés, c'est que le
parfait naturel du style leur conférait l'illusion d'une réalité
peut-être amère, mais impossible à nier. De plus, la farouche
volonté d'indépendance qui animait les Claudine s'accordait
avec le mouvement du siècle et la libération de la femme.
Ainsi *Chéri* ou *la Vagabonde* ne nous paraissent-ils pas si
loin de *Bonjour, Tristesse*.

Colette ne s'éloigne guère, lorsqu'elle parle de l'amour,
de « ces plaisirs qu'on nomme, à la légère, physiques », même
lorsqu'elle se heurte à « cette paroi qu'on ne peut rompre »
et que ses héros se gardent de franchir. N'avouait-elle pas
qu'elle n'avait jamais pu découvrir un sens intelligible au
mot de pureté et qu'elle en était encore à l'imaginer, pris
dans les bulles irréelles d'un cristal toujours hors d'atteinte ?
Et son tempérament romanesque n'a pas faibli, qui lui dic-
tait encore, presque octogénaire, *Gigi* et *Julie de Carneilhan*,
tandis qu'elle poursuivait, à la lumière de l'*Etoile Vesper*
et du *Fanal bleu*, de plaisants Mémoires où elle a su immor-
taliser sa Bourgogne natale, comme autrefois George Sand
sa chère Vallée Noire, et décrire, jusqu'à les rendre inimitables,
les courbes de l'Yonne et les treilles de Saint-Sauveur. Mais
le romancier, auquel le cinéma devait, dans ses dernières
années, donner un nouveau public, est limité et reste trop
insoucieux de ce qui fait la noblesse de l'homme. Qui peut
aimer *Chéri* s'il n'a l'âme un peu basse ? Enfin, le style de
Colette, si exagérément loué, risque, avec ses ciselures et ses
émeraudes, de ne pas résister à l'impitoyable érosion du temps.

A moins que les limites de l'œuvre ne soient sa meilleure
chance de durée.

V

LA REVANCHE DE LÉAUTAUD

A PEU près ignoré, sinon de l'étroite coterie d'hommes de lettres qu'il avait approchés au *Mercure de France*, Paul Léautaud (1) devait trouver, dans les dix dernières années de sa vie, grâce à Robert Mallet qui fit de lui une vedette radiophonique, une revanche pré-posthume qui ne sera sans doute pas ratifiée par la postérité. Car ce n'est pas l'œuvre du quinteux octogénaire que les foules ont applaudie, mais ses propos abrupts et son personnage désopilant, à la fois extravagant et naturel. Débarrassé de ses chats, de ses cache-nez et de ses chapeaux, que restera-t-il en effet de ce Diogène ? Ses romans, tardivement réédités, manquent de souffle et d'ambition. Ses chroniques théâtrales, libres et franches, se sont envolées avec les saisons qui les virent naître. Ses « jugements » littéraires, péremptoires, frappent par leur faiblesse. Si Léautaud admirait Molière, La Rochefoucauld, Chamfort et, par-dessus tout, Stendhal, il n'ignorait pas seulement étranger et Antiquité ; il détestait Racine et Corneille, traitait Nietzsche de fou, Dotoïevsky de malade ; il méconnut aussi ses contemporains, refusant de reconnaître le génie de Valéry qu'il avait pourtant fréquenté, abominant

(1) Paul Léautaud (1872-1956), abandonné par sa mère, fut élevé par son père, souffleur au Théâtre-Français ; Trente-six ans employé au *Mercure de France* où il signe (sous le pseudonyme de Maurice Boissard), la rubrique théâtrale, il a publié (au *Mercure*) des récits (*Le Petit Ami* (1903), des souvenirs (*In Memoriam, Passe-Temps, Propos d'un Jour*) (1929), une enquête consacrée aux *Poètes d'Aujourd'hui* (3 vol. en collaboration avec Van Bever), un *Journal littéraire* (5 vol., 1893-1927) et des *Lettres à ma Mère*.

Chez Gallimard : *Le Théâtre de Maurice Boissard* (2 vol, 1907-1941).

A consulter : *Entretiens radiophoniques* (avec Robert Mallet, Gallimard).

Claudel, méprisant Gide... et les admirations de sa jeunesse
— Taine, Renan, France, Barrès — sont seulement celles
de son temps. Les plus proches de son cœur sont de petits
maîtres, comme lui : Dangeau, Tallemant, Bachaumont,
Brummel, Constantin Guys, « le beau Tilly ».

« Arrivé à cette opinion que la littérature, comme tous
les arts, est une faribole », il lui a pourtant sacrifié toute sa
vie ; mais incapable de sortir de lui-même, il n'a donné la vie
qu'à un seul personnage, mi-grotesque, mi-attendrissant :
le sien. Acteur involontaire d'une existence de raté, à mi-
chemin entre la comédie et le drame, privé d'amour dès
l'enfance, il avait reporté sur les bêtes un inavouable besoin
d'aimer et d'être aimé. Hélas, son *Journal* ne révèle ni un
grand esprit, ni un grand homme : seulement un Alceste
pitoyable, un faux cynique, devenu le prisonnier, jusque
dans les plus petits détails, de cette littérature qu'il affectait
de dédaigner.

VI

LES DERNIERS MAITRES

1

DEUX PÉDAGOGUES : ALAIN ET BACHELARD

UNE brillante cohorte d'élèves — Henri Massis, Jean Prévost, Pierre Bost, Maurice Toesca, Simone Weil — et de disciples (Henri Mondor) dont le plus fervent et le plus fidèle fut André Maurois (qui lui fit obtenir, octogénaire, le premier Grand Prix National des Lettres) a plus fait pour la gloire d'Alain (1) qu'une œuvre abondante mais inégale. Depuis sa retraite dans sa petite maison du Vésinet, l'auteur des *Propos* avait cessé d'exercer une action. Ce radical de la grande époque, rageusement hostile aux pouvoirs, méfiant à l'égard des systèmes et décidé à peser chaque mot dans le concret, ce proposier normand plus proche de Socrate que de Hegel, dédaigneux de la logique et de la volonté de prouver, laisse, plutôt qu'une œuvre éparpillée en de multiples leçons de choses, un enseignement pratique assez conforme, en somme, au tempérament français, mais qui, vers 1945, parut soudain démodé et d'un libéralisme impuissant à nous mettre en garde devant les périls du siècle.

Dès l'occupation, Alain avait été relayé dans le rôle de

---

(1) Alain (pseudonyme d'Emile Chartier) est né à Mortagne (1868-1951). Ecole Normale Supérieure, Agrégation de Philosophie (1892). Carrière de professeur de « khagne » à Rouen, puis à Paris. Engagé volontaire pendant la guerre de 1914. Grand Prix National des Lettres 1951.

Principaux ouvrages : *Système des Beaux-Arts* (1920), *Mars ou la Guerre jugée* (1921), *le Citoyen contre les pouvoirs* (1925), *Eléments d'une Doctrine radicale* (1926), *Propos sur le Bonheur* (1928), *Histoire de mes Pensées* (1936).

Sur l'homme et l'œuvre, on pourra consulter : ANDRÉ MAUROIS : *Alain* (Domat) ; HENRI MONDOR : *Alain* (Gallimard).

maître de la « pédagogie » contemporaine — qu'il avait occupé
avec tant d'éclat — par Gaston Bachelard (1). Cet autodidacte, modeste employé, licencié de mathématiques et professeur de physique avant de se consacrer, la quarantaine
venue, à la philosophie, devait exercer une grande influence
sur la nouvelle génération de philosophes et d'écrivains nés
avec le siècle. D'abord par son *réalisme* : Bachelard ne renie
pas le réel, il établit entre la science, la psychologie et la
poésie des relations fécondes. Ensuite par son *humanisme*.
Homme de 1848, Bachelard ne semble guère partager les
inquiétudes de ses contemporains. Ainsi, pour lui, la physique
moderne qui, disent certains, fait vaciller l'édifice de la logique
classique, nous invite seulement à alléger notre esprit en éli-
minant de pseudo-valeurs périmées. Sa pensée s'est développée entre deux pôles : l'abstraction dynamique de la science
et l'imagination affective de la poésie. Après avoir analysé
la Formation de l'Esprit scientifique, Bachelard en est venu
à esquisser une typologie de l'imagination (à travers *la Psychanalyse du Feu*, *l'Eau et les Rêves*, *la Terre et les Rêveries
de la Volonté*), en n'hésitant pas à considérer, comme l'avaient
fait les Grecs, les quatre éléments comme la matière première
de notre substance affective.

D'où sa querelle avec Jean-Paul Sartre qui lui reprochait
(dans *l'Etre et le Néant*) de mettre la charrue avant les bœufs
et la méthode — une psychanalyse des choses — avant les
principes. Pourtant, Bachelard, à sa manière, aura contribué
à renouveler les notions des philosophes en les aidant, comme
hier Bergson, à prendre conscience du dynamisme de la vie.
Et il aura eu le mérite de faire, dans leur réflexion, une place
à la science et une autre à la poésie ; il conçoit celle-ci comme
une « langue instantanée » qui nous en apprend plus sur le
monde qu'un long discours. Et il conseille aux poètes *d'apprendre à bien rêver*, c'est-à-dire de retrouver dans le sommeil
les archétypes de la pensée humaine. Conseils sur mesure
pour une génération formée (et déformée) par le surréalisme.

---

(1) Gaston Bachelard (né en 1884), d'origine ouvrière, devenu professeur
(il prendra sa retraite comme professeur à la Sorbonne) a publié notamment
le Nouvel Esprit scientifique (1934), *la Formation de l'Esprit scientifique* (1938),
la Philosophie du Non (1940), *la Psychanalyse du Feu*, *l'Eau et les Rêves* (1942),
la Terre et les Rêveries de la Volonté, *l'Air et les Songes* (1943), *le Matérialisme
rationnel* (1953), *la Poétique de l'Espace* (1957).

2

PRESTIGE ET SOLITUDE D'ANDRÉ BRETON

Il n'est pas facile, après avoir attaché son nom à un mouvement révolutionnaire — surtout lorsqu'il s'agit, avec le surréalisme, d'une philosophie qui ne se propose pas seulement de renouveler le langage, mais de « changer l'homme et la vie » — de lui rester fidèle sans avoir rempli ses objectifs. Un Eluard ou un Aragon ont trouvé dans le communisme une nouvelle Eglise et un vaste public. Breton, lui (1), est resté seul, avec une poignée de disciples éparpillés dans le monde entier mais sans action réelle sur le sort de celui-ci. Si l'on continue à voir l'homme en « intrépide chercheur d'inconnu, en révolté indomptable, en mage et en prophète (2) », on ne conteste plus l'originalité de l'écrivain, « l'un des grands prosateurs français — fulgurant et réglé, unissant au sens de la période la puissance de choc de l'image (3) ». Mais l'auteur des *Vases communicants* n'a pas cessé de nous surprendre ; on l'a vu, d'*Arcane 17* à *l'Ode à Fourier*, s'intéresser de plus en plus à l'occultisme, sans négliger les exemples que des écri-

---

(1) André Breton est né en 1896, à Tinchebray (Orne). Etudes de médecine ; ami de jeunesse de Valéry, puis de Jacques Vaché et d'Apollinaire. En 1919, fonde *Littérature* (avec Aragon et Soupault). Visite à Freud (1921). Ouvre, en 1924, un *Bureau de Recherches surréalistes*. Adhère en 1927 au parti communiste (rupture en 1935). Voyage au Mexique (1938), puis aux Etats-Unis (1940-1945).

Principaux ouvrages :

Poèmes : *Nadja* (1928), *Ralentir, Travaux* (1930, avec P. Eluard et R. Char), *l'Immaculée Conception* (avec Eluard), *le Revolver à cheveux blancs* (1932), *les Vases communicants* (1932, avec Ph. Soupault), *l'Amour fou* (1937), *Ode à Charles Fourier* (1947), *Arcane 17* (1945), *Poèmes* (1948).

Essais : *les Pas perdus* (1924), *Trois Manifestes* (1924, 1930, 1942), *un Cadavre* (1921, avec Aragon, Eluard et Soupault), *Qu'est-ce que le Surréalisme ?* (1934), *Position politique du Surréalisme* (1935), *Anthologie de l'Humour noir* (1940), *Entretiens* (avec André Parinaud, 1952).

Sur l'homme et l'œuvre, on pourra consulter : JULIEN GRACQ : *André Breton* (José Corti, 1948), CLAUDE MAURIAC, *André Breton* (Horay-Flore, 1949), J.-L. BEDOUIN : *André Breton* (Seghers, 1950), MICHEL CARROUGES : *André Breton et les Données fondamentales du Surréalisme* (Gallimard, 1951).

(2) MAURICE NADEAU : *Littérature présente* (Corrêa).

(3) G. PICON, *op. cit.*

vains d'hier, fussent-ils précieux, comme Voiture ou Bense-
rade, ou baroques comme Gongora, pouvaient lui fournir.

Les déceptions politiques n'ont en rien diminué son intransigeance : Breton continue de répudier avec la même violence
l'aliénation capitaliste et les mystifications religieuses (il
est allé jusqu'à rompre avec son commentateur le plus pénétrant, Michel Carrouges, coupable d'être et de rester catholique), ou politiques (il est devenu, des Procès de Moscou à la
tragédie hongroise, un farouche adversaire du stalinisme).
Mais il proclame aujourd'hui que « la poésie a tout à perdre
à se soumettre à des impératifs autres que les siens propres », fût-ce la révolution elle-même, faisant sien le mot de
Rimbaud : « La poésie ne rythmera plus l'action, elle sera
en avant. » Et il répudie toute poésie engagée (que dénonçait,
en 1945, Benjamin Péret dans le *Déshonneur des Poètes*).
Si le poète doit participer aux luttes libératrices, c'est en tant
qu'homme et au rang des autres hommes qu'il lui appartient
de le faire.

C'est à la découverte de la poésie en tant que *langue sacrée*
qui a son code et ses mystères, que se consacre maintenant
Breton, au côté d'explorateurs qui ont nom Perse, Jouve et
Reverdy, Michaux et René Char, Péret, Césaire et Pieyre de
Mandiargues, Francis Ponge ou Malcolm de Chazal, et de
disciples qu'il se plaît à reconnaître en Julien Gracq, Georges
Schéhadé, Ionesco ou Klossowski.

3

L'INFLUENCE DU PÈRE TEILHARD DE CHARDIN

Il ne suffit pas, pour éclairer un panorama littéraire, de
situer la plupart des grandes figures qui le dominent. A l'écart
de la littérature, il existe d'autres hommes dont le rayonnement est d'autant plus puissant qu'il ne s'exerce pas sous la
forme d'une œuvre d'art. Sensibles au mouvement du monde,
aux découvertes des sciences et des techniques, à ce que
Daniel Halévy a appelé *l'accélération de l'histoire* et au boule-
versement des valeurs qui en est le résultat, les écrivains
d'aujourd'hui ont subi, d'Einstein à Teilhard de Chardin,
l'influence des grands « inventeurs » du monde moderne.

Il suffit de rappeler les noms d'Alexis Carrel (mort au lendemain de la Libération, après avoir consacré sa vie à l'étude de « l'homme, cet inconnu »), de Jean Rostand (le dernier des savants-artisans, vulgarisateur de qualité des découvertes de la biologie), de Pierre Lecomte du Nouy, qui a tenté d'interpréter l'évolution dans une perspective chrétienne, de l'abbé Breuil, explorateur de la préhistoire africaine, du Père Teilhard de Chardin pour souligner l'influence que l'anthropologie et la biologie exercent aujourd'hui sur tous les esprits, parce qu'elles sont à la racine des problèmes les plus brûlants, de ceux dont dépend l'avenir de l'espèce. Si Teilhard de Chardin (1) domine la conscience contemporaine, il ne le doit pas seulement à la qualité de ses travaux et à l'acuité de son intelligence, mais à ce qu'il a posé les questions essentielles sur l'origine de l'homme et sur son avenir : croyants et non-croyants reconnaissent en lui un de ces interrogateurs passionnés qui n'ont pas fini, de Socrate à Freud et à Einstein, de renouveler la face de la terre. Mais la querelle qui s'est

---

(1) Pierre Teilhard de Chardin est né au château de Sarcenat (Auvergne) en 1881, d'une famille de onze enfants. Noviciat chez les Jésuites à Jersey. Influence de Maurice Blondel. Professeur de physique au Caire. Scolasticat à Hastings (1909-1912). Ordonné prêtre en 1912. Attaché au Museum d'Histoire Naturelle (1912-1914) ; mêlé aux fouilles de Piltdown. Guerre de 1914-1918. Docteur ès Sciences (1922, avec une thèse sur *les mammifères de l'Eocène inférieur*). Professeur de géologie à l'Institut Catholique de Paris (1923). Voyage en Chine et en Extrême-Orient où il participe à la plupart des grandes expéditions scientifiques de l'entre-deux-guerres : désert de Gobi, expédition française du Harrar (1928), expédition Centre-Asie de l'American Museum (1930), croisière jaune Haardt-Citroën (1931-1932), fouilles de Choukoutien, *Yale-Cambridge, Expédition* (Inde, 1935-1936), *Harvard-Carnegie, Expédition* (Birmanie, Java, 1937-1938). Les fouilles de Choukoutien (1929) devaient aboutir à la découverte du Sinanthrope.

Elu à l'Académie des Sciences en 1950, le Père, qui participait à New York aux travaux de la *Wenner-Gren Foundation*, fut surpris par la mort au retour d'une mission en Afrique du Sud (10 avril 1955).

Principaux ouvrages : *le Phénomène humain* (Le Seuil, 1955), *l'Apparition de l'Homme* (Le Seuil, 1956), *la Vision du Passé* (Le Seuil, 1957), *le Groupe zoologique humain* (Albin Michel, 1956), *Lettres de voyage* (présentées par Mme Aragonnès, Grasset, 1956).

Sur l'homme et l'œuvre, on pourra consulter :

Louis Cognet : *Le Père Teilhard de Chardin et la pensée contemporaine* (Flammarion, 1952) ; François-Albert Viallet : *l'Univers personnel de Teilhard de Chardin* (Amiot-Dumont, 1955) ; Claude Tresmontant : *Introduction à la pensée de Teilhard de Chardin* (Le Seuil, 1956) ; Nicolas Corte : *La Vie et l'Ame de Teilhard de Chardin* (Fayard, 1957).

élevée dans l'Eglise à propos de son œuvre, l'interdiction qui
lui fut faite d'accepter une chaire au Collège de France, celle,
plus grave encore, de publier ses travaux, les critiques faites
au *Phénomène humain*, qui n'a pu voir le jour qu'après sa
mort, ne devraient pas nous faire oublier la qualité surnaturelle de sa foi : celle-ci nouait la gerbe de ses dons. Car la
charité évangélique n'était, pour lui, pas autre chose « que
l'amour d'une Cosmogenèse christifiée jusque dans ses
racines » et le Christ l'assomption finale d'un monde encore
en pleine croissance mais qui n'a d'autre avenir que celui
d'une spiritualisation totale. En ce sens, on peut dire, avec
Henri Marrou, que « l'axe même de cette grande pensée est
orienté dans le sens où le souffle de l'Esprit pousse la pensée
vivante de l'Eglise de Dieu ». Teilhard de Chardin ne cessa
plus d'être associé aux grandes recherches de la paléontologie
contemporaine et, pendant vingt années, il participa aux
grandes explorations de l'Asie, de la Mongolie au désert de
Gobi et de l'Inde à Java, la plus célèbre de ces campagnes
restant celle de 1929 (Pékin) avec la découverte du Sinanthrope.

Le Père Teilhard s'est toujours défendu d'être un philosophe. « Je ne suis ni un philosophe ni un théologien, mais
un étudiant du « phénomène », un physicien au vieux sens
grec. » Il serait donc vain de chercher dans son œuvre une
ontologie, elle est plutôt une phénoménologie. Mais Teilhard
de Chardin dépasse la simple observation scientifique ; il ne
se cantonne même pas dans le domaine des successions et des
relations qui s'expriment dans les « lois » de la science ; et
l'« ultra-physique » dont il rêvait est déjà une explication du
monde, elle suppose à tout le moins une notion précise de son
origine et de ses fins dernières, une perspective homogène et
cohérente qui rend compte de toute la création. Le plus remarquable, le plus ambitieux de ses livres, *le Phénomène humain*
(1955) — histoire du monde par un savant qui écrit en grand
poète — unit de la manière la plus rigoureuse la « prévie »
(l'histoire de la Matière jusqu'à l'apparition de la Vie), la
Vie, la Pensée et enfin la Survie, en fonction d'un Homme
qui n'est plus le centre statique du Monde, mais l'axe et la
flèche de l'Evolution. Il associe l'atome à l'étoile, la masse
et la vitesse, le corpuscule et le macrocosme ; la Pensée et
l'Univers ; et celui-ci est inséparable de l'Energie Universelle

dont il procède et avec laquelle il finira par se confondre. *Vitalisation, hominisation, spiritualisation* ne sont que les étapes d'une évolution irréversible.

Quels que soient les points laissés dans l'ombre, les incertitudes et les ambiguïtés d'une pensée aussi vaste qu'ambitieuse, comment ne pas reconnaître en elle le seul système résolument optimiste que le xxe siècle puisse opposer aux diverses formes de l'humanisme athée ? « Faut-il, pour être uni au Christ, demandait Teilhard dès 1916, se désintéresser de la marche propre à ce Cosmos enivrant et cruel qui nous porte et qui s'éclaire en chacune de nos consciences ? » Son œuvre est en elle-même une réponse. Ce que Claudel a fait pour les Lettres en rendant à la parole humaine une dimension cosmique, Teilhard l'a fait pour la science en affirmant la portée cosmique du Christianisme, en réhabilitant, contre les philosophes du désespoir ou de la négativité, toute la Création. Vision antipascalienne, et qui laisse dans l'ombre le problème du Mal et de la Souffrance ? Sans doute. Mais avant de dénoncer ce qui lui manque, sachons reconnaître ce qu'elle nous apporte.

LE ROMAN

LA FLORAISON ROMANESQUE

Qu'on s'en réjouisse ou qu'on le déplore, le roman est et restera longtemps le mode d'expression littéraire le plus goûté du grand public. Sa vitalité n'a d'égale que sa *plasticité*, et les variétés les plus insolites, les plus abstraites, les moins intelligibles, les plus obscures, prolifèrent aujourd'hui sur le vieux tronc romanesque.

L'appellation « roman » couvre, en effet, un domaine si vaste qu'on y trouve des formes d'expression littéraires radicalement dissemblables, depuis les récits poétiques de Giraudoux jusqu'aux lourdes machines de Van der Meersch et de Jules Romains, et des longs discours à résonances métaphysiques qui remplissent tout l'espace romanesque d'un Bataille, d'un Blanchot, d'un Beckett ou d'une Nathalie Sarraute aux honnêtes récits décalqués de la vie quotidienne d'un Groussard ou d'un Castillou. Peut-être faudra-t-il bientôt tracer une ligne de démarcation radicale entre l'immense masse d'imprimés qui va du feuilleton au roman policier en passant par la *short story* à l'américaine, la tranche de vie, la confession, le roman historique, le roman populaire et les mille variétés du roman de mœurs ou de caractères, dont la caractéristique principale est d'être *immédiatement consommable*, et les formes de l'expression romanesque où le sujet compte moins que l'*intention*, la psychologie moins que la *métaphysique* et la véracité du comportement et des propos moins que l'*invention d'un langage*. Seule, cette seconde part du roman, plus ambitieuse, plus difficile d'accès, plus fragile aussi, appartiendrait encore à la littérature tandis que la première se verrait rejetée dans cette alimentation de masses à laquelle collaborent la grande presse et le cinéma. Si le mot ne paraissait désobligeant, on dirait que la littérature romanesque tend à se diviser en deux branches : la chimie (où s'élaborent les futurs produits de consommation) et l'épicerie (où ils se fabriquent en grande série selon des procédés éprouvés). Chaque lecteur pourra, s'il en a le goût, classer à son gré dans l'une ou l'autre de ces branches les auteurs que nous citerons dans les quatre chapitres de cette première partie.

Ce phénomène est masqué dans le roman contemporain, parce que l'inventaire du monde réel, la concurrence à l'état civil, le roman descriptif dans la tradition du XIXᵉ siècle, trouvent encore, depuis les noms célèbres de la génération de 1885 jusqu'aux derniers venus, des défenseurs du plus grand talent. Usant de modes d'expression traditionnels, éprouvés par l'usage, et qui ne déconcertent pas le public, ils le convainquent plus facilement que les inventeurs d'un nouveau langage romanesque. Un Hervé Bazin qui a donné à un nom célèbre et presque oublié, le piment du scandale, un Maurice Druon qui met Dumas père et Zola à la mode du demi-siècle, un Saint-Pierre qui rajeunit les hobereaux ou les écrivains chers à Gyp et à Abel Hermant, un Cesbron ou un Luc Estang qui mettent les procédés du naturalisme au service d'une éthique chrétienne, parlent une langue et évoquent un monde que tous peuvent comprendre. Mais les recherches ésotériques d'un Abellio, d'un Daumal ou d'un Dietrich, les obscures clartés d'un Butor ou d'un Robbe-Grillet, les abstractions laborieuses d'un Bataille ou d'un Blanchot nécessitent la collaboration du lecteur, appelé à prendre possession d'une vérité énigmatique par des chemins détournés et difficiles. Pourtant, l'avenir de notre littérature dépend peut-être d'une de ces nouvelles greffes. En attendant, il nous faut, avant d'aborder ces expériences de laboratoire, faire leur place aux tenants de la tradition.

CHAPITRE PREMIER

MAITRES D'HIER ET D'AUJOURD'HUI

La plupart de ces écrivains sont connus du grand public (1).
Nous nous bornerons donc à une recension rapide et sommaire
de leur œuvre, avec le seul souci de les situer dans notre histoire.

*Le panorama que nous allons dérouler n'a pas la prétention
d'être complet. Au moins nous sommes-nous efforcé de retenir,
à la suite des grandes vedettes d'hier, les principaux noms
qui comptent parmi les romanciers qui avaient déjà entrepris
leur œuvre avant 1938, et dont les vingt dernières années ont
confirmé la vitalité.*

(1) Les lecteurs dont la prédilection s'adresse à la *nouvelle* littérature
pourront sauter ce chapitre.

I

DU COTÉ DES ÉTOILES

1

PROUST, RAMUZ, PLISNIER

IL est des étoiles dont nous continuons à recevoir la lumière longtemps après leur disparition : ainsi, trente ans après sa mort, avons-nous découvert le premier roman de Marcel Proust. *Jean Santeuil* (1952), ce livre qui « n'a jamais été fait, mais récolté», révèle un adolescent anxieux d'une œuvre qu'il porte en lui sans savoir encore si elle pourra coïncider avec sa vocation. On y trouve, mêlés à beaucoup de maladresse, des maximes, des réminiscences et jusqu'à la « petite phrase» annonciatrice de celle de Vinteuil. Mais il n'était pas besoin de ce juvénile posthume pour confirmer la présence de Proust dont l'ombre s'étend aujourd'hui encore sur le roman du XXe siècle.

Si Proust et Giraudoux ont ouvert le roman français à une poésie faite de mots, de rêves et de mythes, Ramuz (1), le plus grand des écrivains suisses de langue française, lui a apporté

---

(1) Charles-Ferdinand Ramuz (1878-1947), est né à Cully, canton de Vaud. Onze années de jeunesse à Paris, puis Pully-sur-Lausanne.

Principaux ouvrages : *les Circonstances de la Vie* (1907), *Jean-Luc persécuté* (1908), *Aimé Pache* (1911), *le Grand Printemps* (1917), *l'Amour du Monde* (1925), *Adam et Eve* (1932), *Derborence* (1936).

Essais : *l'Exemple de Cézanne* (1914), *Taille de l'Homme* (1935), *Besoin de Grandeur* (1938).

Souvenirs : *Paris, notes d'un Vaudois* (1939). ; *Journal 1896-1912* (1946).

Sur l'homme et l'œuvre, on pourra consulter : B. VOYENNE : *Ramuz et la sainteté de la terre* (Julliard, 1946).

le contact vivifiant de la terre — les quatre éléments, la montagne et les bêtes. Aux héros raffinés de Giraudoux, il oppose son paysan de montagne plus proche, croit-il, des seigneurs d'autrefois que les bourgeois d'aujourd'hui. Pour les évoquer, il procède à la manière des artisans du Moyen Age, par petites touches précises, en tournant longtemps ses phrases, sans hésiter à recourir aux sentiments usuels et aux lieux communs. « J'étreindrai la langue et, la terrassant, lui ferai rendre gorge jusqu'à son dernier secret, et jusqu'à ses richesses profondes, afin qu'elle me découvre son intérieur et qu'elle m'obéisse et me suive rampante, et craintive, parce que je l'aurai connue et intimement fouillée. Alors m'obéissant, tout me sera donné, le ciel, la mer et les espaces de la terre... et tout le cœur de l'homme.» On ne peut dire qu'il y ait entièrement réussi, et la lourdeur paysanne accable plus d'un de ces récits. Mais nous mesurerions peut-être mieux l'importance et l'originalité de Ramuz s'il n'avait eu Jean Giono pour héritier. Il fut le premier à tirer une philosophie de la terre, à passer consciemment du mot fruste et de l'image naïve au symbole. Le Giono de *Colline* et d'*Un de Baumugnes* procède directement de la *Guérison des Maladies* et du *Grand Printemps*. Et l'honnêteté scrupuleuse de cette œuvre ne doit pas nous dissimuler ce qu'il entre de grandeur patiemment conquise dans son inspiration.

Pas plus que le nom de Ramuz, l'historien de la littérature ne peut ignorer celui du Belge Charles Plisnier (1), premier écrivain étranger à recevoir le Prix Goncourt. Ce « libertin janséniste», communiste et chrétien, cœur angoissé, « âme

(1) Charles Plisnier est né à Ghlin (Belgique), en 1896. Militant socialiste, il est le premier Belge à adhérer à la IIIe Internationale. Avocat, dirige le Secours Rouge International. Exclu du parti communiste en 1928, pour trotzkysme. Prix Goncourt 1937 (pour *Faux Passeports*). Membre de l'Académie royale de Belgique (1937), passe ses dernières années dans la région parisienne. Meurt à Bruxelles, en 1952.

Principales œuvres :

Poèmes : *l'Enfant qui fut déçu* (1913), *Elégie sans les Anges* (1922), *Histoire Sainte* (1931), *Babel* (1935), *Sacre* (1938).

Romans : *L'Enfant aux Stigmates, Mariages* (2 volumes, 1936), *la Mariochka, Meurtres* (1939-1941, 5 volumes), *Mères* (1946-1949, 3 volumes), *Beauté des Laides* (1951), *Folies douces*. (Tous ces volumes aux éditions Corrêa.)

Nouvelles : *Faux Passeports* (1935), *Figures détruites* (1945).

Sur l'homme et l'œuvre, on pourra consulter : ROGER BODART : *Charles Plisnier* (Editions Universitaires, 1954).

agonique» qui se débattait dans « les affres d'une perpétuelle
remise en question» (1) aura accompli, de la Révolution à
la contemplation, un périple qui rappelle celui de Péguy.
Le sens épique du *Chant funèbre pour la mort de Lénine*
anime encore le peintre cruel de la bourgeoisie liégeoise. Mais
Plisnier ne peut se défendre d'aimer les plus monstrueux de
ses héros. *Mères, Mariages, Meurtres...* : une même fresque
puissante, où l'appel sourd d'une grâce encore obscure éclaire
la dénonciation d'un monde de Pharisiens et de Pilates.
Obsédé par ses personnages, le romancier allait « des choses
qui sont visibles et qui n'existent pas pour aller aux choses
invisibles et qui existent» : c'est dire que son réalisme s'unit
à une prescience, parfois pathétique, du mystère des êtres.
Mais cette médaille a son revers : l'auteur parle d'abondance,
se laisse emporter par sa fougue, déborde les limites du récit,
ignore la litote...

2

LE SILENCE DE VALERY LARBAUD

On peut rattacher à ces grands disparus un des novateurs
du début du siècle : Valery Larbaud (2), paralysé et aphasique,
a longtemps survécu à son œuvre sans rien perdre de l'estime
des connaisseurs. Dès 1924, il avait, à l'instar de son cadet
Saint-John Perse, pris ses distances vis-à-vis du monde
et, cessant de faire œuvre originale, s'était consacré à ses
traductions et à « ce vice impuni, la lecture». Trente ans plus
tard, la publication du *Journal* — dont il n'avait pu corriger

---

(1) ROGER BODART : *Charles Plisnier.*
(2) Issu d'une vieille famille bourgeoise (héritier de la source Saint-Yorre),
Valery Larbaud, né et mort à Vichy (1881-1956), orphelin de bonne heure,
dès l'âge de quinze ans parcourt l'Europe, de Constantinople à Saint-Pétersbourg. Longs séjours en Suède, en Espagne, en Italie. Grand Prix National
des Lettres 1952. A traduit Whitman, Butler et Joyce.
   Principaux ouvrages : *Poèmes d'un riche amateur* (1908), *Fermina Marquez*
(1911), *A. O. Barnabooth* (1913), *Enfantines* (1918), *Ce Vice impuni, la lecture*
(1925), *Amants, heureux amants* (1923), *Sous l'invocation de saint Jérôme* (1946),
Journal (1955).
   Sur l'homme et l'œuvre, on pourra consulter : G. JEAN-AUBRY : *Valery
Larbaud* (Gallimard) ; Pierre BRODIN : *Présences Contemporaines*, II (Debresse).

les épreuves — accusait cette distance, comme si Larbaud
avait depuis longtemps cessé d'appartenir à notre siècle.
Pourtant, il en avait été l'un des précurseurs : les *Poèmes
d'un riche amateur* (1908) n'annoncent pas seulement Paul
Morand et le cosmopolitisme littéraire, mais toute une part
du mouvement poétique, de Salmon à Fargue et à l'unanimisme ; et *Fermina Marquez* (1911) précède de quinze ans
les grands récits de Mauriac. Sans doute manqua-t-il toujours
à cet esthète, à ce voluptueux, le don créateur qu'il admirait
tant chez Joyce ; et l'on peut préférer à la langue précieuse,
aux sentiments subtils de ce faux amateur, de ce professionnel
du plaisir, le naturel de ceux qui, sans se soucier d'art, écrivent
à la diable pour l'éternité. Mais le silence de Larbaud a aussi
un autre sens : il coïncide avec la fin de la douceur de vivre.
Un âge tragique succède au siècle heureux dont l'auteur de
Barnabooth avait célébré les curiosités nonchalantes, les goûts
et les plaisirs.

II

LA GÉNÉRATION DE 1885

« L ES toreros, les acteurs, les clowns prennent leur
retraite. Les écrivains ne prennent jamais leur
retraite. Ils sont handicapés par le tout petit, tout
petit papier nécrologique qui dira qu'ils sont morts « un peu
oubliés». Il semble aussi qu'à soixante-dix ans ils ne soient
pas encore très sûrs d'avoir *fait leurs preuves*, qu'ils croient
toujours que c'est leur prochain bouquin qui les *consacrera*.
Les trois quarts du corps dans la tombe, ils noircissent
encore des pages par peur.» Cette remarque sarcastique de
Montherlant (1) s'applique surtout aux romanciers. Qu'il
est difficile, au sommet du cocotier, de ne pas céder à la
mécanique du succès ! Et qu'il est tentant de suivre le mauvais
exemple de Paul Bourget, de publier imperturbablement
le même roman annuel fabriqué selon une recette éprouvée !

Ainsi Abel Hermant ou Claude Farrère tentèrent-ils de
prolonger les succès de leurs vertes années. Henry Bordeaux,
tout en publiant ses *Mémoires*, est resté imperturbablement
fidèle à l'honnête public de ses premiers romans.

1

ANDRÉ MAUROIS, PIERRE BENOIT

André Maurois (2), pourtant absorbé dans la préparation
de ses magistrales biographies *(Proust, George Sand, Hugo,
les Trois Dumas)* n'a pu résister à la tentation romanesque.
On l'a vu revenir à la nouvelle (*le Dîner sous les Marronniers*,

(1) *Carnets* (Gallimard).
(2) André Maurois (pseudonyme d'Emile Herzog), est né à Elbeuf en 1885,
d'une famille d'industriels alsaciens émigrés en Normandie. Elève d'Alain
au lycée de Rouen (lauréat du concours général de philosophie). Officier de

1951) et même écrire, avec *les Roses de Septembre* (1957),
un aimable roman d'automne qui rappelle Anatole France
et ne fait pas oublier *Climats* — donnant ainsi la preuve
qu'un écrivain du premier rang, un des plus intelligents de
son temps, peut, lui aussi, se tromper sur sa vocation. Pierre
Benoit (1), toujours allègre, enthousiaste et fécond, a multiplié
les héroïnes (dont le prénom commence, comme hier, par
un A et dont l'histoire se déroule en 227 pages) sans donner
un coup de pouce à son immuable mécanisme d'horlogerie.
Encore s'agit-il là d'écrivains en pleine force. Etendons sur
les autres un voile pieux.

liaison auprès de l'armée britannique de 1914 à 1918, célèbre dès la publication des *Silences du colonel Bramble* (1918), abandonne l'industrie familiale
pour se vouer à la littérature. A épousé en secondes noces, Mme Simone de
Caillavet (1926). Membre de l'Académie française (1938). De 1940 à 1943,
professe dans des universités américaines. Revenu en France en 1946. Grand
Officier de la Légion d'honneur.

Principaux ouvrages :

Romans : *les Silences du colonel Bramble* (1918), *Bernard Quesnay* (1926),
Climats (1928), *le Cercle de Famille* (1932), *les Roses de Septembre* (1957).

Nouvelles : *Meïpe* (1926), *les Mondes impossibles* (1947), *le Dîner sous les
Marronniers* (1951).

Biographies : *Ariel ou la vie de Shelley* (1923), *la Vie de Disraeli* (1927),
Byron (1930), *Lyautey* (1931), *Chateaubriand* (1938), *A la Recherche de Marcel
Proust* (1949), *Lélia ou la vie de George Sand* (1952), *Olympio ou la Vie de Victor
Hugo* (1955), *les trois Dumas* (1957).

Essais : *Dialogues sur le commandement* (1924), *Aspects de la Biographie*
(1928), *Alain* (1949), *les Grands Ecrivains du Demi-Siècle* (1958).

Mémoires (1951).

Sur l'homme et l'œuvre, on pourra consulter : MICHEL-DROIT : *André Maurois*
(Editions Universitaires, 1953).

(1) Pierre Benoit est né à Albi en 1886. Il est rédacteur au ministère de
l'Instruction Publique lorsque l'*Atlantide* (1918) le rend célèbre. Nombreux
voyages autour du monde. Président de la Société des Gens de Lettres (1929).
Membre de l'Académie française (1931).

Principaux ouvrages :

Poèmes : *Diadumène* (1914), *les Suppliantes*.

Romans : *Kœnigsmark* (1918), *l'Atlantide* (Grand Prix du Roman de l'Académie française 1919), *Pour Don Carlos*, *la Chaussée des Géants* (1919), *Mademoiselle de la Ferté* (1923), *la Châtelaine du Liban* (1924), *Axelle*, *Erromango*,
les Environs d'Aden (1940), *le Désert de Gobi* (1941), *Lunegarde* (1942).

Depuis la Libération, Pierre Benoît a publié (chez Albin Michel) : *Aïno* (1948),
le Casino de Barbazan, *les Plaisirs du Voyage*, *les Agriates*, *le Prêtre Jean*, *la
Toison d'Or*, *Villeperdue*, *Feux d'Artifice à Zanzibar*, *Fabrice*, *Montsalvat*
(1957), *la Sainte Vehme* (1958).

Sur l'homme et l'œuvre, on pourra consulter : Pierre BENOIT et Paul GUIMARD
De Koenigsmark à Montsalvat (Albia Michel, 1958).

2

L'EXEMPLE DE ROGER MARTIN DU GARD

Un romancier au faîte du succès ne ferait-il pas mieux, alors, d'imiter la demi-réserve de Jacques de Lacretelle (1) ou même de suivre l'exemple mortifiant de Roger Martin du Gard (2) ? Celui-ci, encore en pleine maturité, réservait à son œuvre posthume le fruit de ses dernières années. Renonçant à poursuivre les *Souvenirs du Colonel de Maumort*, l'auteur de *Jean Barois* décida de s'en tenir à l'Epilogue des *Thibault* (paru en 1940), s'il avait su peindre l'Europe à la veille de la Grande Guerre, il avait aussi pris acte de son impuissance à représenter les périls qui l'attendaient maintenant. Comme si son réalisme scrupuleux, sans mystère sinon sans pathétique, n'était plus à la mesure d'un monde apocalyptique...

3

GEORGES DUHAMEL, JULES ROMAINS

C'est aussi à l'histoire d'une famille à travers laquelle il reconstituait toute une époque que s'était attaqué Georges Duhamel dans la *Chronique des Pasquier*. Comme l'*Eté 14*, de Martin du Gard, *le Combat contre les ombres*, paru lui aussi en 1939, ressuscitait la mobilisation de 1914. A l'échec de ses

---

(1) Né en 1888, Jacques de Lacretelle, connu dès le début de l'entre-deux-guerres par *la Vie inquiète de Jean Hermelin* et son émouvant *Silbermann* (1922), consacré par *la Bonifas* et par son cycle des *Hauts-Ponts*, n'a donné, depuis la guerre, que de courts récits dominés (*Deux cœurs simples*).

(2) Roger Martin du Gard (1881-1958), archiviste-paléographe, un des principaux collaborateurs de la *N.R.F.* de Gide. Prix Nobel 1937. Longues solitudes campagnardes, absorbées dans la préparation de ses romans : *Jean Barois* (1913), *les Thibault*(1922-1940, 10 volumes), *Vieille France* (1933).

Au théâtre : *le Testament du Père Leleu* (1920), *la Gonfle* (1928), *un Taciturne* (1932). Ses œuvres ont paru à la Pléiade avec une préface d'Albert Camus.

Sur l'homme et l'œuvre, on pourra consulter : CLÉMENT BORGAL : *Roger Martin du Gard* (Editions Universitaires, 1958).

espérances, Duhamel (1) opposait un humanisme limité,
relatif et raisonnable. *La Passion de Joseph Pasquier* devait,
en 1944, après *Suzanne et les Jeunes Hommes* (1941), clore les
dix volumes du cycle. Depuis la guerre, Duhamel a donné
des romans dont l'argument moral n'est pas absent *(le
Voyage de Patrice Périot)*, des mémoires *(Souvenirs de la Vie
du Paradis)*, des essais et des récits de voyage où se retrouve
l'humaniste de *Civilisation*. Mais le romancier, sans se taire,
n'influence plus, n'*agit* plus.

Il en est de même de Jules Romains (2). La place du fondateur de l'unanimisme ne saurait être mesurée dans une histoire de la littérature où l'œuvre s'impose par ses dimensions
et par sa vision panoramique du monde. Ses premiers poèmes
ne sont pas inférieurs à ceux de Cendrars ; *les Copains* et
Donoogo valent bien l'œuvre de Jarry. Et *les Hommes de
Bonne Volonté* restent un document irremplaçable sur l'histoire souterraine de la IIIe République *(Recherche d'une*

(1) Georges Duhamel est né à Paris en 1884. Docteur en médecine, un des
fondateurs du groupe de l'Abbaye (1906). Chirurgien aux Armées, sa poignante *Vie des Martyrs* (1917) lui apporte la notoriété. Puis viennent *Civilisation* (Prix Goncourt 1918), *la Possession du Monde* (1919), *Scènes de la Vie
future* (1930). A été secrétaire perpétuel de l'Académie française et président
de l'Alliance française. Grand officier de la Légion d'honneur.

Principaux romans : *Vie et Aventures de Salavin* (1930-1932, 5 volumes), *la
Chronique des Pasquier* (1933-1944, 10 volumes). Depuis la libération : *la
Pesée des Ames* (1949), *le Voyage de Patrice Périot, Cri des profondeurs* (1951),
les Compagnons de l'Apocalypse, le Complexe de Théophile (1958). Georges
Duhamel a publié aussi (au Mercure de France) cinq volumes de souvenirs
(*Lumières sur ma vie*) et de nombreux essais et récits de voyage.

Sur l'homme et l'œuvre, on pourra consulter : César Santelli : *Georges
Duhamel* (Bordas) ; Pierre Brodin : *Présences contemporaines*, II (Debresse).

(2) Louis Farigoule (en littérature Jules Romains), fils d'un instituteur du
Velay (né en 1885), entre à l'Ecole Normale supérieure et participe au groupe
de l'Abbaye. A été président international du Pen-Club. Membre de l'Académie
française (1946). Grand Officier de la Légion d'honneur.

Poèmes : *la Vie unanime* (1908), *Europe* (1916), *l'Homme blanc* (1937),
Pierres levées suivi de *Maisons* (1957).

Contes et romans : *le Bourg régénéré* (1906). *Mort de quelqu'un* (1911), *les
Copains* (1914), *Le vin blanc de la Villette* (1914), *Psyché* (3 volumes, 1922-1930),
les Hommes de Bonne Volonté (27 volumes, 1937-1946), *le Moulin et l'Hospice*
(1949), *Violation de Frontières* (1951), *le Fils de Jerphanion* (1956), *Une femme
singulière* (1957).

Sur l'homme et l'œuvre, on pourra consulter : A. Cuisenier : *Jules Romains
et l'Unanimisme* (Flammarion, 1935), Madeleine Berry : *Jules Romains*
(Editions Universitaires, 1958). Jules Romains : *Souvenirs et confidences d'un
écrivain* (Fayard, 1958).

Eglise), la géographie psychologique de Paris (*les Amours
enfantines*), la politique électorale *(Province)* ou même la
guerre *(Prélude à Verdun)*. C'est en exil que Jules Romains
a achevé son monument, depuis *le Monde est ton Aventure*
(1941) jusqu'au *Sept Octobre* (1946). Mais le souffle optimiste
qui embrassait l'œuvre à sa naissance a fait place à un amer
désenchantement ; Jallez, renonçant à bâtir la cité de demain,
s'est mis à chercher« des coins plus ou moins spacieux, abrités
plus ou moins par miracle, où la vie continuera d'être possible,
tandis que l'incendie ronflera à l'entour». Et l'érotisme du
Tapis magique a paru abstrait et laborieux. Décadence que
le Fils de Jerphanion (1956), épilogue incestueux du cycle,
devait accuser cruellement.

Revenu des Etats-Unis pour se faire recevoir à l'Académie
française (1946) par son « copain» de l'Abbaye, Georges
Duhamel, Jules Romains parut avoir perdu contact avec
une époque qu'il condamnait maintenant sans essayer de la
comprendre. L'éditorialiste de *l'Aurore* prit position sur l'actualité avec une gravité cérémonieuse qui contrastait avec
l'humour de ses premiers livres. Et si l'on retrouve dans ses
derniers écrits des préoccupations antérieures (*Violation de
Frontières* nous rappelle son goût pour les mystères d'une
grande ville, *Interviews avec Dieu* son sens du « canular»),
d'autres (*Une Femme singulière*, 1957), laissent une impression pénible. L'humaniste a perdu la foi...

4

RÉSURRECTION DE JACQUES CHARDONNE

Une malencontreuse erreur de jugement contraignit
Jacques Chardonne (1) au silence au lendemain de la Libération. L'auteur de *l'Epithalame* n'a pas tardé à retrouver
sa place et son influence, tandis que se réclamait ouverte-

(1) Jacques Boutelleau (en littérature Jacques Chardonne), héritier d'une
maison de Cognac et copropriétaire des éditions Stock, est devenu célèbre
à trente-sept ans, en publiant *l'Epithalame* (1921), son premier roman. Puis
vinrent : *le Chant du Bienheureux* (1927), *les Varais* (1929), *Eva* (1930), *Claire*
(1931), *les Destinées sentimentales* (1934-1936, 3 volumes), *Romanesques* (1937),
Chimériques (1948), *Vivre à Madère* (1952).

Essais et divers : *l'Amour du Prochain* (1932), *le Bonheur de Barbezieux*
(1938), *Chronique privée de l'an 1940*, *l'Amour c'est beaucoup plus que l'amour*

ment de lui une nouvelle génération de romanciers, hostile au « document», éprise de finesse et de pureté. La publication de ses *Œuvres complètes*, élaguées avec tact et sagesse, l'a beaucoup servi, et aussi ces lettres faussement nonchalantes, tout en nuances (les jugements cursifs y alternent avec de petites scènes, à la flamande, voire avec des esquisses de romans) qu'il adresse à d'innombrables correspondants (sans oublier de leur annoncer la résurrection de Paul Morand ou l'éclipse définitive d'André Malraux). Trente ans après sa parution, *l'Epithalame* est toujours à la mode, bien qu'il ne trouve plus guère de lecteurs. Et *le Bonheur de Barbezieux* reste un des livres les plus profonds et les plus vrais qu'on ait consacrés à la province française. Il ne faut pas chercher dans les derniers récits de Chardonne *(Chimériques, Vivre à Madère)* d'autre unité que celle du style : suite de tableaux ou de chroniques mollement reliés, au milieu desquels se glisse un portrait aigu. Mais ces récits sans structure ont la transparence du cristal ; c'est un secret, qui paraît fait de rien, mais que nul n'a pu imiter.

5

... ET DE PAUL MORAND

Paul Morand (1), son cadet de quatre ans, connaît, après l'éclipse de la guerre et de la Libération (il avait repris du

(1937), *Lettres à Roger Nimier* (1952), *Matinales* (1956), *Œuvres complètes* en sept volumes (Albin Michel).

Sur l'homme et l'œuvre, on pourra consulter : GINETTE GUITARD-AUVISTE : *la Vie de Jacques Chardonne et son art* (Grasset, 1953).

Mme Jacques CHARDONNE a publié (sous le nom de Camille Belguise) deux volumes de notes intimes : *Echos du Silence* (Plon, 1952) et *Seul l'Amour* (Stock, 1958).

(1) Paul Morand est né à Paris en 1888 (fils du peintre et dessinateur Eugène Morand). Sciences Politiques, Faculté de Droit, études à Oxford, séjours à l'étranger. Reçu premier au concours des Ambassades (1913). Carrière diplomatique (Londres, le cabinet de Briand, Rome, Madrid). Tour du monde. Epouse, en 1927, la princesse Soutzo. Ministre de France à Bucarest (1943), puis Ambassadeur à Berne (1944). Depuis, partage sa vie entre Vevey et Paris. Il lui a manqué une voix pour être élu à l'Académie française en 1958.

Principaux romans : *Lewis et Irène* (1924), *Bouddha vivant* (1927), *l'Homme pressé* (1941), *le Flagellant de Séville* (1951).

Nouvelles : *Tendres Stocks*, préface de Marcel Proust (1921), *Ouvert la Nuit*

service dans la Carrière en 1938, et accepté, des mains de Pierre Laval, les ambassades de Bucarest et de Berne : d'où une révocation et un exil) une résurrection analogue. Le plus célèbre des romanciers d'avant-garde des années 20, un de ceux qui impressionnèrent Proust, le premier écrivain de la *N.R.F.* à connaître les grands tirages, s'est retrouvé, la soixantaine venue, en exil, seul, pauvre et sans amis. Il se rappela d'abord à notre attention par des livres de souvenirs *(Giraudoux, Journal d'un Attaché d'Ambassade)*, puis par un roman dont l'intention politique n'était pas absente *(le Flagellant de Séville)*, enfin par des nouvelles *(la Folle Amoureuse, Fin de Siècle)* qui, sans faire oublier la retentissante apparition d'*Ouvert la Nuit*, ont confirmé, s'il en était besoin, son aisance et sa maîtrise. Le témoin de l'entre-deux-guerres, l'étonnant mémorialiste de 1900, le peintre de Londres et de New York, a joué dans notre littérature le rôle d'un ferment. Mais l'exil a amorcé chez lui une métamorphose, non seulement en délivrant l'homme du snobisme des dîners en ville, des habits brodés, des poisons et des délices d'une vie publique, mais en amenant l'écrivain à simplifier son style et à fouiller sa psychologie. Délaissant les trouvailles verbales, le clinquant, les bruits de cymbales, les ondes Martenot, les tics et les cabrioles de ses premiers livres, Morand n'a rien perdu de son goût pour le mot propre et l'image exacte, dussent-ils faire sursauter, mais un style « maigre » a succédé aux dorures et aux chatoiements ; et le sentiment de l'absurde s'est glissé dans cette œuvre faussement légère. Aussi, peut-être faut-il préférer l'observateur amer de « l'Europe russe annoncée par Dostoïewsky » à l'homme rapide et fêté, au « lion » de 1920, enfin délivré d'une mode qui le fit célèbre, mais l'entoura d'une fausse légende.

(1922), *Fermé la Nuit* (1923), *l'Europe galante* (1925), *Magie noire* (1928), *la Folle Amoureuse* (1956), *Fin de Siècle* (1957).

Poèmes : *Lampes à arc* (1919), *Feuilles de Température* (1920).

Portraits de villes : *New York* (1930), *Londres* (1933).

Souvenirs : *Journal d'un Attaché d'Ambassade* (1947).

Sur l'homme et l'œuvre, on pourra consulter : CHRISTINE GARNIER : *l'Homme et son personnage* (Grasset, 1955) ; PIERRE BRODIN : *Présences contemporaines* (Debresse, 1955) ; GINETTE GUITARD-AUVISTE : *Paul Morand* (Editions Universitaires, 1956).

6

« Tragediante, comediante » : Marcel Jouhandeau

C'est un personnage étrange, mystérieux, tout en contrastes, inquiétants, que celui de Marcel Jouhandeau (1) : le sage petit professeur d'école libre de Passy a des fréquentations inavouables ; l'enfant de chœur a cruellement blessé les habitants de Guéret-Chaminadour ; le célibataire endurci a épousé une femme fatale ; le sédentaire a fait (en 1941) le coupable voyage de Berlin ; le moraliste a justifié tous les vices...

L'œuvre est dédiée à la ville que l'homme a fuie et moquée ; elle sort de l'album d'images où Jouhandeau a rassemblé ses souvenirs de Chaminadour, dont il a peint chaque habitant dans une fresque intarissable, traitée avec le réalisme des enlumineurs du Moyen Age. Le ciel et l'enfer, le plaisir et la souffrance, le bien et le mal y cohabitent dans un monde de fabliaux où les supplices de Jérôme Bosch succèdent insensiblement aux scènes à la Breughel. Jouhandeau a choisi pour porte-parole un héros selon son cœur : M. Godeau lui sert de truchement dans ses relations avec le ciel, la femme et l'enfer.

Le dialogue de Jouhandeau avec Dieu ne manque ni de sérieux ni d'humour : « Dieu est grand et moi aussi. » Dans un monde où la mort de Dieu est le tranquille postulat de presque tous, l'auteur de *l'Abjection* affirme son existence

---

(1) Marcel Jouhandeau est né en 1888 à La Clayette (Saône-et-Loire), mais a passé toute son enfance à Guéret, qu'il devait peindre sous le nom de Chaminadour. Venu à Paris à dix-neuf ans. Quarante ans professeur d'enseignement libre. Epouse, en 1929, une « belle excentrique », la danseuse Caryathis.

Principaux ouvrages :

Récits : *la Jeunesse de Théophile* (1921), *les Pincengrain* (1924), *Monsieur Godeau intime* (1926), *Chaminadour* (1934-1941, 3 volumes), *Chroniques maritales* (1938), *la Faute plutôt que le Scandale*, *l'Amateur d'imprudence*.

Essais : *Algèbre des Valeurs morales* (1935), *De l'Abjection* (1939), *Essai sur moi-même* (1947), *De la Grandeur* (1952), *Réflexions sur la vieillesse et la mort* (1956). *Carnets de l'Ecrivain* (1957).

Souvenirs : *Mémorial* (1950-1958, 6 volumes), *Scènes de la vie conjugale* (8 volumes).

Trois pièces de théâtre réunies dans *Théâtre sans spectacle*.

Sur l'homme et l'œuvre, on pourra consulter : Claude Mauriac : *Introduction à une mystique de l'enfer* (Grasset, 1938) ; Pierre Brodin : *Présences contemporaines* (Debresse, 1954).

avec une certitude obstinée qui ne lui donne pourtant aucune joie. Le « satanisme » de Jouhandeau rappelle celui de Baudelaire ; l'éternité le hante au fond du péché (« Je vois toujours Dieu crucifié à moi... Dieu est présent dans l'Enfer avec moi... l'Enfer est la plus grande souffrance de Dieu avant d'être la mienne. ») Mais il n'accepte de la religion que ce qu'elle lui apporte et refuse de se priver pour elle.

D'ailleurs, la comédie n'est jamais loin du drame : celle que Jouhandeau anime aux dépens d'Elise évoque le roman bourgeois du Moyen Age, le *dit du mal marié.* « Plus Jouhandeau se plaint de sa femme, plus ses lecteurs augmentent » : cette publicité douteuse (qui permit à Grasset de vendre 25.000 exemplaires de *l'Imposteur*) a choqué ses vrais amis. Si les multiples récits parus depuis la guerre *(la Faute plutôt que le Scandale, Elise architecte, Léonora, Galande...)* n'ajoutent pas grand-chose à sa réputation (à l'exception de *l'Oncle Henri*, paru en 1943), le moraliste et le mémorialiste ont marqué des points. Ses souvenirs d'enfance *(Mémorial)*, ses pages sur les animaux, ses réflexions désabusées sur le plaisir ou la vieillesse, ses *Carnets* de professeur et d'écrivain compteront parmi ses meilleures pages. Mais la comédie jouhandélienne n'est pas la Comédie humaine, il s'en faut...

7

TROIS MAUVAIS GARÇONS : CARCO, MAC ORLAN, CENDRARS

Si Francis Carco n'a pas publié, depuis cette guerre, d'ouvrage qui fasse oublier les poèmes tendres et faubouriens, les romans crapuleux et raciniens qui firent sa gloire (1), si Pierre

---

(1) François Carcopino-Tusoli (en littérature Francis Carco) né à Nouméa en 1886, membre de l'Académie Goncourt, mort à Paris en 1958, a publié :

Des romans : *Jésus la Caille* (1914), *l'Equipe* (1918), *l'Homme traqué* (1922), *Rien qu'une femme* (1924), *Brumes* (1935), *Surprenant procès d'un bourreau* (1943).

Des souvenirs : *de Montmartre au Quartier Latin, la Romance de Paris* (1949).

Des poèmes : *la Bohême et mon cœur* (1942), *Mortefontaine* (1946).

Sur l'homme et l'œuvre, on pourra consulter : PHILIPPE CHABANEIX : *Francis Carco* (Seghers, 1949).

Mac Orlan (1), dont la célébrité date de la même époque, reste un des maîtres du Fantastique et nous a donné plusieurs récits attachants *(l'Ancre de Miséricorde, Père Barbançon)*, Cendrars (2), lui, a témoigné d'une étonnante vitalité.

Retiré à Aix-en-Provence pendant la guerre, il s'est remis à écrire à partir de l'été 1943 et nous avons subi cette avalanche qui va de *l'Homme foudroyé* à *Trop, c'est trop*, en passant par *la Main coupée* et *le Lotissement du Ciel*. A force de parcourir « le grand livre du monde», de *bourlinguer* sous les cieux les plus divers — de la Russie des Tsars à la forêt amazonienne — en homme de la famille de Barnabooth (un Barnabooth sanguin, plus riche de violence et d'action que de culture héritée), Cendrars a fini par éliminer non seulement toute forme d'angoisse ou de remords, mais toute réflexion au profit de la seule sensation : sa prose, comme son œuvre poétique, est un torrent qui ne se connaît pas de limites. On se prend à rêver à ce qu'une discipline librement consentie aurait pu obtenir de ce tempérament exubérant. Mais « trop, c'est trop» et tant de vitalité finit par se dévorer elle-même.

---

(1) Pierre Dumarchais (en littérature Pierre Mac Orlan), né à Péronne en 1883, membre de l'Académie Goncourt, peintre d'une humanité hors-cadres, dans *le Chant de l'Equipage* (1918), *la Cavalière Elsa* (1921), *Sous la Lumière froide* (1926), *le Quai des Brumes* (1927), *la Vénus internationale*, *l'Ancre de Miséricorde* (1941), *les Dés pipés* (1952).

Souvenirs : *la Clique du Café Brebis*.

Poèmes : *la Chanson de Limehouse Causeway*, *Abécédaire*, *Père Barbançon*, (1946), *Poésies documentaires complètes* (1954).

Mémoires : *Le Mémorial du Petit Jour* (1955).

(2) Frédéric Sauser (en littérature Blaise Cendrars) est né à Paris en 1887. Voyage en Russie et en Extrême-Orient (1903-1907), puis en Amérique. Perd un bras à la guerre de 1914. Nouveaux voyages en Amérique du Sud entre les deux guerres. Commandeur de la Légion d'honneur.

Principaux ouvrages :

Poèmes : *les Pâques à New York* (1912), *la Prose du Transsibérien* (1913), *le Panama ou les Aventures de mes sept oncles* (1918), *Feuilles de route* (1924), *Du monde entier au cœur du Monde* (édition complète, Denoël).

Proses : *l'Or* (1925), *Moravagine* (1926), *Rhum* (1930), *l'Homme foudroyé* (1945), *la Main coupée* (1946), *Bourlinguer* (1948), *le Lotissement du Ciel* (1949), *Emmène-moi au bout du monde* (1955), *Trop, c'est trop* (1957).

Sur l'homme et l'œuvre, on pourra consulter : LOUIS PARROT : *Blaise Cendrars* (Seghers, 1948) ; HENRY MILLER : *Blaise Cendrars* (Denoël, 1950) ; JEAN ROUS-SELOT : *Blaise Cendrars* (Editions Universitaires, 1955).

8

FIDÉLITÉS PROVINCIALES
LA VARENDE, GENEVOIX, POURRAT

S'il n'existe pas de vie littéraire hors de Paris, chaque écrivain reste marqué, souvent jusqu'à l'obsession, par le décor de son enfance. Alain-Fournier et Jean Giraudoux sont aussi inséparables du Berry et du Limousin que Mauriac l'est de Bordeaux et Louis Guilloux de la côte bretonne. Mais ils ne sont pas de ces romanciers qui, tel Jouhandeau, n'ont voulu connaître que leur province natale. Ainsi l'œuvre de La Varende (1) est-elle l'expression d'un véritable patriotisme normand : son auteur appartient plus à un Pays d'Ouche resté fidèle à sa religion, à ses traditions et à son roi qu'à une République dont il n'a jamais reconnu les institutions ni les lois. Ses héros sont des centaures, mi-faunes, mi-chevaliers, en qui luttent la foi, l'honneur et la sensualité. Maurice Genevoix (2) ne quitte guère la Sologne dont il a si bien peint le menu peuple qu'illustre son *Raboliot* ; dans cette géographie sentimentale de la France, Henri

---

(1) Jean-Balthazar Mallard, vicomte de La Varende, est né le 24 mai 1887. Il vit toute l'année dans sa demeure historique de Bonneville-Chamblac (Eure). A été membre de l'Académie Goncourt de 1942 à 1944.

Principaux ouvrages :

Romans : *Pays d'Ouche* (Prix des Vikings 1936), *Nez de Cuir* (1937), *le Centaure de Dieu* (Grand Prix du Roman de l'Académie française 1938), *l'Homme aux gants de toile* (1943), *Indulgence plénière* (1951), *la Sorcière* (1954), *le Cavalier seul, Cœur pensif* (1957), *M. le Duc* (1958).

Essais et biographies : *Guillaume, le bâtard conquérant* (1946), *les Broglie* (1950), *la Navigation sentimentale, Cadoudal* (1952).

Sur l'homme et l'œuvre, on pourra consulter : *Livres de France*, septembre-octobre 1952.

(2) Maurice Genevoix, né à Decize en 1890. Reçu premier à l'Ecole Normale supérieure (1911). Grièvement blessé à la Marne en 1915. Membre de l'Académie française (1946). Grand Officier de la Légion d'honneur.

Principaux ouvrages :

Romans : *Raboliot* (Prix Goncourt 1925), *Un homme et sa vie* (1934-1937, 3 volumes), *La dernière Harde* (1938), *Laframboise et Bellehumeur* (1942), *l'Aventure est en nous* (1952), *Fatou Cissé* (1954), *le Roman de Renard* (1958).

Souvenirs et essais : *Afrique blanche, Afrique noire* (1949). *Ceux de 14.*

Sur l'homme et l'œuvre, on pourra consulter : *Livres de France*, février 1954.

Pourrat (1) représente l'Auvergne, ou plus exactement
le Livradois, dont il a raconté les « farces et gentillesses »
dans son *Gaspard des Montagnes* et exhumé *le Trésor des
Contes*, Paul Cazin (2), Paray-le-Monial, Jean Yole (3) le
bocage vendéen et Maurice Bedel (4) « mille hectares » du
Val-de-Loire.

9

Deux moralistes : Emile Henriot, André Billy

On peut aimer une province sans la préférer à toutes les
autres ; la prédilection pour la Provence qu'Emile Henriot (5)

(1) Henri Pourrat, né à Ambert en 1887. Ancien élève de l'Institut national
agronomique.
Principaux ouvrages :
Romans : *la Colline ronde* (avec Jean d'Olagne, 1912), *Gaspard des Montagnes* (1922-1931, 4 volumes. Grand Prix du Roman de l'Académie française),
Vent de Mars (Prix Goncourt 1941), *le Chasseur de la Nuit* (1951).
Contes : *le Trésor des Contes* (1948-1955, 5 volumes).
Biographie : *Sully et sa grande passion* (1942).
(2) Paul Cazin, né en 1881, à Montpellier, connu pour ses traductions polo-
naises, par un essai, *l'Humaniste à la guerre* (1920) et par un récit de son enfance
qui enchanta Barrès, *Décadi* (1921).
(3) Le docteur Léopold Robert, sénateur de la Vendée (1878-1956) (en littérature Jean Yole) est l'auteur de romans dont le plus connu est *la Servante sans
gages* (1928) et d'un essai sur le *Malaise paysan*.
(4) Parisien et grand voyageur, jardinier du Val-de-Loire, docteur en médecine, conférencier de l'Alliance française et président de la Société des Gens
de Lettres (1948-1949), Maurice Bedel (1883-1954) a publié des romans : *Jérôme
60° latitude nord* (Prix Goncourt 1927), *Molinoff, Indre-et-Loire* (1928), *Philippine* (1930), *Zulfu* (1933), *Voyage de Jérôme aux Etats-Unis d'Amérique* (1953)
— et des essais : *Fascisme an VII* (1929), *Géographie de mille hectares* (1937),
Traité du Plaisir, le Destin de la personne humaine (1948). — (Nous pardon-
nera-t-on de nous borner à mentionner les œuvres de Joseph Peyré, romancier
de l'Afrique et de l'Espagne, *l'Escadron blanc* (Prix de la Renaissance 1931),
Sang et Lumières (Prix Goncourt 1935), *l'Homme de Choc* (1936), *Roc-Gibraltar*
(1937), *Matterhorn, la légende du Goumier Saïd* (Prix de la France d'Outre-Mer
1953), *l'Etang Réal, Guadalquivir, Jean le Basque*) ?
(5) Emile Henriot, fils du dessinateur Henriot, est né en 1889. Courriériste
littéraire du *Temps* (1919-1941), puis critique littéraire du *Monde* (depuis
1945), il est membre de l'Académie française et président de l'Alliance française.
Il a publié de nombreux romans : *le Diable à l'Hôtel* (1919), *Aricie Brun ou
les Vertus bourgeoises* (Grand Prix du Roman de l'Académie française 1924),

partage avec un autre grand humaniste, le Jean-Louis Vaudoyer (1) d'une *Italie retrouvée* et toujours chère, ne l'a pas
empêché de situer aux quatre coins de l'Europe les aventures
de ses héroïnes (il est vrai que l'auteur d'*Aricie Brun* préside
aux destinées d'une Alliance française qui rayonne sur toute
la planète). Même des critiques aussi engagés dans l'avant-
garde qu'Alain Bosquet (qui ne partage certes pas les opinions littéraires du poète de *Tristis Exul*) ont rendu hommage à la vitalité romanesque que, du *Diable à l'Hôtel* à
la Femme parfaite, Henriot, devenu le plus écouté des critiques
littéraires d'aujourd'hui, n'a cessé de manifester. Comme
Emile Henriot, André Billy (2) se partage entre une vocation
d'historien de la littérature, un vivant *Courrier* littéraire, et
une œuvre romanesque mûrie sous les ombrages de Barbizon. Abandonnant définitivement la veine sexuelle et brutale de ses premiers récits, il a de nouveau puisé dans les souvenirs d'une adolescence mystique qui l'ont marqué pour
toujours : *Madame*, histoire d'une religieuse, appartient à
l'étude des problèmes de l'âme inaugurée par *Bénoni* et poursuivie dans *l'Approbaniste*.

---

la Rose de Bratislava (1948), *Tout va recommencer sans nous*, *la Femme parfaite*
(nouvelles, 1957), plusieurs recueils de poèmes (*la Flamme et les Cendres,
Tristis Exul, les Jours raccourcissent*), des souvenirs (*le Livre de mon Père*),
des livres de voyage, *Promenades italiennes, le Pèlerinage espagnol*), plusieurs
séries de *Courrier littéraire* (du XVIIᵉ au XXᵉ siècle) et de nombreux essais
(*Romanesques et Romantiques, Réalistes et Naturalistes, Stendhaliana, Les
fils de la Louve, Portraits de femmes, etc.*).

(1) Jean-Louis Vaudoyer est né au Plessis-Piquet en 1883. Il a publié des
poèmes (1907, 1913), des romans (*l'Amour masqué* (1909), *les Permissions
de Clément Bellin*, 1918) et de nombreux essais sur l'art (*Watteau, Botticelli,
les Impressionnistes*). Membre de l'Académie française (1950).

(2) André Billy est né à Saint-Quentin, en 1882. Romancier (*Bénoni* (1907),
l'Approbaniste (1937), *Introïbo, le Narthex, Madame* (1954), *la Femme maquillée*),
biographe et critique (*la Présidente et ses amis, Vies de Diderot, de Balzac, de
Sainte-Beuve, des Goncourt*), courriériste au *Figaro littéraire*, il est un des
meilleurs connaisseurs de la vie littéraire. Il a publié aussi des Souvenirs (*la
Terrasse du Luxembourg, le Pont des Saints-Pères, le Balcon au bord de l'eau,
les Beaux jours de Barbizon*), et un essai sur *Apollinaire*. Membre de l'Académie Goncourt (1944). Grand Prix National des Lettres 1954.

10

Du coté du Merveilleux : Francis de Miomandre, Franz Hellens, Alexandre Arnoux

Le merveilleux est un pays envoûtant : on ne s'en évade pas facilement. Tout un livre ne serait pas de trop pour en explorer la géographie romanesque. Et comment décrire en quelques lignes, sans les trahir, des provinces aussi diverses, aussi variées que celles-ci, qui chacune mériteraient un chapitre ? On nous en excusera si l'on se souvient que sans nous limiter à l'avant-garde, nous entendons prospecter surtout la *nouvelle* littérature française. Aussi ne ferons-nous que mentionner les gracieuses rêveries de Francis de Miomandre (1), les promenades souterraines d'un Franz Hellens (2), poète de race, conteur inspiré du fantastique *(les Filles du Désir, Mémoires d'Elseneur)*, prosateur et mémorialiste *(Naître et mourir, Pourriture noble)* attentif à la musique intérieure qui sourd des êtres et des choses, ou les réminiscences d'un Alexandre Arnoux (3) qui a su faire revivre dans *Roi d'un jour*, une histoire fascinante et mal connue.

---

(1) Francis Durand (en littérature, Francis de Miomandre), né à Tours en 1880, Prix Goncourt en 1908 pour *Ecrit sur de l'Eau*, peintre inspiré du merveilleux, traducteur de Cervantes et de Gongora, a publié notamment : *l'Aventure de Thérèse Beauchamp* (1912), *Samsara* (1931), *Zombie* (1935) et, depuis la dernière guerre : *l'Ane de Buridan* (1946) et *Samson et la Naufragée* (1948). Grand Prix de la Société des Gens de Lettres 1950, pour l'ensemble de son œuvre.

(2) Franz Hellens est né à Bruxelles en 1881. Directeur du *Disque vert*. Principaux romans : *Mélusine* (1920), *Moreldieu* (1946), *l'Homme de Soixante Ans* (1951). *Mémoires d'Elseneur* (1954), *les Saisons de Pontoise* (1956).

Poèmes : *Vers anciens* (1905-1915), *la Femme au prisme* (1920), *Miroirs conjugués* (1950), *Testament* (1951), *Liturgies* (1952), *Choix de Poèmes* (2 volumes, Seghers, 1956).

Contes : *le Naïf* (1926), *Réalités fantastiques* (1931), *les Clartés latentes* (1932), *Fantômes vivants* (1944). Un volume de souvenirs : *Documents secrets* (Albin Michel, 1958).

Sur l'homme et l'œuvre, on pourra consulter : *Hommage à Franz Hellens* (*Disque Vert*, Albin Michel, 1957).

(3) Alexandre Arnoux est né à Digne en 1884. On lui doit des pièces de théâtre : *Huon de Bordeaux* (1923), *l'Amour des Trois Oranges* (1947) ; des nouvelles *(le Cabaret)* ; des romans *(Chiffre* (1926), *Carnet de route du Juif Errant* (1931), *le Rossignol napolitain* (1937), *Roi d'un jour* (1955) ; des souvenirs et des contes *(Paris sur Seine, Rhône mon fleuve* (1944).

11

LE MYSTÈRE APPRIVOISÉ : HENRI BOSCO, ANDRÉ DHOTEL

Henri Bosco (1) dont l'œuvre et le nom ont beaucoup grandi ces dernières années — du *Mas Théotime*, Prix Renaudot 1946, à *Malicroix* et à *Sabinus* — illustre, comme Giono, la Provence et le monde méditerranéen, avec un sens du mystère, une poésie orientale et presque biblique. Il excelle à peindre les éléments déchaînés — une tempête sur la Camargue (dans *Malicroix*), un incendie qui accule un troupeau sur un rocher perdu (dans *Sabinus*) — en dégageant lentement leur sens caché : il s'agit pour lui de trouver au cœur de la nature les chemins du spirituel, de « communiquer avec le divin».

Ainsi, dans ce passage de *Malicroix*, le feu devient le prétexte d'une méditation sur la vie :

De temps à autre, j'alimentais le feu en y posant une racine. La racine craquait ; le foyer, assombri d'abord, chauffait le bois. L'écorce fendue s'enflammait et, sur la braise incandescente, une langue vive montait, qui se balançait dans l'air noir, comme l'âme même du feu... dont la vie a persisté, à l'abri de la cendre, sur le même foyer, depuis des années innombrables.

... A contempler ces feux associés à l'homme par des millénaires de feu, on perd le sentiment de la fuite des choses ; le temps s'enfonce dans l'absence ; et les heures nous quittent

---

(1) Henri Bosco, né en 1888 en Avignon. Agrégé d'italien, enseigne à Avignon, à l'Institut français de Naples et à Rabat. Prix des Ambassadeurs 1949; Grand Prix National des Lettres 1953.

Principaux ouvrages :

Romans : *Pierre Lampédouze* (1924), *l'Ane culotte* (1937), *Hyacinthe* (1940), *le Mas Théotime* (Prix Théophraste Renaudot 1945), *le Jardin d'Hyacinthe* (1946), *M. Carré-Benoit à la campagne* (1947), *un Rameau de la Nuit* (1950), *Antonin* (1952), *l'Antiquaire* (1954), *Sabinus* (1956), *Beuboche* (1958).

Poèmes : *Eglogues de la mer* (1928), *Noëls et chansons de Lourmarin* (1929), *Bucoliques de Provence* (1944), *le Roseau et la Source* (1949).

Essais : *Pages marocaines, Sites et mirages* (1951).

Sur l'homme et l'œuvre, on pourra consulter : JEAN LAMBERT : *un Voyageur des deux Mondes* (Gallimard).

sans secousse. Ce qui fut, ce qui est, ce qui sera, devient en se fondant la présence même de l'être, et plus rien, dans l'âme enchantée, ne la distingue d'elle-même, sauf peut-être la sensation infiniment pure de son existence. On n'affirme point que l'on est ; mais que l'on soit, il reste encore une lueur légère. Serais-je ? se murmure-t-on et l'on ne tient plus à la vie de ce monde que par ce doute, à peine formulé. Il ne reste plus d'humain en nous que la chaleur ; car nous ne voyons plus la flamme qui la communique. Nous sommes nous-mêmes ce feu familier qui brûle au ras du sol depuis l'aube des âges, mais dont toujours une pointe vive s'élève au-dessus du foyer où veille l'amitié des hommes.

Aux antipodes de la littérature de témoignage, Henri Bosco nous propose une *sagesse*, fondée sur la familiarité avec les choses, le respect du mystère, l'amour d'une vie qui ne se limite pas à l'apparence.

Bien qu'il appartienne à la génération de 1900, l'Ardennais André Dhôtel (1), professeur de lettres comme Bosco, peut lui être comparé ; fervent de Rimbaud (auquel il a consacré deux essais), Dhôtel est l'auteur d'une quinzaine de romans où le rêve, l'évasion, les enchantements de l'enfance et les souvenirs des légendes celtiques tiennent une grande place ; parmi eux, citons au moins *le Village pathétique* (1943), *le Plateau de Mazagran* (1947), *le Pays où l'on n'arrive jamais* (Prix Fémina 1955).

Le romancier est original (d'une originalité un peu littéraire, dans la ligne des Brontë, de Hawthorne...), mais sa mythologie, pourtant très personnelle, ne convainc pas toujours ; on la suspecte d'artifice. Ses brouillards sont trop concertés. (On pourrait faire une observation analogue pour un romancier-poète beaucoup plus dégagé de la réalité ambiante, et proche de l'ésotérisme : Henri Thomas (2).)

(1) Professeur de philosophie au lycée de Charleville, André Dhôtel est né en 1900 à Attigny (Ardennes).
Principaux ouvrages :
Romans : *l'Homme de la Scierie, le Village pathétique* (1943), *Bernard le paresseux, le Plateau de Mazagran* (1947), *David* (Prix Sainte-Beuve 1949), *le Pays où l'on n'arrive jamais* (Prix Fémina 1955), *l'Ile aux Oiseaux de fer* (1956), *Mémoires de Sébastien, le Ciel du Faubourg* (1957).
Deux essais sur Rimbaud ; une biographie de saint Benoît Labre (1957).
(2) Né dans les Vosges en 1912, traducteur, romancier et poète, Henri Thomas a publié : *Travaux d'Aveugle* (1941), *Signe de Vie, le Monde absent.*

III

LES CHRÉTIENS ET LE ROMAN

1

SURVIE DE BERNANOS

L A « trouée» faite par des chrétiens dans le roman contemporain est un des faits majeurs de la littérature du xxᵉ siècle (1). Aujourd'hui encore, le premier romancier catholique du siècle, Bernanos, demeure aux yeux de beaucoup, le plus vivant de nos écrivains (2) ; les héros du *Soleil de Satan* (1927) et du *Journal d'un Curé de Campagne* (1936) n'ont pas cessé d'être nos contemporains — parce qu'ils sont les acteurs d'un des drames majeurs de notre temps. Bernanos devait revenir au roman avec cet étrange *Monsieur Ouine*, publié à Paris en 1946 (3), plus amer et plus pessimiste qu'aucun de ses livres, pénétré par le sentiment du Mal moderne qui, tel un cancer, ronge et détruit les âmes, — en l'espèce M. Ouine, qui a fini par haïr sa propre chair et, comme le héros de *la Nausée*, se sent de trop dans un monde où nul n'est innocent. Le désespoir et la peur écrasent encore les héros d'*Un mauvais rêve* (1951), commencé vingt ans plus tôt et qui ressemble comme un frère disgracié à *Un Crime* — un roman qui n'offre guère d'autre intérêt que d'éclairer l'inspiration de Bernanos, l'agonie du chrétien dans le monde, thème essentiel d'un romancier hanté par ce que Péguy appelait la « démystification» du monde moderne.

---

(1) Nous examinerons ce phénomène en analysant le jeune roman chrétien.
(2) ANDRÉ BLANCHET : *le Prêtre dans le roman d'aujourd'hui* (Desclée).
(3) Il l'avait été à Rio, en 1943.

La disparition de l'homme n'a pas atteint l'influence de l'écrivain, que nous relèverons plus loin chez une dizaine de jeunes romanciers. Mais — et c'est le revers de la médaille — le prêtre bernanosien, « déformation flagrante du visage sacerdotal (1) », est devenu « un prototype dont les imitations ou contrefaçons ne se comptent plus ». Continuant d'évoluer sous nos yeux, « il tend à devenir ce qu'il est en effet : un saint laïc ». Le vin puissant de Bloy et de Bernanos, bu sans discernement par des disciples moins assurés de leur foi, a parfois tourné à l'aigre.

2

EPILOGUE MAURIACIEN

Devenu le premier journaliste de France, présent, depuis 1945, sur toutes les brèches de l'actualité, Mauriac (2) n'a pas échappé à l'envoûtement que des personnages inventés exercent sur leur créateur. On crut d'abord que *la Pharisienne*,

(1) A. BLANCHET, *op. cit.*

(2) François Mauriac est né à Bordeaux, le 11 octobre 1885, d'une famille bourgeoise aisée. Orphelin à l'âge de un an. Etudes au collège libre de Grand-Lebrun ; reçu à l'Ecole des Chartes, démissionne. Un article de Maurice Barrès signale *les Mains jointes* (poèmes, 1909) à l'attention du public. Grand Prix du Roman de l'Académie française pour *le Désert de l'Amour* (1925) ; président de la Société des Gens de Lettres (1932), membre de l'Académie française (1933), Prix Nobel 1952. Grand Croix de la Légion d'honneur (1958). Editorialiste du *Figaro*, puis de l'*Express*.

Principaux romans : *l'Enfant chargé de chaînes* (1913), *le Baiser au Lépreux* (1922), *Genitrix* (1923), *Thérèse Desqueyroux* (1927), *le Nœud de Vipères* (1932), *le Mystère Frontenac* (1933), *la Pharisienne* (1941), *le Sagouin* (1951), *Galigaï* (1952), *l'Agneau* (1954).

Poèmes : *l'Adieu à l'adolescence* (1911), *Orages* (1925).

Essais : *le Jeune Homme* (1926), *Dieu et Mammon* (1929), *Souffrances et Bonheur du Chrétien* (1930), *le Cahier noir* (1943), *la Pierre d'achoppement* (1948).

Biographies : *la Vie de Jean Racine* (1928), *Vie de Jésus* (1936).

Journal, 4 volumes ; *Bloc-Notes* (1958).

Un scénario : *le Pain vivant* (1955).

Sur l'homme et l'œuvre, on pourra consulter : *Hommage à François Mauriac* (« Revue du Siècle », juillet-août 1933), *François Mauriac, prix Nobel* (La Table Ronde », janvier 1953), *François Mauriac* (« La Parisienne », mai 1956). PIERRE DE BOISDEFFRE : *Métamorphose de la Littérature*, I (Alsatia, 1950) ; NELLY CORMEAU : *l'Art de François Mauriac* (Grasset, 1951) ; JACQUES ROBICHON : *François Mauriac* (Editions Universitaires, 1953) ; P.-H. SIMON : *Mauriac par lui-même* (Le Seuil, 1954).

parue en 1941, avait été son chant du cygne. L'auteur de
Thérèse Desqueyroux n'avait-il plus assez de foi pour persé-
vérer, assez de matière pour se renouveler ? Le bref et cruel
Sagouin (1951) fut un premier démenti : un concentré de tous
les poisons mauriaciens ; puis *Galigaï* (1952) nous replongea
dans les vieux méandres du désir et du dégoût. Le romancier
tenta de se renouveler dans *l'Agneau* (1954) où se mariaient
curieusement les influences de Bernanos et de Simone Weil ;
le héros hésitait entre le sacerdoce, la sainteté et une amitié
équivoque. Le livre était un échec, car ni la nature, ni la grâce
n'y paraissaient dans leur vérité, mais cette rêverie sans
contours s'inscrivait dans le paysage réaliste du Bordelais
mauriacien.

L'été landais, coupé de brusques orages, de chasses à la
palombe et d'incendies de pins, donne en effet à ces histoires
sans grandeur un arrière-plan poétique, à la fois banal et
obsédant. Toute l'œuvre romanesque de Mauriac (qui suscite
peu d'imitateurs : seul son neveu, Bertrand Gay-Lussac,
parvient à retrouver son climat) illustre ce pouvoir de *fascination*. Nés « du plus trouble de lui-même », ses héros nous
attirent comme des doubles tentateurs.

Il est devenu banal d'opposer le (très relatif) échec du
romancier Mauriac, son incapacité à se renouveler (1) et les
triomphes de l'homme public. Au lendemain du Prix Nobel
(1952), sans se soucier des réserves, ni des injures, Mauriac a
repris le rôle d'éveilleur des consciences tenu jadis par le
Bernanos de *la Grande Peur*... et par le Gide du *Voyage au
Congo*. L'étincelant « Bloc-Notes » de l'*Express* « romance »
la politique : ses adversaires ne seraient pas déplacés dans la
galerie de fauves qui hantent ses romans ; les poisons du
romancier sont passés dans l'encre du journaliste.

La position de Mauriac par rapport à la jeune intelligentzia n'est pas moins paradoxale. Le romancier exerce
peu d'attrait sur elle et ne dispose d'aucune influence. Au
contraire, l'homme politique, le guide moral, n'ont cessé de
grandir depuis 1952, au fur et à mesure que s'élevaient les
attaques dans le camp bourgeois qu'il avait déserté. *La*

---

(1) Souvent dénoncée par la critique contemporaine (Claude-Edmonde
Magny, Marc Beigbeder) qui a repris le point de vue de Jean-Paul Sartre
(*Situations*, I.) Mais les limites du romancier assureront peut-être sa durée :
à l'intérieur de son domaine, il est et reste inimitable.

présence de l'homme public a relayé celle du romancier — présence d'autant plus frappante que l'artiste, au plus fort de la polémique, n'a jamais oublié ses droits.

3

L'ANGOISSE DE JULIEN GREEN

Tel n'est certes pas le cas de Julien Green (1) qui, interrogé (par Pierre Bost, en 1932) sur son attitude à l'égard de la politique répondait : « Je la hais », et ajoutait : « Elle est cause que ce que j'aime est en danger, elle menace la liberté individuelle, elle menace le bonheur, elle me dérange dans mon travail. Je crois de tout mon cœur à la littérature et à l'œuvre d'art. Cette foi est absolument étrangère aux préoccupations de la politique. Dans le monde actuel, où donc est ma place ? Je n'en sais rien (2). » La seule chose qu'il ait prise au sérieux est sa religion, une religion parfois assez libre à l'égard du dogme, et toute inspirée par l'amour.

Ce romancier fait pour les conversations à voix basse, les amitiés intimes, le recueillement, est l'auteur d'une œuvre sombre et violente, aux caractères accusés, d'un pathétique tout intérieur. (« Il n'y a jamais que deux types d'humanité que j'aie vraiment bien compris, c'est le mystique et le débauché, parce que tous deux volent aux extrêmes et cherchent, l'un et l'autre, à sa manière, l'absolu (3). ») Au moment même

---

(1) Né à Paris en 1900, de parents américains, Julien Green écrit dans les deux langues et partage son existence entre la France et les Etats-Unis. Membre de l'Académie royale de Belgique.

Principaux romans : *Mont-Cinère* (1926), *Adrienne Mesurat* (1927), *Leviathan* (1929), *Minuit* (1936), *Varouna* (1940), *Si j'étais vous* (1947), *Moïra* (1950), *le Malfaiteur* (1956).

Divers essais sur la littérature anglaise (de Samuel Johnson aux Brontë) et sur Nathaniel Hawthorne.

Journal (1928-1954, 6 volumes ; *le Bel Aujourd'hui*, 1958.)

Théâtre : *Sud* (1953), *l'Ennemi* (1954), *l'Ombre* (1956).

Sur l'homme et l'œuvre, on pourra consulter : JACQUES MADAULE : *Reconnaissance*, II (Desclée, 1939) ; GEORGES BERNANOS : « A propos de *Mont-Cinère* » (in *le Crépuscule des Vieux*, Plon, 1956) ; CHARLES MOELLER : *Littérature du XXᵉ siècle et Christianisme*, II (Casterman, 1954) ; ROBERT KEMP : *la Vie du Théâtre* (Albin Michel, 1956) ; PIERRE BRODIN : *Julien Green* (Editions Universitaires, 1957).

(2) et (3) *Journal* (Plon).

où il met en scène des héros passionnés jusqu'au désordre et
à la folie, Green continue de rêver d'une vie « d'où la sensualité
serait absente ». Après diverses crises religieuses, une période
d'incroyance, l'attrait du bouddhisme et la conversion de
1939, Green a tenté, sans toujours y parvenir, de faire passer
dans son œuvre le combat de la grâce et du péché. Mais la
seule libération que trouvent ses héros, c'est la mort qui la
leur apporte : « l'obsession de l'emprisonnement qui faisait
le fond de *Mont-Cinère* » (1) se retrouve dans *Si j'étais vous*
(1947) et dans *Moïra* (1950), le plus poignant de ses romans,
où l'irruption de la chair a raison d'un être pur. Ces dernières années, le dramaturge a relayé le romancier (2) sans
parvenir à transposer la musique du récit et l'angoisse des
personnages dans des dialogues dépourvus de plan.

Mais les six volumes parus du *Journal* constituent une
émouvante autobiographie spirituelle. Il n'y faut pas chercher le commentaire d'une actualité qui n'intéresse guère son
auteur, mais celui d'une œuvre dont le *Journal* est le miroir
et le complément ; et, par-dessus tout, une invitation à nous
tourner vers ce monde invisible dont nous ne sommes séparés
(dit le héros de *Moïra*) que par « l'épaisseur d'une flamme ».
« Aimer à en mourir quelqu'un dont on n'a jamais vu les
traits ni entendu la voix, c'est tout le christianisme. Un
homme se tient debout près d'une fenêtre et regarde tomber
la neige, et tout à coup se glisse en lui une joie qui n'a pas de
nom dans le langage humain. Au plus profond de cette minute
singulière, il éprouve une tranquillité mystérieuse que ne
trouble aucun souci temporel ; là est le refuge, le seul, car le
Paradis n'est pas autre chose qu'aimer Dieu, et il n'y a pas
d'autre Enfer que de n'être pas avec Dieu. »

Isolé dans un monde assiégé par le doute, la révolte, le
sentiment d'un universel à quoi bon, anesthésié par l'habitude, l'indifférence et la raison, Green veut échapper à
« l'enchantement incompréhensible » de ce monde, saisir le
drame de notre condition et sublimer cette angoisse dans le
bonheur d'approcher son dieu. Depuis la mort de Bernanos,
il est un des rares romanciers de ce temps qui savent rendre
témoignage au mystère.

---

(1) Louis Chaigne, *Vies et Œuvres d'Ecrivains* (Lanore).
(2) Cf. Troisième Partie, chapitre deuxième, IV, 4.

4

Van der Meersch, Daniel-Rops

Au contraire des trois écrivains que nous venons de nommer, Maxence van der Meersch (1) garde un vaste public mais n'exerce aucune influence. Ce bourgeois révolté, jusque dans son adhésion au catholicisme (qu'il remit en cause sur son lit de mort), apparaît dans son œuvre comme un Zola chrétien, dont il a la puissance, le réalisme scrupuleux, le lyrisme inspiré. Mystique de la souffrance et de la pauvreté, il a consacré à la classe ouvrière qu'il avait chérie jusqu'à y prendre femme, des fresques saisissantes, douloureuses et toujours proches du réel. *Corps et Ames* (1943), charge violente contre la médecine officielle, fut le grand succès de l'édition française sous l'occupation. Van der Meersch devait mourir prématurément (de tuberculose) victime du climat de la Manche et peut-être aussi de la thérapeutique végétarienne qu'il avait adoptée et prêchée. Romancier populaire s'il en est, son dédain de l'art et du style explique le discrédit dont il souffre chez les gens de lettres. Mais qui voudra comprendre les batailles ouvrières au début du siècle devra se reporter aux scènes inoubliables d'*Invasion 14* et de *l'Empreinte du Dieu.*

Mentionnons seulement l'œuvre romanesque de Daniel-Rops (2) — qui, après avoir décrit le nouveau mal du siècle

---

(1) Maxence van der Meersch (1907-1951), né dans une famille d'industriels du Nord, révolté contre son milieu, a consacré son œuvre au drame des pauvres et des humiliés, dans une perspective chrétienne directement inspirée par l'Action catholique.

Principaux romans : *la Maison dans la Dune* (1932), *Quand les Sirènes se taisent* (1933), *Invasion 14* (1935), *l'Empreinte du Dieu* (Prix Goncourt 1936), *Pêcheurs d'Hommes* (1940), *Corps et Ames* (1943, 2 volumes), *la Fille pauvre* (1948-1953, 3 volumes), *Masque de Chair* (1958).

(2) Henry Petiot (en littérature Daniel-Rops), né à Epinal en 1901, agrégé d'histoire. Quitte l'enseignement en 1945 pour se consacrer à son œuvre. Membre de l'Académie française (1955).

Principaux ouvrages :

Romans : *l'Ame obscure* (1929), *Mort, où est ta victoire ?* (1934), *l'Epée de Feu* (1939).

Essais : *Notre Inquiétude* (1926), *le Monde sans âme* (1931), *Ce qui meurt*

dans *Notre Inquiétude* (1928) l'a sondé dans les personnages
très représentatifs de l'époque de *Mort, où est ta victoire ?*
(1934) et de *l'Epée de Feu* (1939) — puisqu'il s'est consacré
depuis la guerre, avec un rare bonheur, à une œuvre monumentale d'historien sacré (1).

et ce qui naît (1937), *Où passent des Anges* (1947), *Pascal et notre cœur* (1948).
Histoire : *le Peuple de la Bible* (1945), *Jésus en son temps* (1946), *l'Eglise
des Apôtres et des Martyrs* (1946), etc.

Sur l'homme et l'œuvre, on pourra consulter : PIERRE DOURNES : *Daniel-Rops
ou le réalisme de l'esprit* (Fayard, 1949) ; *Toi aussi, Nathanaël*, textes choisis
et présentés par PIERRE JOURDA.

(1) Mentionnons enfin, puisqu'il a gardé un public, le célèbre roman de
JOSEPH MALÈGUE, *Augustin ou le Maître est là* (1933), autobiographie d'une
conversion qui évoque l'atmosphère intellectuelle du modernisme, exemple
unique d'application de la méthode et du style proustiens à l'histoire d'une
âme, dans une lumière chrétienne.

IV

LA GÉNÉRATION DE 1900

1

MONTHERLANT CONTEMPLE SON ŒUVRE

MONTHERLANT (1) s'est éloigné de nous durant ces dix dernières années, comme Barrès, dont il fut l'un des filleuls littéraires, s'était éloigné, dès l'entre-deux-guerres. *L'histoire d'Amour de la Rose de Sable* (1954), *les Auligny* (1956), fragments détachés d'un roman vieux de

(1) Henry Millon de Montherlant, arrière-petit-fils, par sa mère, du comte de Riancey (un des chefs du parti légitimiste au XIXe siècle) est né à Paris le 21 avril 1896. Etudes à Janson-de-Sailly et à Sainte-Croix-de-Neuilly. Versé, sur sa demande, dans le service actif, il est grièvement blessé en 1918. En 1920, il publie *la Relève du Matin*. Secrétaire général de l'*Ossuaire de Douaumont* de 1921 à 1924. Vit en Espagne et en Afrique de 1926 à 1935. Correspondant de guerre en 1940. Depuis la guerre, se consacre au théâtre, ainsi qu'à son œuvre posthume.

Montherlant a publié :

Des romans : « la Jeunesse d'Alban de Bricoule » (*le Songe*, 1922, *les Bestiaires*, 1926), « les Voyageurs traqués » (*Aux fontaines du Désir*, 1927, *la Petite infante de Castille*, 1929), « les Jeunes filles » (*les Jeunes filles*, 1936, *Pitié pour les femmes*, 1936, *le Démon du Bien*, 1937, *les Lépreuses*, 1939), *l'Histoire d'amour de la Rose de Sable* (1954), *les Auligny* (1956).

Des essais : *les Olympiques* (1924), *Mors et Vita* (1932), *Service inutile* (1935), *l'Equinoxe de Septembre* (1938), *le Solstice de Juin* (1941), *Textes sous une occupation* (1953), *Carnets* (1957).

Des poèmes : *Encore un instant de bonheur* (1954), et des pièces de théâtre dont on trouvera l'analyse dans la Troisième Partie de ce livre.

Sur l'homme et l'œuvre, on pourra consulter : J.-N. FAURE-BIGUET : *les Enfances de Montherlant*, suivi de : *Montherlant, homme de la Renaissance* (Henri Lefebvre, 1948) ; MICHEL DE SAINT-PIERRE : *Montherlant, bourreau de soi-même* (Gallimard, 1949) ; PIERRE DE BOISDEFFRE : *Métamorphose de la Littérature*, I (Alsatia, 1950) ; JACQUES DE LAPRADE : *le Théâtre de Montherlant* (Jeune Parque, 1950) ; PIERRE SIPRIOT : *Montherlant par lui-même* (Seuil, 1953) ; GEORGES BORDONOVE : *Henry de Montherlant* (Editions Universitaires, 1954).

vingt ans qui n'a jamais vu le jour, n'ont rien ajouté à la notoriété romanesque de l'auteur des *Célibataires*. Et les *Carnets* (1957), journal d'une retraite, d'un « couvent dans le siècle», ont frappé par leur mépris des hommes : un moraliste glacial s'y enferme dans sa solitude et dans la gestation d'une œuvre qui ressemble plus à un sarcophage qu'à un miroir.

Si la littérature peut être une revanche sur la vie, c'est au théâtre et non dans le roman que Montherlant, depuis quinze ans, l'aura trouvée. Mais les *Carnets*, si décevants qu'ils soient, éclairent l'homme et l'œuvre. Ils abondent en maximes désabusées :

« Il faut être héroïque dans ses pensées pour être tout juste acceptable dans ses actes.»

« Heureux ceux de qui les parents meurent jeunes !»

« Ce sont les exils qui sont féconds.»

« L'esprit s'use à comprendre.»

« Rares sont les mots qui valent mieux que le silence.»

« On flétrit du nom de dilettante un homme qui aime tout ce qui mérite d'être aimé.»

« L'intelligence est la faculté qui fait que l'on s'abstient.»

« La haine, quelquefois, estime plus que l'estime même.»

Certaines notations surprennent. « Peu d'écrivains français vivants s'occupent moins que moi de la gestion et de la propagation de leur œuvre...»

D'autres émeuvent :

« Le cœur, il en faut beaucoup pour aimer un peu.»

Pourquoi la lecture de ces pages laisse-t-elle finalement derrière elle un profond sentiment de tristesse ? La langue est forte et sobre. L'esprit, courageux, fier, indépendant. Les *Carnets* démentent le jugement hâtif de ceux qui affectent de ne voir en Montherlant que le *style* et dénoncent en lui (sur la foi d'un aveu dont on devrait lui tenir gré et qu'on ne saurait prendre au pied de la lettre : « Le caractère, il est vrai que j'y brille quelquefois, du moins sur le papier ; on met sans peine sur le papier ce qu'on échoue à mettre dans ses actes») un « fanfaron» doublé d'un « fasciste». («On imagine aisément Inès de Castro à Buchenwald et le roi s'empressant à l'ambassade d'Allemagne par raison d'Etat. Bien des midinettes ont pendant l'occupation mérité un respect que nous n'accordons pas à Montherlant» écrit allégrement

Simone de Beauvoir, confondant critique littéraire et ressentiment politique.)

Mais sa solitude a quelque chose de stellaire, de minéral,
qui effraie.

« Tout le mal qui est fait sur la terre est fait par les convaincus et les ambitieux. Le sceptique sans ambition est le seul
être innocent sur cette terre », affirme-t-il. S'en tenir à cette
certitude, c'est dédaigner une fois pour toutes la compagnie
des hommes, nier toute valeur à l'effort humain, c'est refuser
tout humanisme, celui de Prométhée comme celui du Christ.
Montherlant ne se fait d'ailleurs aucune illusion : il sait que
les hommes de son espèce parleront de plus en plus « une langue incomprise du grand nombre. Leur pensée solitaire
monte et ne s'étend pas, comme ce fil de fumée qui s'élève
dans le désert, au crépuscule, des feux des nomades : ce fil
pur et perdu, mince amarre entre la terre et le ciel. »

Ici encore, il est le prisonnier d'une image : car ce fil monte
du désert vers un ciel désespérément vide et se perd dans le
néant.

*
* *

« Il ne lui sera pas nécessaire de se retirer dans les forêts,
comme le font les Hindous, car il est sa propre forêt, son
propre silence et sa propre solitude. Ni de s'en aller dans la
montagne à la suite du roi Khosrau, car c'est en lui-même
qu'il découvrira — s'il ne l'a déjà découvert — le haut lieu
de la sagesse, cette unité de l'esprit qui, comme un soleil
lointain, illumina sa vie et guida ses pas. Ce qui lui reste à
dire, il nous le livrera sans doute en quelques flamboyants
« Mémoires d'outre-tombe » comme le témoignage d'un
homme qui ne cultiva en lui rien tant que la lucidité... » écrit
de Montherlant un de ses derniers critiques, qui n'hésite pas
à le comparer à Dante (1). Un autre (2) loue sa « confiance
instinctive dans le premier sourire du monde ». Mais le consen-
tement au monde et l'unité de l'Esprit sont moins visibles
chez Montherlant, qu'une méfiance permanente envers le
monde et la vie. *Garder tout en composant tout* n'est qu'une
formule qui ne rend pas compte du réel : car « garder », c'est

---

(1) GEORGES BORDONOVE, *Henry de Montherlant* (Editions Universitaires).
(2) PIERRE SIPRIOT, *Montherlant par lui-même* (Seuil).

d'abord « choisir ». « Il faut écrire, disait hier encore Montherlant, dans une de ces formules frappées en médaille dont il a
le secret, comme si on était compris, comme si on était aimé,
et comme si on était mort. » Mais rien de tout cela n'est
donné au départ : pour être aimé, il faut se faire comprendre ;
et pour mourir comblé, il faut laisser derrière soi une grande
vie ou une grande œuvre — c'est la même chose. Derrière les
Mémoires d'Outre-Tombe, il y a vingt amours, un ministère,
deux ambassades, des amitiés vraies, le tumulte et la richesse
d'une vie en prise sur le siècle.

Chez Montherlant, on devine une mer d'indifférence, le
sentiment du vide et l'impuissance d'aimer. De sorte que cet
auteur volontairement anachronique, cet homme, non de la
Renaissance, mais de l'Antiquité, qui a si bien compris le
déclin de Rome (frère de Sénèque ou de Lucain, non de Virgile), égaré en plein XXᵉ siècle, pourrait ressembler à son insu
à ce héros de notre temps : *l'Homme absurde*.

2

REVANCHE ET TRIOMPHE DE GIONO

La métamorphose « stendhalienne » que nous avons décelée
chez Morand est plus manifeste encore chez Giono (1). Inscrit
sur la liste noire du *Comité National des Ecrivains* (2), l'auteur

---

(1) Jean Giono est né à Manosque en 1895 (son père était cordonnier, sa mère
blanchisseuse). Employé au Comptoir d'Escompte ; gazé en 1915. Le succès
de *Colline* (1928) lui permet de se consacrer à son œuvre. Interné au fort
Saint-Nicolas en 1939 (pour n'avoir pas répondu à la mobilisation) ; arrêté
de nouveau en 1944. Membre de l'Académie Goncourt.

Principaux ouvrages : *Naissance de l'Odyssée* (1925), *Un de Baumugnes*
(1929), *Regain* (1930), *le Grand Troupeau* (1931), *Jean le Bleu* (1932), *le Chant
du Monde* (1934), *Que ma Joie demeure* (1935), *les Vraies Richesses* (1936).

Essai : *Pour saluer Melville* (1939).

Depuis 1944, Giono a publié de nombreuses *Chroniques*, parmi lesquelles :
le Hussard sur le Toit (1951), *le Moulin de Pologne* (1952), *le Bonheur fou* (1957).

Sur l'homme et l'œuvre, on pourra consulter : JACQUES PUGNET : *Jean
Giono* (Editions Universitaires, 1955) ; ROMÉE DE VILLENEUVE : *Jean Giono
ce solitaire* (Les Presses Universitaires, 1955) ; CLAUDINE CHONEZ : *Giono par
lui-même* (Seuil, 1956).

(2) Pour avoir publié *Triomphe de la Vie* et deux textes dans *la Gerbe*
d'Alphonse de Châteaubriant.

de *Colline* s'était vu condamné à une retraite silencieuse dont il devait sortir avec éclat dès les années 1950, avant d'être appelé, un peu plus tard, à siéger chez les Goncourt.

Même si l'on tient compte de Ramuz, Giono reste notre grand poète en prose. Le monde méditerranéen et la Provence ont renouvelé, grâce à lui, nos images de la France. C'est un souffle d'air pur — l'air implacable des Hauts de Provence — que *Colline* (1928) a introduit dans une littérature urbaine, gorgée d'idées, d'abstractions, d'érotisme. Le fils du cordonnier de Manosque n'a pas eu pour maîtres ces professeurs qui, de Boileau à Jean-Paul Sartre, n'ont pas fini de régenter notre littérature, mais des autodictates, formés comme lui à la dure école de la vie, un Melville ou un Whitman, dont la poésie ne naît pas des mots mais du rude contact des choses. Une phrase de Kipling (dans le *Livre de la Jungle*) : « Il était sept heures, par un soir très chaud sur les collines de Senoe... » avait déterminé la vocation du petit commis de Manosque ; son œuvre n'avait été d'abord qu'une litanie d'églogues familières, pimpantes, facilement oratoires. Puis, de livre en livre, au fur et à mesure que s'élargissait son audience, Giono avait haussé le ton, passant du rustique amour d'*Un de Baumugnes* à l'autobiographie stylisée de *Jean le Bleu*, et à la cantilène lyrique des *Vraies Richesses* ; sa poésie naïve et directe avait fait place à des ambitions virgiliennes, à des développements épiques et, pour finir, à l'insupportable prédication antimoderne du *Grand Troupeau* — à ce que René Char appela malicieusement la *gionnisse*. Ensuite, ce fut la guerre ; le refus d'obéissance conduisit deux fois Giono en prison. Vaincu, le « Messie » des années 40 qui recevait au Contadour d'ardents jeunes gens, dressés avec violence contre la société, prit conscience de l'impuissance de l'écrivain. Il revint à sa vocation et prépara « dix ou douze romans ». On le vit publier coup sur coup : des pièces de théâtre *(le Voyage en Calèche)*, un Journal dialogué *(Noë)*, des textes sur la Provence, des commentaires de Machiavel, un voyage en Italie et surtout, ces chroniques (*Un Roi sans divertissement*, 1947 ; *Mort d'un Personnage*, *les Ames fortes*, 1949 ; *les Grands Chemins*, 1951) dont on a salué l'avant dernière *(le Hussard sur le Toit)* comme un chef-d'œuvre.

Le Hussard sur le Toit est une épopée dont le démiurge est le choléra. Nous sommes en 1838 et l'épidémie dévaste la

Haute Provence. Angelo Pardi tombe au milieu du fléau, doit quitter le métier des armes et les délices d'une conspiration pour s'occuper des malades et des mourants, sans cesser d'être au comble du bonheur, puisque tel est son caractère. Quant au *Bonheur fou* (1957), beaucoup moins alerte, embrouillé et trop concerté, il nous fait revivre une révolution à l'italienne, celle de 1848.

On a beaucoup parlé de Stendhal à propos d'Angelo Pardi (qui fait souvent songer à Fabrice del Dongo), et Giono lui-même est conscient de cette parenté puisqu'il a multiplié les clins d'œil du côté d'Henri Beyle ; mais le naturel de la *Chartreuse* se double ici d'une force épique, amère et violente, où l'on retrouve la vieille condamnation gionienne d'une société fondue avec le Mal. S'il faut à tout prix comparer Giono, c'est à d'autres écrivains, à Conrad, à D. H. Lawrence, à Henry Miller, peut-être aussi à Machiavel, qu'il a lu et commenté et dont il prolonge l'observation sans illusion, l'art de ne pas être dupe. « Riche de cette humanité anarchisante et pitoyable des hommes de quarante-huit» qu'il admire, capable de donner une saveur à chaque « millimètre de l'univers», à chaque être « son poids de sang, de suc, de goût, d'odeur, de son», Giono pourtant, ne « s'effondre » plus comme hier « dans les choses» il les domine.

3

Du coté du populisme

I. — Rancœur et passion de Louis-Ferdinand Céline (1).

Lorsque parut (en 1932) le *Voyage au bout de la Nuit*, l'étonnant sourcier littéraire qu'était Léon Daudet crut reconnaître dans ce livre et dans cet auteur le jaillissement irrépressible du génie qu'il avait deviné quinze ans plus tôt

---

(1) Le docteur L.-F. Destouches, né à Courbevoie en 1894, engagé volontaire en 1914, héros d'un fait d'armes resté fameux (une charge de cuirassiers dans les lignes ennemies), après avoir exercé des métiers divers à Londres et aux colonies (en Afrique et en Amérique du Sud) se fit médecin de banlieue. Le

chez Proust et cinq ans plus tôt chez Bernanos. On pouvait
relever le langage ordurier (abusivement tenu pour populaire),
l'architecture chaotique, le goût de l'insulte et de la provocation et jusqu'à des ruses naïvement littéraires. Mais l'éloquence torrentielle du récit emportait tout. Il ne s'agissait
pas seulement d'un document sur l'avilissement d'une classe
(à mi-chemin entre la petite bourgeoisie et le prolétariat)
observée de près, mais d'un cri de révolte, d'une prophétie
frénétique. « Nous crevons d'être sans légende, sans grandeur,
sans mystère » : les malheurs de la France devaient donner
à cette diatribe une confirmation amère.

L'écrivain était-il à la hauteur du témoignage ? Toujours
est-il que la force brutale du *Voyage* fit vite place à une accu-
mulation monotone de procédés qu'inspirait une sorte de
délire maniaque. Comment qualifier l'antisémitisme aveugle
et quasi viscéral de *Bagatelles pour un Massacre*, la délectation
masochiste de la décadence qui inspire *l'Ecole des Cadavres* ?
Condamné à vivre dans la haine, à traîner ses injures comme
Sisyphe son rocher, Céline insultait (dans *les Beaux Draps*),
les Français vaincus devant les Allemands vainqueurs et
accompagnait ces derniers dans leur retraite jusqu'à Berchtes-
gaden. Après quoi, il alla se cacher au Danemark, y fit dix-
huit mois de prison, fut condamné en France (mais par
contumace) à une année de prison, végéta dans une ferme
danoise et finit par se retrouver libre, un peu plus vieux, un
peu plus seul, un peu plus pauvre, un peu plus aigri, médecin
des pauvres dans une bicoque de Meudon. De nouveaux
livres *(Féerie pour une autre fois, Entretiens avec le Professeur Y.)* donnèrent à craindre, non seulement qu'il n'eût
rien appris et rien oublié, mais encore qu'il eût perdu dans
l'exode ses meilleurs globules rouges et s'abandonnât désormais à de pitoyables pastiches.

Voyage au bout de la Nuit (1932), lancé par Léon Daudet, manqua de peu le
Prix Goncourt et le rendit brusquement célèbre. Puis vinrent *Mort à Crédit*
(roman, 1936), *Bagatelles pour un massacre* (1938), *l'Ecole des Cadavres* (1939)
et *les Beaux Draps* (1941) ; pamphlets ; après la guerre, *Féerie pour une autre
fois* (2 volumes), *la Vie et l'Œuvre de Philippe-Ignace Semmelweis* (1718-1865),
Entretiens avec le Professeur Y., D'un Château l'autre (1957). Une comédie :
l'Eglise.
    Sur l'homme et l'œuvre, on pourra consulter : Robert POULET : *Entretiens
familiers avec L.-F. Céline* (Plon, 1958).

D'un Château l'Autre (1957) a fait l'effet d'une résurrection :
car la matière, ici du moins, est prodigieuse. C'est l'histoire
des débris de l'Etat vichyssois qui attendirent la fin de la
guerre dans cette cité miniature, sans perdre leurs illusions :
« 1.142 condamnés à mort français dans un petit bourg...
Un tout petit bourg allemand hostile avec le monde entier
contre soi. Parce que ceux de Buchenwald, tous les gens
les attendaient pour les embrasser, leur donner la bise,
tandis que ceux de Sigmaringen, le monde les traquait pour
les étriper. C'est une situation assez curieuse, qui n'arrive
pas souvent. C'est assez rigolo. 1.142 types cernés par la
mort et qui cherchaient les uns les autres à désigner celui qui
allait payer pour tout le monde ! Et moi j'étais dans ceux-là
parce que j'étais antisémite (1).»

Mis à part les morceaux de bravoure où la verve de Céline
se déchaîne (la promenade de Pétain et de ses ministres,
interrompue par une alerte, les obsèques de Bichelonne), le
livre donne l'impression d'un immense gâchage : de faits, de
mots, de talent. Tant de verve purulente, à force de couler
à gros bouillons, finit par écœurer. Ce n'est pas la passion qui
empêche Céline de faire « œuvre d'art», ni la volonté de
prouver (d'ailleurs, que cherche-t-il à prouver ?), mais l'impuissance à dominer ses rancœurs. Derrière ces flots de bile, on
sent pourtant une intelligence dévoyée, un regard aigu,
cruel, et la volonté d'être un styliste, presque un musicien.

Il n'est pas niable que Céline ait été le grand précurseur
de notre littérature « noire» : Sartre, Marcel Aymé, Raymond
Queneau, Jacques Perret, Mouloudji, Jean-Paul Clébert,
Calaferte, Albert Paraz, à des titres divers, procèdent de lui.
Il a été le premier à nous obliger à regarder l'homme dans
un miroir souillé. En cela, hélas, il est bien notre contemporain. Et les plus éloignés de son style, parmi les jeunes romanciers — Blondin, Nimier — le tiennent pour un maître.

II. — Notre Rabelais : Marcel Aymé.

La réputation de Marcel Aymé (2) date, comme celle de
Céline et de Giono, de l'entre-deux-guerres : *la Table aux*

_____

(1) Interview parue dans *l'Express.*
(2) Marcel Aymé est né à Joigny (Jura) en 1902. Famille de sept enfants ;
père maréchal-ferrant. Divers métiers (employé de banque, figurant de cinéma,

Crevés (1928), *la Jument verte* (1933) révélaient un conteur truculent et savoureux, à mi-chemin de Delteil et de Rabelais. Avec la guerre, on l'a vu s'élever à un autre registre, celui de la satire. Esquissée dans *Travelingue* (1941) où elle prenait prétexte de l'influence du cinéma, elle s'affirmait dans *le Chemin des Ecoliers* (1946) et dans *Uranus* (1948) avec une force à la fois joviale et impitoyable. Il fallait plus que du courage, cette indépendance frondeuse qui, tout autant qu'un style salace et volontiers rabelaisien, caractérise l'auteur du *Passe-Muraille*, pour s'en prendre aux mythes de la Libération avec un humour cruel et irréfutable, pour attaquer, surtout, cette « vigilante hypocrisie... trop consciente pour qu'on la puisse habiller du nom honorable de conformisme». *Le Confort intellectuel* (1949) devait doubler cette satire d'une esthétique d'autant plus piquante que l'auteur se gardait de la prendre à son compte mais en confiait l'exposé au ridicule M. Lepage. Nous retrouverons la même verve fouailleuse dans ses brillantes incursions théâtrales.

Cependant, c'est surtout par ses nouvelles que Marcel Aymé survivra : leur liberté (qui va parfois jusqu'à l'extravagance), leur humour, leur allégresse le situent à part, et à une place qu'on ne pourra, de sitôt, lui enlever. Qu'il imagine un employé de bureau capable de traverser les murs, cinq fils de milliardaires (qui ont fondé une revue pour défendre le capital, s'effrayent de leur audace et se remettent à crier « Vive la Sociale !»), à moins qu'il ne s'agisse des amours d'un centaure et d'une orpheline ou d'une loi qui double la durée de la vie humaine *(En arrière)*, il n'invente pas seulement

---

manœuvre, camelot...) Prix Théophraste Renaudot 1929 (pour *la Table aux Crevés*).

Principaux romans : *Brulebois* (1926), *la Jument verte* (1933), *le Moulin de la Sourdine* (1936), *Gustalin* (1937), *Travelingue* (1941), *le Chemin des Ecoliers* (1946), *Uranus* (1948).

Contes et nouvelles : *le Puits aux Images* (1932), *Contes du Chat perché* (1939). *Passe-Muraille* (1943).

Essai : *le Confort intellectuel* (1949).

Au théâtre : *Vogue la Galère* (1944), *Lucienne et le Boucher* (1948), *Clérambard* (1950), *la Tête des Autres* (1952), *les Oiseaux de Lune* (1956), *la Mouche bleue* (1957).

Sur l'homme et l'œuvre, on pourra consulter : ROBERT BRASILLACH : *les Quatre Jeudis* ; MAURICE NADEAU : *Littérature présente* ; PIERRE BRODIN : *Présences contemporaines* ; GEORGES ROBERT : *Marcel Aymé*.

Jean CATHELIN : *Marcel Aymé* (Debresse, 1958)

des situations désopilantes, mais dissimule une morale sous
la cocasserie du récit. Et, n'aurait-il écrit que les merveilleux
Contes du Chat perché (1939), nous pourrions être aussi assurés
de sa survie que de celle de Charles Perrault ou du bon
La Fontaine.

III. — Un tandem populiste : Raymond Queneau, Louis Guilloux.

Il n'est pas facile de situer un Raymond Queneau (1), un
Louis Guilloux, dans la littérature d'aujourd'hui. Ils appartiennent à la génération de Sartre mais leur œuvre a précédé
la sienne. Leur esthétique les rapproche : en gros, c'est celle
du populisme.

Le plus brillant est Queneau : le poète a sa place à côté de
Prévert et anime de son génie inventif une œuvre romanesque
qui ne répond, à vrai dire, à aucune des caractéristiques du
roman : des décors funambulesques, des personnages sans
épaisseur, des dialogues sans cohérence se dégage pourtant
un humour particulier, souvent désopilant, parfois un peu
lassant à force de gratuité.

Toute l'œuvre de Queneau tourne autour d'une réflexion
sur le langage, inaugurée dès son premier récit (*le Chiendent*,
1933), et poursuivie de livre en livre, à la manière d'une précieuse et cocasse parodie de nos habitudes verbales, de *Pierrot
mon ami*, « mise en boîte » des bavards, aux *Exercices de
style* qui déroulent quatre-vingt-dix-neuf versions d'un fait
divers insignifiant, en passant par *les Temps mêlés* où se
succèdent trois styles différents. Rien ne résiste à cet humour

---

(1) Raymond Queneau est né au Havre en 1903. Après sa licence ès lettres,
il devient employé de banque, puis représentant de commerce. Participe au
surréalisme (1924-1929). Entre aux Editions Gallimard (1936), dont il deviendra le secrétaire général. Membre de l'Académie Goncourt (1951).

Principaux ouvrages :

Romans : *le Chiendent* (Prix des Deux-Magots 1933), *les Derniers Jours*
(1936), *Odile* (1937), *les Enfants du Limon* (1938), *Un rude Hiver* (1939), *Pierrot
mon ami* (1943), *Loin de Rueil* (1945), *Saint Glinglin* (1948), *le Dimanche de la
Vie* (1952).

Poèmes : *Chêne et Chien* (1937), *les Ziaux* (1943), *Petite Cosmogonie portative* (1950), *Si tu t'imagines* (recueil collectif, 1952).

Divers : *Exercices de style* (1947), *Bâtons, chiffres, lettres* (1950).

féroce, ni la philosophie, malmenée dans *le Chiendent*, ni la
« sagesse des nations », ni même la pitoyable et fruste humanité, assez proche en somme de celle de Céline, qu'il a peinte
dans *le Dimanche de la Vie*, récit assez noir en dépit des
épisodes pittoresques. Mais Raymond Queneau — qui ne voit
« aucune différence » entre le roman tel qu'il a « envie d'en
écrire » et la poésie — excelle à conférer une sorte d'*aura*
poétique (analogue à celle des films néo-réalistes italiens)
aux terrains vagues, aux banlieues miteuses, aux champs de
foire qu'il décrit, d'une plume à la fois pittoresque et désabusée. Et son influence est indéniable sur une génération de
jeunes romanciers qui a cherché délibérément l'exotisme du
côté des banlieues miteuses, et des cafés sordides.

Moins brillant styliste, mais romancier profond et solide,
Louis Guilloux (1), connu dès son premier récit (*la Maison
du Peuple*, 1927), qui racontait les souffrances et les espoirs
d'une jeunesse pauvre, a lentement affermi son œuvre sans
beaucoup élargir son public. *Le Sang noir* (1935), qui manqua
de peu le Prix Goncourt, réquisitoire sévère contre la bourgeoisie, racontait une journée de guerre civile à Saint-Brieuc.
Après *le Pain des Rêves* (1942), *le Jeu de Patience* (1951)
décrit, à la manière d'un puzzle, les avatars d'un groupe de
provinciaux entre 1912 et 1943 : épisodes et personnages se
mêlent jusqu'à rendre le récit incompréhensible. Il s'en dégage
pourtant une sorte de force amère, d'élan confus qui rappelle
le mouvement et la spontanéité de la vie. Mais la couleur de
chaque scène fait regretter l'absence d'une architecture qui
aurait rendu l'ensemble plus saisissant. Du moins, la vision
du monde est-elle originale et vraie ; et l'art n'est-il pas
absent de ces notes assemblées sans ordre apparent.

---

(1) Louis Guilloux est né à Saint-Brieuc en 1899. Autodidacte, d'une famille
pauvre, voyageur de commerce, puis journaliste, publie *la Maison du Peuple*
(1927, Bourse Blumenthal), et accompagne Gide en U.R.S.S. (1936).
Principaux romans : *Dossier confidentiel* (1928), *Compagnons* (1930), *Hymé-
née* (1931), *le Sang noir* (1935), *le Pain des Rêves* (Prix populiste 1942), *le Jeu
de Patience* (Prix Théophraste Renaudot 1949).

IV. — Le feu d'artifice de Jacques Audiberti.

Audiberti (1), qui appartient à cette génération de 1900
dont les protagonistes ont largement franchi le cap du
succès, est resté, sinon en arrière, du moins à l'écart. Pourtant, voilà un auteur jamais à court d'un poème, d'une
promenade, d'une idée ou d'un roman, dont la langue charrie
un torrent d'images et dont les ressources, l'imagination,
l'invention verbale ont quelque chose d'époustouflant. Mais...
« Qui ne sut se borner ne sut jamais écrire » : Audiberti n'a
jamais su se borner. « Aux bavards, les Grecs disaient : « Mets
un bœuf sur ta langue. » Pour bien faire, il faudrait tout au
moins que Jacques Audiberti mît sur la sienne un mouton. (2) »

Son œuvre romanesque, comme son œuvre poétique, est
un monologue interminable, qui colle à la vie et s'y noie,
une rumeur confuse, si bruyante qu'elle en devient vite
inaudible. Le départ est souvent éclatant, comme un appel
de fanfare au petit jour ; mais bientôt, on vagabonde, on se
perd, on s'enlise. Pas d'architecture, ni même de ligne mélodique, rien qu'un gros débraillé verbal. Quel dommage...

V. — André Chamson, Janus Bifrons.

André Chamson (3) qui appartient à la même génération,
présente, comme Janus, deux visages : celui du romancier

---

(1) Jacques Audiberti, né en 1899 à Antibes, a publié plusieurs recueils de
poèmes (*l'Empire et la Trappe*, 1930 ; *Race des Hommes* ; *des Tonnes de Semence*
1941 ; *la Nouvelle Origine* ; *Toujours* ; *Vive Guitare*), des romans (*Abraxas
Cent Jours, le Maître de Milan, Carnage, les Jardins et les Fleuves, Infanticide
préconisé*) et des pièces de théâtre (*le Mal court, la Hobereaute*).

(2) ROBERT POULET, *la Lanterne magique* (Debresse).

(3) André Chamson est né à Nîmes en 1900. Ecole des Chartes (1924). Campagne d'Allemagne en 1944-1945 (adjoint d'André Malraux à la tête de la
Brigade Alsace-Lorraine). Conservateur du Musée du Petit-Palais, président du
Pen-Club, membre de l'Académie française (1956). Commandeur de la Légion
d'honneur.

Principaux ouvrages :

Romans : *Roux le bandit* (1925), *les Hommes de la Route* (1927), *le Crime des
Justes* (1928), *Histoire de Tabusse* (1930), *la Galère* (1939), *le Puits des Miracles*
(1945), *la Neige et la Fleur* (1951), *le Chiffre de nos Jours* (1954), *Adeline Vénician*
(1956), *Nos ancêtres, les Gaulois* (1958).

Essais : « L'homme contre l'Histoire » (in *Ecrits*, 1927), *Fragments d'un
liber veritatis* (1946).

provincial et rustique, et celui de l'intellectuel engagé. Le
premier n'a jamais oublié son terroir, il est aussi inséparable
de son cher Mont Aigoual que Giono des Hauts de Provence ou que Ramuz du pays de Vaud ; le second a participé
aux grandes luttes de son temps, de l'antifascisme à la
deuxième guerre mondiale (il a dirigé *Vendredi* au moment du
Front populaire et secondé Malraux à la tête de la brigade
Alsace-Lorraine) ; Président du Pen-Club international, il
a recueilli, dans une autre part de son œuvre, l'expérience de
la guerre et de la révolution *(l'Année des vaincus, la Galère,
le Puits des Miracles)*. Mais, bien que ces derniers récits,
de *la Neige et la Fleur* (portrait de la nouvelle génération) à
Adeline Vénician, nous en aient beaucoup éloigné, nous ima-
ginons mal André Chamson, même haut fonctionnaire et
académicien, loin des rudes paysages cévenols auxquels, dès
ses premiers récits, il a attaché son nom.

4

Deux mémorialistes : Emmanuel Berl, Michel Leiris

Peut-on considérer Emmanuel Berl (1), qui fut l'un des
bons essayistes de l'entre-deux-guerres *(Mort de la Pensée
bourgeoise, le Bourgeois et l'Amour)* comme un romancier ?
Disons qu'il a aménagé sa biographie (comme André Chamson
l'a fait dans *le Chiffre de nos jours*) avec un souci romanesque
de l'éclairage, un art du mystère et des jeux d'ombres qui
donnent à ses derniers récits *(Sylvia, Présence des Morts)* le
caractère troublant d'une évocation de l'au-delà : son père,
une femme aimée, les visages de Proust et de Drieu La Rochelle surgissent du fleuve des morts comme des fantômes
prêts à revivre.

C'est un effort analogue, avec des moyens très différents,
qu'a tenté le poète surréaliste Michel Leiris (2) (*l'Age*

---

(1) Né en 1898, Emmanuel Berl a publié des essais : *Mort de la morale
bourgeoise*, (1930) *Mort de la pensée bourgeoise, le Bourgeois et l'Amour, la Politique et les Partis, la Culture est-elle en péril, La France irréelle* (1958) ? ; des
récits (*Sylvia, Présence des Morts*), ainsi qu'une *Histoire de l'Europe*.

(2) Michel Leiris, ethnographe de profession (né en 1901) a publié des recueils
poétiques (*Simulacre*, 1925, *le Point cardinal*, 1927, *Aurora*, 1946) ; des essais :

d'Homme, avait, dès 1939, signalé ses dons dans l'étrange autobiographie qu'il a intitulée *la Règle du Jeu*. Ici, l'aveu résonne comme un défi. Et la langue, étrange et belle, fait songer à Proust, à Joyce.

5

CONFIDENTS ET TÉMOINS

A côté de la littérature d'affirmation, il existe une littérature de confidence. Au style de certitude mis à la mode par Sartre et Malraux, Marcel Arland (1) continue d'opposer un style d'inquiétude, une affectation de simplicité, une recherche de la vérité qui s'accommode plus facilement de sa poursuite que de sa possession. Ni l'adhésion ni la révolte ne l'ont tenté, peut-être parce qu'il y subodorait de l'outrance, à tout le moins du mauvais goût. Finalement, il a préféré le rôle de spectateur, de conseiller des Lettres, dont la co-direction de la nouvelle *N.R.F.* et le Grand Prix de littéra-ture de l'Académie française ont confirmé l'influence. L'auteur de *l'Ordre* est resté fidèle aux confessions nuancées, aux por-traits en demi-teinte de ses nouvelles campagnardes ou de récits *(la Consolation du Voyageur)* dont la discrétion fait songer à l'art de son ami Jacques Chardonne. André Thé-rive (2), après avoir attaché son nom, avec Léon Lemonnier,

---

l'Age d'Homme (1939), *Haut-Mal* (1943), *l'Afrique fantôme* (1951) ; et des souvenirs (*la Règle du Jeu*, 2 volumes, (1948-1955).

(1) Marcel Arland est né à Varennes (Haute-Marne) en 1899. Collabore à la *N.R.F.* (*le Nouveau Mal du siècle*, 1922). Prix Goncourt 1929 pour *l'Ordre*. Grand Prix de Littérature de l'Académie française. Codirecteur de la *Nouvelle N.R.F.*

Principaux ouvrages :

Romans : *l'Ordre* (1929), *Antarès* (1932), *Terre natale* (1938).

Nouvelles : *Terres étrangères* (1923), *les Vivants* (1934), *les plus beaux de nos Jours* (1937), *Il faut de tout pour faire un monde* (1947).

Essais : *la Route obscure* (1924), *Anthologie de la Poésie française* (1941), *Chronique de la Peinture moderne* (1949), *Lettres de France, Marivaux* (1950), *la Prose française* (1951), *la Grâce d'écrire* (1955).

(2) Roger Puthesté (en littérature André Thérive) est né à Limoges en 1891. Critique littéraire de formation universitaire, il a succédé à Paul Souday au feuilleton du *Temps* (avant de collaborer, pendant l'occupation à la *Pariser Zeitung*). Il a publié de nombreux romans, parmi lesquels : *l'Expatrié* (1921), *Sans Ame* (1928), *Anna* (1932), *le Charbon ardent* (1929), *Fils du Jour* (1936), .

au sort ingrat du populisme, a trouvé, pour évoquer l'avant-guerre, un ton direct et évocateur *(Comme un voleur)*, tandis qu'il ressuscitait l'énigmatique figure de *Clotilde de Vaux* (1957). Claude Aveline (1) est venu à bout du cycle ambitieux de la *Vie de Philippe Denis*, dont les protagonistes les plus imposants sont le « poussah» de finances Clotaire Censier et l'illustre aveugle Bienvenu Gasmère qui ressemble à la fois à Renoir et à Romain Rolland. Louis Martin-Chauffier (2) s'est tourné vers l'essai, le journalisme politique et une magistrature morale où il prend tout naturellement sa place dans la galerie des « humanistes de gauche» illustrée par l'auteur de *Jean-Christophe* — galerie fréquentée aujourd'hui par Jean Guéhenno (3), qui ne peut s'empêcher de jeter des regards mélancoliques sur un passé révolu *(la Foi difficile)*, et par l'hispanisant Jean Cassou (4), partagé entre son rôle de prospecteur de l'art contemporain et une vocation de romancier interrompue par l'engagement politique *(la Mémoire courte)*.

Pierre Bost (5) s'est tourné vers le cinéma et Pierre de

Tendre Paris (1944), *Comme un voleur* (1947), *les Voix du Sang* (1955) et une biographie de *Clotilde de Vaux* (1957).

(1) Claude Aveline, né à Paris en 1901, a publié une monographie de ville *(la Charité)*, des souvenirs *(Point du Jour*, 1928), un roman-fleuve *(la Vie de Philippe Denis*, 3 volumes), des essais, des romans policiers et un recueil de « mots de la fin» (1957).

(2) Louis Martin Chauffier est né à Vannes en 1894. Déporté en 1944, a publié des essais *(Jeux de l'Ame, Chateaubriand*, 1943, *l'Homme et la Bête*, 1948) ; des pastiches *(Correspondances apocryphes)* ; des romans *(la Fissure, Patrice ou l'Indifférent, l'Epervier)* et des souvenirs *(Mémoires du Filippin)*. Ancien président du C.N.E. Grand Prix National des Lettres (1957).

(3) Jean Guéhenno est né à Fougères en 1890. Agrégé des Lettres ; inspecteur général de l'Université ; à dirigé la revue *Europe* et *Vendredi*. Biographe de Jean-Jacques Rousseau, il a publié de nombreux essais *(Caliban parle*, (1928), *Conversion à l'Humain* (1931), *Jeunesse de la France* (1936) et des journaux intimes *(Journal d'un Homme de Quarante ans* (1934), *Journal d'une Révolution* (1936), *Journal des années noires* (1946), *la Foi difficile* (1957).

(4) Jean Cassou est né en 1897 à Deusto (Espagne basque). Critique d'art, hispanisant, conservateur du Musée d'Art moderne, il a publié de nombreux récits *(les Harmonies viennoises* (1926), *la Clef des Songes* (1929), *Souvenir de la Terre* (1938), *le Livre de Lazare* (1955) ; des nouvelles *(de l'Etoile au Jardin des Plantes* (1935) ; des essais *(Eloge de la Folie* (1925) ; des pamphlets *(la Mémoire courte)* ; et des poèmes *(33 sonnets composés au secret)*.

(5) Pierre Bost, né en 1901 à Lasalle (Gard), a publié des romans et récits : *Homicide par imprudence* (1924), *Faillite* (1928), *le Scandale* (1930), *Portemalheur* (1932), *Un an dans un tiroir, M. Ladmiral va bientôt mourir* (1945).

Lescure (1) vers l'exploration des terres vierges du roman.
Jean Blanzat (2), qui en poursuit l'inventaire dans sa tribune
du *Figaro littéraire*, a donné, avec *la Gartempe*, un récit d'un
art charnel et troublant. Si Robert Poulet (3) a quelque peu
délaissé ses gracieuses rêveries d'avant-guerre, Marc Blancpain (4), des *Contes de la Lampe à graisse* à *Ces Demoiselles
de Flanfolie*, n'a cessé d'affirmer un talent réaliste et vigoureux ; Alfred Fabre-Luce et Pierre Frédérix (5) sont passés
du roman à la politique et au grand reportage ; le charmant
André Beucler (6), à qui Fargue, Giraudoux, Larbaud doivent
leurs meilleurs portraits, et Marcel Brion nous ont donné
de poétiques romans d'évasion, et des contes fantastiques
proches de ceux de Hoffmann *(la Chanson de l'Oiseau étranger)*.

(1) Pierre de Lescure a publié huit romans : *Pia Malécot* (1935), *Tendresse
inhumaine, Souviens-toi d'une auberge, la Tête au vent, le Souffle de l'autre
rive* (2 volumes), *Sans savoir qui je suis, les Retardataires* (1957). A dirigé (avec
Célia Bertin) la revue *Roman*.

(2) Jean Blanzat est né en 1906 dans une famille paysanne du Limousin.
Ancien directeur littéraire des Editions Bernard Grasset. Un des fondateurs,
dans la clandestinité, du *Comité National des Ecrivains*. Grand Prix du Roman
de l'Académie française 1942, pour *l'Orage du matin*.

(3) Né en Belgique en 1893, Robert Poulet voit, dans le roman, l'envoûtement d'un auteur par sa fable. Il aime explorer les hallucinations (*Handji*,
1930 ; *les Ténèbres*, 1934), les névroses ou même la folie (*le Trottoir*, 1931 ;
Prélude à l'Apocalypse, 1943). Il a publié aussi des pamphlets *(la Révolution
est à droite)*, des volumes de critique *(Parti pris, la Lanterne magique)* et un
Journal d'un Condamné à mort.

(4) Marc Blancpain est né en 1909. Après la guerre, professeur à Genève,
puis au Caire (Egypte). Prisonnier de 1940 à la fin de 1943, est, depuis 1944,
secrétaire général de l'Alliance Française. A ce titre, il a parcouru l'Afrique,
l'Amérique et l'Asie. Il a publié :

Des romans : *le Solitaire* (Grand Prix de l'Académie française 1945), *les
contes de la Lampe à graisse* (Prix Courteline 1946), *Catherine* (1947), *Maturité*
(1949), *les Fiancés d'Olomouc* (1950), *le Carrefour de la Désolation* (1951),
Arthur et la Planète (Prix Scarron 1955), *Ces Demoiselles de Flanfolie* (1956),
La femme d'Arnaud vient de mourir (1958).

Des nouvelles : *les Belles Amours* (1948), *la Maison du Bon Dieu* (fables et
récits, 1949). (Denoël et Flammarion).

Un essai : *Voyages et verres d'eau* (la Passerelle, 1952).

(5) Mais *Conquête, Irlande, Extrême-Occident* étaient déjà des reportages
romancés.

(6) Né en Russie, en 1898, André Beucler a publié de nombreux romans
(*l'Entrée du Désordre, la Ville Anonyme, Trois oiseaux*), des traductions et des
souvenirs.

6

ROMANS-CYCLES

Le roman-cycle, qu'avaient illustré avec éclat Martin du Gard, Duhamel et Jules Romains, a tenté plusieurs de leurs cadets, mais Thyde Monnier et Guy Mazeline appartiennent davantage au roman populaire (1) qu'à la littérature, et le regretté René Laporte (2), comme le scrupuleux Edmond Buchet (3) se sont bornés à ajouter de nouveaux chapitres, fort sévères, à l'inépuisable chronique de la bourgeoisie française *(les Membres de la Famille; les Vies secrètes)*. Moins ambitieux que René Béhaine, Philippe Hériat (4) aurait pu sous-titrer sa *Famille Boussardel* « grandeur et décadence d'une dynastie bourgeoise » : les faits et gestes d'un clan, homogène en dépit de ses contradictions, saisis au jour le jour avec un réalisme évocateur, aboutissent à un réquisitoire d'autant plus efficace que le lecteur, entraîné par le rythme du récit, n'a pas le moyen d'en apprécier la justice.

(1) Le premier avec *les Desmichels*, le second avec *le Roman des Jobourg*.

(2) René Laporte (1905-1954) né à Toulouse en 1905, haut fonctionnaire (inspecteur général de l'Information) a publié des poèmes (*Corde au Cou*, 1927 ; *L'An 40; le Hasard et le Gant de Velours*, 1951), des pièces de théâtre (*Federigo, Rebecca*) et de nombreux romans : *le Dîner chez Olga* (1927), *les Chasses de novembre* (Prix Interallié 1936), *les Membres de la Famille* (2 volumes, 1948), *le Château de Sable* (1949), *Un Air de Jeunesse* (1951). Prix des Ambassadeurs 1951.

(3) Edmond Buchet, né en 1907, éditeur, a publié des essais : *Connaissance de la Musique, Ecrivains intelligents du XXᵉ siècle*, et un roman-cycle en 5 volumes (*les Vies secrètes*, 1948).

(4) Raymond Payelle (en littérature Philippe Hériat), né à Paris en 1898 (fils d'un Premier Président à la Cour des Comptes, arrière-petit-fils de Zulma Carraud, l'amie de Balzac). Membre de l'Académie Goncourt (1949).

Principaux ouvrages :

Romans : *l'Innocent* (Prix Théophraste Renaudot 1931), *la Main tendue* (1933), *l'Araignée du matin*, suivie de *En présence de l'Ennemi* et *le Départ du Valdivia* (1933), *la Foire aux Garçons* (1934), *Miroirs* (1936), *les Boussardel* (I, *Famille Boussardel* (Grand Prix du roman de l'Académie française 1947), II, *les Enfants gâtés* (Prix Goncourt 1939), III, *les Grilles d'Or*).

Récit : *le Secret de Mayerling* (1949).

Théâtre : *l'Immaculée* (1947), *Belle de Jour* (1950), *les Noces de Deuil* (1953).

Paul Vialar (5), parvenu à mi-chemin d'une œuvre déjà monumentale dont l'exemple le plus frappant reste la *Grande Meute* (1943), n'a pas craint de s'attaquer, à peine achevée *la Mort est un commencement* (10 volumes), à une *Chronique française du XX*e *siècle* où il passera en revue, à travers vingt ouvrages, du général à l'avocat, et du médecin, à l'éditeur, tous les métiers de l'homme moderne. Yves Gandon s'efforce de restituer la sensibilité féminine française dans ses chroniques romancées ; André Soubiran, les problèmes du monde médical dans la puissante fresque de ses *Hommes en Blanc*, Jean Davray ceux d'une bourgeoisie avancée *(le Bruit de la Vie)*. Mais dans ce domaine, la palme doit revenir à Henri Troyat (1), accueilli, de livre en livre et de prix en prix, par la faveur croissante du public et de la critique. L'auteur de *l'Araigne* a réussi un coup double avec *Tant que la Terre durera*, où il ordonne une masse imposante de faits et de multiples visages dans la reconstitution des dernières années de la Russie impériale (où il est né) et des premiers mois de la Révolution, et avec *les Semailles et les Moissons* où il se montre presque aussi adroit (mais moins convaincant) dans l'évocation de la province française (une famille de paysans limousins devenus cafetiers à Montmartre, puis hôteliers à Megève) et d'une héroïne aussi conventionnelle qu'attachante *(Tendre et Violente Elisabeth)*.

---

(1) Paul Vialar est né à Saint-Denis en 1898. Diplômé des Hautes Etudes Commerciales. Ancien Président de la Société des Gens de Lettres.

Principaux ouvrages :

Théâtre : *l'Age de raison* (1922), *les Hommes* (1930), etc.

Romans : *la Rose de la Mer* (Prix Fémina 1939), *la Grande Meute* (1943), *la Mort est un commencement* (8 volumes. Grand Prix de la Ville de Paris 1948), *la Chasse aux Hommes* (10 volumes), *Chronique française du XX*e *siècle* (7 volumes) *le Petit Garçon de l'Ascenseur*, *la Découverte de la Vie* (1957).

(2) Henri Troyat est né à Moscou en 1911. Venu à Paris en 1920, il y fait ses études ; rédacteur à la Préfecture de la Seine, il quitte l'administration en 1941, pour se consacrer à son œuvre. Prix Louis Barthou et Prix du Prince Rainier de Monaco (1952).

Principaux ouvrages :

Romans : *Faux Jour* (Prix Populiste 1935), *l'Araigne* (Prix Goncourt 1948), *le Mort saisit le vif* (1942), *le Signe du Taureau* (1945), *Tant que la Terre durera* (1947), *le Sac et la Cendre*, *Etrangers sur la terre* (1950), *les Semailles et les Moissons* (3 volumes).

Biographies : *Dostoïewski* (1940), *Pouchkine* (1946), *Lermontov* (1952).

Théâtre : *les Vivants* (1940), *Sébastien* (1948), *le Vivier* (1952).

7

Romans d'action et d'aventure

Le public s'est montré particulièrement sensible, ces dernières années, à des récits où la qualité humaine, l'aventure et l'exotisme comptaient plus que le style ou que l'invention littéraire. *Premier de Cordée* (1943) de Frison-Roche a créé un genre dont le public n'a cessé de croître ; ainsi ont pris place dans notre production littéraire les récits d'explorateurs (Paul-Emile Victor, Bertrand Flornoy, J.-J. Languepin), d'alpinistes (Maurice Herzog, Marcel Ichac, Gaston Rebuffat), de navigateurs (Alain Bombard, Jean-Yves Le Toumelin), d'aviateurs (Pierre Clostermann), de spéléologues (Norbert Casteret) auxquels on sait gré, dans une époque où l'on doute souvent de l'homme et de son avenir, de témoigner de son courage et de sa vitalité.

A côté de ces hommes d'action dont la plume n'est qu'une fidèle servante, des romanciers comme Edouard Peisson (1), Luc Durtain (2), Henri Fauconnier (3), Jean d'Esme (4), Léonce Peillard (5), Henry de Monfreid (6), Roger Vercel (7)

---

(1) Edouard Peisson (né à Marseille en 1896) a publié : *Parti de Liverpool* (1932), *Passage de la Ligne* (1935), *le Voyage d'Edgar* (Grand Prix du Roman de l'Académie française 1940), *l'Aigle de mer* (1941), *A destination d'Anvers* (1943), *les Rescapés du Nevada* (1949), *Capitaines de la Route de New York* (1953).

(2) André Nepveu (en littérature Luc Durtain), né à Paris en 1881, a publié plus de quarante volumes (*l'Autre Europe, Capitaine O.K., Mémoires de notre Vie*, etc...).

(3) *Malaisie* (1930) a fait un moment de Henri Fauconnier, le romancier exotique par excellence, à côté de René Maran (*Batouala*, 1921), d'André Demaison (*le Livre des Bêtes qu'on appelle sauvages*, 1929), de Louis Francis (*Daria*, 1930).

(4) Né à Shanghaï, d'une famille de gentilshommes coloniaux, ancien président de la Société des Gens de Lettres (1954-1956), le marquis Jean d'Esmenard (en littérature : Jean d'Esme) a publié de nombreux romans de guerre, de brousse et d'aventure (*Thi-Ba, fille d'Annam*, 1920 ; *l'Homme des Sables* 1930, *la Grande Horde*, 1948), et des biographies (*Leclerc*, 1947 ; *Foch*, 1951 ; *Bournazel*, 1952).

(5) Né à Toulon en 1898, Léonce Peillard a publié des romans maritimes (*le capitaine Cornil Bart, la Porte de la Mer*), des policiers (*les Pigeons d'or*) et une étude sur Magellan.

(6) Né en 1879, Henry de Monfreid a écrit des romans psychologiques (*la Vocation de Caroline*, 1953) et d'aventure (*les Secrets de la mer Rouge*, 1932, *le Cimetière des Eléphants*, 1952, *Pilleurs d'Epaves*, 1955).

ont bâti des œuvres solides où l'imagination trouve appui sur
l'évocation précise d'un décor et d'une aventure. Ils sont
allés, selon le mot d'A. t'Serstevens (8), autre grand voyageur,
« les mains dans les poches, regarder les femmes dans les
ports, les navires, les matelots, les marchandises du monde
entier et la mer qui les porte», fiers d'être des hommes libres
au milieu du vaste monde. L'un d'eux, Joseph Kessel (1),
a même, un moment, rivalisé avec Malraux et Saint-Exupéry.
La greffe juive sur le tempérament slave semblait l'avoir
désigné pour être un témoin de son siècle. Mais quel emploi
inégal Kessel a fait de son génie ! L'auteur de *l'Equipage*
est devenu celui du *Tour du Malheur* (1950), un des médiocres
romans-cycles de la dernière décennie — un portrait poussé
au noir du Paris de la fin de l'entre-deux-guerres, semé d'orgies
où finit par sombrer un héros pourtant riche en globules
rouges — mais aussi celui du *Lion* (1958), où le reportage a
pris les couleurs de la fable.

8

LES COMMUNISTES D'ARAGON... ET CEUX D'ELSA TRIOLET

Est-il exact qu'aucune des doctrines politiques ou sociales
du XXe siècle n'ait encore inspiré de grande œuvre littéraire ?
En tout cas, le communisme attend toujours son Tolstoï et
n'a pas suscité jusqu'ici, fût-ce en Union Soviétique, d'œuvres
exemplaires. (Ou bien alors, il faut chercher ces œuvres en
marge du système, chez les héritiers rebelles ; *l'Affaire Toulaev*

---

(7) Roger Vercel (1894-1957) restera l'auteur du *Capitaine Conan* (Prix
Goncourt 1934), de *Remorques* (1935), de *Jean Villemeur* (1939), d'*Aurore
boréale* (1947) et de *la Fosse aux Vents* (1950).

(8) A. T'Sertsevens (né en Belgique en 1886) a publié des romans *(le Vagabond sentimental, l'Or du Cristobal, les Corsaires du Roi)* ; des nouvelles, des
poèmes, des essais et des récits de voyage *(l'Itinéraire espagnol, l'Itinéraire
portugais, le Dieu qui danse, Mexique, pays à trois étages)*.

(1) Né à Oltra (Argentine) en 1898, Joseph Kessel a écrit de nombreux
romans *(la Steppe rouge, l'Equipage* (1923), *les Captifs, les Cœurs Purs, Belle
de Jour, Fortune carrée, le Bataillon du Ciel, le Tour du malheur* (4 vol., 1950),
le Lion (1958) ; des reportages *(Stavisky)* et des souvenirs *(Témoin parmi les
hommes,* 1956).

de Victor Serge, *le Zéro et l'Infini* de Koestler, les romans de
Malraux et de Manès Sperber.)

Le roman soviétique est à peine sorti des combats de la
guerre et de l'après-guerre ; en France, des romanciers de la
qualité de Jean-Richard Bloch et de Vaillant-Couturier, des
philosophes aussi doués que Georges Politzer, ont sacrifié
leur œuvre au journalisme et à la propagande. André Wurmser
s'est consacré de plus en plus à la critique de soutien du roman
soviétique ou progressiste (dans son feuilleton des *Lettres
Françaises*) tout en poursuivant la longue fresque d'*Un
Homme vient au monde*. Et dès qu'Aragon ou qu'Eluard
font de la « poésie de parti», ils perdent le meilleur d'eux-
mêmes.

« *Les Communistes*» *d'Aragon :*

Le meilleur d'Aragon romancier, c'est sa transcription
poétique de la réalité. (L'enfance et l'amour reçurent ainsi
dans le cycle du *Monde réel*, le baptême d'une poésie incarnée.)
Mais le romancier avait d'autres ambitions ; il entendait
montrer l'écroulement du monde ancien, et faire surgir à sa
place, au milieu d'un monde libéré de ses fatalités, des personnages selon son cœur : hommes et femmes rendus égaux et
libres par la révolution. Déjà *les Cloches de Bâle* (1933) et
leur héroïne, Clara Zetkin, avaient chanté la « nouvelle
romance». *Les Communistes* devaient représenter au milieu
de la France au combat le héros de notre temps : le prolétariat dressé pour sa libération.

Ce qui a surpris d'abord, dans *les Communistes*, c'est l'ef-
facement (volontaire) de l'artiste : le prosateur imagé du
Paysan de Paris, le musicien d'*Aurélien* et des *Beaux Quartiers* sont absents de ce bourdonnement de voix confuses
(seule l'évocation du Vendredi Saint 1940 rappelle l'Aragon
ancien). *Les Communistes* sont une foule, un être collectif
saisi à l'heure de l'épreuve ; les coups d'archet, les bonheurs
d'écriture, les moments parfaits n'y figurent pas. Mais surtout,
la « ligne générale» n'était pas facile à suivre : justifier la validité du pacte germano-soviétique, montrer que les communistes, de 1939 à 1940, ont été *les meilleurs partout*, cela tenait
de la gajeure. Maurice Thorez traverse ce récit historique
comme une figure de vitrail. (« *Etre le meilleur partout...
Faire ce que te dictera ta conscience de communiste et de Français.*») Et le Bien et le Mal, les Bons (les communistes) et les

Méchants (une bourgeoisie imbécile qui veut, à la faveur de
la défaite, « régler son compte à la canaille») s'opposent
avec une trop exacte symétrie : la foi a pris le relais de l'esprit
critique. Sept années plus tard, Aragon a pourtant su s'arracher un instant aux servitudes de l'actualité pour nous donner
dans *la Semaine Sainte* (1958) une étonnante reconstitution
des Cent-Jours.

De même, Elsa Triolet, belle-sœur de Maïakovski et
disciple de Gorki, s'est-elle laissé, dans une œuvre romanesque
abondante, adroite, d'où le talent n'est jamais absent, si
constamment cerner par l'événement qu'elle en paraît la
prisonnière. Depuis *Bonsoir, Thérèse, le Cheval blanc* et *le
Premier Accroc coûte deux cents francs* (Prix Goncourt 1944),
qui la montrent plus à l'aise dans la nouvelle que dans un
récit étoffé, elle n'a cessé d'aborder les problèmes politiques
et sociaux de l'après-guerre dans une perspective orthodoxe.
Son dernier roman, *le Monument*, apparaît comme un timide
effort de prendre ses distances, à l'intérieur du réalisme socialiste, à l'égard d'un stalinisme devenu lui-même anachronique.

9

Du coté du roman policier ; le cas Simenon

La France a, quoi qu'on dise, d'excellents auteurs de romans
policiers. Il ne s'agit pas seulement de ceux de la *Série Noire*
que le génie inventif de Marcel Duhamel a su faire surgir,
au lendemain de la Libération, et auxquels il a donné, pour
plus de vraisemblance, des pseudonymes américains, jusqu'au
jour où la gloire d'Albert Simonin *(Touchez pas au grisbi!)*
et d'Auguste Le Breton *(Du Rififi chez les Hommes)* l'a
dispensé de cet artifice. Mais Marcel Allain, Pierre Véry,
A. Ziwès, le regretté Jacques Decrest (sous le nom de J.-N.
Faure-Biguet, attachant biographe de *Gobineau* et des
Enfances de Montherlant), Cecil Saint-Laurent, Léo Malet,
Boileau, Narcejac, Guy Venayre, Noël Calef (1), Jean Paulhac

(1) Né en 1907, Noël Calef a publié des souvenirs *(j'ai choisi le cinéma)*
des nouvelles et de nombreux romans *(Echec au porteur,* prix du Quai des
Orfèvres 1956) *Recours en grâce, Ascenseur pour l'Echafaud, Retour à Sorrente).*

et vingt autres ont su se montrer les dignes héritiers de Gabo-
riau, de Maurice Leblanc et de Gaston Leroux. Mais ce sont là
des réussites mineures si on les compare au phénomène
Simenon.

Par la masse de son œuvre, par la facilité avec laquelle il
campe un décor (en puisant ses rues dans des plans de villes
et ses noms propres dans des annuaires de téléphone), Georges
Simenon (1), qui a débuté par le roman populaire, s'apparente
aux feuilletonistes du XIXe siècle, à Eugène Sue et à Xavier
de Montépin. N'écrivait-il pas, hier encore, ses quatre-vingts
pages par jour ? En onze jours, il achève un roman. Au fur
et à mesure qu'il avance dans la carrière, l'auteur ne se contente plus de ses prodigieux revenus littéraires qu'alimente
une véritable industrie de traductions. Il rêve d'égaler
Balzac. Il se fâche lorsqu'on parle, à propos de ses derniers
livres, de romans policiers : c'est le cas psychologique, dit-il,
qui l'intéresse, non l'anecdote. Au « qui a tué ? » il a substitué
le « pourquoi a-t-on tué ? », préférant être le complice des
assassins qu'il met en scène que leur juge. Ses meilleurs récits
(Pedigree, la Neige était sale) témoignent d'un sens surprenant de la vie saisie à sa naissance ; en éclairant quelques
gestes, encore obscurs, il révèle une psychologie. Enfin, Simenon a mis beaucoup de soin à renouveler son décor, passant
avec une sûreté stupéfiante des rues mouillées de Paris à la
Floride ou à la route américaine. On ne peut nier la perfection
du mécanisme : de *la Mort de Belle* aux *Frères Rico*, et de
l'Horloger d'Everton au saisissant *Président* (1958), celui-ci fonctionne sans un heurt. Mais on souhaiterait voir hésiter cette
horlogerie trop bien huilée, et Simenon sortir de ces nouvelles
étirées en romans, oiseleur pris à son propre piège et qui ne
quitte plus sa cage dorée.

---

(1) Georges Simenon, né à Liège en 1903, a publié plus de 150 romans,
depuis *Au Pont des Arches* (1920), dont les plus célèbres sont : *l'Homme qui
regardait passer les trains* (1936), *la Maison du Canal* (1933), *Pedigree*, *la Neige
était sale* (1948), *les Mémoires de Maigret* (1951), *Antoine et Julie* (1953), *Le
Président* (1958).
    Sur l'homme et l'œuvre, on pourra consulter : ANDRÉ PARINAUD : *Connais-
sance de G. Simenon* (Presses de la Cité, 1957).

10

LES FEMMES ET LE ROMAN

Prédite par Léon Blum au début du siècle, l'invasion du
roman par les femmes est aujourd'hui chose faite. Aucune
barrière matérielle, sociale ou psychologique ne leur interdit
plus d'écrire, et le temps est loin où Mme de Staël et George
Sand faisaient encore figure d'exceptions quasi monstrueuses,
pour qui la gloire elle-même ne pouvait être que « le deuil
éclatant du bonheur ».

I. — De Colette à Simone de Beauvoir : une littérature adulte.

La « littérature féminine » est aujourd'hui adulte et nous
n'attendons plus d'elle ces divertissements aimables dont
Mme d'Agoult, la baronne de Pierrebourg ou Gyp s'étaient
fait une spécialité. Anna de Noailles et Colette ont vécu leur
double condition de femme et de créateur avec autant de
naturel que de juste orgueil ; Marie Lenéru et Marguerite
Audoux ont transcrit la réalité qu'elles avaient observée et
vécue sans une concession à la mode ou même à la « littérature ». Les unes et les autres ont échappé aussi bien à la
soumission traditionnelle qu'à la revendication d'une égalité
illusoire. Aucune inquiétude ne trahit, chez Colette, l'insta-
bilité féminine ; Edmée de La Rochefoucauld *(les Moralistes
de l'Intelligence ; Vus d'un autre Monde)* raisonne sur les
passions et sur les mécanismes de l'intellect avec une froideur
et une égalité d'humeur qui ne le cèdent en rien à celles d'un
Valéry ou d'un Alain. La même objectivité (la dirons-nous
masculine ?) inspire les reconstitutions psychologiques d'une
Marguerite Yourcenar *(les Mémoires d'Hadrien)* ou les reportages romancés de Marguerite Duras *(un Barrage contre le
Pacifique)*. Nous n'en dirons pas autant des œuvres, plus
engagées d'une Simone de Beauvoir — le ton exaspéré de
certaines pages du *Deuxième Sexe* rappelle celui des suffra-
gettes — romancier dont nul ne peut nier la force, la puissance quasi masculines — ou d'une Clara Malraux *(la lutte
inégale* 1958),

II. — Inadaptées : Simone Weil, Paule Régnier, Evelyne Mahyère.

Mais l'œuvre d'art peut naître aussi bien d'une inadaptation au réel que d'un accord spontané avec la nature : après Proust et Kafka, le sombre et sublime génie de Simone Weil en est une preuve éclatante. L'auteur de *l'Enracinement* a vécu son refus de se soumettre à la condition féminine, comme à la nécessité historique, jusqu'à la dernière goutte de son sang. On retrouve une inadaptation semblable chez une Katherine Mansfield, une Paule Régnier, une Evelyne Mahyère. Pour celles-ci, la littérature a été une amère revanche sur la vie. Privée de l'homme qu'elle aimait, le poète Paul Drouot, tué en 1914, et même de l'illusion bienheureuse qu'elle avait nourrie (car elle eut le malheur d'apprendre que Paul Drouot ne l'avait pas aimée), frappée d'un irrémédiable complexe d'infériorité (car elle était laide), Paule Régnier trouva d'abord dans ses romans (le plus connu reste *l'Abbaye d'Evolayne*, 1933) un exutoire et comme une seconde vie. Lorsqu'elle perdit cette dernière illusion (son éditeur refusa ses manuscrits), elle se tua — mais en laissant un poignant *Journal* où cette femme trahie par l'existence a voulu se prouver et prouver au monde qu'elle valait mieux que sa misérable destinée. Plus moderne, la Sylvie d'Evelyne Mahyère (qui s'est, elle aussi, donné la mort) pousse jusqu'à ses dernières limites le mal de vivre qui ravage sa génération (*je jure de m'éblouir*.)

III. — Romancières à succès : de Germaine Beaumont à Christine Garnier.

Mais les vocations du malheur restent exceptionnelles. Si nous nous tournons du côté du succès, nous trouvons chez nous des romancières célèbres, rivales directes des Rosamund Lehmann, des Elisabeth Goudge et des Mazo de la Roche. Il y a beau temps que Thyde Monnier (1) assai-

(1) Thyde Monnier (née à Marseille en 1887), a débuté en 1927 par *la Rue Courte*, portrait réaliste de la banlieue de Marseille. A publié depuis des Mémoires et une trentaine de récits (dont un cycle en 7 volumes : *les Desmichels*) dont les derniers sont *la Désirade* et *Madame Roman* (1957), et le plus connu *Nans*, *le Berger* (Grand Prix de la Guilde du Livre 1941). André Billy

sonne d'ail et de piment des récits éclatants de soleil et
dépourvus de complications psychologiques. Agnès Chabrier (1), qui signe Daniel Gray des romans d'amour de série,
sinon de classe internationale, a obtenu un succès mérité
avec *la Vie des Morts*. Germaine Beaumont (2) s'est fait une
spécialité de récits tristes et tendres dont *Agnès de Rien*
reste le plus typique. Cilette Ofaire, auteur, avant cette guerre,
d'une inoubliable *Ismé*, est revenue discrètement au roman
pour conter en trois cents pages, l'histoire ensoleillée d'*Un
Jour quelconque*. Maryse Choisy a tiré parti (dans *le Serpent*)
de son expérience de la psychanalyse. Et une nouvelle venue,
Christine Garnier (3) a montré beaucoup d'adresse à maquiller
en romans des reportages exotiques (4).

IV. — Trois romancières : Monique Saint-Hélier, Claire Sainte-Soline, Marguerite Yourcenar.

Mais nous mettrons à part trois romancières qui méritent
d'être égalées aux plus grands. Monique Saint-Hélier (1895-
1955), dont la notoriété date de l'entre-deux-guerres (5),
apportait, dans notre littérature, la note ténue, inimitable,
de Rilke et des romanciers anglais qu'elle admirait tant. De

dit et répète : « Thyde Monnier n'a pas la place qu'elle mérite au premier rang
de nos romancières. » On ne demande qu'à le croire...

(1) Agnès Chabrier a publié *le Royaume intermédiaire* (1945), *la Vie des
Morts* (1946), *les Pierres crient* (1948), *Au Vent de l'Hiver* (1950) ; une dizaine
de romans populaires (sous le pseudonyme de Daniel Gray) et de vivants reportages (notamment dans la *Revue de Paris*).

(2) Poète, conteur et romancier, Germaine Beaumont a publié, notamment :
Disques (1930), *Piège* (1935), *la Longue Nuit* (1936), *les Clefs* (1939), *la Roue
d'Infortune*, *Agnès de Rien*.

(3) Christine Garnier a publié chez Bernard Grasset : *Va-t'en avec les tiens*
(1951, roman sous le pseudonyme de Doëllé), *Elsa de Berlin* (1956), des reportages (*Vacances avec Salazar*, 1952 ; *les Héros sont fatigués*, visages du Libéria,
1953) et des confidences d'écrivains (*l'Homme et son personnage*, lettre-préface
par Bernard Grasset, 1955).

(4) Parmi les romanciers populaires, n'oublions pas, après Delly et Max
du Veuzit, Michel Davet (*le Prince qui m'aimait*, 1930 : *Douce*, 1940 ; *Joli-
Cœur*, 1945 ; *Histoire d'un Eté*, 1947) ni Elisabeth Desmarets (*Torrents*).

(5) Betsy Eymann-Parel (en littérature Monique Saint-Hélier (1895-1955),
née à la Chaux-de-Fonds en 1895, secrétaire de Gonzague de Reynold, mariée
à un diplomate suisse, a longtemps résidé à Paris, où, immobilisée par la
maladie dans un appartement du quai de Béthune, elle a écrit presque toute
son œuvre, de *la Cage aux Rêves* (1932) à l'*Arrosoir rouge* (1949).

son lit de malade, elle animait un étrange ballet de signes dont nous suivons encore, dans un ciel impalpable, les mystérieuses apparitions. Claire Sainte-Soline (1), qui n'a pas encore été mise à sa vraie place, a peut-être donné son chef-d'œuvre avec *le Dimanche des Rameaux* (1952), histoire mêlée d'humour et de pitié d'un ogre dont toutes les femmes s'emploient, dans un touchant accord, à satisfaire l'appétit. Et l'on n'a pas suffisamment applaudi l'étonnant récit d'une autre époque qu'elle a intitulé *d'Amour et d'Anarchie* (1955) et où elle a transcrit, en se gardant de toute littérature, la véridique histoire d'un couple d'artisans d'avant 1914.

Marguerite Yourcenar (2), connue d'un petit nombre dès avant cette guerre (*Alexis ou le traité du vain combat* date de 1929), a dû attendre son dixième livre — *les Mémoires d'Hadrien*, succès international — pour jouir de la notoriété. Cette nomade, toujours en voyage entre l'Europe et l'Amérique, passionnée de la Grèce (elle a traduit Kaenajis et sa première œuvre était une biographie de Pindare), curieuse du mystère des rêves *(les Songes et les Sorts)*, des êtres et des civilisations, a recueilli, en quatre ans de travail, dans les *Mémoires d'Hadrien*, le fruit d'une culture exceptionnelle. Dans ces Mémoires imaginaires que rédige un empereur à la veille de sa mort, « l'homme le plus ondoyant et divers qui fut jamais », l'auteur a tenté de recueillir les leçons d'une civilisation à son apogée. En regardant pour la première fois sa vie et son œuvre face à face l'immense Cité qu'il croit éternelle et qu'il sent menacée, l'Empereur comprend — mais trop tard — que le monde romain doit s'égaler au monde, ou périr.

Le succès mérité de ce beau livre a quelque peu écrasé le reste de l'œuvre de Marguerite Yourcenar qui mérite pourtant d'être connue.

---

(1) Claire Sainte-Soline a publié notamment : *Journée* (1934), *D'une haleine* (1935), *Antigone ou l'Idylle en Crète* (1936), *le Dimanche des Rameaux* (1952), *Reflux, Mademoiselle Olga* (1954), *d'Amour et d'Anarchie* (1955), *la Mort de Benjamin* (1957).

(2) Mlle de Crayencour (en littérature Marguerite Yourcenar) a publié : *Alexis ou le traité du vain combat* (1929), *les Songes et les Sorts, la Nouvelle Eurydice* (1931), *le Coup de Grâce* (1939), *les Mémoires d'Hadrien, Feux, la Mort conduit l'attelage* (à la librairie Plon).

V. — Madame Simone (1).

Mme Simone n'aurait-elle été que l'éblouissante interprète d'Edmond Rostand et de Henry Bernstein, l'épouse de le Bargy, de Claude Casimir-Périer, de François Porché, l'amie de Péguy, d'Alain-Fournier et de Romain Rolland, elle aurait sa place dans l'histoire du théâtre comme dans celle des idées, ayant été le lien amical et le point de rencontre de plusieurs générations littéraires : elle se montre, d'ailleurs, dans ses riches souvenirs, un mémorialiste de talent (*l'Autre Roman*, 1955 ; *Sous de nouveaux Soleils*, 1957). Mais la romancière n'excelle pas moins à retenir le pathétique d'une destinée, elle sait incarner dans des personnages fiévreux l'intensité avec laquelle certains êtres se jettent au-devant d'un amour dont ils seront les premières victimes (*le Désordre*, 1930 ; *Jours de Colère*, 1935 ; *le Paradis terrestre*, 1939 ; *le Bal des Ardents*, 1951). La même sympathie pour des héros hors série devait l'amener à mettre en scène les Brontë ou les héros de l'univers concentrationnaire (*Descente aux Enfers*, 1947).

(1) Née à Paris en 1880, Mme Simone (née Pauline Benda) a fait ses débuts au théâtre en 1902 (dans *le Détour*, de Henry Bernstein). Epouse de l'acteur Le Bargy, puis de Claude Casimir-Périer et de François Porché, amie de Péguy, de Psichari, d'Alain-Fournier et de Romain Rolland, elle a publié des romans : *le Désordre* (1930), *Jours de Colère* (1935), *Québéfi* (1943), *le Bal des Ardents* ; des souvenirs : *l'Autre roman*, *Sous de nouveaux Soleils* ; et fait jouer des pièces de théâtre. Membre du jury du Prix Fémina.

CHAPITRE DEUXIÈME

QUELQUES MAITRES
DU NOUVEAU ROMAN FRANÇAIS

On ne s'étonnera pas, après ce coup de chapeau tiré aux « anciens», de nous voir accorder maintenant la première place aux écrivains de la dernière volée, dont l'œuvre, même déjà commencée (comme celle d'un Julien Gracq ou d'un Samuel Beckett) avant la dernière guerre, n'a pris sa place et sa pleine signification que depuis 1938.

Ici, il a fallu choisir et nous ne nous dissimulons nullement ce qu'un tel choix a de partial et d'injuste. C'est le cas de rappeler notre avant-propos : il ne s'agit pas d'un palmarès ; des noms qui demain peut-être seront illustres, peuvent n'être même pas mentionnés ici ; d'autres seront oubliés ; les proportions, en tout cas, auront changé. Et les classifications adoptées paraîtront peu précises. Mais n'introduire ni choix ni ordre dans l'énorme production romanesque de ces dernières années aurait abouti à noyer toutes les œuvres dans une morne énumération.

Nous avons commencé par retenir six romanciers entre vingt comme particulièrement caractéristiques des grandes orientations du nouveau roman français : en tête un écrivain scandaleux et inclassable, un disciple de Sade qui écrit comme Jean Racine : l'immoraliste Jean Genêt ; un conteur qui prolonge, en pleine littérature de la révolte, l'humanisme ironique et l'atticisme de Voltaire et d'Anatole France : Roger Peyrefitte ; un Laclos marxiste : Roger Vailland ; un romantique et somptueux prosateur, le plus heureux héritier du surréalisme : Julien Gracq ; un moraliste sévère, formé à l'école du courage et de l'action : Jules Roy, frère cadet de Saint-Exupéry ; enfin, un étranger venu porter le feu dans le trop sage édifice de notre langue : Samuel Beckett, prophète d'un siècle désespéré.

A défaut d'une même inspiration, le style de ces œuvres ou plutôt leur ton les situe d'ores et déjà à part dans notre littérature.

I

JEAN GENÊT OU LA SANCTIFICATION DU MAL

Voici un des derniers écrivains du siècle à posséder une *légende*. Mais c'est une légende du Mal, une fleur vénéneuse et parfaite qui a poussé sur la décadence d'une civilisation. François Villon, Baudelaire, le divin Marquis lui-même, pâlissent lorsqu'on leur compare ce gibier de prison et de maison close, maintes fois condamné, cet homosexuel, ce délateur dont on s'étonne que de grands écrivains de ce temps (Jean Cocteau, Jean-Paul Sartre) puissent se dire les amis. Mais par un paradoxe fréquent, ce déchet humain, dont les détenus des maisons centrales eux-mêmes refusent, dit-on, de partager la cellule, est un artiste, qui a imposé à son œuvre l'ordre et la clarté auxquels il était incapable de soumettre sa vie.

C'est dans la prison de la Santé que Jean Genêt (1) a pris la décision d'écrire, non, prétend-il, afin de revivre ses émois et de les communiquer, mais pour se composer un ordre moral : cette préoccupation devait lui valoir l'intérêt de Jean-Paul Sartre, exprimé dans une monumentale préface derrière laquelle disparaissent ses « Œuvres complètes » (2). Genêt va jusqu'à prononcer sans gêne le mot de sainteté qui,

(1) Jean Genêt (né à Paris en 1907) a publié :

Des romans : *Notre-Dame des Fleurs, Miracle de la Rose, Pompes funèbres, le Pêcheur du Suquet, Querelle de Brest, Haute Surveillance, Journal du Voleur.*

Des poèmes : *le Condamné à mort, Un Chant d'Amour.*

Et composé deux pièces de théâtre : *les Bonnes* et *le Balcon.*

Ses *Œuvres complètes*, en deux tomes (précédées d'une préface de J.-P. Sartre) ont paru chez Gallimard (1951-1953).

(2) *Saint Genêt, comédien et martyr.*

dit-il, est son but (« que tous mes actes me conduisent vers
elle, que j'ignore »).

L'œuvre et la morale qui l'inspirent sont un bon exemple
de ce que Henri Massis appelait (à propos de Gide) l'*inversion
généralisée* de toutes les valeurs. *Le Journal du Voleur* est
son histoire ; celle d'un homme qui a rencontré le Mal et qui
a décidé d'en faire le fondement de son éthique et l'instrument
de sa rédemption. Pupille de l'Assistance Publique, surpris à
voler, saisi par « les douces mains inexorables de la Justice »,
entraîné, de maison de correction en maison de correction,
puis de geôle en geôle, au fur et à mesure que s'allongeait la
liste de ses méfaits, l'enfant, devenu homme, a refusé d'accepter sa culpabilité. Il a conclu, non sans fierté : « Je serai
le voleur. » « Le salut qu'il s'est proposé, affirme Sartre, c'est
la damnation éternelle : voilà sa réponse à la condamnation
des honnêtes gens. Désormais, il volera pour *être* un voleur. »
Au contraire de Baudelaire, acceptant sa culpabilité devant
Dieu et devant les hommes, Genêt revendique son crime
comme un honneur. Voilà un « engagement » qui plaît à
Sartre et qu'il compare avantageusement à celui des saints :
entre Genêt et Thérèse d'Avila, Sartre opte pour Genêt qui,
lui, ne mystifie personne (« tout le risque est de son côté,
la comédie du côté de la sainte »). Il le félicite de récuser le
regard d'autrui, celui de la société comme celui de Dieu, de
rester pour lui-même le témoin suprême et la dernière instance.

Sans approuver ce plaidoyer où le goût du paradoxe entre
pour une bonne part, il convient de se demander quelle place
l'œuvre de Genêt peut occuper dans notre littérature. Ses
limites sont étroites. « La trahison, le vol et l'homosexualité »
sont, de l'aveu de l'auteur, « les sujets essentiels » du *Journal
du Voleur*. L'homosexualité est d'ailleurs la note dominante,
omniprésente de l'œuvre, qui ajoute un épilogue interminable,
aussi ordurier dans son inspiration (*Notre-Dame des Fleurs*
est tout entière consacrée aux exploits amoureux et aux
performances contre nature de quelques brutes) que raffiné
dans son expression, aux *Cent vingt Journées de Sodome*.
Genêt sait qu'il est l'objet de l'horreur de tous, et il se plaît,
par tous les détails, à la confirmer chez ses lecteurs. Mais voici
plus étrange : pour décrire son abjection, il use du langage
des héros de Racine. *Littérairement*, cette œuvre obscène
est à cent lieues du populisme. Chaque aventure de Jean

Genêt devient, évoquée dans ce style souverain, une sorte
d'opération magique, de messe noire, de cérémonial au cours
de laquelle l'abjection se fait relique et rédemption. « Ma
victoire est verbale et je la dois à la somptuosité des termes.»
A l'inverse de *l'Imitation de Jésus-Christ*, l'œuvre de Genêt,
« longue parade, compliquée d'un lourd cérémonial érotique»,
ressemble à une Imitation de l'Enfer.

Pour peindre cet enfer, l'écrivain, distingué jusque dans
l'abjection, préfère les couleurs de Raphaël à celles de Goya ;
il est, non pas le Michel-Ange, mais le Murillo des bas-fonds.
On doit pourtant lui accorder quelques réussites étonnantes.
Ainsi, lorsqu'il évoque, dans *Miracle de la Rose*, le supplice
du prisonnier condamné au crachat :

*Je recevais les crachats, dans ma bouche distendue, que la
fatigue n'arrivait pas à refermer. Il eût suffi d'un rien pourtant
pour que ce jeu atroce se transformât en un jeu galant et qu'au
lieu de crachats, je fusse couvert de roses jetées. Car les gestes
étant les mêmes, le destin n'eût pas eu grand mal pour tout
changer... car il eût fallu si peu de chose pour qu'au cœur de
Van Roy, à la place de la haine, entrât l'amour.*

Ou lorsqu'il décrit ses prisons comme les premiers chrétiens parlaient de leurs sanctuaires :

*De toutes les Centrales de France, Fontevrault est la plus
troublante. C'est elle qui m'a donné la plus forte impression de
détresse et de désolation, et je sais que les détenus qui ont connu
d'autres prisons ont éprouvé, à l'entendre nommer même, une
émotion, une souffrance, comparables aux miennes. Je ne
chercherai pas à démêler l'essence de sa puissance sur nous :
qu'elle la tienne de son passé, de ses abbesses filles de France,
de son aspect, de ses murs, de son lierre, du passage des bagnards
partant pour Cayenne, des détenus plus méchants qu'ailleurs,
de son nom, il n'importe, mais à toutes ces raisons, pour moi
s'ajoute une autre raison qu'elle fut, lors de mon séjour à la
Colonie de Mettray, le sanctuaire vers quoi montaient les rêves
de notre enfance. Je sentais que ses murs conservaient — la
custode conservant le pain — la forme même du futur.*

Et le plus étrange n'est pas de voir surgir, au milieu de cet

inventaire du crime, un poète néo-classique dont les strophes
régulières rappellent le *Plain Chant* de Jean Cocteau :

> ... *Le vent qui roule un cœur sur le pavé des cours ;*
> *Un ange qui sanglote accroché dans un arbre,*
> *La colonne d'azur qu'entortille le marbre,*
> *Font ouvrir dans ma nuit des portes de secours.*
>
> *Un pauvre oiseau qui meurt et le goût de la cendre,*
> *Le souvenir d'un œil endormi sur le mur,*
> *Et ce poing douloureux qui menace l'azur*
> *Font au creux de ma main ton visage descendre.*
>
> *Le visage plus dur et plus léger qu'un masque,*
> *Est plus lourd à ma main qu'aux doigts du recéleur,*
> *Le joyau qu'il empoche, il est noyé de pleurs.*
> *Il est sombre et féroce, un bouquet vert le casque.*
>
> *Ton visage est sévère : il est un pâtre grec.*
> *Il reste frémissant aux creux de mes mains closes.*
> *Ta bouche est d'une morte où tes yeux sont des roses,*
> *Et ton nez d'un archange est peut-être le bec...*

Ce qui est grave (1), c'est qu'une telle œuvre — si mani-
festement « dénuée de cette préoccupation de l'universalité
qui semble inséparable des grandes œuvres » (2) — loin de
rester clandestine, se voit aujourd'hui proposée à l'admiration
des foules, jusque sous la coupole du quai Conti (3). Les
hors-la-loi que célèbre Genêt, les vices qu'il met en scène,
l'éloge (que Sartre ne pardonnerait à nul autre) de la Gestapo
française, l'intolérable ennui qui se dégage de ces litanies
érotiques, seraient, s'ils étaient pris au sérieux, la condamnation de notre littérature.

---

(1) François Mauriac l'avait senti, qui lançait en 1949, à l'appel de l'auteur
de ces lignes, une enquête pour savoir si le « recours systématique aux forces
instinctives, à la démence, et l'exploitation de l'érotisme » constituaient ou
non « un danger pour l'individu, pour la nation, pour la littérature elle-même ».

(2) G. Picon, *Panorama* cité.

(3) Par Jean Cocteau, lors de sa réception à l'Académie française (« un de
mes amis, immoraliste... »).

II

UN NOUVEL ANATOLE FRANCE :
ROGER PEYREFITTE

ROGER PEYREFITTE semble avoir surgi dans nos Lettres
par un phénomène de génération spontanée. A trente-
sept ans — l'âge auquel débuta Bernanos — ce
diplomate entrait dans une seconde Carrière (1), en pleine
possession de son style et de ses pouvoirs, avec un livre
brûlant que l'exemplaire dignité d'un style classique mettait
au-dessus du scandale. A une littérature « engagée», toute
chargée de miasmes politiques et de métaphysiques mal
digérées, l'auteur des *Amitiés particulières* (1944) opposait
le sourire d'une pensée plus profonde, le scepticisme de
Voltaire et d'Anatole France.

On ne lui voit, dans ces vingt dernières années, ni devancier
ni maître ; dans le labyrinthe de nos Lettres d'aujourd'hui,
on ne distingue aucun chemin qui mène à lui. Ni les puissants
massifs qui, de Proust à Claudel, bordent encore notre hori-

---

(1) Roger Peyrefitte est né en 1907 à Castres. Etudes provinciales dans un
collège des Jésuites ; licence ès lettres. Ecole des Sciences Politiques. (Major
de la Section diplomatique.) Secrétaire d'Ambassade à Athènes (1933-1938).
Démissionne en 1940, reprend du service de 1943 à 1944. Révoqué en août 1944.

Roger Peyrefitte a publié :

Des romans : *les Amitiés particulières* (Prix Théophraste Renaudot 1944),
Mademoiselle de Murville (1947), *l'Oracle* (1948), *les Amours singulières* (1950),
les Ambassades (1951), *la Fin des Ambassades* (1953), *les Clés de Saint-Pierre*
(1955), *Jeunes Proies* (1956), *Chevaliers de Malte* (1957).

Des souvenirs : *la Mort d'une Mère* (1950) et des récits de voyage : *Du Vésuve
à l'Etna* (1951), ainsi qu'une pièce de théâtre : *le Prince des Neiges* (1947).
(Tous ces ouvrages à la librairie Flammarion.)

Sur l'homme et l'œuvre, on pourra consulter : CHRISTINE GARNIER : *L'homme
et son personnage* (Grasset, 1955) ; DENISE BOURDET : *Pris sur le vif* (Stock,
(1957.

zon littéraire, ni la littérature de la révolte n'ont pu fléchir
son cours, limpide, assuré, avant tout *naturel*. Qu'un des
thèmes majeurs de Roger Peyrefitte ait eu Gide pour avocat,
que son *ton* fasse songer, parfois, à celui de Montherlant (le
Montherlant sarcastique des *Célibataires* et des *Carnets*)
ne fait nullement de lui leur héritier ; la liberté et l'humour
du propos comme la franchise de l'aveu situent à part des
récits comme *les Amitiés particulières* et *la Mort d'une Mère*.
Dans le plus achevé comme dans le plus médiocre, Roger
Peyrefitte reste lui-même. Ce qu'on peut discuter, ce n'est
pas son talent, mais l'emploi qu'il en fait et le choix de
ses thèmes.

*Lorsque, comme moi, l'on place son idéal humain dans l'en-
fance, les âges qui lui succèdent ne peuvent donner jamais que
des satisfactions et un bonheur relatifs :* cette phrase de Roger
Peyrefitte à Madame Edouard Bourdet (1) éclaire l'inspiration centrale de son œuvre : si son premier livre domine
jusqu'ici tous les autres, c'est que l'auteur a su montrer
(comme hier Montherlant dans *la Relève du Matin*) que les
souffrances et le bonheur de vivre ne sont jamais si intenses
ni si graves que lorsque c'est un adolescent qui les éprouve.
Ses souvenirs scolaires (chez des prêtres séculiers, puis chez
des Jésuites) lui ont inspiré une éducation sentimentale
juvénile sous le signe des « Amitiés particulières », redou-
tées des éducateurs. Un adulte déguisé sous les traits d'un
adolescent — Georges de Sarre, fort proche de l'auteur —
y triomphe de deux rivaux inégaux, un camarade qui l'a
précédé dans l'affection d'un des petits, et un jésuite ambigu,
le redoutable Père de Trennes, qui lui dispute celle du jeune
Alexandre. Mais, pour éviter le pire, Georges livre son ami,
— qui, désespéré, s'empoisonne.

La description d'une passion interdite compte moins ici
que l'atmosphère — à la fois grave et voltairienne — où se
mêlent la tendresse et l'ironie, l'innocence et la perversité.
Retardées d'un an par la censure de Vichy, tiré au printemps
1944, par Jean Vigneau, à 1.999 exemplaires, *les Amitiés
particulières* valurent à l'auteur, avec le Prix Théophraste
Renaudot, l'admiration de Gide (qui leur prédit l'immortalité) et celle (« sincère mais un peu réticente ») de Mauriac.

---

(1) DENISE BOURDET : *Pris sur le vif* (Stock, 1957).

Cet éclatant début fut suivi d'œuvres inégales : l'intrigue savante et compliquée de *Mademoiselle de Murville* (1947) (qui nous ramène trente ans en arrière, aux romans de Pierre Louys et de Henri de Régnier) ; *l'Oracle* (1948), récit érudit et libertin, d'une légèreté trop appliquée ; *les Amours singulières*, parodie indigne des *Amitiés*.

A partir de 1950, Roger Peyrefitte changea de registre. Négligeant les investigations psychologiques, il entreprit une satire, moins subtile et plus brutale, des hommes et des institutions. Un immense succès accueillit *les Ambassades* (1951) où l'auteur avait mis en scène, avec quel brio ! les souvenirs, savoureux et cocasses, de sa mission à Athènes ; celui, non moindre, de *la Fin des Ambassades* (1953) eut des raisons plus basses : les attaques *ad hominem* — et la maladresse d'une riposte inspirée en haut lieu par une main féminine — déchaînèrent la passion d'un public qui se sentit soudain une âme de Romain au cirque. Grisé par un succès de piètre aloi, Roger Peyrefitte s'attaqua ensuite, dans *les Clés de Saint Pierre* (1955), à l'Eglise catholique. Un cardinal anachronique y soulignait, par son scepticisme, les travers d'une administration quasi médiévale, submergée sous les querelles de clochers, le poids des indulgences et l'exotisme d'une liturgie vidée de toute présence surnaturelle. Le Souverain Pontife lui-même était peint, par petites touches ironiques, comme un vieil enfant berné par sa gouvernante allemande. Après quoi, *Jeunes Proies* (1956), mélange d'autobiographie et de fiction, où la vérité d'une aventure « particulière » jurait avec une prétendue « conversion » à l'amour, a paru confirmer l'incapacité de Roger Peyrefitte à se renouveler.

Depuis *les Ambassades*, Roger Peyrefitte a donc suivi la dangereuse pente du scandale. Les vrais amis de l'auteur étaient navrés de voir un écrivain de cette qualité ajouter le poids de son talent à la somme d'attaques et d'infamies sous laquelle chancellent nos intitutions. L'élégance naturelle de l'écrivain, l'exacte proportion des mots, le tact jusque dans les insinuations les plus malveillantes aggravaient encore la portée blessante de ces livres où le pamphlétaire paraissait s'élever à la dignité du moraliste. Les chrétiens surtout étaient blessés et se refusaient à reconnaître le vicaire du Christ dans le portrait malicieux des *Clés de Saint Pierre*.

Le dernier livre de Roger Peyrefitte, *Chevaliers de Malte*

(1957) a quelque peu apaisé ces craintes. L'auteur ne l'aurait
pas entrepris pour détruire, « mais pour construire ». Renonçant à attaquer de front l'édifice millénaire de la chrétienté,
il s'est jeté au secours d'un de ses bastions menacés : l'Ordre
souverain et hiérosolomitain de Malte, en nous contant la
querelle qui vient d'opposer au Saint-Siège ce musée de
curiosités et de survivances qu'est le vieil ordre chevaleresque.

Le romancier a cédé volontairement le pas à l'historien
(« les noms, les dates, les faits, les scènes, les textes cités sont
authentiques »). Roger Peyrefitte ne partage pas la désinvolture d'Alexandre Dumas (« Qu'est-ce que l'histoire ?
C'est un clou auquel j'accroche mes romans ! ») qui violait
l'histoire avec allégresse, sûr de lui faire de beaux enfants.
Plus subtil et mieux informé, il sait quelles ressources l'érudition apporte à la fiction, quel secours les fiches procurent à
l'imagination qui s'essouffle et il entrelarde les faits de morceaux d'éloquence qui donnent à ses dialogues le caractère
épique d'une *Iliade* apostolique et romaine.

Les morceaux de bravoure qui décorent les *Chevaliers de
Malte* s'appuient donc sur une architecture solide. Surtout,
le livre, plus élevé de ton que les précédents, s'il égratigne
encore la pourpre romaine, épargne le Siège Apostolique.
Ses héros — les profès de Malte, qui portent « l'habit de religieux le plus succinct qu'il y eût jamais » — en appellent du
Pape mal informé au Pape mieux informé : ce dernier, tout en
confiant la réforme de l'Ordre à des *missi dominici* pris dans
le Sacré Collège, ne prononcera pas la dissolution de Malte.
Le cardinal Canali « n'a pas pris Malte : mais il lui reste
l'Italie ».

Il faut conseiller la lecture de *Chevaliers de Malte* à ceux qui
se piquent d'être diplomates. Ils y apprendront toutes les
langues que parle l'esprit : du mauvais esprit au bel esprit en
passant par l'esprit tout court, il ne manque que le Saint-
Esprit pour bénir cette aimable fresque.

*
* *

Que faut-il donc penser de Roger Peyrefitte ? L'écrivain
est un classique, le dernier héritier, nonchalant et détaché,
de Renan et d'Anatole France. Mais, depuis *les Amitiés
particulières*, le romancier n'a pas trouvé de thème à la hau-

teur de son style. Il peut s'orienter, à son gré, vers le livre de voyage (*Du Vésuve à l'Etna* est rempli d'observations savoureuses), le pamphlet ou la satire, peut-être aussi vers l'histoire s'il se décide à suivre en Asie les traces d'Alexandre. A moins que le défaut de l'armure ne nous révèle une surprise, ne fasse entendre le cri du cœur. *La Mort d'une Mère* (1950) nous en fournit la preuve : cette confession scrupuleuse, où rien n'est dérobé de la faiblesse de l'homme qui a déserté l'agonie maternelle, rend un son humain, poignant et vrai. Sous le brio du style, sous l'éclat d'une carrière trop adroite, un homme existe qui peut encore se laisser émouvoir, et nous toucher. Faute de quoi Roger Peyrefitte ne serait plus qu'un homme de lettres.

III

UN LACLOS MARXISTE : ROGER VAILLAND

En 1945, un récit stupéfia le public par son *ton*, la critique par sa maîtrise. *Drôle de Jeu*, qui obtint d'emblée le Prix Interallié, évoquait une actualité brûlante sur le ton détaché, désinvolte, quasi cynique, des mémorialistes libertins du XVIIIe siècle. Inconnu du grand public, l'auteur (1) n'était pas tout à fait un nouveau venu. Vingt ans plus tôt, il avait été, rue d'Ulm, le camarade de Brasillach et de Thierry Maulnier. Il s'était mêlé au surréalisme, avait fondé *le Grand Jeu* (avec René Daumal et Roger-Gilbert Lecomte). Journaliste, il avait parcouru le monde. Puis, ç'avait été la Résistance. L'homme ressemblait à ses héros : des yeux de laque

---

(1) Roger Vailland est né à Paris, en 1907, d'une famille savoyarde. Etudes à Reims avec René Daumal et Roger-Gilbert Lecomte. Entre à Normale-Lettres avec Brasillach et Thierry Maulnier. Se mêle au surréalisme et fonde *le Grand Jeu* (1927).

Journaliste à *Paris-Midi* et à *Paris-Soir* où il dirige un moment la rubrique de politique étrangère, suit les grands procès — dont le procès Weidmann.

Résistance, du côté des Services de Renseignement et des états-majors. A la Libération, après quelques mois passés dans un poste officiel, reprend son métier de journaliste comme correspondant de guerre d'*Action* et de *Libération*.

A parcouru toute la terre : avant la guerre, les Balkans, le Proche-Orient et l'Abyssinie. Depuis, l'Amérique et l'Extrême-Orient. Membre du parti communiste depuis 1952.

Roger Vailland a publié :

Des romans : *Drôle de Jeu* (Corrêa, Prix Interallié 1945), *Bon pied, bon œil* (Corrêa, 1950), *les Mauvais Coups* (Corrêa, 1948), *Un Jeune Homme seul* (Corrêa, 1952), *Beau Masque* (Gallimard, 1954), *325.000 francs* (Corrêa, 1955), *la Loi* (Gallimard, Prix Goncourt 1957).

Et des essais : *Laclos par lui-même* (Le Seuil), *Eloge du Cardinal de Bernis* (Fasquelle 1957).

Au théâtre : *Héloïse et Abélard* et *le Colonel Foster plaidera coupable*.

luisante éclairaient une tête maigre d'oiseau de proie ; l'ironie
était à fleur de peau ; et, par comble de paradoxe, l'aventurier
était un militant qui, en 1952, deviendrait communiste.

Drôle de Jeu avait pour sujet la Résistance — une Résistance sans poncifs et sans grands mots, sans étalage de
combats, de tortures ni même de patriotisme : cinq journées
pleines d'entretiens amoureux, de dialogues politiques ou
moraux, de réflexions personnelles ; ni métier, ni tragédie,
un « grand jeu » dont les règles sont tout juste prises au
sérieux. Si l'on veut, un reportage, mais au sens où les *Mémoires* de Retz et de Saint-Simon sont aussi des reportages :
c'est-à-dire des événements vécus racontés pour le plaisir,
non sans quelques entorses à la vérité. Marat, le héros, c'est
l'homme de trente-cinq ans, qui a connu la douceur de vivre,
est passé par le surréalisme, a gardé des habitudes bourgeoises,
le goût du confort intellectuel — et une bonne dose de cynisme.
Le métier de conspirateur l'amuse, et en même temps le voue
à une solitude qu'il supporte assez mal. L'homme — celui
qui use de la Résistance comme il a usé des femmes, de la
drogue ou du jeu — est un don Juan de l'action, pour qui
« le destin n'a pas de morale». Ce frère des premiers héros de
Malraux, qui sait que toute action est inutile, voudrait pourtant réconcilier en lui l'aventurier et le militant. Il imagine
la Résistance comme « une longue promenade solitaire avec
toutes sortes de pensées, de souvenirs, de projets, d'amours
secrètes et de rages étouffées, qu'on remâche sempiternel-
lement entre les rendez-vous d'une minute... entre chaque
station de l'interminable itinéraire qui mène — malheur à
moi s'il n'y mène pas ! — qui mène au grand jour de sang où
seront lavées toutes les hontes».

Marat aurait pu, comme Maurice Sachs, jouir du présent
sans remords, collaborer ou faire du marché noir. Il a beau
mettre le plaisir — ou plutôt l'affrontement des corps —
au-dessus de tout, il n'a pas cherché à sauver sa vie par tous
les moyens, il a décidé, malgré tout et malgré lui, de ne pas
céder à sa pente ; il y a trouvé sa noblesse et une raison de
vivre. On hésite à prononcer les mots de salut, d'engagement...
ce sont de bien grands mots. Et pourtant ? Dans le cynisme
de Roger Vailland, il y avait *aussi* la pudeur d'une âme
bien née.

Mais ce qui frappait surtout, répétons-le, c'était le *ton*

— proche de Stendhal et de Laclos, mais aussi du Barrès de *l'Homme libre* et du Malraux des *Conquérants* — qui ne devait rien, ou presque rien, à l'époque, qui rappelait plutôt 1925, Drieu ou Morand, et qu'on pourrait appeler le *ton Brasillach* : insolence, lucidité, cynisme, une certaine force amère — tout cela qui contrastait avec l'enthousiasme des Résistants de 1945 et qu'essaiera, plus tard, de retrouver Roger Nimier. Il y avait aussi le goût pour le divertissement érotique, confirmé par cette profession de foi, étrange pour un romancier « engagé » : « Je suis un homme de plaisir. J'aime les plaisirs, tous les plaisirs, défendus ou non. Les femmes, la pêche à la ligne, la lecture de la *Philosophie dans le Boudoir*, les bons alcools... »

Nul roman, mieux que *les Mauvais Coups*, n'illustre cette tentation érotique de Roger Vailland : réfugiés dans un village de Savoie, un artiste, une débauchée ont décidé de corrompre une jeune fille — l'institutrice. Il s'agit, selon le vœu de Sade, de placer dans une « jolie petite tête tous les principes du libertinage le plus effréné ». Mais à cette morale hédoniste vient s'en superposer une autre : celle de l'effort collectif, de la fraternité révolutionnaire, du travail libérateur. Milan, le décorateur à la mode, prend conscience de sa lâcheté en découvrant « la droiture, la santé, l'intégrité » de celle dont il voulait faire sa victime. Son passé le dégoûte, il le rejette comme une défroque souillée ; il abandonnera Roberte, son mauvais génie (qui se tue) et, laissant la petite Hélène accepter un mariage de convention, il fera une fin exemplaire. Pour expliquer ce tour de passe-passe, l'auteur déclare : « En l'an 2047, l'amour-passion apparaîtra vraisemblablement aussi périmé que le christianisme... Ce sera un appel, un cri de plaisir, un soupir de bonheur. » Demain, on rasera gratis ; en attendant, la société future s'édifie sur les ruines des bonheurs individuels.

Cette fin morale annonçait un changement de ton. Pendant quelques années, Roger Vailland se montra plus soucieux de convaincre et de prouver que de séduire : *Bon Pied, Bon Œil, Un Jeune Homme seul*, même *Beau Masque*, perdaient en vérité romanesque ce qu'ils gagnaient en orthodoxie. Puis, dans *325.000 francs*, Vailland, sans rien renier de ses convictions, atteignit à nouveau la maîtrise.

Le héros de *325.000 francs* est un ouvrier de Bionnas

(petite ville industrielle du Jura) — coureur cycliste le dimanche, en semaine employé aux usines Plastoform qui
fabriquent en grande série des jouets en matière plastique.
Pour l'amour d'une lingère (elle ne veut pas d'un mari qui
travaille dans la matière plastique), Busard décide d'obtenir
la gérance d'un snack-bar en construction sur la route nationale n° 6, entre Chalon et Mâcon. En réunissant les économies
de son père et celles de sa fiancée, il lui reste 325.000 francs
à trouver. Comme les presses à injecter la matière plastique
fonctionnent vingt-quatre heures sur vingt-quatre et occupent trois hommes, deux ouvriers, en se relayant toutes les
quatre heures, pourraient économiser le salaire du troisième,
soit 325.000 francs. Ainsi, l'ingénieux Busard espère-t-il
échapper à son destin d'ouvrier d'usine. Dès qu'il a trouvé
un partenaire, il s'attaque à sa tâche. Le travail de la presse
est automatique : il suffit de retirer l'objet (deux carrosses
jumelés) toutes les quarante secondes. Un seul danger : que
le dispositif de sécurité ne fonctionne pas ; pour aller plus
vite, Busard finira par le débrancher : un instant d'inattention
et il aura la main emportée. Adieu veau, vache, cochon,
couvée...

Busard, infirme, vieilli, aigri, finira par retrouver l'usine.
La morale est claire : on ne s'évade pas de sa classe ; aujour-
d'hui, nul ne peut faire sa révolution tout seul. La presse à
injecter était le vrai héros du livre comme la locomotive
celui de la *Bête humaine* de Zola.

Sur le point de parvenir à cette quadrature du cercle
— un grand roman communiste — Roger Vailland devait
bientôt revenir à ses premières amours dans *la Loi* (1957), son
meilleur roman depuis *Drôle de Jeu*. Nous voici loin des luttes
ouvrières en Savoie : à Porto-Manacore, dans une Italie
encore à demi féodale. Le prétexte du livre est un jeu
(encore... !), cruel et palpitant : le perdant doit accepter sans
dire un mot que sa vie privée soit dévoilée par le vainqueur.
Il en est ainsi dans la société elle-même : le plus habile ou le
plus fort impose immanquablement sa loi au plus faible.
Don Cesare, le potentat local, dispose de la vertu des filles ;
Matteo Brigante, le « racketter », des services des fonctionnaires ; les « guaglioni», les mauvais garçons du coin, de la
bourse des touristes... Mais il arrive aussi que la roue tourne :
Don Cesare meurt. Matteo Brigante se fait marquer au visage

par une de ses proies et a la malchance d'être emprisonné
pour le seul délit qu'il n'a pas commis... Ce récit immoral,
Roger Vailland l'a écrit pour son plaisir, pour se dégager
d'une actualité pesante, dût-il faire l'éloge d'« hommes de
qualité» (Don Cesare, homme de la Renaissance, « uomo di
alta cultura», qui vit selon son bon plaisir et meurt sans
regret) qui, tels le Cardinal de Berni (auquel il a consacré
un paradoxal et brillant *Eloge*), n'ont pas de place dans un
monde communiste. André Wurmser ne s'y est pas trompé,
qui a aussitôt mis en garde l'auteur, tenté de montrer qu'on
pouvait être à la fois communiste *et* romancier sans être un
romancier communiste (comme Mauriac, catholique *et*
romancier, mais non pas romancier catholique). Démonstration périlleuse, inadmissible...

Peu importe ! Roger Vailland est aujourd'hui un de nos
meilleurs écrivains, le plus sûr, et le plus détaché. Ce revenant
du surréalisme est un classique. Dans *la Loi*, qui dure soixante
heures, il va jusqu'à remettre en honneur les trois unités.
Dédaigneux de la psychologie, il excelle à rendre présent le
passé d'un personnage par un mot, un geste, un trait du
visage. Mais le moraliste n'est jamais loin du romancier.
Ici commencent les difficultés : Roger Vailland n'a pas encore
fait la paix, en lui, entre Saint-Just et Casanova.

IV

UN DISCIPLE DE SAINT-EXUPÉRY : JULES ROY

JULES ROY (1) est entré dans la littérature sous le signe de Saint-Exupéry. *Les Chants et Prières pour des Pilotes* et surtout *la Vallée heureuse* (Prix Théophraste Renaudot 1946) situèrent cet aviateur dans la lignée de ces combattants qui cherchent une morale dans l'action, une issue à leur solitude dans la solidarité du combat, un témoignage dans le service, fût-il inutile. Au pilote solitaire de Kessel, de Saint-Exupéry, de Richard Hillary, à l'aventurier perdu dans le désert, au duelliste ailé des enfances de l'aviation, Jules Roy opposait une image moins exaltante mais plus vraie : la solidarité de l'équipage, l'homogénéité des vastes organisations au sol qui règlent le combat aérien et relèguent loin en arrière les exploits légendaires des Guynemer et des Roland Garros. La « vallée heureuse » c'était, par antiphrase, la Ruhr bombardée sans relâche par les vagues des forteresses alliées, selon une trajectoire fixée à l'avance. Ici, ni panache ni griserie ; la loi des grands nombres joue avec une précision rigoureuse ;

---

(1) Jules Roy est né en 1907 à Rovigo (Algérie), d'une famille paysanne. Après des études au séminaire d'Alger, il entre dans l'armée de l'Air ; campagne dans la R.A.F. (37 raids de bombardier de 1943 à 1945), chef du service d'Information de l'Armée de l'Air ; devenu colonel, démissionne en 1953. Commandeur de la Légion d'honneur, D.S.O. Grand Prix de Monaco. Grand Prix de Littérature de l'Académie française (1958).

Jules Roy a publié des poèmes : *Chants et Prières pour des Pilotes;*
Des romans : *la Vallée heureuse* (Prix Renaudot 1946), *le Navigateur* (Prix de Monaco 1954), *la Femme infidèle, les Flammes de l'Eté.*
Des reportages : *Retour de l'Enfer, la Bataille dans la rizière.*
Des essais : *Comme un mauvais Ange, le Métier des Armes, Passion de Saint-Exupéry, l'Homme à l'Epée* (1957). (Tous ces ouvrages à la librairie Gallimard.)
Il a fait jouer deux pièces de théâtre : *Beau Sang* et *les Cyclones.*

aucune initiative n'est laissée au navigateur, qui suit un tracé
sur une carte sans pouvoir s'en écarter d'un pouce. Mais
chaque raid demeure une course contre la mort, un sursis
d'autant plus obsédant qu'il est remis chaque fois en question. « Ce n'était pas la victoire qu'ils éprouvaient dans le
secret de leur âme, mais le soulagement de leurs nerfs, la
légèreté de la bête ailée échappée au dragon, le repos fragile
de l'homme écarté d'un danger mais promis à d'autres dangers
du même ordre, régis par l'obscure et stupide loi des proportions.» Au paradis saint-exupérien — fondé sur l'amitié,
une estime mutuelle, la joie d'être délivré des servitudes et
des mesquineries du temps de paix, l'accomplissement d'un
devoir simple et grand — Jules Roy oppose un enfer sans
cesse renaissant, dont il s'étonne de revenir. Conscient d'appartenir à une« chevalerie sans foi et sans espérance, à l'image
du siècle, et qui n'a dans le cœur qu'un amour déraisonnable
et sans avenir», il affronte la mort sans mériter la vie ; officier
de carrière, il se croit tenu de donner l'exemple d'une ferveur
à laquelle il ne participe guère et de taire ce qu'il sait, bien
qu'il n'ignore pas que sa mort elle-même serait « très exactement inutile». Son journal de bord témoigne ainsi d'un
sentiment bien différent de celui que nous attribuons au
« héros» : il est dominé par la Peur.

Peut-on échapper à la peur et à l'angoisse du choix par
l'acceptation d'un ordre et d'une règle, même si l'on sait que
tout ordre et toute règle sont vains ? Tel est le sujet du
Métier des Armes, qui a fait durablement associer le nom de
Jules Roy à celui de Vigny. L'auteur prenait pour prétexte
de cette interrogation le cruel dilemme de l'automne 1942,
quand les officiers de l'armée régulière (celle de Vichy) eurent
à choisir entre leur serment à un Maréchal de France et la
reprise du combat et se demandèrent alors de quel côté était
la vraie patrie.

Romancier, Jules Roy a paru moins à l'aise — alors même
qu'il devait trouver au théâtre un moyen d'expression bien
adapté à sa langue rigoureuse et sobre. Ses premiers récits
— *le Navigateur*, *la Femme infidèle* — doivent le meilleur
de leur intérêt au monde sommaire et plein de l'aviation,
mais l'intrigue des *Flammes de l'Eté* se réduit aux dimensions
d'une brève, sèche et banale épure. Aussi n'a-t-on pas de
peine à préférer au romancier le reporter de la bataille d'In-

dochine, l'ami, modeste et fidèle, de Saint-Exupéry ou
l'homme libre sous la tunique du guerrier, qui, devant un
tableau du Greco, s'interroge (dans *l'Homme à l'Epée*) sur la
singulière vocation de l'homme de guerre, dont il veut faire
un chevalier et non un mercenaire.

V

L'UNIVERS DE JULIEN GRACQ

Il n'y a presque rien à dire de l'homme (1) : professeur discret et secret, ennemi des prix littéraires et de la publicité, publié par un éditeur confidentiel, mais passionné pour la chose littéraire (2), Julien Gracq ne se préoccupe que de son métier et de son œuvre, qu'il mène lentement et sûrement, à raison d'un roman tous les six ou sept ans. S'il n'a atteint le grand public qu'au lendemain de cette guerre, lauréat malgré lui du Prix Goncourt avec *le Rivage des Syrtes* (1951), ses débuts datent de la fin de l'entre-deux-guerres marquée par les premières œuvres de Sartre : *Au château d'Argol*, premier roman de Gracq, est paru en 1938, la même année que *la Nausée* dont il est une manière d'antithèse. « Si la littérature sartrienne assure la continuité d'une tradition française, celle qui va des moralistes aux naturalistes, Gracq assure la continuité de l'autre tradition : celle qui va du cycle de la Table Ronde au surréalisme en passant par le lyrisme romantique (3). »

(1) Né à Saint-Florent-le-Vieil (Maine-et-Loire) en 1909. Elève d'Alain, puis de l'Ecole Normale supérieure, agrégé d'histoire (1934), professeur dans un lycée parisien, Louis Poirier a publié, sous le nom de Julien Gracq, quatre romans (chez José Corti) : *Au Château d'Argol* (1938), *Un Beau Ténébreux* (1945), *le Rivage des Syrtes* (Prix Goncourt 1951), *Un balcon en forêt* (1958), des poèmes en prose (*Liberté grande*, 1946, un essai sur André Breton (1948), un pamphlet (*la Littérature à l'estomac*, dans la revue *Empedocle*, janvier 1950) et fait jouer un drame en 4 actes inspiré du mythe du Graal, *le Roi pêcheur* (1948). J. Gracq est aussi l'auteur d'une préface aux *Chants de Maldoror* et d'une traduction de la *Penthésilée* de Kleist.

Sur l'homme et l'œuvre, on pourra consulter : Pierre Brodin : *Présences contemporaines* (Debresse).

(2) M. José Corti.

(3) G. Picon, *Panorama* cité.

Julien Gracq emprunte en effet une bonne part de ses moyens à la vieille panoplie romantique : les accessoires de Ruy Blas, la mythologie de Hölderlin et de Novalis, les discours anxieux de Sénancour, les monologues lyriques de Lautréamont ne seraient pas déplacés dans ses récits où le rêve, l'angoisse et le fantastique occupent une place démesurée. Il s'agit de créer, *par le seul moyen du verbe,* un climat de dépaysement, de surprise, et quelquefois, d'épouvante. Tantôt le récit s'ouvre sur une description qui fait songer à Chateaubriand :

Assis devant sa table, immobile au centre de la pièce très obscure, Allan regardait en face de lui les grands carrés de ciel tout cliquetants d'étoiles, que la pleine lune voilait comme une plaque d'une légère vapeur bleue, — pareille à cet encens de lumière qui monte la nuit, comme la buée des flancs d'une bête chaude, au-dessus des grandes capitales. La lumière calme de la lune entrait du côté du parc par la fenêtre, jetait sur le lit une grande croix noire. Les arbres semblèrent soudain bruire tout proches, comme d'eux-mêmes, d'un seul élan solennel. Les grandes pales de lumière, argentées, veloutées, cuirassées, montaient comme des gradins de rêve vers cette nuit sacrée, encensées de la fumée bleue des sacrifices, trouées, jusqu'au fond de leur verdure noire, de grottes mystérieuses comme des déchirures de nuages. Parfois une feuille descendait, voletante, rapide, petit fantôme menu, apeuré au milieu de cette extase pesante (1).

Tantôt, le ton, uni et presque classique, nous introduit de plain-pied dans un autre univers, saisi dans une ancienne histoire ; ainsi, le début du *Rivage des Syrtes* nous plonge aussitôt dans la fiction :

J'appartiens à l'une des plus vieilles familles d'Orsenna. Je garde de mon enfance le souvenir d'années tranquilles, de calme et de plénitude, entre le vieux palais de la rue San Domenico et la maison des champs au bord de la Zenta, où nous ramenait chaque été et où j'accompagnais déjà mon père, chevauchant à travers ses terres ou vérifiant les comptes de ses

(1) *Un Beau Ténébreux* (José Corti).

*intendants. Mes études terminées dans l'ancienne et célèbre
université de la ville, des dispositions assez naturellement rê-
veuses et la fortune dont je fus mis en possession à la mort de
ma mère, firent que je me trouvai peu pressé de choisir une carrière. La Seigneurie d'Orsenna vit comme l'ombre d'une gloire
que lui ont acquise aux siècles passés le succès de ses armes
contre les Infidèles et les bénéfices fabuleux de son commerce
avec l'Orient : elle est semblable à une personne très vieille et
très noble qui s'est retirée du monde et que, malgré la perte de
son crédit et la ruine de sa fortune, son prestige assure encore
contre les affronts des créanciers ; son activité faible, mais
paisible encore, et comme majestueuse, est celle d'un vieillard
dont les apparences longtemps robustes laissent incrédule sur
le progrès continu en lui de la mort.*

Tantôt, le narrateur évoque les impressions que font naître
en lui les objets qui l'entourent.

*Il arrive que, par certaines après-midi, grises, closes et
sombres sous un ciel désespérément immobile — comme sous
la maigre féerie des verrières d'un jardin d'hiver — dépouillées
de l'épiderme changeant que leur fait le soleil et qui tant bien
que mal les appareille à la vie, le sentiment de la toute-puissante
réserve des choses monte en moi jusqu'à l'horreur. De même
m'est-il arrivé de m'imaginer, la représentation finie, me
glisser à minuit dans un théâtre vide, et surprendre de la salle
obscure un décor pour la première fois refusant de se prêter
au jeu. Des rues, une nuit vides, un théâtre qu'on rouvre, une
place pour une saison abandonnée à la mer, tissent d'aussi
efficaces complots de silence, de bois et de pierre que cinq mille
ans, et les secrets de l'Egypte, pour déchaîner les sortilèges
autour d'une tombe ouverte. Mains distraites, porteuses de clés,
manieuses de bagues, mains expertes aux bonnes pesées qui
font jouer les pierres tombales, déplacent le chaton qui rend
invisible, — je deviens ce fantomatique voleur de momies
lorsque, une brise légère soufflant de la mer et le bruit de la
marée montante devenu soudain plus perceptible, le soleil enfin
disparut derrière les brumes en cette après-midi du 8 octobre
19.. (1).*

1) *Un Beau Ténébreux.*

Toujours, il s'agit *d'envoûter* le lecteur, de le transporter
dans un autre monde, fait d'horreurs et de merveilles, insolite
et fascinant, où le héros mesure son incapacité à conduire
sa propre vie. Le thème du Graal, transposé et laïcisé, la
quête d'un salut obscur, précaire et révocable, est le fil
d'Ariane de ces romans souterrains et mystérieux.

La réussite la plus remarquable de Julien Gracq reste, à
ce jour, *le Rivage des Syrtes :* l'action se passe dans une ville
imaginaire, enlisée dans une longue trêve qui n'est qu'une
guerre assoupie. Envoyé par l'Amirauté d'Orsenna (qui fait
songer à la fois à Ravenne et à Venise) pour inspecter le
« rivage des Syrtes », le jeune Aldo découvre sa vocation :
faire revivre par la guerre un pays anesthésié par trois cents
ans de paix. Une incursion symbolique, trois coups de canon
tirés sur la côte du Phargestan, suffiront à réveiller le destin,
à refaire d'Orsenna une ville et un peuple qui luttent.

Un Balcon en forêt (1958) prolonge, mais sur le mode mineur,
la musique du *Rivage*....

Il ne s'agit plus d'une fausse paix mais de la « drôle de
guerre ». Tout un hiver l'aspirant Grange attend l'assaut
dans une « maison forte » au-dessus de la Meuse. Ici encore,
l'amour annonce la bataille — un amour étrange, hors du
temps. Et lorsque le fracas des armes éclate, le héros, blessé,
se réfugie dans une maison abandonnée, comme au fond d'un
coquillage où le bruit de la mer ne l'atteindra plus.

Gilbert Sigaux a pu comparer *le Rivage des Syrtes* au « prélude wagnérien d'un opéra qui ne serait pas joué ». Le récit
s'ordonne autour d'une sorte de cérémonial de l'attente ;
tout est conçu pour un événement dont nous ne savons ni
le jour ni l'heure — mais nous sommes certains qu'il se pro-
duira. L'écrivain se conduit moins en narrateur qu'en peintre,
avant tout soucieux de mettre les objets dans leur lumière
avec un art invisible des proportions. Sigaux a relevé aussi
l'état ambigu dans lequel nous nous trouvons après avoir
refermé les livres de Gracq, état à la fois délicieux et cruel
de celui qui a senti l'approche du bonheur, en a saisi, dans
une intuition bouleversante, la forme et la promesse et ne
l'a pas étreint.

L'œuvre de Julien Gracq, bon exemple d'utilisation adroite
de l'inconscient et du rêve, rénove le romantisme, dont il fait
à nouveau un art de découverte et d'aventure. A travers elle,

le surréalisme s'intègre à notre tradition littéraire, et André
Breton a pu tout naturellement citer *le Beau Ténébreux* comme
une confirmation de ses propres thèses.

A la mythologie de Gracq s'accorde un style original, bien
qu'il ne soit pas sans défauts (*le Rivage des Syrtes* abonde
en fautes de syntaxe). « De cette longue phrase ouvragée et
scintillante, éloquente et placide, dramatique en puissance
et rassurante à la surface qui unit la période classique aux
fastes de l'imagination romantique, on peut dire qu'en dépit
de ce qu'elle a parfois de livres que et des réminiscences qui
l'alourdissent, elle est l'une des plus sûres, des plus efficaces,
des plus authentiquement *signées* du moment (1).»

(1) G. Picon : *op. cit.*

VI

SAMUEL BECKETT OU L'AU-DELA

APPARTIENT-ELLE encore à la littérature, cette œuvre qui, dans chacun de ses mots désarticulés, dans chacune de ses phrases sans objet ni cause, proclame avec éclat que l'homme est mort et que rien ni personne et surtout pas le langage ne peut lui servir de secours ? « Nommer, non, rien n'est nommable ; dire, non, rien n'est dicible », toute l'œuvre de Samuel Beckett (1) illustre ce double aphorisme. Pourtant, l'œuvre existe, à la fois paradoxale et vraie, comme une preuve par neuf de l'absurde ou un dernier défi jeté à la création. Nous touchons ici aux bornes extrêmes du langage, à ces confins de la littérature où le mot se nie lui-même, où l'écrivain n'affiche d'autre ambition que de se détruire.

Beckett n'a écrit qu'un seul livre, l'interminable chronique d'un instant élargi aux dimensions de l'éternité, d'un atome d'existence qui se saisit dans son absurdité fondamentale et déclare qu'il appartient au néant, qu'il y retourne pour toujours. Nous sommes loin des beaux monologues policés de *la Nausée* qui développaient le même thème, mais où les ressources d'une rhétorique accomplie se trouvaient mises au service de ce qui la nie. Ici, plus de discours logiques,

---

(1) Samuel Beckett est né à Dublin en 1906. Etudes à Trinity College (Dublin) ; lecteur d'anglais à l'Ecole Normale supérieure (1928-1929). Ami, traducteur et disciple de James Joyce, après plusieurs ouvrages en anglais, il publie des nouvelles dans *Fontaine*, et des récits : *Murphy* (1947), *Molloy*, *Malone meurt*, (1951) *l'Innommable* (1953) *Nouvelles et textes pour rien* (1955).

Au théâtre : *En attendant Godot*, (1952) *Fin de partie* suivie de *Acte sans Paroles* (1957). Une pièce radiophonique : *Tous ceux qui tombent*.

(Tous ces ouvrages aux Editions de Minuit.)

d'éloquence ou d'ironie : nous sommes au-delà de tout, perdus dans la conscience viscérale, quasi microscopique, d'un corpuscule intelligent, d'une âme sur le point d'être expulsée de son enveloppe charnelle, et dont la conscience tourne à vide, hors de tout contrôle de l'intelligence ou de la raison, déjà délivrée du monde, mais non de ce Moi agonisant qu'elle supporte encore, avec lequel elle va mourir et pour qui elle n'imagine pas d'autre fin que celle de « la merde qui attend la chasse d'eau ». Ici viennent aboutir plusieurs siècles d'accusation du monde ; l'humiliation d'un homme qui, de Jean-Jacques à Kafka, paralysa tant d'écrivains, culmine dans un monde d'abjection et d'ignominie. Des êtres se jugent « dans la tranquillité de la décomposition », revoient leur vie comme s'ils étaient déjà damnés, et se confondent pour toujours avec leur solitude, leur humiliation, leur malheur avant de disparaître dans un océan d'ordure.

Le style de Beckett est calqué sur ces consciences informes. Il n'échappe pas tout à fait à la littérature puisqu'on y retrouve le lent mouvement proustien, le balancement lyrique de Lautréamont, et le célèbre monologue d'*Ulysse*, où tous les dialectes, de l'onomatopée à la période oratoire, et du cri à la parabole, ont leur place. Ainsi James Joyce, l'auteur d'*Ulysse* et de *Finnegan's Wakes*, n'aura pas seulement révolutionné le roman britannique, mais introduit dans la claire, dans l'inattaquable langue française, par le canal de son disciple irlandais, les mêmes ferments de décomposition et de désintégration. Si Beckett a choisi, après plusieurs ouvrages en anglais, de s'exprimer en français, ce n'est pas seulement pour échapper à l'influence paralysante de son génial ami, à l'obsession d'un langage fabuleux, mais pour s'imposer une ascèse, une mesure dans l'absurde, une règle dans la déraison. Ainsi devait-il, par un mouvement naturel, aboutir au théâtre, comme au mode d'expression le plus resserré, le plus dramatique, où il puisse faire éclater sur nos têtes, avec la brutalité d'une Apocalypse, cette fin du monde dont il est le prophète (1).

_____

(1) Cf. dans la Troisième Partie, chapitre troisième, III, notre analyse des pièces de Beckett.

VII

IN MEMORIAM : PAUL GADENNE

S'IL n'avait été prématurément enlevé, en 1954, par la tuberculose, Paul Gadenne serait devenu sans doute un des romanciers importants de sa génération. Dès *Siloé* (1941), l'auteur inscrivait dans une expérience de malade sa découverte de la « vraie vie » : un intellectuel promis à l'agrégation était brutalement rendu, par le hasard de la maladie, à l'existence végétale des choses, au lent apprentissage de la solitude et de la nature, des éléments et des hommes (1). Puis, dans *le Vent noir* (1947), il substituait au rude et poétique décor de la montagne la banalité des rues de Paris, de ses boutiques et de ses couloirs de métro, théâtre d'une tragédie intérieure où un homme s'épuise en vain à espérer, à poursuivre et à attendre la femme qu'il aime et qu'il ne possédera pas. Deux longues nouvelles, *la Rue profonde* et *l'Avenue* — parabole autour d'une création toujours en projet, jamais réalisée — deux romans — *la Plage de Scheveningen* (1952) où la tristesse de la mer du Nord est le poétique arrière-plan d'une double vie manquée et *l'Invitation chez les Stirl* (1955) où le héros s'aperçoit que retrouver n'est pas reconnaître — avaient confirmé la place de Gadenne ; pour la situer, il suffit de rappeler que ce romancier de l'absence et de la difficulté d'être était un des rares écrivains pour qui la vie intérieure *comptait ;* dans chacun de ses livres, il allait un peu plus avant dans le mystère de l'être, dont il avait fait le thème dominant d'une œuvre encore en pleine gestation.

(1) Paul Gadenne est né à Armentières (Nord), et mort à Bayonne, en 1954. Agrégé de Lettres en 1931, il s'était retiré à Bayonne en 1940, contraint au repos par la tuberculose qui devait l'emporter.

Il a publié : *Siloé* (Julliard, 1947), *le Vent noir* (Julliard, 1947), *la Rue profonde* (Gallimard, 1949), *l'Avenue* (Julliard, 1949), *la Plage de Scheveningen* (Gallimard, 1952), *l'Invitation chez les Stirl* (Gallimard, 1955).

CHAPITRE TROISIÈME

QUELQUES ASPECTS MAJEURS
DU JEUNE ROMAN

Les œuvres que nous venons d'analyser n'illustrent pas, il s'en faut, tous les aspects de la production romanesque de l'après-guerre. Si nous les avons placées à part, c'est parce que le talent de leurs auteurs, leurs caractéristiques ne correspondaient guère à ce que nous attendons du roman : une histoire et la peinture de la vie. Peyrefitte est un conteur, un chroniqueur, un mémorialiste — non un romancier d'imagination — Genêt, Gracq et Beckett sont des poètes de la prose ; Jules Roy et même Roger Vailland peuvent être considérés comme des moralistes. La qualité de leur langue est plus frappante que leurs dons d'invention.

I

SIX REPRÉSENTANTS
D'UN NOUVEAU RÉALISME

SI nous nous avançons dans le maquis du roman, nous
nous apercevrons vite que le naturalisme romanesque
garde un public et des auteurs. Ici, de nouveau, entre
de multiples talents et des tendances très diverses, un choix
s'imposait. Nous avons donc retenu six œuvres caractéristiques de ce « nouveau réalisme » au milieu d'une bonne
trentaine (Georges Arnaud ou Jean Hougron, José-André
Lacour comme Roger Ikor, Robert Merle, Armand Lanoux,
Pierre Moinot, Maurice Druon et dix autres eussent fourni
bonne matière à un semblable développement), parce que
leur vitalité les désignait particulièrement à l'attention.

Hervé Bazin est, avec Françoise Sagan, la grande révélation romanesque de l'après-guerre. Jean-Louis Curtis est l'un
des plus intelligents et le plus cultivé de nos jeunes romanciers ; Romain Gary, l'un des plus sensibles aux besoins d'une
époque en quête d'un nouvel humanisme ; Serge Groussard
le plus impétueux et le plus vivant ; Félicien Marceau le plus
adroit ; Michel de Saint-Pierre, le dernier héritier de ces
écrivains de plein air qui, de George Sand à La Varende,
illustrent l'une des traditions, résolument anti-intellectuelle
et anti-parisienne, de notre littérature.

Dans un second éventail, nous aborderons un autre aspect
du roman : l'ésotérisme. Notre choix aurait, en effet, été
bien incomplet si les « révolutions » du roman n'y avaient
pas été représentées — depuis Daumal et Dietrich, jusqu'à
Robbe-Grillet et Michel Butor, fondateurs sinon d'une
nouvelle ère romanesque, du moins de techniques nouvelles.

1

HERVÉ BAZIN OU LE RETOUR DE L'ENFANT PRODIGUE

Lancé comme une bombe à la veille des prix littéraires, par un génial revenant de l'édition de l'entre-deux-guerres, Bernard Grasset, *Vipère au poing* (Prix des Lecteurs 1948) révélait un inconnu : Hervé Bazin (1). Relevant avec panache le nom d'un académicien bien-pensant, jouant du scandale autant que de la confusion de nom, trop heureux d'affronter les colères des bonnes familles bourgeoises, ce nouveau venu n'hésitait pas à publier sa haine contre une mère « qui détestait ses propres enfants », fournissant ainsi à la littérature un de ses « plus beaux cas d'agressivité » (2). Tant de bonheur dans l'expression, tant d'allégresse à se mouvoir dans l'odieux, à jouer d'un style percutant, plein d'images, aggravaient encore ce que le livre avait de sacrilège ; le portrait du bocage angevin, de ses maires de droit divin, de ses députés à particule, de ses protonotaires sans emploi, de ses zouaves pontificaux en demi-solde, dans le triste et pluvieux décor de la Belle Angerie, formait une chronique à la fois savoureuse et féroce. Un combat inexpiable s'engageait entre ce fils sacrilège et cette mère dénaturée, auprès de laquelle la Genitrix de Mauriac paraît douce.

(1) Jean Hervé-Bazin (en littérature, Hervé Bazin), est né, non pas au lendemain de la guerre de 1914, comme l'a laissé entendre son éditeur, soucieux de lancer un « moins de trente ans », mais en 1911. Petit-neveu de l'académicien catholique René Bazin (auteur des *Oberlé, la Terre qui meurt*, etc.). Etudes plutôt cahotiques. Licence ès lettres. A été successivement : « représentant de commerce, journaliste, employé des P.T.T., valet de chambre, récupérateur d'ordures ménagères... » A écrit trois romans avant *Vipère au Poing* et publié deux recueils de poèmes (qu'il a retirés de la circulation ; les romans manuscrits ne seront pas publiés). Membre de l'Académie Goncourt (1958).

Hervé Bazin a publié :

Des poèmes : *Jour*, Prix Apollinaire 1947 (E.I.L., épuisé) ; *A la poursuite d'Iris* 1948 (E.I.L., épuisé) ; *Humeurs* (Grasset, 1951).

Des romans : *Vipère au poing*, Prix des Lecteurs, 1948 ; *la Tête contre les Murs*, Prix de la Presse latine 1949 ; *la Mort du Petit Cheval* ; *Lève-toi et marche* ; *l'Huile sur le Feu* ; *Qui j'ose aimer*.

Des nouvelles : *le Bureau des Mariages*. (Tous ces ouvrages aux éditions Bernard Grasset.)

(2) ARMAND HOOG. *Carrefour*, 23 juin 1948.

Les dons de l'écrivain étaient évidents ; mais on pouvait
se demander si le romancier pourrait jamais échapper à l'autobiographie d'une haine passionnée. De fait, les romans qui
suivirent y puisèrent une bonne part de leur substance.
La Tête contre les Murs (1949) donna de la folie une collection
d'images picaresques où le drame se diluait dans une partie
de cache-cache avec la magistrature — en souvenir des
démêlés de l'auteur avec la Justice. Puis, la critique a salué
La Mort du Petit Cheval (1950) comme le retour de l'enfant
prodigue et André Rousseaux a félicité l'auteur avec effusion
de s'aviser que « tradition et révolution ne sont pas contradictoires mais complémentaires». Passant du noir au rose
sans rien perdre de sa superbe, le narrateur menait maintenant une charge au nom des bons sentiments, réhabilitant
au bout de quelques années de « vache enragée», la famille
et la société dont il s'était déclaré l'ennemi. Promu « un
ancêtre», après avoir refusé d'être un « descendant», Brasse-
Bouillon devenu père de famille, pardonnait à sa mère (une
pauvre vieille, plutôt qu'une Folcoche) au nom d'une expérience « très simple, très profane, admirablement simple et
profane, comme le bonheur». « La femme a racheté la mère
et l'enfant de l'amour a racheté l'enfant de la haine» : le
cycle des Rézeau s'achevait en litanie.

Il n'a pas été facile à Hervé Bazin, dont le succès avait
coïncidé avec une assez médiocre légende, d'échapper à
l'autobiographie et de se détacher suffisamment d'une adolescence révoltée pour s'exprimer en des personnages qui ne
dussent rien au monde de la Belle Angerie. Qu'il y ait cependant réussi souligne la qualité de l'écrivain, qui a survécu
au mémorialiste provincial : un recueil de nouvelles *(le
Bureau des Mariages)*, un roman, attachant et fort, dont
l'héroïne pourrait être la sœur de Brasse-Bouillon *(Lève-toi
et marche)*, la confession d'un incendiaire *(l'Huile sur le Feu)*,
enfin, *Qui j'ose aimer* (1956), libre traduction du rôle de
Phèdre dans un décor campagnard, ont été les étapes de cette
libération. On s'est alors aperçu qu'Hervé Bazin n'était pas
l'autobiographe lancé à grand renfort de scandale par un éditeur de génie, mais un romancier qui compte, le meilleur qui
soit apparu depuis la guerre, s'il faut en croire un referendum
des *Nouvelles littéraires*.

Finalement, Hervé Bazin pourrait bien être moins éloigné

de son oncle qu'on ne l'avait cru tout d'abord : on retrouve
dans son œuvre les références provinciales chères à l'auteur
de *la Terre qui meurt* ; on y trouve aussi la même préoccupation
morale, encore qu'elle s'exprime tout autrement. « L'enfant
que j'étais, dit Bazin (le neveu) voyait les siens, tout humides
d'eau bénite, se sécher le poil au feu des discussions d'argent.
Et je ne dis rien des histoires d'alcôve... Bref, gens indignes,
idées indignes. De la faillite de leur morale à celle de la morale
bourgeoise, il n'y avait qu'un pas... Je suis marxiste par exigence morale. Si notre pays est un grand pourrissoir, c'est
qu'il a en fait abandonné sa morale chrétienne sans en
adopter une autre (1).»

La métamorphose d'Hervé Bazin laisse espérer des livres
très différents de ceux qu'il a donnés jusqu'ici. Réconcilié
avec sa famille et devenu châtelain à Villenauxe, critique d'un
journal financier, directeur d'une grande collection romanesque (2), il s'est délivré de l'emportement frénétique qui
lui dicta son premier livre comme une vengeance. On aurait
pu penser qu'il se dirigerait vers le pamphlet politique, la
grande satire. Mais il est d'abord romancier et semble n'avoir
d'autre désir que de donner le jour à des personnages en lesquels il s'exprime tout entier. Oublions les traits qui, chez lui,
parodiaient Montherlant (menton en galoche, airs supérieurs,
complexes du notable de province). L'anarchiste, le révolutionnaire, le père de famille déguisé en aventurier du monde
moderne n'étaient pas ses vrais répondants.

Reste l'écrivain : dru, savoureux, *rassurant*.

C'est lui qu'ont appelé les Goncourt à succéder à Francis
Carco (1958).

2

Un romancier appliqué : Jean-Louis Curtis

« Rien ne peut troubler d'une manière durable la carrière
d'un jeune écrivain de valeur, même pas le prix Goncourt» :
cette réflexion d'un critique (3) souligne le mérite de Jean-

---

(1) Cité par CHRISTINE GARNIER : *l'Homme et son Personnage* (Grasset, 1953).
(2) *Rien que la vie* (Grasset).
(3) ROBERT KANTERS, *Des Idées et des Hommes*, (Julliard).

Louis Curtis (Prix Goncourt 1947 pour *les Forêts de la Nuit*) qui n'a rien fait pour « maintenir les projecteurs braqués sur lui» et n'a pas modifié le rythme patient d'une création où il ne se refuse pas à séduire mais se soucie davantage de convaincre.

Ce compatriote de Francis Jammes (1) est essentiellement un homme de culture, nourri de bonne littérature, plus proche d'Anatole France que des maîtres de l'absurde, mais qui n'ignore rien de Proust, de Gide ou de Mauriac. Sans se soucier de créer un monde ou un style, il s'efforce seulement de représenter son temps avec une intelligence fine, aiguë, toujours discrète : c'est au lecteur qu'il appartient de tirer, s'il y a lieu, une conclusion.

Ses premiers récits hésitaient constamment entre l'essai, la satire et le roman — chronique où les personnages n'étaient souvent que les porte-parole de l'auteur. Dans *les Jeunes Hommes* (1946), quatre garçons de la bourgeoisie censés représenter, de la révolte au scepticisme, les attitudes de leur âge, cherchaient à quitter leur petite ville (Sault-en-Labourd, qui ressemble beaucoup à Orthez). Le thème était celui des *Déracinés*, dans une province devenue l'ennemie ; et les jugements de l'auteur se glissaient dans les commentaires désenchantés des héros. *Siegfried* (1946) romançait l'occupation de l'Allemagne (thème exploité aussi par François-Régis Bastide et Roger Nimier). Un sous-officier français y tendait la main à un rescapé de la *Hitlerjugend*. Le récit était maladroit, les dialogues scolaires, la bonne volonté évidente : le *Siegfried* de Jean-Louis Curtis n'a pas fait oublier celui de Giraudoux.

Mais avec *les Forêts de la Nuit* (1947), Curtis devait arbitrer avec adresse les vocations, en lui contradictoires, de l'historien, du romancier et du critique.

---

(1) Jean-Louis Curtis est né à Orthez en 1917. Agrégation de lettres à la Sorbonne. Professeur à Bayonne, puis à Paris. A fait la guerre, d'abord dans l'infanterie, l'hiver 1939, puis dans le corps franc pyrénéen, où il s'engage, l'été 1944 (campagne des Vosges, d'Alsace et d'Allemagne).

Longs séjours en Angleterre, voyages autour de la Méditerranée.

J.-L. Curtis a publié des romans : *les Jeunes Hommes* (Prix Cazes 1946), *Siegfried* (1946), *les Forêts de la Nuit* (Prix Goncourt 1947), *Gibier de potence* (1949), *Chers Corbeaux* (1951), *les Justes Causes* (1954), *l'Echelle de soie* (1956).

Et deux essais : *Haute Ecole* (1950). (Tous ces livres sont édités chez Julliard), et *A la Recherche du Temps posthume* (Fasquelle, 1957).

Bien que l'auteur s'en défende, il s'agit d'une *chronique*, celle d'un coin de France occupée — Saint-Clar dans le pays basque. Le genre n'est pas sans danger : on risque à tout moment de verser dans la contrefaçon héroïque ou dans un réalisme exagéré. Jean-Louis Curtis s'en est tiré avec adresse, se gardant de rééditer *Mon village à l'heure allemande* qui avait fait le succès d'un précédent prix Goncourt (1). Il a très bien campé ce milieu de bourgeois provinciaux, patriotes, mais vichyssois, bien-pensants, sur lesquels s'appuya le régime de Pétain. De la Résistance, il a masqué les côtés exaltants, et sa peinture de la Libération rejoint, dans son ironie nuancée, les descriptions plus sarcastiques de Marcel Aymé (2) ; mais il n'était pas mauvais justement qu'un jeune romancier nous libérât des poncifs de l'hagiographie régnante. Ses conclusions, injustes si on veut leur attribuer une valeur historique, s'éclairent si on les replace dans leur contexte romanesque.

Les dons du romancier l'emportent en effet sur les préoccupations de l'historien. Et sans doute certains accessoires pittoresques — M. de Balansun, inoffensif et attendrissant fossile — appartiennent-ils davantage à la satire qu'au roman. Mais deux autres, Hélène de Balansun — une jeune fille qui cède à toutes les tentations dès qu'elle est séparée de l'homme qu'elle aime — et Gérard, son fiancé « un pauvre type qui écrit dans *la Gerbe* des platitudes sur la grandeur française », mais que sa lucidité et le mépris d'Hélène vont sauver — expriment bien les problèmes sentimentaux et politiques de cette génération inquiète, dégoûtée du désordre bourgeois, impuissante à réaliser son idéal confus de grandeur, avide de liberté sans parvenir à lutter concrètement pour elle, dont Robert Brasillach nous a laissé un exemple aussi désastreux qu'émouvant (3).

Le critique est constamment présent ; le romancier ne peut se retenir de juger ses personnages, et l'époque derrière eux. Une certaine faiblesse romanesque est la rançon de cette intelligence si vive ; Curtis voudrait donner, par exemple,

---

(1) Jean-Louis Bory, dont le récit était d'une saveur quelque peu rabelaisienne.
(2) Dans *Uranus*.
(3) Dans *Comme le Temps passe* et les *Sept Couleurs*.

à son Philippe Arréguy, jeune outlaw beau comme un dieu, une place centrale dans son récit. Mais il est trop loin de ce garçon pour lui conférer la présence charnelle qui nous l'imposerait autrement que comme une abstraction intelligente.

A ces réserves près, *les Forêts de la Nuit* sont un beau livre : pas de réalisme ostentatoire, un ton simple et discret ; des variations psychologiques dont la virtuosité n'est pas acquise aux dépens du naturel. Un livre sain et propre, où l'on n'a pas cherché le « noir» par goût des turpitudes. On n'oubliera pas la touchante figure de Francis, ce garçon net et simple qui meurt en martyr parce qu'il n'a jamais posé au martyre. « Si M. Curtis a tendance à caricaturer les vieux hommes, notait Armand Hoog (1), ses jeunes gens me paraissent les plus vrais que j'aie rencontrés depuis bien longtemps. Nous les reconnaissons : frères timides et effrayants.»

Gibier de potence (1949) illustre « les efforts d'un homme simple et fruste pour accéder à la conscience — plus précisément à la *bonne* conscience». Le héros, Marceau Le Guern, est le frère malchanceux du Philippe Arréguy des *Forêts de la Nuit :* tous deux demandent au monde des satisfactions immédiates que la société leur refuse. La fatalité accumule les obstacles sur leur chemin ; Arréguy n'était pas un mauvais bougre et il est devenu un tortionnaire, Le Guern ne demandait que sa part du gâteau, et il finit en criminel. L'un et l'autre n'ont pas su franchir l'étape ; ils sont passés sans transition de la misère à une fortune scabreuse. Le roman était intéressant, mais insuffisamment construit et vécu. Dommage ! Le début du livre, qui rappelle un peu les premiers romans de Nizan, est d'un rythme haletant...

Chers Corbeaux (1951) est un exercice de haute voltige : ces corbeaux sont oiseaux de plume, et J.-L. Curtis les peint avec verve sur leurs perchoirs : de bons jeunes gens, venus de Sault-en-Labourd jouer leur chance au « Village » — entendez : à Saint-Germain-des-Prés. Satire spirituelle parfois un peu forcée de nos mœurs littéraires, mais surtout nouvelle évocation de la province et du déracinement.

Avec *les Justes Causes* (1954), Curtis a retrouvé un succès comparable à celui des *Forêts de la Nuit*. Après l'occupation, voici l'après-guerre, vécue par quelques héros symboliques.

_____

(1) *Carrefour*, 26 novembre 1947.

La jeunesse vichyssoise, *les Deux-Magots* et ses avortons douteux, un salon littéraire, un général d'avant-garde, un journal
à la mode de 1945, un jeune guerrier fasciste, un critique à la
page y sont reconstitués avec une minutie qui n'exclut ni
l'humour ni la férocité. Mais les personnages — et c'est le
reproche qu'on pourrait faire au livre — disparaissent derrière ces morceaux de bravoure, qui ne font plus d'eux que
les porte-parole d'attitudes contradictoires. Pourtant le
conflit conjugal de Catherine, la petite théâtreuse, et du
modeste François, ou l'histoire du malheureux Roland
Oyarzun (qui découvre qu'il est juif alors qu'il a fondé toute
sa vie sur l'antisémitisme) auraient, à eux seuls, fourni la
matière d'un roman.

* *
*

Il faut mettre à part deux ouvrages où Jean-Louis Curtis
marie avec bonheur pastiches et critique. Dès *Haute-Ecole*
(1950), il s'est mué en un brillant essayiste, délié, élégant,
jamais lourd (sauf dans le Sartre) mais qui s'intéresse moins
aux problèmes soulevés par d'illustres modèles qu'à la manière
dont ceux-ci les résolvent. Etudes et pastiches (ceux de Gide
et de Montherlant sont les meilleurs ; celui de Mauriac est
manqué, sans doute parce que la musique mauriacienne est
intraduisible) introduisent une psychanalyse du romancier
dans laquelle l'auteur s'amuse à prendre Sartre en flagrant
délit de désobéissance à l'égard de ses propres règles.

La même veine devait lui inspirer, sous le prétexte d'un
pastiche du *Temps perdu* (*A la Recherche du Temps posthume*, 1957), une agréable promenade dans le jardin de nos
goûts et de nos illusions, où l'on voit Jean Paulhan louer tour
à tour et d'une même voix douce, les tableaux de Dubuffet
et les romans d'André Theuriet, André Malraux rapprocher
le plafond de la Sixtine des « cuirs repoussés des nomades de
l'Asie centrale et des masques polynésiens de Kili-Kili»,
de jeunes critiques railler le nouvel académisme de Robbe-
Grillet ou la banalité solennelle (décorée du beau nom de
révolte) d'Albert Camus.

Telle est peut-être la voie de Jean-Louis Curtis : devenir,
comme hier André Maurois dans *les Silences du Colonel*

Bramble, le critique de nos mœurs, assez clair pour être entendu de tous, assez subtil pour être apprécié des meilleurs.

Le sort du romancier est plus douteux. Son dernier récit, purement psychologique (un amour à Capri) a déçu. Il y aurait beaucoup à dire sur sa formule du roman : (« La première vertu d'un roman est d'être *romanesque*, c'est-à-dire d'exister d'abord en tant que divertissement (1). ») Conception toute classique que Jean-Paul Sartre renierait avec violence, que peu de grands romanciers feraient leur — ni Stendhal, ni Balzac, ni Dostoïevski, ni Proust, ni D. H. Lawrence. La première vertu d'un roman est d'imposer à la conscience de ses lecteurs, une conscience fictive, un monde imaginaire, plus réel que le vrai. Mais y a-t-il là divertissement ? Pas nécessairement, et même, dans la mesure où les personnages existent, ils imposent au lecteur une signification et un choix. J.-L. Curtis ne s'interdit d'ailleurs pas de dépasser le plaisir naïf de raconter une histoire, en s'efforçant de la faire signifier un peu au-delà d'elle-même, et ne peut s'empêcher d'évoquer de graves problèmes, politiques ou moraux, de s'interroger sur de « justes causes ».

Il est certainement un des plus intelligents, des plus cultivés de nos jeunes romanciers : il cherche toujours à *comprendre* (c'est un défaut bien français). Par ailleurs, il semble plus à l'aise pour décrire sa province natale que pour discerner, au-delà de la comédie littéraire, la vie profonde de Paris. Enfin, les techniques du roman moderne ne semblent pas le tenter : littérairement, il en est resté à Proust et à Gide. Ce ne sont pas de petits maîtres, mais Curtis n'a pas encore trouvé un mode d'expression qui corresponde à sa vocation ; ce pourrait être à mi-chemin de la critique et du roman dans des contes à la manière d'Anatole France ou de Marcel Aymé. A moins qu'il ne veuille nous donner cette œuvre poétique et profonde que faisait espérer l'épigraphe des *Forêts de la Nuit*, tirée du fameux poème de Blake :

Tigre, Tigre qui flambe dans les Forêts de la Nuit
Dans quels abîmes, dans quels cieux lointains a brûlé le feu de
                                              [tes yeux ?

---

(1) « Prière d'insérer » de *Gibier de potence*.

3

Un romancier épique : Romain Gary

Romain Gary (1) appartient à la tradition naturaliste du roman français. Mais il la relève d'un accent épique qui n'appartient qu'à lui. Né à Moscou, devenu Français, aviateur dont les faits de guerre valent des lettres de noblesse, puis diplomate, l'auteur d'*Education européenne* s'est voulu écrivain pour être pleinement un *témoin*. S'il ne se montre pas toujours parfaitement maître de sa langue (on y trouve des lourdeurs, des redites, des expressions rocailleuses, parfois des vulgarités) il s'est fait le défenseur des valeurs qui constituent notre humanisme — auquel il est d'autant plus attaché qu'il ne l'a pas trouvé dans son héritage, mais qu'il l'a choisi librement. *Education européenne* (Prix des Critiques 1945) faisait entendre au milieu d'un récit exaltant de courage et d'audace une petite note d'un réalisme poignant, presque sordide : la silencieuse flambée d'une brève aventure sensuelle s'élevait, solitaire et désespérée, au milieu d'une tragédie historique (la résistance polonaise sous l'occupation allemande). *Tulipe, le Grand Vestiaire, les Couleurs du Jour* illustrèrent, avec des bonheurs inégaux, une même chaleur et une même maladresse, le malaise de notre civilisation ; l'auteur prenait volontiers pour héros des solitaires — de ceux que notre société tend à rejeter pour crime de non-conformisme.

Après un silence de quatre ans, dû à l'activité du diplomate, Romain Gary a fait une rentrée éclatante avec *les Racines du Ciel* (Prix Goncourt 1956) ; le style péchait encore par plus d'une impropriété, mais le romancier avait rencontré un « grand sujet» et l'avait traité avec une vigueur et une foi

---

(1) Romain Gary est né à Moscou le 8 mai 1914. Licencié en droit, mobilisé en 1939, s'engage dans les F.F.L. Aviateur, quitte l'armée française comme commandant (1945). Entre dans la carrière diplomatique. En poste aux Etats-Unis et en Amérique latine. Aujourd'hui, Consul général à Los Angeles. Officier de la Légion d'honneur, Compagnon de la Libération.

Romain Gary a publié les romans suivants (aux éditions Gallimard) : *Education européenne* (Prix des Critiques 1945), *Tulipe* (1946), *le Grand Vestiaire* (1949), *les Couleurs du Jour* (1952), *les Racines du Ciel* (Prix Goncourt 1956).

exemplaires. Il avait choisi pour symbole l'éléphant d'Afrique, menacé par les chasseurs, et pour héros un *outlaw* sympathique, mi-aventurier mi-prophète, Morel, moderne Don Quichotte. Le roman part de cette constatation : on tue en Afrique trente mille éléphants chaque année ; ainsi s'étend la « civilisation». « Ce que le progrès demande inexorablement aux hommes et aux continents, c'est de renoncer à leur étrangeté, c'est de rompre avec le mystère, et, quelque part sur ce chemin, s'inscrivent inexorablement les ossements du dernier éléphant. Les terrains de culture doivent gagner sur les forêts et les routes mordront de plus en plus dans la quiétude des grands troupeaux. Il y aura de moins en moins de place pour les splendeurs de la nature.» C'est contre cette déshumanisation que Morel engage un combat sans merci, et qui paraît sans espoir ; il invite ses compatriotes, blancs ou noirs, à donner le meilleur d'eux-mêmes « pour essayer de conserver une certaine beauté à la vie» — à l'époque du travail forcé, de la bombe à hydrogène, de la pensée asservie et de la fin qui justifie les moyens. Si l'homme est assez généreux pour « s'encombrer des éléphants», pour préserver autour de la vie humaine une marge de rêve et de liberté, le monde pourra échapper à la contagion du nationalisme (que représente ici l'agitateur noir Waïtari), de la barbarie technocratique, de la guerre — à l'enfer totalitaire. Il est peu des grands problèmes de ce temps qui ne se trouvent ainsi évoqués dans *les Racines du Ciel*, autour de Morel et de sa croisade. En dépit de ses maladresses, de son excessive longueur, le livre a pris ainsi place dans la grande perspective qu'illustrent, de Kipling à Conrad et de *Moby Dick* à *la Peste*, quelques témoins exemplaires de l'humanisme occidental.

4

SERGE GROUSSARD, TÉMOIN DE SON TEMPS

Serge Groussard (1) est beaucoup plus vivant que la plupart de ses personnages. Mais le grain de folie qui l'habite

(1) Serge Groussard est né à Niort en 1920. (Il est le fils du colonel Groussard qui arrêta Pierre Laval le 13 décembre 1940.) Engagé volontaire en 1939, participe comme E.O.R. aux combats sur la Loire. Agent de renseignements de la

est aussi un grain de génie. Reporter éblouissant, romancier
très doué, un peu mythomane, un peu charlatan, avec onze
volumes et cent mille lecteurs derrière lui, il peut faire à peu
près tout ce qu'il veut. Il est surtout un grand vivant : il a
plus d'idées, de femmes, d'enfants, de lecteurs, de livres,
d'amis qu'aucun de ses rivaux. Une seule faiblesse, mais de
taille : il se prend volontiers pour Dostoïevski quand il
ressemblerait plutôt à Dumas père.

Il sait voir et faire voir ; mais il ne transpose pas toujours
suffisamment ses reportages. *Pogrom* était un livre étonnant.
Mais Groussard brûlait de surpasser Carco et nous donna une
Femme sans Passé dont l'avenir était surtout commercial.
Un tempérament si riche peut mal se satisfaire de la « littérature » : on lui souhaiterait de passer dix ans à vivre le roman
qu'il porte en lui sans le savoir.

Mais Balzac n'a-t-il pas commencé par trente romans
alimentaires et hâtifs ? En tout cas, de livre en livre, Groussard n'a cessé de progresser. *Crépuscule des Vivants* (1945),
son premier roman, n'était qu'un récit de résistance assez
émouvant, mais encore maladroit ; *Solitude espagnole* (1948)
un vivant reportage sur l'Espagne de Franco. Dès *Pogrom*
(1948), en resserrant son action il parvenait à une sorte de
perfection ; ce récit d'une journée de pogrom en Tripolitaine
atteignait progressivement une intensité dramatique, presque

Résistance, il est arrêté en 1943 par la Gestapo, emprisonné à Fresnes, condamné
à trente ans de forteresse, et déporté dans un S.S. Kommando du Sude-
tenland. Au retour de sa captivité, il entre à l'Ecole d'Administration qu'il
quitte au bout d'un an, et se consacre définitivement à la littérature. A
voyagé à Madagascar, en Indochine, au Maroc, dans le Proche-Orient, aux
Etats-Unis. Prix Fémina 1950 pour *la Femme sans Passé.* Chevalier de la
Légion d'honneur, Croix de Guerre, Médaille de la Résistance. Rappelé en
Algérie comme capitaine (1956-1957) : croix de la valeur militaire, deux citations.

Serge Groussard a publié des romans : *Crépuscule des Vivants* (Ferenczi,
1945 ; 4 voix au Prix Goncourt, 8 voix au Prix Fémina, 50ᵉ mille), *Pogrom*
(Ferenczi, 1948), *Des Gens sans importance* (Ferenczi, Prix du Roman Populiste 1949, 60ᵉ mille), *la Femme sans Passé* (Gallimard, Prix Fémina 1950,
175ᵉ mille), *la Ville de Joie* (Gallimard, 1952), *un Officier de tradition* (Gallimard, 1955, 30ᵉ mille), *l'Homme dans la Nuit* (La Palatine, 1957), *la Belle
Espérance* (Gallimard, 1958), *Quartier chinois* (Albin Michel, 1958).

Des récits et des nouvelles : *Talya* (Gallimard, 1951), *Orage à Miami* (La
Palatine, 1954), *Une chic fille* (Fayard, 1955).

Des reportages : *Solitude espagnole* (Plon, Prix Claude Blanchard, 1948),
Demain est là (Gallimard, 1956).

insoutenable. Groussard avait senti d'instinct la condition écartelée du peuple juif. Il sut avec bonheur évoquer, entre deux scènes de torture, les heures calmes du ghetto. Et son livre, commencé sur des images de mort et de viol, s'achevait en sombres litanies.

Des Gens sans importance (1949) nous transportèrent dans un milieu de « routiers». Les premières pages — l'arrivée du 15 tonnes et l'arrestation de son conducteur — sont hallucinantes de vérité. Les scènes policières et la sordide intimité familiale sont rendues avec des détails discrets, mais obsédants. Une conclusion rapide, en trompe-l'œil, et qui déçoit.

La Femme sans Passé (1950) n'est qu'une nouvelle adroitement conduite, dont il n'y a pas grand-chose à dire : une femme se réfugie sur une péniche et y noue une idylle avec le capitaine, sous l'œil envieux du matelot qui découvre bientôt l'identité de la jeune femme. Celle-ci, accusée du meurtre de son mari, ne pourra longtemps se dérober aux poursuites. Le monde des mariniers est habilement peint ; cinq journées suffisent à écailler un bonheur triste, qu'on aurait pu croire éternel.

L'ouvrage obtint, avec le Prix Fémina, un tirage considérable, mais il ne marquait pas une ascension dans l'œuvre de Serge Groussard. *La Ville de Joie* qui suivit (1952) a déçu pareillement : encore une histoire d'adultère compliquée d'un assassinat, un roman épais, étouffant, sans air, où l'action n'avance pas, mais s'enlise dans d'interminables descriptions.

Cependant, Serge Groussard s'était révélé reporter de grande classe dans *Talya*, récit romancé d'une visite aux kibboutzim d'Israël, tandis qu'il abordait avec succès l'art difficile de la nouvelle, dans *Orage à Miami* (1954) — une Miami de rêve, parée de constellations et négligemment cernée d'une traîne d'écume, avec ses ponts gigantesques, ses ouragans fantastiques, ses gratte-ciel roses, ses palmiers et ses cactus, au milieu de laquelle l'auteur reconstituait avec autant de bonheur la vie d'une dactylo américaine que dans *Talya* celle d'un kibboutz du Neguev.

Un Officier de tradition (1955) — progrès décisif du romancier — résumait en deux cents pages la renaissance de l'Allemagne ; on y voit un officier de la Wehrmacht, remonter, marche par marche, l'abîme ouvert par la défaite, passant des soupes populaires de Cologne en ruines, et des tribunaux de la dénazification à un poste éminent dans la nouvelle armée allemande, avant d'être ressaisi par son terrible passé.

On lit d'un trait ce récit qui, sous l'apparente impassibilité de l'histoire, a la violence brutale d'un coup de couteau. L'érosion de la guerre, de la souffrance, de la défaite sur un tempérament d'acier, la peinture d'un homme et d'une nation à l'agonie qui trouvent pourtant en eux-mêmes assez de force pour ressusciter miraculeusement de leurs cendres, voilà ce que Serge Groussard a su exprimer avec une étonnante justesse.

Que Serge Groussard ait écrit, dans une œuvre déjà abondante, quelques ouvrages inutiles, on ne saurait le nier. Mais la force et la richesse du tempérament, la vitalité de l'écrivain autorisent — en dépit des longueurs, des incohérences, des fautes de goût et des simplifications d'une psychologie souvent sommaire — les plus grands espoirs (1). On ne peut dire encore si Serge Groussard sera le grand romancier de sa génération ; mais on sait déjà qu'il est *un puissant témoin de son temps*.

5

Un élève de Balzac : Félicien Marceau

Si le Belge Félicien Marceau (2) est aujourd'hui l'une des valeurs les plus sûres de notre littérature romanesque, peut-

(1) Sa récente expérience africaine (Groussard a été rappelé en Algérie comme capitaine) lui inspirera sans doute un reportage saisissant.

(2) Félicien Marceau est né à Cortenberg (Belgique), en 1913. Etudes dans un collège religieux, journaliste et fonctionnaire à la Radiodiffusion Nationale belge jusqu'à la Libération, vit depuis en France et en Italie et se consacre à son œuvre.

Principaux ouvrages publiés (depuis la Libération) :

Romans : *Chasseneuil, Chair et Cuir, Capri petite île, l'Homme du Roi, Bergère légère, les Elans du Cœur* (Prix Interallié 1955).

Nouvelles : *En de Secrètes Noces, les Belles Natures* (1957).

Essais : *Casanova ou l'Anti-Don Juan, Balzac et son monde* (1955). (Tous ces volumes sont chez Gallimard, à l'exception de *En de secrètes noces* (Calmann-Lévy.)

Au théâtre : *Caterina, L'Œuf* (1956), *l'Ecole des Moroses, la Bonne Soupe* (1958).

être le doit-il à l'hiatus de la Libération. Eloigné pour quelques
années d'une actualité périlleuse, il a pris, dans l'exil, pleine
possession de son art et bonne distance vis-à-vis de ses personnages. Il avait neuf mois en 1914 lorsque les siens furent
emmenés par les Allemands comme otages à Louvain : impression qui devait s'inscrire, sinon dans sa mémoire, du moins
dans son subconscient. A la veille de la guerre, Félicien Marceau se partageait entre la critique littéraire, ses débuts
d'écrivain (deux romans : le Péché de Complication et Cadavre
exquis ; un essai : Naissance de Minerve, consacré à la littérature de l'entre-deux-guerres, de Gide à Montherlant) et
une activité radiophonique qu'il devait poursuivre sous l'occupation allemande, et payer assez cher à la Libération. De
ses années d'exil, entre Paris et l'Italie, devait naître une
œuvre diverse et mûrie, d'une saveur rare. Chasseneuil, son
premier roman publié en France (1948), mêlait le réalisme
provincial et la magie, sous les espèces d'un diable aux
prises avec des paying-guests angevins. Le monologue spirituel
et désabusé de Chair et Cuir devait lui fournir la matière
d'une des pièces excitantes de l'après-guerre, l'Œuf, dont il
sera parlé plus loin (1). Bergère légère, broderies farceuses
autour d'une petite fille fatale, ressuscitait les frasques
joyeuses de l'étudiant brabançon ; En de secrètes noces,
brèves et parfaites nouvelles, tour à tour cocasses et tragiques,
l'Italie de la guerre et de la défaite ; les Belles Natures évo-
quaient, outre une Italie à mi-chemin de Malaparte et de
Vittorio de Sica, de pittoresques histoires provinciales. Notons
encore Capri petite île ; les Elans du Cœur, un des rares
mécomptes de l'œuvre (une famille d'excentriques de Seine-
et-Oise qui ne fait pas oublier ceux de Balzac) ; un roman
historique, aussi peu situé que possible et qui est pourtant
une manière de chef-d'œuvre, l'Homme du Roi, où Félicien
Marceau a magistralement mis en scène la passion du pouvoir
dans une imaginaire monarchie d'Europe centrale; un excellent essai sur Casanova (« ou l'anti-Don Juan») et ce réper-
toire balzacien qu'est Balzac et son monde.

Peintre à ses heures (2) Félicien Marceau tranche sur ses

(1) Cf. TROISIÈME PARTIE, Chapitre deuxième, VI, 1.

(2) « Il peint rarement « sur le motif», mais il représente des villes imaginaires. L'une tourne sans fin autour de ses rues en labyrinthe, d'autres ont
des petites places closes par des façades mystérieuses, ou dressent leurs édi-

contemporains par la finesse de l'observation, la dévotion
au réel, qui n'exclut jamais le coup de pouce imperceptible
du moraliste. Ce romancier nonchalant, mais très attentif,
n'oublie pas où il vous entraîne et quel usage il entend faire
d'une histoire qui, si insignifiante qu'elle paraisse, comporte
toujours une morale.

6

MICHEL DE SAINT-PIERRE OU LES IDÉES RÉFUTÉES
PAR LA VIE

Comme chez Groussard, ce qui caractérise ici l'homme et
l'œuvre, c'est une vitalité dévorante : Michel de Saint-
Pierre (1) aime la vie et celle-ci le lui rend bien. Si l'excès

fices en pyramides de cubes. Ce sont des gouaches charmantes, mais où la
nature n'entre jamais. Ni un arbre, ni un homme. Rien que des maisons,
comme des boîtes fermées à la curiosité. Il ne faut pas être grand psychana-
lyste pour deviner là ces habitations défiantes dont Asmodée-Marceau rêve
de cueillir les toits.» (DENISE BOURDET, *Pris sur le vif*.)

(1) Michel de Grossourdy de Saint-Pierre est né à Blois, en 1916, dans une
vieille famille normande (il est le cousin de Henry de Montherlant) ; son père
est un historien et un héraldiste connu. Après des études difficiles, s'engage à
dix-huit ans comme manœuvre aux Chantiers de Saint-Nazaire, et, un an plus
tard, dans la marine, comme matelot. En 1940, sur le *Foch*, participe au bombardement de Gênes. Démobilisé, fait un peu tous les métiers à Lyon. Revenu
à Paris en 1942, il entre dans la Résistance, non en vertu « d'un patriotisme
qu'il n'éprouvait guère», mais simplement pour « approfondir une technique
nouvelle pour laquelle il se sentait doué». A la Libération, conseiller muni-
cipal du XVIe arrondissement. Directeur du journal du comte de Paris, puis
agent d'une maison d'import-export. Marié, trois enfants. Croix de guerre ;
rosette de la Résistance.
    Michel de Saint-Pierre a publié successivement :
    Des récits : *Vagabondage* (Aubanel, 1938), *Contes pour les Sceptiques* (pré-
facés par Henry de Montherlant, Henri Lefebvre, 1945).
    Des romans : *Ce Monde ancien* (Calmann-Lévy, 1948), *la Mer à boire* (Cal-
mann-Lévy, Grand Prix de la Société des Gens de Lettres, 1952), *les Aristocrates* (La Table Ronde, Prix de la Sélection des Libraires de France, 1954),
les Ecrivains (Calmann-Lévy, 1957), *les Murmures de Satan* (Table Ronde,
1958).
    Un essai : *Montherlant, bourreau de soi-même* (Gallimard, 1949).
    Une biographie : *Bernadette de Lourdes* (La Table Ronde, 1953).
    Et un recueil de nouvelles : *Dieu vous garde des femmes* (Denoël, 1956).
    En collaboration : *le Roman des Douze* (avec Jules Romains, Louise de Vil-
morin, etc..., Julliard, 1957).

des globules rouges était un péril, ce romancier qui ne met
aucune distance entre sa pensée et ses actes, entre la littérature et la vie, entre ses héros et lui-même, serait alors gravement atteint, condamné à mourir d'un coup de sang,
comme le héros des *Aristocrates*.

Dans une littérature gorgée d'intelligence, presque asséchée
par l'abus de l'esprit critique, les recherches oniriques, les
intentions métaphysiques, il fait entrer le goût du métier,
l'air vif de la campagne, les plaisirs de la chasse, et nous
réintroduit dans le cycle quotidien des travaux et des jours,
de la guerre et de l'aventure, des semailles et des moissons.
Ses romans ne naissent pas d'autres livres. Père de trois
enfants, homme d'affaires, gentilhomme campagnard, grand
chasseur devant l'Eternel, sportif à toute heure, aucune de
nos activités ne le laisse indifférent : cet écrivain de plein air
n'a rien à voir avec les agrégés bâtisseurs de systèmes qui
hantent Saint-Germain-des-Prés.

Après un premier livre dédié à la volonté (*Vagabondage*,
1938) et des *Contes pour les Sceptiques* (1948), préfacés par
Henry de Montherlant, le romancier fit ses preuves dans
Ce Monde ancien (1948), roman qui fit dire à André Maurois :
« Le talent est, de notre temps, la chose du monde la plus
répandue. Mais il est souvent mis au service de sujets indignes
de lui. Voici au contraire un roman où les thèmes sont dignes
de l'auteur. La condition humaine, la lutte de classes, le
désespoir de la jeunesse, l'absurdité du monde, tout y est,
mais non sous forme de discussions abstraites. Parmi les
romans d'adolescence de l'après-guerre, c'est un de ceux que
je préfère.» Le livre n'est pas loin de mériter cet éloge ; une
réalité vivante y est décrite avec humour et beaucoup de
naturel. Par de multiples côtés, il touche à l'autobiographie
mais l'auteur se dédouble en deux héros ; l'un, Gilles de
Lointrain, a dix-huit ans, déteste la Sorbonne et rêve de
devenir romancier ; l'autre est un ouvrier avide de culture
et de justice sociale. Tous deux sont d'accord pour rejeter
« ce monde ancien» gangréné par l'injustice, le malthusianisme et l'hypocrisie. Cette satire — parfois un peu naïve
mais vigoureuse et toujours intelligente — de la bourgeoisie
tranchait avec le pessimisme amer des romans parus depuis
la Libération. Un père jésuite tirait la leçon du livre : « Le
monde bourgeois vous dégoûte et vous irrite. Eh bien ! il

vous dégoûte un peu trop, permettez-moi de vous le dire !...
Vous êtes d'autant plus sévère à l'égard de votre milieu que
vous ne connaissez pas les autres. Les hommes sont faibles
et misérables, Gilles.»

Dans *la Mer à boire* (1952), récit enlevé, dru, coloré,
Saint-Pierre romança ses souvenirs de guerre et son passage
dans la marine : un jeune fauve de vingt ans, un de « ces êtres
dangereux qui ne tiennent pas à leurs biens, de ceux qui
rôdent, mufle dressé, au temps des guerres. De ceux qui
flairent impudemment l'avenir et s'en emparent... qui
voudraient ouvrir le monde d'un coup de patte, comme un
singe ouvre une noix, pour voir» quittait sa tribu pour le
pont du *Primauguet*. Il y échappait à l'ennui du service en
temps de paix en s'emparant d'une jolie fille ; la guerre survenait à la dernière page, comme la grande frairie des jeunes
carnivores lancés à la conquête de la planète.

Avec les *Aristocrates* (1954), Michel de Saint-Pierre fit la
conquête du grand public. Sans doute ces « Aristocrates»
sont-ils plutôt des hobereaux de province (1), hauts en couleur,
avec une pointe de comédie : à leur tête, le marquis de Maubrun, un de ces hommes qui n'ont rien appris et rien oublié,
s'acharne à défendre, comme une place assiégée, une tradition
qui n'ouvre plus sur l'avenir. Cet homme seul, triste, ni
médiocre ni sot, mais pourri d'orgueil, préfère mourir debout
plutôt que vivre avec l'argent de ses enfants.

Le livre valait par son style, et par la vie qui s'en dégageait.
Les maximes impérieuses de Maubrun rendaient un son d'airain (« Nous sommes ce qu'il y a de plus dur et de plus résistant
au monde !... Les véritables seigneurs sont des hommes qui,
dans le métier où le destin les a placés, distinguent le bien
général du bien particulier. — Ce n'est donc pas le peuple qui
compte — mais les seigneurs. Quand un pays a cessé de
comprendre cela, il crève !»).

Et l'auteur, cette fois, avait pris ses distances vis-à-vis
de ses héros.

Mis en vedette par le succès des *Aristocrates*, Michel de
Saint-Pierre devait s'attaquer ensuite à un sujet périlleux :

(1) Le thème, si à la mode au temps de Gyp, inspire encore de jeunes
romanciers. Parmi ces derniers, nous citerons Jean Orieux (*Fontagre*), Bruno
Gay-Lussac, Jean Fougère (*la vie de Château*), et le *Tailletorse* de Humbert de
Montlaur (Plon, 1958).

le métier d'écrivain (1957). Une fois de plus, le titre dépassait
le sujet : car il n'est pas question *des* écrivains dans le roman,
mais de *deux* écrivains — un père et un fils, d'ailleurs aux
antipodes l'un de l'autre. Il ne s'agit donc ni d'un tableau à la
Balzac du monde littéraire, ni même d'une satire des gens de
lettres en 1957, encore que cette satire soit esquissée à propos
de quelques personnages secondaires. Le sujet des *Ecrivains*
est double. Il s'agit d'abord des rapports difficiles d'un père
et d'un fils que tout sépare : rivaux en gloire et même en
amour, ils s'estiment sans se comprendre ; mais il s'agit surtout de la condition ambiguë de l'écrivain, de son besoin de
solitude et de ses efforts vers la communion.

Le personnage singulier d'Alexandre Damville éclipse, il
faut bien le dire, tous les autres. Cet homme de soixante-deux
ans, illustre, taciturne, secret, impénétrable, odieux, « être
de silence en face du silence de Dieu», pénétré de la grandeur
de sa tâche, marche seul en roulant devant lui les blocs de
sa propre pyramide, sans savoir ce qui finira par l'arrêter
— « la montagne de Nietzsche ou le désert de Satan» — et
meurt assoiffé de silence, conscient d'avoir trop aimé les
mots.

Ecrivain curieux de tout, Michel de Saint-Pierre ne s'est
pas confiné dans le roman. D'abord critique de cinéma, il
a abordé la critique littéraire avec un *Montherlant, bourreau
de soi-même* (1949) qui n'était, en fait, qu'un bon article,
adroit et superficiel, écrit pour réhabiliter *Fils de Personne*
et *Demain, il fera jour*. On lui doit aussi une prenante biographie de *Bernadette de Lourdes* (1952) et un recueil de nouvelles (*Dieu vous garde des femmes*, 1955) que signale l'allégresse du ton.

*
* *

Michel de Saint-Pierre se fait de la littérature une conception qui a le mérite d'être claire. Pour lui, écrire, c'est avant
tout raconter ; un roman, c'est une *histoire*, susceptible de
faire concurrence à la création. « Le roman, c'est très exactement pour moi la peinture de la vie. Ce qui ne signifie en
aucune façon que je puisse confondre roman et naturalisme.
La vie, Dieu merci, est à plusieurs dimensions — et c'est
dans la mesure où le roman parvient à rendre compte de cette

épaisseur, de cette profondeur et de cette complexité qu'il
vaut.»

On voit que Saint-Pierre préfère le monde de l'état civil à
celui des Universaux. Mais il est vain d'opposer l'un à l'autre.
Après tout, académisme pour académisme, celui de Michel
de Saint-Pierre vaut bien celui d'Alain Robbe-Grillet.

Et dans cette lignée de romanciers français, solidement
ancrés dans le réel, qui part de Balzac, passe par Bourget,
Mauriac, Martin du Gard, pour aboutir à Henri Troyat, à
Serge Groussard et à Maurice Druon, l'auteur des *Aristocrates* occupe déjà une place de choix.

II

VERS UN NOUVEAU TYPE DE ROMAN :
L'ÉSOTÉRISME

A cette conception traditionnelle du roman, d'autres jeunes chefs de file opposent une nouvelle approche des personnages. Pour eux, la vraisemblance du récit compte moins que l'invention d'un *langage* et l'originalité du romancier n'est pas dans la matière, mais dans la *manière* ; aujourd'hui, le cinéma ne remplace-t-il pas le roman, en tant qu'objet consommable ?

Ce n'est pas la qualité de la représentation, estiment-ils, qui assure la survie des grandes œuvres romanesques, mais celle des *valeurs* qu'elles portent en elles et que la fiction enrobe, comme le sucre autour d'une dragée. A Balzac, à Zola, à Flaubert, ils opposent l'enseignement de Proust et de Joyce, de Dostoïevski ou de Kafka.

Nous qualifierons — faute d'un terme plus précis (1) — d'« *ésotérisme romanesque* » cette forme de littérature réservée, sinon à des « initiés », du moins à des lecteurs assez avertis pour préférer aux séductions d'un récit réaliste, une représentation symbolique de la vie, poussée parfois jusqu'au mythe. *La Peste* de Camus, *le Rivage des Syrtes* de Julien Gracq, où des moyens réalistes étaient mis au service d'un thème métaphysique, se rapprochent d'une telle conception. L'univers déliquescent de Samuel Beckett en est une illustration frappante ; les frustes personnages qui l'habitent sont inséparables d'un récit où l'impossibilité d'exister prend un relief jamais atteint.

Les confessions de René Daumal et de Luc Dietrich, tournées vers la recherche d'une vérité intérieure et l'accès

---

(1) Car celui d'« a-littérature », employé par Claude Mauriac, ne saurait désigner qu'un étroit secteur de ces recherches.

d'un monde invisible, et les récits de Paul Gadenne relèvent, aussi, d'une conception métaphysique de la littérature.

D'autres romanciers semblent à la recherche d'un réalisme d'un type nouveau. Le roman, pour un Raymond Abellio, n'est que l'antichambre de la contemplation. Hommes ou bêtes, les héros de Pierre Gascar — qui font parfois songer aux personnages décharnés de Bernard Buffet — habitent un monde dont chaque détail, peint avec la minutie d'un Jérôme Bosch, confirme l'absurdité.

De son côté, et par des moyens tout différents, un Pieyre de Mandiargues a su renouveler l'exploration du fantastique.

Enfin, toute une école romanesque (de Nathalie Sarraute et d'Alain Robbe-Grillet à Michel Butor et à Claude Simon) s'est, à la suite de philosophes comme Georges Bataille et Maurice Blanchot, lancée à corps perdu dans cette exploration de l'obscur, de l'invisible ou du néant.

Du néo-réalisme à l'antiroman, en passant par le Merveilleux, la route est sinueuse, abondante en surprises, et mérite d'être parcourue.

1

LE SOUVENIR DE RENÉ DAUMAL ET DE LUC DIETRICH

En plaçant cette littérature onirique ou symbolique sous le signe de deux disparus, René Daumal et Luc Dietrich, on ne rend pas seulement hommage à de grands écrivains méconnus, mais on situe l'intention de leurs recherches : il s'agit moins de technique romanesque ou même de psychologie au sens classique du terme que d'expériences métaphysiques. Nul plus que René Daumal (1) ne s'est avancé sur la frontière qui

(1) René Daumal est né à Boulzicourt (Ardennes), le 16 mars 1900 (son père était instituteur). Etudes aux lycées de Charleville et de Reims (où il a pour professeur Marcel Déat) ; ami de jeunesse de Roger Gilbert-Lecomte, de Roger Vailland et de Robert Meyrat, Daumal collabore aux *Cahiers du Collège de Pataphysique* et s'intéresse à l'occultisme ; il apprend le sanscrit. A Paris (pensionnaire à Henri-IV), il échoue au Concours de l'Ecole Normale supérieure, s'initie à l'opium et au haschisch : « *Je m'arrête juste à temps, horrifié par le spectacle d'intoxiqués autour de moi.* »

Dirige *le Grand Jeu* (avec Roger Gilbert-Lecomte, Roger Vailland et A. Rolland de Renéville). Finit une licence ès lettres, voyage aux Etats-Unis

nous sépare du monde invisible. Il a d'abord côtoyé le surréalisme, exploré l'inconscient (notamment, en usant du sommeil
hypnotique). Mais la mort qu'il mettait au défi eut le dernier
mot en l'enlevant, avant la quarantaine. Cette expérience de
l'infra-monde, cette approche de l'au-delà, animent une œuvre
dont la plus grande partie ne nous a été révélée — du *Mont
Analogue* à *Chaque fois que l'aube paraît* et au *Traité des
Patagrammes* — qu'après la mort du poète.

Le *Mont Analogue* est un roman symbolique où il s'agit
moins de déterminer la position d'une montagne perdue dans
le Pacifique sud que d'aider le navigateur à découvrir l'entrée
du monde invisible — effort et livre interrompus par la mort
comme l'aventure humaine elle-même. L'essayiste éclaire le
romancier ; il dénonce la littérature (ces « paroles qu'on aligne
pour se dispenser d'agir ou pour se consoler de ne pas pouvoir »)
et « cette monstrueuse anarchie que notre prétendue culture
a laissée s'établir dans l'individu », dont elle a fait un homme
« tronçonné » par les techniques : « chez celui-ci, le cœur a
ses raisons que la raison ne connaît pas, la tête a faim quand
le ventre est repu, l'intellect s'use en cercles vicieux pendant
que le corps décapité vaque aux besoins journaliers. Et chacun,
à sa façon dont il est si fier, est ainsi découpé en morceaux
à peine reliés par les vagues filaments d'une fonction sociale
ou d'un obscur désir animal de vivre ». Ce que Daumal
cherchait à retrouver, sous la dispersion universelle, c'était
la vie profonde de l'esprit.

Moins intellectuel, moins abstrait et plus sensible, son ami
Luc Dietrich (1) a subi deux influences contradictoires :

(1932-1933). Ecrit un essai sur Spinoza, traduit *Mort dans l'après-midi* de
Hemingway, et collabore à la *N.R.F.* Il obtient le Prix Jacques Doucet (1935)
pour ses poèmes de *Contre-Ciel*.

Il meurt à Paris le 21 mai 1944, après de longs mois dans les sanatoriums
de Savoie.

René Daumal a publié :

Aux éditions Gallimard : le *Mont Analogue* (1952), *Chaque fois que l'Aube
paraît* (Essais, vol. I, 1953), *Poésie noire, Poésie blanche* (poèmes, 1954).

Dans la collection « Ha Ha » du Collège de Pataphysique : le *Catéchisme*
(conte), *Petit Théâtre* (avec Roger Gilbert-Lecomte).

A paraître : *Lettres à ses Amis, L'Origine du Théâtre* (suivi d'autres textes
traduits du sanscrit), *Têtes fatiguées* (contes).

(1) Luc Dietrich (1912-1944) a publié (chez Denoël), deux romans : le
Bonheur des Tristes (1935) et l'*Apprentissage de la Ville* (1942) ; une plaquette
de poèmes : *Huttes à la Lisière* (1932) ; des photographies et des proses poé-

l'une, bénéfique, celle du poète Lanza del Vasto, dont l'inoubliable *Pèlerinage aux Sources* a été l'un des maîtres-livres de
l'occupation ; l'autre, mortelle, celle de Gurdjieff, le noir
thaumaturge d'Avon qui a ravagé tant d'êtres (de Katherine
Mansfield à Irène Reweliotty) dévorés par l'espoir de « posséder la vérité dans une âme et dans un corps». Son enfance
a été hantée par la drogue ; sa vie s'est déroulée sous le signe
de l'aventure, de la bohème et de l'amour. Deux autobiographies romancées, l'une inspirée par son enfance — *le
Bonheur des Tristes* (1935) « conte de fées réaliste » (1) —
l'autre par « l'Enseignement» de Gurdjieff (*l'Apprentissage
de la ville*, 1942), constituent, avec quelques proses recueillies
après sa mort, dans *l'Injuste Grandeur* (1951), son seul
testament. Un homme tout en contrastes — simple et
complexe, brutal et tendre, contemplatif et révolté, un
écrivain-né qui n'a ni culture ni orthographe — y décrit les
hommes et le monde avec un humour impitoyable et désarmé,
en « témoin incorruptible de sa propre corruption, de la nôtre
et de celle du siècle» (2). Cette épave, ce clochard, écrivait
comme d'autres prient, pour se purifier, et mériter de découvrir la « grandeur substantielle du monde». Restée en chemin
et inaccomplie, l'œuvre de Luc Dietrich souffrira pourtant
moins que d'autres de l'impitoyable érosion du temps parce
qu'elle a recueilli la vérité de toute une vie.

2

RAYMOND ABELLIO OU LA RECHERCHE DU SACRÉ

L'excès de l'intelligence, lorsque l'imagination fait défaut,
peut vider la création romanesque de son pouvoir de sugges-
tion. Il peut aussi enliser l'écrivain dans des recherches sans

tiques : *Terre* (1936). Des écrits posthumes ont été réunis dans *l'Injuste Grandeur* (1951).

Sur l'homme et l'œuvre, on pourra consulter : LANZA DEL VASTO : *La Vie
d'une Amitié* (in *l'Injuste Grandeur*) ; PIERRE DE BOISDEFFRE : *Grandeur et
misère de Luc Dietrich* (*Revue de Paris*, mai 1956).

(1) Le mot est de Roland Dorgelès.

(2) Jacques Madaule.

issue. Tel est le drame de Raymond Abellio (1). Si le mot de
génie a un sens, c'est bien à ce perpétuel inventeur, tourmenté,
lucide, écartelé entre l'action et la pensée, entre de grands
dons romanesques et une impitoyable exigence de vérité,
qu'il faut l'appliquer. Ce polytechnicien marxiste qui avait
trouvé dans la politique ses plus grandes joies et ses plus
graves échecs, connu tour à tour le socialisme démocratique,
le trotzkysme révolutionnaire, la Cagoule et le fascisme de
gauche, publiait du fond de son exil suisse, en 1947, un roman
fracassant — *Heureux les Pacifiques* — un des plus excitants
qui aient paru en France depuis la Libération, une seconde
Condition humaine.

C'est le portrait d'une génération à la veille de la guerre
quand la France se défait et que le siècle prend figure. De
jeunes bourgeois intelligents rêvent d'organiser la Révolution : de leur groupe d'études — « X-Crise » — sortira un jour
la Synarchie. Mais la plupart se perdront en alibis, restituant
en phrases creuses un idéal qu'ils se montrent incapables de
réaliser : car les vrais cyniques sont rares et les hommes
d'action se taisent.

Parmi eux, Robert Saveilhan se sent de la race des « me-
neurs cachés». La politique n'est pour lui qu'« un prétexte
à susciter des vocations... à appâter des âmes... une accou-
cheuse de destins». Affirmation de soi par le risque, elle doit
être une aventure permanente, la découverte de la liberté.
Conception romantique dont le communisme de Saveilhan

(1) Jean Soulès (en littérature Raymond Abellio) est né en 1907. Etudes
primaires ; son instituteur ne voulait pas le laisser *contaminer* par les huma-
nités. Entré à dix-huit ans à Polytechnique, après un an de préparation ;
sorti dans la « Grande Botte». Marxiste *et* catholique, comme ses ascendants
Cathares étaient chrétiens *et* cathares. Ingénieur des Ponts et Chaussées,
secrétaire de la Fédération socialiste de la Drôme, premier secrétaire du
Centre Polytechnicien d'Etudes Collectivistes, directeur des Grands Travaux
sous le Front Populaire. Quitte la S.F.I.O. à la veille de la guerre. Campagne
de 1939-1940 (une citation). En 1940, rejoint à Paris la gauche de la « collaboration». Entre dans le M.S.R. de Deloncle, qu'il abandonne en 1942 pour se
réfugier dans le Sud-Ouest ; il y rencontre le Pujolhac d'*Heureux les Pacifiques*,
qui l'initie aux secrets de la tradition albigeoise. Condamné par contumace
à la Libération, mène en Suisse jusqu'en 1953, une vie retirée.
Romans : *Heureux les Pacifiques* (Prix Sainte-Beuve 1947), *les Yeux d'Ezéchiel* (1952).
Essais : *la Bible, document chiffré* (2 volumes), *Vers un nouveau prophétisme*
(tous ces volumes à la librairie Gallimard), *Assomption de l'Europe* (Le Por-
tulan, 1954).

s'accommode mal. Arrêté pour avoir diffusé des tracts révolutionnaires au moment où Laval et Staline signaient à Moscou le pacte germano-russe, Saveilhan démissionnera du parti communiste. Alors, renonçant à concilier « une volonté de puissance politique et un idéal de pureté », Saveilhan trouvera le port dans la solitude d'une retraite méridionale ; il découvrira dans la Bible les éléments de sa destinée. Heureux les Pacifiques, car ils verront Dieu : « Je sais, dit Abellio. Vous me dites que, pendant ce temps, l'histoire s'écrit ; mais voyez comme ce mot éclaire tout : c'est Lucifer qui l'écrit. » Après avoir touché à tout, joué avec tout — les femmes, les idées, l'histoire — Saveilhan a découvert qu'il ne faut pas violenter la terre si l'on veut posséder ses secrets.

Au lieu de poursuivre cette quête des vérités profondes à travers des personnages inventés (les derniers sont ceux des *Yeux d'Ezéchiel* (1952) où il romance la guerre d'Espagne) Raymond Abellio s'est tourné vers l'essai sans se soucier de savoir s'il pourrait être assimilé ou même compris par des lecteurs peu habitués à la lecture de ces « documents chiffrés » que sont la Bible, la Kabbale ou la Bhagavad-Gita.

Parti à la découverte d'un monde inconnu, Abellio, perdu dans la « science des nombres » comme un nageur dans une eau trop profonde, n'a pu encore formuler de conclusions claires, et sa quête évoque l'impasse où Nietzsche s'était engagé le dernier. Du moins, en prétendant trouver dans les diverses langues sacrées les racines originales du langage, Abellio nous rappelle-t-il l'existence d'une dimension ésotérique du monde.

Mais, pour lui, la littérature n'est plus qu'un exercice : Raymond Abellio n'écrit de romans que pour vulgariser les problèmes philosophiques qui le passionnent et pour éclairer l'histoire à la lumière de l'eschatologie.

3

Pierre Gascar ou la vision sans recul

Avec Raymond Abellio, nous revenions au réalisme, mais celui-ci n'était qu'un moyen : l'apparence y enveloppe un monde secret, le seul qui compte.

Le cas de Pierre Gascar (1) est exactement inverse : dans ses descriptions, les objets occupent toute la place et n'en laissent aucune à l'invisible. Pourtant, il se dégage de cette vision de myope la même présence mystérieuse qui sourd de certaines scènes d'Abellio.

Découvert — comme Samuel Beckett — par ce sourcier de la nouvelle littérature qu'est Max-Pol Fouchet, Pierre Gascar s'est imposé par son style, par le regard noir qu'il jette sur le monde. Ses premières nouvelles — *les Meubles*, *le Visage clos* — annonçaient un observateur pessimiste qui appliquait aux choses le réalisme un peu court d'un Maupassant. Le sujet de ces nouvelles n'avait rien d'exaltant, mais le dessein en était aussi ferme que le style.

Puis, la vision de Gascar prit dans *les Bêtes* (1953), une ampleur et une acuité impressionnantes. Rompant délibérément avec la tradition optimiste d'un Kipling (qui voit dans les animaux nos « frères inférieurs », attendrissants et fidèles amis de l'homme), l'auteur en faisait des aveugles et des damnés, condamnés, comme nous, à vivre dans un monde dépourvu de sens et de bonté, dans « un enfer où nous retrouvons dans l'étonnement de la fraternité notre propre face tourmentée comme un miroir griffu ». On ne lit pas sans un frisson ces petites scènes cruelles ; elles vont de l'apprentissage d'un jeune boucher qui se fait la main sur des agneaux, au subterfuge macabre de prisonniers affamés qui livrent aux fauves, en échange de morceaux de viande, les cadavres de leurs camarades fusillés, en passant par la fuite de chevaux éperdus dans l'horreur d'un bombardement, et par l'invasion d'une

---

(1) Né le 13 mars 1916 à Paris, d'origine paysanne, Pierre Fournier (en littérature, Pierre Gascar) a passé son enfance dans le Sud-Ouest. Il fut successivement courtier en publicité, employé de banque, représentant, avant de passer huit années sous l'uniforme : de la ligne Maginot à la Norvège, puis dans un camp de prisonniers en Allemagne, et enfin, après deux évasions manquées, au camp disciplinaire de Rawa-Ruska. Libéré en 1945, Pierre Gascar est devenu journaliste et signe, dans *France-Soir*, des chroniques littéraires et des reportages.

Pierre Gascar a publié (aux éditions Gallimard) :

Des récits et nouvelles : *les Meubles* (1949), *le Visage clos* (1951), *les Bêtes*, *le Temps des Morts* (Prix Goncourt 1953), *la Graine* (1955), *les Femmes* (1955), *l'Herbe des Rues* (1956), *la Barre de Corail* (1958).

Et deux documents : *Chine ouverte* (1955) et *Voyage chez les Vivants*.

Il a fait représenter, en décembre 1957, une pièce au théâtre Fontaine, *les Pas Perdus*.

ville par les rats... D'autres sont plus banales, ou plus « littéraires » (un chat veille, comme un oiseau de malheur, auprès du lit de deux jeunes époux ; des chiens policiers luttent avec des mannequins humains). « Ce qui ressort, suggère l'auteur, de cette confrontation inégale qui pose l'homme en face des animaux ligués dans leur secret, c'est finalement la solitude, l'immense solitude de l'homme dans la création » : mais on peut trouver que Pierre Gascar obéit un peu trop rigoureusement à ce postulat contestable.

Dans le *Temps des Morts* (Prix Goncourt 1953), l'auteur a consigné son expérience du camp disciplinaire de Rawa-Ruska. Le narrateur, affecté à l'entretien d'un cimetière situé à peu de distance des barbelés, circule à l'extérieur du camp ; découvre les cadavres des partisans abattus par les Allemands, voit passer les convois destinés aux fours crématoires, et vit dans l'antichambre de la mort. L'écrivain semble s'effacer derrière ses documents ; mais ses mots et ses images sont autant d'harmoniques qui composent une musique subtile et prenante : de cette peinture de l'atroce naît un paysage imaginaire, presque irréel.

Certaines descriptions font songer à Breughel : « Le cimetière, nous y menions la vie bien ordonnée qu'on voit dans les anciens tableaux : un homme est assis près d'un pied d'anémones, un autre coupe de l'herbe avec une faucille, quelqu'un s'appuie sur une lance, et un personnage, les yeux au ciel, verse de l'eau dans une jarre jaune. » L'amour survit, au milieu des ruines : « Nous sommes tous perdus, murmure le héros, il ne reste, il ne restera plus rien derrière nous, qui peut m'interdire d'aimer de quelque façon que ce soit, qui peut me l'interdire ? C'est la dernière force de sacerdoce, le seul pouvoir que je conserve. Il est insuffisant, malhabile, il a besoin de s'exercer sur une image, sur une seule image. » *Le Temps des Morts* est une symphonie ; on y lit l'accord des saisons et de la mort, de « la fertilité mortuaire de l'automne » avec le désespoir qui dresse les poings des hommes comme un linge tordu.

On retrouve dans *les Femmes* (1955) ce même étouffement dans une société rigide et close ; un camp de concentration, un asile y sont les berceaux de la haine et de l'incompréhension qui sépare les êtres.

« Le style de Gascar, a noté Pierre Brodin, est aussi précis, sûr, évocateur, que celui d'André Breton. Il peut être à la fois

feutré et ample, suggestif et fort ; il est aussi poétique, mais
d'un lyrisme plus contenu que celui de Julien Gracq. Il évite
l'inutile, préfère toujours laisser au lecteur le soin d'imaginer.
Il a cette pudeur qu'on ne trouve que chez les grands artistes.

« C'est un conteur-né, dans la lignée de Flaubert et de
Maupassant.

« Sans doute, la matière évoque-t-elle Goya plus que Le
Brun, ou que les belles formes symétriques et froides du
Palais de Versailles, mais Gascar nous apparaît comme une
sorte de classique. Il est, en tout cas, dans la tradition du
roman français — celle de *Dominique* et de *la Symphonie
pastorale* — la plus originale, la plus indiscutablement
indigène (1).»

L'Herbe des Rues (1956) amorçait un tournant dans l'œuvre
de Gascar. On y voyait l'amour et l'amitié résister à la pression
de l'Histoire. *La Barre de Corail* (1958), curieux récit d'un
amour contrarié par des mœurs exotiques a paru confirmer
cette conversion au roman de type traditionnel.

4

ANDRÉ PIEYRE DE MANDIARGUES

Comme l'œuvre de Raymond Abellio, celle de Pierre Gascar
tend donc à dévaloriser le Réel ; la première au nom de
l'Absolu, la seconde au profit de l'Absurde. Celle d'André
Pieyre de Mandiargues (2), avec des moyens tout différents,
aboutit au même résultat. Poète, critique et romancier, l'au-

(1) *Présences contemporaines, op. cit.*
(2) Essayiste, poète et romancier, André Pieyre de Mandiargues est né à
Paris le 14 mars 1909. Avant la guerre, nombreux voyages en Europe et dans
l'Orient méditerranéen. Réfugié à Monaco pendant l'occupation. Commence
à publier en 1943, après avoir écrit de nombreux poèmes.
Œuvres : *Dans les années sordides* (1943, repris par Gallimard, 1948), *Hedera,
ou la persistance de l'amour pendant une rêverie* (1945), *l'Etudiante* (Fontaine,
1946), *le Musée Noir* (1946), *les Incongruités monumentales* (1948), *le Soleil des
Loups* (Prix des Critiques 1951), *Marbre* (1954), *le Lis de Mer* (1956), *le Cadran
lunaire* (1958). (Ces six ouvrages chez Robert Laffont.)
Chez d'autres éditeurs :
Les sept périls spectraux (1950), *les Masques de Léonor Fini* (1951), *les Monstres de Bomarzo* (1957), *Astyanax* (1957).

teur a su ne retenir du surréalisme que le meilleur : une
liberté stupéfiante à l'égard du réel, une surprenante familiarité avec les fantômes et les chimères. Avant la guerre,
(1942) Edmond Jaloux parlait déjà de l'auteur du *Musée
noir* comme de l'écrivain « le plus totalement original de
sa génération». Du *Musée noir* au *Soleil des Loups*, de
Marbre au *Lis de Mer*, le conteur a, sinon tout à fait confirmé
cet éloge, du moins affirmé la réputation d'un des plus adroits
metteurs en scène de sibylles et de monstres de notre littérature. *Soleil des Loups* (Prix des Critiques 1951) assemble
des récits où le romantisme des évocations est servi par un
style d'une netteté parfaite ; cependant, les aventures, plus
macabres que souriantes, d'un jeune archéologue aux prises
avec de dangereuses créatures sous-marines, sont plus près,
assure Marcel Arland, d'Achim d'Arnim que du Mérimée de
la Vénus d'Ille. L'auteur excelle à faire jaillir un monde
fantastique d'un château gros comme un œuf ou d'un morceau
de pain, mais ces scènes de prestidigitation se terminent
généralement par une découverte où l'horreur se mêle à l'effroi. L'ange du bizarre accompagne de même le héros de
Marbre, Ferréol Buq, qui nous promène dans des tableaux
de genre qui vont des primitifs flamands à Chirico, en passant
par Watteau et les Vénitiens. Après tant d'horreurs, ou,
comme le dit lui-même l'auteur, d'« incongruités monumentales», l'amoureux *Lis de Mer* (1956) a fait l'effet d'un agréable
rafraîchissement. Mais Mandiargues n'a pas dit son dernier
mot : car le fantastique n'a pas de limites. En tout cas, comme
nous nous en apercevrons (1), il a déjà plus d'un imitateur.

5

VERS L'ANTIROMAN :
GEORGES BATAILLE ET MAURICE BLANCHOT

Abellio, Daumal et Dietrich écrivent pour des initiés ;
Gascar et Pieyre de Mandiargues mettent l'absurde en scène,
mais leurs œuvres appartiennent encore à la « Littérature».
Si elles tendent à dévaloriser le monde« réel», elles ne rejettent

(1) Cf. DEUXIÈME PARTIE, Chapitre deuxième, IV.

pas toujours le secours d'une intrigue et s'incarnent souvent
dans des personnages individualisés. Au contraire, Georges
Bataille et surtout Maurice Blanchot, s'engageant dans la voie
ouverte par Daumal, rejettent les béquilles de la fiction.

Georges Bataille (1), directeur de la revue *Critique*, appartient à la génération de Sartre et de Malraux. L'influence de
ce chartiste sur les générations touchées par le surréalisme
ne saurait être exagérée. Nous retrouverons plus loin le critique. Le romancier est animé d'exigences contradictoires ;
il veut atteindre à l'absolu sans passer par les valeurs, se proclame un mystique sans Dieu et rêve d'une poésie qui récu-
serait la nature. Sartre qui a consacré à l'essayiste un chapitre-
fleuve de *Situations* (2), sans souscrire à une « expérience
inutilisable», s'est montré séduit par cette âme « somptueuse
et amère», éloquente et dégoûtée, à la recherche d'une impossible évasion. L'écrivain a poussé à bout toutes ses tentatives : l'érotisme l'a particulièrement tenté ; il lui a consacré
de graves essais et des romans à la limite du graveleux, mais
élégamment écrits et plus cérébraux que sensuels (*le Coupable,
le Bleu du Ciel*). Le délire mystique, une sorte de sadisme
romantique où se mêlent les poisons de la luxure marquent
ses récits du sceau de l'Impossible. Par là, son combat rejoint
la révolte de Rimbaud, de Lautréamont, et son œuvre prend

---

(1) Georges Bataille est né à Billom (Puy-de-Dôme), le 10 septembre 1897,
d'un père aveugle, bientôt paralysé. Se convertit au catholicisme. Mobilisé
en 1916, réformé en 1917, entre à l'Ecole des Chartes en 1918, puis à la Bibliothèque Nationale. Se lie avec Michel Leiris, André Masson, Théodore Fraenkel.
Signe avec Leiris, Masson, Desnos, Limbour, Ribemont-Dessaignes, Vitrac,
le pamphlet *Un cadavre*. Peu après, Bataille adhère au Cercle Communiste
Démocratique (1931-1934), et collabore à *la Critique Sociale* (Directeur :
Boris Souvarine), à la revue *Acéphale* (1936-1939) et au Collège de Sociologie,
fondé en mars 1936, avec Roger Caillois, Michel Leiris, Jules Monnerot. Publie
en 1943, *l'Expérience intérieure*.

Installé à Vézelay depuis 1943, il fonde, en 1946, la revue *Critique* (à la direction de laquelle collaborent Eric Weil et Jean Piel).

Georges Bataille a publié des essais : *l'Expérience intérieure* (2e édition,
1954), *Sur Nietzsche* (1944), *la Littérature et le Mal* (1957) (aux éditions Gallimard), *la Haine de la Poésie* (Editions de Minuit, 1946), *la Part maudite* (Editions de Minuit, 1949), *Lascaux, ou la naissance de l'Art* (Skira, 1955), *Manet*
(Skira, 1955).

Des romans : *le Coupable* (Gallimard, 1943), *l'Abbé C.* (Editions de Minuit,
1951), *le Bleu du Ciel* (J.-J. Pauvert, 1957).

Il a préfacé *Madame Edwarda*, de P. Angélique (J.-J. Pauvert).

(2) *Un nouveau mystique* (paru en 1943, dans *les Cahiers du Sud*).

place dans la dévalorisation systématique de la littérature
prêchée par Cioran ou Beckett.

« Georges Bataille comme Maurice Blanchot découvre le
silence au cœur du langage (1).» Le premier use tantôt du
silence et tantôt de situations extrêmes oniriques ou érotiques,
qu'il rapproche de l'expérience mystique pour nier à la fois
la raison humaine et la transcendance divine. Maurice Blanchot, lui (2), emprunte à Kafka la notion d'exil et cherche
dans l'irréel ou le fantastique (au milieu desquels le héros
circule comme un absent) une image symbolique de la condition humaine : ses personnages sont les robots d'une bureau-
cratie de l'Absurde, doubles pâlis et inquiétants, ectoplasmes,
fantômes de l'Etre...

Un contraste éclatant oppose aux balbutiements du romancier la maîtrise et la rigueur de l'essayiste (3), mais ce dernier
s'intéresse surtout aux écrivains qui, dépassant la littérature,
opposent un sentiment tragique de l'existence à l'absurdité
de la création. En transposant de l'essai au roman ce refus du
langage et d'une expression romanesque banale, en faisant
de la mort (« la possibilité de l'homme... sa chance... le seul
espoir d'être homme ») le principal personnage, omniprésent
et invisible, de récits où il n'use que de mots abstraits, où ses
héros se voient retirer toute réalité charnelle, l'auteur jouait,
il est vrai, la difficulté : ses romans depuis *Thomas l'Obscur*
et *Aminadab* (parus à la veille de la guerre) sont autant de
preuves par neuf de l'absurde.

On ne peut nier, cependant, que Maurice Blanchot ne nous
fasse faire un grand pas sur la voie de cette forme nouvelle
de la Littérature : *l'Antiroman.*

Jean-Paul Sartre (qui voit, à juste titre, dans son apparition, un des traits les plus singuliers de notre époque, et range
dans cette catégorie les œuvres de Nabokov, celles d'Evelyn
Waugh et, « en un certain sens, *les Faux-Monnayeurs*») l'a

(1) Majo Goth, *Franz Kafka et les lettres françaises* (José Corti, 1956).

(2) Maurice Blanchot, a publié des romans : *Thomas l'Obscur, Aminadab,
le Très-Haut ;* des récits : *l'Arrêt de Mort, Au moment voulu, Celui qui ne
m'accompagnait pas, le Dernier Homme ;* et des essais : *Faux Pas, la Part du
Feu* (tous ces ouvrages à la librairie Gallimard), *Lautréamont et Sade, le Ressas-
sement éternel* (aux Editions de Minuit).

(3) Cf. Quatrième Partie, Chapitre premier, IV.

défini ainsi (1) : « Les antiromans conservent l'apparence
et les contours du roman ; ce sont des ouvrages d'imagination
qui nous présentent des personnages fictifs et nous racontent
leur histoire. Mais c'est pour mieux décevoir : il s'agit de
contester le roman par lui-même, de le détruire sous nos yeux
dans le temps qu'on semble l'édifier, d'écrire le roman d'un
roman qui ne se fait pas, qui ne peut pas se faire, de créer une
fiction qui soit aux grandes œuvres composées de Dostoïevski
et de Meredith ce qu'était aux tableaux de Rembrandt et de
Rubens cette toile de Miro, intitulée « Assassinat de la Peinture». Ces œuvres étranges et difficilement classables ne
témoignent pas de la faiblesse du genre romanesque, elles
marquent seulement que nous vivons à une époque de réflexion
et que le roman est en train de réfléchir sur lui-même.»

A une époque où la psychologie est dépréciée, où la concurrence du fait divers (la réalité dépasse la fiction), du reportage, du *document*, du cinéma décourage l'imagination des
romanciers qui n'oseraient plus écrire : « La marquise sortit
à cinq heures», les personnages de roman tendent à perdre
toute réalité extérieure, tandis que l'élément psychologique
se libère insensiblement de l'objet avec lequel il faisait corps.
« Il tend à se suffire à lui-même et à se passer le plus possible
de support (2).» Le héros de roman — depuis Joyce et
Kafka — est devenu un suspect — suspect à l'auteur comme
au lecteur qui, assure Nathalie Sarraute, « à travers lui se
méfient l'un de l'autre. Il était le terrain d'entente, la base
solide d'où ils pouvaient d'un commun effort s'élancer vers
des recherches et des découvertes nouvelles. Il est devenu
le lieu de leur méfiance réciproque, le terrain dévasté où ils
s'affrontent (3) ».

Voilà qui, justement, est fort sensible dans les récits de
Maurice Blanchot, dont les héros fantomatiques restent à
mi-chemin de la présence et de l'absence, hésitant entre la
quête de l'Etre et le Néant. Comme l'observe Alain Bosquet,
Maurice Blanchot n'admet le personnage qu'à la condition
qu'il soit un refus du personnage : « non point un personnage
absent, ni la présence indéterminée de ce qui pourrait devenir

---

(1) Dans sa préface à *Portrait d'un Inconnu*, de NATHALIE SARRAUTE (Gallimard, 1956).
(2) et (3) N. SARRAUTE, *l'Ere du Soupçon* (Gallimard, 1956).

un personnage, mais la négation d'une absence. L'un de ses récits — ce terme est tout au plus approximatif — porte pour titre : « L'Homme qui ne m'accompagnait pas». On y sent comme une résistance à admettre qu'un personnage encore inexistant, mais réel en puissance, puisse faire son apparition. De résister au désir de créer un être condamné à ne point naître, le romancier en fait son personnage principal, truchement d'une pensée vouée bien plus, semble-t-il, aux délices et aux terreurs de la redéfinition de soi toujours recommencée, qu'à l'échafaudage romanesque (1).»

Il est presque impossible *d'identifier* les héros de Maurice Blanchot, comme s'ils mettaient leur point d'honneur à ne pas se laisser reconnaître. Ils sont ici et ailleurs, ils ne savent même plus s'ils ont une histoire, ils ne s'adressent à personne en particulier, ils ne savent où ils vont ni d'où ils viennent. En cela, ils sont des témoins exemplaires de l'Absurde.

Si Kafka, si Joyce n'avaient jamais existé, Maurice Blanchot ferait figure de précurseur : mais ses héros-ectoplasmes ne font pas oublier ceux du *Procès*, de *la Métamorphose* ou d'*Ulysse*, ni même ceux de Beckett et de Julien Gracq que nous avons détachés de ce panorama parce que leurs œuvres constituent des exemples plus convaincants de cette littérature de l'absence, du vide et du néant.

6

Un Copernic du roman : Alain Robbe-Grillet

Le mérite d'Alain Robbe-Grillet (2) est d'avoir compris que la mort des personnages entraînait la métamorphose du roman, et d'en avoir tiré toutes les conséquences. Ce qui n'était que pressentiment chez un Blanchot est devenu pour lui un théorème et une recette.

(1) *Roman d'avant-garde et antiroman* (*Critique*, octobre 1957).
(2) Alain Robbe-Grillet est né à Brest en 1922. Ancien élève de l'Institut National Agronomique, Chargé de mission à l'Institut National de Statistique, puis ingénieur à l'Institut des Fruits et Agrumes Coloniaux, il a accompli plusieurs missions dans l'Union Française.
Il collabore à *Critique*, *la Nouvelle N.R.F.*, *les Lettres Nouvelles*, *l'Express*.
Alain Robbe-Grillet a publié trois romans (aux éditions de Minuit) : *les Gommes* (Prix Fénéon 1953), *le Voyeur* (Prix des Critiques 1955), *la Jalousie* (1957).

Rien de plus *concerté* en effet, que l'art d'Alain Robbe-Grillet : cet ingénieur agronome est l'inventeur d'une formule psychologique·inédite qu'il a proposée au public comme la technique modèle du nouveau roman français. Son premier récit, *les Gommes* (1954), retrouvait l'atmosphère des romans de Simenon ; mais l'impression, cette fois, ne tenait ni aux événements, ni au décor, mais à l'incertitude calculée qui pesait sur le comportement des personnages : le temps lui-même paraissait se solidifier autour d'une conscience traquée. Déjà, Robbe-Grillet ne se souciait ni de séduire ni de convaincre, mais d'*envoûter* : aux techniques traditionnelles du récit, il substituait l'approche minutieuse d'un monde réduit à ses seules apparences, au-delà desquelles il appartenait au seul lecteur de deviner la réalité secrète. Son *Voyeur* (Prix des Critiques 1955) poussa le procédé à la perfection : la précision maniaque des descriptions, l'utilisation de notations brèves, impersonnelles, créait une sorte de réalisme discontinu (Roland Barthes est allé jusqu'à parler à son propos de « mixte einsteinien d'espace et de temps ») et soulignait en même temps le mystère du récit, ordonné autour d'une absence, d'un « trou» obsédant dans l'action — cette césure d'une heure pendant laquelle une toute jeune fille a été violentée et brûlée avant d'être jetée à la mer. L'auteur entendait souligner la distance qui sépare chaque conscience du monde qui l'entoure ; il récusait ainsi le postulat psychologique du roman traditionnel qui suppose la communication entre les êtres et les choses. Ce curieux livre, salué à la gauche de la littérature comme le premier exemple d'un nouvel art romanesque, était, sinon une parfaite réussite, du moins une tentative originale et captivante.

Robbe-Grillet a tiré de ce succès des conséquences excessives. Il s'est voulu chef d'école et s'est enfermé dans une technique dont il a fait un système — alors que son principal intérêt était d'offrir à la psychologie romanesque de nouveaux procédés d'exploration. Tout au long de la *Jalousie* (1957), un narrateur invisible et omniprésent se borne à enregistrer des sensations, à mesurer des gestes et des distances (1) sans souci de la chronologie, comme s'il était

---

(1) Le roman est rempli de notations de ce type : « Il s'en faut d'un mètre, à peu près, pour que l'ombre du pilier, pourtant déjà très longue, atteigne la

aussi dénué de réflexion qu'une cellule photo-électrique.
A vouloir fonder toute observation romanesque sur des données aussi étroites, Robbe-Grillet *dépersonnalise* le roman,
s'interdit d'en tirer une morale et risque, en définitive, de
fonder un nouvel académisme, qui se démodera comme les
autres. Mais dans la jeune école dont il s'est fait le chef,
d'autres talents ne l'avaient pas attendu pour s'affirmer :
ceux d'un Michel Butor, d'une Nathalie Sarraute (1), d'un
Claude Simon, qui lancent à leur tour ce brûlot : *l'Antiroman.*

petite tache ronde sur le carrelage. De celle-ci part un mince filet vertical, qui
prend de l'importance à mesure qu'il gravit le soubassement de béton. Il
remonte ensuite à la surface du bois, de volige en volige, s'élargissant de plus
en plus jusqu'à l'appui de la fenêtre. Mais la progression n'est pas constante :
la disposition imbriquée des planches coupe le parcours d'une série de ressauts
équidistants...»

Robbe-Grillet espère ainsi remplacer un « univers de significations et de
symboles» par un univers de présences et un vocabulaire « viscéral, analogique
ou incantatoire» par un autre optique et descriptif. Reste à savoir ce que l'art
du récit y gagnera...

(1) Nous les retrouvons plus loin (Cf. pp. 375-378).

CHAPITRE QUATRIÈME

EN PARCOURANT
LES PROVINCES DU ROMAN

Aux quatorze romanciers que nous venons de détacher du peloton, il faudrait, pour n'être pas injuste et faire bonne mesure, ajouter plus d'une centaine de noms. Nous nous bornerons à nommer ceux qui, ces dernières années, ont non seulement éveillé, mais retenu notre attention.

Ils représentent tous les aspects du roman, mais le dénominateur commun qui impose à des œuvres si dissemblables le sceau de l'époque paraît être ce « pessimisme viril » qui a succédé, dans la littérature comme dans la vie, à l'optimisme confiant des années 1900.

I

LE PESSIMISME VIRIL

Eɴ effet, depuis cette guerre, l'optimisme a cessé d'être
à la mode. Un stoïcisme sans illusion tient lieu de
morale aux meilleurs de nos romanciers : à Jean
Bloch-Michel (1), parfois si proche de Camus qu'on serait
tenté de le confondre avec lui, comme à Roger Grenier (2),
qui a appartenu au même groupe clandestin *(Combat)* ; à
Robert Merle (3) — son *Week-End à Zuydcoote* (Prix Goncourt
1949) reste le témoignage le plus saisissant que nous possédions sur la bataille et l'évacuation de Dunkerque et *la Mort
est mon métier* (1953) démonte avec précision les mécanismes
psychologiques du système concentrationnaire — comme à
François-Régis Bastide (4) dont on préférera la musique

(1) Jean Bloch-Michel est né à Paris le 29 août 1912. Etudes de Droit.
Résistance, arrestation par la Gestapo. Libéré, devient administrateur du
journal *Combat*. A publié chez Gallimard : *Un Homme estimable* (1956).

(2) Roger Grenier est né à Caen, le 19 septembre 1919. Résistance : entre
à *Combat* avec Albert Camus. Il a publié, chez Gallimard : *le Rôle d'Accusé*
(essai sur la justice), deux romans : *les Monstres* et *les Embuscades* (1958) et un
essai sur *Limelight*.

(3) Robert Merle est né en 1908 à Tebessa (Algérie). Licence de philosophie,
assistant à l'Université de Cleveland (U.S.A.), agrégation d'anglais (1933),
thèse de doctorat ès lettres sur Oscar Wilde. Collègue de Jean-Paul Sartre
au lycée Pasteur (1939). Guerre de 1939-1940, bataille de Dunkerque ; trois
ans de captivité. Depuis la Libération, maître de conférences à l'Université
de Rennes, puis professeur à la Faculté des Lettres de Toulouse. Robert Merle
a publié des traductions (de Webster, Swift et Caldwell), des pièces de théâtre
(*Flamineo* (1950), *Sisyphe et la Mort*, *Justice à Miramar*, *l'Assemblée des
Femmes* (1957), des essais sur Oscar Wilde (le dernier aux Editions Universitaires, en 1957), et deux romans : *Week-end à Zuydcoote* (Prix Goncourt 1949)
et *la Mort est mon métier* (1953), aux éditions Gallimard.

(4) François-Régis Bastide est né à Biarritz en 1926. Etudes musicales ;
campagne de 1944-1945 dans la division Leclerc. Postes à la radio sarroise

intérieure de ses premiers récits (*la Première Personne*, 1949),
à l'humour glacé de ses *Adieux* (Prix Fémina 1956) qui
développent avec moins d'adresse que de conviction, des
thèmes de Kafka et de Camus. A cette vision métaphysique
et quelque peu dramatique de la condition des étrangers en
France, on opposera la vue plus optimiste et l'expérience de
Roger Ikor (1) dans *les Eaux mêlées*, portrait d'une tribu
juive qui s'enracine lentement mais fortement dans la réalité
française.

José-André Lacour (2) a donné le meilleur de lui-même
dans *la Mort en ce jardin*, dont Bunuel devait tirer un film
saisissant. Le réalisme cru de Céline, l'âpreté didactique de
Sartre, le sens cosmique de Dos Passos se retrouvent, réfractés,
dans une œuvre où le style compte peu mais où le mouvement
du récit emporte frénétiquement des foules en lutte et des
aventuriers révoltés. Ici, la population mêlée d'un centre
minier d'Amazonie, soulevée contre ses maîtres, puis traquée
par l'armée régulière, fuit la répression qui la menace, en une
odyssée où la fatigue, la faim, les épidémies ont bientôt
raison d'elle. Parfois, l'imagination du romancier l'emporte
jusqu'aux limites de l'extravagance *(Châtiment des victimes)*.
Mais José-André Lacour est un des rares écrivains d'aujour-
d'hui qui aient assez de souffle pour brosser des fresques où
puisse tenir toute une foule. Moins intense, moins puissant que
le Georges Arnaud du *Salaire de la Peur* ou que le Jean Malaquais de *Planète sans Visa*, il a plus de dons inventifs. S'il

puis au Centre culturel de Royaumont et à la Maison Descartes, à Amsterdam.
Dirige la collection *Solfèges* aux éditions du Seuil. A publié des essais (*Saint
Simon*, Prix de la Critique 1953, *Suède*, aux éditions du Seuil), des nouvelles
(*Flora d'Amsterdam*, Seuil, 1957) et cinq romans : *Lettre de Bavière, la Troisième
Personne, la Jeune Fille et la Mort, la Lumière et le Fouet, les Adieux*, Prix
Fémina 1956 (aux éditions Gallimard).

(1) Roger Ikor est né à Paris en 1912. Elève de l'Ecole Normale supérieure, passe l'agrégation de grammaire en 1935. Prisonnier de 1940 à 1945.
Professeur au lycée Carnot. A publié (aux éditions Albin Michel) quatre
romans : *A travers nos déserts* (1950), *les Grands Moyens* (1951), *la Greffe de
Printemps* et *les Eaux mêlées* (Prix Goncourt 1955), un essai : *Mise au Net*
(1957), ainsi qu'une pièce de théâtre : *Ulysse au port*.

(2) Né en 1919, José-André Lacour a publié (chez Julliard) : *Châtiment des
victimes* (2 vol.), *Notre ami Dimitri, la Malsamine, la Mort en ce jardin, Confession interdite* et *Venise en octobre*. Au théâtre : *Notre peau, Le temps nous a,
O mes aïeux*.

parvient un jour à ne plus mépriser ses héros, il deviendra peut-être un grand romancier.

Une même revendication contre l'injustice du destin, anime les personnages de José Cabanis et des romanciers naturalistes de la révolte, que nous retrouverons en descendant « l'escalier du réalisme».

Les Grandes Lessives ont signalé en Georges Conchon (1) un des bons romanciers de la nouvelle génération, déjà plein de ressources et de savoir-faire. A défaut de légèreté, il a de l'application, de la clairvoyance, du réalisme. Deviendra-t-il un bon peintre de mœurs ? A force de minutie, de vraisemblance, peut-être. Un peu resserré, son dernier roman (*Tous comptes faits*, 1956) aurait l'intensité d'une tragédie sociale.

(1) Georges Conchon est né en 1925 à Saint-Avit (Puy-de-Dôme). Khâgne à Henri-IV, licence ès lettres, diplôme d'Etudes Supérieures de philosophie. Secrétaire des Débats au Parlement. A publié : *les Grandes Lessives* (1953), *les Chemins écartés* (1954), *les Honneurs de la Guerre* (1955), *Tous comptes faits* (1956), aux éditions Albin Michel.

II

EXOTISME ET DÉPAYSEMENT

JOUÉE en veston, la tragédie perd de sa majesté. Au niveau de la vie quotidienne, la fatalité se dilue. Aussi chez nombre de romanciers, le dépaysement, géographique ou historique, joue-t-il aujourd'hui le rôle dévolu jadis aux masques et aux cothurnes.

En nous transportant dans un Venezuela imaginaire, Georges Arnaud (1) a donné une image autrement saisissante de l'exil que Christiane Garnier (dans *les Héros sont fatigués*) : son *Salaire de la Peur* a été une révélation comparable à celle de *Vipère au Poing*. La jeunesse de l'auteur, le drame auquel il avait été mêlé, un long exil, ajoutaient leur piment à la saveur brutale d'une dure et chaude histoire qu'on sentait vécue (un transport d'explosifs vers un puits de pétrole en flammes dans un pays d'Amérique du Sud). Cette lumière crue éclaire, hors de toute « littérature», les autres romans de Georges Arnaud : du voyage d'un mauvais larron, cruel, tendre et pitoyable, aux condamnés des prisons centrales, en passant par le héros de *Lumière de soufre*, dévoré par la possession du chef-d'œuvre inconnu, autant de figures étranges et tourmentées, brossées par un romancier-né, qui préfère aux raffinements de la psychologie, le souffle haletant de l'action.

Nous passons des tropiques à l'Extrême-Orient avec

---

(1) Henri Girard (en littérature Georges Arnaud) est né à Montpellier en 1918. Etudes de Droit (Doctorat) et préparation au Conseil d'Etat, interrompues par une tragédie familiale. Georges Arnaud a publié des romans : *le Salaire de la Peur* (120e mille), *le Voyage du mauvais Larron, Lumière de soufre, Schiltibem* (reportage), un pamphlet : *Pour Djamila Bouhired* (1958) et une pièce de théâtre : *les Aveux les plus doux.* (Tous ces ouvrages aux éditions Julliard.)

Pierre Boulle (1) dont les contes utilisent avec autant d'adresse que d'humour les légendes et les sortilèges de l'Orient dont il dégage une philosophie amère et forte de l'absurde. *Le Sortilège malais* et surtout l'émouvant *Pont de la Rivière Kwaï* (1952) avaient fait évoquer Kipling et Somerset Maugham. Mais ses dernières nouvelles *(E = mc2)* se passent fort bien de ce décor exotique pour nous proposer un nouveau type de fantastique où le savant joue le rôle des sorciers et des mages.

Aux récits asiatiques de Pierre Boulle, on peut joindre ceux de Guy Porée (2) qui connaît bien l'Extrême-Orient et de Makhali Phâl (3) qui évoquent avec gravité, une emphase presque religieuse, les sortilèges du pays natal *(le Roi d'Angkor)*. Le Japon a trouvé de bons portraitistes en Kikou Yamata (4) et Paul Mousset.

Marguerite Duras (5) et Philippe Saint-Gil (6) nous rap-

(1) Pierre Boulle est né en 1912 à Avignon. Ingénieur de l'Ecole Supérieure d'Electricité, il a séjourné en Asie Orientale de 1936 à 1944. Il a publié des romans et des nouvelles : *William Conrad* (1950) le *Sortilège malais* (1951) (Prix Sainte-Beuve 1952), *le Pont de la rivière Kwaï* (1952, 80e mille), *Contes de l'Absurde* (Prix de la Nouvelle 1953), *la Face* (1954), *le Bourreau* (1955), *l'Epreuve des hommes blancs* (1956), $E = mc2$ (1957), *les Voies du Salut* (1958). (Tous ces volumes aux éditions Julliard.)

(2) Attaché culturel au Cambodge de 1947 à 1950, Guy Porée a consacré un volume aux *Mœurs et Coutumes des Khmers* (1938, avec Eveline Porée Maspero) et publié deux romans : *le Chat dans la Noix de Coco* (Albin Michel, 1952) et *Vendredi 13* (1954).

(3) Mme Nelly-Pierrette Guesde (en littérature Makhali Phâl) née au Cambodge, de mère cambodgienne (son père était gouverneur des colonies), dont le nom signifie « son du soc de la charrue de la déesse Kali», élevée en France a publié *le Roi d'Angkor* et *le Jeu et l'Amour* (Albin Michel).

(4) Mme Kikou Yamata a publié : *Sur des lèvres japonaises*, préface de Paul Valéry ; *Trois Geishas* ; *le Japon des Japonaises* ; *Masako* ; *la Trame au Milan d'Or* ; *la Dame de Beauté* ; *le Mois sans Dieux* ; *Mille Cœurs en Chine*.

(5) Marguerite Duras est née en 1914, en Indochine, où elle a vécu jusqu'à l'âge de dix-sept ans. On retrouve ses souvenirs d'Indochine dans *Un Barrage contre le Pacifique*. Etudes universitaires (mathématiques générales à la Sorbonne, Licence en Droit, Sciences Politiques).

Marguerite Duras a publié sept romans : *la Vie tranquille* (1944), *Un Barrage contre le Pacifique* (1950), *le Marin de Gibraltar* (1952), *les Petits Chevaux de Tarquinia* (1953), *Des Journées entières dans les arbres* (1954), le *Square* (1955) et *Moderato cantabile* (1958).

(6) Né le 13 juillet 1923 à Saint-Didier au Mont-d'Or (Rhône). Reçu en 1943 à Polytechnique, ingénieur dans une entreprise de travaux publics, Philippe Saint-Gil a dirigé, depuis six ans, de nombreux chantiers de routes, canaux et barrages en France et en Afrique. Il a publié (chez Julliard), deux romans : *la Meilleure Part* (qu'Yves Allégret porta à l'écran) et *la Machine à faire des Dieux* (1957).

pellent, en évoquant la construction d'un barrage, ici sur le
Pacifique, et là dans le Sud algérien, à quel prix s'édifie l'œuvre
de l'homme.

Grand reporter, qui a parcouru toute la planète, Pierre
Fisson (1) (dont *le Voyage aux horizons* lui valut, en 1948,
le Prix Théophraste Renaudot) excelle à insérer l'aventure
d'un couple dans un horizon politique chargé de menaces,
et à incarner dans une tumultueuse expérience d'homme les
révolutions de notre temps. Le Berlin dévasté de *Voyage
aux horizons*, l'atmosphère d'une compétition automobile
(dans *les Princes du Tumulte*), l'angoisse d'un aviateur qui
découvre avec horreur que la technique moderne fait de lui
un robot *(le Mercenaire)* lui ont fourni, jusqu'ici, ses meilleurs thèmes.

Refusé par douze éditeurs, *Tu récolteras la tempête*, le
premier roman de Jean Hougron (2), fit entrer l'Indochine
dans la géographie littéraire de la France : l'auteur y empoi-
gnait une réalité brûlante, fertile en rebondissements dramatiques, pleine de couleurs, d'odeurs fortes, de chaleur humaine.
Dégoûté du morne traintrain de la vie en France, il avait,
à vingt-quatre ans, fini par obtenir un poste dans une maison
de commerce de Saigon, puis s'était mis à son compte, avait
circulé en camion à travers toute la péninsule, écrit à Pak-
sane son premier roman, avant de se retrouver libraire à
Nice, puis à Paris. Le cycle de *la Nuit indochinoise* (Grand Prix
du Roman de l'Académie française 1953) a suffi à sa réputation ; on peut contester l'exactitude de certains détails,
mais le récit est plein de vie et donne des dernières années
de l'Indochine française, une image fidèle quant aux grandes
lignes, où blancs et jaunes d'un village au bord du Mékong
ont été photographiés sous une lumière vive et crue.

On ne peut dire que l'intérêt du reportage ait décru tandis
que l'auteur achevait d'explorer « la nuit indochinoise »,

---

(1) Pierre Fisson, né en 1918 à Tiflis. Voyage autour du monde, a publié
cinq romans : *Voyage aux horizons* (48e mille, Prix Renaudot 1948), *les
Certitudes équivoques*, *les Princes du Tumulte* (16e mille), *les Amants de Séoul*,
le Mercenaire, *la Butte aux Ronces* (1958) et un essai sur le Mexique. (Tous ces
ouvrages aux éditions Julliard.)

(2) Né à Caen en 1923, Jean Hougron a publié un cycle en six volumes :
La Nuit indochinoise (de *Tu récolteras la Tempête* à *la Terre du Barbare*), des
nouvelles (*les Portes de l'Aventure*) et un roman : *Je reviendrai à Kandara* (Del
Duca).

mais enfin, s'il exploitait une veine riche en contrastes et en
intensité humaine, il n'en renouvela guère l'horizon. Le
grand mérite de Jean Hougron est de l'avoir compris et d'avoir
résolument changé de thème, sinon de manière. *Les Portes
de l'Aventure*, puis *Je reviendrai à Kandara* — débarrassés
de tout échafaudage exotique — montrent la même aisance
à saisir la réalité humaine. Au lieu de broder sur les variations métaphysiques à la mode, d'imiter Simenon ou Robbe-
Grillet, Jean Hougron n'a pas craint d'être clair, et il a
convaincu. Il est donc en bonne voie pour devenir un romancier du quotidien, et le cinéma, comme de juste, n'a pas
tardé à faire appel à lui.

Tel est aussi le cas de Henry Castillou (1) qui n'a rien
négligé pour apparaître comme l'héritier littéraire de Pierre
Benoit. Pourtant, son premier roman, cruel et ramassé
(*Orteno*, 1947 : l'histoire d'un adolescent de la Montagne
Noire qui veut échapper à la médiocrité, et poussé par une
passion où se mêlent la révolte, la jalousie, l'ambition, va
jusqu'au crime), annonçait, dans sa rudesse, une autre
direction. Mais peut-être Castillou a-t-il senti que, dans une
littérature gorgée d'idées, le roman d'aventure et de dépaysement gardait un public ; il y avait donc une place à prendre
pour un romancier qui saurait raconter une histoire, épicée
de violence et d'action. Se contentant d'une psychologie
sommaire, alliant à un pessimisme assez âcre une évidente
indifférence envers les avatars de ses héros, le mépris de la
vaine morale et des grands principes, Castillou a rapidement
trouvé et mis au point une formule efficace, bientôt cou-
ronnée de succès : tantôt une histoire d'amour (toute physique) secoue un groupe humain décrit avec soin, tantôt une
opérette politique à grand spectacle nous transporte dans un
pays imaginaire, exotique et fascinant — souvent d'ailleurs,
l'histoire d'amour et l'opérette politique s'entrecroisent,

(1) Henry Castillou est né en 1921 dans le Tarn. Après avoir exercé divers
métiers, il publie, en 1946 — à vingt-cinq ans — son premier roman, *Orteno*, que
suivent trois nouvelles, puis des romans : *le Fleuve mort*, *Cortiz s'est révolté*
(Prix Interallié 1948), *le Duel de Sorlente*, *Seigneur du Nord*, *le Feu de l'Etna*,
Thaddëa, *Soleil d'Orage* (Grand Prix du Roman de l'Académie française 1952),
la Fièvre monte à El Pao, *Verdict secret*, *la Nuit de la Rose* (1957), *Crise* (1958).
Ces romans (dont plusieurs ont été portés à l'écran) ont paru en feuilleton dans
les Nouvelles Littéraires, *France-Illustration* et la *Revue des Deux Mondes*.

dans un crescendo haletant. *Le Feu de l'Etna* — où le héros
ressemble fort à Giuliano, le célèbre bandit sicilien — et
Thaddëa (où l'intrigue se développe pendant l'occupation
française en Autriche) sont, de ce point de vue, des réussites
évidentes. Mais aucun arrière-plan n'apparaît jamais dans
ces récits brutaux et un peu secs, dénués de toute morale.
Boire, posséder, mépriser... les héros de Henry Castillou ne
semblent pas avoir d'autre horizon.

Avec Christian Chéry, la formule se fait encore plus
sommaire afin d'être plus frappante. Deux ans au cœur de
l'Afrique lui ont appris à monter de brèves histoires, rapides,
brutales, hallucinantes. *Les Couteaux sont de la fête* racontaient
en style télégraphique un atroce épisode d'une rivalité entre
Noirs, nomades contre sédentaires. *La Grande Fauve* est un
cocktail où les Blancs, cette fois, ont la première place, mais
pas le beau rôle. Le soleil tue les plus faibles ; les plus tarés
résistent un peu plus longtemps. Envoûtement, sorcellerie,
alcool, férocité, duels au fouet... tel est le climat de la « Noire»
— notre A.-O.F. décrite par un romancier sans illusion. Mais
on ne voit pas très bien comment l'auteur échappera à ces
visions infernales, à ces légendes cruelles, trop savamment
distillées. Et l'on ferait plus volontiers confiance au sobre
Rosfelder (1) encore peu connu du grand public, qui conduit
ses récits exotiques avec précision, patience et souci de la
vérité, ou même à des romanciers moins ambitieux comme
Lucien Marchal (*Le Mage du Sertâo*, 1952).

* *
*

Il existe aussi une forme d'exotisme qui, tout en dépaysant
le lecteur français le charme au lieu de le surprendre, comme
s'il lui proposait une villégiature d'été : c'est l'exotisme méditerranéen. Le grand public aime retrouver ses propres impressions d'Espagne ou d'Italie, au hasard d'une intrigue légère
ou en revivant une histoire propice au romanesque.

Il suivait, hier, de l'autre côté des Pyrénées, les exploits

(1) André Rosfelder est né à Oran en 1926 d'une famille alsacienne installée
en Algérie depuis 1832. A pris part au débarquement du 8 novembre 1942,
aux campagnes de Sicile, d'Italie et de France. A obtenu le Prix de la Presse
Latine 1950, avec *les Hommes frontières* suivi de *Rocade Sud* (1953).

amoureux ou tauromachiques de Montherlant *(la Petite
Infante de Castille)* et les héros brûlants de Joseph Peyré
(Une Fille de Saragosse), il accompagne aujourd'hui ceux de
Paul Morand *(le Flagellant de Séville)* ou de jeunes roman-
ciers comme Michel Déon, Willy de Spens *(la Vierge noire)*,
Christian Ducomte *(la Fille et les Dragons)*. Quant à l'Italie,
elle n'a pas cessé d'appartenir à notre paysage sentimental.
Elle est aujourd'hui le décor préféré de Jean Giono et de
Roger Peyrefitte, de Roger Vailland, d'André Fraigneau et
de Félicien Marceau, de Michel Robida et de Jean-Louis Curtis.
Mais, s'il faut décerner une palme, nous la réserverons au
Belge Alexis Curvers (1) qui a su retenir et exprimer le charme
impalpable de Rome, l'odeur de ses jardins, le chant de ses
fontaines... *il Tempo di Roma.*

---

(1) Alexis Curvers est né à Liège, le 24 février 1906. Etudes de philosophie
et lettres à l'université (où sa femme, Mme Marie Delcourt, est professeur
d'histoire des littératures anciennes). Après quelques années d'enseignement
(notamment au lycée grec d'Alexandrie), Alexis Curvers dirige maintenant
une revue poétique : *la Flûte enchantée*. Il a publié (chez Laffont), *Tempo di
Roma* en 1957 (35e mille).

III

LE ROMAN HISTORIQUE

Comme le roman exotique, le roman historique, dont les résultats sont souvent contestables, offre à l'auteur de grandes facilités : convenablement dépaysé, le lecteur acceptera plus aisément les conventions et les « ficelles » du récit, il se montrera moins vétilleux sur la vraisemblance de l'histoire et la psychologie des personnages ; prétexte à d'ingénieuses variations, à des mises en scène à grand spectacle — aussi faux que l'Opéra, sinon aussi démodé — il garde donc un vaste public et continue à tenter plus d'un romancier. — Il a d'ailleurs des répondants illustres ; de Dumas père à Rosny aîné, et de *Guerre et Paix* (car le chef-d'œuvre de Tolstoï est une chronique, la fresque géante d'une invasion) à *Autant en emporte le Vent*.

Il s'en faut naturellement de beaucoup que les Caroline, les Fanny de nos romanciers à succès soient de taille à rivaliser avec la Natacha de Tolstoï ou même avec une Scarlett O'Hara. Pour accéder au grand public, Cécil Saint-Laurent (1), Raymond Dumay (2), Françoise d'Eaubonne ou Maurice Druon ont pris le plus court chemin. A quoi bon le leur reprocher ? D'ailleurs, la dernière née de Laurent le Prolifique — *Prénom Clotilde* — nous invite à relire avec agrément le dernier cha-

---

(1) Cf., pp. 161-162.
(2) Raymond Dumay est né en 1916 à Replonges. Enfance paysanne, professeur d'enseignement technique, puis fonctionnaire et journaliste (il a dirigé *la Gazette des Lettres*). Il a publié (le plus souvent chez Julliard), des romans (*le Raisin de Maïs*, Grand Prix de la Guilde du Livre 1945, *Chaleurs d'Août, Les Aventures de Fanny*, 6 volumes), des reportages (*Routes de Bourgogne, d'Aquitaine, de Languedoc, de Provence, de Belgique*) et un essai (*Mort de la Littérature*).

pitre d'une histoire dont elle n'a retenu que le côté anecdotique (il s'agit de la tragédie qui commence avec la débâcle de 1940 et se prolonge jusqu'à l'assassinat de Darlan). C'est au même type de littérature que se rattachent les fresques piquantes d'Yves Gandon *(Ginèvre)*, les reconstitutions moyenâgeuses (bien documentées mais indigestes et pesantes) de Mme Zoé Oldenbourg (1) *(Argile et Cendres*, 1946 ; *la Pierre angulaire*, 1953), les récits, hauts en couleurs, de Jan Van Dorp (2), *l'Etoile Napoléon* de Geneviève Gennari (3), *A peine un printemps* de Claude Manceron (4). Après *les Anthropophages*, portrait d'une sous-préfecture sous les palmes, Christian Mégret (5) a évoqué dans *En ce temps-là*, — dont les minutieux décors en trompe-l'œil rappellent ceux de *Quo Vadis* — la vie des chrétiens en Asie Mineure au IIe siècle après Jésus-Christ. Les scènes ont une brutalité qui va parfois jusqu'à l'atroce. *Le Carrefour des Solitudes* (Prix Fémina 1957) développe, avec des moyens simples et humains, un beau thème : la rencontre, brève autant qu'inattendue, d'une paysanne soviétique — Kristiaschka — et d'un jeune noir américain.

(1) Née en 1916 à Saint-Pétersbourg — fille de l'historien Serge Oldenbourg et petite-fille de l'orientaliste S. F. Oldenbourg, secrétaire perpétuel de l'Académie des Sciences de Léningrad — venue en France en 1925, Mme Zoé Oldenbourg, peintre et écrivain, a publié : *Argile et Cendres* (1946), *la Pierre angulaire* (Prix Fémina 1953), *Réveillés de la Vie* (1956) et *les Irréductibles* (1958). (Gallimard.) Il y a de la force dans ces documents maniés d'une main épaisse et brutale, mais il ne serait pas mauvais que Mme Oldenbourg apprît aussi le français. Cela l'empêcherait d'écrire : « Mais elle était de quinze ans plus jeune que lui, froide et capricieuse et en plus de tout stérile » et « Mais les gifles de la dame étaient d'autre force, et il avait presque un sourire admiratif à la pensée du ventre qui l'avait conçu ».

(2) Né à Genève en 1908, de père belge et de mère suisse, sept mois matelot sur un cargo, Jan Van Dorp a obtenu le Prix des Lecteurs 1948 pour *Flamand des Vagues*.

(3) Cf. p. 430.

(4) Né en 1923, atteint de poliomyélite, Claude Manceron a entrepris un cycle romanesque consacré à l'histoire de la Révolution et de l'Empire.

(5) Né le 11 novembre 1904, orphelin de père, Christian Mégret, après un séjour de deux ans dans l'administration coloniale, au Togo, s'est, depuis les *Anthropophages*, son premier roman (1937), consacré au journalisme et à la littérature. Il a publié onze autres romans : *Ils sont déjà des hommes, les Fausses Compagnies, Jacques* (1942), *l'Absent, En ce temps-là, Carte forcée, C'était écrit, Sophie* (1949), *Franchise militaire, Danaé* et le *Carrefour des Solitudes* (Julliard, Prix Fémina 1957).

Le livre est « écrit comme on parle», mais les personnages
de ce feuilleton sont vivants et vraisemblables (l'Américain
plus que le Russe, beaucoup trop conventionnel).

* *
*

On sera plus sévère pour Maurice Druon (1), qui avait
fait figure d'un des plus sûrs espoirs du jeune roman français.
Après avoir participé à la bataille de la Loire, en juin 1940,
avec les cadets de Saumur, Druon avait gagné l'Angleterre
(où il parla à la B.B.C.) et daté de Londres des *Lettres à un
Européen*. On y trouvait certes plus d'une illusion (l'Europe
occidentale et le monde communiste y étaient peints mar-
chant à la rencontre l'un de l'autre « non point comme deux
armées mais comme deux cœurs») mais l'intention était
généreuse. De retour en France, après un récit de guerre
(la Dernière Brigade), Druon s'était attaqué à un sujet qu'il
avait effleuré dans son essai : la description de « ce monde
ancien» — pour reprendre l'expression que Michel de Saint-
Pierre appliquait à notre société sclérosée. Nul ne peut
contester que *la Fin des Hommes* (dont le premier volume,
les Grandes Familles, obtint, en 1948, le Prix Goncourt)
appartient à la grande tradition de Balzac et de Jules Romains,
et que le récit d'une décomposition sociale y revêt une ampleur
presque épique. Cette fresque noire de l'« élite» française à
la veille de la guerre (de l'Armée au Parlement en passant
par la Banque protestante, le monde et l'Académie, sans

(1) Maurice Druon est né à Paris en 1918. Etudes au lycée Michelet, Sciences
politiques. Elève officier à l'Ecole de Cavalerie de Saumur, participe à la bataille
de la Loire. Après l'armistice, il passe les Pyrénées, gagne l'Angleterre (où il
travaille à la B.B.C.) et rejoint Alger en 1943. Après la Libération de Paris, il
est correspondant de guerre, scénariste de cinéma et surtout romancier.
    Maurice Druon a publié des romans : *la Dernière Brigade* ; *la Fin des Hommes* :
I. *les Grandes Familles* (Prix Goncourt 1948, 125ᵉ mille) ; II. *la Chute des Corps* ;
III. *Rendez-vous aux enfers* ; *la Volupté d'Etre* (25ᵉ mille), *l'Hôtel de Mondez* ;
une pièce de théâtre : *Mégarée* ; et deux essais : *Lettres à un Européen* et *Remar-
ques* (tous ces volumes aux éditions Julliard).
    En collaboration (avec G. Kessel, J. Lacour, G. Sigaux et P. de Lacretelle) :
un roman historique : *les Rois maudits* (4 volumes, éditions Del Duca : *le Roi
de Fer, la Reine étranglée, les Poisons de la Couronne, la Loi des Mâles*) et une
biographie : *Alexandre le Grand ou le Roman d'un dieu* (Del Duca, 1958).

oublier la Médecine et l'aristocratie provinciale), rendue
responsable de tous nos désastres, était semée de personnages
massifs, odieux, mais plausibles : le vieux baron Schoudler,
l'arriviste Lachaume, le dramaturge Edouard Wildner, le
professeur Lartois. Druon surprenait ses héros au moment où,
frappés à mort, ils jetaient leurs derniers feux, leurs derniers
cris de bêtes traquées. Mais il abusait aussi des retournements
de théâtre, des morts brutales, des tragédies domestiques. Et
il ne se gênait pas pour démasquer la vie de tel ou tel contemporain illustre, certain que la recherche de clefs, vraies ou
fausses, serait le meilleur appât du livre auprès d'un public
friand de ce genre de révélations, au fur et à mesure de la
publication du cycle, le réquisitoire s'aggravait jusqu'à perdre
une bonne part de sa force convaincante : le troisième tome,
Rendez-vous aux Enfers, côtoyait l'invraisemblance.

De bons juges (André Maurois, Emile Henriot, Marcel
Thiébaut) sans parler des Goncourt, avaient reconnu le talent
peu commun de l'auteur, son brio, sa violence. Mais Druon n'a
pas justifié les grands espoirs qu'il avait fait naître. A force
de hanter les bars à la mode et les coulisses des générales, de
prodiguer dans les salons l'élégance d'un jeune premier,
d'accorder sans gêne des convictions révolutionnaires (il
est resté membre du C.N.E., en dépit du procès des médecins
juifs de Moscou comme des événements de Hongrie) à une
existence fastueuse de vedette, de préférer la réussite voyante
et les grands tirages à la lente maturation d'une œuvre,
Maurice Druon a déçu ses premiers admirateurs. Sans doute
dépense-t-il encore beaucoup de talent dans *la Volupté
d'Être*, curieuse défense et illustration de la courtisane
(l'héroïne vieillie et déchue s'enferme dans des souvenirs
d'orgueil et de volupté ; ce sarcophage imaginaire joue le
rôle d'une seconde vie, et lui donne l'illusion de redevenir, au
lieu d'une vieille clocharde qui finira par mourir sur la voie
publique, le monstre sacré qu'elle fut autrefois du temps de
Bataille et de d'Annunzio, doré par les premiers rayons du
cinéma muet). Mais après *l'Hôtel de Mondez*, une nouvelle,
rapide et superficielle, Druon devait inaugurer une formule
romanesque d'un type nouveau qui officialise l'emploi du
« nègre » : le roman historique en équipe (avec un historien
de la qualité de Pierre de Lacretelle, deux romanciers —
José-André Lacour et Gilbert Sigaux — et un « scénariste » :

Georges Kessel). Lancée à grand renfort de publicité (1),
l'histoire des *Rois Maudits* (dont quatre volumes ont paru à
ce jour), de Philippe le Bel à Henri IV, cumule l'outrance, la
vulgarité et l'invraisemblance. Littérairement, elle reste très
au-dessous de Vigny comme de Dumas père. Druon reviendra-
t-il à la littérature ? Sa biographie d'*Alexandre* (1958) le laisse
espérer.

**

Willy de Spens (2) a mieux tiré son épingle du jeu et se
meut avec aisance dans ce genre dont il se garde de respecter
les règles. Ironique et pétulant dans *le Roi de Bergame* (1955),
fougueux comme Walter Scott et Dumas père réunis dans
les Rochers de Kilmarnoch (1956), il a de l'allant, de la vie et
même du style. Ce style pourrait nous permettre d'inscrire
Willy de Spens parmi les témoins d'« un nouveau classicisme».
Simple et pur, il donne au récit une sorte de légèreté intrépide et permet au lecteur de trouver aisément son chemin
dans les broussailles d'un épisode historique souvent compliqué : de *la Vierge noire* aux *Hasards du Voyage* (1957) et de
Bergame au Paraguay, Spens sait nuancer les feux de l'amour
et de la politique d'une pointe d'humour : d'où l'épithète de
stendhalien qu'on lui a parfois appliquée. Habile à mélanger
les siècles (la Fronde et la Libération dans *Fontaine-Française*),
il échappe au romantisme échevelé de Georges Ketman (3)
comme à l'imagination aventureuse de Michel Peyramaure (4)
et de Jean Bassan *(Nul ne s'évade)*.

(1) Par les éditions Del Duca.
(2) Né à Bordeaux en 1911, d'une famille d'origine écossaise, Willy de
Spens vit dans sa propriété des Landes. En 1943, il publie son premier roman :
Mademoiselle de Sérifontaine, puis *Angélique ou la Part du Rêve, la Vierge
Noire, les Bois de Dampierre, Stève* (1953), *le Roi de Bergame* (1955), *les Rochers
de Kilmarnoch* (1957), *les Hasards du Voyage* (1957), *Fontaine-Française*
(1958). (A la librairie Plon.) A obtenu le Prix des Deux-Magots pour *Grain de
Beauté* paru dans la « Série blonde».
(3) Georges Ketman, né au Caire en 1931, de père égyptien et de mère
allemande, rédacteur et critique d'art au Caire, puis à Paris, a publié en 1952
une étude sur Leonor Fini, en 1954 son premier roman : *un Personnage sans
couronne* et, en 1957 : *les Princes* (chez Plon).
(4) Né à Brive en 1922, Michel Peyramaure a publié : *Paradis entre quatre
murs* (1954), *le Bal des Ribauds* (1956), *les Lions d'Aquitaine* (1957) (Laffont).

Plus classique, Georges Bordonove (1) se limite à l'histoire
des pays de l'Ouest. Qu'il fasse revivre des hobereaux poite-
vins (dans *la Caste*) la révolte de la Vendée (dans *les Armes
à la main*) ou la croisade des Albigeois (dans *le Bûcher*, 1957),
c'est sans grandiloquence ni faux lyrisme, mais avec un sens
du vrai qui n'exclut pas celui du drame. Poète, conteur,
essayiste, historien de la vie quotidienne, Armand Lanoux (2)
a effleuré aussi le roman historique avec le *Commandant
Watrin* (1956) qui met en scène l'évolution contraire de deux
soldats de bonne foi. Mais cet aspect de son œuvre ne limite
pas le talent d'Armand Lanoux, poète cocasse et délicieux,
qui a touché à tous les genres et dont l'autorité, la saveur
s'affirment à chaque livre. S'agit-il encore d'histoire ou seulement de reportage (un reportage vigoureux et partial) dans
les deux romans *(la Parole devient Sang ; Jeu de Massacre)*
de Jacques Croisé (3) qui évoquent la tragédie marocaine ?
De même est-ce une actualité brûlante qu'évoquent, un peu
à la manière d'Arthur Koestler et d'André Malraux, Éric
Hurel, Laurent La Praye, Georges Govy, Jean Duvignaud ou
René Hardy : ce que cherche Éric Hurel (dans *la Lune d'Octobre*) ou Laurent la Praye (dans *la Trompette des Anges*),
c'est à dépasser l'actualité — Résistance ici, guerre d'Indochine là — pour mesurer l'affrontement de l'homme à l'événement dont il paraît le jouet. — Georges Govy, Jean Duvignaud ont tenté, en outre, de saisir le caractère *planétaire*
des révolutions du XXᵉ siècle.

Le Moissonneur d'Epines du premier (Prix Renaudot
1955) est le témoin symbolique d'un monde en révolution

---

(1) Né à Enghien en 1920, Georges Bordonove appartient à la carrière
préfectorale. Il a publié (chez Julliard) : *la Caste* (Prix du Renouveau français
1953), *Pavane pour un enfant, les Armes à la Main* (Prix Eve Delacroix 1955),
le Bûcher (1957), *Deux cents chevaux dorés* (1958), romans ; et un essai sur
Henry de Montherlant (Editions Universitaires, 1954).

(2) Né en 1913, Armand Lanoux a publié des nouvelles *(Yododo)*, des romans
(la Nef des Fous, Prix Populiste 1948, *la Classe du Matin, Cet âge trop tendre,
les Lézards dans l'horloge, le Commandant Watrin*, Prix Interallié 1956, 90ᵉ
mille, *Le Rendez-vous de Bruges*, 1958,) des essais *(Physiologie de Paris, Bonjour,
Monsieur Zola)* et des poèmes (cf. DEUXIÈME PARTIE, Chapitre deuxième, IV).

(3) Auteur d'une vie de Ponchkine, de poèmes et de souvenirs *(Ma Russie
habillée en U.R.S.S.*, Grasset, 1958), la Pᵐᵉ Zénaïde Schakovskoy a publié,
sous le nom de Jacques Croisé, quatre romans : *Europe et Valerius, Sortie de
Secours. La parole devient Sang, Jeu de Massacre.*

permanente, où le héros, dans un décor interchangeable (de l'Angleterre à l'Egypte et de l'Inde à l'Espagne) se mesure moins à la misère qu'il dénonce, au capitalisme qu'il combat, qu'à une fatalité toujours renaissante contre laquelle il se définit, faute de pouvoir se choisir.

L'Or de la République, du second (1), est une évocation adroite et même originale des débuts du nazisme, de la guerre d'Espagne et de la Résistance, photographiés par un couple d'amis dissemblables, l'un entrepreneur de music-hall, l'autre militant de gauche — on y voit comment l'Histoire se fabrique à partir d'événements reconstitués en fonction des intérêts des survivants.

René Hardy, le survivant du drame de Caluire, a transposé (dans *Amère Victoire*) les problèmes du courage et de la peur dans le décor du désert de Cyrénaïque, pendant la campagne de 1941-1942. Son héros incarne d'une manière saisissante le drame du lâche lorsqu'un événement plus grand que lui le déguise soudain en héros. Saint-Paulien (2), lui, a choisi de narrer l'odyssée des vaincus de la dernière guerre dispersés dans une Europe qui les a reniés ; le récit (celui de la bataille de Berlin, notamment) est saisissant, mais tourne plus d'une fois au pamphlet politique.

---

(1). Jean Auger-Duvignaud, né à la Rochelle en 1921, a publié (chez Gallimard) deux romans (*Quand le Soleil se tait*, 1948, *l'Or de la République*, 1958) ; des nouvelles (*le Piège*, 1955) et une pièce de théâtre (*Marée basse*, 1955).

A l'Arche, un essai sur *Buchner* (1955).

(2) Né en 1900, Saint-Paulien a publié (chez Plon) : *Le Soleil des Morts* (1953), *Double-Cœur* (1954) et *les Maudits* (2 vol., 1958).

IV

LE ROMAN NATURALISTE
DE LA « TRANCHE DE VIE » AU POPULISME

1

DERNIÈRES MÉTAMORPHOSES DU NATURALISME

« NATURALISME pas mort — Lettre suit. » En dépit des apparences, le fameux télégramme (de Paul Alexis, en réponse à l'enquête de Jules Huret) est toujours d'actualité. Groussard et Druon, Robert Merle et Roger Ikor, Armand Lanoux et Georges Arnaud pourraient en témoigner. Parmi les derniers venus, un René Rembauville (*la Boutique des regrets éternels*, 1957) fait constamment songer à Zola, comme si le sous-officier de la coloniale qu'il nous dépeint était le petit-fils dégénéré des Rougon-Macquart. Les romans de Jean Meckert (1) sont un produit typique du populisme : des tranches de vie, solides et même saignantes où l'on préfère aux miroitements du style la véracité des

---

(1) Jean Meckert est né le 24 novembre 1910 à Paris. Son père était marchand ambulant. Enfance à Belleville, apprenti, puis employé de banque, garagiste, marchand de stylos ambulant.

Jean Meckert a créé à Belleville un Cercle d'Essais artistique et littéraire (ALTA) où ont déjà été données deux pièces de lui : *les Radis creux* et *l'Ange au combat.*

Il a publié (aux éditions Gallimard) des romans : *les Coups* (1942), *l'Homme au Marteau* (1943), *la Lucarne* (1945), *Nous avons les mains rouges* (1947), *la Ville de plomb* (1949), *Nous sommes tous des assassins* (1952), *Je suis un monstre* (1952), *Justice est faite* (1954), et un document : *la Tragédie de Lurs* (1954).

descriptions. Parfois, de fins psychologues se laissent gagner par la saveur forte de la vie quotidienne : Jean Fougère (1) avait ainsi débuté par des nouvelles d'un ton classique, assaisonnées d'une pointe d'humour, avant d'animer *une Cour des Miracles* (1955) qui ressemble fort à notre comédie littéraire, et Raymond Las Vergnas (2) (angliciste connu, critique platonisant de Sartre dans *la Flèche d'Iolas,* 1949) s'est même laissé tenter par le genre, avec des bonheurs inégaux. Georges Magnane (3) et Gilbert Prouteau (4) ont trouvé dans le sport une morale. Gilbert Sigaux (5) a abordé de « grands sujets» *(les Chiens enragés),* mais s'est montré plus à l'aise dans le roman d'amour *(Fin)* que dans le roman d'idées. Au contraire, Michel Mohrt (6) n'a pas oublié qu'il avait débuté par l'histoire des idées, et c'est elle qu'il a tenté de mettre en forme romanesque à travers l'exil *(les Nomades)* la guerre et la collaboration *(Mon Royaume pour un cheval).* Guy Le Clec'h (7) a résumé d'intenses et dramatiques histoires.

(1) Jean Fougère est né à Saint-Amand (Cher) en 1914. Longs séjours en Angleterre. Il a publié (aux éditions Albin Michel) des romans : *Flo, un don comme l'Amour, la Pouponnière, la Cour des Miracles* (1955) ; des nouvelles : *Visite, un Cadeau utile* (Grand Prix de l'Humour 1954) ; une satire : *les Bovidés* (Prix Courteline).

(2) Né en 1905 en Limousin, Raymond Las Vergnas, élève d'Alain, agrégé d'anglais, trois ans prisonnier, professeur à la Sorbonne, a publié de nombreux ouvrages de critique universitaire et des romans.

(3) Georges Magnane, agrégé d'anglais, a publié notamment : *la Bête à concours, les Hommes forts, Gerbe Baude, les Beaux Corps de vingt ans* (Gallimard), *la Trêve olympique, le Génie de six heures, l'Amour tue vite et bien* (Albin Michel).

(4) Poète, critique et auteur de films, Gilbert Prouteau a publié aussi des romans *(Balle de match)* et une *Anthologie de la Littérature sportive.*

(5) Gilbert Sigaux est né à Lure (Haute-Sâone) le 4 mai 1918. Etudes à Lyon, licence de philosophie interrompue par la guerre. A publié des récits *(D'Homme à Homme,* 1948) et aux éditions Julliard, des romans : *les Grands Intérêts* (1946), *la Terre lointaine* (1947), *les Chiens enragés* (Prix Interallié 1949), *Fin* et un essai : *Vingt ans en 1951* (en collaboration avec R. Kanters).

(6) Michel Mohrt est né à Morlaix (Finistère). Etudes à Brest, campagne de 1939-1940 ; avocat à Marseille, puis homme d'affaires et professeur de littérature française aux Etats-Unis (à Yale, Middleburg, Mills College et à Berkeley). Il a publié des essais *(les Intellectuels devant la défaite de 1870 ; Montherlant, homme libre ; le nouveau roman américain)* et des romans : *le Répit* (1946), *Mon Royaume pour un cheval* (1949), *les Nomades* (1951), *le Serviteur fidèle* (1953) aux éditions Albin Michel.

(7) Guy le Clec'h a publié cinq romans aux éditions Albin Michel : *le Témoin silencieux* (1949), *le Visage des hommes* (1950), *la Plaie et le Couteau* (1952), *le Défi* (1954) et *Tout homme a sa chance* (1957).

Poètes et critiques, Georges-Emmanuel Clancier (1) et Jean
Rousselot (2) ont tiré de leur imagination et d'une riche expérience humaine des souvenirs et des scènes qu'ils interprètent à
la lumière du populisme ; le premier s'est montré particulièrement habile à évoquer, dans le cycle du *Pain noir*, la triste
et misérable vie d'un enfant d'autrefois. Et comme eux, le
poète Robert Sabatier (3) a relevé de tendresse et d'amour
les distractions violentes et sordides d'un enfant perdu de
Pigalle.

On hésite à rattacher à la même tendance un Robert
Margerit (4) dont le style n'est pas toujours parfait, mais qui
a des dons de grand lyrique. Nul, mieux que lui, n'a su évoquer
la possession dionysiaque qui s'empare de certains êtres, à
l'approche du démon de midi. Ses personnages ont quelque
chose d'un peu suranné : la châtelaine et sa cameriste de

(1) Georges-Emmanuel Clancier est né à Limoges en 1914. Licence ès lettres
et journalisme ; secrétaire général des conseils des programmes de la Radiodif-
fusion-Télévision Française. Il a publié des poèmes *(Le Paysan céleste, Temps
des Héros, Journal-Parlé, Terre secrète, l'Autre rive, Vrai visage)* ; des essais
(André Frénaud, Panorama critique de Rimbaud au Surréalisme) et des romans :
*Quadrille sur la Tour, la Couronne de Vie, Secours au Spectateur, Dernière heure,
le Pain noir* et *la Fabrique du Roi* (Grand Prix du roman de la Société des Gens
de Lettres, Robert Laffont, 1957).

(2) Jean Rousselot est né le 27 octobre 1913, à Poitiers, dans une famille
ouvrière. A quinze ans, il travaille pour gagner sa vie ; le surmenage le conduit
dans un sanatorium. Louis Parrot lui fait découvrir la poésie moderne. En
1932-1933, Jean Rousselot dirige (avec Jean Germain et Robert Kanters) la
Revue *Jeunesse*, puis (avec Fernand Marc) *le Dernier Carré* (où collaborèrent
Joë Bousquet, Michel Manoll, Jean Follain, Maurice Fombeure et Lucien
Becker). Marié, père de deux filles, il a obtenu en 1949, la Bourse Nationale
de Littérature et en 1955 celle de la Fondation Del Duca. Critique de poésie
des *Nouvelles Littéraires*, Jean Rousselot a publié :
des poèmes (cf. **Deuxième Partie,** Chapitre deuxième, V, 1) ;
des romans : *la Proie et l'Ombre, Pas même la mort, Si tu veux voir les étoiles,
les Papiers, une Fleur de sang, le Luxe des pauvres* ;
des nouvelles : *les Heureux de la Terre* (1957) et des essais.

(3) Robert Sabatier, né à Paris en 1923, a publié des poèmes *(les Fêtes
solaires,* 1955) et des romans : *Alain ou le Nègre* (1953), *le Marchand de Sable*
(1954), *Boulevard* (1955), *Canard au Sang* (1958), aux éditions Albin Michel.

(4) Robert Margerit est né à Brive (Corrèze) en 1910. Rédacteur en chef
du *Populaire du Centre,* il a publié de nombreux romans : *l'Ile des Perroquets,
le Dieu nu* (1951), *Montdragon* (1952), *le Vin des Vendangeurs* (1952), *la Femme
forte* (1953), *le Château des Bois-Noirs* (1954), *la Malaquaise* (1956), *les Amants*
(1957), *la Terre aux Loups* (1958) ; des nouvelles : *Ambigu* (1956) et une pièce
radiophonique : *Un Singulier Destin.* Sur l'homme et l'œuvre, on pourra
consulter : Madeleine Berry : *Robert Margerit* (Rougerie).

Montdragon, le secrétaire puritain de *Par un Eté torride,*
la Cléone d'Aigremore des *Amants* pourraient sortir d'un
roman de Balzac ou même de Georges Ohnet. Mais la frénésie
sensuelle qui s'empare d'eux est bien du siècle de D. H.
Lawrence.

En revanche, on n'hésitera pas à rattacher à ce nouveau
naturalisme l'œuvre de Bruno Gay-Lussac (1). On retrouve
chez ce neveu de Mauriac les drames secrets d'une bourgeoisie provinciale où la grâce ne vient jamais faire irruption :
mêmes évocations troublantes d'une province restée en marge
de l'histoire et de la vie, même sensualité refoulée qu'on
débride en cachette, comme une plaie honteuse...

Dans son premier roman, *les Enfants aveugles* (1938),
un enfant se heurte à la vie et crie. Son mal tient tout entier
dans un refus sauvage qui, pour garder les formes héritées
d'une éducation bourgeoise, n'en rappelle pas moins la
révolte d'Arthur Rimbaud. « Il n'est pas jusqu'aux plus
ordinaires servitudes charnelles qui ne le rebutent et ne le
blessent... Dès le seuil de sa vie, l'enfant aveugle crie déjà
ce qu'à son déclin répétait le vieux Cézanne : « Le monde,
c'est terrible...» (François Mauriac). Cette œuvre adolescente
et confuse n'est pas sans richesse ; à travers ces descriptions
obscures, ces odeurs de sel et de nuit, on attend quelque chose
qui ne vient pas, un bonheur impossible.

Farandole (1945), récit trop statique, raconte l'histoire
d'un homme perdu dans une ville, dans les rouages d'un
métier sans joie, sans amour.

En exergue d'*Une Gorgée de Poison* (1950), progrès décisif
du romancier, Bruno Gay-Lussac avait placé l'aveu fameux
de Stavroguine : « Je vous le dirai donc sérieusement, et avec
impudence : Je crois au diable, j'y crois au sens canonique,
au diable en tant qu'individu et non en tant qu'allégorie,
et je n'ai rien à apprendre de personne, voilà ce que j'ai à

---

(1) Descendant du célèbre chimiste et neveu de François Mauriac, Bruno
Gay-Lussac est né à Paris en 1918. Enfance en Limousin. Premières lectures :
Proust, Edgar Poe, Rimbaud. Etudes de droit. Campagne de 1939-1940
interrompue par une pleurésie. Stage dans une banque, puis attaché à une
compagnie de navigation.
  Publie à 21 ans son premier roman : *les Enfants aveugles* (1938), préfacé
par François Mauriac, puis *Farandole* (1945), *Une Gorgée de Poison, la Ville
dort, la Mort d'un Prêtre,* et des nouvelles : *les Moustiques.*

vous dire.» Mais le diable n'apparaît nulle part dans cette
histoire à la fois poétique et sordide, d'une jeune fille qui
lutte pour reconquérir son patrimoine et cède sans remords
à la chair. Pourtant le désespoir qui se dégage du livre, cette
épaisse absence d'air et de lumière, ce manque de grâce, ont
en effet quelque chose de diabolique. Des personnages obscurs,
énigmatiques, murés dans leurs passions, finissent par découvrir qu'ils ne savent rien des autres, et qu'à peine se connais-
sent-ils eux-mêmes.

La Ville dort, la Mort d'un Prêtre (qui retinrent l'attention
des jurys littéraires sans obtenir un des grands prix de fin
d'année) demeurèrent fidèles à cette conception figée de la
vie et du roman. Le héros de ce dernier livre combine en les
exagérant jusqu'à la caricature les traits de l'abbé Donissan
de Bernanos et du curé mexicain de *la Puissance et la Gloire.*
« Mal vu de ses supérieurs. Furieux dans ses macérations.
Tenté par le désespoir... dans ce prêtre veule... dans ce moi-
gnon, dans ce trognon d'homme, prétend-on nous faire voir
la face défigurée du Crucifié, le « ver de terre» d'Isaïe, un
« autre Christ», le Christ moderne ? Hélas ! C'est un Christ
qui probablement ne croit plus en Dieu (1).» *Histoire*, une
longue nouvelle étirée en roman, rappelle, en plus mince,
le Procès ou *l'Etranger :* un couple cherche à échapper à la
monotonie provinciale, mais le dépaysement ne le récon-
ciliera pas avec la vie...

2

BÉATRIX BECK, CÉLIA BERTIN, FRANÇOISE MALLET-JORIS

La peinture exacte de la réalité occupe — aux antipodes du
mysticisme — l'un des panneaux de la littérature féminine.
Après Claire Sainte-Soline et Marguerite Duras, trois jeunes
romancières en ont donné, ces dernières années, une illustration particulièrement vigoureuse : Béatrix Beck, Célia Bertin
et — *last but not least* — Françoise Mallet-Joris.

(1) ANDRÉ BLANCHET : *le Prêtre dans le roman d'aujourd'hui* (Desclée).

Le talent de Béatrix Beck (1) tient moins aux ressources de son imagination qu'au soin avec lequel elle a su utiliser les moindres incidents de sa biographie. En fait, ses premiers récits *(Barny, une Mort irrégulière)* n'étaient rien d'autre qu'une autobiographie où l'auteur avait minutieusement transposé l'histoire de son mariage avec un jeune apatride, et de son triste veuvage ; mais l'héroïne — Barny — avait, sinon de la grâce, de la verdeur et du piquant. Avec *Léon Morin, Prêtre* (Prix Goncourt 1952), le registre s'élargissait : l'auteur s'était emparé d'un sujet à la mode (le prêtre-ouvrier) qu'elle traitait avec humour et désinvolture — mais en ce domaine la désinvolture touche parfois à la grossièreté. La « conversion» de Barny avait d'ailleurs des raisons senti-mentales. Décidée à trouver « des accommodements avec le Ciel», Barny retrouverait bientôt sa liberté — celle d'un gar-çon manqué, qui a poussé trop vite, dans un monde où rien n'est sûr.

L'écrivain manque de sobriété, d'élégance ; mais ses dia-logues sont savoureux et drus, ses situations cocasses et vraies.

Célia Bertin, elle, a évolué du plus noir pessimisme vers un humanisme de l'action. Une admirable et troublante *Parade des Impies* a révélé (en 1946) l'originalité de son talent : la tristesse de deux femmes seules, des jours de pluie sur Paris, une existence grise qui n'était ni tout à fait la bohème, ni tout à fait la pauvreté, tout cela était suggéré plutôt que dit, avec un art d'une envoûtante discrétion. L'auteur (2) s'exila à Saint-Paul-de-Vence où elle mit sur pied, avec Pierre de Lescure, la revue *Roman :* mais cette

---

(1) Béatrix Beck est née le 30 juillet 1914, à Villars-sur-Ollon (Canton de Vaud, Suisse). Son père, écrivain belge, Christian Beck (fondateur de la revue *Antée*), était mort à trente-sept ans, en 1916. Mariée en 1936, Béatrix Beck perdit son mari à la guerre de 1940, et, restée veuve avec un enfant, fit divers métiers (ouvrière d'usine, employée, fermière, femme de ménage) avant de devenir la secrétaire d'André Gide (1950-1951).

Elle a publié successivement : *Barny* (1948), *une Mort irrégulière* (Prix des Neuf 1951), *Léon Morin Prêtre* (1952) (ces trois romans racontent l'histoire de Barny), *Contes à l'enfant né coiffé* (1953), *des Accommodements avec le Ciel* (1954) (tous ces romans chez Gallimard).

(2) M\ue Célia Bertin a publié six romans : *la Parade des Impies* (Grasset, 1946), *la Bague était brisée, les Saisons du mélèze, la Dernière Innocence* (Corrêa, Prix Renaudot 1953), *Contre-champ* (Plon, 1954), *une Femme heureuse* (Corrêa, (1956), ainsi qu'une enquête sur *la Haute Couture, terre inconnue* (Hachette).

prospection, limitée à l'avant-garde, ne devait pas s'avérer très fructueuse, sinon pour la romancière qui mit au point ces recherches techniques dans *Contre-Champ* (1954). Auparavant, le Prix Théophraste Renaudot avait couronné la *Dernière Innocence* — un roman trop lent, à peine rehaussé, de loin en loin, par des morceaux de musique rajoutés. *Une Femme heureuse* (1956), où la puissance d'une dynastie juive se trouve confrontée à une inquiétude millénaire, doit ses meilleures pages à l'enquête que l'auteur venait de mener dans le monde de la Haute-Couture. Même si Célia Bertin n'a pas trouvé encore l'équilibre qui peut rendre son art exemplaire, elle a le don, si rare, de rendre sensible la fatalité — celle de l'amour, par exemple, qui fond sur une proie qu'elle va engloutir.

Le Rempart des Béguines, écrit à dix-neuf ans, a fait la réputation d'une toute jeune femme, Françoise Mallet-Joris (1), qui venait de mettre en pastilles, avec une étonnante sûreté de main, les poisons de Laclos et du marquis de Sade : la passion dévorante et hors nature d'une femme virile envers une jeune captive qui y trouvait son plaisir, était décrite comme une curiosité entomologique, dans une langue presque classique. Françoise Mallet, dont les bonheurs d'écriture rappellent ceux de Colette, n'a pas retrouvé tout de suite le climat de cette brève, insolite et surprenante histoire. Après un récit décevant *(la Chambre rouge)*, où l'on retrouve, aigrie et vieillie, l'héroïne du *Rempart*, et d'excellentes nouvelles *(le Souterrain, M. Nathan Oppheim)* réunies dans *Cordelia*, l'auteur changea brusquement de manière. Il était concis, cynique et stendhalien ; il devint touffu, raisonnable et balzacien : avec *les Mensonges*, accueillis par un vaste succès de critique et de librairie, Françoise Mallet-Jorris démontrait qu'elle pouvait explorer, tout aussi bien que des « curiosités » scandaleuses, les avenues du monde réel. Nul doute qu'elle trouve de ce côté les facilités d'une grande carrière ; si l'originalité de son

(1) Françoise Mallet-Joris est née à Anvers en 1930. Elle est la fille d'un homme d'Etat belge et de l'écrivain Suzanne Lilar, membre de l'Académie royale de Belgique ; belle-fille de l'ambassadeur Louis Joxe. Etudes à Philadelphie, puis en Sorbonne. A publié : *Poèmes du Dimanche, le Rempart des Béguines* (1951, 34e mille), *la Chambre rouge* (15e mille), *Cordelia*, nouvelles, *les Mensonges* (Prix de la Sélection des Libraires de France 1956, 60e mille), *l'Empire céleste* (1958). (Aux éditions René Julliard.)

art ironique et cruel n'avait rien gagné dans cette peinture, qui ne manquait pas de force, mais minutieuse et quasi flamande, de l'agonie tourmentée d'un homme d'affaires, l'habile reconstitution — dans *l'Empire céleste* (1958) — de vies quotidiennes a frappé par sa justesse.

3

EN DESCENDANT L'ESCALIER DU RÉALISME

Entre la vision sans complaisance d'une réalité que rien n'embellit, et celle qui n'hésite pas à retoucher le réel pour l'enlaidir encore un peu plus, il n'y a parfois qu'une nuance. La distinction nerveuse du style sauve les portraits atroces de Pierre Gascar (1), et la sévérité avec laquelle Roger Grenier (2) juge ses « monstres » (qui sont, en fait, des « ratés ») n'exclut cependant pas la pitié. Faut-il ranger parmi eux un Henri Pollès, dont l'attachant *Journal* a fait l'effet d'une revanche ? Car l'auteur se fait gloire d'être un raté et ne voudrait pour rien au monde quitter son orgueilleuse bohème !

En tout cas, le fait est là : la postérité de Céline n'a cessé de grandir depuis la guerre. Le talent des romanciers ne s'est jamais tant exercé à broder sur nos horreurs, avec une imagination, une aisance à se mouvoir dans l'atroce ou dans l'odieux, qui confondent. Raymond Guérin (3) a fait ainsi, depuis *l'Apprenti*, une carrière dans l'obsession physiologique et l'exploitation des misères de la bête humaine. Faisant sienne la devise de son héros — « La créature n'est rien que par les viscères qui la mènent » — il explora sans trêve à sa suite, les « sales orifices » et les « entrailles de pourceaux » d'une humanité tout animale ; des manies obscènes de *l'Apprenti* (1946) aux confessions d'un *Diogène* qui caricature cruellement son modèle antique, s'étale un insatiable dégoût de l'homme.

---

(1) Cf. pp. 334-337.
(2) Cf. p. 347.
(3) Raymond Guérin (1905-1954) nous a laissé une sorte d'autobiographie, qu'il considérait comme une « ébauche d'une mythologie de la réalité » (*Quand vient la fin* (1941), *l'Apprenti* (1946), *la Confession de Diogène* (1948), *la Main passe*).

Et s'il y a plus de tenue, d'idées, de bonheur d'écrire dans l'œuvre de René Etiemble (1) — par ailleurs un des critiques originaux de sa génération — le cynisme et la dérision sont les mêmes.

Un certain existentialisme avait porté au pinacle, comme un ton nouveau et prometteur, ces observations à ras de terre que *la Nausée* et *le Mur* avaient — après *le Voyage au bout de la nuit* — mis à la mode. *Les Temps Modernes* regorgèrent quelque temps de documents crapuleux (dus pêlemêle à des récidivistes, à des prostituées, ou simplement à des voyous) ; on y portait au pinacle *l'Enrico* de Marcel Mouloudji (où l'on voyait une mère violer son enfant après l'avoir enduit d'excréments), les récits sadiques de Boris Vian *(J'irai cracher sur vos tombes)*, les proses de Jean Genêt et les romans (dont la qualité humaine est indéniable) de Julien Blanc (2) *(Joyeux, fais ton fourbi,* 1945). On avait exalté dans ces confessions volontairement répugnantes « un parti pris de lucidité, de sobriété et de réalisme qui conduit à la destruction de tout langage littéraire au profit du langage même de la vie». La voie paraissait donc ouverte aux romanciers tentés par un vérisme à bon marché et par des descriptions scatologiques. En fait, les jeunes romanciers « populistes» surgis autour de 1950 n'ont pas vérifié ces craintes. Si leur langue est verte, leurs héros souvent crapuleux, ils ne s'en sont pas tenus — et il faut les en féliciter — à l'observation clinique d'une humanité déchue. Tantôt une gouaille populaire (René Fallet (3), Jean-Paul Clébert), tantôt une pitié douloureuse et une sympathie vraie pour les souffrances des enfants et des humbles (Emile Danoen, Louis Calaferte, François Boyer, José Cabanis), tantôt même une volonté optimiste de relèvement (Yves Gibeau, Jean Paulhac), tantôt

(1) René Etiemble, né en 1910, critique littéraire aux *Temps Modernes*, puis à la *Nouvelle N.R.F.*, a publié deux romans : *l'Enfant de Chœur* (1937) et *Peaux de Couleuvre* (3 volumes, 1948), des traductions de T. E. Lawrence et de G. A. Borgese, et de nombreux essais : *le Mythe de Rimbaud* (thèse de doctorat ès lettres, 3 volumes), *Six Essais sur trois Tyrannies* (1951), *Hygiène des Lettres* (3 volumes) aux éditions Gallimard.

(2) Né en 1908, Julien Blanc a publié *Seule la vie*, roman-cycle en trois volumes (*Confusion des Peines, Joyeux, fais ton fourbi, le Temps des Hommes*).

(3) Né en 1927 à Villeneuve-Saint-Georges, fils de cheminot, René Fallet publie en 1947, *Banlieue Sud-Est*, puis *le Triporteur, les Pas perdus, la Grande Ceinture, Les vieux de la vieille*, aux éditions Denoël.

enfin un bonheur d'expression évident (Albert Vidalie) ôtent
à leurs descriptions les plus noires tout venin.

Mais le sens de ces investigations n'est pas douteux : dans
le roman d'aujourd'hui, *le clochard a pris la place du héros*.
Une populace dévoyée succède à la riche galerie de personnages qui va de Julien Sorel aux héros de Tosltoï : exemplaire
ou non, le héros de roman était appelé, sinon à la sainteté,
à l'amour ou au génie, du moins à goûter aux richesses du
monde, aux plaisirs de l'action et aux joies de la pensée, à
communier avec les hommes, avec leurs souffrances et leurs
espoirs. Le héros d'*On vous parle* (dans *Je vivrai l'amour
des autres*, de Jean Cayrol) est devenu le symbole d'une humanité déchue, qui mange furtivement, dort furtivement, subit
la vie et ne la domine pas — un homme auquel nul ne fait
signe, qui ne sait pas rire, qui n'ose pas aimer, qui n'a connu
de l'existence que ses revers, ses humiliations... Du héros
sympathique et pitoyable de Jean Cayrol aux clochards
atroces de Samuel Beckett, la route est peuplée où la détresse
ne fait que s'aggraver. Entre les deux hommes, il y a place
pour toutes sortes de personnages, mais presque tous incarnent, à des titres divers, la déchéance de la condition humaine :
les *truands* classiques de Jean-Paul Clébert (1), explorateur
d'un *Paris insolite* et cependant littéraire — le Paris des
ponts et des bistrots, des prostituées et des voyeurs, un grouillement larvaire d'hommes aux yeux de poisson qui s'emparent,
la nuit venue, de la ville déserte — les bohèmes provinciaux,
historiques et pittoresques d'Albert Vidalie (2) (mais la
Bonne Ferte et *Chandeleur l'Artiste* ne valent pas les délicieux
Bijoutiers du Clair de lune) les mendiants d'Albert Cossery (3)
les enfants abandonnés dont Louis Calaferte (4), Emile

(1) Né à Paris en 1926, J.-P. Clébert a publié chez Denoël : *Paris insolite*,
la Vie sauvage, Provence insolite et un roman : *le Blockhaus*.

(2) Né en 1913, l'Auvergnat Albert Vidalie, chanteur de plein air et de
cabaret a publié (chez Denoël) : *les Bijoutiers du clair de lune, la Bonne Ferte,
Chandeleur l'Artiste* (1958) et adapté à la scène : *les Mystères de Paris*.

(3) Né au Caïre en 1913, Albert Cossery a publié : *les Hommes oubliés de
Dieu* (1940), *la Maison de la Mort certaine* (1942), *les Fainéants dans la Vallée
fertile, Mendiants et orgueilleux* (Julliard 1955).

(4) Né à Turin, le 14 juillet 1925, employé dans une usine de piles électriques,
camelot, dessinateur de tissus et figurant de cinéma, Louis Calaferte a publié
deux récits (chez René Julliard) : *Requiem des Innocents* (1952) et *Partage des
Vivants* (1954).

Danoen (1) ou François Boyer (2) nous décrivent les « jeux interdits», les enfants de troupe d'Yves Gibeau — autant d'hommes ou d'adolescents en marge de la morale et de la vie.

La fermeté du style relève parfois ces témoignages à sens unique : médecin, Jean Reverzy (3) n'est pas suspect d'attendrissement devant une humanité dont il connaît la misère et à laquelle il ne propose aucun espoir ; mais de ses récits exacts sourd une mélancolie poignante. De même, en dépit de détails déplaisants, une humanité vraie se dégage-t-elle des récits apparemment désespérés d'un José Cabanis (4) (récits que sauve la pitié vraie, venue de l'âme, du romancier pour ses malheureux personnages comme s'il refusait de les abandonner à leur malheur) ou des autobiographies à peine romancées d'André Perrin (5) *(Mario, l'Indifférent, le Père).* Quant à Jacques Perry (6), il échappe, lui, à l'autobiographie, pour édifier, sur des thèmes chaque fois différents (l'amour, l'éducation, le sacerdoce) une œuvre dont les qualités romanesques, la force, l'émotion contenue appellent les plus vifs éloges. On n'en saurait dire autant de l'œuvre, trop

(1) Emile Danoen, né en 1920 à Moëlan-sur-Mer (Finistère). Elevé au Havre, après avoir gagné sa vie à Marseille par des moyens de fortune et exercé quelque temps la profession de « violoniste ambulant», encouragé à écrire par Gabriel Bertin, rédacteur en chef des *Cahiers du Sud,* a publié : *Cerfs-volants* (Jean Vignaud), *La Queue à la pègre, l'Heureuse Aventure, la Maison soufflée aux vents* (Prix Populiste 1951) (ces trois volumes chez Julliard).

(2) Né à Cannes en 1920, cheminot puis instituteur et scénariste, François Boyer a publié *Jeux inconnus* (portés à l'écran par René Clément sous le titre *les Jeux interdits*) et *l'Emeute* (aux Editions de Minuit).

(3) Jean Reverzy, médecin lyonnais, né en 1905, a publié chez Julliard trois romans : *le Passage* (Prix Renaudot 1955, 100e mille), *Place des Angoisses* (1956, 15e mille) et *le Corridor* (1958).

(4) José Cabanis est né à Toulouse en 1922. Elevé chez les Jésuites, il a passé deux ans en Allemagne au titre du S.T.O. Diplôme d'Etudes Supérieures de Philosophie, doctorat en Droit. Avocat, il a soutenu une thèse de doctorat sur : *l'Organisation de l'Etat d'après la République de Platon et la Politique d'Aristote.* Il a publié (aux éditions Gallimard) : *l'Age ingrat* (1952), *l'Auberge fameuse* (1953), *Juliette Bonviolle* (1954), *le Fils* (1956), *les Mariages de Raison* (1958).

(5) André Perrin a publié chez Julliard : *Mario, l'Indifférent* et *le Père* (Prix Renaudot 1956, 80e mille).

(6) Jacques Perry a publié chez Julliard : *l'Amour de Rien* (Prix Renaudot 1952, 70e mille), *le Mouton noir* (13e mille), *M. d'Ustelles, Dieu prétexte, l'Amour de toi* (10e mille).

abondante de Jean-Charles Pichon (1) dont les personnages paraissent souvent dépourvus de toute nécessité mais dont une récente confession (l'*Autobiographe*, 1956) ne manque pas de courage.

*
* *

Rares sont les écrivains d'aujourd'hui qui ont su tirer une *mythologie* de l'observation de la réalité : ainsi le Paris bohème de René Fallet est plus consistant, plus opaque que le Paris léger, aux teintes 1925, d'Armand Lanoux. Jean Malaquais (2) l'auteur des *Javanais* (1939), nous introduit avec son *Gaffeur* (1953) au milieu des murs de la cité future, déjà entrevue dans *Planète sans visa* (1947). Après son autobiographique et bouleversant *Tanguy*, Michel del Castillo (3) a peint dans *la Guitare* (1957) un nain symbolique qui cherche en vain dans le regard d'autrui le peu d'amour qui l'empêcherait de tomber au rang des monstres.

---

(1) Né en 1920, Jean-Charles Pichon a été successivement commerçant, ouvrier, auteur dramatique et rédacteur en chef du *Patriote de l'Ouest*. Il a publié : *la Vie impossible, l'Epreuve de Mammon, la Liberté de décembre* (Prix du Quartier latin 1947), *Ceci est mon corps, Il faut que je tue M. Rumann* (Prix Sainte-Beuve 1950), *la Loutre, le Juge, Sérum et Compagnie*.

(2) Né le 11 avril 1908 à Varsovie, Jean Malaquais, professeur de littérature française dans des universités américaines, a publié : *les Javanais* (Prix Renaudot 1939), *Planète sans visa* (1947), *le Gaffeur* (1953), *la Courte Paille* (1956), romans ;

des nouvelles : *Coups de Barre* (1949), un *Journal* de Guerre (1943) ; des poèmes et des traductions (de Michael Fraenkel, Norman Mailer, Nils Peterson...)

(3) Michel del Castillo, né à Madrid en 1933, a vécu la guerre civile espagnole, l'exil en France, puis l'internement dans un camp de déportation nazi.

Il a publié (chez Julliard) : *Tanguy* (1953), *la Guitare* (1957), *le Colleur d'Affiches* (1958).

V

DE L'ÉSOTÉRISME AU « NOUVEAU ROMAN »

Aux antipodes de ces romanciers, naturalistes ou véristes, revoici les tenants de l'irréel, du surréel, ou de l'absence. Récusant le langage rationnel, la psychologie et le monde bien articulé des classiques, ils mettent en question la connaissance traditionnelle de l'homme et du monde.

Nous avons déjà nommé Georges Bataille, Maurice Blanchot et Alain Robbe-Grillet, mais ils ne sont pas les seuls à mettre au point de nouvelles techniques d'exploration du vieil univers romanesque, et à constituer une Ecole qu'on a tour à tour appelée celle du « Regard » ou du « Refus ».

1

MICHEL BUTOR, JEAN LAGROLET, NATHALIE SARRAUTE

Les trois romans de Michel Butor (1) *(Passage de Milan, l'Emploi du temps* et *la Modification)*, significatifs et denses, ne doivent rien aux techniques mises à la mode par les récits de Robbe-Grillet. Ils relèvent pourtant tous les trois d'une tentative analogue : mettre à jour de nouveaux rapports entre le présent et le passé, entre l'intelligence et la vie, de manière à pénétrer dans l'intimité d'une conscience que l'on s'interdit de violer ou même de survoler. Une nuit dans un immeuble de six étages de sept heures du soir à sept heures du matin *(Passage de Milan)*, l'atmosphère fuligineuse d'un centre minier de l'Angleterre *(l'Emploi du Temps)*, un

---

(1) Né à Mons-en-Barœul (Nord) en 1926, licencié de philosophie, Michel Butor a publié aux éditions de Minuit : *Passage de Milan* (1954), *l'Emploi du Temps* (Bourse Fénéon 1957), *la Modification* (Prix Renaudot 1957), et, chez Grasset, *Le Génie du Lieu* (1958).

voyage en chemin de fer de Paris à Rome *(la Modification)*...
autant de prétextes à jouer à cache-cache avec le temps
et la mémoire, comme l'avaient déjà fait Proust et Joyce.

S'ensuit-il que ce jeune romancier soit l'un des plus importants qui aient paru en France depuis vingt ans, comme on
l'a dit parfois ? Si cela doit être, il n'y a pas besoin de faire
appel au mot de révolution : car le temps de Michel Butor
était déjà celui de Proust, et le monologue intérieur dont il
use n'est plus une nouveauté (1). S'il faut donc le féliciter,
c'est de conduire ses récits avec mesure et lucidité, en ne s'enfermant pas dans d'illusoires trouvailles techniques. Cela est
frappant dans *la Modification*, dont le thème est simple et
même banal : un homme d'affaires se rend secrètement à Rome
pour y retrouver sa maîtresse, à laquelle il veut annoncer son
prochain divorce. Mais si tous les chemins mènent à Rome, le
plus court n'est pas nécessairement le meilleur : au fur et à
mesure que le train s'avance, la résolution du voyageur s'af-
faiblit. Au bout du voyage, l'amant, dégrisé, sera redevenu
un époux.

La Jalousie de Robbe-Grillet accusait l'arbitraire d'une
psychologie où l'on mesure les sentiments en minutes, cen-
timètres et longueurs d'onde. *La Modification* pourrait ouvrir
une tout autre voie à Michel Butor : celle du récit classique,
déjà adoptée par Jean Lagrolet (2) qui le met au service d'une
critique interne de la psychologie (*les Vainqueurs du Jaloux*,
1957).

*
* *

Les romans de Nathalie Sarraute (3) *(Portrait d'un Inconnu,
Martereau)* dans lesquels Sartre voit des *antiromans*, rappellent les récits de Bataille ou de Blanchot ; l'auteur s'est
fait d'ailleurs le théoricien, dans un essai — *l'Ere du Soupçon*
— intelligent mais trop systématique, de cette accusation
de la condition humaine par un romancier qui s'efforce de
délivrer ses lecteurs de l'obsession du sujet, de les amener à

---

(1) Edmond Dujardin (dans *les Lauriers sont coupés*) et surtout Valery
Larbaud l'avaient déjà utilisé.

(2) Né à Bayonne en 1914, Jean Lagrolet a publié : *le Pire* (1953) et *les
Vainqueurs du Jaloux* (Prix de Mai 1957).

(3) Nathalie Sarraude a publié : *Tropismes* (1939), *Portrait d'un inconnu*
(1947), *Martereau* (1954) et un essai : *l'Ere du Soupçon* (1956).

s'intéresser non à l'intrigue ou aux personnages, mais à la découverte, lente et parcellaire, d'une réalité encore inconnue.

Tropismes, son premier récit — où l'anecdote se réduisait à de rapides situations (quelques femmes autour d'une tasse de thé, des passants devant une vitrine) et où les personnages n'avaient même pas de nom, était une critique de ces gens (nous tous) qui parlent pour ne rien dire et n'ont d'autre terrain d'entente que le « lieu commun ». Sous cette carapace, l'auteur découvrait un grouillement larvaire d'existences hésitantes et frustes, masquées par le verbiage de l'*inauthenticité*.

Portrait d'un Inconnu, c'est l'histoire, obscure et brouillée, des rapports d'un père et d'une fille, de leurs vagues secrets, de leurs efforts pour apaiser leur trouble en parlant comme tout le monde, au besoin, en agissant comme tout le monde : ainsi le père se conduit comme tous les pères en poussant sa fille vers un mariage de raison.

« C'est un garçon sérieux, qui a une assez bonne situation, dit-il de son futur gendre. Il a réussi à mettre un peu de côté. Il a des goûts assez modestes... c'est un garçon qui est parti de peu, qui a toujours travaillé. Et ma fille a été habituée, elle aussi, à prendre la vie au sérieux... » On opine du bonnet, on l'approuve. Ces mots qu'il a l'air de dévider mécaniquement doivent avoir à la longue ce pouvoir apaisant, exorcisant qu'ont sur les croyants les paroles simples, monotones, des prières : il suffit parfois de les réciter machinalement pour résister aux tentations du Malin, pour raffermir la foi qui faiblit. Petit à petit, la foi viendra. Il n'y a qu'à s'abandonner. S'en remettre à eux en toute humilité. »

2

CLAUDE SIMON, ROBERT PINGET, PAUL GEGAUFF, HÉLÈNE BESSETTE

On peut rapprocher des romans de Butor l'œuvre, patiente et magistrale, de Claude Simon (1). Son *Tricheur* (1946)

(1) Né à Tanararive en 1913, viticulteur aux environs de Perpignan, Claude Simon a publié : *le Tricheur* (1946), *la Corde raide* (1948), *Gulliver* (1952), *le Sacre du Printemps* (1954), *le Vent* (1957).

ressemble au héros objectif de *l'Etranger* ; et *le Vent* (1957),
« tentative de restitution d'un rétable baroque » est l'effort
singulier d'un homme qui s'efforce de prendre totalement
conscience d'une réalité qui lui demeure pourtant étrangère.

En apparence, quoi de plus différent du sévère Robbe-
Grillet ou du patient Butor, que le succulent et truculent
Robert Pinget (1) qu'on a pu comparer à Benjamin Péret, mais
qui est peut-être plus près encore de Cendrars et de René
Fallet : ici le mot commande tout, crée l'action, emporte
le narrateur à un rythme endiablé. Dans *Mahu ou le matériau*
comme dans *Graal Flibuste*, court un même monologue
dont la loufoquerie séduit mais aussi fatigue.

Pourtant, comment ne pas deviner un art très concerté,
sous la fantaisie apparente, dans cette nouvelle version des
voyages de Gulliver ? « Pinget joue les innocents, il se pourrait
qu'il ne le fût point (2). »

Faut-il ranger à la suite de Pinget, Paul Gegauff ou Hélène
Bessette ? Ici, les ficelles sont encore plus grosses. Le premier
(dans *Rébus, le Toit des autres, Une partie de plaisir*) manie les
mots comme des confetti. La seconde (3) *(Lili pleure, Vingt
minutes de silence)* se laisse parler comme un enfant incapable
de construire une phrase. Le résultat : une logorrhée verbale,
semée d'images amusantes mais dépourvue de toute pensée.

Tenons-nous-en à ces premières images de l'Antiroman.
Ce serait une erreur de voir en elles *la* littérature de demain,
mais elles représentent certainement un ensemble de recherches et de tentatives au cours desquelles ne s'élabore pas
seulement un nouveau type de roman, mais une nouvelle
approche de l'homme.

---

(1) Né à Genève en 1920, Robert Pinget a publié : *Entre Fantoine et Agapa*
(1950), *Mahu ou le matériau* (1952), *Baga* (1956), *Graal Flibuste* (1957).
(2) Geneviève Serreau.
(3) Cf. PREMIÈRE PARTIE, Chapitre quatrième, IX.

3

DU COTÉ DU FANTASTIQUE

S'aventurer du côté du fantastique, c'est aussi dédaigner le monde « réel ». Pieyre de Mandiargues, que nous avons déjà salué (1) n'est pas, il s'en faut, le seul explorateur de ces provinces imaginaires fort recherchées ces quinze dernières années par de jeunes romanciers.

René de Obaldia (2) s'inscrit ainsi au côté de Pieyre de Mandiargues pour la luxuriante cocasserie du style, les incongruités verbales et la liberté de l'imagination qui rapprochent ses récits des poèmes de Larbaud ou des voyages imaginaires de Henri Michaux. Sans doute des aînés tels que Georges Limbour ou Noël Devaulx lui avaient-ils déjà montré la voie ; de bons esprits tiennent les contes du premier — des *Vanilliers* à *l'Enfant polaire* — pour des chefs-d'œuvre du roman poétique ; ils admirent aussi en Noël Devaulx (3) un des maîtres instinctifs de cette littérature de l'absence et de la mort dont Bataille et Blanchot se sont faits les théoriciens et sont d'autant plus ardents à défendre *le Pressoir mystique*, *l'Auberge Parpillon* ou *Sainte Barbegrise* que le grand public ignore cette œuvre cocasse et laborieusement insolite. De jeunes romanciers comme Jean-Louis Bouquet *(le Visage*

---

(1) Cf. pp. 333-334.

(2) René de Obaldia est né le 22 octobre 1918 en Chine (Hong-Kong), d'un père panaméen et d'une mère française. Etudes au lycée Condorcet. Prisonnier en 1940, quatre ans dans un camp de Silésie. En 1949, Prix de la Poésie Louis-Parrot pour son poème *Midi*. Ecrit pour le théâtre *quatre impromptus à loisir*, dont *le Sacrifice du Bourreau* et *la Veuve* (représentés au Théâtre de Lutèce). A publié en 1952, *les Richesses naturelles* ; en 1955, *Tamerlan des cœurs*; en 1956, *Fugue à Waterloo*.

(3) Né en 1905, Noël Devaulx a vécu en Bretagne jusqu'à vingt ans. Etudes scientifiques interrompues par la maladie : quinze années en montagne. Converti en 1934 au catholicisme, il a publié (la plupart de ces volumes chez Gallimard) *l'Auberge Parpillon* (1945), *le Pressoir mystique* (1948), *Compère, vous mentez, Sainte Barbe grise*.

de Feu), Marcel Bisiaux (1) *(Jeanne)*, Louis Pauwels (2) *(Saint quelqu'un)*, Guy Bechtel (3) *(l'Unique Objet)*, Francis Garnung (4) *(la Pomme)* ou Marianne Andrau (5) n'auraient donc fait que s'engager sur une voie déjà défrichée. Louis Pauwels, qui fait une brillante carrière de chroniqueur et de journaliste, n'a jamais caché sa curiosité envers les phénomènes mystiques (il a réuni un ensemble impressionnant de témoignages consacrés au cas Gurdjieff), qu'il explore dans ses nouvelles et dans ses romans, de *Saint quelqu'un* à *l'Amour monstre*. Marianne Andrau s'est révélée comme un maître en matière d'obsessions poétiques avec *les Mains du Manchot* et *le Prophète* dont le romantisme inspiré fait penser à des thèmes de Maurice Rollinat qui seraient traités par Maeterlinck. Quant à *D. C.*, son dernier roman, c'est un extraordinaire portrait, quasi prophétique, du monde qui nous attend. Monique Watteau (6) a tiré des effets saisissants d'anthro-

---

(1) Marcel Bisiaux est né à Lunéville (Meurthe-et-Moselle) en 1922. Etudes : sciences politiques, droit. En 1947, avec Antonin Artaud, Henri Thomas, André Dhôtel, Alfred Kern, fonde la revue « 84 » (18 numéros parus). Directeur de la revue *Points*, puis, depuis 1950, producteur de la R.T.F. (« la Principauté des Lettres » et depuis 1953 : *le Club des Liseurs*). Rédacteur à *Paris-Match* et directeur littéraire aux éditions de Flore.

Marcel Bisiaux a publié (aux éditions Gallimard) : des contes : *les Pas comptés* (1949), *l'Œil de la Tempête* (1953) ; des romans : *Jeanne* (1951), *les Petites Choses* (1954) ; et un essai sur Théophile de Viaud (Stock).

(2) Né en 1920, de père gantois, instituteur puis rédacteur en chef de *Combat* et d'*Arts*, Louis Pauwels a publié des romans *(Saint quelqu'un, les Voies de petite communication, le Château du dessous, l'Amour monstre)*, des pamphlets *(le Temps des Assassins)* et une *Biographie de Monsieur Gurdjieff* (aux éditions du Seuil).

(3) Né à Strasbourg en 1931, journaliste, Guy Bechtel a publié (chez Julliard) deux romans : *les Melons* (1956) et *l'Unique Objet* (1957).

(4) Francis Garnung est né en 1925 dans les Landes. Etudes chez les jésuites ; engagé à la Libération ; licencié en droit ; spécialisé dans la taille-douce et le livre de luxe. Il préside une société de bibliophiles. Il a publié une plaquette de poèmes, écrit plusieurs pièces (*Le Service des Pompes* fut monté en 1952 par Roger Blin au théâtre Lancry), et un roman : *la Pomme Rouge* (aux éditions Pierre Horay).

(5) Née dans le Gers, licenciée de philosophie, Mᵐᵉ Marianne Andrau a débuté en 1944 dans le journalisme féminin, écrit des nouvelles pour les hebdomadaires (sous le nom d'Adriane George), des romans populaires et des vies romancées, publié *les Mains du manchot* (1953), *le Prophète, Lumière d'épouvante* et *D. C.* (aux éditions Denoël).

(6) Monique Watteau est née en 1929 à Liège (Premier Prix d'art dramatique au Conservatoire Royal). Quelques rôles au cinéma et au théâtre. A publié

pomorphisme en donnant la parole aux deux règnes : les
végétaux dans *la Colère végétale* ; les animaux dans *la Nuit
aux yeux de bête*. Il ne serait pas difficile de rapprocher de
ces efforts vers l'insolite, les romans très personnels de Ladislas Dormandi (1) (*le Fantôme de la rue Babel*) ; de René de
Solier *(la Meffraie)*, ou de Francis Garnung, tels récits de
Dhôtel ou de Bosco, tels romans de Nicole Védrès ou de Lise
Deharme *(le Pot de Mousse)*, ici une page d'Yves Salgues
ou de Pierre Herbart, là un récit de Jules Monnerot *(On
meurt les yeux ouverts)*, ou un roman d'Alexandre Vialatte
(les Fruits du Congo) — qui n'oublie pas qu'il a traduit
Kafka — ou même les récits classiques d'un Louis-René des
Forêts. On verrait de même à quel point le don poétique transfigure tout ce qu'il touche, jusqu'à faire (*les Mutins* et, surtout, *les Tortues*, des récits de Loys Masson), romans d'aventures à la Conrad ou à la Melville, des livres chargés de
symboles et pénétrés de magie.

Mais, s'il faut marquer une préférence, nous placerons
une pierre blanche à côté des œuvres de Marcel Schneider (2)
et d'Alfred Kern (3). Le premier unit avec élégance et sûreté
deux traditions : le roman d'amour à la française et le merveilleux hérité du Graal. Depuis *le Granit et l'Absence* jusqu'à
la Première Ile et au *Sang léger*, en passant par *le Chasseur
vert* et par *Cueillir le romarin*, ce jeune romancier se montre
aussi à l'aise en ressuscitant le mythe de l'androgyne que

(chez Plon) trois romans : *la Colère végétale* (1954), *la Nuit aux yeux de bête*
(1956) et *l'Ange à fourrure* (1958).

(1) Ladislas Dormandi, Hongrois naturalisé Français, né en 1898, a publié
la Vie des Autres, la Traque, Pas si fou (Prix Cazes 1953) et (aux éditions
Pierre Horay), *le Fantôme de la rue Babel, Tu mourras seul*.

(2) Né à Paris le 11 août 1913, d'origine alsacienne, agrégé de lettres, professeur dans un lycée parisien, Marcel Schneider a publié : *les Trésors de Troie*
(Quatre Vents, 1946), *le Granit et l'Absence* (Pavois, 1947), *Cueillir le romarin*
(La Table Ronde, 1948) ; chez Albin Michel, *le Chasseur vert* (Prix Cazes 1950),
la Première Ile, le Sang léger, l'Enfant du Dimanche, Aux couleurs de la Nuit
(nouvelles), *les Deux Miroirs, l'Escurial et l'Amour*, ainsi que des biographies
musicales et des traductions.

(3) Né le 22 juillet 1919 à Hattingen (Allemagne), Alfred Kern, Français de
naissance, a passé son enfance à Strasbourg jusqu'en 1939. Etudes de théologie,
d'histoire et de psychologie à Heidelberg, Strasbourg et Leipzig. Depuis 1945,
habite Paris, où il est professeur. Alfred Kern a publié (aux éditions de Minuit):
le Jardin perdu (Bourse Fénéon 1950), *les Voleurs de Cendres* (chez Gallimard),
le Mystère de Sainte Dorothée, le Clown (1957).

lorsqu'il explore les nouveaux mystères de Paris. Quant
à Alfred Kern, c'est un maître en matière de dépaysement
psychologique et sentimental. Réaliste par les contours de son
récit et les procédés narratifs très simples dont il use, il vous
dépayse avec une sûreté troublante ; de ce point de vue, son
chef-d'œuvre est *le Clown* (1957), histoire réaliste si l'on veut,
mais d'un réalisme poétique et gœthéen, ballet précis et
symbolique où les épisodes douloureux, cocasses ou simplement décevants, de la vie du petit Bâlois Hans Schmetterling
qui cherche la gloire dans les tournées d'un cirque, reflètent
les avatars de la condition humaine.

VI

LES CHRÉTIENS ET LE ROMAN

L A renaissance de la littérature d'inspiration chrétienne
fait, au XXe siècle, un contraste éclatant avec la laïci-
sation des Etats et des mœurs, comme avec le progrès
des humanistes athées. Certes, dès la fin du XIXe siècle, un
Barbey d'Aurevilly, un Villiers de l'Isle-Adam, un Huysmans
avaient réagi contre la sensibilité vague et le déisme des romantiques (dont un Chateaubriand reste le meilleur exemple ;
son dernier héritier sera Barrès, plus sensible aux musiques
alternées de la chapelle et de la prairie qu'aux vérités du
dogme ou aux exigences de la morale). Puis, Léon Bloy et
Péguy placèrent leur réflexion au niveau des mystères chrétiens, assumant cette fois dans leur œuvre la métaphysique
— sinon toujours la morale — du catholicisme. A leur suite,
la génération de 1914 (qu'une enquête célèbre d'Agathon (1)
rangeait sous les bannières de l'ordre et de l'action, de Maurras
et de Barrès) illustra cette reconquête, par l'Eglise, d'une
part vivante de la jeune intelligentzia bourgeoise. Mauriac,
Bernanos et Julien Green dans le roman, Charles du Bos,
Gabriel Marcel et Jacques Maritain dans l'essai, le théâtre
d'idées et la philosophie, Paul Claudel dans la poésie et le
lyrisme dramatique, devaient définitivement rendre à la dialectique chrétienne de la nature et de la grâce, de la liberté
et du salut, droit de cité dans la littérature. Il ne s'agissait
plus pour eux de défendre respectueusement la politique et la
morale de l'Eglise (comme l'avaient fait ces sociologues de
bonne volonté qu'étaient Bourget, Bazin ou Bordeaux), mais

---

(1) Pseudonyme d'Alfred de Tarde et de Henri Massis (*les Jeunes Gens
d'aujourd'hui*, 1912).

de rendre accessible au monde moderne l'élan vital du christianisme, d'incarner la tension dramatique de la grâce et du
péché.

Tandis qu'un Jacques Maritain (1) s'efforçait de rajeunir
le thomisme, Gabriel Marcel (2) restituait à l'existence cette
priorité métaphysique dont l'idéalisme kantien l'avait dépouillée en déployant au-dessus d'elle le ciel inattaquable
des principes ; Mauriac, Bernanos et Julien Green mettaient
l'accent sur la nature coupable et humiliée, la grandeur du
sacerdoce ou le silence de Dieu dans un monde hostile. Leurs
héritiers — de Jean Cayrol à Roger Bésus et à Luc Estang —
opposent plus radicalement encore à « l'idylle chrétienne,
imposture révolue», à ses légendes consolantes, un « homme
à la face d'angoisse, de souffrance, de cruauté, mais qui au
moins a ce mérite de n'être pas l'homme de l'abstention et
des faux semblants, de rester un homme de désir» (3). Mais
dans leurs œuvres, la pression du siècle est telle que la foi de
leurs héros paraît souvent contaminée par l'athéisme ambiant
— à tel point que le héros de *Je vivrai l'amour des autres* de
Jean Cayrol est plus proche des porte-parole de Beckett ou
de Sartre que des personnages rassurants de Bourget ou de
Bazin. « A force de discréditer le pratiquant, observait à ce
propos le Père Barjon, ne voit-on pas que ce sont les gestes
de la vie chrétienne, l'humble effort pour acquérir la vertu
et l'usage des moyens du salut qui, du même coup, risquent
fort de se trouver dévalorisés (4) ?»

La même école romanesque a emprunté à Bernanos un
personnage de prêtre aussi éloigné du « bon vieillard» d'*Atala*
ou du curé de campagne de Balzac, que des ministres du culte
de Paul Bourget — mais non moins conventionnel : un personnage de théâtre, hanté par l'échec de son apostolat, muré
dans sa solitude, promis à la mort des martyrs oubliés. On
ne trouve pas trace chez les jeunes romanciers chrétiens surgis
depuis la guerre de l'optimisme cosmique d'un Claudel ;
leur vision de l'existence est pessimiste, voire tragique : pour

---

(1) Cf. QUATRIÈME PARTIE, Chapitre deuxième, I, 5.
(2) Cf. TROISIÈME PARTIE, Chapitre deuxième, IV, 2, et QUATRIÈME PARTIE,
Chapitre deuxième, I, 3.
(3) Albert Béguin, Semaine des Intellectuels catholiques, 1953.
(4) L. BARJON, *le Silence de Dieu dans la littérature contemporaine* (Editions
du Centurion).

eux, le christianisme ne saurait être un « code de la route»,
mais une philosophie de l'échec ; ils répondent à l'absurdité
du monde en lui opposant, comme le demandait Kierkegaard,
non pas une image consolante de la religion, mais le scandale
de la Croix. Le chrétien, pour eux, est moins l'exécuteur des
œuvres de Dieu que le témoin de sa Passion. Presque tous
récusent une société bourgeoise et un système social (le capitalisme) qui est pour eux l'incarnation moderne du Mal.
Albert Béguin faisait remarquer que leurs œuvres appartiennent à une « littérature du Vendredi-Saint» ; les souffrances d'une humanité crucifiée, l'attente douloureuse d'une
rédemption lointaine y tiennent plus de place que la louange
de Dieu. Et de l'œuvre divine de la Création, ils ne retiennent
souvent que les limites, les imperfections, voire les souillures :
qu'il y ait ici un nouveau romantisme, on s'en apercevra en
résumant les œuvres d'un Jean Cayrol, d'un Luc Estang,
d'un Paul-André Lesort, d'un Gilbert Cesbron ou d'un Roger
Bésus (un Michel de Saint-Pierre, dont nous avons parlé
plus haut, échappe à cette définition : sa santé, son optimisme
charnel, son indifférence envers les problèmes métaphysiques,
l'isolent de sa génération).

1

JEAN CAYROL OU L'APOLOGIE DU PUBLICAIN

Voici le plus attachant — et le moins convaincant — des
nouveaux romanciers chrétiens. Ce Bordelais (1), hanté par

(1) Jean Cayrol est né à Bordeaux le 6 juin 1911. Etudes de Lettres et de
Droit. Service militaire dans la marine. Bibliothécaire à Bordeaux, où il fonde
les Cahiers du Fleuve (1934). Arrêté par la Gestapo en 1942, Jean Cayrol
(qui faisait partie du réseau de Rémy) a été déporté à Mauthausen(1943-1945).
Il a publié : /
Des poèmes : le Hollandais volant (Cahiers du Sud, 1935), les Poèmes du
Pasteur Grimm (Armand Guibert, 1936), les Phénomènes célestes (Cahiers du
Sud, 1939), Miroir de la Rédemption (Cahiers du Rhône, 1943), Poèmes de la
Nuit et du Brouillard (Seghers, 1945), Passe-temps de l'homme et des oiseaux
(Cahiers du Rhône, 1947), les Mots sont aussi des demeures (Le Seuil, 1952),
Pour tous les temps (Le Seuil, 1955).
Des romans : Je vivrai l'amour des autres : I. On vous parle, II. les premiers
jours (Prix Théophraste Renaudot 1947), III. le Feu qui prend; la Noire

la mer, par la tristesse et la solitude des villes, est d'abord
et irrésistiblement un poète. Un poète sans forme ni mesure,
longtemps perdu dans les miasmes et les brouillards d'une
interminable adolescence, prélude ou pressentiment d'une
autre nuit plus noire — celle du camp de concentration :

> *Je ne sais rien de moi qu'un peu de temps perdu,*
> *qu'un peu de solitude au bord de ma fenêtre,*
> *je ne sais rien de moi que la pluie dans la rue...*

Navigation mythologique d'un homme exclu des richesses
de la terre, rêvant, sans les vouloir vraiment, du pain et
du vin, de la table et du lit, des richesses de l'ordre, mais
leur préférant quand même la liberté enivrante et fruste
du clochard. (Un poème, *le Hollandais volant*, a recueilli
cette navigation imaginaire.) Les héros de Jean Cayrol resteront toujours en marge de la vie ; le déporté de l'univers
concentrationnaire prendra seulement la relève du clochard
des quais de Bordeaux.

Son grand cycle romanesque (mais est-ce bien d'un roman
qu'il s'agit ?) *Je vivrai l'amour des autres* (Prix Théophraste
Renaudot 1947), débute par la confession d'une épave ;
le héros d'*On vous parle* annonçait, dès la Libération, les
sinistres personnages de Samuel Beckett. Que nous sommes
loin ici du monde de Balzac, de ses ambitieux et de ses
avares ! Tout se défait dans l'univers de Jean Cayrol, miné
par un insidieux refus d'exister : un homme sans pain,
sans toit et sans travail, erre entre une gare et des quais,
jouit de sa misère, dédaigne de combattre, heureux d'exister
sans but, sans règle et sans loi. Une phrase dit son espoir :
« Je vivrai l'amour des autres » — c'est à eux qu'il emprunte
une existence, en contemplant avec avidité le bonheur
instable d'un ménage ami avec lequel il finit par se brouiller.
Comme dans les premiers films de Chaplin, des objets modestes
— un couteau, un morceau de pain, un bout de fil de fer, une
vieille chaussure, un mégot — deviennent les symboles d'une

(1949), *le Vent de la Mémoire* (1952), *l'Espace d'une Nuit* (1954), *le Déménagement* (1956).

Un récit : *la Gaffe* (1957).

Et des essais : *la Couronne du chrétien*, *Lazare parmi nous* (1950) (tous ces
ouvrages aux éditions du Seuil).

civilisation inaccessible et d'une vie humiliée. Il faut tout un
livre — un long monologue d'*On vous parle* qui raconte l'enfance près de la grand-mère infirme, les virées dans la ville
hostile, la déportation par erreur, suivie d'un retour sans
gloire et d'un suicide manqué — pour que le héros reçoive
(dans *les Premiers Jours*) un nom et un visage, devienne autre
chose que le symbole immatériel d'un monde en déréliction.
La révolte affleure parfois comme un dernier reste de vie,
sous cette passivité trompeuse (dans un magasin à prix unique,
Armand brise et piétine les photographies souriantes des
vedettes). Le troisième volume *(le Feu qui prend)* pourrait
difficilement passer pour une conversion en dépit d'une
intrigue trompeuse : Armand revient chez sa mère. Mais il
n'est plus l'enfant naïf, surpris et humilié des premiers livres ;
il a fait du marché noir et fréquente maintenant de mauvais
garçons. A peine a-t-il rencontré Francine qu'il la perd. Il
vit avec sa mère, comme avec un complice, dans la peur et
dans la honte. Lorsque la mourante lui demande d'aller
chercher un prêtre, il refuse (« Ça n'empêche pas de mourir,
un prêtre. Toujours cette manie d'avoir de la police auprès
des voleurs, des pompiers auprès des incendies, des prêtres
auprès des mourants... se protéger, se protéger contre
quoi ?») Amené — trop tard — par Francine, le prêtre tente
d'émouvoir Armand (« Pourquoi me chassez-vous... pourquoi
me regardez-vous, mon enfant, sans me voir ? Je suis comme
vous, je n'ai rien de plus que vous») qui monologue une fois
de plus (« Qui oserait dire à son voisin qu'il a entendu des
voix ?... Nous n'entendons plus un air divin aux carrefours...
La fameuse Cène n'est plus aujourd'hui qu'un repas froid...
Les convives mangent debout, à la hâte... Comment penser
que Dieu tient encore table ouverte ?») Plainte que le prêtre
entend, à laquelle il donne un sens : « Tant qu'il y a une
révolte comme la vôtre, il y a une patience comme celle de
Dieu. Si vous vous plaignez, c'est qu'il y a une oreille pour
vous écouter. Du moment que vous acceptez de vivre, Dieu
vit aussi...» Tandis que Lucette revient mourir dans les bras
d'Armand, celui-ci sent grandir en lui une petite flamme
palpitante : ce « feu qui prend» est-ce l'amour naissant qui
va le rattacher à la vie ? Nous n'en sommes pas plus sûrs
qu'Armand.

Le même thème, sous des formes un peu différentes — la

solitude de l'homme, ses efforts vers la communion, sa méfiance envers une rédemption venue du dehors — se retrouve
dans toute l'œuvre de Jean Cayrol. Dans *la Noire* (1949 ;
histoire d'une femme qui bâtit un fantôme d'amour et laisse
en mourant « la plus hideuse image de la solitude, la plus
ingrate», parce qu'elle a tout subi et qu'elle n'a rien partagé),
dans *le Vent de la Mémoire* (1952) et *l'Espace d'une Nuit*
(1954 ; le héros, à travers une campagne endormie, regagne
comme en rêve, une enfance ratée dont il découvre seulement
les richesses), où la vie rêvée et inventée le dispute à la vie
vécue ; dans *le Déménagement* (1956 ; un thème d'actualité
nous donne à réfléchir sur l'état de l'homme dans un monde
où les choses ne lui appartiennent jamais en propre) comme
dans *la Gaffe* (1957 ; le héros qui vient de quitter sa maîtresse
lutte avec son angoisse, avec l'impossibilité de se reconnaître,
dans la grisaille humide d'un petit port breton)... mêmes
errances, même style allusif, mêmes silences, même difficulté
d'être : le héros est toujours « suspendu au destin des autres
pour résoudre le sien».

Nous aurions pu ranger Jean Cayrol, écrivain chrétien,
parmi les romanciers oniriques. Comme eux, il use du rêve,
peint le quotidien avec les couleurs du fantastique, et donne
aux plus simples histoires une teinte qui hésite entre le gris
et le noir, entre le purgatoire et l'enfer. Ses héros ne savent
pas plus que ceux de Beckett, de Dietrich ou de Robbe-
Grillet, d'où ils viennent et où ils vont ; comme eux, ils sont
traqués par une peur inexplicable, et cherchent à tâtons
une issue sans être assurés qu'elle existe. N'est-ce pas incliner
ces récits sans espoir que de leur prêter ingénieusement un
au-delà rédempteur et une conclusion positive, encore que
silencieuse ? Sans doute Jean Cayrol s'est-il gardé de récuser
la parenté qui unit son misérable héros à l'Homme de Douleur (« s'abandonner, ce n'est pas flancher mais accepter en
vain sa pauvreté ; la misère des hommes n'a pas de prix ;
un frisson sur les épaules trop faibles d'une femme, le premier
tremblement d'un enfant qui a faim, c'est de là que le monde
peut être sauvé... Ce n'est pas donné à tout le monde»).

Il plaide pour un « *romanesque lazaréen*», pour une littérature « de refus, de stagnation, de réminiscence», qui serait
aujourd'hui la seule véridique, la seule possible. Au chevalier
chrétien, à l'honnête homme, au héros d'une tradition millé-

naire, déchus de leurs privilèges, Cayrol oppose « des hommes sans nom, sans identité, des vagabonds de la grande Espérance», des « types malhonnêtes » que Dieu sauverait comme des témoins, des complices de son agonie, plus fidèles en dépit des apparences, que les exégètes et les « techniciens des Paraboles». La grande tentation de ces chrétiens pour qui le silence seul serait témoignage du sacré (de ces mêmes chrétiens qui réclamaient pour les prêtres-ouvriers le droit à un apostolat du silence) s'exprime ici sans fard mais non sans grandeur. Prenons garde qu'elle ne nous propose bientôt un nouveau pharisaïsme, dont le héros de Jean Cayrol serait alors le prophète : *le pharisaïsme du publicain.*

2

UN NATURALISTE CHRÉTIEN : LUC ESTANG

Comme Jean Cayrol, Luc Estang (1) est poète. Mais il s'est soumis plus aisément aux lois de la création romanesque. Un de ses récits décrit « le passage du seigneur» dans l'âme tourmentée d'un adolescent révolté — comme le furent les meilleurs de sa génération, et l'expérience d'Estang rejoint celle d'un Lesort ou d'un Pierre Emmanuel — contre un monde injuste, hypocrite et lâche — cette France malade de la fin de l'entre-deux-guerres. Heurté par la dévotion étroite, le moralisme triste d'un collège catholique du Nord, doutant d'une Eglise incapable de sauver l'humanité, d'as-

(1) Breton, mâtiné de Gascon, Luc Estang est né à Paris en 1911. Education dans des internats religieux de la Belgique et du nord de la France. Ses premiers poèmes paraissent à la fin de la guerre ; *les Stigmates* en 1949.
Trois voix au Prix Goncourt pour *Cherchant qui dévorer* (1951). Luc Estang a assuré, de 1934 à 1951, la direction de la page littéraire de *la Croix.* Il a publié :
Des recueils de poèmes : *le Mystère apprivoisé* (Laffont), *les Béatitudes* (Gallimard), *les Sens apprennent* (hors commerce), *le Poème de la Mer* (G.L.M.) ;
Des essais : *Invitation à la poésie* (Laffont), *le Passage du Seigneur* (Laffont), *Présence de Bernanos* (Plon), *Saint-Exupéry par lui-même* (Le Seuil) ; *Ce que je crois* (Grasset).
Des romans : *Temps d'amour* (Laffont, 1947), *Charges d'Ames* (Le Seuil, 3 volumes : I. *les Stigmates* (épuisé, Grand Prix de la Société des Gens de Lettres, 1950), II. *Cherchant qui dévorer* (1951), III. *les Fontaines du Grand Abîme* (1954), *l'Interrogatoire* (Seuil, 1957).

sumer sa misère, le jeune homme avait été tenté par le désespoir, avant d'affirmer sa foi dans le salut de l'homme par
l'amour incarné. Dix ans plus tard, il avait rencontré Bernanos
(mais on ne rencontrait pas Bernanos, on était happé, dévoré
par lui)...

Après un premier récit, médiocre (*Temps d'Amour*, 1947),
trop fidèle aux rites du roman classique (un désaccord conjugal qui ne va pas au-delà de l'adultère du cœur), Luc Estang
devait s'attacher à décrire le combat du péché chez des adolescents mal préparés à devenir des hommes. Comme il arrive
souvent dans ces sortes d'entreprises, la peinture du Mal,
régnant en maître sur un monde privé de lumière, est plus
frappante que celle des lents cheminements de la grâce, et
les Stigmates, premier tome de ces « Charges d'Ames», sont
plus convaincants que les deux derniers où l'auteur conduit
au port ses héros.

L'amitié de Bernanos n'a pas été sans influencer l'art du
romancier. Comment ne pas admettre, en effet, la parenté des
Stigmates avec *Un Crime* et *Monsieur Ouine* ? Même envoûtement, mêmes reliefs en creux, même lumière froide du soleil
de Satan. Le héros, M. Valentin, ressemble à M. Ganse et à
M. Ouine, et garde, dans les affaires du siècle, les habitudes,
la soif de domination, la raideur équivoque d'un prêtre
manqué. La peinture d'une tranche de vie tristement concrète
a choqué beaucoup d'âmes pieuses. On s'est étonné de voir
un critique catholique peindre un si noir tableau du monde.
Et l'auteur a dû se résoudre à retirer son livre de la circulation.

Dans les deux derniers tomes, *Cherchant qui dévorer*, et
les Fontaines du Grand Abîme, il a voulu nous montrer au
contraire le rachat des âmes à l'appel de la grâce, le chemin
de leurs vocations. Sans doute ces élèves d'un internat religieux portent-ils encore les stigmates du péché. Antoine
Fussy, le meilleur d'entre eux, n'a pu exorciser la trouble
empreinte de M. Valentin ; Elie Hurleau, Jean Demeure
restent déséquilibrés par la découverte d'une mésentente
familiale. Paule de Borre (à laquelle l'auteur voue une hargne
évidente) n'est pure qu'en apparence (et c'est ici qu'elle se
distingue de l'émouvante, de l'admirable figure bernanosienne
de Chantal de Clergerie qui semble lui avoir servi de modèle).
Frédéric Ramette, son amant transi, brave garçon et bon
chrétien, est un niais. De sordides histoires de mœurs et

d'argent se mêlent à la trame du récit. La vie est grise et
triste et l'espérance enfantine a peine à survivre à la découverte du mal. On ne voit pas toujours clairement ce combat
que l'apôtre Paul définissait dans une lettre fameuse : « Mes
frères, soyez sobres et veillez, car votre adversaire, le diable,
rôde comme un lion rugissant, cherchant qui dévorer. »
Et l'ensemble laisse une impression un peu confuse.

3

UNE TOPOGRAPHIE CHRÉTIENNE DE L'ÉCHEC
L'ŒUVRE DE PAUL-ANDRÉ LESORT

En 1947, le roman d'un inconnu — *les Reins et les Cœurs* de
Paul-André Lesort (1) — préfacé par Gabriel Marcel, fit
l'effet d'une révélation. L'auteur y expérimentait une technique nouvelle destinée à mettre en lumière la structure
intime des êtres et à dévoiler leurs rapports secrets. Refusant
à la fois d'utiliser les modes traditionnels de la narration
romanesque (où le romancier omniscient détermine à l'avance
le caractère et le destin de ses personnages) parce qu'ils
transforment les personnages en objets, et le monologue
intérieur, artifice hypocrite où l'auteur donne pour conscience
brute des personnages ce qui résulte en fait d'une élaboration
fictive, Paul-André Lesort entendait substituer une « technique de perspective » à une « technique de trompe-l'œil ».

---

(1) D'une famille nombreuse, fils d'un archiviste en chef des bibliothèques
de la Seine, Paul-André Lesort est né à Granville en 1915. Licence en droit à
Paris ; stage dans une banque. Mobilisé en 1939 comme chef de section d'infanterie. Fait prisonnier en juin 1940 ; cinq ans dans un oflag de Poméranie ;
évadé à la fin de 1944, puis repris, a passé les derniers mois de sa captivité dans
un camp près de Bergen-Belsen. Quelques mois après son retour en France,
atteint d'une poliomyélite, perd l'usage du bras droit.

Depuis la guerre, directeur littéraire des Editions du Temps Présent, puis
directeur de collection aux Editions du Seuil.

Avant la guerre, il avait écrit deux romans, dont l'un, porté à la *N.R.F.*,
lui fut « rendu par Jean Paulhan avec de bonnes paroles ». *Les Reins et les
Cœurs* (1947, Prix Paul Flat de l'Académie française), furent son premier
ouvrage publié.

Vinrent ensuite : *les Portes de la Mort* (nouvelles), *le Fil de la Vie* (I. *Né de
la chair* 1951, II. *le Vent souffle où il veut* 1954), (tous ces ouvrages à la
librairie Plon), *le Fer rouge* (Le Seuil, 1957).

Renonçant au privilège qui tend à identifier le romancier
« aux anges, sinon à Dieu », il adoptait tour à tour le point
de vue de chacun de ses personnages, « avec toutes les erreurs,
les obscurités, les passions, les intuitions que comporte le
caractère de ce personnage — avec aussi le monde intérieur,
les souvenirs, les habitudes d'esprit, les systèmes d'images
familières, les réflexes sociaux, qui colorent la vision de chaque
individu », et jusqu'à leurs erreurs de perceptions, *les Reins
et les Cœurs* nous offrent ainsi plusieurs versions des mêmes
scènes (la maladie de la petite Monique Lavallée est vue
successivement par les yeux de la mère et par ceux du médecin ; la Ve Symphonie de Beethoven, entendue tour à tour
par Michel Estienne et Pierre Jouffroy).

« Dieu seul sonde les reins et les cœurs », cette foudroyante
affirmation éclate d'un bout à l'autre de l'Ecriture. Que
possédons nous des êtres ? Une ou plusieurs images, quelques
instantanés plus ou moins tremblés... Où finit l'apparence ?
Comment oserions-nous dire : voici l'être ? » demande Michel
Estienne, héros et porte-parole de Paul-André Lesort.
Jusqu'au bout, le romancier respectera l'*indétermination* de
ses héros : il les laisse ouvrir et fermer à leur gré les vannes de
leur destin, et faire douloureusement leur salut, en se gardant
de les juger. Une telle optique met en relief l'existence irréductible de « l'autre », un des thèmes fondamentaux des philosophies existentielles. Mais alors que, pour les existentialistes athées, il n'y a pas de communion humaine possible
(« Nul ne peut mourir pour moi », dit Heidegger), pour le chrétien qu'est Lesort, les aventures individuelles se résorbent
dans le mouvement universel de la grâce. Sans doute l'auteur
voit-il dans le rêve d'une impossible unité la grande tentation
intellectuelle du monde moderne (« Sicut dei eritis ») : car
cette unité n'est pas de ce monde, et chaque homme doit,
au lieu de chercher à se fondre dans une communauté illusoire, approfondir sa propre destinée.

Le livre s'ouvre sur le faire-part du décès de M. Eugène
Drouet, Vice-Président de l'Institut Européen d'Etudes
Sociales, que pleure une famille bourgeoise, truffée d'ingénieurs et de fonctionnaires — « grouillement de tous ces vivants
autour de ce mort, comme des nécrophores autour d'un
mulot ». Cette flaque de noms épars va s'animer, en quarante-
six chapitres centrés chacun sur un être et sur une date.

(« Michel Estienne, mardi 17 octobre 1933 ; Monique Lavallée, 18 octobre 1933 ; Marc Lavallée, 29 octobre ; Lucien Manuel, 16 novembre... ; Fernand Drouet, 26 janvier 1935») ; ainsi prenons-nous connaissance de chaque personnage, à un moment *précis* de leur vie. Pas de vastes descriptions, de qualifications abstraites, de survols psychologiques, mais une lente découverte, une analyse minutieuse et fouillée, qui ne laisse rien dans l'ombre — rien de ce qu'il est humainement possible de déceler, car savons-nous jamais nous-mêmes les vraies raisons de nos actes ?

Chaque personnage est soumis à son tour au jugement des « autres ». Pour Eugène Lavallée, Michel Estienne, qui n'a pas trente-cinq ans, « se tourne déjà vers sa jeunesse comme font certains vieillards et il glisse sur la route de ce qu'est exactement l'esprit réactionnaire : le dépit devant la marche du temps ». L'amitié d'Eugène pour Gilbert Drouet est « saccagée » par leurs discussions politiques, car Gilbert, gendre d'un administrateur d'un trust automobile, est toujours « du parti de ses intérêts ».

Mais P.-A. Lesort ne fait qu'effleurer la politique. La substance de son livre est la vie de l'individu dans le milieu social, le déroulement et les drames de la vie familiale : pour lui la contrainte (Gide a dit :« le régime cellulaire ») n'est pas la loi de la famille mais l'isolement des êtres qui la composent. La structure dramatique du roman part de cette idée neuve. « Les gens qui parlent de la famille, dit Michel Estienne amèrement, me font penser aux auteurs du XVIIIe siècle parlant du bon sauvage. Le calme bonheur de la famille ! Quoi de moins calme déjà que la vie du couple ?... Une cité à jamais livrée au pillage... Nulle paix, et tout se consume... jusqu'à la mort.» Michel ne peut plus partager la vie de sa femme, auquel le médecin interdit toute naissance : depuis cinq ans, leur vie est celle de « deux êtres au bord d'un gouffre». L'homme renonce à une amie pour suivre une chanteuse, revient à sa femme, l'engrosse, en dépit de la Faculté, ce qui permet à Fernand Drouet, à l'enterrement de la malheureuse, de clore le livre par ces mots : « Ou bien Michel n'a pas su s'y prendre, et alors il est d'une naïveté qui confine à la bêtise. Ou alors il savait et il n'a pas voulu... et c'est un salaud.»

Toute vie aboutit donc à l'échec ; il n'y a ni communion

humaine, ni possibilité d'agir sur notre destin. A Gilbert
Drouet qui lui demande : « Cela vous serait donc indifférent
de mourir pour des raisons que vous n'avez pas choisies ?»
Emmanuel Valmont répond : « Cela ne m'est pas indifférent.
Mais cela est hors de mon atteinte. Vous préférez espérer...
J'aime mieux savoir.» Déclaration que Michel Estienne
reprend à son compte : « La Providence a son point de vue
qui n'est pas le nôtre. Je ne dis pas que pour Dieu notre vie
est dénuée de sens. Je dis que *pour nous elle peut l'être...
Nous ne sommes pas Dieu*. Le drame est que (la vérité)
n'existe que pour quelqu'un auquel je n'ai pas le droit de
m'identifier.»

Au-delà d'une forme malheureusement peu élégante et
parfois très imparfaite, ces idées retiennent parce qu'on les
sent pensées et vécues. Mais le milieu — une petite bourgeoisie française urbaine et intellectuelle — est étroit ; les
personnages ne se détachent pas de la moyenne ; pas un
être d'exception, pas un artiste, pas un prêtre, pas un regard
sur l'étranger.

L'ambition n'a pas de place dans cet univers, mais l'orgueil
y affleure toujours : étrange passion de ces chrétiens, orgueilleux, lucides et désespérés.

La critique n'a pas ménagé les éloges à ce remarquable
début (1), dont le philosophe Paul Ricœur, compagnon de
captivité de l'auteur et disciple de Gabriel Marcel (auquel
il avait porté le manuscrit de son ami) a bien mis en valeur
l'originalité : celle d'« une très complexe topographie de
l'échec». Et de souligner la rencontre du romancier avec le
philosophe Karl Jaspers :« Même conviction que nul ne dispose
d'une vue plongeante sur les êtres, ni d'une vue de l'intérieur
qui les rendrait transparents et sans énigmes ; même sentiment de l'étroitesse de ces visées latérales sur les autres

----

(1) Yves Gandon :« Si quelque bon sens présidait à l'attribution de ce qu'on
appelle les Grands Prix Littéraires, il est incontestable que... *les Reins et les
Cœurs* eussent dû être placés au premier rang » (*Cavalcade*, 6 février 1947).
Emile Henriot (*le Monde*, 16 avril 1947) et André Rousseaux (*le Figaro Littéraire*, 29 mars 1947), louant le romancier, déploraient cependant le « manque
d'art». Henri Rambaud fut le seul à protester contre l'épithète de « roman
catholique». Il y voyait « un immense appauvrissement » de la morale traditionnelle, le signe « d'un christianisme atrocement vidé de la parole divine »
(*l'Echo du Sud-Est*, 19 avril 1947).

êtres, même nécessité de rencontrer sur le dur chemin de l'unité le quatuor nocturne de la souffrance, de la faute, du combat et de la mort... même triomphe apparent de l'échec qui semble consacrer les limites de l'homme et de la communication. Mais seul le romancier est fidèle jusqu'au bout à ces grandes intuitions, car il les anime *sur* des êtres et nous les lisons *sur* des êtres (1).»

*
* *

On put croire un moment qu'en réconciliant ainsi Sartre et Flaubert dans une lumière chrétienne, Paul-André Lesort avait ouvert la voie à une nouvelle conception du roman : en fait, la technique qu'il utilisait ne pouvait sans péril être appliquée indifféremment à n'importe quel héros, sous peine de tourner au procédé. Après un recueil de nouvelles de ton classique *(les Portes de la Mort)* consacré à la psychologie du Français en temps de guerre (où l'on relevait un portrait sardonique de l'exode), l'auteur se tournait vers les humbles dans le cycle duhamélien du *Fil de la vie* : ici, rien d'exaltant dans le décor ni d'intense chez les personnages, toute la grisaille d'une vie quotidienne observée tour à tour par un père et par un fils. Celui-ci — Yves Neuville — rencontre l'amour, hésite à se convertir au catholicisme et s'y décide dans la solitude d'un camp de prisonniers ; mais il est bientôt happé par la mort. Dans *le Fer rouge*, Lesort est revenu à un mode traditionnel de l'expression romanesque : la confession sous forme de lettre. Une femme élève contre celui qu'elle a cessé d'aimer, un atroce acte d'accusation qui est aussi la libération violente d'une âme trop longtemps asservie.

Même s'il n'a pas retrouvé le succès mérité de son premier livre, Paul-André Lesort reste un romancier probe et attachant, ennemi de l'emphase héroïque comme de la sécurité bourgeoise, nostalgique de ces humbles dont il voudrait, comme hier Van der Meersch, partager les espoirs, les souffrances, l'interminable patience.

(1) *Esprit*, avril 1947.

4

UN ROMANCIER DE L'ENFANCE ET DU MIRACLE
GILBERT CESBRON

Luc Estang, Jean Cayrol, Pierre Emmanuel, Paul-André Lesort semblent n'avoir retenu de l'enfance que ses peines et ses limites — les vaines règles du collège, les contraintes de la vie familiale, une tristesse monotone — et puisent dans leurs premières impressions, leur révolte contre la société. Gilbert Cesbron (1) — un vaste public lui en a su gré — trouve au contraire son royaume dans cette prison. Les voix de l'enfance lui semblent les plus vraies, les seules pures de ce monde. Il a pour ses jeunes héros une amitié qui ne s'est jamais démentie, depuis *les Innocents de Paris* (1944) jusqu'à *Chiens perdus sans collier* (1955). Ses origines bourgeoises, le décor intime et familial de *la Tradition Fontquernie* (Prix des Lecteurs 1947) semblaient l'inviter tout naturellement à prendre place parmi les héritiers de René Bazin. Mais ce conteur poétique et tendre qui « traduit du vent » d'impalpables nouvelles, est un homme du XX⁰ siècle, aussi sensible au problème colonial qu'à la question ouvrière, et aux yeux de qui rien, fût-ce une pieuse légende, ne vaut la dure vérité. On sait qu'il a contribué à révéler aux Français le nom et l'œuvre du Docteur Schweitzer, aussi célèbre aux Etats-Unis que scandaleusement inconnu dans sa propre patrie, tandis

---

(1) Petit-fils de l'éditeur de Lamartine, Gilbert Cesbron est né à Paris le 13 janvier 1913. Etudes de Droit et Sciences Po. Directeur des Programmes à Radio-Luxembourg. Marié, père de quatre enfants. Il a publié une plaquette de poèmes (*Torrents*, Corrêa, 1934), des romans : *les Innocents de Paris* (Prix de la Guilde du Livre 1944), *On croit rêver...*, *la Tradition Fontquernie* (Prix des Lecteurs 1947, 28⁰ mille), *Notre Prison est un Royaume* (Prix Sainte Beuve 1948, 93⁰ mille), *la Souveraine*, *les Saints vont en enfer* (310⁰ mille), *Chiens perdus sans collier* (200⁰ mille), *Vous verrez le ciel ouvert* (65⁰ mille), *Il est plus tard que tu ne penses* (1958).

Des contes : *Traduit du vent*.

Des essais : *Chasseur maudit*, *Ce siècle appelle au secours* (45⁰ mille), *Libérez Barabbas* (1957).

Deux pièces de théâtre : *Il est minuit, docteur Schweitzer !* (1949, 46⁰ mille), *Briser la Statue* (tous ces volumes aux éditions Robert Laffont).

Ainsi qu'un livre pour enfants (aux éditions Clairefontaine) : *les Petits des Hommes*.

qu'une autre de ses pièces de théâtre « brisait la statue » conformiste et commode de la petite sainte de Lisieux.

Le plus célèbre de ses livres reste *les Saints vont en enfer* (1952) où il a mis en scène les prêtres-ouvriers avec non seulement l'ambition de peindre un apostolat de type nouveau, mais la misère ouvrière, et cette lèpre qu'est la banlieue de Paris.

Les qualités du « roman » sont évidentes. Le livre est honnête et probe ; il émeut, et quelquefois il bouleverse. Il voit juste même s'il peint noir : le monde de Sagny, ses bistrots, ses usines et ses impasses lépreuses sont vrais, ses ouvriers sont des ouvriers, ses mendigots sont des mendigots. Cependant, il s'agit plus d'un « sous-prolétariat » misérable que de la classe ouvrière « consciente et organisée ». C'est le quartier qui est décrit, non l'usine.

Il est souvent impossible de distinguer la part du reportage et celle du roman. C'est un mérite si l'on pense que tout roman doit être un document ; du point de vue littéraire, c'est peut-être une faiblesse. Ainsi, les épisodes « invraisemblables » du livre (le billet de mille qui tombe du ciel, l'ouvrier qui se tue après avoir écrit : « Mon Christ, j'en ai marre, je vais vers toi ») sont vrais (le premier épisode est arrivé à une ouvrière que connaît l'auteur et le second a été rapporté par l'abbé Godin dans *France, Pays de mission*). Ce qui était peut-être plus difficile, le livre est honnête : le Père Pierre fait corps avec la classe ouvrière, partage ses revendications (il participe au mouvement des Combattants de la Paix), mais il ne condamne pas sans recours ses adversaires ; il rectifie son jugement sur le curé de Sagny. Son dialogue final avec l'archevêque (où le Père, qui a commis de graves imprudences, se voit retirer son poste au combat) est d'une justesse de ton, d'une dignité, d'une équité incomparables. La clairvoyante et paternelle bonté du cardinal (en qui il est impossible de ne pas reconnaître le cardinal Suhard) s'oppose à la fermeté de son successeur : les deux portraits se complètent et définissent la politique de l'Eglise, la prudence de ses chefs venant tempérer les hardiesses de ses saints. Le Père gagnera, pour une brève retraite, le couvent du Nord où l'a précédé son ami Bernard et il lui suffira d'apercevoir les hauts fourneaux et les terrils de son enfance pour être confirmé dans sa vocation : « celle de la nuit, de l'hiver, des enfants battus… Sa ligne de

Joie passait par le plus grand malheur des autres». Au roman,
on peut faire cependant plus d'une objection. Gilbert Cesbron
a cédé, presque malgré lui, à une optique qui est celle du
« roman rose» (sur un sujet noir) et que symbolise le titre :
les choses ne sont pas aussi simples ; tel épisode où le prêtre
plaide la cause d'un bourreau d'enfant est excessif ; enfin
l'auteur ne répond pas à l'objection d'Henri : « Tu peux te
tirer quand tu voudras.» Et cela, c'est le centre du drame :
le prêtre est d'abord un prêtre comme les autres, mais il se
veut un ouvrier. Finalement il doit choisir entre le prêtre et
le militant : adopter la cause de la classe ouvrière jusqu'à
se confondre avec elle, s'abaisser avec elle, ou tenter de l'élever
vers la lumière. L'auteur penche pour la première solution,
mais l'Eglise a choisi la seconde et liquidé (au moins provisoirement) l'expérience des prêtres-ouvriers, quitte à la
reprendre plus tard sur des bases nouvelles.

Au lendemain de cet immense succès de public (dû surtout
à l'actualité du sujet), Cesbron devait revenir à l'inspiration
centrale de son œuvre — aux enfants. Avec quel amour il
nous décrit ces « chiens perdus sans collier» que sont les
jeunes délinquants — pitoyables épaves qui, de l'Assistance
publique aux maisons de redressement, perdent une à une
leurs illusions, guettant la lettre d'une mère, la main tendue
d'un ami, l'affection d'un maître, passant de l'espoir à la
déception — « l'espoir, qui fait courir les chiens perdus, privilège des enfants et des pauvres». Sont-ils seulement responsables, ces terribles petites brutes qui, un matin, « on ne
sait pourquoi, crèvent les yeux des lapins, mangent un merle
cru, arrosent le chat d'essence et y mettent le feu» ? Non,
répond l'auteur, ce sont les morts qui déforment leur bouche
et leurs gestes — « la vérole du grand-père, les dix pernods
par jour de leur père, la tuberculose de leur mère». Avant de
les livrer à une parodie de justice, de les insérer de force dans
« cet univers de logique et de phrases, cette ville de papier»,
mieux vaudrait se demander ce que notre société leur a donné,
et quelle vie elle leur propose. Le thème était émouvant,
traité avec une conviction entraînante ; mais l'écueil de ce
type de roman, c'est de verser dans la littérature édifiante.

A force d'opposer ainsi la bonté de l'enfant aux malforma-
tions de la société, et le clair regard de quelques personnages
exemplaires à la masse des adultes sans imagination, Gilbert
Cesbron cède à une dichotomie facile, qu'aggrave encore
l'intervention du miracle. Ainsi, son avant-dernier roman
(*Vous verrez le ciel ouvert*, 1956) est-il un exemple à ne pas
suivre. Une rhétorique à bon marché — qui combine la vision
technique d'un grand barrage de montagne (comme celui de
Tignes) et le climat psychologique d'un nouveau Lourdes,
fait dialoguer, pour les besoins de la cause, un communiste,
un ouvrier C.F.T.C. et un ingénieur faits sur mesure —
avant d'aboutir à un miracle trop attendu.

La même prédication insistante ôte aux recueils d'articles
de Gilbert Cesbron (*Chasseur maudit*, *Ce siècle appelle au
secours*, *Libérez Barabbas*) une bonne part de leur valeur.
C'est d'autant plus dommage que l'essayiste mérite notre
sympathie puisqu'il affirme une confiance indestructible en
la vocation spirituelle de l'homme.

5

Un héritier de Bernanos : Roger Bésus

Une observation analogue pourrait être faite à propos de
Roger Bésus (1). Nous avions été de ceux qui crurent reconnaître en lui, dès son premier roman (*le Refus*, 1952) un héritier authentique de Bernanos.

Dans ce récit dense et douloureux, la menace qui pèse sur
un enfant était l'occasion d'une de ces minutes de vérité
pendant lesquelles quelques êtres peuvent se découvrir, se
connaître, se juger, avant de s'en aller pour ne plus se revoir.
Ni le vieil ivrogne qui épie les progrès du Mal sur le visage

---

(1) Roger Bésus est né en 1915, à Bayeux. Adolescence au Havre. Ingénieur
de Travaux Publics à Rouen, il habite en lisière de la forêt.

Il a publié des romans : *un Homme pour rien* (éditions Arc-en-Ciel, 1947),
le Refus (Le Seuil, 1952), *Cet homme qui vous aimait* (Le Seuil, 1953), *Louis
Brancourt* (Le Seuil, 1955), *le Scandale* (La Table Ronde, 1955), *les Abandonnés*
(La Table Ronde, 1957).

Une pièce de théâtre : *Savonarole ou Que meurent les témoins* (Le Seuil, 1955).
Et un essai sur *Barbey d'Aurevilly* (Editions Universitaires, 1958).

de l'institutrice dont il a fait son esclave, ni son amie, incar-
nations méprisantes de la fatalité, l'« Ananké» des Grecs, ne
peuvent rien contre la grâce dont ils étaient les témoins stu-
péfaits. Comme le curé de campagne de Bernanos de *Cet
Homme qui vous aimait* (1953), l'abbé Annebault apparaît
à ses ouailles comme un signe de contradiction, sinon de déréliction. Incapable de «laisser faire», il se refuse à dissimuler
les hontes de son peuple sous le manteau de Noé. En marge
de ce peuple, encore christianisé, le nouveau centre de recherches atomiques bouleverse le rythme séculaire des moissons,
pour lui substituer un calendrier où la technique est reine ;
l'amitié du savant Hébert-Davoust a pourtant permis au
prêtre d'y pénétrer. Mais l'abbé Annebault se demande si
Dieu l'entend. N'a-t-il pas fait le malheur de ces êtres qui
sans lui n'auraient songé qu'à vivre en paix ? Et le malheureux prêtre meurt en rêvant d'être aimé par son Dieu comme
il l'a été par sa mère. « Mais dans sa cellule, une petite fille,
quelque part au loin, tenait son cœur levé comme une veilleuse
sur ce pays couvert d'ombre. Et peut-être cela suffirait-il
pour que Dieu aperçût ce pays quelque jour, et qu'il ne fût
pas pour l'éternité coupé de Sa lumière.»

On a été plus sévère pour ce deuxième roman que pour le
premier, dont la forme brève et pleine avait fait choc. Pourtant, c'est le même accent qui court d'un bout à l'autre de ces
deux œuvres, le même secret, le même état de grâce, la même
nature sanctifiée. Tout ce qu'évoque Roger Bésus est lourd
d'une présence innommée.

Mais l'écueil de ce romanesque «bernanosien» réside dans
l'excès même du tragique qui pèse sur les héros. Le prêtre
de Roger Bésus, réplique outrée du célèbre curé de campagne
de Bernanos, est crucifié par une vérité trop lourde pour sa
faible chair. Témoin de Dieu parmi les hommes et des hommes
auprès de Dieu, il entend être au milieu de tous, l'un d'entre
eux — ni plus ni moins ; il échoue et meurt pour avoir voulu
rendre à Dieu ce que les hommes cèdent si facilement à César.
Vision héroïque mais partielle du sacerdoce.

Dans *Louis Brancourt* (1955), Roger Bésus est allé jusqu'à
peindre un laïc tenté par la fonction sacerdotale au point de
prendre la soutane de sa propre initiative. Ce petit représentant de commerce qu'obsède la possession des âmes, préfère
passer pour un mauvais prêtre que pour un chrétien banal.

Il se veut prophète pour « clamer la parole du Dieu des armées, du Dieu farouche, du Dieu qui châtie et qui brûle». Mais s'il rêve d'être un saint, il n'en garde pas moins femme et maîtresse et maudit sa fille. Grisé par ses propres paroles, il imagine une théologie toute personnelle : Dieu a eu tort de s'incarner, il aurait dû rester sur son trône, obéi plutôt qu'aimé. Brancourt qui se prend pour un prophète de l'Ancien Testament, pour l'annonciateur de la vengeance divine, proteste contre la séparation de l'Eglise et de l'Etat, ce dogme « à partir duquel on a revu le catholicisme». Ce que l'Eglise doit remettre à Dieu, ce « n'est pas quelques âmes éparses, mais une communauté, un peuple dans sa Cité» — un nouvel Israël — mais ici, l'essayiste pointe sous le romancier.

Le « Scandale» c'est celui que cause Hervé Mauny, dont la vie contredit l'œuvre. « Il faut vivre comme on pense, sinon on finit par penser comme on a vécu», disait Paul Bourget : Roger Bésus s'efforce de démontrer le contraire, comme si un grand romancier catholique pouvait vivre en pécheur sans rien enlever à son témoignage de sa valeur exemplaire. Hervé Mauny, idolâtré par quatre femmes, en est venu à se persuader que son œuvre fait son salut à sa place. Ses lecteurs ont besoin de ses livres ; pour écrire il doit vivre en homme et « le reste, pour eux, est sans importance». Conception romantique du génie, défendue avec éloquence et feu.

Les Abandonnés (1957) sont la peinture — à l'ombre de la cathédrale de Bayeux, témoin muet d'une foi disparue — d'une humanité déchue dont Dieu lui-même s'est lassé. Un conducteur de travaux, intelligent et viril, trompe sa solitude en faisant la chasse aux créatures — entre autres cette Simone qui mourra phtisique après l'avoir épousé in articulo mortis. Récit confus et ténébreux où l'on retrouve un libraire dostoïevskien, un prêtre désarçonné, un enfant innocent...

La richesse, la profondeur, le sens métaphysique de Roger Bésus devraient le placer au premier rang de nos jeunes romanciers ; mais il brouille d'instinct les pistes et les traits de ses personnages, et ses récits sont souvent obscurs, eaux fortes tourmentées qui ne laissent passer qu'une lumière assourdie.

6

Autres aspects du nouveau roman chrétien

Ce premier choix n'a pas la prétention d'être exhaustif. Nous avons préféré détacher quelques œuvres significatives plutôt que de nous cantonner dans une énumération fastidieuse des romans d'inspiration chrétienne parus depuis cette guerre. Si nous avions voulu être complet, nous aurions dû consacrer des analyses sensiblement égales à bien d'autres œuvres. Nous ne citerons ici que quelques noms : d'Henri Queffélec (1) — probe et vigoureux Breton dont le *Recteur de l'île de Sein* (1947) est l'affirmation puissante, quasi granitique, du surnaturel au milieu d'une société plus superstitieuse que religieuse — à Abel Moreau.

Antoine Giacometti (2), disciple de Bernanos, témoigne d'une intuition de la destinée spirituelle de l'homme et d'une connaissance remarquable, quasi proustienne, de la société contemporaine (dans *le Figuier maudit*, sa « Soirée chez les Marcovitch » évoque la soirée chez la duchesse de Guermantes) et ses héros ambigus rappellent ceux de Dostoïevski. Il a

---

(1) Henri Queffélec est né à Brest en 1910, le cinquième d'une famille de sept enfants, d'une souche purement bretonne. Son père — officier d'artillerie — est tué en 1916, à Verdun. Etudes à Louis-le-Grand ; Ecole Normale supérieure (1929) ; agrégé des Lettres (1934), lecteur de langue et littérature françaises à l'université d'Upsal (1935-1939), puis professeur à Marseille, Queffélec quitte l'enseignement en 1942. Marié, père de quatre enfants. Il a publié :

Trois essais, dont un *Portrait de la Suède* (Hachette, 1948) et *le Jour se lève sur la banlieue* (Grasset) ;

Trois recueils de nouvelles et dix romans : *Journal d'un Salaud* (1944), *Un Recteur de l'île de Sein* (1945), *la Fin d'un Manoir* (1945), *un Homme à la Côte* (1946), *la Culbute* (1946), *Chemin de Terre* (1948) (tous ces volumes aux éditions Stock), *Pas trop vite, S. V. P.* (Mercure de France, 1948), *Au bout du Monde* (Mercure de France, Prix du Renouveau français, 1949), *Un Feu s'allume sur la Mer* (Le Livre Contemporain, 1956), *Un Royaume sous la mer* (Presses de la Cité, Grand Prix du Roman de l'Académie française 1957).

Pierre Bost et Jean Aurenche ont adapté à l'écran *Un Recteur de l'île de Sein* sous le titre *Dieu a besoin des hommes* (dans une mise en scène de Jean Delannoy) ; le film, joué par Pierre Fresnay, a obtenu à Venise le Prix catholique international du Cinéma.

(2) Antoine Giacometti a publié des romans (*l'Ennemi nocturne*, au Seuil ; *le Figuier maudit*, chez Calmann-Lévy) et un essai sur Bernanos.

repris à son compte le symbole du figuier maudit de l'Evangile et l'on pourrait voir dans son œuvre l'apologie de la purification par le feu : « car nous ne renaîtrons que de notre cendre, et c'est du plus bas de la mort que jaillira notre plus haute lumière». — Dans la génération de Sartre et de Malraux, l'essayiste Pierre-Henri Simon (1) exprime les idées de la démocratie chrétienne à la manière et presque dans le style de Paul Bourget. Dans *les Raisins verts* comme dans *Elsinfor*, il ne peut s'empêcher de stigmatiser une caste, aristocratique ou bourgeoise, dont il flétrit la morale et raille l'absence d'idées, quitte à prendre le parti de tel ou tel personnage, au lieu de laisser se nouer sous nos yeux une histoire qui ne manquerait ni de vérité, ni même d'émotion.

Un Joseph Majault (2), habile à explorer les rapports qui unissent les membres d'une famille — un père et ses enfants dans *les Dernières Amarres*, un jeune couple dans *un Amour heureux*, — un Jacques de Bourbon-Busset (3) que de courts récits intenses, dans l'esprit et le style du XVIIe siècle, ont mis soudain au premier rang, mériteraient chacun une analyse détaillée.

(1) Né en 1903 en Saintonge, ancien élève de l'Ecole Normale supérieure, agrégé de l'Université, Pierre-Henri Simon mène une double carrière de professeur (à la Faculté Catholique de Lille, puis à l'Université de Fribourg) et d'écrivain.

Il a publié des poèmes : *les Regrets et les Jours*, Prix Francis Jammes 1950), de nombreux essais politiques et littéraires (cf. p. 696), et des romans : *l'Affut* (1946, 60e mille), *les Raisins verts* (Prix du Renouveau français 1950), *les Hommes ne veulent pas mourir* (Prix des Ambassadeurs 1953), *Elsinfor* (1956) (la plupart de ces œuvres aux Editions du Seuil).

(2) Né le 1er décembre 1916 à Niort, prisonnier quelques mois en 1940, administrateur civil au ministère de l'Education Nationale, Joseph Majault dirige le service des expositions du Musée pédagogique. Père de trois enfants, il a fait paraître, outre une étude sur *le Jeu dramatique et l'Enfant*, un essai : *Mauriac et l'art du roman* (1946) et quatre romans : *Je plaide coupable* (1953), *Entre tes mains* (1954), *les Dernières Amarres* (1956) et *Un Amour heureux* (1957), (chez Robert Laffont).

(3) Jacques de Bourbon-Busset est né à Paris en 1912. Ancien élève de l'Ecole Normale supérieure, entré dans la carrière diplomatique en 1937, président de la Croix-Rouge française en 1944, il a dirigé le cabinet de M. Robert Schuman, et quitté la carrière comme directeur des Relations Culturelles (1952-1957).

Il a publié quatre romans aux Editions Gallimard : *le Sel de la terre* (sous le pseudonyme de Vincent Laborde), *Antoine, mon frère, le Silence et la Joie* (1957, Grand Prix du Roman de l'Académie française) et *le Remords est un luxe* (1958).

On se bornera à louer la discrétion, le dépouillement de ces deux romanciers ; le second prend ses modèles en plein Port-Royal et la perfection un peu grêle de ses évocations (d'un frère mort ou d'un amour éteint) illustre un classicisme formel où les sentiments eux-mêmes ont quelque chose d'anachronique. Il y a plus de liberté chez Alain Peyrefitte (1) qui a délaissé le symbolisme élégant de son premier conte *(les Roseaux froissés)* pour se rapprocher de la réalité, et romancer, en compagnie de Claude Orcival, la vie diplomatique (où, dans *Ton pays sera mon pays*, d'un fait divers dramatique, il tire une morale et une psychologie).

Retenons au moins deux noms de romancières dans l'abondante littérature féminine d'expression catholique : ceux d'Yvonne Chauffin (2) et de Claude Longhy. La première a la virilité des Bretonnes : ni la maladie, ni les épreuves de la guerre n'ont pu entamer la robustesse d'un tempérament qui fait violemment face à la vie. Après *Marqués sur l'épaule*, son premier livre (1952), témoignage vécu sur les malades du Val-de-Grâce, la « saga» des *Rambourt* reprenait l'histoire classique d'une famille terrienne pendant la dernière guerre ; l'absence des hommes, la tragédie de la guerre, l'âpre rivalité des femmes, l'acceptation chrétienne de la souffrance donnaient à ces quatre volumes un accent inattendu. Un don manque pourtant à ce romancier vigoureux : celui du style. Le sien est sans grâce et parfois sans correction.

---

(1) Alain Peyrefitte est le cousin de l'auteur des *Ambassades*. Né en 1925, ancien élève de l'Ecole Normale supérieure, puis de l'Ecole Nationale d'Administration, entré dans la carrière diplomatique, il est actuellement sous-directeur au ministère des Affaires étrangères.

Il a publié (chez Gallimard) un roman : les *Roseaux froissés* (1948) et un essai : *le Mythe de Pénélope*. Sa femme, Claude Orcival, a publié de son côté deux romans : *Ton pays sera mon pays* (1953) et *le Compagnon* (1956).

(2) Née à Lille (où son grand-père était professeur de médecine à la Faculté Catholique), d'une vieille famille de soldats, élevée en Egypte jusqu'à seize ans, mariée avec un officier du génie, ayant vécu l'occupation dans sa propriété bretonne de Berluhec (incendiée dans les combats de la poche de Lorient), brutalement atteinte par la maladie en avril 1944, Mme Yvonne Chauffin a commencé au Val-de-Grâce le roman vécu de *Marquée sur l'épaule* (1952). Puis est venue la série des *Rambourt* : I : *Que votre Volonté soit faite* (1952) ; II : *le Combat de Jacob* (1953) ; III : *la Porte des Hébreux* (1954) ; IV : *le Voyage de Tobie* (1955), en 1957, le journal romancé d'un jeune délinquant : *Ces Enfants de malheur !* et, en 1958, *la Brûlure*. (Tous ces volumes au Livre Contemporain.)

Les qualités et les défauts de Mme Claude Longhy (1) sont moins apparents : ce romancier de la famille met au service d'une éthique chrétienne les moyens du roman populaire ; le style le cède au document mais l'actualité du témoignage ne saurait, à elle seule, en garantir la durée.

Il faudrait mentionner aussi un Maurice Chavardès (2), un Christian Dédeyan (3), un Jean de Foucauld (4). On s'étonnera peut-être de voir citer à leur suite l'audacieux *Jean-Paul* de Marcel Guersant (5). Ce récit, qu'on ne saurait, certes, mettre entre toutes les mains, donne une sensation comparable, par son intensité dramatique, au premier roman de Bernanos. La peinture sans complaisance d'une chair asservie au péché (qui est ici l'homosexualité), celle d'une conversion poussée jusqu'à l'héroïsme, donnent à ce document de cinq cents pages un accent inimitable de gravité dans l'audace. Un pécheur y accueille la mort avec joie parce qu'il a pris son mal en horreur. Son propre corps lui est devenu un objet de scandale et il préfère la destruction de sa chair au triomphe de la tentation. Une phrase recueillie dans ses papiers posthumes éclaire son calvaire : « Ce qui fait peur à ceux qui ont compris une fois, c'est précisément qu'ils ont compris ; aussi tentent-ils de se dérober en se disant qu'ils n'ont pas compris, car qui a compris une fois, fût-ce obscurément, ce que serait l'obéissance, il n'a plus de repos qu'il n'ait cédé. » Et le roman illustre le mot de Pascal :« Pour faire d'un homme un Saint, il faut bien que ce soit la Grâce, et qui en doute ne sait ce que c'est que Saint et qu'homme. »

Ce document « d'une importance considérable » (a dit

---

(1) Née à Paris, Mme Claude Longhy a publié des poèmes : *Présences*, et chez Robert Laffont, des romans : *le Fruit de vos entrailles* (Prix des Lecteurs 1949), *la Mesure du Monde* (Prix du Renouveau français 1951), *les Enfances, Annabelle, Archanges aux mains cruelles, Annabelle et Damien, Tels sont les jours* et *Cet Etranger pareil à moi* (1957).

(2) Maurice Chavardès, rédacteur à *la Vie Intellectuelle* et à *Témoignage Chrétien* a publié (aux éditions Calmann-Lévy) *le Rendez-vous de l'Aube* (1953) et *les Morts n'attendent pas* (1955).

(3) Cf. DEUXIÈME PARTIE, Chapitre deuxième I, 5.

(4) Et aussi Etienne de Greeff (*le Juge Maury, la Nuit est ma lumière*), l'abbé Pézeril (*Rue Notre-Dame*), Yvonne Pagniez...

(5) Né en 1913, Marcel Guersant a fait des études de théologie, publié une édition critique des *Pensées* de Pascal et un roman : *Jean-Paul* (Editions de Minuit, 1953).

Gabriel Marcel), ce roman extraordinaire et si imparfaitement accueilli, fait songer à ce qu'aurait pu nous donner un Proust chrétien — que, depuis Joseph Malègue, nous attendons encore.

Marcel Guersant s'évadera-t-il un jour de l'étroit et brûlant domaine des passions interdites ? En ce cas, nous devons beaucoup attendre d'un romancier dont le frémissement spirituel s'unit à tant de vérité humaine.

Pour ne pas clore ce chapitre sur un roman « scandaleux», ajoutons encore à notre liste une œuvre insolite, le *Saint-Jacob* de Jean Cabriès (1) : un jeune auteur y ressuscite, avec une apparente naïveté, le héros célèbre et inconnu de la Bible, dont il fait un paysan retors, madré quoique un peu fruste, partagé entre Lia et Rachel (et l'on devine quel morceau de bravoure la célèbre nuit de noces autorise), entre ses enfants et ses troupeaux, avant de redécouvrir, avec le Dieu d'Israël, sa propre vocation.

---

(1) Jean Cabriès est né en 1929 à Marseille. Etudes de droit à Aix-en-Provence. Protestant, J. Cabriès a été rédacteur à *Réforme*, *Saint-Jacob*, son premier roman (Plon, 1954) a été traduit en Angleterre, aux Pays-Bas, en Finlande, en Argentine, en Allemagne, en Suède et aux Etats-Unis.

VII

ROMANCIERS D'AFRIQUE DU NORD
ET DE LA MÉDITERRANÉE

A DE rares exceptions près, la province française n'a pas d'expression littéraire, même si l'on tient compte des efforts des nombreuses académies et sociétés, poétiques ou non, qui, de l'Académie d'Alsace aux Rosati de Toulouse, entretiennent le goût des belles lettres et des recherches historiques ; mais il s'agit là plus de *régionalisme culturel* que de littérature. Si la province française anime — d'aucuns disent même : paralyse — l'activité politique, au point que certains terroirs (la Corse ou la Corrèze) pèsent autant dans la balance parlementaire que les grandes régions motrices de notre économie, elle demeure à l'écart d'une activité artistique dont Paris — un Paris moins français que *mondial*, une Babel cosmopolite qui fond dans son creuset les talents de vingt peuples divers — garde toujours le monopole (1). Les grands écrivains régionalistes de ce temps ne sont pas Français : c'était le Vaudois Ramuz, c'est l'Anversoise Marie Gevers, et si Mauriac est inséparable du Bordelais, Giono de la Provence ou Chamson des Cévennes, on ne saurait pourtant limiter leur œuvre comme celles d'un Jean Rogissart ou d'un Ludovic Massé, à l'expression d'un terroir.

---

(1) Ajoutez à cela l'horreur de nos écrivains pour la province. Un écrivain français, remarque Sartre, ne saurait vivre hors de Paris, et il ajoute, avec une douce ironie :

« C'est à Paris que les écrivains de province, s'ils sont bien nés, se rendent pour faire du régionalisme ; à Paris que les représentants qualifiés de la littérature nord-africaine ont choisi d'exprimer leur nostalgie d'Alger. » (*Qu'est-ce que la littérature ?*

Il y a cependant des exceptions : La Varende, Giono, Pourrat, Thibon...

Il y a pourtant une exception majeure : celle de l'Afrique du Nord. Quel que soit le jugement qu'on porte sur le principe de la colonisation, défendue par ceux-ci, haïe par ceux-là, un fait est incontestable : une littérature de langue française mais de contenu entièrement original est née de l'autre côté de la Méditerranée. Elle ne doit plus rien au dépaysement exotique auquel se sont alimentés, de Fromentin aux Tharaud, en passant par Gide et Montherlant (1), tant d'écrivains français.

1

L'ÉCOLE FRANÇAISE D'AFRIQUE DU NORD

L'impressionnisme d'un Louis Bertrand, l'« Algérianisme» d'un Robert Randau, l'évasion africaine de « Voyageurs traqués» sont, depuis longtemps, dépassés. Les poésies marocaines de Henri Bosco, (*Des Sables à la Mer*, 1950), les ingénieux divertissements psychologiques que Christian Murciaux (2) emprunte à l'histoire de l'Islam (*le Douzième Imam*, 1954) font eux-mêmes figure d'exceptions. Européenne ou musulmane, la nouvelle littérature d'Afrique du Nord ne doit plus grand-chose au tourisme ou à l'histoire. Elle vit dans le présent auquel elle emprunte son climat tendu, ses thèmes et ses personnages. Et ses meilleurs représentants ont aujourd'hui une audience internationale.

(1) Cf. les trois ouvrages (d'Aimé Dupuy et Roland Lebel), consacrés à la place tenue, respectivement, par *l'Algérie, la Tunisie et le Maroc dans les lettres d'expression française* (Editions Universitaires, 1956). On y voit les romanciers, français et musulmans, de la jeune école d'Afrique du Nord, prendre la relève de Jean Lorrain et de Louis Bertrand, de Gide et de Montherlant, d'André Chevrillon, de Pierre Mille et des Tharaud.

(2) Christian Muracciole (en littérature Christian Murciaux) est né en 1915 à Constantine. Après des études de Droit et de Sciences Politiques, il est entré dans la carrière diplomatique en 1944 ; il occupe actuellement un poste à la Direction des Relations Culturelles.

Christian Murciaux a publié des poèmes : *la Pêche aux Sirènes, le Fil du Labyrinthe, le Dormeur aux yeux ouverts, l'Arbre de Jessé.*

Des romans : *la Fontaine de Vie, les Paradis perdus,* chez Julliard ; *les Fruits de Canaan* (1949), *la Porte des Galions* (1950), *le Douzième Imam* (Prix de la meilleure nouvelle 1954), *le Gros Lot* (1955), chez Plon ; et une pièce de théâtre : *Didon* (1949).

Parmi ceux-ci, Albert Camus, Jules Roy, Emmanuel
Roblès ont franchi, depuis la guerre, les écluses de la notoriété.
Quoi de plus *situé*, de plus inséparable de son Algérie natale
et du monde méditerranéen que l'œuvre de Camus ? Ce fils
d'un ouvrier agricole de Mondovi et d'une paysanne espagnole
n'a jamais oublié la terre où les dieux « parlent dans le soleil
et l'odeur des absinthes, la mer cuirassée d'argent, le ciel
bleu écru, les ruines couvertes de fleurs». Et c'est dans le
silence et la lumière de Tipasa qu'il revient chercher, loin
des villes enfumées, le secret de la Sagesse. Au côté de Camus
et de Jules Roy, Emmanuel Roblès (1), âpre et poignant
romancier (*les Hauteurs de la Ville*, 1946 ; *Cela s'appelle
l'Aurore*), s'inscrit dans la même note sobre d'un stoïcisme
qui se refuse à toute évasion dans une foi, spirituelle ou
politique. Le peintre René-Jean Clot (2) a signé des tableaux
puissants et désordonnés, où la beauté des images le dispute
au caractère obsessionnel et à l'incohérence des scènes ; le
goût du mot juste et du détail exact s'y heurte sans cesse
à une sorte de délire onirique. Son premier roman, *le Noir
de la Vigne*, nous transportait chez des fous ; puis, dans
Fantômes au Soleil, un ébéniste était dévoré par sa création :
un cercueil baroque et symbolique. La suite de l'œuvre
— du *Poil de la Bête* au *Bleu d'Outre-Tombe* — n'a pas tenu
ces promesses ; la gaucherie est restée ; non la force. Pourtant,

(1) Emmanuel Roblès est né le 4 mai 1914 à Oran. Il a quitté l'enseignement
pour le reportage et voyagé en Europe Centrale, en Extrême-Orient et en
Amérique du Sud.

Son premier livre, *l'Action*, date de 1937. Depuis, Emmanuel Roblès a
publié des romans : *la Vallée du Paradis*, *Travail d'Homme* (1943), *Nuits sur
le monde*, *les Hauteurs de la Ville* (Prix Fémina 1948), *la Mort en face*, *Cela
s'appelle l'aurore* (porté à l'écran par Luis Bunuel), *Fédérica* et *les Couteaux*
(tous ces volumes aux éditions du Seuil).

Au théâtre, il a fait jouer *Montserrat*, *la Vérité est morte*, *l'Horloge* et *Porfirio*.

Président du Pen-Club d'Afrique du Nord, il dirige aux éditions du Seuil,
la collection « Méditerranée» qui a révélé des écrivains comme Mouloud
Feraoun, Mohammed Dib, José-Luis de Villalonga, Marie Susini, etc.

(2) Né près d'Alger en 1913, René-Jean Clot a travaillé à l'Académie scan-
dinave avec Despiau, Friez et Gromaire. Il a voyagé dans toute l'Afrique et,
pendant la guerre, a appartenu à la colonne Leclerc. Il a publié des poèmes
(dans *Mesures*, *Europe*, *Esprit*, *les Cahiers du Sud*) et des romans : *le Noir
de la Vigne*, *Fantômes au soleil* (1949), *Empreintes dans le sel* (1950), *le Poil
de la bête* (1951), *le Mât de Cocagne* (1953), *le Meunier*, *son Fils et l'Ane* (1954),
le Bleu d'Outre-Tombe (1956) (aux éditions Gallimard). *Comme une Rose de sel*
a paru aux éditions Fontaine ; *Paysages africains* chez Tisné (1945).

l'évocation du 8 novembre 1942 dans *le Meunier, son Fils
et l'Ane* est émouvante et vraie.

Avec Marcel Moussy, nous descendons d'un cran : il s'agit,
d'un livre à l'autre, d'une aimable chronique d'une Algérie
française encore à demi coloniale (déjà décrite par Jeanne
Montupet et Lucienne Jean Darrouy), saisie dans son adolescence allègre, celle des paysans-soldats de Bugeaud *(Arcole
ou la Terre Promise)* ou dans sa maturité un peu molle *(le
Sang chaud, les Mauvais Sentiments)*.

Quant à Jacques Robichon (1) — dont les premiers romans
empruntent à l'Afrique leur climat violent et heurté — et
à André Rosfelder, l'Afrique du Nord ne leur fournit guère
qu'un décor, puissant et haut en couleurs (2).

2

Romanciers de la Méditerranée

Mais cette école française d'Afrique du Nord pourrait être
plus justement appelée « Ecole de la Méditerranée». Elle
rassemblerait alors tous ceux de nos contemporains, de
Valéry à Camus, dont l'œuvre s'inscrit sous le signe et dans
le climat de la vieille *Mare nostrum*, si justement célébrée
par Jean Grenier (3) *(Inspirations méditerranéennes)* et par
Gabriel Audisio (4) *(Jeunesse de la Méditerranée)*. On verrait
alors les héros tendus de Claude de Fréminville, de Jacques

(1) Né en 1920, élève (au lycée Pasteur) de Sartre et de Daniel-Rops, Jacques Robichon a participé, en 1944-1945, aux campagnes d'Italie, de France
et d'Allemagne, puis a travaillé à Berlin, auprès du Conseil de Contrôle allié.
Il a publié (chez Julliard) des romans : *la Mise à mort* (1951), épilogue tragique
d'une dynastie algérienne, *Poussière de l'Eté* (1952) — dont l'action se situe
en Afrique du Nord — *les Faubourgs de la Ville* (1956) et un essai consacré
à *François Mauriac* (Editions Universitaires, 1953).

(2) Citons encore Jean-Louis Cotte (né à Valence en 1923, marié à une
Algérienne et installé à Blida), auteur de *Colonne de Fer, Les Jeux de Solitude,
Face à face* et *l'Appât* (Albin Michel) ; J.-B. Canavaggia (*Nous, les Elus*, 1946) ;
J. Bogliolo (*Broussailles*, 1946) ; J. Pélegri (*l'Embarquement du Lundi*, 1952).

(3) Cf. Quatrième Partie, *la Vie des Idées*.

(4) Né à Marseille le 27 juillet 1900, Gabriel Audisio est surtout connu
pour son œuvre poétique (cf. Deuxième Partie). Mais il est aussi l'auteur du
Sel de la Mer et de *Jeunesse de la Méditerranée* et s'est fait l'historien « des
expressions littéraires de l'Algérie» — terme qu'il préfère à celui de littérature
algérienne dans *Visages de l'Algérie* (1953).

Robichon, de René-Jean Clot prendre la relève de *Pépète le Bien-Aimé* et des colons de Bab-El-Oued chers à Louis Bertrand, et les invocations lyriques de Camus ou d'Audisio succéder aux petites scènes « orientalistes» de Fromentin ou de Théophile Gautier. Mais la nouvelle littérature française comprend aussi des écrivains qui, sans rien devoir à l'Afrique, n'en sont pas moins plus près d'elle que du fameux « hexagone régulier» qu'est la France métropolitaine : Corses comme Marie Susini (1), Grecs comme André Kedros, Espagnols comme José-Luis de Villalonga (2), ou Michel del Castillo (3). Ces deux derniers sont de brillants exemples du génie assimilateur de notre culture à laquelle l'un apporte, avec les images, parfois atroces, de la guerre civile espagnole, un des plus beaux talents de violence et de mépris dominés qui aient paru en France depuis Mérimée, et l'autre les poignants souvenirs d'un enfant du siècle à la recherche d'une patrie.

3

ROMANCIERS MUSULMANS D'AFRIQUE DU NORD

Du côté musulman, on ne s'en étonnera pas, l'inspiration est tout autre : le génie de l'Islam s'oppose avec la même force à la tradition cartésienne qu'à la logique « absurde» du nouveau roman français. Le lyrisme y colore d'une poésie fruste et imagée une revendication essentiellement politique : celle

(1) Marie Susini née en Corse, a publié (aux éditions du Seuil) trois romans : *la Fiera, Plein Soleil, Un Pas d'homme*, et une pièce de théâtre : *Corvara*.

(2) Né à Madrid en 1920, José Luis de Villalonga a combattu dans les rangs franquistes pendant la guerre civile espagnole. Il a fait des études de droit à l'université de Salamanque et passé le baccalauréat français. Correspondant à Londres, puis à Buenos Aires, du journal *Destino* de Barcelone, il devait critiquer violemment le régime franquiste et émigrer en France en 1950.

Depuis *les Ramblas finissent à la mer* (1952) traduit par Emmanuel Roblès, il a écrit directement en français *les Gens de bien* (1955) et un recueil de nouvelles, *l'Heure dangereuse du petit matin* (1957), ainsi que plusieurs récits parus aux *Œuvres libres* et à la *Revue de Paris*.

Une pièce, tirée des *Gens de bien*, a été créée en 1957 par Madeleine Robinson, au théâtre du Gymnase. Une autre pièce, écrite directement en français — *Visa sans retour* — doit être montée à Berlin et à Londres.

(3) Cf. p. 374.

d'un peuple qui aspire, fût-ce dans une autre langue que la
sienne, à la reconnaissance de sa *personnalité*, voire de sa
nationalité. Si des romanciers comme Ahmed Sefroui se
contentent parfois d'un exotisme aimable (dans *le Chapelet
d'Ambre*), si Abdallah Chaamba (1) ajoute un épilogue gidien
aux confidences africaines d'Européens assoiffés d'uranisme
(dans *le Vieillard et l'Enfant*), un Mouloud Mammeri, un
Mouloud Feraoun, un Albert Memmi, un Mohammed Dib,
un Driss Chraïbi, accueillis aussitôt par les plus vifs éloges
de la critique parisienne, posent avec une franchise brutale
les problèmes brûlants d'un Maghreb révolté : Mohammed
Dib (2) en décrivant la misère d'un quartier populaire de
Tlemcen (dans *l'Incendie* et *la Grande Maison*), Mouloud
Mammeri (3) en opposant l'avidité française au rêve oriental,
dans un village berbère pendant la guerre (dans *la Colline
oubliée*, 1952) et la mentalité de deux générations (dans *le
Sommeil du Juste*, 1955) ; Mouloud Feraoun (4) en exprimant
toute l'amertume d'un enfant pauvre en Kabylie (*le Fils du
Pauvre*, 1950) et celle du travailleur nord-africain devenu
étranger dans son pays natal (*la Terre et le Sang*, 1953 ; *les
Chemins qui montent*, 1955) ; Albert Memmi (5), en peignant

(1) Abdallah Chaamba a publié (d'abord sous forme de fascicules « tirés sur
du papier de différentes couleurs, dans des formats inconnus, raturés et corrigés
à la main») un récit — *le Vieillard et l'Enfant* — qui fit la joie d'André Gide
(récit repris, en 1954, par les Editions de Minuit).

(2) Né à Tlemcen en 1920, Mohammed Dib a fait ses études à Oujda et
exercé les métiers les plus divers : fabricant de tapis, comptable, instituteur
et journaliste.
Collaborateur des *Cahiers du Sud*, il a publié (aux éditions du Seuil), un roman cycle intitulé *Algérie*, en trois volumes — *la Grande Maison* (1952),
l'Incendie (Prix Fénéon 1954), *le Métier à tisser* (1957) — et un recueil de
nouvelles : *Au café* (Plon, 1956).

(3) Né en 1917 à Touarirt-Mimoun (Haute-Kabylie), Mouloud Mammeri a
fait ses études à Rabat et à Paris. Professeur de lettres à Alger, il a combattu
dans les rangs français en 1944-1945. Il a publié (à la librairie Plon) : *la Colline
oubliée* (Prix des Quatre Jurys 1952) et *le Sommeil du Juste* (1955).

(4) Mouloud Feraoun est né en 1913 à Tizi-Hibel, commune mixte de Fort-
National (Haute-Kabylie). Fils de fellah, il obtint une bourse et fit ses études
à Tizi-Ouzou, puis à l'Ecole Normale d'Alger. Dirige actuellement l'école de
Fort-National.
Il a publié (aux éditions du Seuil) trois romans : *le Fils du Pauvre*, *la Terre
et le Sang* (Prix Populiste 1953) et *les Chemins qui montent* (1955).

(5) Né à Tunis, Albert Memmi a publié (aux éditions Corrêa) deux romans :
la Statue de Sel (1953) et *Agar* (1955) et un essai : *Portrait du Colonisé*, précédé
de *Portrait du Colonisateur* (1957).

la solitude d'un Juif de Tunis, séparé de ses compatriotes, comme Kafka l'était des habitants de Prague, par le triple écran d'une langue, d'une race et d'une religion ; Alexandre Bénillouche, le héros de *la Statue de Sel*, « indigène dans un pays de colonisation, juif dans un univers antisémite, Africain dans un monde où triomphe l'Europe», a choisi la langue et la culture de la France sans pour autant être accepté par elle ; *Agar* dénonce la duperie du mariage mixte. Ajoutons qu'Albert Memmi se montre impitoyable envers le colonialisme (dans son *Portrait du Colonisé*) ; Driss Chraïbi (1) exprime, en termes plus elliptiques, un drame analogue : celui du jeune Africain qui, sur la foi de la propagande officielle, gagne la France qu'il a appris à aimer à l'école, dans l'espoir d'y trouver une patrie, et s'y voit condamné à la solitude, à la misère et, par-dessus tout, à l'humiliation. Mais le pire cri de révolte émane peut-être encore de Kateb Yacine (2), dont le roman de *Nedjma* confère une force poétique singulière à l'image de la patrie rêvée, fleur menacée dès sa naissance qui s'enracine au cœur d'un peuple aux abois.

Mais pour s'épanouir, la littérature musulmane, qui a grandi dans la revendication, la révolte et la haine, a besoin, comme l'Algérie elle-même, de l'amitié française. Saura-t-elle le reconnaître (3) ?

(1) Né en 1926, à Mazagan (Maroc), Driss Chraïbi est venu en France (après des études coraniques et des études de chimie, interrompues juste avant le doctorat), où il vit depuis dix ans. Marié avec une jeune actrice française. Parle sept langues.

Il a publié trois romans : *le Passé simple* (Prix Rivages 1955), *les Boucs* et *l'Ane* (1956) (aux éditions Denoël).

(2) Issu d'une vieille tribu de lettrés (en arabe, *Kateb* veut dire écrivain) Kateb Yacine est né le 26 août 1929 à Condé-Smendou (département de Constantine). Arrêté à l'âge de seize ans, à la suite de la manifestation du 8 mai 1945, et libéré après quelques mois d'internement. Il publie, en 1946, une première plaquette de poèmes *(Soliloques)* et vient à Paris (1947-1948).

Reporter à *Alger-Républicain*, il voyage en Arabie Séoudite, au Soudan égyptien, en Asie centrale soviétique, et publie des poèmes à Paris et à Alger (1951), puis une pièce de théâtre : *le Cadavre encerclé* (Esprit, 1955) et un roman : *Nedjma* (Seuil, 1956).

(3) Citons encore le Kabyle Malek Ouary, dont *le Grain sur la Meule* (Corrêa, 1956), apologue d'avant la conquête française, évoque le ton des *Mille et une Nuits*, et Assia Djebar (née en 1936, elle a publié (chez Julliard) deux romans : *la Soif* et *les Impatients* (1958).

VIII

DES DISCIPLES DE MARX
AUX HÉRITIERS DE ROMAIN ROLLAND

1

DE LA DIFFICULTÉ D'ÊTRE UN ÉCRIVAIN COMMUNISTE

LE communisme n'occupe pas, dans notre littérature, une place comparable à celle qu'il a conquise dans l'histoire. Peut-être faudrait-il compléter cette observation par une autre, qui la prolonge : comme autrefois l'affaire Dreyfus, la Résistance, qui a fructifié en victoire pour les partis et les forces de gauche — le parti communiste d'abord, puis la gauche, socialiste ou chrétienne — n'a pas fructifié au même titre pour les idées de gauche.

Sur le plan littéraire, mis à part de beaux témoignages humains : *Rue de la Liberté* d'Edmond Michelet, *les Jours de notre mort* de David Rousset, *l'Homme et la Bête* de Louis Martin-Chauffier, *un Camp très ordinaire* de Micheline Maurel, les *Mémoires d'un Agent secret de la France libre* de Rémy, elle n'a pas laissé, du moins sur le plan romanesque, d'œuvre convaincante. Ni *le Silence de la Mer* de Vercors, ni *le Sang des Autres* de Simone de Beauvoir, ni *Drôle de Jeu* de Roger Vailland, pas plus que les nouvelles d'Elsa Triolet et de Pierre Courtade n'ont pu faire oublier *l'Espoir* ou *la Condition humaine*. La matière humaine — quelques hommes, ignorés de tous, aux prises avec l'histoire — était admirable, mais il était difficile de la dominer : rien ne vaut ici le récit vécu, le document. Les romanciers, inspirés par la Résistance, ont fait de la « littérature». Ils n'ont pu éviter les poncifs, le grossis-

sement épique, l'hagiographie militante qui donnent à tant
de récits des années 1944-1946, le ton conventionnel et faux
des textes de propagande. Devenu romancier, un héros aussi
pur que le colonel Rémy n'a jamais retrouvé le ton simple
et vrai du mémorialiste. Dominique Ponchardier *(les Pavés
de l'Enfer)* est vite tombé dans la Série Noire. Certes, un
écrivain de race, comme Roger Vailland, échappe à la banalité
comme au lyrisme ; mais il cède parfois au défaut inverse,
à une désinvolture trop appuyée. Communiste tardif (il n'a
adhéré au parti qu'en 1952 pour protester contre l'arrestation
de Jacques Duclos, au moment de « l'affaire des pigeons»),
blâmé pour avoir pris le parti des révoltés hongrois, Vailland
n'est-il pas, bien plus que le militant qu'il croit être, un
« homme de qualité» comme on disait au xviiie siècle, un
voltairien anticlérical révolté par l'injustice, l'inégalité,
les privilèges ?

Un écrivain communiste doit mettre son sens critique en
veilleuse et son talent au service d'une morale et d'une
idéologie contraignantes. Jusque dans ses envols lyriques, il
se sent bridé. Si caricatural qu'il soit, le portrait sarcastique
de Sartre (dans *Qu'est-ce que la Littérature ?*) contient une
bonne part de vérité : « On demande à l'écrivain communiste
d'avoir de l'esprit, du mordant, de la lucidité, de l'invention.
Mais en même temps qu'on les exige, on lui fait grief de ces
vertus, car elles sont en même temps des penchants vers le
crime... Encore ne faut-il pas qu'il use de cynisme : le cynisme
est un vice aussi grave que la bonne volonté... qu'il évite
de parler trop souvent des dogmes... les œuvres de Marx,
comme la Bible des catholiques, sont dangereuses à qui les
aborde sans directeur de conscience. Dans chaque cellule
il s'en trouve un ; s'il vient des doutes, des scrupules, c'est
à lui qu'il faut s'en ouvrir.»

Même « si l'écrivain se conforme à toutes ces prescriptions,
on ne l'aime pas pour autant. C'est une bouche inutile : il
ne travaille pas de ses mains. Il le sait, il souffre d'un complexe
d'infériorité, il a presque honte de son métier et met autant
de zèle à s'incliner devant les ouvriers que Jules Lemaître
en mettait, vers 1900, à s'incliner devant les généraux».

En un mot, il est *suspect*. « Fût-il irréprochable dans ses
mœurs, un intellectuel communiste porte en lui cette tare
originelle : il est entré *librement* au parti ; cette décision,

c'est la lecture réfléchie du *Capital*, l'examen critique de la
situation historique, le sens de la justice... qui l'ont conduit
à la prendre : tout cela fait preuve d'une indépendance qui
ne sent pas bon. Il est entré au parti par libre choix : donc il
peut en sortir... Dès l'instant de l'ordination commence
pour lui un long procès semblable à celui que nous décrit
Kafka où les juges sont inconnus et les dossiers secrets, où
les seules sentences définitives sont les condamnations. »
   Sans doute, Sartre pousse-t-il le tableau au noir — car il
n'est pas sûr que les intellectuels aient eu, tout compte fait,
plus à souffrir de l'orthodoxie que les militants ouvriers,
tout aussi susceptibles, *quel que soit leur rang* et l'éclat de
leurs services passés — voyez Rajk, Petkov, Anna Pauker,
André Marty — de subir les foudres du Parti — mais le
malaise n'est pas contestable. Evoquant ce « tragique et
persistant déchirement», Claude Roy écrivait récemment (1) :
   « Si tant d'écrivains communistes ont déserté notre camp,
peut-on tout bonnement attribuer cela à leurs origines bourgeoises, à leur lâcheté, à la ruse ou à la puissance de nos adversaires ?... L'énumération est accablante de ceux qui se sont
éloignés, parfois du socialisme et toujours du Parti, de Gide
à Césaire, de Michel Leiris à Jean Cassou, de Salacrou à Loys
Masson, de Francis Ponge à Pierre Emmanuel, de Henri
Pichette à Pierre Seghers, d'Albert Camus à Jean Duvignaud, de Malraux à Sartre, de Louis Guilloux à Marguerite
Duras. J'en passe...» L'affaire Tito, le procès des médecins
juifs, l'exécution puis la réhabilitation de Rajk, le rapport
Khrouchtchev, enfin la tragédie hongroise, ont provoqué
tour à tour le reniement de Pierre Hervé (2), la scission du
C. N. E., la retraite de Vercors — le dernier des grands
compagnons de route — l'exclusion de Claude Roy, de Claude
Morgan, de Tillard, de Lanzmann et de quelques autres, car
pour beaucoup d'intellectuels communistes, la ligne du Parti
a cessé d'être celle de la Vérité.

---

(1) Dans *France-Observateur*.
   (2) Pierre Hervé (qui fut à la Libération député communiste du Finistère
et rédacteur en chef d'*Action*) a publié un pamphlet (*la Révolution et les
Fétiches*, la Table Ronde) qui l'a fait exclure du parti en 1956.

2

QUELQUES ROMANCIERS MARXISTES

Mais parlons plutôt littérature. Dans le domaine du roman, la moisson du progressisme, celle du communisme surtout, reste pauvre. Les meilleurs romanciers communistes d'aujourd'hui restent, avec Aragon, Jean Prévost et Paul Nizan (1) dont l'esthétique relève, en fait, du populisme. Le dilemme du romancier communiste est comparable à celui du romancier catholique : s'il veut convaincre, il doit faire sa part à la liberté comme le romancier chrétien doit faire celle du péché. « Héros permanent» de notre temps, un communiste ne saurait être qu'exemplaire. Encore faut-il qu'il paraisse *vrai* (2). On demande au romancier de « coller» à l'actualité, d'exprimer des« rapports de classe» ; l'évasion dans l'anecdote ne lui est pas permise. Comment concilier ces exigences avec la spontanéité d'une création authentique ? Car la volonté de prouver, d'illustrer à tout prix une thèse préfabriquée, prive le roman de sa raison d'être, ôte toute consistance aux personnages. La leçon doit venir de l'action elle-même, s'imposer sans qu'apparaisse le romancier. Roger Vailland, Pierre Courtade enfreignent pourtant cette règle, mais il faut l'allégresse ironique du premier, l'humour âcre du second pour que nous acceptions les personnages sans équivoque de *325.000 francs* et des meilleures nouvelles des *Circonstances* — deux réussites qui sont aussi deux exceptions.

Et dès qu'il a mis le pied en U.R.S.S., le jeune romancier communiste, Jacques Lanzmann (3), réfugié jusqu'ici dans

---

(1) Cf. pp. 69-70 et 106. Encore Nizan a-t-il été renié par les siens.

(2) D'où la recommandation plaisante de Sartre :
« Ne pas mettre trop de communistes dans les romans ou à la scène : s'ils ont des défauts, ils risquent de déplaire ; tous parfaits, ils ennuient... On s'en tirera en peignant le« héros permanent» en profil perdu, en le faisant paraître à la fin de l'histoire, pour en tirer la conclusion, ou en suggérant partout sa présence, mais sans la montrer, comme Daudet pour l'Arlésienne.» (*Qu'est-ce que la Littérature ?*)

(3) Né en 1927 à Bois-Colombes, Jacques Lanzmann a publié (chez Julliard) : *la Glace est rompue* (Prix Cl. Breton 1954), *le Rat d'Amérique*, *Cuir de Russie* (1957), *les Passagers du Sidi-Brahim* (1958).

les facilités du reportage exotique (l'Islande de *la Glace
est rompue* ou les mines de cuivre sud-américaines du *Rat
d'Amérique*) a dû choisir entre l'esprit tout court et l'esprit
de parti.

Aujourd'hui comme hier, les deux phares de l'orthodoxie
restent Aragon et Elsa Triolet, celle-ci surtout à l'aise dans
la nouvelle (1). André Wurmser (2), violent et impétueux,
Simone Téry (3) dont les aimables romans *(la Porte du
Soleil, Beaux Enfants qui n'hésitez pas...)* illustrent de bons
sentiments, appartiennent eux aussi à la génération de
l'entre-deux-guerres. Leur cadet Pierre Courtade (4) brille lui
aussi dans la nouvelle : c'est un écrivain authentique, attentif
au nouveau visage du monde, qui passe de la mélancolie à un
humour sarcastique. Pierre Daix (5) et André Stil (6) ne sont

(1) Cf. p. 270.

(2) Cf. p. 270.

(3) Fille de Gustave Téry (rédacteur en chef de *l'Œuvre*), Simone Téry a
publié des romans : *Passagère, le Cœur volé, la Porte du soleil, Beaux Enfants
qui n'hésitez pas...* ; une biographie : *Du Soleil plein le cœur, la Merveilleuse
Histoire de Danielle Casanova* (Editeurs Français Réunis) ; et de nombreux
reportages : *Irlande, Chine, Espagne, Grèce, U.R.S.S.* ; ainsi qu'une pièce de
théâtre : *Dernière Edition spéciale ou « Comme les Autres »* (Prix Séverine
pour la Paix).

(4) Né en 1915 à Bagnères-de-Bigorre, professeur de Lettres et journaliste
(rédacteur en chef de l'hebdomadaire *Action*, chef de la rubrique de politique
extérieure de *l'Humanité*), membre du Comité Central du Parti Communiste
français, Pierre Courtade a publié des nouvelles : *les Circonstances* (E. F. R.,
1946), *les Animaux supérieurs* (Julliard, 1956) ; et des romans : *Jimmy* (1951),
la Rivière noire (1953) (aux Editeurs Français Réunis).

(5) Né en 1922 à Ivry-sur-Seine, fils de gendarme, Pierre Daix a pris dès
1940 une part active à la Résistance, qui lui valut d'être arrêté deux fois et
déporté (à Mauthausen). Depuis la Libération, il a été rédacteur en chef de
Ce Soir, puis des *Lettres Françaises*.

Traducteur de Dickens et de Fielding (en collaboration avec Anne Villelaur),
il a publié de nombreux romans : *la Dernière Forteresse* (E. F. R., 1950), *Classe
42* (E. F. R., 4 volumes, 1952-1953), *un Tueur* (E. F. R., 1954), *les Embarras
de Paris* (E. F. R., 1956), et un essai : *Un Siècle de roman* (E. F. R., 1955).

(6) Né en 1921 dans le bassin minier du Nord, licencié de philosophie, instituteur puis professeur, rédacteur en chef de *l'Humanité* et membre du Comité
Central du Parti Communiste français, André Stil a publié : en 1949, *le Mot
« mineur »*, camarades, nouvelles (E. F. R.), en 1950, *la Seine a pris la mer*,
nouvelles (E. F. R.), de 1951 à 1954, *le Premier Choc*, roman (E. F. R.) :
I. *Au château d'eau* (Prix Staline), II. *le Coup du canon*, III. *Paris avec nous* ;
en 1955, *Lever de rideau sur la question du bonheur* (nouvelles illustrées par
Fernand Léger, E. F. R.), en 1956, *le Blé égyptien* (premier tome d'une série
de nouvelles à paraître sous le titre : *la Question du bonheur est posée*).

guère que des romanciers populaires, qui mettent en formules romanesques, avec plus ou moins d'adresse, les mots d'ordre du parti. Il y a plus de talent, plus de sève chez André Kedros (1), venu de Grèce, qui n'a oublié ni son ciel natal ni un certain fantastique méditerranéen, plus de sève provinciale chez Pierre Gamarra (2), plus d'intelligence et de sens littéraire chez Martine Monod (3).

Quant à Jean Kanapa (4), élève rebelle et incommode de Jean-Paul Sartre et chef de file des critiques communistes, on hésite à qualifier son talent. Si le critique joue volontiers les grands inquisiteurs, le romancier de *Question personnelle* obéit *perinde ac cadaver* aux préceptes de l'esprit de parti. Les héros qu'il met en scène sont les produits finis d'une bonne éducation marxiste : «responsables» du destin du monde, ils n'hésitent pas à sacrifier leur bonheur au salut du peuple ; la politique a annexé toutes leurs forces, éliminé du personnage qu'ils jouent, avec courage et conviction, ce qui pouvait rester d'humain.

Faut-il citer d'autres romanciers ? Ils s'appellent Janine Bouissounouse *(Nathalie)*, Gaston Baissette *(Ces Grappes de*

(1) Né à Corfou, vit à Paris depuis 1946. Il a publié quatre romans écrits directement en français : *le Navire en pleine ville* (1948) ; en 1949 : *l'Odéon* suivi de *Contes d'après décembre*, nouvelles (E. F. R.) ; en 1952 : *Peuple Roi*, roman (E. F. R.) ; en 1954 : *la Fleur nouvelle*, roman (E. F. R.) ; en 1955 : *les Carnets de M. Ypsillante, homme d'affaires*, roman (E. F. R.).

(2) Né en 1919 à Toulouse, d'une famille d'origine basque, instituteur, puis rédacteur en chef du *Patriote du Sud-Ouest*, et secrétaire général de la revue *Europe*, Pierre Gamarra a été, en 1947, le premier lauréat du prix Charles Veillon pour son roman : *la Maison du Feu* (La Baconnière).

Il a publié depuis six romans : *les Enfants du pain noir* (E. F. R., 1950), *les Coqs de minuit* (La Baconnière, 1950), *les Lilas de Saint-Lazare* (E. F. R., 1951), *la Femme et le Fleuve* (La Baconnière, 1952), *Rosalie Brousse* (E. F. R., 1953), *le Maître d'École* (E. F. R., 1955) ; des nouvelles : *les Mains des Hommes* (A. L. P., 1954) — et des livres pour enfants : *les Mots enchantés* (E. F. R.), *la Rose des Carpathes* (La Farandole).

(3) Née en 1921 à Paris, d'une illustre dynastie universitaire, Mme Martine Monod, après une licence d'anglais à la Sorbonne, a dirigé le service parisien de *Ce Soir* et collabore aux *Lettres Françaises*, comme critique littéraire et cinématographique.

Traductrice d'anglais, elle a publié trois romans : *Malacerta* (E. F. R., 1950), *le Whisky de la Reine* (E. F. R., Prix Fénéon 1955), *le Nuage* (E. F. R., 1955).

(4) Né en 1921, agrégé de philosophie, rédacteur en chef de *la Nouvelle Critique*, Jean Kanapa a publié des essais (*l'Existentialisme n'est pas un humanisme*) et des romans (*le Procès du Juge*, 1947 ; *Question personnelle*, 1957).

ma vigne), Jean Fréville *(Pain de brique)*, René Jouglet *(l'Orage, le Désordre, l'Or et le Pain)*, Jean Laffite *(Rose France, le Commandant Marceau, les Hirondelles du Printemps)*. Mais s'agit-il vraiment de « romanciers », c'est-à-dire d'inventeurs de types, ou plus modestement d'*imagiers*, naïfs enlumineurs de vitrail (les héros d'André Stil, de Jean Laffite évoquent inévitablement les « Vies de saints»), de porte-parole d'une vérité à laquelle ils se sont livrés, corps et âmes ?

3

NUANCES DU PROGRESSISME

Les romanciers les plus convaincants se situent aux frontières du parti, dans cette province dont les contours varient sans cesse et qui a nom : progressisme. Ce sont Vercors, Yves Farge, Emmanuel d'Astier *(Sept fois sept jours,* 1947), Claude Morgan, pour la génération de 1900 ; Herbert le Porrier, Jean Cordelier pour celle de 1910. Le poète et critique Louis Parrot (1906-1948) avait écrit un vivant roman sur la guerre d'Espagne ; Vladimir Pozner (né en 1905) et Paul Tillard (1) ont romancé la Résistance et l'occupation. Pozzo di Borgo a décrit une mésentente conjugale *(Vivre à deux)* dans le style qui caractérisait jadis une certaine littérature bien pensante. Louis de Villefosse, critique de Lamennais et mémorialiste de la France combattante, a évoqué, non sans vérité, le conflit, éclairé par la guerre, de deux éthiques et de deux styles de vie *(le Tocsin,* 1955) ; Jean-Pierre Chabrol a montré une verve populaire dans *le Bout-Galeux,* après avoir imité Maupassant dans *la Dernière Cartouche.*

Parmi les œuvres les plus estimables de cette littérature qu'inspire une vision optimiste de l'histoire, on citera celles d'un poète comme Loys Masson (2), hier encore rédacteur en chef des *Lettres Françaises,* qui cherche une église pour

---

(1) Né en 1914, journaliste et romancier, Paul Tillard, arrêté par la Gestapo en août 1942, a été déporté à Mauthausen en avril 1943. Libéré en mai 1945, il a publié les romans suivants : *On se bat dans la ville* (Charlot, 1948), *les Combattants de la Nuit, les Roses du Retour, les Triomphants* et *le Montreur de Marionnettes* (Julliard, 1956), *l'Outrage* (1958).

(2) Cf. p. 381.

accorder son sens chrétien de la justice à sa nostalgie de la communion humaine, ou des romanciers comme Herbert le Porrier (1) (*Juliette au passage*, 1952), Jean Cordelier (2) (auquel nous devons un portrait sans complaisance de l'Allemagne orientale), Alain Prévost (qui a romancé, dans le *Peuple impopulaire*, l'épopée du Vercors, à laquelle le nom de son père, Jean Prévost, reste attaché), Pierre Schaeffer (3) (l'inventeur de la « musique concrète», cruel observateur du scoutisme dans *les Enfants de Chœur*), Chris Marker (4) (dont *le Cœur net* a fait songer à *Vol de Nuit*), Etienne Lalou (5), Gilbert Cadoffre (mémorialiste de la Résistance dans *les Ordalies*). Aucun de ces livres n'exprime les problèmes de la classe ouvrière, mais plutôt ceux d'une petite bourgeoisie courageuse et digne, voire d'une jeunesse anarchisante ou

---

(1) Médecin breton, Herbert le Porrier est né en 1913. Il est marié et père de trois enfants.

Il a publié (Seuil) des romans : *la Mue* (1945), *Entraves*, (1945), *Juliette au passage* (Prix populiste 1952), le *Paradis terrestre* (1953), *la Rouille* (1955), *la Découverte* (1956), *Les Hommes dans la Ville* (1958), et des pièces de théâtre : *Et pourtant elle tourne* (théâtre La Bruyère, 1946), *la Fille Béguin* (Comédie de Genève, 1949), *le Cercle de Craie* (Second Prix d'art dramatique du Casino d'Enghien, 1951), *le Maquignon du Brandebourg* (Comédie de Saint-Etienne, 1957), *Amphitryon 57* (Théâtre de Lutèce, 1957).

(2) Né en 1912 à Dinan, où il habite encore aujourd'hui, Jean Cordelier a fait sa médecine et passé sa thèse en 1939. Prisonnier de 1940 à 1945.

Il a publié (aux éditions du Seuil) deux romans (*les Yeux de la tête* et *Retour à Leipzig*) et un essai sur *Madame de Maintenon*.

(3) Né à Nancy, en 1910, d'une famille de musiciens, ancien élève de l'Ecole Polytechnique, Pierre Schaeffer est un des fondateurs du Studio d'Essai (d'où sont parties en 1944, les premières émissions de la France libérée) et le promoteur de la musique concrète (à laquelle il a consacré un essai : *A la recherche de la musique concrète*). Actuellement haut fonctionnaire à la Radiodiffusion française.

Il a publié (aux éditions du Seuil) des essais et des souvenirs romancés (*Clotaire Nicole, Tobie*), un roman (*les Enfants de Chœur*) et un reportage sur les Etats-Unis (*Amérique, nous t'ignorons*).

(4) Né à l'île aux Moines le 22 juillet 1921, d'un père américain et d'une mère russe, Chris Marker a publié un jeu dramatique : *Veillée de l'homme et de sa liberté* (1949), un roman : *le Cœur net* (Prix Orion 1950) et un essai sur *Giraudoux* (éditions du Seuil).

(5) Etienne Lalou, fils du critique René Lalou, est né à Paris en 1918. Etudes au lycée Henri-IV, champion de France de course à pied. Résistance. Il est marié et père de trois enfants. Journaliste à la Télévision française, où ses émissions lui ont valu le Prix International *Italia*.

Il a publié (aux éditions du Seuil), trois romans : *les Bonnes Actions, les Raisons de vivre, l'Escapade* ; et un essai : *Regards neufs sur la Télévision*.

révoltée qui cherche une justification dans l'histoire — rien
qui diffère fondamentalement des récits policés des romanciers « humanistes» nés autour de 1900 — les Chamson,
les Beucler, les Bost, les Prévost. Pour voir s'exprimer la
classe ouvrière, il faut, aujourd'hui encore, passer par le
filtre du parti communiste, lire les récits populaires de Pierre
Daix, d'André Stil, de Jean Laffite ou les reportages romancés
d'Hélène Parmelin (*la Montée au mur*, 1951 ; *Léonard dans
l'Autre Monde*, 1957) et de Marie-Anne Comnène *(Olivier ou
la lumière de septembre)*.

A ces dernières œuvres, on préférera les récits moins engagés
(engagés, du moins, dans un tout autre sens) du Belge Julien
Segnaire que *la Rançon* et *les Dieux du Sang* ont placé au
premier rang des héritiers de Malraux (1). Ce romancier
pose, avec une sobriété exemplaire, les problèmes moraux
de la guerre et de la révolution, de la fin et des moyens.
Les Dieux du Sang, sur un sujet voisin de celui qui inspira à
Jules Roy *la Vallée heureuse*, égalent en noblesse les récits
de guerre de Saint-Exupéry, et comme eux, ils s'inscrivent
sous le signe de la Défense de l'Homme.

C'est sous le même signe et sous le patronage de Malraux
que s'incrit l'œuvre brûlante de Manès Sperber (2) ; ce
marxiste hérétique a écrit avec *la Baie perdue* un des grands
chapitres de la résistance européenne. L'obsession de l'éternel
s'y exprime par la voix d'un rabbin polonais.

« Nous sommes le seul peuple de la terre qui n'ait jamais
été vaincu... Parce que nous seuls avons résisté à la tentation
de devenir comme l'ennemi. Et c'est pour cette raison que
nous ne mourrons pas en meurtriers, mais en martyrs»,
s'écrie le vieux rabbi, héritier des prophètes d'Israël. Nous
sommes bien loin ici d'un certain optimisme progressiste, et
si André Malraux a tenu à préfacer l'un des chapitres du

---

(1) Julien Segnaire avait d'ailleurs suivi Malraux en Espagne et inspiré
l'un des personnages de *l'Espoir*. Il a publié (chez Gallimard) : *le Délire logique*
(1948), *N'y être pour rien* (1949), *la Rançon* et *les Dieux du Sang* (1955).

(2) Ecrivain juif d'origine tchèque et de langue allemande, conquis à la
littérature française, Manès Sperber a publié (aux éditions Calmann-Lévy),
trois romans : *Et le buisson devint cendre*, *Plus profond que l'abîme* et *la Baie
perdue* (dont un fragment — *Qu'une larme dans l'océan...* — a paru séparément
en 1952, avec une préface d'André Malraux) et un essai : *le Talon d'Achille*
(1957).

livre, c'est parce qu'il y a trouvé une expression convaincante de cette interrogation métaphysique « qui semble
conduire aujourd'hui les agnostiques à la relativité des dieux ».

4

Deux destructeurs

Aux antipodes d'une littérature d'inspiration marxiste
ou progressiste qui s'appuie, explicitement ou non, sur la
croyance au sens de l'histoire et à sa totalisation au profit
de l'espèce humaine, s'oppose une pléiade d'écrivains « dégagés » — par snobisme, indifférence ou mépris de l'homme —
que nous retrouverons parmi les romanciers « néo-classiques »
de la génération de 1950. Quelques-uns — on les compte
sur les doigts — ont même pris le contre-courant, au nom d'un
« antihumanisme » crispé.

Deux d'entre eux — Maurice Sachs et Lucien Rebatet —
quelque répugnance qu'on éprouve à leur égard, comptent
parmi les écrivains significatifs de ce temps.

i. — *Mort et résurrection de Maurice Sachs.*

Maurice Sachs est-il mort dans une prison de Hambourg,
assassiné par ses codétenus, ou dévoré par les chiens des
Waffen S.S. (à moins que ce ne soient ceux des policiers
américains) ? En tout cas, sa disparition mystérieuse (1)
ajoute un épilogue horrible à la vie la plus fertile en *combi-
nazione* qui se puisse imaginer. La mort ignoble du mauvais
larron confère à cette vie d'homosexuel, d'ivrogne, et dit-on,
de délateur, une sorte d'arrière-plan tragique que ne laissaient point deviner les premiers livres, superficiels et mon-

---

(1) Maurice Sachs (né à Paris en 1906, mort à Hambourg en 1945) a publié :
Un récit : *Alias.*
Des traductions : de Stephen Hudson, Edgar Poe, etc.
Des essais : sur André Gide, Maurice Thorez, Daumier.
Des chroniques : *Au temps du bœuf sur le toit, le Sabbat, Chronique d'une
jeunesse scandaleuse, la Chasse à courre, la Décade de l'illusion, Derrière cinq
barreaux, Abracadabra.*
Et un *Tableau des Mœurs de ce temps* (Corrêa et Gallimard).

dains, du jeune et trop brillant Maurice Sachs. Mais ne nous
laissons pas effaroucher par l'homme et par ses vices. Ne se
considérait-il pas lui-même comme « un mauvais exemple
dont on peut tirer de bons conseils» ? Il était né dans une
famille amusante et désordonnée ; son grand-père, qui
« meublait» Anatole France, avait divorcé deux fois pour
mourir dans les bras d'une jeune maîtresse ; son père était un
paresseux incurable, sa mère une déséquilibrée ; le jeune
Sachs avait dix ans lorsqu'il se mit à voler. Incapable de se
priver d'une tentation, charmant et veule, il butinera de
plaisir en plaisir jusqu'à l'abîme, jusqu'à cette fin ignomi-
nieuse, non sans avoir connu tour à tour la « suite» de palace
et la baignoire-refuge, « les cent mille chemises de Charvet,
la robe de chambre aux cent mille trous, les abdullahs, le
caporal, les restes d'une beauté à la Novarro et, très vite, la
mauvaise graisse, le ventre, la lassitude de Wilde après le
hard-labour». Converti par Maritain, entré imprudemment
au séminaire, il l'avait quitté sur un scandale. (« Méfie-toi
de Maurice, écrivit Cocteau à Max Jacob, c'est un charmeur,
il charme même Dieu.») On le vit marchand de tableaux à
New York, conférencier à travers les Etats-Unis (où il fut
marié quelques semaines), lecteur aux éditions de la *N.R.F.*,
trafiquant du marché noir, avant d'aller s'engager pour le
S.T.O. à quarante ans, « chauve avec un cœur vif... sans
beauté, mais toujours habile à charmer», dans l'espoir de se
débarrasser « d'un peu ragoûtant personnage».

Cédé dès 1939 à un éditeur parisien, mais publié seulement
après la mort (présumée) de l'auteur, *le Sabbat* devait révéler
un des meilleurs mémorialistes de ce temps, impeccable
observateur des mœurs, conteur picaresque, plein d'humour.
Ses portraits (de Gide, Cocteau, Maritain, Max Jacob) sont
des modèles du genre. *La Chasse à courre* découvrit une autre
dimension de son talent : moins de scènes brillantes, mais la
vie menacée d'un hors-la-loi, qui finit par fuir dans le malheur une existence frivole et fausse. D'autres livres ont suivi,
si nombreux et si prolixes, qu'on a pu se demander si l'auteur
avait vraiment disparu. Mais l'écrivain reste un des plus
libres qui soient et, de *la Décade de l'Illusion* à son *Tableau*
(inachevé et posthume) *des Mœurs de ce temps*, le témoin
irrécusable d'une assez basse époque.

II. — Les Deux Etendards *de Lucien Rebatet.*

Condamné à mort deux ans après la Libération, Lucien Rebatet (1), au contraire d'un Brasillach ou d'un Béraud, n'excitait guère la sympathie : *les Décombres* (1943), par leur antisémitisme passionnel, l'avaient, à l'avance, découragée. La peinture en était si outrée que Maurras, Thierry Maulnier, les Tharaud y faisaient figure de résistants. Rebatet (qui avait été avant guerre, sous le nom de François Vinneuil, un bon critique de cinéma) eut tout le loisir de méditer dans sa prison : il y écrivit un récit, parfaitement « dégagé », puissant, sensuel, chaleureux, toujours intelligent, un des grands romans de l'époque — *les Deux Etendards.* C'est l'histoire, puissamment enracinée dans la réalité française, d'une amitié et d'un amour, du conflit du catholicisme avec l'élan vital d'un être jeune et qui ne veut connaître aucun frein. Rebatet devait retrouver dans *les Epis mûrs* (1955) un grand sujet (la vie d'un musicien coupée dans la fleur de l'âge, l'été 14), mais sans réussir à nous faire partager la même émotion.

(1) Lucien Rebatet est né en 1903 à Mons-en-Valloire (Drôme). Il a fait ses débuts littéraires à *l'Action Française* en 1929 (critique musical, puis critique de cinéma, sous le nom de François Vinneuil). Rédacteur à *Je suis Partout*, de 1932 à la Libération.

Condamné à mort par la Cour de Justice de la Seine le 23 novembre 1946. Gracié le 12 avril 1947.

A publié : *les Deux Etendards* (1952), *les Epis mûrs* (1954), romans (à la ibrairie Gallimard) et *les Décombres*, pamphlet (1943, Denoël).

IX

LE JEUNE ROMAN FÉMININ

L A part prise par les femmes dans notre littérature n'a
cessé de grandir depuis un demi-siècle.

Dans la nouvelle génération surtout, les romancières
sont légion. Qui pourrait s'en étonner ? Elles disposent de
plus de temps libre que leurs partenaires masculins ; les
éditeurs, toujours à la recherche de la poule aux œufs d'or,
se disputent leurs manuscrits et les jurys littéraires leur font
les yeux doux.

Pour lancer un roman, le nom d'une toute jeune fille est
la meilleure des enseignes : si l'ouvrage est médiocre, il a toutes
les excuses ; s'il est scandaleux, il fait sensation — aucun
éditeur ne se priverait d'une telle enchère. Cependant, il
est juste de le reconnaître, ces nouvelles venues ont souvent
du talent. Elles nous donnent peu d'ouvrages de dames, mais
des œuvres fortes et parfois viriles : on l'a vu avec Béatrix
Beck, Célia Bertin, Françoise Mallet-Joris.

Comme elles, leur aînée Louise de Vilmorin (1) a touché
le grand public. Elle a connu tous les bonheurs : une enfance
dans le paradis de Verrières, autour d'elle des frères exquis,
des adorateurs qui s'appelaient Antoine de Saint-Exupéry,
Honoré d'Estienne d'Orves, Bertrand de Saussine... Des
déserts d'Amérique à la plaine hongroise, elle a cherché le
bonheur et ne l'a pas trouvé. Elle s'est consolée en écrivant

(1) Mme Louise Lévêque de Vilmorin (comtesse Paul Palffly) a publié
(chez Gallimard) : *Sainte Unefois* (1934), *la Fin des Villavide* (1937), *le Lit
à colonnes* (1941), *le Sable du sablier* (1945), *le Retour d'Erica* (1948), *Julietta*
(1951), *Madame de* (1951), *les Belles Amours* (1954), *La Lettre dans un Taxi*
(1958), romans, et des poèmes : *Fiançailles pour rire* (1939), *l'Alphabet des
Aveux* (1954).

des récits charmants, irréels, un peu moqueurs, où elle se presse de rire avec ses héros de peur d'être obligée d'en pleurer. Il est difficile de croire à ces « belles amours», mais comment n'être pas séduit par l'ingéniosité, la coquetterie de ces brefs récits, superficiels et distingués ? Ni *Julietta*, ni *Madame de...*, ne méritent le nom de chefs-d'œuvre, mais bien l'épithète de « ravissants», et l'auteur doit son succès à son aisance, à sa bonne humeur, à son tour de main.

Le succès de Louise de Vilmorin a éclipsé d'autres œuvres, parfois plus profondes : la *Maldonne* d'Isabelle de Broglie, les évocations douloureuses de Camille Mayran, les églogues de Marie Mauron (1), Provençale comme Louise de Vilmorin est Parisienne (même à Verrières), c'est-à-dire jusqu'au bout des ongles, les essais de Maryse Choisy (2) et de Suzanne Lilar *(Journal de l'Analogiste)*.

*
* *

Est-ce parce qu'elles ont appartenu toutes les deux au parti communiste que la chartiste Edith Thomas (3) qui fut

---

(1) Née à Marseille, institutrice aux Baux, Mme Marie Mauron débute dans les Lettres par la chronique villageoise de *Mont Paon*, puis elle a publié : *le Quartier Mortisson*, *les Rocassiers*, *la Chèvre*, *ce caprice vivant* et *la Transhumance* (Prix International Charles Veillon 1955) et (au Livre Contemporain), *Vers Saint-Jacques de Compostelle* et *Cette Route étoilée* (1957).

(2) Née en 1903 à Saint-Jean-de-Luz, Mme Maryse Choisy, docteur ès lettres (avec une thèse sur *les Philosophies de Samkhya*,) a publié :

des poèmes,

des reportages (*Un Mois chez les filles* (Aubier, 1928), *Un Mois chez les hommes* (1929),

des études religieuses et psychanalytiques : (*la Métaphysique des Yoga* (1944), *Yoga et psychanalyse* (1945), *l'Anneau de Polycrate* (1946), *le Chrétien devant la psychanalyse* (1955) et,

des romans : *Mon cœur dans une formule* (1927), *le Vague à l'âme* (1930), *le Veau d'or* (1932), *le Thé des Romanech* (1940), *le Serpent* (1957).

Elle dirige la revue *Psyché*, revue internationale de psychanalyse.

(3) Née en 1909, Edith Thomas, ancienne élève de l'Ecole des Chartes, bibliothécaire puis journaliste (à *Ce Soir*, où elle a publié des reportages sur la guerre d'Espagne), a joué un grand rôle dans la résistance littéraire. C'est chez elle que se réunissait le C.N.E. Membre du Parti Communiste de 1942 à 1949 ; actuellement conservateur aux Archives Nationales.

Edith Thomas a publié des romans et nouvelles : *la Mort de Marie* (Prix du Premier Roman 1933), *l'Homme criminel*, *Sept sorts*, *le Champ libre*, *le*

un des piliers de la Résistance et que Marguerite Duras (1) *(les petits Chevaux de Tarquinia, le Square)*, romancière des solitudes ennemies, témoignent dans leurs récits d'un sens précis et solide du réel ? Quoi de plus opposé, en apparence, à ces œuvres quasi viriles, que les contes bizarres de Lise Deharme (2) qui, du *Pot de Mousse* à *la Comtesse Soir*, a fait entrer le surréalisme dans les salons à la mode ? Pourtant, toutes les trois sont à la pointe de leur temps.

Née à Genève, Maria Le Hardouin (3) (Prix Fémina 1949 pour *la Dame de Cœur*) est et restera l'auteur de *la Voile noire* (1943), bouleversante autobiographie d'une femme qui, à force de volonté, parvient à surmonter le mal qui l'a frappée et revendique passionnément le droit à la vie ; elle répond à l'épreuve par un suprême sursaut de conscience de soi et d'énergie virile. D'autres récits, dont le meilleur est *l'Etoile Absinthe* (1947), n'ont pas fait oublier ce journal romancé, dont l'accent avait frappé Sartre et Valéry, Gabriel Marcel et Simone de Beauvoir. *Recherche d'une éternité* (1956) devait, plus de dix ans plus tard, transposer sur le plan de l'essai la question posée par cette métaphysicienne désespérée : comment vivre sans la foi ?

Refus, Contes d'Auxois, Etudes de femmes, Eve et les autres ; et des études historiques sur *Jeanne d'Arc, les Femmes de 1848, la Libération de Paris, Pauline Roland* et *George Sand*.

(1) Cf. p. 351.

(2) Lise Deharme a publié des poèmes, des contes *(Cette année-là)* et des récits : *le Pot de Mousse, la Porte à côté, Eve la Blonde, Insolence, le Château de l'Horloge, la Comtesse Soir* et (en collaboration avec Julien Gracq et André Breton) : *Farouche à quatre feuilles.*

(3) Née à Genève en 1912, Mme Sabine Vialla (en littérature Maria Le Hardouin) a passé son enfance et son adolescence dans les cliniques de Leysin et de Berck. Guérie, elle a suivi, à Paris, les cours des Sciences Politiques, de l'Ecole du Louvre et de l'Institut d'Art et d'Archéologie. Elle a voyagé aux Etats-Unis et au Canada.

Elle a publié :

Des romans : *Dialogue à un seul personnage* (1941), *Journal de la Jalousie* (1942), *la Voile noire* (1943), *Samson ou le héros des temps futurs* (1944), *Celui qui n'était pas un héros* (1944), *l'Etoile Absinthe* (1947), *la Dame de Cœur* (Prix Fémina 1949).

Et des essais : *Colette* (1956), *Recherche d'une éternité* (1957) (tous ces volumes aux éditions Corrêa, sauf *Colette* aux Editions Universitaires).

*
* *

Belge comme Béatrix Beck et comme Françoise Mallet-
Joris, Dominique Rolin (1) est l'auteur d'une œuvre déjà
abondante. Il ne faut pas chercher dans ses romans (*l'Ombre
suit le corps*, *le Souffle*, Prix Fémina 1952), émouvants et un
peu frustes, une pensée cohérente ni même une morale ; elle
reproduit, sans se donner la peine de les classer, des impressions qui couvrent toute la gamme des sensations, depuis les
plus spontanées, les plus innocentes, les plus naïves, les plus
charmantes, jusqu'aux plus troubles, aux moins pudiques.
Mais l'évolution de l'œuvre ne trahit aucune recherche de la
perfection. L'« odeur de Louve qui donnait à ses débuts un
charme redoutable» (2) — une odeur mêlée d'enfance, de
contes fantastiques et de marais — s'est peu à peu évaporée,
tandis que le vocabulaire perdait en mystère et gagnait en
vulgarité. Il y a plus de vitalité, de virilité, de volonté, dans
la révolte de Dominique Aubier (3) qui campe des personnages hors série, des femmes décidées à imposer leur pouvoir,
leur rancune ou leur amour.

Nous ne disposons pas d'assez de recul pour apprécier
l'avenir de romancières qui, pour avoir multiplié les coups
d'essai, n'ont pas encore donné leur coup de maître. Pour
savoir si le talent qu'elles manifestent pourra donner naissance à une œuvre qui compte, il faudrait être un peu devin.
Sans doute, le dessein de certaines œuvres apparaît-il déjà
nettement : Mme Zoé Oldenbourg (4) s'est spécialisée dans le
roman historique, Mme Marcelle Auclair dans le roman

(1) Née à Bruxelles en 1913, petite-fille de Léon Cladel et nièce de Judith
Cladel, veuve du dessinateur Bernard Milleret, Mme Dominique Rolin, après
des études de bibliothécaire et une année d'arts décoratifs, a débuté dans les
Lettres en 1934, par des nouvelles : *la Peur* (Prix Mesmes 1936). Puis elle a
publié : *les Marais* (1942), *Anne la Bien-Aimée* (1944), *les Deux Sœurs* (1946),
Moi qui ne suis qu'amour (1948), *l'Ombre suit le corps* (1950), *le Souffle* (1952),
les Quatre coins (1953), *les Enfants perdus*, *Artémis* (1958) (Denoël et le Seuil).
On lui doit aussi une pièce de théâtre : *l'Epouvantail* (1958).
(3) Dominique Aubier a publié : *la Reïna*, *le Pas du fou*, *la Nourriture du
feu*, *Vive ce qu'on raconte*, *le Maître-Jour*, romans, et un essai sur l'Espagne
(aux éditions du Seuil).
(4) Cf. p. 357.

d'amour et la grande biographie *(Sainte Thérèse d'Avila)* à l'intention du public populaire. Geneviève Gennari (1) dont *les Cousines Muller* signalaient, dès 1949, le talent, sait offrir à un public soucieux d'évasion mais aussi de crédibilité, des récits sensibles, fins, et où elle concilie ces deux exigences apparemment contradictoires. Peintre de l'amour, l'auteur de *J'éveillerai l'Aurore* ne dissimule aucun de ses périls ; observateur attentif de la bourgeoisie, elle n'en méconnaît pas les médiocrités, mais se garde de dresser un réquisitoire trop facile. Son meilleur roman reste *les Cousines Muller* (portrait de trois jeunes filles au moment de leur métamorphose, de l'adolescence à la maternité), exact dosage de réalisme et de romanesque. Par la suite, l'auteur a plus d'une fois cédé aux séductions d'une évasion à bon marché — roman historique *(l'Etoile Napoléon)*, croisière de luxe (dans *le Plus triste plaisir*), dépaysement exotique *(le Rideau de Sable)* — mais elle peut encore nous surprendre, et nous offrir, sur une trame vécue, une sobre et triste histoire où le bonheur n'aura de pire ennemi que l'amour.

Son succès, encore inférieur à celui d'une Elisabeth Barbier (2), prouve qu'un large public reste attaché à des récits plausibles et pittoresques, à des héros sympathiques, et qu'il aime la clarté, l'humour et la sensibilité.

Paulette Houdyer (3), solide analyste des mœurs provinciales dans *la Grande Bucaille* (1953), a abordé le portrait d'une jalousie toute physique dans *la Bête à chagrin* (1956) : mais si le talent est certain, la direction de l'œuvre ne l'est

(1) Geneviève Gennari a publié (aux éditions Pierre Horay) : *les Cousines Muller* (1949), *la Fontaine scellée* (1950), *J'éveillerai l'Aurore* (1952), *l'Etoile Napoléon* (1954), *le Plus triste plaisir* (1956) ; (aux éditions de La Palatine) : *le Rideau de Sable* (1957) ; (aux éditions Boivin) : une thèse de doctorat (1947), *le Premier voyage de Madame de Staël en Italie et la genèse de Corinne.*

(2) Née à Nîmes, auteur de *Le jour ni l'heure, Serres Paradis, Mon père, ce héros* (1958). Prix du Renouveau 1947 pour *Les Gens de Mogador* (110e mille, 2 volumes : *Julia Vernet* et *Ludivine* (tous ces volumes chez Julliard).

(3) Peintre et romancier, a publié : *la Grande Bucaille* (1953), *l'Oiseau de Pluie, la Bête à chagrin* (1956), *Taupe* (1958), chez Julliard.

guère. Même observation pour Renée Massip (1), dont le premier roman (*la Régente*, 1954) témoignait d'autant de bon sens que d'humour : mais l'autobiographie tenait sans doute une grande part dans ce portrait d'une femme bourrue, presque féroce dans son autoritarisme, et pourtant bienfaisante. *La Petite Anglaise* (1956) contient aussi des morceaux charmants, mais le livre est plus artificiel, plus prétentieux aussi (on y cite Stendhal et Dostoïewski). Dommage ! Anne-Marie Soulac (2) a de la facilité, de l'aisance ; ses contes, ses nouvelles, ses récits poétiques ont du charme et *l'Ange et la Bête* (1956) est un portrait féroce d'une certaine médiocrité bourgeoise ; la romancière a des dons, de la volonté, mais elle n'a pas encore fait ses preuves. Le premier récit de Ferny Besson (3) (*Jeanne et Marie*, 1950) était attachant, mais les suivants n'ont guère marqué de renouvellement. On fera la même observation pour Hélène Bessette (4) qui n'a pas tardé à tomber dans une sorte de lettrisme romanesque, fait de borborygmes et d'onomatopées.

Nicole Dutreil, à l'aise dans la psychologie bourgeoise *(Lieu d'asile, le Miel acide, la Poudre d'Or)*, Christine Arnothy, qui excelle dans le reportage poignant *(J'ai quinze ans et je ne veux pas mourir)*, Gabrielle Roy *(Bonheur d'occasion)*, Danielle Roland *(la Nuit de la Chandeleur*, 1947 ; *Rue Deschambault*, 1956), ont déjà fait leurs preuves, sans parler de l'auteur bicéphale, piquant et cynique, de *les Lions sont lâchés*.

(1) Renée Massip, née à Arette (Basses-Pyrénées) en 1907, a épousé le journaliste diplomatique Roger Massip, après être passée par l'Ecole normale d'instituteurs de Pau et la Sorbonne. A publié des poèmes, un récit et des romans : *la Régente* (1954), *la Petite Anglaise* (1956) et *les Déesses* (1958) (Gallimard).

(2) Née à Avallon, Anne-Marie Soulac a épousé le professeur Raymond Las Vergnas (spécialiste de littérature anglaise et professeur à la Sorbonne) et publié, outre plusieurs traductions de l'anglais et de l'américain, six romans : *Orage sur Avallon* (1948), *Apprentissage sentimental* (1950), *Une Nuit comme celle-ci, Passage des Vivants* (1953) (Prix Villemain de la Société des Gens de Lettres), *l'Ange et la Bête* (1955), *Dans cette galère* (1957) (aux éditions Albin Michel).

(3) Professeur de lettres (elle prépare une thèse sur Verhaeren), Ferny Besson a publié, aux éditions Albin Michel : *Jeanne et Marie* (1950), *la Paupière du Jour* (1951), *l'Echelle noire* (1954).

(4) Hélène Bessette, ancienne élève d'une Ecole normale d'institutrices, a publié : *Lili pleure* (1953), *Materna, Vingt minutes de silence* (1955), *les Petites Lecocq* (1955) (aux éditions Gallimard).

Mais il est plus difficile, et il est sans doute encore trop tôt pour le faire, de prédire l'avenir littéraire d'une Annie Lauran *(Celle que j'étais hier)*, d'une Simone Jacquemard (1), d'une Danielle Hunebelle (2), d'une Elisa Maury, d'une Renée Burkhardt *(Picrate et la Maltaise)*, d'une Lella Arnaud (3), d'une Claude Frère (4), d'une Michèle Perrein (5) et de vingt autres qui mériteraient tout autant d'être citées ici.

Lorsqu'une éthique inspire la romancière, le verdict semble plus aisé, car, en donnant un sens à son œuvre, l'auteur lui impose en même temps une armature. C'est pourquoi le public a applaudi Mmes Claude Longhy (6) et Yvonne Chauffin (7) lorsqu'elles ont abordé (la première dans *le Fruit de leurs entrailles*, la seconde dans *les Rambourt)*, le roman-cycle. Une observation analogue peut être faite à propos des romanciers communistes : l'œuvre vigoureuse et forte d'Hélène Parmelin (8), celle, plus récente, de Martine Monod en sont un exemple. Un tel effort pour construire une œuvre où le souci de convaincre va de pair avec la volonté de prouver, mérite plus d'encouragement que les éructations d'une jouvencelle en mal de publicité — celles d'une Berthe Grimault, par exemple (9).

(1) Née à Paris, Mme Simone Jacquemard a fait ses études à la Sorbonne, publié des poèmes (1947), puis des romans : *les Fascinés* (1951), *Sable* (1953), *Vincent ou l'invitation au silence* (1953), *la Leçon des ténèbres* (1954), *Judith Albarès* (1957) aux éditions du Seuil ; des nouvelles : *Opéra-Buffa* (Plon, 1956), et un roman humoristique : *la Famille Borgia* (Robert Laffont, 1957).

Elle a collaboré à *Esprit* et au *Mercure de France*.

(2) *Philippine* (Gallimard).

(3) Lella Arnaud a publié chez Julliard : *Marie assise sur une pierre* (Prix Claire Belon 1955) et *les Chagrins capitaux* (1957).

(4) *Le Carabinier de Bologne* (Gallimard).

(5) Michèle Perrein (qui collabore à *Elle* et à *Arts*) a publié chez Julliard, plusieurs romans dont *la Sensitive*.

(6) Cf. p. 400.

(7) Cf. p. 400.

(8) Hélène Parmelin a publié, depuis 1951 : *la Montée au Mur* (Prix Fénéon), *Noir sur Blanc, le Diplodocus, les Mystères de Moscou, Léonard dans l'autre monde* (1957), chez Julliard.

(9) Berthe Grimault, fille de ferme à demi illettrée, découverte par l'éditeur René Julliard, a publié : *Beau Clown* et *Tuer son enfant* dont les textes ont été « recueillis », c'est-à-dire transcrits par un tiers (M. Eliezer Fournier). Dans le dernier roman, la jeune héroïne donne son enfant à manger aux cochons.

*
* *

Une première œuvre est rarement décisive ; son sourire peut être trompeur, son échec injustifié. Du peloton, chaque année plus dense, des jeunes romancières, qui peut dire celle qui demain prendra le commandement ? Une de ces nouvelles venues deviendra-t-elle une étoile majeure ? Serait-ce Elisabeth Trévol, dont le premier roman (1) avait séduit par sa psychologie fine et amère ; Christine de Rivoyre (2), qui sait peindre avec vivacité et truculence un petit monde clos sur lui-même ; Annette Boraud (3), si sensible aux souffrances des enfants ; Jeanine Worms (4) ou Marguerite Castillon du Perron (5) ou, Annie Guilbert dont l'écriture est presque classique ; France Arudy (6) ou Janine Marat (7) ?

Ce que ces jeunes femmes apportent au roman, c'est le souci de la vérité, un rapport direct avec les choses ; à la cérébralité abstraite de leurs homologues masculins, elles opposent une sensibilité qui peut être vigoureuse et ferme mais qui, presque toujours, prend appui sur le réel. Et c'est pourquoi elles paraissent appelées à les relayer, dans la fabrication des romans de lecture courante et de grande consommation.

Et le peloton s'allonge chaque année. Après Hélène Tournaire, Marise Querlin, Yvonne Escoula, Jeanne Montupet, citons parmi les dernières venues, Lucie Marchal *(la Rancune)*,

(1) *Mon Amour* (1954), attachant portrait d'une liaison (celle d'une secrétaire et de son patron, lui-même marié) qui laisse la femme insatisfaite et humiliée. *Cité Universitaire* (1956), le second roman d'Elisabeth Trévol, est beaucoup plus banal (les deux volumes chez Julliard).

(2) Christine de Rivoyre a peint le milieu de la danse dans *l'Alouette au miroir* (Plon, Prix des Quatre Jurys 1956) et la vie d'un petit hôtel, rue de Rivoli, dans *la Mandarine* (Plon, 1957, 40e mille). « Au milieu de tant de romans dont les héros, tristement, chipotent dans leur assiette, voici un roman où il y a de l'appétit », a dit de ce dernier livre Félicien Marceau.

(3) Née en 1922, Annette Boraud a publié chez Denoël *les Enfants aux mains vides* (1955) et *Quand la cloche s'arrêtera* (1957).

(4) Jeanine Worms a publié chez Fasquelle, deux romans : *Il ne faut jamais dire fontaine* et *les Uns et les Autres* (1957).

(5) Marguerite Castillon du Perron, historien de *(la Princesse Mathilde)*, a publié un roman provincial dans la ligne de Mauriac et d'Estaunié (*Laure ou la prison du silence*, 1956).

(6) France Arudy a publié aux éditions du Seuil *le Pain et l'Eau* et *Solderon* (1957).

(7) Janine Marat (fille du critique suisse Emmanuel Buenzod) a publié, chez Julliard, *Beau masque* et *le Mage*.

Geneviève Serreau *(le Soldat Bourquin)*, Gisèle Prassinos, qui
fut la muse-enfant du Surréalisme, Louise Bujeaud *(la Barre
aux faucons)*, Noëlle Greffe *(la Charrette en fleurs, les Dents aga-
cées)*, Lia Lacombe (*Les Borgnes*) et aussi Dominique Vazeilles
Michèle Brunet, Annie Saumont, Nadine Chauvin *(les Chats
morts)*, Raymonde Temkine, Viviane Salandra, Marie Fores-
tier, Vivette Perret.

*
* *

On aurait pu croire les femmes préservées, par leur physiologie comme par leur psychisme, des tentations de l'érotisme
— cette abstraite et funèbre évasion. La littérature d'aujourd'hui nous apprend qu'il n'en est rien. Les premiers
livres de Françoise Mallet *(le Rempart des Béguines)*, de
Suzanne Alleins *(la Mauvaise Conscience)*, de Françoise de
Ligneris *(Fort-Frédérick)* auraient, hier encore, été relégués
dans l'enfer des bibliothèques.

Mais aujourd'hui, c'est toute une part de la littérature
féminine qui semble affectée d'un complexe d'infériorité physiologique par l'affirmation d'une sexualité dévoyée : chez
Suzanne Alleins, Joyce Mansour, Violette Leduc ou même
Françoise d'Eaubonne (1), la rancune de la chair va parfois
jusqu'à l'obsession. Et que dire d'*Histoire d'O*, où une femme
a couvert de son nom un récit digne de Sade ?

Arrêtons-nous un instant sur ce dernier volume, quelque
gêne qu'on éprouve à l'analyser. En un sens, ce récit célèbre
et scandaleux ne diffère guère des curiosités érotiques dont le
libraire Jean-Jacques Pauvert s'est fait, entre deux rééditions
du Littré, la spécialité, depuis *Madame Edwarda* jusqu'aux
récits, d'un érotisme cérébral et compliqué, mais d'une
écriture élégante et sèche, de Pierre Klossowski (remarquable
commentateur de Sade), de Henri Raynal et de Georges
Bataille *(le Bleu du Ciel)*. Ici, les ressources classiques du
sadisme, s'ajoutant au mystère sous lequel s'abrite l'auteur,
suffisent à expliquer le succès commercial. Mais aussi, comme
le soulignait Jean Paulhan dans une spécieuse et subtile
préface, en un temps où la femme accède à l'égalité avec
l'homme, *l'Histoire d'O* rappelle à nos contemporains étonnés

(1) Tour à tour institutrice, ouvrière agricole et journaliste, Françoise
d'Eaubonne a publié onze livres, parmi lesquels *Comme un vol de gerfauts*
(Prix des Lecteurs 1947) et un essai sur le *Complexe de Diane*.

que « les femmes ne cessent d'obéir à leur sang, que tout est
sexe en elles » jusqu'à l'esprit et qu'à l'instant où elles se
croient affranchies, elles réclament secrètement un maître.
« Pas une femme n'avait encore rêvé d'être Justine », de
passer sa vie dans les supplices, de les réclamer et de les aimer.
De sorte que ce Musée des Horreurs, fruit d'une imagination
déréglée, devient le symbole d'un monde absurde — où
l'univers concentrationnaire, la torture, l'inquisition des
consciences nous sont devenus presque familiers — qui a su
reconnaître en Sade un prophète à sa mesure.

A l'autre extrémité de l'arc, il y a le sacrifice consenti,
l'héroïsme et la sainteté : Dieu merci, ils ne sont pas moins
de notre temps que l'absurde et que l'abject. Il y a *l'Histoire
d'O* et les récits érotiques de Joyce Mansour *(Jules César)*,
mais il y a aussi le bouleversant *Journal* de Paule Régnier,
le *Récit d'un Combat*, dans lequel Sorana Gurian décrivait
son corps à corps avec le cancer, le *Journal* d'Anne Frank
et l'exemple de Marietta Martin (1), sœur et rivale d'une Simone Weil. Sans doute, entre-t-il encore trop de « littérature »
dans le testament spirituel de cette héroïne, dont l'œuvre
n'égale pas la vie. Mais l'ascension vers plus de pureté,
d'amour et de détachement qui caractérise son *Journal*
(dont il serait bon d'extraire un choix) mérite de la faire
figurer au côté de ces grands Spirituels qu'elle admirait tant.

Entre ces deux extrêmes, y a-t-il encore place pour ce qui
faisait jadis le prix des « jeunes filles » chères à Francis
Jammes : la pudeur, la sensibilité, la discrétion ? Ce sont
elles qu'on retrouve dans l'émouvante autobiographie
d'Angelina Bardin (2) *(Angelina, fille des champs)*, dans les
souvenirs délicats de Maud Frère ou de Claire France *(les
Enfants qui s'aiment)*. On leur en sait d'autant plus gré que
toute une part de la littérature féminine cultive aujourd'hui,
en guise de fleur bleue, les âcres fruits du cynisme, de la haine
et de la provocation.

(1) Née à Arras en 1902, entrée dans la Résistance, condamnée à mort et
fusillée par les Allemands en 1945, Marietta Martin a publié : *Histoires du
Paradis* (1934), *Transfiguration* et des *Cahiers* (2 volumes, parus aux éditions
de la Colombe). Sur Marietta Martin et son œuvre, on pourra consulter :
Jean-Paul Bonnes : *Marietta Martin ou la tige et la fleur* (la Colombe, 1956).

(2) Née en 1901, élevée à l'Assistance publique Angelina Bardin a publié :
Angelina, fille des champs et *Vous qui passez sur la route.*

X

HUMORISTES ET CONTEURS

DANS le roman français d'aujourd'hui, la bonne humeur
est la chose du monde la plus mal partagée. Des écrivains qui, à une époque moins amère, se seraient
pressés de rire de tout, se guindent et affectent un sérieux
de commande. Le public en est réduit à chercher hors de nos
frontières des écrivains restés fidèles au sens de l'humour ;
faute de mieux, il a fait un triomphe au *Petit monde de Don
Camillo*.

Henri Calet (1), qui fut peut-être le plus sensible, le plus
humain de nos chroniqueurs, Jean Fougère, Maurice Toesca
font — après Raymond Queneau et Marcel Aymé — presque
figure d'exceptions. A côté d'eux, Marc Bernard, Jacques
Perret, Roger Rabiniaux, se sont taillé, dans une littérature
en proie aux tourments métaphysiques, des oasis à leur taille ;
leurs marionnettes nous changent de la galerie de monstres
avec lesquels le roman contemporain nous a familiarisés.
Mais les devoirs de vacances de Marc Bernard (2) — qui ne

(1) Parisien à la manière de Gavroche, Henri Calet (1903-1956) a fait
treize écoles, pensions et lycées. Après de grands voyages (Amérique du Sud,
Allemagne, Angleterre, Belgique, Hollande, Espagne, Portugal, îles Açores)
et une courte captivité, il s'est consacré au journalisme (notamment à *Combat*).
Il a publié : *la Belle Lucette* (1935), *le Mérinos* (1937), *Fièvre de polders* (1940),
le Bouquet (1945), *le Tout sur le tout* (1948), *l'Italie à la Paresseuse*, *Peau d'ours*
(1958), (Gallimard) ; *le Croquant indiscret*, *Contre l'oubli* (Grasset) ; *les Murs
de Fresnes* (1946) (Quatre Vents).

(2) Marc Bernard est né en 1900, à Nîmes, où il a passé son enfance. Depuis
son premier roman — *Zig-Zag*, paru en 1927 — il a publié (chez Gallimard),
des romans : *Au Secours*, *Anny* (Prix Interallié 1934), *les Exilés*, *la Cendre*,
une Journée toute simple ; des nouvelles : *Vert-et-Argent* suivi de *Portraits
de M. Denis* ; des souvenirs : *Pareils à des Enfants* (Prix Goncourt 1942),
Salut, Camarades, *la Belle Humeur* (1957) et une pièce de théâtre : *les Voix*.

renouvelle guère les rôles traditionnels du citadin aux champs, du concierge sentencieux ou du petit bourgeois en villégiature — ont quelque chose de laborieux ; plus libres et plus spontanées sont les inventions de Jacques Perret (1). L'inoubliable mémorialiste du *Caporal épinglé* excelle à monter de toutes pièces des canulars d'autant plus savoureux qu'ils doivent moins à une idéologie fort réactionnaire, pour s'inspirer d'une réalité que l'auteur de *Bande à part* observe d'un œil faussement naïf. L'humour terre à terre de Jacques Perret marie des senteurs variées : celle du vin d'Arbois s'y mêle à des émanations moins nobles, où l'odeur de la soupe aux choux relaie les touffeurs de la basse-cour ou même de l'engrais naturel. Bien inspiré lorsqu'il nous parle d'une « Bête Mahousse» ou d'un « Machin», simples prétextes à divagations matinales, Perret l'est moins dans des chroniques où la subtilité du critique n'est pas à la hauteur des intentions du pamphlétaire et fait regretter son maître Marcel Aymé. Et même lorsque l'idée est excellente — comme dans ce *Rôle de Plaisance* (1957) point de départ d'une navigation amicale — il a le tort d'en vouloir tirer trop d'effets. Quant à Roger Rabiniaux, le pittoresque sous-préfet de Saint-Flour, il se hausse à l'épopée rabelaisienne (2).

Plus proche de Colette, Michelle Esday *(la Vierge au Tonneau)* prendra peut-être un jour sa relève.

Puisque nous descendons le fleuve du succès, mentionnons avec les éloges qu'il mérite, celui de Pierre Daninos (3) qui

---

(1) Jacques Perret est né le 8 septembre 1901, à Trappes (Seine-et-Oise). Etudes supérieures inachevées. Caporal de tirailleurs au Maroc, voyage et séjourne à l'étranger. Prisonnier en 1940, s'évade en 1942, puis gagne le maquis. Se consacre au journalisme et à la littérature. Jacques Perret a publié des romans : *Ernest le Rebelle, le Vent dans les Voiles, Bande à part* (Prix Interallié 1951), *Rôle de Plaisance* (1957) ; des nouvelles : *Objets perdus, la Bête Mahousse* (1951), *Histoires sous le Vent, le Machin, Salades de Saison* (1957) ; des souvenirs : *le Caporal épinglé* (1947) ; et des chroniques : *Bâtons dans les roues, Cheveux sur la soupe* (Gallimard).

(2) Roger Rabiniaux a publié notamment : *L'Honneur de Pédonzigue* (Prix Claire-Belon 1950, préface de Raymond Queneau), *Les Vertus Craboncrague, les Enragés de Cornebourg, Impossible d'être abject* (1958).

Au théâtre : *La Mort de son juge* (1958).

(3) Pierre Daninos est né à Paris le 26 mai 1913. Etudes à Janson-de-Sailly. Premier reportage aux Etats-Unis en 1934. Pendant la guerre, agent de liaison auprès de l'armée britannique. Pierre Daninos a publié :

Des romans : *Méridiens* (1945), *Eurique et Amérope* (Jeune Parque, 1946), a mis quelque temps à expérimenter une formule (son premier roman date de 1941). Passant du dépaysement atlantique (*Eurique et Amérope*, 1946), au bon usage de *Sonia* (1952) il a fini par remporter avec les *Carnets du Major Thompson* (1954, 750.000 exemplaires vendus en 1957) un des triomphes de l'édition française contemporaine. Ce recueil d'observations, vif et piquant, dans la bonne tradition de nos moralistes frottés d'anglomanie, de Voltaire à Abel Hermant et à André Maurois, d'un sympathique insulaire parti à la découverte de la France, a été suivi d'un second, où l'heureux auteur a recueilli — mais en Angleterre cette fois — les miettes de cette manne. Beaucoup d'écrivains voudraient connaître la recette de Daninos, mais son secret — un millier de fiches maniées avec humour — est plus difficile à percer que celui du Major Thompson.

Jean Duché (1) a frôlé la même réussite avec *Elle et Lui*, avant de mettre en sketches *l'Histoire de France racontée à Juliette*. Paul Guth (2) (on sait la place qu'il s'est faite dans

---

le *Carnet du Bon Dieu* (Prix Interallié 1947, Jeune Parque), *l'Eternel Second* (1949, Plon) ;

Des essais romancés : *Passeport pour la nuit ou le Roi Sommeil* (Plon, 1946), *Sonia, les autres et moi, ou le Dictionnaire des Maux Courants* (Prix Courteline, Plon, 1952), *les Carnets du Major Thompson* (Hachette, 1954, 750e mille), *le Secret du Major Thompson* (Hachette, 1956), *Vacances pour tous* (1958).

En collaboration : *Savoir-vivre international* (Code de la susceptibilité et des bons usages internationaux) (Odé, 1951), *le Tour du monde du rire* (« étude du rire et de l'humour à travers le monde», Hachette, 1953).

(1) Jean Duché est né en Charente en 1915. Etudes à Limoges, puis à Paris. Marié, une fille.

Il a publié :

Des essais : *Liberté européenne* (dix-huit entretiens avec des écrivains européens, 1949), *les Grandes Heures de Lyon*, préface d'Edouard Herriot, Amiot-Dumont, 1957).

Deux récits : *Elle et Lui* (Prix de l'Humour 1951) et *Trois sans Toit* (histoire d'un couple à la recherche d'un appartement, 1952) ;

Des chroniques (parues dans *Elle*) : *On s'aimera toute la vie* (1956), une *Histoire de France racontée à Juliette* (Amiot-Dumont) ; et une *Histoire du Monde* (Flammarion, 1958).

(2) Paul Guth est né à Ossun dans les Hautes-Pyrénées, d'une famille de paysans et de mécaniciens. Etudes au collège de Villeneuve-sur-Lot ; agrégation de Lettres en 1933.

Après la Libération, quitte l'enseignement pour la littérature, le journalisme et la radio. (Il collabore notamment au *Figaro Littéraire* et à *la Voix du Nord*.) En 1953, il publie le premier volume des *Mémoires d'un Naïf* (Prix Courteline) ; en 1954, *le Naïf sous les Drapeaux* ; en 1955, *le Naïf aux Qua-*

la chronique et le journalisme : il a renouvelé l'art de l'interview) s'est découvert une vocation de romancier, avec *le
Pouvoir de Germaine Calban* et surtout avec l'inépuisable
chronique du « Naïf». Après un départ un peu lent dans les
Mémoires d'un Naïf et *le Naïf sous les Drapeaux*, dont le
héros observe avec un humour attendri les hommes et les
événements, le personnage a pris son vrai départ avec les
récits suivants où les souvenirs du professeur, puis les avatars
du locataire, composent une suite de sketches à la fois cocasses
et touchants.

Placerons-nous Jean Dutourd (1) dans ce panorama un peu
chaotique ? Ce romancier de belle humeur débuta, en 1945,
par un essai *(le Complexe de César)*, brillant et désinvolte,
dont l'anachronisme ne passa pas inaperçu : il annonçait,
quelques années à l'avance, le ton libre, dégagé de l'actualité,
ironique à l'égard des valeurs de l'époque, de la génération
de 1950. Enhardi par ce premier succès, l'auteur s'essaya
dans des nouvelles baptisées romans, fort proches par leur
ton, leur humour, leur liberté (un peu appliquée cependant),
des récits de Marcel Aymé : *Une Tête de Chien* et surtout
Au Bon Beurre (ou *Dix ans de la vie d'un crémier*) (1952),
satire amusante mais facile de l'occupation. Dutourd devait
ensuite s'élever au niveau du roman de caractère avec un
médiocre *Doucin* (1955) et au pamphlet politique avec *les
Taxis de la Marne* (1956), dur portrait d'une « nation femelle»
— la France d'aujourd'hui — décrite par un homme qui
avait eu vingt ans en 1940.

Fort en dessous de l'heureux Dutourd se situe Gabriel
Véraldi (2), éphémère Prix Fémina 1954, pour une *Machine*

rante Enfants (100ᵉ mille) ; en 1956, *le Naïf locataire ;* en 1957, *le Mariage
du Naïf* — Un livre pour enfants : *la Locomotive Joséphine* (aux éditions Albin
Michel).

(1) Né en 1920, marié, père de deux enfants, journaliste et lecteur aux
éditions de la *N.R.F.*, Jean Dutourd a publié des romans : *Une Tête de Chien*
(Prix Courteline 1950), *Au Bon Beurre ou Dix ans de la vie d'un crémier* (Prix
Interallié 1952, 120ᵉ mille), *Doucin* (1955) ; une pièce de théâtre : *l'Arbre*
(1948) ; des essais : *le Complexe de César* (Prix Stendhal 1946), *les Taxis de la
Marne* (1957), *le Fond et la Forme* (1958).

(2) Gabriel Véraldi est né à Annecy le 13 juillet 1926. Il pratique les sports
de combat et il a publié des romans : *A la Mémoire d'un ange* (1953), *la Machine
humaine* (Prix Fémina 1954), *le Chasseur captif* (1956) (aux éditions Gallimard),
et un essai : *l'Humanisme technique* (Table Ronde, 1958).

humaine qui se signalait surtout par son invraisemblance
et par la hâte avec laquelle l'auteur avait jeté sur le papier
quelques thèmes d'actualité. Son premier roman *(A la mémoire
d'un ange)* attestait pourtant son brio et sa sensibilité à
l'époque. *Le Chasseur captif* (1956), son troisième récit, hésite
entre un amour romantique à l'allemande et la dénonciation
de ces mythes modernes dont l'œuvre d'Aldous Huxley,
dont Véraldi se proclame le disciple, donne un exemple
autrement impressionnant.

Dans la même note humoristique, citons encore René
Masson *(des Hommes qu'on livre aux enfants ; le Parlementaire
vertueux)*, Paul Guimard (mais sa *Rue du Havre* ne vaut pas
les Faux Frères), tel récit d'Yvan Audouard, d'Armand
Lanoux *(les Lézards dans l'Horloge)*, tel autre de Marcel
Mithois *(Passez, muscade ; un Morceau de Roi)*, sans oublier
les divertissants pastiches de Philippe Jullian *(les Morot-
Chandonneur, la veuve du Baronnet)*, les romans blagueurs de
François Billetdoux *(Royal garden Blues)* ou les « reportages
historiques» de Jean Burnat *(C'est Dupont, mon empereur!)*.
Ces noms nous assurent que la tradition ironique d'Anatole
France et d'Abel Hermant n'est pas complètement oubliée.

XI

DU REPORTAGE A LA SCIENCE FICTION

1

DU REPORTAGE AU ROMAN

CONSTAMMENT, dans le roman d'aujourd'hui, la fiction côtoie, sans toujours les masquer, l'histoire vécue, le document. Et le journalisme est, tout autant que l'Université, une pépinière de romanciers : (Pierre Fisson, Roger Vailland, Paul Guth, Serge Groussard... Jean-Louis Bory (1), Jacques Robert (2), Michel-Droit (3), Paul Mousset *(Neige sur un amour nippon)*, Henri Amouroux *(une Fille de Tel Aviv)*. François Ponthier (4), Maurice Clavel, François Brigneau, Gérard Boutelleau *(les Fétiches)*, Jacques Lanz-

---

(1) Né en 1919, professeur de lettres au lycée Henri-IV, Jean-Louis Bory a publié : *Mon village à l'heure allemande* (Prix Goncourt 1945), *Chère Aglaé, Fragile, Une vie de château, Clio dans les Blés, la Sourde Oreille* (1958).

(2) Né à Lyon en 1921, reporter (à *France-Illustration* et à *Samedi-Soir*), Jacques Robert a tourné plusieurs films et publié une *Anthologie de la Poésie russe*, des chroniques et plusieurs romans, parmi lesquels *le Désordre et la Nuit, Une tragédie parisienne* (Julliard).

(3) Né en 1923, reporter à la R. T. F., Michel-Droit a publié des essais *(De Lattre, 1952, André Maurois, 1953)*, des reportages *(Jours et Nuits d'Amérique, 1954, Visas pour l'Amérique du Sud, 1956)* et deux romans : *Plus rien au monde* (Prix Max-Barthou 1954), *Pueblo* (1957).

(4) Né au Havre, journaliste dans la presse allemande de la zone d'occupation alliée de 1945 à 1948, puis au Maroc, François Ponthier a publié (chez Laffont) : *Manganèse* (1956) *l'Homme de guerre* (1957), et *le Phénix* (1958),

mann, Daniel Anselme, Yves Grosrichard, marient, dans leur
œuvre comme dans leur vie, le reportage au roman. Quelques-
uns comme Pierre et Renée Gosset (1) ont même délaissé la
fiction pour une réalité qui la dépasse. Sera-ce le cas de
Jean-Jacques Gautier (2), dont les ennemis assurent qu'il
se venge, chaque soir, sur les auteurs dramatiques, de la résistance que lui opposent les faits divers à se métamorphoser
en œuvres d'art ?

Faut-il considérer comme des reportages les grandes
enquêtes romancées d'O.-P. Gilbert, successeur attiédi et
embourgeoisé de Zola au pays des mines, de Jean Davray
(le Bruit de la vie), de Saint-Paulien *(Scènes de la vie Révolutionnaire)*, les évocations féminines de Henri d'Amfreville (3),
les romans maritimes de Jean Merrien (4), les imageries
lyonnaises de Joseph Jolinon (5), les souvenirs de guerre
d'Yvonne Pagniez, les romans d'affaires de l'ingénieur Grégoire (5 *bis*) ? En ce sens, tout roman — des documents

---

(1) Reporters aux quatre coins de la planète, Pierre et Renée Gosset ont
publié : *l'Amérique aux Américains* (2 volumes) et *Terrifiante Asie* (2 volumes).
Renée Gosset a publié de son côté : *Cochon de métier, Mes hommes et moi,
Mes quatre coins du monde, Mes hommes dans un bateau, Retour du bout du
monde* ; Pierre Gosset a publié un roman : *les Chevaux de bois* (tous ces volumes
chez Julliard).

(2) Né en 1908 à Essômes-sur-Marne, rédacteur à *l'Echo de Paris*, puis à
l'Epoque et au *Figaro*, à la Libération secrétaire général de la Comédie-Française, puis critique dramatique du *Figaro*, Jean-Jacques Gautier a publié
(chez Julliard) des récits, des nouvelles, et des romans : *l'Oreille, Histoire
d'un fait divers* (Prix Goncourt 1946), *les Assassins d'eau douce, le Puits aux
trois vérités, la Demoiselle du Pont-aux-Anes, Nativité, M'auriez-vous condamné ?,
C'est tout à fait moi, Maria la Belle* et *Vous aurez de mes nouvelles.*

(3) Henri d'Amfreville a publié des romans (chez Corrêa) *Terre de Rêve* ;
(chez Grasset) *les Fanatiques, les Solitaires, la Provinciale, la Terre est chaude,
l'Homme nu*, ainsi qu'un essai *(le Naufrage des Sexes*, Corrêa) et une biographie
de *Casanova* (Club Français du Livre).

(4) Né en 1905, le Breton Jean Merrien a publié des romans : *le Mort jeune,
Abandons de postes, Bord à bord* (Prix Populiste 1944), *Rien que la mer* (1945),
l'Homme de la mer (Grand Prix de la Mer 1948), *les Mémoires d'un yacht,
les Navigateurs solitaires* (1953).

(5) Joseph Jolinon a publié de nombreux romans et récits et un cycle romanesque en cinq volumes : *les Provinciaux* (Grand Prix de Littérature de l'Académie Française 1950).

(5 *bis*) Né en 1899, l'ingénieur Jean-Albert Grégoire a publié : *l'Aventure
automobile* (1952), *24 heures au Mans, Un homme timide, l'Ombre de l'Argent*
(Flammarion).

réalistes d'Yves Gibeau (1) et de Célou Arasco (2) aux voyages de Michel Ragon (3) et de Michel Boutron, jusqu'aux vastes reconstitutions historiques de René Béhaine et d'Henri Troyat — tient peu ou prou du reportage et les plus extraordinaires ne sont pas toujours les moins vrais.

2

LA « SCIENCE-FICTION »

Le dernier-né de nos genres littéraires, la *Science-Fiction* (4) marie la glaciale objectivité (toute apparente) de la technique, aux prouesses de l'imagination et les facilités du reportage à celles du roman historique : d'où son succès. Il a de nombreux ancêtres — illustres depuis toujours, comme Jules Verne, H.-G. Wells *(la Guerre des mondes)*, Jack London *(le Talon de fer)*, Aldous Huxley *(Brave New World)* ou inconnus hier encore comme George Orwell *(1984)* et H.-P. Lovecraft — et peut-être aussi avant eux, Cyrano de Bergerac, Voltaire, Edgar Poe, J.-H. Rosny *(la Force mystérieuse, la Mort de la Terre, les Navigateurs de l'Infini)*. La science-fiction offre à l'humanité d'aujourd'hui non seulement une évasion à bon marché mais une promesse d'avenir — car nous savons tous que l'événement a vite ratifié et souvent dépassé les « anticipations fantastiques » de Jules Verne ou de Wells. Elle fut longtemps le domaine réservé des romanciers anglo-saxons et aujourd'hui encore son plus illustre représentant reste Ray Bradbury, l'auteur des célèbres *Chroniques martiennes*. Mais dès la dernière guerre, René Barjavel (5) acclimatait le

(1) Né en 1916, Yves Gibeau a publié (aux éditions Calmann-Lévy) : *le Grand Monôme* (1947), *Et la Fête continue* (1950), *Allons z'enfants* (1952), *les Gros Sous* (Prix Populiste 1954), *la Ligne droite* (1957).

(2) Né en 1921, Célou Arasco a publié (chez Gallimard) : *la Côte des Malfaisants* (1948), *Terrain vague* (Prix Fénéon 1950), *les Joies de la tulipe*.

(3) Né en 1924, à Marseille, Michel Ragon a publié deux romans : *Drôles de voyages, Drôles de métiers*, une *Histoire de la Littérature ouvrière* (1953) et des poèmes (*Cosmopolites*, Prix des Poètes 1954).

(4) Le mot a été créé, en 1926, par l'Américain Hugo Gernsback.

(5) Né à Nyons (Drôme) en 1911, tour à tour pion, démarcheur, employé de banque et journaliste, René Barjavel a publié (chez Denoël) sept romans :

genre en France, avec *Ravages* (1943), le premier de ses « romans extraordinaires ». Cet Homère provençal excelle à faire jaillir le fantastique d'une réalité patiemment observée : *Jour de feu*, transposition moderne du drame du Golgotha, n'est pas moins hallucinant que ses « reportages » sur le cinquante et unième siècle *(le Voyageur imprudent)* ou la quatrième guerre mondiale *(le Diable l'emporte)*. Si le genre abonde aujourd'hui en exploitants dépourvus de scrupules, il a tenté cependant plus d'un écrivain de qualité : après André Maurois *(les Mondes impossibles)*, Jean-Louis Curtis, *(Un Saint au Néon)*, Pierre Boulle, Jean Paulhac (1) Michel Carrouges, Pierre Daninos, R.-M. Albérès *(l'Autre Planète)* Marianne Andrau, Jacques Sternberg (2) s'y sont successivement risqués. Le dosage d'équilibre et d'humour varie selon le tempérament propre de chaque romancier, mais le but recherché est toujours le même : nous arracher aux déceptions et à la tristesse de ce monde pour nous faire entrer — avec le sourire — dans le plus surprenant des âges (d'or ou d'airain, qui sait ?) — un âge qui est déjà là (3).

3

Ecrivains français de tous les horizons

La langue française déborde, heureusement, les frontières de notre pays.

Ravages (1943), *le Voyageur imprudent, Tarendol, le Diable l'emporte, Journal d'un Homme simple, Cinéma total* (1952) et *Jour de feu* (1957).

(1) Né en 1921, fils d'instituteurs, professeur d'éducation physique, Jean Paulhac a publié, outre des romans dans la Série Noire, *Nous n'avons pas demandé à vivre, les Bons Elèves, Les Sentiers obliques* (1958) et cinq nouvelles de Science-Fiction : *un Bruit de Guêpes* (Denoël).

(2) Né à Anvers en 1923, Jacques Sternberg a publié : *la Géométrie dans l'Impossible, Contes fantastiques, le Délit, la Géométrie dans la Terreur, le Terrain vague, la Sortie est au fond de l'espace* (1956), *l'Employé* (1958).

(3) On rapprochera de la Science-fiction l'œuvre du Gantois Jean Ray (né en 1887). Il a publié *les Contes du whisky* en 1925 qui relie la tradition d'Edgar Poe et de J.-H. Rosny aîné aux modernes « romanciers de la peur », en tête desquels André Breton place aujourd'hui Jean-Louis Bouquet (né à Paris en 1900, scénariste et romancier : *le Visage de feu, Aux Portes des Ténèbres*).

Nous avons déjà recensé les romanciers d'Afrique du Nord, mais ce qui fut l'Union française apporte aussi sa contribution à la nouvelle littérature française : en Afrique noire, Léopold Senghor ou Camara Laye *(l'Enfant noir)* ; à l'île Maurice, Loys Masson (1) ; aux Antilles, Joseph Zobel (2) *(la Rue Cases-Nègres)* ; au Viet-Nam, Nguyen-Tien-Lang *(les Chemins de la Révolte)* ou Pham duy Khiêm *(Nam et Sylvie)*.

Nous leur joindrons les romanciers venus du Proche-Orient.

Même en France le Libanais Farjallah Haïk (3) n'est plus un inconnu depuis le Prix Rivarol (1949) qui fit connaître avec *Abou Nassif* l'œuvre haute en couleur de cet Oriental typique qui avait déjà mis en scène dans *Barjoute* un patriarcat à la fois féroce et biblique, baigné d'une poésie fruste ; Abou Rassif est un de ces personnages naïfs et rusés qui abondent dans les *Mille et une Nuits*. Si Farjallah Haïk se montre agressif et parfois inutilement violent dans ses derniers romans (qui nous peignent des êtres livrés à une justice qui n'atteint que le corps), où l'on voit Caïn tuer Abel par haine de Dieu et par amour de l'homme — son œuvre vaut par « un mélange de sérénité, de rudesse, d'émerveillement et de malice silencieuse, le tout assaisonné d'une petite goutte divine».

Plus classique, l'Arménien, Vahé Katcha (4) *(Œil pour Œil, l'Hameçon)* sait, lui aussi, exprimer, avec une sobriété saisissante, la violence qui peut s'emparer du cœur de l'homme.

La liste est d'ailleurs longue, et singulièrement honorable,

(1) Né à l'île Maurice en 1915, Loys Masson se fait connaître par son premier recueil de poèmes, *Délivrez-nous du mal* (1942). Suivent d'autres poèmes, *les Vignes de Septembre* (1955), un pamphlet, *Pour une Eglise* (1946), une pièce, *Résurrection des Corps*, et des romans : *Tout ce que vous demanderez*, *les Tortues* (1956), *la Douve* (1957), *les Sexes foudroyés* (1958) (chez Julliard).

(2) Né en 1915 à la Martinique, Joseph Zobel a publié : *Diab'là* (1947), *la Rue Cases-Nègres* (Prix des Lecteurs 1950).

(3) Né en 1909 à Beit-Chébab (Liban), Farjallah Haik a publié des poèmes : *(Larmes et Soupirs*, 1927, *le Paradis de Satan*, 1929) et des romans : *Barjoute* (1940), *Héléna* (1941), *Al-Ghariba* (1947), *Gofril le Mage* (1947), *les Enfants de la Terre* (3 volumes : *Abou Nassif*, Prix Rivarol 1949, *la Fille d'Allah*, *le Poison de la Solitude*), *l'Envers de Caïn*.

(4) Né à Damas en 1928, Vahé Katcha a publié quatre romans : *Œil pour œil* (Prix Rivarol, 1957), *l'Hameçon*, *Ne te retourne pas*, *Kipian* (chez Plon) et *les Mégots du Dimanche* (chez Gallimard).

des écrivains nés hors de nos frontières et qui ont enrichi notre
patrimoine littéraire : romanciers célèbres ou notoires comme
Elsa Triolet, Julien Green (1), Joseph Kessel, Romain Gary,
Henri Troyat, Samuel Beckett, Roger Ikor, Jean Malaquais,
Costa du Rels, Carlo Coccioli (2), Ladislas Dormandi, débu-
tants comme l'Espagnol José-Luis de Villalonga, le Péruvien
Guy Ponce de Léon, Georges Ketman, Constantin Amariu (3),
Boris Schreiber, dramaturges comme Ghelderode, Adamov ou
Ionesco, essayistes comme E.-M. Cioran, poètes comme
Jules Supervielle, Robert Ganzo ou Alain Bosquet — sans
parler de ceux qui sont si proches de nous que nous ignorons
souvent leur nationalité : Belges (mais ici le bataillon est si
épais que nous n'avons pas la place de citer seulement les
principaux noms, depuis Crommelynck, Simenon et Michaux
jusqu'à Charles-Louis Paron (4), Jean Mogin et Georges Sion),
Suisses (de Jacques Chenevière (5) à Dominique Fabre),

(1) Qui, rappelons-le, a gardé la nationalité américaine.
(2) Né à Livourne en 1920, Carlo Coccioli a publié son premier livre *Il
Migliore e l'Ultimo* en 1946 ; puis, *la Difficile espérance* et surtout *le Ciel et la
Terre*, aussitôt traduits en français, le firent considérer comme un des grands
héritiers européens de Bernanos. Depuis, Coccioli, qui partage son temps entre
le Mexique, Florence et Paris, a écrit directement en français deux romans :
la Ville et le sang (Flammarion, 1955) et *Manuel le Mexicain* (Plon, 1956)
et un *Journal* (La Table Ronde, 1957).
(3) Né en 1923, Roumain d'origine, Constantin Amariu a obtenu pour son
premier roman, *le Paresseux*, le Prix Rivarol 1955. Il a publié, en 1956, *la
Fiancée du Silence* (Denoël).
(4) Né à Bruxelles en 1914, Charles-Louis Paron a obtenu le Prix de la
Guilde du Livre 1949 pour son premier roman : *Et puis s'en vont*.
(5) Né à Paris, en 1886, de mère française, ami de Robert de Traz et de Guy
de Pourtalès, Jacques Chenevière est l'un des chefs de file des écrivains de Suisse
romande. Membre des Comités de la Croix-Rouge internationale et de l'Agence
Centrale des Prisonniers de Guerre, de la *Revue de Genève*, membre du Conseil
de la Fondation Schiller et de nombreux jurys littéraires (Grand Prix littéraire
de Monaco ; président du jury de la Guilde du Livre, etc.). Poète (*les Beaux
Jours, la Chambre et le Jardin*), critique (il dirige la page littéraire du *Journal
de Genève*) et romancier (*l'Ile déserte, les Messagers inutiles, les Captives, le
Bouquet de la Mariée*).
Mais il faudrait citer aussi, entre beaucoup d'autres, les romanciers Jean
Marteau (né à Genève en 1903, auteur du *Crève-Cœur* et des *Guerriers gris*),
Jacques Mercanton (né en 1910, professeur de littérature française à l'Université de Lausanne, poète et romancier, *le Soleil ni la Mort*, 1948 ; *Chris au
désert*, 1949), Alice Curchod (née à Lausanne en 1907, *le Pain quotidien*, 1936 ;
les Pieds de l'Ange, 1950), Charles-François Landry (né à Lausanne en 1909,
le Mas Méjac, 1944 ; *la Devinaize*, 1951), Maurice Zermatten (né en 1910,
la Colère de Dieu), Georges Borgeaud (né en 1917, *le Préau*, Gallimard, 1952).

Canadiens (ce sont les plus méconnus, mais nous avons grand
tort de continuer à les observer à travers les lunettes de Maria
Chapdelaine (1).

---

(1) Roger Lémelin *(les Plouffe)*, Mmes Gabrielle Roy (dont le dernier récit,
Rue Deschambault évoque son enfance à Saint Boniface) et Germaine Guèvre-
mont *(le Survenant, En pleine terre)*, Ringuet *(Trente Arpents)* sont connus du
public français. Mais des romanciers comme Robert Elie *(la Fin des songes)*,
André Langevin *(Poussière sur la ville, Le Temps des Hommes)*, Jean Vaillan-
court *(les Canadiens errants)*, Jean Filiatrault *(Il suffit d'un jour)*, J.-M. Poirier
(le Prix du Souvenir) mériteraient plus qu'une mention.

On notera que l'éditeur Robert Laffont a créé, en 1958, une collection consacrée aux *Jeunes Romanciers canadiens*.

XII

UN NOUVEAU CLASSICISME ?

Ce n'est pas le désir de conclure notre inventaire sur une image rassurante qui nous pousse à inscrire ces dernières pages sous le signe d'un nouveau classicisme. Mais, depuis 1950, une partie vivante du jeune roman français, remontant à ses sources, illustre de nouveau la célèbre tradition psychologique et linéaire qui part de la *Princesse de Clèves*, passe par *Adolphe* et par *Dominique* pour aboutir au *Bal du Comte d'Orgel*.

Mais il y a des variétés inattendues du classicisme : l'ironique *Parenthèse* de Jacques Lemarchand (1), les savoureux et subtils récits de Roland Cailleux (2) — qui pourrait bien nous donner un jour le *Zadig* du XXᵉ siècle — ceux d'André Bay (3) en sont de bons exemples. Et si Stanislas d'Otremont (4) peint volontiers la cruauté de la passion, « l'amour déraisonnable », c'est en disciple de Benjamin Constant, dont le langage domine toujours les tempêtes du cœur. Autres formes non encore reconnues d'un certain classicisme : hier, les récits exacts du regretté Roger Breuil, aujourd'hui, ceux d'un Michel Robida.

(1) Né à Bordeaux en 1908, critique dramatique du *Figaro littéraire*, Jacques Lemarchand a publié (chez Gallimard) : *R.N. 234* (1934), *Conte de Noël* (1937), *Geneviève* et *Parenthèse* (1945).

(2) Né à Paris en 1908, le docteur Roland Cailleux a publié (chez Gallimard) : *Saint Genès ou la vie brève* (1943), *Une lecture* (1948) et *les Esprits animaux* (1955).

(3) André Bay a publié des romans : *Intimité, l'Ecole des Vacances, la Fonte des Neiges*), des poèmes et des traductions de Swift et de Lewis Carroll.

(4) Avocat belge, Stanislas d'Otremont a publié notamment : *Demain, Thomas Quercy, l'Amour déraisonnable* (Prix Rossel 1956) et *la Polonaise*.

1

CHRISTIAN MURCIAUX, MAURICE TOESCA,
ROMANCIERS DU BONHEUR

Un Christian Murciaux, un Maurice Toesca, un Jean Orieux, un Jacques Lemarchand, romanciers du bonheur et du couple, font la liaison entre la génération des Marcel Arland et des Jean Cassou et ce jeune roman néo-classique. Le premier (1) ne dédaigne pas d'envelopper les aventures du cœur dans un chapitre d'histoire *(la Porte des Galions)* ou dans un décor exotique *(les Fruits de Canaan, le Douzième Iman)*, mais peut aussi abandonner ces échafaudages chers à Loti ou à Pierre Benoit, pour conter une simple histoire d'amour, pudique et nette *(le Gros Lot)*. Le second (2) a débuté avec de brèves nouvelles ironiques ou acides, qui font songer à France ou à Mérimée, avant d'évoquer la vie et les problèmes du couple. Authentique écrivain, son style, d'un humour glacé dans ses premiers récits, plus dru dans ses derniers romans, est d'un naturel presque classique. Le sourire dont Maurice Toesca enveloppe une philosophie désabusée n'est qu'un masque ; et son cynisme paraîtrait brutal s'il n'était enrobé de miel, d'humour et d'une fausse pudeur. L'auteur des *Scorpionnes* affiche une philosophie du bonheur doublée d'un féminisme ardent ; mais il s'agit d'un masque car ce stoïcien n'est pas loin de croire à une malédiction qui pèserait sur la race humaine. Parmi ses derniers romans, on retiendra son *Paris,*

---

(1) Cf. p. 408.

(2) Né en 1905, élève d'Alain au lycée Henri-IV, docteur ès lettres (avec une thèse sur George Sand), Maurice Toesca a appartenu jusqu'à la Libération à la fonction publique (Université et corps préfectoral) avant de se consacrer à la littérature. Il a publié ses premiers récits dans la *N. R. F.* de l'occupation (*Clément*, 1942) avant de les réunir en un volume (*Jeux de vie, Jeux de vilains*, 1945). Puis sont venus : *le Soleil noir* (1946), *les Scorpionnes* (1947), *le Singe bleu* (1948), *la Course à la vie* (1948), *le Scandale* (1950), *Simone ou le bonheur conjugal* (1952), *le Fantassin à cheval* (1953), *l'Expérience amoureuse* (1954), *le Dernier cri d'un homme* (1954), *A la grâce de Dieu* (1955), *Paris, un jour d'avril* (1956), *les Rêveries d'un pêcheur solitaire* (1957) (la plupart de ces volumes aux éditions Albin Michel). — Essais : *les Grandes Heures de Fontainebleau* (1949), *Une Autre George Sand* (1945), *la Question des Femmes* (1949).

un jour d'avril (1956) comme une évocation sensible et vraie
de l'occupation ; et ses *Rêveries d'un pêcheur solitaire* (1957)
plairont à tous les amis de la nature.

2

LE VOYAGE SENTIMENTAL :
ANDRÉ FRAIGNEAU, MICHEL DÉON...

Un petit groupe d'écrivains, — Antoine Blondin, Michel
Déon, Jacques Laurent, Roger Nimier, — du côté de la
Table Ronde et de *la Parisienne*, reconnaît André Fraigneau (1)
pour son maître. Ce romancier tient dans la vie et dans la
littérature le rôle de dilettante et d'amateur cher à la génération de d'Annunzio et de Valery Larbaud : il aime Venise,
Florence, la Grèce, le baroque, et par-dessus tout, l'exotisme
méditerranéen. Ses héros favoris sont des méconnus : Julien
l'Apostat, Louis II de Bavière, des poètes de l'action. L'écrivain chez Fraigneau est très supérieur au romancier, le style
l'emporte sur l'imagination.

Son disciple Michel Déon (2) a trouvé plus rapidement
l'audience du grand public. Entre Venise, Tolède, l'Amérique,
et quelques incursions à Saint-Germain-des-Prés (il habite

---

(1) Né en 1907, André Fraigneau a publié : des romans : *Val de grâce* (1930),
l'Amour vagabond (1956) et un cycle en quatre volumes : *les Etonnements
de Guillaume Francœur*, des *Journaux* apocryphes : de Louis II de Bavière,
M. de Pontchâteau, Julien l'Apostat ;

Des essais : *Fortune virile* (1944), *Jean Cocteau par lui-même* (1957) ;

Des récits de voyages : *les Voyageurs transfigurés*, *Barrage grec*, *les Enfants
de Venise* ;

Des textes sur : *Port-Royal*, *Versailles*, *Florence*, *la Belgique*, *le Roussillon*,
l'Ile-de-France, *Venise*, *la Grèce*, etc.

On lui doit aussi diverses œuvres radiophoniques (sur des partitions de
Henri Sauguet) et des entretiens à la radio avec Jean Cocteau et Henri Sauguet.

(2) Né le 4 août 1919 à Paris, Michel Déon a fait ses études au lycée de Nice
et à Janson-de-Sailly, puis à la Faculté de Droit de Paris. Mobilisé en 1939,
il participe à la campagne de France, puis débute dans le journalisme à l'*Action
Française*. Après la guerre, il séjourne en Italie et aux Etats-Unis. Il a publié
des romans : *Je ne veux jamais l'oublier* (1950), *la Corrida* (1952), *le Dieu pâle*
(Prix des Neuf, 1954), *Tout l'amour du monde* (1955), *les Trompeuses Espérances*
(1956) *les Gens de la Nuit* (1958) (tous ces titres chez Plon), et un libelle : *Lettre
à un jeune Rastignac* (Fasquelle).

derrière Saint-Sulpice un étroit appartement romantique qui rappelle les garçonnières de Mérimée), il consacre son temps à une œuvre en demi-teintes où il transpose des voyages qui sont autant d'évasions. Il appartient à cette équipe, groupée vers 1950 autour d'André Fraigneau (Jacques Laurent, Antoine Blondin, François Brigneau), qu'Emile Henriot avait baptisée : « école de la désinvolture». *Je ne veux jamais l'oublier* (1950) — son premier vrai roman, après ses *Adieux à Sheila* (1944) — annonçait, dans une littérature où l'engagement avait abusé de son prestige, le retour au romanesque. L'auteur n'avait rien de commun avec les équipes littéraires de la Libération ; il avait appartenu à l'*Action Française* de l'occupation, et voyagé autour du monde, ivre de musées, de rencontres et de paysages inattendus. Un séjour aux Etats-Unis lui fournit le décor de *la Corrida*, tandis que *Tout l'Amour du monde* (1955) recueillait, sous la forme de lettres adressées à des amies d'Europe, des images de trois continents. Une vision désenchantée de l'amour devait désormais lui inspirer ses meilleurs livres : *le Dieu pâle* (prix des Neuf 1954) où s'enlise un amour conjugal incapable de se suffire comme de se renouveler, *les Trompeuses Espérances* (1956) où l'apparente naïveté du narrateur fait surgir, tout à la fin du récit, un drame horrible.

Le style — net, limpide, sans bavures, mais avec des reflets chatoyants — fait de ce jeune Rastignac un des espoirs de « l'écurie Plon».

Celle-ci se distingue en effet par les vertus du style : un Guy Dupré (1), dont le premier roman *(les Fiancées sont froides)*, d'une froideur étudiée, a fait l'effet d'une révélation, un Stéphen Hecquet, plus doué pour le pamphlet *(Faut-il réduire les femmes en esclavage ? ; les guimbardes de Bordeaux)* que pour le roman, un François Nourrissier (2), dont l'écriture exemplaire ne parvient pas toujours à dissimuler une amo-

---

(1) Né en 1928 à Belle-Ile, a fait ses études au lycée Henri-IV ; il a publié en 1953 un roman : *les Fiancées sont froides* (Plon). Il collabore à *Combat*.

(2) Né à Paris le 8 mai 1927, François Nourrissier a publié, après divers essais (*l'Homme humilié*, 1950), quatre romans : *l'Eau grise* (1951), *la Vie parfaite* (1953), *les Orphelins d'Auteuil* (1956), *le Corps de Diane* (1957) ; on lui doit aussi une étude sur le théâtre de Lorca (l'Arche) et un pamphlet : *les Chiens à fouetter* (Julliard), un récit : *Bleu comme la nuit* (Grasset, 1958), et un libelle : *Portrait d'un Indifférent* (1958). Il collabore à la *N. N. R. F.*

ralité foncière doublée d'une certaine sécheresse, se situent
aux antipodes de la littérature « métaphysique» ou « révolutionnaire» de ces quinze dernières années. Guy Dupré
ressuscite les sortilèges du romantisme allemand, Nourissier
élève l'ennui, la jalousie, la mésentente du couple, à la hauteur
d'une tragédie, à force d'âpreté, de concision, de pudeur :
de ce point de vue, son meilleur récit reste *l'Eau grise* qui
manque d'unité, mais dont le style est saisissant. Et peu de
jeunes romanciers ont su mieux que lui dire la tristesse et
l'amertume de ces couples qui ne trouvent rien dans l'amour
parce qu'ils ne lui apportent rien.

Ces romanciers ont remis à la mode le drame conjugal,
évoqué dès 1950 par Bernard Pingaud dans *l'Amour triste* (1)
— un récit dépouillé, un titre symbolique qui annonçaient
déjà le climat d'une Françoise Sagan et repris par lui dans
le Prisonnier (1958), où le héros succombe à cette « indifférence» qui pourrait bien être le mot-clef de toute une génération.

*
* *

Le drame du couple, il est de tous les lieux et de tous les
temps, mais trop de romanciers d'aujourd'hui, inconsciem-
ment envoûtés par le mythe de Tristan (si opportunément
dénoncé par Denis de Rougemont dans *l'Amour et l'Occident*)
font de l'amour — un amour isolé de son contexte social et
réduit souvent à son expression la plus physique — le seul
recours d'une société sans âme. Il n'y a pas si loin, en dépit
des apparences, des récits brutaux et sommaires de Guy des
Cars (2) à ceux d'Olivier Quéant (3) (*Noces de Marbre*, 1955),
de Paul Bodin *(les Amants du Theil)*, de Claude Cariguel *(S,
Hollywood)* de Jean Freustié *(Marthe)* ou de Jean-Marie
Caplain *(le Conquérant)* qui emprisonnent leurs héros dans la
prison du seul plaisir.

(1) B. Pingaud a publié (à la Table Ronde) trois romans : *Mon beau Navire*,
l'Amour triste, *le Prisonnier* et un essai sur la Hollande (Seuil).

(2) Guy des Cars a publié un récit de guerre : *l'Officier sans nom*, et des
romans : *l'Impure*, *la Brute*, *la Corruptrice*, *Amour de ma vie*, *la Demoiselle
de l'Opéra*, *l'Amour s'en va-t-en-guerre* (Flammarion), *la Cathédrale de haine*,
la Maudite, *la Dame du cirque*, etc.

(3) Directeur de la revue *Plaisir de France*, Olivier Quéant a publié deux
romans : *Noces de Marbre* (la Table Ronde, 1955) et *l'Homme qui dit non*
(Pierre Horay, 1957).

3

Variétés du classicisme

Parmi les révélations de ces dernières années, voici quelques noms qui sont déjà de belles promesses.

Classique par la forme, reporter et romancier de classe, Pierre Moinot (1) excelle à tirer parti d'expériences vécues ; d'une campagne, il tire une mythologie de la guerre (*Armes et Bagages*, 1951), d'une chasse, une image symbolique de la vie (*la Chasse royale*, (1953). Le métier des armes a inspiré aussi Pierre Molaine (2) *(Violences, les Orgues de l'Enfer)*.

Derniers venus : Gérard Mourgue (3) *(la Naissance de Vénus, Château-Fer)*, Camille Bourniquel (4) *(Retour à Cirgue)* André Brincourt (5), Jean Freustié *(Auteuil)* (6), Jean d'Ormesson *(l'Amour est un plaisir)*, Jean-Marc Montguerre *(Tu aimeras)*, J.-C. Youri *(Au nom du Père)*, ont bien du charme, une manière à eux de dire les problèmes de leur génération, sans

(1) Pierre Moinot est né en 1920 à Fressines (Deux-Sèvres), d'une famille d'instituteurs. Premier prix de français au Concours général. Prisonnier en 1940, s'évade, gagne le Maroc. Campagne d'Italie. Entre à la Cour des Comptes. A publié (chez Gallimard) deux romans : *Armes et bagages* (1951), *la Chasse royale* (1953) et des nouvelles : *la Blessure* (1956).

(2) Né en 1906, officier dans les chars, Pierre Molaine a publié : *Violences, Samson a soif, Bataille pour mourir, De blanc vêtu, les Orgues de l'Enfer* (Prix Renaudot 1950), *Cimetière Saint-Médard, Satan, Comme la foudre*.

(3) Gérard Mourgue a publié deux romans : *la Naissance de Vénus* (Julliard, 1954), *Château-Fer* (Table Ronde, 1957), un libelle : *Journal de Don Juan* (Fasquelle, 1957) et une étude sur le peintre Yankel avec une introduction de Jean-Paul Sartre. Libraire, animateur d'une galerie de peinture, Gérard Mourgue est membre du jury du Prix des Libraires de France et du « Ruban Bleu du Livre ».

(4) Né à Paris en 1918, Camille Bourniquel a vécu en Afrique du Nord. Il a publié trois romans : *Retour à Cirgue* (1954), *le Blé sauvage* (1955), *les Abois* (1957) et deux essais : sur l'Irlande et sur Chopin (aux éditions du Seuil). Il collabore à *Esprit* et aux *Cahiers du Sud*.

(5) Né en 1920, André Brincourt (critique de télévision du *Figaro*) a publié (aux éditions de la Table Ronde) trois romans : *le Vert Paradis* (Prix du Jeune Roman 1952), *la Farandole* et *les Yeux clos* (Prix de la Société des Gens de Lettres, 1957) et des essais : *les Œuvres et les lumières* (1956 avec J. Brincourt), *Satan et la poésie* (Grasset), *Désarroi de l'Ecriture* (Vigneau).

(6) Jean Freustié a publié (à la Table Ronde) trois romans : *Ne délivrer que sur ordonnance, Auteuil* et *Marthe*.

emphase, avec le sourire. Et Maurice Pons (1), à mi-chemin
entre Peyrefitte et Apulée, parfaitement à l'aise dans des
sujets scabreux *(Métrobate, Virginales)*, mérite aussi le nom
de classique par l'éïégance du style et l'adresse des scènes de
genre qui rappellent l'art d'Ovide et d'Anacréon plutôt que
celui de Virgile.

L'un d'entre eux — à moins que ce ne soit Guy Dumur (2)
Jean-Claude Brisville (3) ou Philippe Sollers (4) qui se
réclament tous de Benjamin Constant — assurera peut-être
un jour la relève de Jacques Chardonne et de Roger Peyrefitte.

Il est aussi des vocations qui se détournent : Roland Laudenbach (5) avait signé Michel Braspart des romans attachants ; il a obliqué vers le cinéma, le théâtre et la direction
d'une maison d'éditions. Michel Bataille n'a pas donné de
suite à son *Patrick* (Prix Stendhal 1947). Michel Zéraffa se
perdra-t-il dans le journalisme ? On ne lui tiendrait pas
rigueur de ses derniers récits (6) s'il n'était l'auteur du *Temps
des rencontres* (1949), admirable roman qui épouse le rythme
végétal de la vie, livre qui n'a pas été composé mais *respiré*
avant d'être recueilli, suite de promenades, de confidences,
de lettres qui ont la franchise et le naturel de la vie...

(1) Maurice Pons a publié (chez Julliard), un récit : *Métrobate*, deux romans :
la Mort d'Eros, Le Cordonnier Aristote (1958) et des nouvelles : *Virginales*
(Grand Prix de la Nouvelle 1955).

(2) Guy Dumur est né à Bordeaux en 1921. Sanatorium ; licence de philosophie. Il a publié chez Gallimard (en 1949) un roman : *les Petites Filles
modèles*. Il collabore aux *Lettres Nouvelles* et à la *N. N. R. F.*

(3) Jean-Claude Brisville est né à Bois-Colombes en 1922. Il a publié un
essai : *la Présence réelle* (1954), un roman : *D'un amour* (Prix Sainte-Beuve,
1954, Gallimard), et une pièce de théâtre (*Saint-Just*, Grasset, 1955).

(4) Né en 1936, à Talence (Gironde) élève à l'Essec, Philippe Sollers a publié
(aux Editions du Seuil) un récit : *le Défi* (1957) et un roman : *Une Curieuse
Solitude* (1958).

(5) Né à Paris en 1921, Neveu de Pierre Fresnay, Roland Laudenbach a
publié sous le nom de Michel Braspart, trois romans : *le Voyage de Jérôme, le
Divertissement* et *la Mauvaise Carte* (chez Albin Michel). Il a fait jouer une
pièce de théâtre : *Bille en tête* (1957)). Au cinéma, de nombreux scénarios.

(6) Michel Zéraffa, né en 1918, d'origine méditerranéenne, a été professeur
de français aux Etats-Unis. Il a publié (chez Albin Michel) : *le Temps des
Rencontres* (1949), *l'Ecume et le Sel* (1950), *le Commerce des Hommes, les Derniers Sacrements, les Doublures* (1958), romans, et des essais *(Tunisie ; O'Neill)*.

DEUXIÈME PARTIE

LA POÉSIE

PROLOGUE

L'HÉRITAGE

I

RICHESSE ET CONFUSION

En pénétrant dans le domaine poétique, l'impression de confusion s'accroît. Ici, rien n'est sûr, rien n'est clair, rien n'est stable. C'est un tourbillon d'idées, d'images, de forces qui n'ont trouvé ni leur équilibre ni leur centre de gravité. Entre les sages litanies de Marie Noël et les stances orgueilleuses de Saint-John Perse, entre les chansons de Maurice Fombeure et les églogues de René Char, entre les vers olorimes de Louise de Vilmorin et le lettrisme, comment imaginer un commun dénominateur ? Dans ce flot d'œuvres nouvelles, parfois incompréhensibles, y en a-t-il qui soient promises à la durée ? « Les œuvres d'art, a dit Rainer Maria Rilke, sont d'une infinie solitude. Rien n'est pire que la critique pour les aborder. Seul l'amour peut les saisir, les garder, être juste envers elles (1). » Encore faut-il qu'il s'agisse d'œuvres d'art, non d'ectoplasmes ou de cris. Pour le savoir, pas d'autre moyen que d'explorer le flot, à la recherche d'îles assez solides pour nous servir de points de repère.

Au seuil de ce livre, nous avons prononcé le mot de révolution : celle-ci touche à peine le roman, mais elle a dévasté la poésie. Un observateur né vers 1850 pourrait encore ouvrir, sans être frappé de stupeur, les romans les plus lus aujourd'hui ; mais la plupart de nos recueils poétiques seraient pour lui de l'hébreu. Comment reconnaîtrait-il la poésie — celle de Racine comme celle de Musset — dans ces longues phrases sans rythme, dans cette langue chiffrée dont chaque auteur possède la clef ?

(1) *Lettres à un jeune poète.*

II

DU ROMANTISME AU SURRÉALISME :
UNE RÉVOLUTION POÉTIQUE

POUR que la poésie moderne naisse, il a fallu que le poète, renonçant à discourir sur des événements extérieurs, fasse de son Moi la matière de son œuvre. Le romantisme libéra les cris du cœur, chanta l'amour mortel, la solitude et l'angoisse dont Baudelaire, revendiquant les droits de la conscience malheureuse, fit le domaine d'élection d'une poésie livrée à ses démons. Possédé par le rêve du surhumain, Rimbaud alla plus loin encore : jusqu'aux rives extrêmes de cette vie où les jeux du langage perdent tout attrait. Nous avons fait de lui le patron d'une poésie révoltée. Comparée à ce destin aventureux, la carrière professorale de Mallarmé paraît modeste. Pourtant, l'auteur d'*Igitur* va plus loin que celui des *Illuminations :* l'expérience de l'absence, de la solitude et du néant lui inspire une œuvre close, hors du temps, où la logique du poème se substitue au désordre du monde.

La richesse et la diversité du symbolisme nous dissimulent encore l'importance de cette révolution, plus importante que le romantisme (du moins que le romantisme français, car le romantisme allemand est d'une tout autre envergure). Certes, Paul Fort continue à rythmer des *Ballades françaises*, Francis Jammes recueille l'écho des Angelus, Charles Péguy déroule en l'honneur de la Vierge des litanies d'alexandrins, Henri de Régnier cadence l'éternel retour des choses, Anna de Noailles écoute les vivants et les morts, tandis que la Flandre, où Verhaeren chante l'effort humain et Maeterlinck la bonté de la vie, nous apporte un lyrisme à la fois truculent, mystique et visionnaire. Mais les plus grands ne se soumettent pas au symbole : la rigueur obstinée de Valéry nous vaut d'étourdissantes gammes, mais nous fait parfois regretter la liberté de ses *Vers anciens;* Claudel, qu'une influence « séminale » relie paradoxalement à Rimbaud, nie tout l'apport de la poésie française depuis le romantisme, substitue l'ïambe à l'alexandrin, ressuscite la scolastique médiévale et prétend s'égaler à ces « poètes impériaux » que sont Eschyle et Dante. Un peu plus tard, Apollinaire, las du désordre et de l'aventure, retrouve pour exprimer l'amère et tendre nostalgie de l'amour, les accents de Musset, du gentil Marot et de François Villon. Au moment où une nouvelle génération — celle de l'Abbaye : Duhamel, Vildrac, Jules Romains — oppose à ces prêtres solitaires une vision unanime et optimiste de la vie, un art neuf prend figure avec le cubisme. La guerre précipite ces recherches éparses : une nouvelle révolution commence avec le surréalisme.

III

LE SURRÉALISME

Il se développe dans deux directions. D'abord, il s'agit d'enregistrer la pensée à l'état brut, « en l'absence de tout contrôle exercé par la raison », d'explorer — avec André Breton et Philippe Soupault — ces *champs magnétiques* de l'inconscient dont Freud vient de mettre l'analyse à la mode.

« *Faites-vous apporter de quoi écrire*, conseille André Breton à ses disciples. *Placez-vous dans l'état le plus passif que vous pourrez. Faites abstraction de votre génie, de vos talents, et de ceux de tous les autres. Dites-vous bien que la littérature est un des plus tristes chemins qui mènent à tout. Ecrivez vite, sans sujet préconçu, assez vite pour ne pas retenir et ne pas être tenté de vous relire. La première phrase viendra toute seule, tant il est vrai qu'à chaque seconde il est une phrase étrangère à notre pensée consciente qui ne demande qu'à s'extérioriser... Continuez autant qu'il vous plaira. Fiez-vous au caractère inépuisable du murmure... rompez sans hésiter avec une ligne trop claire... Le langage a été donné à l'homme pour qu'il en fasse un usage surréaliste* (1).»

Avec des bonheurs inégaux, Breton, Philippe Soupault, Daumal, Crevel, Desnos tentent de retrouver, sous les réflexes conditionnés par la raison, la vie des profondeurs de l'esprit. Mais ils ne sont pas les premiers à s'être engagés dans cette voie : le Lautréamont des *Chants de Maldoror*, Jarry, inventeur d'une mythologie de l'Absurde, Jacques Vaché, qui joua au naturel le personnage de Lafcadio, l'extra-

---

(1) A. Breton, *Manifeste du Surréalisme* (Kra, 1924).

vagant Raymond Roussel, avant Arp et Tristan Tzara, les
y ont déjà précédés.

Une ambition plus vaste anime aussi le surréalisme :
pour lui, il ne s'agit pas seulement de renouveler le langage,
mais de refaire l'homme et le monde, de *changer la vie* : « Et
vous serez comme des dieux... ». Jacques Rivière a parfaitement défini cet effort pour organiser la littérature sur le
modèle de la religion : « L'écrivain est devenu prêtre ; tous
ses gestes n'ont plus tendu qu'à amener dans cette hostie
qu'était l'œuvre la « présence réelle». Le langage auquel
s'attaquent, à la suite de Dada, les disciples de Breton, est
une image de la société déchue : « Contribuer au discrédit
total du monde de la réalité», c'est *aussi* préparer la Révolution. Le destin paradoxal du surréalisme l'a conduit à échouer
dans ce qui était sa raison d'être (la Révolution) pour aboutir
malgré lui à ajouter une nouvelle page, riche, diverse et
libre à notre histoire poétique. Il n'a pas seulement marqué
l'œuvre d'Aragon, d'Éluard, de Desnos ou de René Char,
mais toute une génération d'écrivains — celle de Gracq,
de Mandiargues, de Vailland — a subi son influence : sur elle
il a agi comme un *ferment*.

Pourtant, les plus hautes, les plus durables présences de la
poésie française au XXᵉ siècle, se situent à l'écart du mouvement. Même Apollinaire, dont les dadaïstes de 1920 invo-
quaient imprudemment le patronage, était un ami trop sage
de l'avant-garde pour s'essouffler à la suivre. L'art exigeant
de Valéry ne doit rien à la liberté de l'inspiration et tire ses
réussites exemplaires de la domination exigeante de l'intellect. Claudel se tourne vers les tragiques grecs et la puissante
hiérarchie de symboles de Dante. Le grand Milosz préfère
à la révolte l'inventaire d'un cœur « plein d'amertumes et
de ténèbres». Victor Ségalen et Jean de Boschère dressent
leurs stèles à l'écart de leur siècle. Max Jacob retrouve
le Christ de son enfance bretonne... Et bouclant la boucle,
Aragon et Paul Eluard, sans renier leurs convictions révolutionnaires, retrouvent pour chanter les joies et les peines de
l'humanité commune, les simples mots de tous les jours.

La seconde guerre mondiale, nous l'avons en effet constaté,
a dévalorisé l'effort irrationnel du surréalisme : en 1940,
décharger un revolver au hasard dans une foule n'avait plus
rien d'exemplaire. Dès l'automne 1940, nos poètes chan-

taient à nouveau l'amour et la patrie perdus. Aragon parlait
de la France comme hier d'Aubigné et Victor Hugo ; un
moment Eluard chantait une liberté toute claire. On put
croire que la rime elle-même avait ressuscité.

Mais l'efflorescence poétique de la guerre n'a duré que deux
ou trois saisons. Quelques recrues, chrétiennes ou marxistes,
gagnées au mètre classique et à la rime, n'ont pas empêché
la contestation du langage de reprendre ses droits. Ce qui
subsiste du surréalisme est cette constatation capitale : la
poésie, dans son ensemble, a pris conscience de sa *spécificité*.

IV

SITUATION DE LA POÉSIE CONTEMPORAINE

« Avec la poésie moderne, un langage de création se substitue à un langage d'expression... L'essentiel de la poésie n'est plus dans son contenu, ou dans sa forme prosodique : il est dans son langage même qui tend à devenir fin en soi et création originale (1). » Et Valéry définit le poème comme « le discours d'un être plus pur, plus puissant et plus profond dans ses pensées, plus intense dans sa vie, plus élégant et plus heureux dans sa parole que n'importe quelle personne réelle » et la poésie comme « un langage dans le langage » d'autant plus efficace qu'il est plus pur et qu'il ne se confond pas avec « les moyens de communication de la vie ordinaire et superficielle ». *Depuis le surréalisme, l'activité poétique s'identifie avec la recherche de l'Absolu.* En outre, elle joue souvent le rôle d'une psychanalyse : Pierre Jean Jouve l'affirmait explicitement dans la préface de *Sueur de Sang :*

« *Nous avons connaissance à présent de milliers de mondes à l'intérieur du monde de l'homme, que toute l'œuvre de l'homme avait été de cacher... Cet homme n'est pas un personnage en veston ou en uniforme comme nous l'avions cru; il est plutôt un abîme douloureux... l'homme moderne a découvert l'inconscient et sa structure; il y a vu l'impulsion de l'éros et l'impulsion de la mort, nouées ensemble... Rien ne nous fera plus oublier que nous sommes conflit... Les poètes qui ont travaillé depuis Rimbaud à affranchir la poésie du rationnel... ont retrouvé dans l'inconscient... l'ancienne et la nouvelle source,*

(1) G. Picon, *Panorama des Idées contemporaines* (Gallimard).

et se sont approchés par là d'un but nouveau pour le monde...
Dans son expérience actuelle, la poésie est en présence de mul-
tiples condensations à travers quoi elle arrive à toucher au
symbole... C'est comme une matière qui dégage ses puissances.
Et par le mode de sensibilité qui procède de la phrase au vers et
du mot utilitaire au mot magique, la recherche de la forme
adéquate devient inséparable de la recherche du fond.»

Cette recherche de l'absolu, ce dédain de l'utile, cette
référence à l'inconscient, ce refus de séparer forme et fond,
se retrouvent dans la plupart des grandes expériences poétiques de notre temps : les poètes se séparent en fonction de
la place qu'ils accordent au langage. Pour les uns, le problème
de la création n'est guère qu'un problème d'expression.
Aragon, Supervielle, Robert Desnos, le dernier Eluard,
Patrice de la Tour du Pin, Audiberti, et, du côté des plus
« avancés», Jacques Prévert ou Francis Ponge — pour ne
pas parler de Marie Noël ou de Philippe Chabaneix — n'estiment pas qu'un langage accessible à tous soit inconciliable
avec une inspiration poétique originale. (Raymond Queneau
va même jusqu'à lui incorporer le parler populaire.) Pour
les autres (Antonin Artaud, Pierre Reverdy, Henri Michaux,
René Char), le poème demeure rebelle à toute élaboration ;
la matière crée sa propre forme.

Il aurait été tentant de classer systématiquement les
poètes d'aujourd'hui en fonction de l'une ou l'autre tendance.
Mais c'eût été méconnaître les inspirations et les écoles,
et distinguer insuffisamment la part de l'artifice et celle du
talent. Aussi avons-nous préféré situer d'abord quelques
œuvres exemplaires — prises dans la tradition et dans la révolution — avant de grouper les autres en fonction de leurs
affinités (classique, surréaliste, marxiste, humaniste, chrétienne, d'avant-garde...)

CHAPITRE PREMIER

GRANDES FIGURES DE LA POÉSIE CONTEMPORAINE

I

DU COTÉ DE LA TRADITION

Sı révolutionnaire qu'elle apparaisse parfois, la nouvelle poésie française n'est pas née spontanément. Le mot du Corrège devant la *Sainte Cécile* de Raphaël — « Et moi aussi, je serai peintre » — qui, selon Malraux, « pourrait être l'expression rageuse de toutes les vocations » (1), s'applique aussi aux poètes. En rappelant ce qu'il devait à Pierre Jean Jouve (2), Pierre Emmanuel a défini à la fois la vocation du poète et la dette qu'il contracte à l'égard de ses maîtres : « Un jour que je furetais chez mon libraire, je fis tomber un livre du rayon. C'était *Sueur de Sang*, de Pierre Jean Jouve... machinalement, je feuilletai le livre. Il était beau, aéré comme un temple... Je fus investi par les images, d'elles battu de toutes parts... Je fus converti, c'est-à-dire mué en moi-même... La vérité que j'avais cherchée hors de moi, comme une donnée que je reconnaîtrais à certains signes, elle était en moi, maintenant, implicite mais entière : c'était le langage de l'être, langage d'autant plus universel qu'il est davantage singulier. Je n'avais pas encore reçu le don des langues... cependant, je me sentais né pour cette vérité que la poésie porte en soi. Dussé-je être un poète muet, je n'en serais pas moins un poète : un homme qui prend chaque mot dans sa plénitude, qui met sa vie dans ses mots, et ses mots dans sa vie. »

Cette dette de Pierre Emmanuel à l'égard de celui qui lui

---

(1) *Psychologie de l'Art.*
(2) Dans *Qui est cet homme ?* (L.U.F.).

apprit à parler ce « langage de l'être », c'est la poésie française
tout entière qui l'a contractée vis-à-vis d'intercesseurs venus
de tous les horizons : on ne tardera pas à s'apercevoir du rôle
tenu par Ségalen et par Milosz (le premier annonce Saint-
John Perse et le second La Tour du Pin), et déjà Apollinaire
— sans qui ni Aragon ni la chanson d'amour ne seraient ce
qu'ils sont aujourd'hui — exerce plus d'influence que Claudel
ou que Valéry, emmurés dans leur gloire et condamnés à
rouler devant eux les pierres de leur pyramide. Du côté de la
Révolution, les acteurs essentiels, après Rimbaud et Lautréamont, Jarry et Roussel, se nomment Tristan Tzara (1),
qui survit aux provocations et au tumulte de Dada, Antonin
Artaud (2), mort étouffé par un génie qui n'avait jamais
consenti à épouser la mesure humaine, le cerveau « brûlé
aux foudres du ciel ».

Entre la Tradition et la Révolution, évoluent des émissaires
(Max Jacob ou Jean Cocteau) et même il se noue parfois des
amitiés surprenantes (celle d'André Breton et de Paul Valéry,
par exemple). Les plus modestes ne sont pas les moins présents : Max Jacob l'Ingénu, Jean de Boschère l'Obscur, y
jouent leur partie aussi bien que Charles Vildrac ou que
Jules Romains.

Nous ne pourrons les étudier tous : si grands que soient
Ségalen ou Milosz, Apollinaire ou Valéry, recenser leur
œuvre nous entraînerait trop loin en arrière. De même
Duhamel et Romains appartiennent-ils à l'unanimisme,
c'est-à-dire au climat littéraire des années 1910-1914, Breton,
Salmon, Soupault, P.-A. Birot ou Ribemont-Dessaignes
à celui des années 1925. Nous nous bornerons à situer briè-
vement Cocteau, Supervielle, La Tour du Pin et cette fausse
innocente, sortie tout droit d'un fabliau, Marie Noël, puis

(1) Tristan Tzara est né en 1896. Il y a loin de ses premières œuvres (*La
première aventure céleste de M. Antipyrine*, 1916 ; *Vingt-cinq poèmes*, 1918 ;
Cinéma Calendrier du Cœur abstrait, 1920), liées au mouvement Dada, aux
épopées lyriques de sa maturité (*l'Homme approximatif*, 1931 ; *Où boivent
les loups*, 1932 ; *Terre sur Terre, le Signe de Vie*, 1946 ; *la Fuite*, 1947 ; *le Poids
du Monde*, 1951 ; *la Face intérieure*, 1953), mais le tragique quotidien donne son
unité à une œuvre hantée par le pressentiment d'une catastrophe cosmique.
(2) Antonin Artaud (1896-1948) a publié, notamment, des poèmes (*l'Ombilic
des Limbes, le Pèse-Nerfs*, 1927) ; et des essais (*le Théâtre et son double*, 1938 ;
Héliogabale, Lettres de Rodez, 1946 ; *Van Gogh, le Suicidé de la Société*, 1947).
Un premier volume de ses *Œuvres complètes* a paru chez Gallimard en 1956.

Audiberti, Perse, Jouve et Char qui dominent la poésie
d'aujourd'hui — le premier malgré l'exil, les deux autres
malgré leur solitude — nous retiendront devantage ainsi
que Reverdy, Michaux, Ponge, Queneau, toujours présents
parmi nous.

1

LES MIROIRS TOURNANTS DE JEAN COCTEAU

Ranger Jean Cocteau (1) dans le clan de la tradition, n'est-
ce pas lui faire injure ? Qui, plus que lui, fut avide de nouveauté, de scandale, de révolution, qui fut plus prompt à
monter dans le dernier bateau, à baptiser les dernières trouvailles de Montmartre ou de Montparnasse, du cubisme aux
ballets russes et des robes de Chanel aux papiers collés de
Picasso, que l'inventeur du groupe des Six, l'animateur du
Bœuf sur le Toit, le magicien de *Parade* et du *Potomak ?*
Mais le « prince frivole » des premiers poèmes, dont les cama-

---

(1) Jean Cocteau est né en 1892, à Maisons-Laffitte. C'est un bourgeois de
Paris, comme Mauriac est un bourgeois de Bordeaux. (« Je suis né parisien,
je parle parisien, je prononce parisien. ») Notoire dès l'adolescence (*la Lampe
d'Aladin*, 1909). Guerre excentrique avec Roland Garros et les fusiliers marins.
En 1917, monte *Parade*, qui fait scandale. Au lendemain de la guerre, lance
le Bœuf sur le Toit, l'Ecole de Paris et Raymond Radiguet. Ephémère conversion
au catholicisme sous l'influence de Maritain. S'essaie au théâtre où *la Voix
humaine* (1930) fait sensation, puis au cinéma avec *le Sang d'un Poète*, devenu
aujourd'hui un « classique d'avant-garde ». Avec la seconde guerre mondiale,
devient un grand créateur de films (*l'Eternel Retour*, *la Belle et la Bête*, *Orphée*).
Elu au premier tour à l'Académie française, en novembre 1955.

Principaux ouvrages :

Poésie : *Poésies 1916-1923*, *le Cap de Bonne-Espérance*, *Plain-Chant* (1923),
Opéra (1927), *le Chiffre Sept* (1952), *Clair obscur*.

Romans : *le Potomak* (1919), *le Grand Ecart*, *Thomas l'Imposteur* (1923),
les Enfants terribles.

Critique : *le Rappel à l'Ordre* (1926), *Essai de critique indirecte*.

Essais : *la Difficulté d'être* (1947), *Journal d'un Inconnu* (1952).

Théâtre : *les Mariés de la Tour Eiffel* (1928), *les Parents terribles* (1939),
Renaud et Armide (1942), *Bacchus* (1951).

Sur l'homme et l'œuvre on pourra consulter : ROGER LANNES : *Jean Cocteau*
(Seghers, 1946) ; PIERRE DE BOISDEFFRE : *Métamorphose de la Littérature*, II.
(Alsatia, 1950) ; PIERRE DUBOURG : *Dramaturgie de Jean Cocteau* (Grasset,
1954) ; ANDRÉ FRAIGNEAU : *Jean Cocteau par lui-même* (Seuil, 1957).

rades étaient « tous académiciens ou ministres », entré sur
une dernière pirouette à l'Académie française (1955), si libre
qu'il soit à l'égard des écoles et des conventions, si tenté par
les coq-à-l'âne et les bizarreries du surréalisme, appartient,
bien plus qu'à une avant-garde avec laquelle il entend rester
perpétuellement en coquetterie, à une tradition qui va de
Charles d'Orléans à Musset, et le meilleur de ses poèmes
(Plain-Chant) est aussi le plus classique.

Parcourir l'œuvre poétique de Jean Cocteau, c'est résumer
un demi-siècle d'histoire littéraire, depuis le romantisme
expirant de *la Lampe d'Aladin*, à la manière d'Anna de
Noailles et d'Edmond Rostand, jusqu'au dépouillement,
faussement racinien, de *Renaud et Armide*, en passant par les
images syncopées du *Cap de Bonne Espérance*, les allitéra-
tions de *l'Ange Heurtebise*, les séductions valéryennes de
Vocabulaire. Les œuvres d'après-guerre — de *Léone* au
Chiffre Sept et à *la Corrida du 1ᵉʳ mai* — allient à toutes les
ressources du « trompe-l'esprit » le sens retrouvé de la mesure
et de la prosodie classiques.

2

Un panthéiste : Jules Supervielle

Moins sensible aux séductions de la nouveauté, nourri
d'une culture qui va des classiques aux romantiques et aux
parnassiens, Jules Supervielle (1) mérite plus que tout autre
le beau nom de classique par l'alliance d'une inspiration
originale et d'une forme héritée. Qu'il ait puisé ses pre-

(1) Jules Supervielle est né à Montevideo en 1884. Il possède deux natio-
nalités : française et uruguayenne. Etudes au lycée Janson de Sailly, à Paris ;
subit l'influence des romantiques et des parnassiens. Grand Prix de Littérature de l'Académie française.

Principaux ouvrages :

Poésie : *Gravitations, le Forçat innocent, la Fable du Monde, Oublieuse
Mémoire, Naissances, l'Escalier* (1956).

Romans : *l'Homme de la Pampa, le Voleur d'Enfants, l'Enfant de la Haute Mer.*
Théâtre : *Shéhérazade, Robinson.*

Souvenirs : *Boire à la source.*

Sur l'homme et l'œuvre, on pourra consulter : Claude Roy : *Jules Supervielle* (Seghers).

mières impressions poétiques dans l'horizon indéfini de
la Pampa ne suffit pas à le ranger parmi les poètes exotiques.
C'est bien plutôt de métaphysique qu'il faudrait parler, d'un
sentiment cosmique de l'espace, d'une perception des mouvements invisibles de l'être, de ces mystérieuses télépathies
invoquées par Marcel Raymond (1), qui viennent se rejoindre
dans une sorte de panthéisme universel. Supervielle soulignait un jour devant nous la parenté spirituelle qui l'unit à
un Teilhard de Chardin : comme l'auteur du *Phénomène
humain*, celui d'*Oublieuse Mémoire* retrouve en chaque être
l'élan vital universel. Ses poèmes comme ses admirables
contes, comme son théâtre, poétique et giralducien, appartiennent à la « Fable du Monde » et Descartes y parle le langage de Jean de la Fontaine. Rien ne sépare le poète de nos
humbles frères des deux règnes ; il sait se faire des « amis des
grandes profondeurs » ; sa voix, musique pure, doit, comme
celle d'Orphée, rester assez discrète pour les apprivoiser.

Il faut dire avec force que l'auteur de *Gravitations* est un
des grands poètes de ce temps, à mi-chemin de Claudel et
de Rilke, « un Rilke moins l'angoisse, moins l'orphisme, mais
dans les pas fraternels duquel il se tient, comme le *stiller
Freund der vielen Fernen*, le tranquille ami des nombreux
lointains (2) ».

3

Un Orphée chrétien : Patrice de la Tour du Pin

Célèbre à peine sorti de l'enfance, porté par Supervielle
sur les fonts baptismaux de la poésie, Patrice de la Tour du
Pin (né en 1911), appartient à la génération des nouveaux
poètes français (celle de Pierre Emmanuel) avec laquelle il
n'a cependant que peu de rapports. Une enfance provinciale
dans un château de Sologne l'a mis à l'abri de la contagion
des modes poétiques et il est un des très rares poètes d'aujourd'hui que n'ait pas influencés le surréalisme. Une « vie

(1) Dans *De Baudelaire au Surréalisme* (1940, José Corti), un des meilleurs
ouvrages consacrés à la poésie française depuis Baudelaire.
(2) X. Tilliette, *Etudes.*

recluse en poésie» l'a préservé de l'histoire (de la guerre il n'a connu qu'un camp de prisonniers) comme elle l'avait préservé du parisianisme littéraire. « Sache, écrivait-il à un ami, que j'habite une île, une île tellement mystérieuse que les étrangers l'ignorent.»

Ce qui parut miraculeux dans *les Enfants de Septembre* (publiés dans la *N.R.F.* en 1931), c'est que les sortilèges de l'enfance y étaient restitués dans toute leur fraîcheur. Longtemps, ces strophes s'identifieront — de même que l'aventure du Grand Meaulnes — au rêve exalté de l'enfance :

> *Les bois étaient tout recouverts de brumes basses,*
> *Déserts, gonflés de pluie et silencieux;*
> *Longtemps avait soufflé ce vent du Nord où passent*
> *Les Enfants Sauvages, fuyant vers d'autres cieux,*
> *Par grands voiliers le soir, et très haut dans l'espace.*

De la Quête de Joie à *Une Somme de Poésie* (1946), Patrice de la Tour du Pin nous invitait à passer avec lui d'une expérience individuelle, ensorcelante sans doute, mais sans communication avec le monde, à une dramaturgie cosmique, beaucoup plus ambitieuse, qui s'apparente à la Bible et, plus encore, aux mystères du Moyen Age. Au « jeu du seul», succédait « le jeu de l'homme devant le monde», autrement dit l'engagement du poète qui nous promettait de clore un jour le cycle avec le « jeu de l'homme devant Dieu» — immense ambition, plus métaphysique que poétique, et difficile à soutenir sans tomber dans les redites ou la trivialité. La trivialité, Patrice de la Tour du Pin l'a évitée en donnant à chacun de ses poèmes l'accent élevé, souvent fort beau, parfois un peu conventionnel, d'une prière dialoguée. Mais il n'a échappé ni aux redites, ni toujours à l'obscurité. Pourtant, comment ne pas préférer ce clair-obscur inspiré du moins par une vision totale du monde (« Rien d'humain sans Dieu caché») aux laborieux artifices d'une poésie moderne tout occupée à démanteler le langage ?

Le poète voit le monde divisé — divisé par la faute de l'homme coupable de se préférer aux autres, de jouer « le jeu du seul». Dans ce monde maudit, une île a été sauvée, — la légende de Tess, inspirée des communautés celtiques du haut Moyen Age, abrite une « vie recluse en poésie».

Ce fragment de la *Somme* (publié dès 1932, sous le titre de *la Quête de Joie*) reste le chef-d'œuvre de Patrice de la Tour du Pin, livre unique au sein d'un mystère trop vaste et mal articulé, traversé de vers admirables :

Vers d'attente :

> *Va dire à ma chère Ile, là-bas, tout là-bas*
> *Dans cet obscur marais de Foulc sur la lande,*
> *Que je viendrai vers elle ce soir, qu'elle attende,*
> *Qu'au lever du jour elle entendra mon pas.*

Mais les beaux vers ne manquent pas non plus dans la *Somme.*

Accords nostalgiques de l'homme et de la nature :

> *Et vous pensiez aimer le seul frisson des frênes,*
> *Les frênes dans le vent ou le printemps des frênes,*
> *Et c'étaient mon frisson, mon vent et mon printemps* (1).

Simples élans d'amoureux :

> *Annie, tu es tant mon amour*
> *Que ma vieille voix imprécise*
> *Se repent d'avoir murmuré*
> *Un pareil mot avant ce jour* (2).

Parfois, un alexandrin sillonne l'air comme un coup d'épée :

> *Il passe un vent de toute beauté sur l'Enfer* (3).

Plus rarement, le poète rivalise avec les mystiques :

> *Viens, viens, abandonnée, entre, ô fille sans père,*
> *Le baiser du seigneur, c'est toi qui l'auras...*

> *Sur ta nuit, sur le feu de tes dernières fièvres,*
> *Sur tes sueurs, tes maux, tes charges, tes liens,*

> *Sur tes larmes, dans l'ombre il a posé ses lèvres...*
> *O reine, O bien-aimée, O bienheureuse, Viens !*

(1), (2) et (3) *Une Somme de Poésie* (Gallimard).

Le monde mystérieux de Patrice de la Tour du Pin n'a que peu de rapports avec le nôtre, s'il en a beaucoup avec celui des mystiques — celui de Rilke et de Milosz. Son style comme sa foi le mettent à part d'une poésie engagée ou révoltée qui ne reconnaît dans son œuvre aucune de ses préoccupations habituelles. Mais la désaffection dont elle souffre actuellement n'enlève rien à son authenticité.

4

Une fausse innocente : Marie Noël

On hésite un peu à joindre à ces noms éclatants celui de Marie Noël (1) que de bons esprits — de Montherlant à Paul Fort et d'Emile Henriot à Georges Duhamel — tiennent, depuis trente ans, pour un grand poète de chez nous. On craint d'être dupe de la malicieuse petite fille, de la fausse innocente d'Auxerre, tirée de l'ombre par Raymond Escholier, baptisée grand écrivain par l'abbé Mugnier et l'illustre Bremond. Aux antipodes de la poésie mandarinale d'aujourd'hui comme de la poésie aristocratique d'un La Tour du Pin, cette œuvre populaire, proche de Villon et des fabliaux, a recueilli les peines et les joies d'une province qui appartient toute encore à l'ancienne France. La douce grâce humaine, « la grâce du cœur, du sourire, de l'abandon, de la tendresse » habite ces poèmes prosaïques et touchants, où le ciel est mis à la portée des hommes. Si plus d'un agnostique a trouvé son bien dans ces litanies naïves, qui baignent dans la foi des imagiers du Moyen Age, c'est que, comme l'a noté Henri Clouard, Marie Noël ramène au sort humain les rapports

---

(1) Marie-Mélanie Rouget (en littérature Marie Noël) est née à Auxerre, ruelle des Véens, le 16 février 1883.

Elle a publié successivement des poèmes : *les Chansons et les Heures* (1921), *les Chants de la Merci*, *le Rosaire des Joies* (1930), *Chants et psaumes d'Automne* (1947), des *Chansons* et des *Contes* (1942), *Petit-Jour* (1951), ainsi qu'une pièce de théâtre, le *Jugement de Don Juan* (1955).

Les *Œuvres poétiques* de Marie Noël ont été réunies en un volume publié à la librairie Stock (1957).

Sur la poétesse et son œuvre, on pourra consulter : Louis Chaigne : *Vies et Œuvres d'Ecrivains*, III (Lanore, 1951) ; Raymond Escholier : *La Neige qui brûle* (Fayard, 1957).

de Dieu et de ses créatures : la douceur de ses évocations rappelle celle des Saintes Familles dans les primitifs flamands ou italiens.

Parfois, une note poignante, un secret douloureux traversent cette poésie trop sage :

> *L'enfant qui se meurt en dormant,*
> *Les anges ont filé ce soir,*
> *Pour lui faire grâce un moment,*
> *Un fol songe dans son cœur noir.*

II

ENTRE LA TRADITION ET LA RÉVOLUTION

Jacques Audiberti, Raymond Queneau

FAIRE figurer Audiberti (1) dans la tradition serait lui faire injure ; mais il serait excessif de le tenir pour un révolutionnaire. « Ses plus violentes protestations contre l'ordre du monde ou contre la convention sociale ne peuvent empêcher qu'on reconnaisse en lui l'optimisme méditerranéen, la satisfaction intime et définitive de ceux qui, dès leur naissance, ont vu resplendir au soleil les gentillesses du cœur et les douceurs de la vie (2).» Et surtout, s'il fait des mots l'usage le plus inattendu, le plus contradictoire, le plus désopilant, le plus saugrenu. Audiberti n'a pas la prétention d'inventer un nouveau langage ; il prend son bien au hasard, partout où il le trouve, fût-ce chez Hugo, chez Agrippa d'Aubigné ou chez André Breton. Ce qui ne l'empêche pas de nourrir une haute ambition, d'affirmer que « le poète ne calquera pas le monde à même le papier, ni ne le démarquera, ni ne le photographiera. Il le fera positivement comme s'il était, lui, le poète, le créateur (3)» — ce qui ne l'empêche pas non plus de faire passer dans « la mêlée des longues et des brèves», les cris et les soupirs du monde, ni d'user, avec moins d'adresse que de conviction, de toutes les ressources de la vieille rhétorique. Audiberti embrasse les mots et les choses avec la même fougue, avec le même amour

---

(1) Cf. pp. 471.
(2) R. POULET, *la Lanterne magique* (Debresse).
(3) J. AUDIBERTI : *la Nouvelle Origine*.

indistinct et débordant. Une perpétuelle éruption verbale lui tient lieu d'art poétique :

> *Petits... Si nous avions tout dit ? Mais nous avons*
> *tout dit, passé le ruisseau noir, les derniers charmes !*
> *Déjà glissent de nous nos formes et nos armes.*
> *Tout s'éclaire de soi dans l'ombre où nous allons.*

Le poète se courbe « *sur l'antique établi*» pour donner un nouveau lustre aux mots :

> *Dans les mots force, rut, amer, felouque, ormeau,*
> *de nos cœurs serpenta le cil de la fournaise.*
> *Baise encore une fois la main qui les soupèse.*
> *Elle s'ouvre ; le mot tombe contre le mot.*

> *... Cet œil fraîchement pur vers l'œuf privé de noms,*
> *ce poitrail mieux rasé que le marbre, et plus tendre,*
> *ce carré de nos bras pour prendre et se déprendre,*
> *ces sabots d'angle doux comblés si nous planons,*

> *je ne l'adopte plus qu'achevé débutant.*
> *Ce corps lourd de ses sens, le mien, qui me pénètre,*
> *Le mot, le corps, l'amant que n'attend que Satan*
> *refroidit sous mes doigts comme un mort qui va naître* (1).

Mais comment discipliner tant d'éléments disparates, qui hurlent dès qu'on les assemble ? Parfois, pourtant, le miracle se produit : une forme neuve surgit de ce laboratoire étouffant ; sur le bas-relief, une main frénétique sculpte une frise qui ressemble à une danse sacrée :

> *... elles n'auront grincé sur le tournant des spires,*
> *elles n'auront heurté leurs cèdres et leurs nids,*
> *elles n'auront mêlé le sel de leurs empires,*
> *leurs cornes d'immondice et leurs ongles vernis*

> *... elles n'auront connu le poids de leur moraine*
> *et le don de leur globe et les rosiers du mal,*
> *elles n'auront, du roi, des fous et de la reine*
> *des louves assumé le prodige animal*

---

(1) « Stèle aux mots», *Toujours* (Gallimard, 1944).

que pour toi, petit pape en forme d'hippocampe,
que pour toi, récif d'âme aux flèches du torrent,
que pour toi, chef de l'œuf, cavalier d'une crampe,
que pour toi, souci d'homme aux gouffres du parent,

pour toi, pur déserteur qui n'admis de ton être
qu'une sainte vertu, l'éternelle stupeur,
et qui te décidas au moment de connaître
et l'erreur et la vie et ton nom et la peur (1).

Comme Audiberti, Raymond Queneau (2) se situe entre la tradition et la révolution. En effet, s'il emploie le langage « de tout le monde», c'est pour le ridiculiser, et son imagination malicieuse n'a pas épargné la poésie. La satire de la rhétorique qu'on trouve dans ses romans et dans ses essais s'est tout naturellement prolongée dans une œuvre poétique d'autant plus corrosive qu'elle se donne le luxe de reprendre à son compte des procédés éprouvés dont elle accuse le verbalisme, la vacuité, la sottise. A prendre à la lettre ses déclarations liminaires, Raymond Queneau n'aurait d'autre ambition que de rivaliser avec le sage Boileau ou le bon abbé Delille. « Quand je fais des vers, commence-t-il avec la pompe du grand siècle (mais sans doute en riant sous cape), je songe toujours à dire ce qui ne s'est point dit en notre langue.» Et il ajoute gravement, comme s'il était Saint-Simon ou Ubu : « J'y conte tout ce que j'ai fait depuis que je suis au monde, j'y rapporte mes défauts, mon âge, mes inclinations, mes mœurs, j'y dis de quel père et de quelle mère je suis né. »

Le récit qu'il annonce ainsi, c'est *Chêne et Chien* — son enfance, aussi dépoétisée que possible, racontée en vers de mirliton, peut-être moins légers qu'ils n'en ont l'air :

Mes chers mes bons parents, combien je vous aimais,
Pensant à votre mort oh ! combien je pleurais,
peut être désirais-je alors votre décès,
mes chers mes bons parents, combien je vous aimais !

(1) *Des tonnes de semences* (Gallimard, 1941).
(2) Cf. pp. 471.

Rien ne résiste à cet humour corrosif, qui débouche sur un scepticisme total :

> *On enterre les chiens on enterre les chats*
> *On enterre les chevaux on enterre les hommes*
> *On enterre l'espoir on enterre la vie*
> *on enterre l'amour — les amours*
> . . . .
> *on enterre en paix — la paix*
> . . . .
> *sous une couche de petits graviers multicolores*
> *de coquilles Saint-Jacques et de fleurs multicolores*
>
> *il y a une tombe pour tout*
> *à condition d'attendre...* (1).

De la parodie, Queneau passe tout doucement à la philosophie, puis à l'épopée ; le ton reste désinvolte, mais il y a sous cette désinvolture comme un pressentiment, sous cette rimaillerie qui refuse de se prendre au sérieux, une interrogation insistante, comme en témoigne sa célèbre *Explication des Métaphores* :

> *Loin du temps, de l'espace, un homme est égaré,*
> *Mince comme un cheveu, ample comme l'aurore,*
> *Les naseaux écumants, les deux yeux révulsés,*
> *Et les mains en avant pour tâter le décor,*
>
> *— d'ailleurs inexistant. Mais quelle est, dira-t-on,*
> *La signification de cette métaphore :*
> *« Mince comme un cheveu, ample comme l'aurore »*
> *Et pourquoi ces naseaux hors des trois dimensions ?*
>
> *Si je parle du temps, c'est qu'il n'est pas encore,*
> *Si je parle d'un lieu, c'est qu'il a disparu,*
>
> *Si je parle d'un homme ; il sera bientôt mort,*
> *Si je parle du temps, c'est qu'il n'est déjà plus* (1).

---

(1) *Les chiens d'Asnières* (Gallimard).

Enfin l'épopée (une épopée plus proche de Scarron que de la *Légende des Siècles!*) s'affirme avec la *Petite Cosmogonie portative* (1950), ou, de l'amibe à la bombe atomique, Queneau survole avec humour et désinvolture toute l'histoire de l'humanité.

On peut préférer à ces exercices de bateleur les refrains, aujourd'hui célèbres, dans lesquels Raymond Queneau a résumé sa philosophie souriante et triste — celle d'un La Fontaine qui mettrait l'existentialisme en fables et en chansons :

> *Si tu t'imagines*
> *si tu t'imagines*
> *fillette fillette*
> *si tu t'imagines*
> *xa va xa va xa*
> *va durer toujours*
> *la saison des za*
> *la saison des za*
> *saison des amours*
> *ce que tu te goures*
> *fillette fillette*
> *ce que tu te goures...* (1).

(1) *Si tu t'imagines* (Gallimard).

III

ASPECTS DE LA RÉVOLUTION

AVANT de présenter maintenant les témoins les plus
illustres de la « révolution » poétique, il faut rappeler
qu'elle a fait du langage non plus l'instrument, mais
la matière et la fin du poème. Depuis le surréalisme, la poésie
a l'ambition d'être une « expérience totale », et de réconcilier
dans une dialectique libératrice, le rêve et la réalité, le poète
et la foule. La « liberté absolue de la parole » (a dit Eluard)
sera le ferment de l'unité humaine. Et René Char : « Le dessein
de la poésie étant de nous rendre souverains en nous imper-
sonnalisant, nous touchons, grâce au poème, à la plénitude
de ce qui n'était qu'esquissé ou déformé par les vantardises
de l'individu». Mais les voies qui mènent à la libération du
verbe sont multiples et les poètes qui suivent chacun la leur
n'ont guère d'espoir de se rencontrer avant l'infini.

*Il n'existe donc pas de dénominateur commun entre les
poètes d'aujourd'hui.* Rien ne rapproche les stances royales de
Saint-John Perse des exorcismes de Henri Michaux, ou l'érotisme abstrait de Jouve de la familiarité d'un Prévert ou d'un
Queneau. Chaque œuvre est une île dont le poète est le prisonnier : nous irons de l'une à l'autre, sans nous soucier d'introduire une unité factice dans ce chaos d'images neuves.

1

SAINT-JOHN PERSE L'EXILÉ

La plus haute présence de la poésie française d'aujour-

d'hui est celle d'un exilé (1), dont la métamorphose illustre
les détours que l'œuvre d'art peut suivre avant de se faire
visible à tous. Alexis Léger a d'abord été un nom célèbre —
celui d'un diplomate et d'un homme politique, ami de Briand,
Eminence grise du Quai d'Orsay entre les deux guerres —
qu'une œuvre, connue d'un petit nombre d'initiés, entourait
d'un halo de mystère. Puis l'homme s'est brusquement exilé
du temps et de l'histoire tandis que l'œuvre quittait les limbes
des revues de luxe et des tirages à part pour accéder au
grand public. Alexis Léger devenu Saint-John Perse ne veut
plus être qu'un exilé ; il n'a plus qu'une ambition : « habiter
son nom... », exercer le ministère de la Parole. Il n'a plus
d'autre patrie que son langage, cette « seule et longue
phrase sans césure à jamais inintelligible » que forme son
œuvre.

On chercherait en vain dans cette œuvre le signe d'une

---

(1) Marie-René-Alexis Saint-Léger Léger est né à la Guadeloupe, le 31 mars
1887. Il appartient à une vieille famille de robe — où l'on trouve aussi des
planteurs et des officiers de marine — venue de Bourgogne aux Iles du Vent au
XVIIᵉ siècle ; enfance aux Antilles, adolescence au lycée de Pau (il y fait la
connaissance de Francis Jammes et de Valery Larbaud). Il écrit à dix-sept
ans ses *Images à Crusoé* (publiées en 1909 par *la Nouvelle Revue française*).

Reçu au concours des Affaires étrangères en 1914, envoyé en poste en
Chine, Alexis Léger découvre la Corée, le Japon, la Mongolie et l'Asie centrale.
Revenu à Paris à la fin de la guerre, il devient l'un des principaux collaborateurs d'Aristide Briand au Quai d'Orsay et participe à toutes les grandes
conférences diplomatiques de l'entre-deux-guerres ; il terminera sa carrière
comme ambassadeur de France et secrétaire général du Ministère des Affaires
étrangères (1932-1940).

Le 16 juin 1940, Léger s'embarque à Bordeaux pour l'Angleterre, puis
gagne les Etats-Unis. Révoqué, puis déchu de la nationalité française et rayé
de la Légion d'honneur (Grand Officier) par le gouvernement de Vichy, il
entre à la *Library* du Congrès américain : il ne reviendra jamais en Europe, et
partagera son temps entre sa résidence georgienne, proche de Washington, et
ses voyages aux Caraïbes ou dans les déserts du Nouveau-Mexique.

Œuvres poétiques : *Eloges* (*Nouvelle Revue française*, 1911), *Anabase* (Gallimard, 1924), *Exil* (*Cahiers du Sud* et Gallimard, 1942, réédité en 1946, suivi
de *Pluies*, *Neiges* et de *Poème à l'Etrangère*), *Vent* (Gallimard, 1946), *Amers*
(Gallimard, 1957).

Un premier volume de l'*Œuvre poétique* groupe : *Eloges*, *la Gloire des Rois*,
Anabase, *Exil*, *Vents*.

Sur l'homme et l'œuvre, on pourra consulter : MAURICE SAILLET : *Saint-
John Perse, poète de gloire* (Mercure de France, 1952) ; ALAIN BOSQUET : *Saint-
John Perse* (Seghers, 1953) ; ROGER CAILLOIS : *Poétique de Saint-John Perse*
(Gallimard, 1954) ; PIERRE GUERRE : *S.-J. Perse et l'homme* (Gallimard, 1955).

transcendance. Pourtant, aucune ne donne à ce point le sentiment du Sacré — d'un Sacré sans Dieu ni principe. Elle est
un vaste cérémonial sans objet, une interminable liturgie
dont le poète est le prêtre et dont les éléments sont les mots.
Et si cette poésie incantatoire fait songer souvent à celle de
Claudel, — comme elle, abondante en éloges, pompeuse,
ouverte aux quatre horizons — elle se refuse à la prière. A
l'église claudélienne elle oppose ses blocs épars, ses avenues
qui ne mènent nulle part, ses joyaux énumérés pour le seul
plaisir de l'architecte, et ses hiéroglyphes indéchiffrables
sculptés dans une pierre noire, dure et précieuse. Et l'on a
souvent souligné à quel point Saint-John Perse prend le
contrepied de la poésie la plus caractéristique de son époque.

« Celle-ci rejette la phrase savamment articulée. Elle se
présente comme une suite de cris, d'exclamations, d'inter-
jections, d'illuminations, d'appels. La sienne, discursive,
déroule avec lenteur une prosodie solennelle. Elle énumère
et classe le contenu de l'univers, tandis que la plupart des
poètes du temps dédaignent bêtes et choses, êtres et événements. Tout ce qui se passe ou s'est passé dans le monde
compte pour rien à leurs yeux, tant ils sont occupés des
impressions furtives qui surgissent et disparaissent dans les
bas-fonds de la conscience. Mieux encore, décrire leur répugne,
au point qu'ils s'inquiètent, qu'ils imaginent avoir trahi
l'essence de la poésie si, par aventure, dans leurs vers, un discours un peu suivi et cohérent, ayant trompé leur vigilance,
transparaît sous le chaos des images. En outre, ils refusent
de s'extasier. A l'éloge, ils préfèrent le blasphème, le sarcasme
et le scandale ; à l'approbation, l'émeute et l'outrage, tout
ce que Saint-John Perse affecte d'ignorer. Il ne sait qu'anoblir
et distribuer des titres : *grand* est l'épithète qui revient le
plus fréquemment dans son œuvre, jusqu'à trois ou quatre
fois par paragraphe. Il aime l'ordre, le faste, la hiérarchie.
Des images innombrables que les siècles ont assemblées en
de longues chroniques solitaires, que les distances ont répar-
ties dans les continents par larges fresques indépendantes, il
compose un monde pour la première fois un.

« Il ne décline pas l'invitation du siècle : il est le poète de
la première époque totale, le poète d'un temps où chaque
peintre connaît toutes les peintures, chaque philosophe tous
les systèmes, où chaque poète connaît toutes les poésies et

où chaque civilisation est informée de ce que furent, de ce que
sont toutes les autres (1).»

* *
*

On serait tenté de croire que Saint-John Perse n'a cessé
d'être cet « homme assailli du dieu... parlant dans l'équivoque... ah! comme un homme foudroyé dans une mêlée
d'ailes et de ronces, parmi des noces de busaigles... favorisé
du songe favorable» — le poète-prophète qu'il a célébré
dans *Vents* — à la fois stèle et pierre d'angle, juge et litige,
silence et prophétie. Mais, comme toute œuvre, celle de
Perse a sa genèse, qu'Alain Bosquet résumait, un peu arbi-
trairement, en distinguant *Eloges* où le poète l'ignore encore,
Anabase, où il la découvre, *Exil* où il se confond avec elle.

Perse a été d'abord cet enfant enivré du soleil des Antilles,
ce collégien passionné de métrique grecque qui traduisait
Pindare en cachette, cet herboriste amateur que Francis
Jammes promenait sur les collines d'Orthez, ami de Claudel,
de Frizeau, de Rivière, résistant à l'attrait du catholicisme
et préférant aux leçons de morale de Claudel, ce grand conver-
tisseur, l'épigraphie chinoise et l'orientalisme, auxquels l'ini-
tieraient en Chine, Pelliot, Granet, Staël-Holstein, Ségalen.
Le *Livre des Morts* de l'Egypte, l'enseignement de Lao-Tseu,
celui des conteurs arabes, Confucius et le Tao, tels ont été
ses vrais maîtres. Ce qui n'a pas changé dans cette œuvre,
c'est l'*accent* — biblique et claudélien, celui de *Tête d'Or* —
qui, dans un décor d'Indes galantes, inspirait déjà ses *Images
à Crusoé* (1909), où le son des cloches entraînait vers le large
un adolescent extasié :

Vieil homme aux mains nues,
remis entre les hommes, Crusoé!
tu pleurais, j'imagine, quand des tours de l'Abbaye, comme
un flux, s'épanchait le sanglot des cloches sur la Ville...
O Dépouillé!
Tu pleurais de songer aux brisants sous la lune;
aux sifflements de rives plus lointaines; aux musiques étranges

(1) Roger Caillois : *Poétique de Saint-John Perse* (Gallimard).

qui naissent et s'assourdissent sous l'aile close de la nuit,
pareilles aux cercles enchaînés que sont les ondes
d'une conque, à l'amplification de clameurs sous la mer (1)...

Un livre ouvert devenait la promesse du départ :

Ainsi tu te plaignais, dans la confusion du soir.
Mais dans l'obscure croisée, devant le pan de mur d'en
face, tu n'avais pu ressusciter l'éblouissement perdu,
alors ouvrant le Livre,
tu promenais un doigt usé entre les prophéties, puis le
regard fixé au large, tu attendais l'instant du départ, le lever
du grand vent qui te descellerait d'un coup, comme un typhon,
divisant les nuées devant l'attente de tes yeux (1).

Après *Eloges*, adieu ému d'un jeune homme à son enfance
créole (Adieu foulards... adieu madras...) l'*Anabase* — écrit
au retour d'une incursion au désert de Gobi — n'était pas
seulement le récit symbolique d'une expédition, mais un
poème dédié à l'aventure de la terre, à la conquête de la planète, à la gloire du chef qui (tel plus tard le seigneur de
Citadelle de Saint-Exupéry) fonde une cité neuve :

Ici encore, comment ne pas songer à Claudel, en écoutant
cette louange royale :

Sur trois grandes saisons m'établissant avec honneur,
j'augure bien du sol où j'ai fondé ma loi.
Les armes au matin sont belles et la mer. A nos chevaux
livrée la terre sans amandes
nous vaut ce ciel incorruptible. Et le soleil n'est point nommé,
mais sa puissance est parmi nous
et la mer au matin comme une présomption de l'esprit (1)

Et la fin de l'*Anabase* énumérait à la manière biblique
les pouvoirs et les activités de l'homme :

O généalogiste sur la place! combien d'histoires de familles
et de filiations ? — et que le mort saisisse le vif, comme il est
dit aux tables du légiste, si je n'ai vu toute chose dans son

(1) SAINT-JOHN PERSE : *Œuvres complètes* (Gallimard).

ombre et le mérite de son âge ; les entrepôts de livres et d'annales,
les magasins de l'astronome et la beauté d'un lieu de sépultures,
de très vieux temples sous les palmes, habités d'une mule et
de trois poules blanches — et par-delà le cirque de mon œil,
beaucoup d'actions secrètes en chemin...

Terre arable du songe ! Qui parle de bâtir ? — J'ai vu la
terre distribuée en de vastes espaces et ma pensée n'est point
distraite du navigateur (1).

Le tournant décisif de l'œuvre est pris avec *Exil* (1942) :
ici, et pour la première fois, s'inscrit la grande césure du
siècle, le déchirement d'un monde mutilé. Les temples s'écroulent, les villes sont livrées aux Barbares, et le poète consigne
(mais toujours en termes abstraits) son inquiétude devant
l'irruption des éléments déchaînés contre une civilisation
millénaire, fragile et mortelle. Il élit un lieu « flagrant et
nul » pour confier au sable et à l'embrun, au nuage et à la fumée
la « pure amorce » d'un chant « à nulles rives dédié, à nulles
pages confiée ». A la fin du livre, il reprendra sa course errante,
« flattant en songe de la main, parmi tant d'êtres invisibles,
une chienne d'Europe », sans oublier pourtant l'ordre que sa
muse, à la dernière ligne, lui adresse :

Et c'est l'heure, ô poète, de décliner ton nom, ta naissance
et ta race.

Puis dans les cent dix pages de *Vents*, Perse évoqua les
forces de destruction éparses dans le monde ; dressé à la
coupée du siècle comme un veilleur du destin, le poète, traqué
par le vent (qui l'a trouvé « de peu de poids ») flétrit le siècle
de maximes amères :

Je t'ai louée, grandeur, et tu n'as point d'assise qui ne faille
... Ta main prompte, César, ne force au nid qu'une aile
                                             [dérisoire...

Il en appelle à la race nouvelle qui naîtra, lorsque la catastrophe aura renouvelé la face de la terre : alors les dieux
s'égareront à nouveau sur la terre des hommes ?

(1) Saint-John Perse, *op. cit.*

*Et nos poèmes encore s'en iront sur la route des hommes,
portant semence et fruit dans la lignée des hommes d'un autre âge.*

*Une race nouvelle parmi les hommes de ma race, une race
nouvelle parmi les filles de ma race, et mon cri de vivant sur la
chaussée des hommes, de proche en proche, et d'homme en homme.*

Jusqu'aux rives lointaines où déserte la mort !...

Amers (1957 ; des fragments avaient paru dans les *Cahiers
de la Pléiade* et dans la *Nouvelle Nouvelle Revue Française*)
ajoute à la cosmogonie persienne une ode grandiose dédiée
à la Mer :

*Et c'est la Mer qui vint à nous sur les degrés de pierre du
drame :*

*Avec ses Princes, ses Régents, ses Messagers vêtus d'emphase
et de métal, ses grands Acteurs aux yeux crevés et ses Prophètes
à la chaîne, ses Magiciennes trépignant sur leurs socques de
bois, la bouche pleine de caillots noirs, et ses tribus de Vierges
cheminant dans les labours de l'hymne,*

*Avec ses Pâtres, ses Pirates et ses Nourrices d'enfants-rois,
ses vieux Nomades en exil et ses Princesses d'élégie*

*Avec tout son cheptel de monstres et d'humains — une foule
en hâte se levant aux travées de l'Histoire et se portant en masse
vers l'arène, dans le premier frisson du soir au parfum de fucus...*

*Ainsi la Mer vint-elle à nous dans son grand âge et dans ses
grands plissements hercyniens...*

Et comme un peuple jusqu'à nous dont la langue est nouvelle...

*Très grande chose en marche vers le soir et la transgression
divine* (1)...

*
* *

Roger Caillois a fait l'inventaire des moyens poétiques de
Saint-John Perse, recensé ses vocables rares (aumaille,
vaigrage, hongreur, psylle, achaine, étarquer, scille, buire,
bréhaigne, accore, démascler, pavie, volve, falun, natron,
effarvate, herpes marines...) dénombré ses métaphores et
ses tropes, mis en évidence l'emploi des antithèses et des
parallélismes :

(1) *Amers* (Gallimard).

Portes ouvertes sur les sables
Portes ouvertes sur l'exil

A nulles rives dédiée
A nulle rives confiée

Un grand poème né de rien
Un grand poème fait de rien

Le vent nous conte ses flibustes
Le vent nous conte ses méprises

Le vent nous conte sa jeunesse
Le vent nous conte sa vieillesse

Quelle grande fille répudiée
Quelle grande fille malaimée.

Perse a le goût de l'alliance rare, qui fait image :

Goût de tubéreuse noire et de chapelle ardente
(*Vents*, II, 5.)

Couleur de soufre, de miel, couleur de choses immortelles
(*Anabase*, VII.)

Son œuvre est un musée imaginaire, une collection de mots, d'objets archaïques. Le poète aime dénombrer :
« A Londres, au *British Museum*, un crâne de cristal de la collection précolombienne et au South Kensington Museum, un petit bateau d'enfant recueilli par Lord Brassey en plein océan Indien ; à Moscou, au Kremlin, un bracelet de femme au jarret cru d'un cheval empaillé, sous le grossier harnachement d'un conquérant nomade ; à l'Almeria de Madrid, une armure d'Infant ; à Varsovie, une lettre princière sur feuille d'or battu ; au Vatican, une lettre semblable sur peau de chèvre ; à Brême, une collection historique d'images irréelles pour fonds de boîtes à cigares...»
Le philosophe et l'historien, mais aussi le numismate, l'ethnologue, le spécialiste de l'histoire naturelle ont collaboré à sa poésie.

Mais la préciosité de Perse, — plus accusée encore que celle de Giraudoux — son goût de l'étrange, du mot rare, son vocabulaire concerté ont leur contrepartie : Perse appelle le pastiche (Claude Roy s'y est livré dans un texte plein de malice). C'est seulement lorsqu'il échappe à l'obsession de son vocabulaire, lorsqu'il oublie ses manuels exotiques, sa grammaire sourcilleuse, lorsqu'il s'abandonne à ses songes qu'il trouve pour célébrer la fonction démiurgique du poète des accents épiques :

Et de toute chose ailée dont vous n'avez usage, me composant
un pur langage sans office,
Voici que j'ai dessein encore d'un grand poème délébile...

Et lorsqu'il consent à toucher terre, à se souvenir de son pays, cet exilé redevient aussi Français qu'un Claudel ou qu'un Giraudoux, et célèbre une patrie qui n'est pas seulement un sol mais un langage :

De la France, rien à dire : elle est moi-même et tout moi-
même. Elle est pour moi l'espèce sainte, et la seule, sous laquelle
je puisse concevoir et communier à rien d'universel, à rien
d'essentiel. Même si je n'étais pas un animal essentiellement
français, une argile essentiellement française (et mon dernier
souffle, comme le premier, sera chimiquement français) la langue
française serait encore pour moi le seul refuge imaginable,
l'asile et l'antre par excellence, le seul lieu géométrique où je
puisse me tenir en ce monde pour y rien comprendre, y rien
vouloir ou renoncer (1).

Depuis l'exil, avec lequel la vie de Perse depuis plus de quinze ans se confond, le poète, après avoir contemplé le monde, est retourné à sa navigation intérieure, à cette « terre arable du songe», où nul ne parle de bâtir. Beaucoup n'ont que faire de son chant, mais cette voix qui s'élève, incorruptible, a l'audience de tous ceux qui sont dignes d'elle :

Etranger, sur toutes grèves de ce monde, sans audience ni
témoin, porte à l'oreille du Ponant une conque sans mémoire...

(1) Lettre à Archibald MacLeish.

« *J'habiterai mon nom*», *fut ta réponse aux questionnaires
du port. Et sur les tables du changeur, tu n'as rien que de
trouble à produire,
Comme ces grandes monnaies de fer exhumées par la foudre.*

Cette voix qui s'élève est l'une des plus grandioses de notre
temps. Sachons reconnaître en elle le ton d'une épopée.

2

Un solitaire : Pierre Jean Jouve

Haute, fière et sans concession, comme celle de Saint-
John Perse, l'œuvre de Pierre Jean Jouve (1) n'est pas non
plus d'un accès toujours facile. Ce solitaire épris de musique,
dont la minuscule écriture développe sur de grandes feuilles
d'alfa, dans un ordre minutieux (encre de Chine noire,
citations à l'encre rouge...) des poèmes qui font songer à la
calligraphie arabe ou persane, cet homme « malheureusement fait, non pour réussir, mais pour être écouté, incapable
de combattre» (2), a commencé par être un poète de transition, fort influencé par les derniers symbolistes (Verhaeren,
Maeterlinck, Francis Jammes), assez proche du groupe de
l'Abbaye.

Puis, en 1924, reniant son œuvre déjà publiée, il voulut

---

(1) Pierre Jean Jouve est né à Arras en 1887. Longtemps malade, son seul
secours est la musique. Fonde une revue, *les Bandeaux d'Or*, et vient à Paris
en 1909. Amitié avec Romain Rolland. Voyage en Italie, en Suisse et en
Autriche. Publie six romans de 1925 à 1935, et *Sueur de Sang* en 1933. Participe,
de Suisse, à la résistance intellectuelle.

Principaux ouvrages :

Romans : *Paulina 1880*, *le Monde désert*, *l'Aventure de Catherine Crachat*,
Histoires sanglantes.

Poésie : *le Paradis Perdu* (1929, Grasset, épuisé), *les Noces* (1931, Gallimard,
épuisé), *Sueur de Sang* (1933, Mercure de France), *Matière céleste* (1937,
Gallimard, épuisé, *la Vierge de Paris* (1944, L.U.F.), *Langue* (1952, Mercure
de France).

Essais : *le Don Juan de Mozart* (1942, L.U.F.), *Wozzeck ou le Nouvel Opéra* (en
collaboration avec Michel Fano, Plon, 1953), *En miroir* (Mercure de France,
1954), *Tombeau de Baudelaire* (Mercure 1958).

Sur l'homme et l'œuvre, on pourra consulter : Pierre Emmanuel : *Qui est
cet homme ?* (L.U.F., 1947) ; René Micha : *Pierre Jean Jouve* (Seghers, 1956).

(2) *En miroir.*

puiser à des sources plus profondes : la psychanalyse décida de l'orientation de son œuvre, en l'invitant à explorer « la géologie de cet être terrible qui se dégage avec obstination d'une argile noire et d'un placenta sanglant». L'œuvre romanesque fut une première tentative d'élucidation des instincts vitaux, que Jouve voit culminer dans la Faute, dans l'Amour et dans la Mort. Puis, *Sueur de Sang* (1933), précédé d'un texte critique capital (*Inconscient, spiritualité et catastrophe*, qui assignait à la poésie moderne un double rôle : clinique et prophétique) ouvrait à la poésie française un nouveau domaine : la lutte entre une sexualité universelle et la volonté de dépassement du poète. « Nous devons, affirmait Jouve, produire cette « sueur de sang» qu'est l'élévation à des substances si profondes, ou si élevées, qui dérivent de la pauvre, de la belle puissance érotique humaine.»

De « l'obscénité» de la vie naît une méditation qui la dépasse :

> *Les crachats sur l'asphalte m'ont toujours fait penser*
> *A la face imprimée au voile des saintes femmes* (1).

Le poète devine, au-delà des apparences, le mystère de l'Etre :

> *Car la peau blanche est une expression nocturne*
> *Et quels déserts n'ont-ils pas foulés ses pieds diurnes* (2) ?

Il voit partout la mort, présente :

> *Par le fleuve écoulé du sein de notre mère*
> *Glissant, nous allons vers l'immuable mort.*
> *La mort qui le fit rond ce sein plein de chaleur*
> *Et l'accrocha non loin de cette aisselle noire* (3).

Et regrette, parfois :

> *... d'avoir tout traversé...*
> *Sans avoir couché la belle sur les roseaux*
> *Ou sans avoir aspiré le miel des forêts*
> *Et sans avoir tout confondu et renoncé*
> *Pour le conjoindre en mon sauveur et l'adorer* (4).

(1) à (4) *Sueur de Sang* (Mercure de France, édition de 1955).

Par la suite, Jouve a bien pu approfondir cette inspiration — cette déchirure de l'homme où l'Eros et la mort se devinent car Jouve fait sien le mot de Kierkegaard : « c'est seulement par le péché qu'on peut voir les béatitudes» — il ne s'en est plus écarté. Qu'il accompagne Mozart (dans *Matière céleste* et *Kyrie*) ou qu'il prédise la catastrophe qu'amènera « l'anté-Christ en casquette noire à visière», il n'oublie pas que l'épreuve porte en elle sa rédemption : de la guerre et de ses ruines, la liberté renaîtra :

> *Dur agneau prends pitié des deux derniers témoins*
> *Qui seront tués dans le manteau rouge sans sépulture*
> *O liberté prends en vertu leurs corps saignants*
> *Car ils sont les deux chandeliers du Seigneur* (1).

Jouve se préparait ainsi à devenir l'un des poètes inspirés de la Résistance (2) dont *la Vierge de Paris* (1944) recueille-rait les éloquents échos. Une évolution chrétienne et orphique, tout ensemble, s'y affirme :

> *Humanité du Christ, à l'époque parjure*
> *Dans les églises où Jésus est pollué*
> *Dans les états où Jésus est injure*
> *Dans les combats où Jésus mort est forniqué,*
>
> *Humanité du Christ, ô membres du mystère*
> *Une divine odeur recevant ses entrailles*
> *En moi ; et la matière des tenailles*
> *Ne faiblissant que sous les coupes de colère*
>
> *Humanité du Christ en faiblesse et en nombre*
> *Tu veux que j'aie connu l'ivresse singulière*
> *De mon sang qui a vie et ressource première*
> *Dans ta perfection hors du temps le plus sombre* (3).

L'épreuve passée — mais non abolie — Jouve, cruellement déçu par les événements, fit le « vœu de non-politique abso-lue» et rentra dans sa solitude. *Hymne, Génie, Diadème,*

---

(1) *Les Deux Témoins* (in *Kyrie*, Gallimard, 1938, ouvrage épuisé).
(2) Comme on l'a mentionné plus haut (cf. p 62, *l'Honneur des Poètes*).
(3) *Innominata* (in *Vers Majeurs*, 1942, reproduits dans *la Vierge de Paris*, L.U.F., 1946).

Ode et *Langue*, parus depuis la Libération, font entendre sur les mètres les plus variés — du sonnet au vers libre et du bref cantos à la longue stance — la même musique intérieure, tantôt légère et tantôt déchirante comme ces ouvertures de Mozart que le poète aime tant :

> ... *Toujours je mangerai ton bien*
> *Toujours je connaîtrai ton centre*
> *Toujours je verrai ton œil peint*
> *Et j'aurai ta présence absente*
>
> *La beauté traverse le temps*
> *Le silence conquiert une arme*
> *Je suis depuis longtemps ton sang*
> *Ta pensée unie et ta flamme*
>
> *Tu es mon maître et ma victime*
> *J'écoute mon aimé dormir*
> *L'amante me quitte à la cime*
> *Et je me hasarde à mourir* (1).

Parfois, de longues phrases rappellent la prosodie de Perse :

> *Vieille vieille tromperie du cœur aux chairs blanches sur tou-*
> *tes les aires*
> *Aux bouches rouges sous tous les vents, Vieil abandon simple*
> *du cœur*
> *Et toi que chasse le Désir et toi qui répands le plaisir*
> *En torrents d'une unique étoile — ah! je t'ai nommée*
> *l'Etrangère*
> *... Constant abîme de chair rare! constant regard des plus*
> *longs cils...*
> *... Je te salue insuffisance! Je te reçois incompétence!*
> *... Etrangère, vaste beauté, plus familière que ma larme...*
> *Tu es la chose perdue, tu es le sol vert du regret, l'étoile*
> *Vénus du baiser, tout ce que j'eus à profusion dans le paradis*
> *de la fête*
> *... Ce que depuis les Chérubins je pleure avec la larme*
> *sèche, orphelin de la gloire pure et orphelin pire de l'être* (2).

---

(1) *Hymne* (L.U.F., 1947).
(2) *La Page blanche* (in *Ode*, éditions de Minuit, 1950).

Sans doute Jouve n'est-il pas un poète facile ; son œuvre n'est pas faite pour la foule, elle ne naît pas d'un accord spontané entre l'homme et les choses. Mais elle aura exercé sur la nouvelle poésie française une influence séminale. Dans la création d'un langage qui soit un instrument d'exploration de l'Etre, Jouve s'est avancé plus loin qu'aucun poète d'aujourd'hui.

3

Un initiateur : Pierre Reverdy

Même si quelques-uns de ses héritiers l'ont aujourd'hui devancé, il faut garder une place, en tête de la nouvelle poésie française, à Pierre Reverdy (1). Il fut l'un des premiers annonciateurs de la révolte surréaliste, dont il a éclairé les buts et les méthodes. Pour lui, « le poète est dans une position difficile et souvent périlleuse, à l'intersection de deux plans au tranchant cruellement acéré, celui du rêve et celui de la réalité. Prisonnier dans les apparences, à l'étroit dans ce monde, d'ailleurs purement imaginaire, dont se contente le commun, il en franchit l'obstacle pour atteindre l'absolu et le réel ; là son esprit se meut avec aisance. C'est là qu'il faudra bien le suivre, car ce qui est, ce n'est pas ce corps obscur, timide et méprisé, que vous heurtez distraitement sur le trottoir — celui-là passera comme le reste — mais ces poèmes, en dehors de la forme du livre, ces cristaux déposés après l'effervescent contact de l'esprit avec la réalité» (2). Et l'auteur de *Plupart du Temps* d'opposer à un *vrai* illusoire (« le vrai d'aujourd'hui en art est le faux de demain») le *réel*, seul objet du poète. Mais ce réel n'est pas ce qu'un vain peuple pense : la réalité banale, perceptible par nos sens. L'esprit seul peut saisir et

---

(1) Né à Narbonne en 1889, Pierre Reverdy a publié notamment :
Des poèmes : *la Lucarne ovale* (1916), *les Ardoises du Toit* (1918), *la Guitare endormie* (1919), *Cœur de Chêne* (1921), *les Epaves du Ciel* (1924), *Sources du Vent* (1929), *Ferraille* (1937), *Plupart du Temps* (1945), *Main-d'œuvre* (1913-1949).
Et des essais : *Self-Defense* (1919), *le Gant de Crin* (1927), *le Livre de mon bord* (1948).
(2) *Le Gant de Crin* (Plon, 1927).

modeler le réel poétique, lequel est donc, paradoxalement, tout ce qui, dans le monde, y compris la matière, obéit à la sollicitation de l'intellect, « évite, esquive l'emprise trompeuse des sens. Où les sens sont souverains, la réalité s'efface, s'évanouit. Le naturalisme est un exemple de cette soumission à la réalité sensible». Voilà qui, au moins, a le mérite d'être clair ! Reverdy affirme ensuite que le poète ne doit pas tenter le moindre effort pour revêtir une forme : la substance poétique se moque de toute forme, elle est plastique pure et mouvement continu.

Voilà pour la théorie. La pratique donne des vers libres d'où se dégage une angoisse obscure :

> *La couleur que décompose la nuit*
> *La table où ils se sont assis*
> *Le verre en cheminée*
> *La lampe est un cœur qui se vide*
> *C'est une autre année*
> *Une nouvelle ride... (1).*

Une sorte d'intimité grise et triste naît de ces constats muets :

> *Tête penchée*
> *Cils recourbés*
> *Bouche muette*
> *Les lampes se sont allumées*
> *Il n'y a plus qu'un nom*
> *Que l'on a oublié*
> *La porte se serait ouverte*
> *Et je n'oserais pas entrer...*
>
> *Mon sort était en jeu dans la pièce à côté (2).*

Les choses sont les « épaves du ciel» :

> *Tout s'est éteint*
> *Le vent passe en chantant*
> *Et les arbres frissonnent*

(1) et (2) *Les Epaves du Ciel* (Gallimard, 1924).

> *Les animaux sont morts*
> *Il n'y a plus personne*
> *Regarde*
> *Le dernier clocher resté debout*
> *Sonne minuit.*

Cette poésie dépouillée, « insoucieuse du prestige des mots, de la grâce des images» (1), annonçait, trente années à l'avance, la méditation sur l'absence et le néant qui inspire aujourd'hui, d'Yves Bonnefoy à André du Bouchet et à Roger Giroux, toute une jeune école poétique.

4

RENÉ CHAR OU LE MYSTÈRE APPRIVOISÉ

Bien qu'il soit de vingt ans le cadet d'un Saint-John Perse et d'un Pierre Jean Jouve, René Char (2) a déjà pris place parmi les grands poètes de ce temps. Ce Provençal de l'Isle-sur-Sorgue est passé par le surréalisme (dont il a signé, avec Eluard et Breton, quelques-uns des textes), avant d'accéder, avec les tardifs *Feuillets d'Hypnos* (1946) à un langage délivré

---

(1) MARCEL RAYMOND : *De Baudelaire au Surréalisme.*

(2) René Char est né en 1907, à l'Isle-sur-Sorgue (Vaucluse), où il habite encore. De 1929 à 1934, publie de nombreuses plaquettes surréalistes (réunies dans *le Marteau sans Maître*, Editions Surréalistes, 1934). Puis viennent : *Dehors, la nuit est gouvernée* (G.L.M., 1938), *Premières Alluvions* (1945), *Feuillets d'Hypnos* (1946), reproduits dans *Fureur et Mystère* (1948), *Art Bref* et *les Matinaux* (1950). *A une sérénité crispée* (1951), *Lettera Amorosa* (1953), *Recherche de la base et du sommet* (1955).

Des *Poèmes et Proses choisis* ont paru chez Gallimard (1957).

En collaboration : *Ralentir travaux* (avec André Breton et Paul Eluard, Editions Surréalistes, 1930) *Rêves d'encre* (avec Eluard, Julien Gracq et Gaston Bachelard, José Corti, 1945), *Cinq parmi d'autres* (avec Edith Thomas, Lecompte-Boinet, Général de Larminat, Vercors, Editions de Minuit, 1947).

René Char a préfacé l'édition des *Œuvres* de Rimbaud au Club français du Livre, 1957.

Sur l'homme et l'œuvre, on pourra consulter : GEORGES MOUNIN : *Avez-vous lu Char ?* (Gallimard, 1946), PIERRE BERGER : *René Char* (Seghers, 1951), PIERRE GUERRE : *René Char* (Botteghe Oscure, 1951) ; GRETA RAU : *René Char ou la poésie accrue* (José Corti, 1957) ; ainsi qu'une étude de RENÉ MÉNARD (parue dans *Critique*, puis dans Botteghe Oscure, Rome, 1954).

de toute provocation, à la fois plus dense et plus dépouillé. Ecrivain « engagé », qui prit parti dans la guerre d'Espagne *(Placard pour un chemin des écoliers)* et commanda, en 1944, un maquis des Basses-Alpes, le poète n'a cessé de prendre plus de distance vis-à-vis de l'événement.

Toute sa poésie jusqu'à la guerre est surréaliste et militante — donc frappée de deux faiblesses majeures : la provocation verbale et la subordination à l'événement — traversée de ces images qui resteront aussi liées au surréalisme que le style nouille à l'époque 1900 (« les plis d'une soie brûlante peuplée d'arbres aux feuilles de cendre », « l'édredon en flammes précipité dans l'insondable gouffre des ténèbres en perpétuel mouvement », etc...). De 1938 à 1945 s'étend sur son œuvre le silence des années de guerre qui mobilisent une conscience libre.

Dès 1946, la métamorphose est totale : la chenille bavarde est devenue un papillon énigmatique, qui déploie lentement des ailes ocellées d'étonnantes images. Le poète a passé « l'âge durant lequel la poésie le maltraite » pour entrer dans celui où « elle se laisse follement embrasser ». Les *Feuillets d'Hypnos* sont plus qu'un poème, une leçon de morale. Une fois de plus (car Valéry avait donné l'exemple), on y voit un poète formuler des règles d'action (« Agir en primitif et prévoir en stratège », « Mettre en route l'intelligence sans le secours des cartes d'état-major »), définir les caractères de l'homme (« Un homme sans défauts est une montagne sans crevasses. Il ne m'intéresse pas. ») et lui proposer une conduite (« Accumule, puis distribue. Sois la partie du miroir la plus dense, la plus utile et la moins apparente. » « Tiens vis-à-vis des autres ce que tu t'es promis à toi seul. Là est ton contrat. » « Ne t'attarde pas à l'ornière des résultats. »)

On a pu dire que le journal d'Hypnos n'était qu'*une manière de dialogue entre l'humanisme et la chance*. « De ce temps extraordinaire, où tout était rigueur à peine de vie ou de mort, le poète a gardé une habitude d'aller d'instinct au plus difficile, au plus hasardeux... de faire le calcul de l'audace et d'avoir confiance dans la somme obtenue, même minime (1). » Le livre se terminait sur un cri : « Dans nos ténèbres, il n'y a pas une place pour la Beauté. » Désormais,

(1) PIERRE GUERRE : *René Char* (Botteghe Oscure).

René Char allait réclamer « toute la place pour la Beauté ». Toute l'œuvre ultérieure se partage entre un inventaire et une réflexion — inventaire des richesses naturelles, réflexion sur les pouvoirs et la mission du poète.

La poésie de René Char est donc ambivalente ; elle explore une réalité dont nous ignorons encore la plupart des secrets et elle nous indique une voie pour y échapper. Les images empruntées au réel alternent avec les rapprochements inattendus et les maximes (« Aucun oiseau n'a le cœur de chanter dans un buisson de questions... Ce qui est passé sous silence n'en existe pas moins. L'essentiel est sans cesse menacé par l'insignifiant — ce qui vient au monde pour ne rien troubler ne mérite ni égards ni patience. L'amour qui sillonne est préférable à l'aventure qui humilie, la blessure à l'humeur.» — « Les actions du poète ne sont que la conséquence des énigmes de la poésie.» —« La perte du croyant, c'est de rencontrer son église.» — « La vraie violence (qui est révolte) n'a pas de venin.» —« L'abus du langage ne détache que du langage.» — « Pleurer longtemps solitaire mène à quelque chose.» Et voici la plus belle : « L'obsession de la moisson et l'indifférence à l'Histoire sont les deux extrémités de mon arc », avec les préceptes (« Les jours de pluie, nettoie ton fusil.» —« Au centre de la poésie, un contradicteur t'attend.» — « C'est ton souverain. Lutte loyalement avec lui.» — « Emerge autant que possible à ta propre surface.»)

Mais l'auteur de maximes (un La Rochefoucauld optimiste, que l'indignation préserve du scepticisme) ne se borne pas à ces définitions acérées (encore que de livre en livre, l'écrivain abrège, resserre, chaque année plus soucieux d'« art bref »). Le poète (lorsqu'il ne torture pas sa forme) et plus encore le prosateur savent décrire. Qu'il évoque les horizons du Comtat Venaissin — « paysage de rochers aigus, de pierres éboulées, d'arbustes rabougris, dont les lignes émaciées et le caractère immuable s'opposent à la luxuriance des eaux qui s'échappent en bouillonnant sur la pente de la montagne. Des oiseaux de proie tournent, désœuvrés, dans l'altitude, au-dessus du gouffre qui les rive à son miroir sombre. Au loin, la plaine verdoyante, le clocher d'une église romane émergeant de la chaleur... (1) », le travail du paysan dans un champ, la fenai-

---

(1) Situation (*Soleil des Eaux*).

son, ou seulement un clair de lune, René Char a le don de l'image exacte et du mot propre. Et ses courts poèmes abritent parfois d'exquises réussites :

> *Rives qui croulez en parure*
> *Afin d'emplir tout le miroir,*
> *Gravier où balbutie la barque*
> *Que le courant presse et retrousse,*
> *Herbe, herbe toujours étirée,*
> *Herbe, herbe, jamais en répit,*
> *Que devient votre créature*
> *Dans les orages transparents*
> *Où son cœur la précipita ?* (1)

> *Tu es mon amour depuis tant d'années,*
> *Mon vertige devant tant d'attente*
> *Que rien ne peut vieillir, froidir,*
> *Même ce qui attendait notre mort,*
> *Même ce qui nous est étranger...* (2)

> *... Chacun de nous peut recevoir*
> *La part de mystère de l'autre*
> *Sans en répandre le secret...*

Si la place de René Char dans la poésie contemporaine a tant grandi ces années dernières, c'est qu'il unit à une langue hautaine et belle (trop facilement hermétique ou sibylline), un optimisme impérieux qui le rapproche d'autres écrivains qui, comme lui, ont vécu l'absurde et l'ont dépassé. Frère de Malraux et de Camus par l'expérience, il est résolument moderne en ceci que le langage est pour lui comme une religion ; mais le néant n'est pas son dieu, et la Parole à ses yeux n'abolit pas le monde : elle le rachète. « Au temps du suprême désespoir et de l'espoir pour rien », qui nous « condamne à vivre entre la promesse et le passé, car il est le déluge », Char nous invite à nous composer *une santé du malheur*, dût-elle avoir « l'arrogance du miracle ». Le temps se chargera, comme il l'a dit lui-même, d'émonder son visage, de dissiper les

---

(1) La Truite (*Quatre fascinants*).
(2) A... (*A une sérénité crispée*).

nuées qui l'entourent encore. Mais chaque jour, les voix se
font plus nombreuses qui nous disent, à la suite de Georges
Mounin : « Avez-vous lu Char ? (1)»

5

Un voyageur insolite : Henri Michaux

Si René Char s'est dégagé du surréalisme dont il transpose
librement quelques-unes des intuitions, Henri Michaux (2)
lui est resté fidèle, jusqu'à la lettre. Son œuvre est faite de

---

(1) Dans un livre qui reste, dix ans après sa parution (1946), le meilleur que
l'œuvre de Char ait suscité jusqu'ici — un modèle d'exhortation intelligente
à lire, c'est-à-dire à comprendre un poète réputé difficile. Georges Mounin
loue Char de n'être point descendu de la poésie à la « littérature», de n'avoir
pas délayé en poèmes des « communications foudroyantes» (« La femme suit
des yeux l'homme vivant qu'elle aime» — « Haine, nous te fendrons le roc
avant de tomber à genoux !») : « Il émet un chant continu, mais on se sent
toujours devant quelqu'un pour qui le bonheur de la forme est le *surcroît*
d'une activité plus haute que la recherche de la forme.» Cette activité plus
haute serait cette « bonté neuve et lavée de tout», la *contrée énorme où tout se
tait*, qu'Apollinaire invitait les poètes à explorer. Ce pouvoir « d'aimer sans
effort», refusé à Claudel (assure Georges Mounin), aurait été accordé à Char.
Mais il faut nuancer cet éloge : car *la bonté ne parle pas chez ce revenant du
surréalisme une langue que tous peuvent entendre.* C'est le contraire pour les
plus grands — pour un Hugo, par exemple. Mais c'est aussi la raison pour
laquelle la « métacritique» porte René Char au pinacle. Pour Maurice Blanchot
s'« il n'a pas d'égal en ce temps, c'est que sa poésie est révélation de la poésie,
poésie de la poésie... et poème de l'essence du poème... l'expression est la
poésie mise en face d'elle-même et rendue visible, dans son essence, à travers
les mots qui la recherchent». (*La Part du Feu.*)

(2) Henri Michaux est né à Namur en 1899. « Jusqu'au seuil de l'adolescence,
il formait une boule hermétique et suffisante, un univers dense et personnel et
trouble où n'entrait rien, ni parents, ni affection, ni aucun objet, ni leur image,
ni leur existence, à moins qu'on ne s'en servît avec violence contre lui.»
(*Plume.*) Voyage autour du monde, fréquente les peintres surréalistes (Sal-
vador Dali, Max Ernst, Klee). A l'écart de la vie littéraire, commence à exercer
une grande influence sur la jeune poésie à partir de 1940.

Principaux ouvrages : *Qui je fus* (1927), *Ecuador* (1929), *Mes propriétés*,
Un Barbare en Asie (1932), *la Nuit remue* (1934), *Voyage en Grande Garabagne* (1936), *Plume* (1938), *Au pays de la Magie* (1942), *Epreuves, Exorcismes*
(1945), *Ici, Poddema* (1946), *Passages* (1950), *Face aux verrous* (1954), *Misérable Miracle* (1955), *l'Infini turbulent* (1957).

Sur l'homme et l'œuvre, on pourra consulter : André Gide : *Découvrons
Henri Michaux* (Gallimard, 1942) ; Renée Bertelé : *Henri Michaux* (Seghers,
1957).

matériaux bruts qu'il y incorpore tels quels, sans souci de logique ou de vraisemblance. Et cependant, ces éléments disparates s'animent parce que l'auteur leur communique une existence plus proche du rêve que de la réalité, mais qui suffit à les arracher à leur caractère d'objets. *Aucune architecture dans cette œuvre, mais un constant mouvement.* C'est que la poésie pour Michaux, « qu'elle soit transport, invention ou musique, est toujours un impondérable... un cadeau de la nature, une grâce, pas un travail. La seule ambition de faire un poème suffit à le tuer... La volonté, mort de l'art». La seule volonté que Michaux, en effet, ait manifestée, est celle de *ne pas se comporter en poète*, de ne pas réciter, de n'admettre d'autre loi que celle de son bon plaisir. Le génie baroque qui l'anime n'est pas sans rappeler celui d'autres explorateurs du fantastique, de Swift à Lautréamont. Ses « voyages», d'un humour si libre, si joyeux, si profond parfois, comptent parmi le meilleur de son œuvre, depuis *Ecuador* et *la Nuit remue* jusqu'au *Voyage en Grande Garabagne* et à *Poddema*. Entre le monde lointain de la drogue ou de la Magie et ses « propriétés», il n'y a ni rupture ni changement de plan : extérieur ou intime, l'insolite est observé avec le même regard impitoyable, tour à tour amusé et anxieux. Depuis quelques années, Michaux use d'une drogue nouvelle : la mescaline ; il s'agit de reculer un peu plus loin encore les limites de l'imagination — images, sensations et rêves. Un « infini turbulent» devient l'horizon du poète — enfer artificiel où l'extrême est la mesure de tout.

Surréaliste, Michaux l'est par toutes ses fibres. D'abord, par la *fonction* qu'il assigne à la poésie-*exorcisme*, « réaction en force, en attaque de bélier» : prisonnier d'un faux réel, fait de souffrances et d'idées fixes, le poète ne peut échapper à sa dépendance malheureuse qu'à force de violence, d'humour noir et d'exaltation. Ensuite par une *exploration continue de l'inconscient* et du rêve. Enfin par sa *défiance à l'égard d'un langage cohérent* auquel il préfère les approches successives d'une réalité sans cesse en mouvement.

Michaux dispose d'un style original, qu'on reconnaît entre cent, quoiqu'on l'ait beaucoup imité depuis quelques années — style rageur, syncopé, où les images et les imprécations ont la même violence désespérée :

> *je m'affaire dans mes branchages*
> *je me tue dans ma rage*
> *je m'éparpille à chaque pas*
> *je me jette dans mes pieds*
> *je m'engloutis dans ma salive*
> *je me damne dans mon jugement*
>
> *je me pleure*
> *je me dis : c'est bien fait !*
> *je me hurle au secours*
> *je me refuse l'absolution* (1).

Une espèce de fureur le dresse à tout moment contre ce monde

> *... monde étranglé, ventre froid !*
> *Même pas symbole, mais néant...*
> *En tonnes, vous m'entendez, en tonnes je vous arracherai ce*
> *que vous m'avez refusé en grammes* (2).

Avant Samuel Beckett, il stigmatise la puissance inconnue qui prétend lui imposer sa loi :

> *Dans ma nuit, j'assiège mon Roi, je me lève progressivement*
> *et je lui tords le cou.*
> *... Je le secoue, et le secoue comme un vieux prunier et sa*
> *couronne tremble sur sa tête.*
> *Et pourtant, c'est mon Roi, je le sais et Il le sait, et*
> *c'est bien sûr que je suis à son service.*
> *Cependant, dans la nuit, la passion de mes mains l'étrangle*
> *sans répit. Point de lâcheté pourtant : j'arrive les mains*
> *nues et je serre son cou de Roi...*
> *C'est ainsi que je me conduis avec lui : commencement sans*
> *fin de ma vie obscure...*
> *Je le gifle, je le gifle, je le mouche ensuite par dérision*
> *comme un enfant.*
> *Cependant, il est bien évident que c'est lui le Roi, et moi*
> *son sujet, son unique sujet* (3).

(1) *Qui je fus* (Gallimard, 1927).
(2) et (3) *La Nuit remue* (Gallimard, 1934).

Parfois sa révolte revêt une grandeur peu commune — ainsi lorsque le poète refuse d'unir sa voix au concert universel :

> *Immense voix qui boit nos voix*
> *immense père reconstruit géant*
> *par le soin, par l'incurie des événements*
>
> *Immense Toit qui couvre nos lois*
> *nos joies*
> *qui couvre chats et rats*
>
> *Suffit ! ici on ne chante pas*
> *Tu n'auras pas ma voix, grande voix*
> *Tu n'auras pas ma voix, grande voix*
>
> *Tu t'en passeras, grande voix*
> *Toi aussi tu passeras*
> *Tu passeras, grande voix* (1).

Faut-il aller jusqu'à faire de cet *antipoète* la voix exemplaire d'un monde mis en pièces, incapable de retrouver son unité ? Nous sommes loin, aujourd'hui, des réserves de ses premiers critiques (Marcel Raymond, Maurice Blanchot), des investigations prudentes d'André Gide (*Découvrons Henri Michaux*, 1942), et l'on parle maintenant couramment de l'auteur de *Plume* sur le ton dont Joseph Bédier usait pour *la Chanson de Roland*. On nous affirme que « cette œuvre fantasque rejoint un impitoyable réalisme. Sous toutes ses formes... elle est révélation, témoignage... Michaux n'est jamais l'observateur indifférent que l'on a cru voir en lui... Au fond de ces hantises singulières, comment ne pas discerner une irrécusable universalité ? Cet univers du malaise, de l'insatisfaction n'est-il pas celui de toute inquiétude métaphysique profonde ? Cette flore, cette faune larvaire, répugnante, qui accable l'esprit de sa prolifération cancéreuse, comment ne pas reconnaître en elle la nature même qui nous entoure ?... Et l'être qui est au centre de tout cela, le héros du drame... à qui manque toujours quelque chose de décisif qu'il ne peut même pas nommer, cet « être troué » qui ne sent en lui que vide

---

(1) *Epreuves, Exorcismes* (Gallimard, 1945).

et absence... comment ne pas s'écrier devant lui : *ecce homo ?*
Il est celui que nous sommes devenus à un certain moment
de l'Histoire — celui qui a survécu à la mort de Dieu, à la
faillite de la Science, mais n'y a survécu que dans la mort,
et se trouve livré sans assises et sans certitude au vent de
ruine de la plus terrible époque. Car Michaux n'ignore pas
l'époque : il la déteste — et il a de bonnes raisons pour cela.
Il est peut-être le seul poète qui ait su, sans tricherie, sans
illusions, et avec la grandeur désespérée dont elle est digne,
lui donner le seul visage qui convienne : celui de la catastrophe (1).»

Reste à savoir si ce « salut par l'œuvre » (rêve, poème,
dessin, drogue ou voyage) que Michaux nous propose de
substituer aux voies habituelles du salut, offre une issue
à l'homme. Nous ne le pensons pas. *Michaux n'ouvre pas
une avenue neuve à la poésie, il explore une impasse qui deviendra vite un cul-de-sac.*

6

Un « a-poète », Francis Ponge

Si Henri Michaux est un antipoète, Francis Ponge (2)
serait, lui, un *a-poète* (pour employer le mot qu'Henri Pichette
a mis à la mode). « Il fait avec des mots ce que Braque fait
avec des couleurs. C'est un grand nettoyeur de la sémantique.
Il a l'ambition de laver les mots des couches superposées de
crasse dont l'usage, surtout mauvais, les a chargés. Crasse
chrétienne, crasse romantique, etc... (3).»

---

(1) G. Picon, *Panorama, op. cit.*
(2) Né à Montpellier en 1899, Francis Ponge (qui fut admissible à l'Ecole
Normale supérieure) a commencé à publier en 1923, dans la *N.R.F.* Longtemps
confiné dans les revues de luxe (*Commerce* et *Mesures*), il participa à la Résistance intellectuelle et à la clandestinité (sous le pseudonyme de Roland Mars).
Membre du parti communiste de 1937 à 1947.
Principaux ouvrages : *Douze petits écrits* (1926), *le Parti pris des choses* (1942),
Dix Cours sur la méthode, la Seine, le Carnet du bois de pins.
Sur l'homme et l'œuvre on pourra consulter : Jean-Paul Sartre : *l'Homme
et les choses* (in *Situations,* I, Gallimard, 1947).
(3) *Lectures et Figures* (Guilde du Livre, 1956).

Jean-Paul Sartre, dans une de ces gloses abondantes dont il a le secret (1), s'est longuement félicité du parti pris du poète de limiter son horizon aux choses, parti pris qui l'a conduit, sous couleur de les décrire naïvement, avec les mots de tous les jours, à une réflexion sur le langage, et finalement, à jeter les bases d'une « phénoménologie de la nature». Car « s'il a d'abord assimilé, digéré le monde des choses, c'est le grand espace plat des mots qu'il a d'abord découvert...» « Tout est parole.» Nulle part, en son œuvre, il ne sera question de pensée. En d'autres termes, Francis Ponge, en s'enfermant volontairement dans l'univers des objets, serait le fondateur d'une poésie matérialiste.

Ses interminables descriptions d'un coquillage ou d'un galet, d'un escargot ou d'un mimosa, traitées avec une minutie flamande, rappellent les natures mortes (celles de Braque, qui a illustré un de ses ouvrages, plutôt que celles de Chardin). Elles procèdent d'une volonté déterminée, qui fait de Ponge tout le contraire d'un peintre naïf : débarrasser le langage des habitudes que « dans tant de bouches infectes il a contractées», dût-il en revenir à l'enfance de l'art, aux sons originaux qu'il aime pour eux-mêmes, non pour leur signification. D'autre part,« la richesse des propositions contenues dans le moindre objet est si grande que le poète ne conçoit pas autre chose que des plus simples : une pierre, une herbe, un feu, un morceau de bois, un morceau de viande», attentif aux « muettes instances» que font les choses *pour qu'on les parle.* Non seulement les hommes ou les animaux, mais aussi les végétaux, mais les minéraux eux-mêmes, ont leur langage, qu'il convient d'exprimer sans se mettre à leur place, sans leur faire dire autre chose que leur présence immédiate, perçue par les sens. Mieux vaut oublier nos prétendues « connaissances» :« le meilleur parti à prendre est de considérer toutes choses comme inconnues, et de se promener ou de s'étendre sous bois ou sur l'herbe et de reprendre tout à son début.»

De même qu'Alain reconstituait toute l'histoire de la philosophie en partant d'un morceau de craie et d'un encrier, Ponge aboutit à une cosmogonie en regardant couler la pluie sur un toit de zinc ou voler un papillon. Le « monde opiniâtrement clos « qu'est une huître, un galet» de jour en jour

_____

(1) *L'Homme et les Choses* (*Situations*, I, Gallimard).

plus petit mais toujours sûr de sa forme, aveugle, solide et sec dans sa profondeur», l'eau « blanche et brillante, informe et fraîche, passive et obstinée dans son seul vice : la pesanteur» lui révèlent des qualités inconnues du profane. *Francis Ponge est le Buffon du relativement petit.* Il ne s'ensuit pas nécessairement que cet excellent fabuliste soit le grand poète qu'à la suite de Sartre on a, un peu abusivement, célébré.

CHAPITRE DEUXIÈME

LA POÉSIE VIVANTE D'AUJOURD'HUI (1)

---

(1) Il convient de mentionner ici la dette de reconnaissance que nous avons contractée à l'égard de critiques comme Jean Rousselot, Alain Bosquet, Georges-Emmanuel Clancier ou Jean Paris qui nous ont éclairé les avenues de la nouvelle poésie française.

I

LA TRADITION CLASSIQUE

1

Toute la tradition (Vincent Muselli)
Rien que la tradition (Philippe Chabaneix)

Parmi les courants majeurs de la poésie d'aujourd'hui, il existe encore une poésie d'expression classique, dont la sobriété, la mesure, la discrétion, sont autant de rappels à l'ordre dans la cacophonie universelle. Il serait donc injuste de frapper de discrédit, sous le prétexte qu'elles ont cessé de donner le *la*, les fantaisies musicales de Vincent Muselli, les élans romantiques de Fernand Gregh, les stances valériennes de Yanette Delétang-Tardif et d'Edmée de la Rochefoucauld, les sonnets surréels d'André Berry, les poèmes familiers de Maurice Carême... Quelques noms... autant d'exemples de ce qu'une fidélité intelligente à la prosodie classique peut ajouter à notre patrimoine poétique. Tantôt, la « Tradition » rallie des poètes (René Laporte, René Ménard, Roger Lannes, Edmond Vandercammen, Alain Bosquet) qui, hier encore, vivaient sous l'aile noire du surréalisme ; tantôt elle conquiert de nouveaux venus, car Christian Dédeyan, Robert Mallet, Jeanine Moulin, Claude Roy, Olivier Larronde, ne le cèdent nullement à leurs aînés en talent, en invention, en ressources verbales. Et de même que Louis Emié retrouvait Maurice Scève, Jacques Duron, Jean de Sponde, Paul Gilson ou Claude Roy prolongent Apollinaire, tandis que Charles le Quintrec et Jean-Claude Renard renouent avec le vers de Péguy.

S'il faut choisir, dans cette tradition, une œuvre exemplaire, nous retiendrons celle de Vincent Muselli (1).

Sans doute, pour l'essentiel, cette œuvre date-t-elle d'hier — *Les travaux et les jeux*, 1914 — et même d'avant-hier, si l'on considère qu'elle doit beaucoup à des devanciers lointains — depuis les poètes de la Pléiade jusqu'aux premiers symbolistes en passant par Moréas. Il suffit en effet de la parcourir pour y reconnaître vingt formes héritées qui font d'elle le miroir transparent de notre poésie classique. En dépit de ses archaïsmes, de ses appels du pied et de ses inutiles afféteries, la prosodie de Muselli reste un exemple, assuré et musical, d'une restauration qui paraît naturelle, d'ordre et de formes qu'on aurait pu croire inutilisables. Des poèmes comme ces trois quatrains de onze pieds, déjà célèbres, figureront demain dans toutes les anthologies :

> *Mais ces oiseaux qui volaient haut dans le soir,*
> *En chantant malgré le vent et malgré l'ombre,*
> *Disaient-ils point, ah! si fiers en ce décombre!*
> *L'inexorable dureté de l'espoir.*
>
> *La peur entrait dans la bête et dans la plante,*
> *Les angoisses peuplaient l'air alentour, mais*
> *Ces oiseaux, alors, chantèrent à jamais,*
> *Ignorants de la lumière fléchissante.*
>
> *Déjà le jour noircissait dans les roseaux,*
> *Un deuil froid poignait les choses de la plaine,*
> *Tout mourait, dans quel secret! et cette peine*
> *Etait longue sur l'étang mais ces oiseaux...*

Quel poète d'aujourd'hui oserait rivaliser avec Ronsard comme il le fit dans certaine « Ballade de contradiction » :

---

(1) L'œuvre poétique complète de Vincent Muselli (1879-1957) a été réunie en un volume (*Points et Contrepoints*, 1957). Elle comprend : *Les travaux et les jeux* (1914), *les Masques* (1919), *Moscou* (1929), *les Sonnets à Philis* (1930), *les Strophes de contre-fortune* (1931), *les Sonnets moraux* (1934), *les Sept Ballades de contradiction* (1941), *Epigrammes* (1943), *les Convives* (1947), *les Douze Pas des Muses* (1952), *la Barque allait entre ces rives* (1954), et quelques inédits posthumes (*Intus et Sursum*, 1956).

Parmi les héritiers de Muselli, citons au moins Louis R. de la Roussière (*Sibylle*).

> *Où vont la source et la semaine,*
> *Amour, Hélène et leurs appas ?*
> *Une heure encore et la dernière,*
> *Plaisirs qui ne reviendrez pas,*
> *Au fil de l'an fuit la rivière...*

Pourtant, quel que soit le *charme* (au sens ancien du mot) de Muselli, il serait vain de le proposer en modèle à de jeunes poètes qui pourraient bien étudier ses recettes, mais ne retrouveraient pas sa voix. Aucun d'eux, d'ailleurs, ne s'engage dans cette lumineuse impasse. Imite-t-on l'abbé Delille, si injustement décrié soit-il ?

On fera la même observation à propos de Philippe Chabaneix (1) en l'accentuant d'une réserve grave : le verbe harmonieux, la tristesse élégante, l'air de brume et de nuit qui drapent son œuvre d'un manteau désuet et distingué ne la délivrent pas des conventions et des redites qui caractérisent l'académisme.

Relèvent encore de cette tradition, les poèmes en prose de Paul Fort et les vers de Fernand Gregh, dont l'inspiration date des lointains débuts du siècle — et Fernand Gregh a mis toute sa fidélité aux maîtres de sa jeunesse à ne jamais s'écarter des chemins tracés par Verlaine et par Hugo —, les stances élégantes et mélancoliques de Mme George-Day *(l'Oiseau d'Hermès)*, les épopées ambitieuses d'Yves-Gérard le Dantec *(Ouranos)* et de Wilfrid Lucas (2). Nommons encore Jean Pourtal de Ladevèze, Hugues Fouras, Philippe Dumaine, Jacques Noir, Pascal Bonetti, André Delacour, Armand Godoy, André Mabille de Poncheville. On notera avec intérêt que les poétesses ont brillamment défendu ce genre contesté : elles s'appellent Germaine Beaumont (3), Louise de Vil-

(1) Né en 1898 sur le navire qui conduisait son père en Nouvelle-Calédonie, Philippe Chabaneix, libraire à Paris et critique poétique du *Mercure de France*, a notamment publié : *Les tendres amies* (1922), *Bouquet d'Ophélie* (1925), *Elégies et Romances* (1928), *D'un cœur sombre et secret* (1936), *le Désir et les Ombres* (1938), *les Nocturnes* (1950), *Mémoire du Cœur* (1952), *Aux sources de la nuit* (1955).

(2) Né à Caen en 1882, Wilfrid Lucas a publié : *Marie de Magdala, la Cité bleue, la Route de Lumière* et une « épopée spirituelle » : *les Cavaliers de Dieu, l'Evangile du Soir, le Grand Voilier des Ages* et *le Porche de la Mer.*

(3) Cf. p. 275.

morin (1) et, parmi les dernières venues, Angèle Vannier (2),
Francès de Dalmatie *(le Bal vert, Anamorphoses)*, Monique
Difrane *(A la peine de vie)*, Mathilde Pomès *(Orée)*.

S'il fallait décerner une palme, Louise de Vilmorin, qui
jongle avec les vers olorimes, la mériterait sans doute ; mais
nous préférons à son brio la maladroite et paradoxale « poésie
du bonheur» d'Angèle Vannier.

2

En marge de la tradition :
André Salmon, Jules Romains

Voici maintenant deux œuvres plus visibles, on serait
presque tenté de dire plus voyantes. On trouvera peut-être
que nous nous éloignons beaucoup de la tradition en saluant
ici André Salmon et Jules Romains, qui ont tenu brillamment
leur rôle dans la métamorphose du sentiment poétique
accomplie, dans l'esprit du grand public, entre 1910 et 1925.

Pourtant, si André Salmon (3) incorpore à l'expérience
poétique cent aspects de la vie moderne, s'il a vécu la grande
aventure de l'art moderne, des Fauves au Cubisme, son
humour, sa liberté n'éprouvent aucune gêne à se glisser
dans les moules classiques. Il y a chez lui, comme chez son
ami Apollinaire, un Musset qui s'ignore et se dissimule sous
une malice qui ne trompe que lui. Telle épitaphe de Rimbaud
pourrait être de Baudelaire :

> *Mortel, ange et démon, poète et baladin,*
> *Casseur de pierre aussi et soldat de fortune,*
> *RIMBAUD ! frère de ceux qui naissent pour l'exil,*

(1) Cf. pp. 426-427.

(2) Poétesse aveugle, Angèle Vannier a publié : *les Songes de la lumière et
de la brume* et *l'Arbre à feu.*

(3) Né en 1882, André Salmon a publié des romans *(Tendres Canailles,
l'Entrepreneur d'illuminations, la Négresse du Sacré-Cœur, le Manuscrit trouvé
dans un chapeau)* et des poèmes : *les Clefs ardentes* (1905), *le Calumet* (1910),
Prikaz (1919), *Peindre* (1920), *Tout l'or du monde* (1927), *le Jour et la Nuit*
(1937), *Odeur de Poésie* (1944), *les Etoiles dans l'encrier* (1952). On lui doit aussi
deux volumes de *Souvenirs sans fin* (Gallimard).

Sur l'œuvre poétique d'André Salmon, on pourra consulter : Pierre Berger :
André Salmon (Seghers, 1956).

> *Tu passas, recélant sous la face commune*
> *Le visage d'un dieu honni des dieux voisins*
> *Et voulus, dîneur las des festins inutiles,*
> *Mordre sans les cueillir tous les fruits du jardin.*

Tel autre de ses poèmes fait songer à Vigny, ou même à Leconte de Lisle :

> *Le reste importe peu. Du paradis au bagne*
> *Loue les mêmes vertus, hume le même encens,*
> *Sache que, seul tuteur, le mal nous accompagne*
> *Et fais parfois le bien si ton cœur y consent.*

Si André Salmon recueille dans son encrier les étoiles que d'autres ont aperçues, Jules Romains (1), après s'être constamment cherché, finit par retrouver le bon élève qu'il avait été, dès l'enfance, et jusqu'aux rimes exactes qu'il avait dédaignées du temps de l'unanimisme. Ce n'était pas, alors qu'il manquât de principes : au contraire, il a toujours attaché une grande importance à la technique du vers (qu'il exposa, dans son *traité de versification*, avec Georges Chennevière, 1923) ; se refusant au vers libre comme au vers blanc, il cherchait à renouveler le mètre, à enrichir les accords sonores (dont la rime n'est qu'une variété) ; au lieu de bercer l'oreille, son vers ferait choc. Par ailleurs, le sentiment cosmique de l'existence se substituerait, dans l'âme du poète et dans celle de ses lecteurs, aux aventures étroitement individuelles qui étaient restées le lot des romantiques. Telle était l'ambition grandiose qu'exprimait *la Vie unanime* (1908), hymne véhément entonné par un poète de vingt ans à la gloire de l'homme moderne.

---

(1) Jules Romains a publié les poèmes suivants : *L'âme des hommes* (1904), *la Vie unanime* (1908), *A la foule qui est ici, Premier livre de prières* (1909), *un Etre en marche* (1910), *l'Armée dans la ville* (drame en cinq actes, 1911), *Odes et prières* (1913), *Europe* (1916), *les Quatre Saisons* (1917), *le Voyage des amants* (1920), *Amour couleur de Paris* (1921), *Ode génoise* (1925), *Cromedeyre-le-Vieil* (pièce de théâtre, 1926), *l'Homme blanc* (1937), *les Quatre Saisons* (1947), *Pierres levées* (1948), *Maisons*.
Un *Choix de poèmes* a paru, en 1948, chez Gallimard.
Sur l'œuvre poétique de Jules Romains, on pourra consulter : JULES ROMAINS et GEORGES CHENNEVIÈRE : *Petit traité de versification* (Gallimard, 1923) ; ANDRÉ FIGUERAS : *Jules Romains* (Seghers, 1952).

Le recensement de tous les gestes, de tous les mots, de tous les instants d'une foule et d'une ville frôlait souvent le prosaïsme, et, quelques beaux cris mis à part, annonçait plus les grandes descriptions, fortes et précises, des *Hommes de bonne volonté* qu'une œuvre poétique juste et sensible. *D'un être en marche* à l'*Ode génoise*, le poète devait assurer sa démarche jusqu'à trouver, pour chanter l'Europe en péril et la paix crucifiée, des accents parfois bouleversants :

> *Europe ! je n'accepte pas*
> *Que tu meures dans ce délire...*
> *Ils auront beau pousser leur crime ;*
> *Je reste garant et gardien*
> *De deux ou trois choses divines.*

Vingt-cinq ans plus tard, les poèmes réunis dans *Pierres levées* et dans *Maisons* devaient constater l'abaissement de l'homme, le naufrage de notre civilisation. La poésie de Romains reflète ainsi l'évolution qui va du grand espoir des années 1900 à l'angoisse du demi-siècle.

3

Le « Gallicanisme» : André Mary, André Berry

Par certains aspects réalistes et même truculents de son œuvre (on songe aux *Copains*), l'intellectuel Jules Romains rejoint une vieille tradition populaire qu'André Mary, André Berry, Roger Rabiniaux ont tour à tour essayé de ressusciter, sous le nom de « Gallicanisme». Après du Plessys et Fernand Fleuret, André Mary — qui appartient à la génération de Vincent Muselli — a tourné des *Odes* et des *Rondeaux* qui nous ramènent curieusement au temps de Baïf et de Scarron. Mais le maître du genre reste André Berry (1) qui n'est jamais

---

(1) Né à Bordeaux le 1er août 1902, docteur ès lettres, André Berry a publié :
Des poèmes réunis dans : *le Trésor des Lais* (Julliard, 1946), *la Course d'Entre-deux-Ports* (1947), *l'Ancien d'Europe* (1954), *les Esprits de Garonne* « Epopée rustique» (Julliard, 1941), *Poèmes involontaires* (1949), *Songe d'un païen moderne* (1951), *Sonnets surréels* (1957), etc.
Des récits en prose et des romans : *Les Aïeux empaillés* (1938), *la Fiancée*

à court d'une rime exacte, ni d'une gasconnade et dont l'agilité verbale, la faconde n'ont rien à envier à celle de son pseudo-compatriote Cyrano de Bergerac. Homme-orchestre, qui a touché à tous les genres, savant ouvrier du vers, qui n'ignore rien de Théophile, de Maynard ou de Racan, André Berry prend allégrement le contrepied de toute la poésie contemporaine ; on voudrait être sûr que cette résistance aux tentations de la mode et de l'hermétisme, aux facilités du vers libre, promette à son œuvre la durée.

André Berry a d'ailleurs des compagnons — on reconnaît son influence dans les poèmes de Marie-Josèphe, d'Edgar Valès *(les Tours de Chartres*, 1949), dans les *Satires* de Pierre Labracherie — et il a trouvé un disciple de choix en Roger Rabiniaux, poète en prose, héritier de Brantôme et de Scarron, dans l'épopée succulente et débridée de *Pédonzigue*.

Mais il existe aussi une autre tradition, à la fois populaire et classique, humaniste et provinciale, qu'illustrent les églogues de Paul Cazin, les chants mystiques de Louis Pize et de Christiane Burucoa, les poèmes d'Albert Flory ou de Renée Rivet.

4

QUELQUES POÈTES DE BELGIQUE

Mais la vraie terre d'élection de la tradition classique est la Belgique : ici, deux mille poètes continuent d'user avec conviction de formes dont leurs confrères parisiens n'osent plus se servir. Pourtant, les grands noms de la poésie belge d'aujourd'hui — Henri Michaux (1), Robert Goffin (2),

---

de Saint-Omer (1942), *les Expériences amoureuses* (2 volumes) (1946-1950), *le Puceau vagabond* (1947).

Des études sur *les Troubadours* (F. Didot), *un Florilège de la poésie amoureuse* et de nombreuses traductions (de Théocrite, Virgile, Catulle).

Sur l'homme et l'œuvre, on pourra consulter : PIERRE LABRACHERIE : *La vie inimitable d'André Berry* (1945), ROGER RABINIAUX : *André Berry, homme libre, poète vivant* (1956).

(1) Cf. pp. 502-506.

(2) L'œuvre de Robert Goffin sera analysée avec la postérité du surréalisme.

Charles Plisnier (1), Franz Hellens (2) sont rebelles à cette
tradition qu'interprètent avec une grande liberté des poètes
comme Marcel Thiry (3) ou Géo Norge (4). Mais il en reste
assez d'autres pour l'illustrer. Armand Bernier *(l'Arbre)* (5),
Robert Vivier (6), Albert Ayguesparse (7), Roger Bodart (8) ;

(1) Cf. p. 224. Charles Plisnier est peut-être plus profondément poète
qu'il n'est romancier. Rappelons les principaux titres de son œuvre poétique :
L'Enfant qui fut déçu (1913), *la Guerre des Hommes* (1920), *Elégies sans les
Anges* (1922), *Prière aux mains coupées* (1931), *Fertilité du Désert* (1933),
Odes pour retrouver les Hommes (1935), *Sacre* (1938), *Testament* (1939), *Ave
Genitrix* (1943). Un choix de poèmes établi par Mme Alida Plisnier et Roger
Bodart (*Brûler vif*, 1920-1943) a paru en 1957 aux Editions Universitaires.
(2) Cf. p. 240. Proche de Rilke et des romantiques allemands, ami et
successeur d'Odilon-Jean Périer (avec qui il fonda le *Disque Vert*), Hellens
est le poète du rêve, du mystère et de la nuit. Citons, parmi ses recueils les
plus connus : *La femme au prisme* (1920), *Eclairage* (1926), *Poésie de la
Veille et du Lendemain* (1932), *Variations sur des thèmes anciens* (1941), *Miroirs
conjugués* (1950), *Testament* (1951), *Liturgies* (1952), *Définitions* (1953). Un
Choix de Poèmes en deux volumes a paru chez Seghers en 1956.
(3) Essayiste et romancier, Marcel Thiry (né en 1897) « aurait pu être
Prévert, mais il a préféré à la brutalité la douce alchimie qui transforme le
quotidien et en fait naître les mythes» (Franz Weyergan). Qu'il chante les
mille visages du monde ou qu'il dresse sur une place nue de la ville la « Statue
de la Fatigue », il a l'ambition, « la vivant, de changer la vie en éternité ».
Les principales œuvres poétiques de Marcel Thiry sont : *Le cœur et le sens*
(1919), *Toi qui pâlis au nom de Vancouver* (1924), *Plongeantes proues* (1925),
Statue de la Fatigue, Trois proses en vers (1934), *la Mer de la tranquillité* (1938).
Un important choix de poèmes (1924-1957) a paru aux Editions Universitaires
en 1957.
(4) Les espiègleries de Géo Norge dont l'imagination narquoise n'est jamais
à court, son humour bourru l'ont fait comparer à Queneau. Né à Bruxelles
en 1893, Norge a publié : *La Belle endormie, les Râpes, Famines, Gros Gibier,
Langue Verte.*
(5) Armand Bernier (né à Braine-l'Alleud en 1902), poète, conteur et critique.
Prix triennal de poésie du Gouvernement, Grand Prix quinquennal de poésie
Albert Mockel, a publié des poèmes : *Portes obliques* (1931), *Dans les vergers de
Dieu* (1946), *Il y a trop d'étoiles* (1948), *la Famille humaine* (1949), *Migrations
des âmes* (1952), *le Monde transparent* (1956), des essais et des proses poétiques.
(6) Romancier et poète de forme classique, Robert Vivier a publié divers recueils poétiques, parmi lesquels : *Instants, la Poésie est langage, Au bord du temps.*
(7) Poète, essayiste (*Magie du Capitalisme*, 1933), romancier (*la Main
morte*, 1938 ; *une Génération pour rien*, 1954), Albert Ayguesparse (né à Bruxelles
le 1er avril 1900) a publié des recueils de poèmes dans lesquels il chante la peine
et les travaux des hommes en versets où se relaient la colère, le sarcasme et
l'espoir. Il dirige, depuis 1945, la revue *Marginales.*
Principales œuvres poétiques : *Neuf offrandes claires*, 1923 ; *Derniers feux
à terre*, 1931 ; *Aube sans Soutiers*, 1932 ; *Prometteurs de beaux jours*, 1935 ; *la
Rosée sur les mains*, 1938 ; *le Travail du temps*, 1940 ; *le Vin noir de Cahors*, 1957.
(8) Cf. p. 225.

ensuite, on relèvera les œuvres d'Edmond Vandercammen (1), de Pierre-Louis Flouquet (2), du bon et populaire Maurice Carême (3), celles de Géo Librecht, d'Arthur Haulot, d'Adrien Jans (4), de Roger Kervyn (5), de Jeanine Moulin *(Feux sans joie)* (6). Parmi les jeunes on citera encore Jean Mogin (7),

---

(1) Né à Ohain (Brabant), le 8 janvier 1901, Edmond Vandercammen, poète, critique, hispanisant, peintre, membre de l'Académie royale de Belgique, cofondateur du *Journal des Poètes*, a publié de nombreuses œuvres poétiques parmi lesquelles : *Innocence des solitudes* (1931), *le Sommeil du laboureur* (1933) (Prix Verhaeren), *Océan* (1938), *Grand Combat* (1946), *la Nuit fertile* (1948), *l'Etoile du berger* (1949), *la Porte sans mémoire* (1952) (Grand Prix triennal de Poésie), *Faucher plus près du ciel* (Seghers, 1954).

Disciple de Cendrars, de Max Jacob et d'Apollinaire, Vandercammen est revenu à la tradition, au culte de la nature, qu'il célèbre en des vers apaisés et confiants :

> *Les pâtres sont rentrés, les cloches se sont tues*
> *La terre en son silence écoute encore le sang*
> *Du monde et la forêt dans le couchant remue*
> *Une ombre souterraine aux plaintes d'océan.*

(2) Cf. DEUXIÈME PARTIE, Chapitre deuxième, II, 6.

(3) Né à Wavre (Brabant) le 12 mai 1899, Maurice Carême a quitté l'enseignement en 1943. Pour lui, la poésie n'est ni une expérience de laboratoire ni un travail de marqueterie, son but est d'émouvoir et d'exalter.

Principales œuvres poétiques : *63 Illustrations pour un jeu de l'Oie* (1925), *Mère* (1935), *Petite Flore* (1937), *Femme* (1946), *la Lanterne magique* (1947), *la Maison blanche* (1949), *Petites Légendes* (1949), *l'Eau passe* (1952), *le Semeur de Rêves* (1953), *Images perdues* (1954), *le Voleur d'Etincelles* (1956), *Heures de Grâce* (1957).

(4) Né en 1905 à Edeghem (Anvers), Adrien Jans, essayiste et romancier *(La Jeune Fille aux sortilèges, Echec à l'Homme, le Manant)* a publié divers recueils poétiques *(Clairs-Obscurs, Chant des Ames, la Colonne ardente)*.

(5) Roger Kervyn de Marcke ten Driessche, né à Gand en 1896, a publié des essais, des contes *(Les Fables de Pitje Shramouille,* 1923) et des poèmes : *Forme de mon souci* (1926), *Kermesse à Sainte-Croix* (1936), *Mon chemin de la croix* (1939), *Poétique, l'Hippocampe couronné* (1942), *Abécédaire* (1953), *Vingt-quatre piolets* (1954), d'une verve truculente.

(6) Née à Bruxelles, licenciée en philosophie et lettres, Mme Jeanine Moulin a publié des éditions critiques de Nerval et d'Apollinaire, une étude sur Marceline Desbordes-Valmore et deux recueils de poèmes : *Jeux et Tourments* (1947) et *Feux sans joie* (1957).

(7) Né à Bruxelles en 1921, fils du poète belge Norge, Jean Mogin a publié des poèmes : *La Vigne amère* (1943), *les Vigiles* (1950), *les Pâtures du silence* (Prix de la Pensée française, 1956).

Au théâtre, il a fait jouer *A chacun selon sa faim* (1949) et *La Fille à la Fontaine* (1955).

Jean Tordeur, Gérard Prévot *(Ordre du iour)* (1), Liliane Wouters (2), et deux poétesses venues de France : Anne-Marie Kegels (3) et Lucienne Desnoues (4) *(la Fraîche, le Jardin délivré)*.

Mais ces belles amazones prennent plus d'une liberté avec la prosodie classique à laquelle restent fidèles Pierre Nothomb, Noël Ruet (5), Charles Bertin, Jean-Marie Andrieu (6).

5

PRESTIGE DES VERS ANCIENS

Mais, même si nous revenons en France, nous serons étonnés de constater la vitalité de la tradition ; nous pensons aussitôt à Louis Emié, à Yanette Delétang-Tardif, à Jacques Duron, à Christian Murciaux, à Christian Dédeyan... et cette liste, bien incomplète, n'est pas un palmarès. Tous recher-

(1) Né à Binche en 1922, Gérard Prévot vit à Paris depuis 1954. Il a publié deux romans chez Denoël : *La Race des grands cadavres* (1956) et *les Chemins de Port-Cros* (1957) et des poèmes : *Récital* (1951), *Architecture contemporaine* (1953), *Danger de mort* (1954), *Ordre du Jour* (1955).

(2) Cf. DEUXIÈME PARTIE, Chapitre deuxième, VI, 5.

(3) Mme Anne-Marie Kegels, née à Dunes (Tarn-et-Garonne), mariée à un Belge, a publié : *Douze poèmes pour une année* (Prix Théophile Briant, 1949), *Rien que vivre* (Prix René Vivien, 1953) et *Chants de la Sourde Joie* (Prix Gérard de Nerval, 1956).

(4) Née à Saint-Gratien (Seine-et-Oise), Lucienne Desnoues (Mme Jean Mogin) a publié : *Jardin délivré* (Prix Fénéon, 1947), *les Racines* (Prix Renée Vivien, 1952), et *la Fraîche* (Gallimard).

(5) Né en 1898 à Seraing (Belgique), Noël Ruet a publié : *Le Printemps du poète* (1919), *le Musicien du cœur* (Préface de Francis Carco, 1925), *les Roses de Noël* (1939), *Châteaux d'enfance* (1946), *France* (1948), *Doux et cruel* (1950), *Suivre sa trace* (1952), *Figure de Trèfle* (1954) et *la Bouche du Temps* (1956).

On a loué la fraîcheur et la grâce de ses vers dont témoigne ce quatrain :

Je suis dans l'air tendu les bulles des abeilles
J'ouvre l'armorial mouvant des papillons
Je leur prête le chant que porte à mes oreilles
Le silence creusé de flux et de sillons.

(6) Diplomate et romancier (*L'Incantation*, 1947, *Un Jour du monde*, 1954, *Autour d'un homme*, 1957), Jean-Marie Andrieu a publié un recueil de poèmes : *Messages imaginaires* (Seghers, 1953).

chent une perfection difficile : Louis Emié (1) celle d'un
symbole maîtrisé dans la brièveté d'une strophe :

> *Mon bel instant, ce n'est plus moi qui vis*
> *Mais ces yeux seuls que ta flamme a ravis*
> *Et qui me font toucher à la merveille...*
>
> *Où suis-je donc ? Permanence où es-tu ?*
> *Je meurs pour moi mais cette ombre qui veille*
> *Me livre au dieu que je n'ai pas connu.*

Yanette Delétang-Tardif (2) s'empare d'une idée, d'un rêve
ou d'une passion qu'elle porte au mythe ; saisie dans l'incandescence d'un instant parfait, l'image monte, comme une
flamme haute, et se consume en quelques vers ; voici l'emblème
d'un visage :

> *Quand un homme s'éveille une fleur va mourir*
> *Dans les jardins que nulle main ne berce encore*
> *La vieille porte grince au moment de s'ouvrir*
> *C'était au fond des ans la ruse de l'aurore.*
>
> *Pour le prendre à la nuit il n'est qu'un souvenir*
> *Plus songe que le songe au ciel de cette flore*
> *Qui rebordant sur lui les formes du désir*
> *Le rendorme vivant sur l'oubli qu'il adore.*
>
> *L'abîme ajuste au jour une rampe de sang*
> *Où s'agrippent les doigts de ce mort inconstant*
> *Que tout nourrit d'amour en croyant le cacher.*
> *Sens-tu battre son cœur ? L'autre achève l'ouvrage*

---

(1) Né à Bordeaux en 1900, Louis Emié a publié des poèmes (*Le Nom du
Feu*, *l'Etat de grâce*, *Itinéraire de la mort*, *Romanceros du profil perdu*, *les Chemins de la Mer*, *l'Eclair et le Temps*, *Hauts désirs sans absence*, *la Forme humaine*, *l'Ange*), des essais (*Espagne*, *Dialogues avec Max Jacob*) et deux romans
(*la Nuit d'octobre* et *le Dieu sans tête*).
(2) Née à Roubaix, Mme Yanette Delétang-Tardif a publié des poèmes :
Eclats, *Vol des Oiseaux*, *Confidences des Iles*, *la Colline*, *Morte en Songe*, *Pressentiment de la rose*, *Poèmes du vitrier*, *Tenter de vivre*, *la Nuit des temps*, *Chants
royaux*, *les Emblèmes* ; des romans : *Edellina*, *les Séquestrés* ; des traductions
de Gœthe et de Nietzsche et un essai sur Edmond Jaloux.

Il chante sur ta bouche et pour mieux t'arracher
Il retrouve ses traits qui te font un visage.

Et voici, sans doute, un amour rêvé :

Fantôme d'une étoile et d'une autre captive,
L'âme que nous étions vient tenir son serment :
O nuit, dit-elle, nuit, puisqu'il faut que je vive
De tous mes souvenirs faites un firmament
Et qu'on y voie fleurir mon île fugitive
Et le couple éternel se rejoindre en dormant.

Christian Murciaux (1) ne se préoccupe que de musique ; Christian Dedeyan (2) *(Quatuor pour le temps des Ténèbres)*, Jacques Duron (3) *(Poèmes Retrouvés)*, René Ménard (4) *(Hymnes à la Présence solitaire)* et ce grand méconnu, Pius Servien, que Valéry admirait, y ajoutent des préoccupations métaphysiques.

Ami et disciple de René Char, Ménard a frôlé le surréalisme : le sens du rythme et la musique des mots ne lui ont pas été donnés d'instinct, mais lentement conquis sur la résistance

---

(1) Né en 1915 à Constantine, le romancier Christian Murciaux a publié les recueils poétiques suivants : *la Pêche aux sirènes, le Fil du labyrinthe, le Dormeur aux yeux ouverts* (1946) et *l'Arbre de Jessé* (1948).

(2) Né le 4 avril 1910 à Smyrne, licencié en droit et en philosophie, Christian Dedeyan a publié des romans et des poèmes : *Le Carnaval en deuil* (1931), *Journal crié dans la nuit* (Préface d'Edmond Jaloux, 1934), *le Vivier d'étoiles* (1945), *Tristan* (1946), *les Noces de cristal* (1946), *Prière à l'Ange mort* (1947), *le Violon et la Croix* (1952) (Prix Francis Jammes), *Opéra espagnol* (1953), *Quatuor pour le temps des ténèbres* (1957).

(3) Agrégé de philosophie, docteur ès-lettres (avec une thèse sur Santayana), Jacques Duron, qui dirige le service des Lettres au ministère de l'Education nationale, a publié des essais et un recueil de *Poèmes retrouvés* (P. Cailler, 1954).

(4) Né à Paris en 1908. Prisonnier de guerre de 1940 à 1945, René Ménard découvre en captivité les poètes de son temps, et depuis lors, consacre son temps libre à la recherche poétique.

Il a publié des poèmes : *La Belle des cieux* (1942), *Granit des eaux vives* (1945), *l'Arbre et l'Horizon* (1949), *Hymnes à la présence solitaire* (1950), *la Terre tourne* (1952), *la Statue désertée* (1953), *Coriandres* (1954) ;

Et des proses : *le Livre des arbres* (1956).

Membre du Comité de Rédaction des *Cahiers du Sud*, René Ménard collabore à *Critique*, à la *N.N.R.F.* et à *Botteghe Oscure*.

Jean Rousselot : *Critique des nouveaux poètes* (Seghers, 1949).

des choses ; le résultat est un acte de foi dans une création
aux cent visages :

> *Beau marbre vieux bois que j'aime fibre à fibre*
> *Fleurs qui donnez la jeunesse à mes lèvres*
> *Laines ou je m'enveloppe encore de mon enfance*
> *Parfums qui suscitez des lumières dans mes yeux*
> *Musique auréolant les arbres des jardins*
> *Je vis ! Je crois vivre ! Des frères pleins d'aventure*
> *Chantent à tue-tête sur les chemins de l'éternité* (1).

Toute l'œuvre de Ménard est un hymne à cette « Présence
solitaire » qu'il devine sous la création — présence à laquelle
il voudrait croire, mais dont il n'est pas tout à fait sûr.
Pourtant :

> *Les eaux les étoiles les sept couleurs*
> *Et les pierres nos furtives amies*
> *Se frottent à l'éternelle gravitation*
> *Et ce peu de présence est mâché d'infini.*

Et l'absence de Dieu serait moins lourde à porter que
cette « Charité terrible de Dieu » dont parle le poète :

> *Chacun de mes pas est un décor détruit*
> *Une voix qui se tait une chair qui s'efface.*

Poésie grave, souvent amère, hantée par le sentiment de
l'échec irrémédiable, qui fait de l'homme une « statue désertée » (2).

La revendication d'un langage cohérent se manifeste
aujourd'hui chez toutes les générations : « Sur dix poètes
d'avant-garde, sept au moins écrivent en vers classiques,
ou quasi classiques (3). » C'est le cas de Paul Gilson comme de
Robert Mallet (4) *(Amour, mot de passe ; Lapidé lapidaire)*,

---

(1) *Hymnes à la Présence solitaire* (Cahiers du Sud).
(2) C'est le titre d'un beau poème (où l'influence de René Char y relaie
celle de Valéry), dédié au souvenir de Florence :
> *Comme une mer éteinte dans un grand coquillage.*
(3) Jean Rousselot.
(4) Né en 1915, Robert Mallet, essayiste et critique, a publié des proses
poétiques *(Les Signes de l'addition, De toutes les douleurs)* et des poèmes :
*L'Égoïste Clé, les Poèmes du Feu, la Châtelaine de Coucy, A l'hôpital, Amour,
mot de passe, Lapidé lapidaire.*

de René Laporte, Lucien Becker comme de Claude Roy,
tandis que Edmond Humeau *(le Neuf du cœur, le Médium en
Jeu)* et font la transition entre le surréalisme et l'après-
guerre.

En attendant de retrouver plus loin René-Guy Cadou,
dont le souvenir fraternel anime encore l'« Ecole de Rochefort», Charles Le Quintrec et Robert Sabatier, examinons
un instant l'œuvre de Paul Gilson (1). Fidèle au vers classique « dont il ne saurait pas plus se passer qu'Apollinaire dont
il est aujourd'hui le plus identifiable héritier » (2), il excelle,
selon le mot de René Clair, à transformer le réel en illusion
d'optique, à restituer aux moindres instants la fraîcheur et
l'éclat de l'enfance :

> *Voici la vie en cours, l'ombre d'un saut de biche*
> *Sur un tulle qui brûle un instant d'autrefois*
> *Et je n'ai pour présent que ce sommeil en friche*
> *Où l'enfant de la balle a tout rêvé pour moi* (3).

Quant à Robert Mallet — stoïcien égaré dans un monde
d'injustice, qui scrute les mystères de la Foi sans parvenir
à y adhérer — il oppose le courage de l'homme et la perfection tendue du poète aux menaces de l'Histoire, du Temps
et de la Mort :

> *Quand drapé d'éphémère, allongé sur le dos,*
> *morceau d'ombre plaqué contre l'ombre, radeau,*
> *je voguerai sans voile vers les inconnus*
> *avec les os pour avirons tôt vermoulus,*
> *ne m'engloutissez pas aux vagues de la glèbe*
> *où les ténèbres se multiplient de ténèbres,*
> *où la mort étouffe dans la mort, où l'on cache*
> *en mal honteux le retour des chairs à la masse*
> *immortelle des vies. Gardez vos lourds écrins,*

---

(1) Né en 1906 à Paris, directeur des émissions artistiques de la R. T. F.,
Paul Gilson a publié, chez Seghers, un recueil de poèmes (Prix Apollinaire)
qui groupe : *A la vie, à l'amour, Au rendez-vous des Solitaires, Ballades pour
Fantômes.* — En collaboration avec Nino Frank, une comédie musicale :
Milord l'Arsouille. — Un volume illustré et rétrospectif : *les Folies bourgeoises.*
(2) JEAN ROUSSELOT, *Panorama critique des nouveaux poètes français*,
(Seghers).
(3) *Ballades pour fantômes.*

> *vos clous silencieux, vos marbres purs. Je crains*
> *le poids des dalles et des genoux qui se plient*
> *et l'or des noms gravés dédicaçant l'oubli.*
> *Portez-moi dans les champs qu'aucune ombre ne ride* (1).

Il exalte le courage du poète — qui, sans cesse lapidé par
la vie, lui restitue des pierres précieuses — et sa lucidité va
de pair avec une virtuosité qui donne à ses ellipses la densité
des images valéryennes, comme le montre cette définition
du baiser :

> *Sources que réunit l'espoir d'être un seul fleuve*
> *Volupté d'être bu par ce qui vous abreuve* (2).

Où la forme devient duperie, c'est lorsqu'un poète s'en
empare sans se soucier de savoir s'il pourra s'y plier et s'en
enrichir. On assiste alors à ces décalcomanies absurdes dont
quelques poètes progressistes nous ont donné, ces dernières
années, l'exemple : Guillevic qui, sous l'occupation, montrait
un talent original, et même Dobzynski, le plus doué peut-être
des héritiers d'Aragon, ont suivi sans discernement l'exemple
du maître pour couler en alexandrins, en sonnets mécaniques,
une pensée dangereusement soumise, comme s'il suffisait
« qu'une ode ou qu'un sonnet soient politiques pour accéder
à la dignité de la poésie» (3).

On leur opposera l'exemple d'autres disciples d'Aragon,
comme Claude Roy qui se proclamait hier encore, d'un même
cœur, « amoureux, communiste et poète », ou Rouben
Mélik (4). Claude Roy se déguise en « poète mineur» pour
égrener des litanies d'amour, aux pieds de celle qu'il nous
dépeint :

> *Belle à couper le souffle à prendre par la main*
> *belle à faire mûrir les grappes avant mai*

---

(1) *Amour, mot de passe* (Seghers).
(2) *Lapidé lapidaire* (Gallimard).
(3) J. PARIS : *Anthologie de la Poésie nouvelle* (Rocher).
(4) Rouben Mélik, né à Paris le 14 novembre 1921, élève du philosophe
Alquié, disciple et ami de Paul Eluard, a publié neuf recueils de poèmes, parmi
lesquels : *Variations de triptyques* (1941), *Passeurs d'horizons* (Prix Apollinaire
(1948), *Madame Lorelei* (1949), *Christophe Colomb* (1952), *Où le sang a coulé*
(1955), *le Temps de vie* (1957).

belle à faire à minuit s'éveiller le matin
Claire odeur des foins quand on vient de faner
parfum des feux d'automne au fin fond des jardins... (1).

Comment ne pas aimer ce faux ingénu ?

(1) *Le Poète mineur* (Gallimard). Critique et romancier, Claude Roy a publié les recueils poétiques suivants : *Le Bestiaire des amants, le Poète mineur* (1949) *Elégie des Lieux communs, Un seul Poème* (1954), *le Parfait Amour.*

II

POÈTES D'INSPIRATION CHRÉTIENNE

D'UNE poésie envahie par la métaphysique, où le nom de Dieu fait constamment écho à celui de néant, les chrétiens ne pouvaient être absents. Mais il existe entre la poésie chrétienne et l'autre une différence notable : *la première ne saurait être une religion et le langage n'y est point une idole.* Un poète chrétien ne nourrit point la folle ambition de rivaliser avec son créateur ; il ne demande (et c'est déjà beaucoup) qu'à collaborer à l'œuvre de la création. Claudel l'a dit en termes magnifiques : une poésie catholique ne se nourrit pas de rêves, ni d'idées, parce qu'elle a pour objet « cette sainte réalité, donnée une fois pour toutes, au centre de laquelle nous sommes placés. C'est l'univers des choses visibles auquel la Foi ajoute celui des choses invisibles. C'est tout cela qui nous regarde et que nous regardons. Tout cela est l'œuvre de Dieu, qui fait la matière inépuisable des récits et des chants du plus grand poète comme du plus pauvre petit oiseau. Et de même que la *philosophia perennis*... se contente des termes fournis par la réalité... de même il y a une *poesis perennis* qui n'invente pas ses thèmes, mais qui reprend éternellement ceux que la Création lui fournit, à la manière de notre liturgie, dont on ne se lasse pas plus que du spectacle des saisons. Le but de la poésie n'est pas, comme dit Baudelaire, de plonger « au fond de l'Infini pour trouver du nouveau», mais au fond du défini pour y trouver de l'inépuisable. C'est cette poésie qui est celle de Dante (1).» Après avoir rompu des lances avec les romantiques, le fougueux poète concluait : « La vérité seule réunit et tout ce qui n'est pas avec elle dissipe (2).»

(1) et (2) *Positions et Propositions*, I (Gallimard).

Claudel, Péguy, Francis Jammes, Milosz... et, pour le « second rayon», Jehan Rictus, Louis le Cardonnel, Marie Noël, Louis Mercier, Henriette Charasson (qui fait un usage familier du mètre claudélien) : la renaissance catholique au xxᵉ siècle n'est pas moins frappante dans la poésie que dans le roman ou la philosophie. En dirigeant vers les uns, en éloignant des autres son faisceau lumineux, l'événement fait un premier tri qui n'est pas toujours le meilleur : il relègue Francis Jammes dans le paradis désuet de Maurice Denis, il fait de Milosz ou de Jouve un prophète. Mais le discrédit, souvent injuste, qui s'attache au mètre classique, ne nous empêchera pas de mentionner que François Mauriac *(Orages)*, que Daniel-Rops *(Orphiques)*, que Gustave Thibon, que Henri Bosco, ont aussi écrit des vers, ni de rappeler ceux de Robert Vallery-Radot, d'Eusèbe de Brémond d'Ars (Bernanos mettait au premier rang l'auteur de *l'Etoile sévère*), d'André Mabille de Poncheville, d'Armand Godoy, de Jean Soulairol, de Georges Cattaui. Quant à la nouvelle génération, elle compte des noms éclatants : nous avons déjà nommé Pierre Emmanuel et Patrice de la Tour du Pin auxquels il faut joindre, entre beaucoup d'autres, un Lanza del Vasto, un Jean Grosjean, un Jean Cayrol, un Luc Estang et, *last but not least*, un Jean-Claude Renard.

1

Lanza del Vasto ou l'Antimoderne

Limiter l'œuvre de Lanza del Vasto à la seule activité du poète, c'est sans doute mesurer chichement l'influence d'une personnalité comparable à celle d'une Simone Weil ou même d'un Gandhi, et dont l'action ne se connaît guère de limites — puisque l'écrivain se double d'un explorateur, d'un prophète, d'un fondateur d'ordre, et aussi d'un sculpteur, d'un peintre, d'un artisan, d'un moissonneur, d'un cuisinier; et j'en oublie ! Mais le philosophe religieux, le réformateur et le sage (dont la sagesse ne semble guère à la mesure de ce monde), échappent à la littérature. Sans relater ici la croisade que Lanza del Vasto a lancée contre le monde moderne, il convient de faire une place au poète ; car la langue et la forme de son enseignement sont indiscutablement d'un poète.

Ce Sicilien de grande race (1) qui, entre trois langues, a choisi le français pour s'exprimer, s'est consacré d'abord à l'étude de la musique dans ses rapports avec la poésie. Il voulait donner à sa pensée une forme à la fois musicale et nécessaire. « Tout le drame de l'art, disait-il à René Daumal, se joue entre l'opération spontanée et l'application des canons et des règles. Et l'on pourrait dire de toute œuvre belle qu'elle est un traité de paix entre ces opposés.» D'où ces strophes denses et un peu irréelles :

> J'ai ma maison dans le vent sans mémoire,
> J'ai mon savoir dans les livres du vent,
> Comme la mer j'ai dans le vent ma gloire,
> Comme le vent j'ai ma fin dans le vent (2).

Voici les astres :

> Vous qui tenez l'issue et tendez les chemins
> En qui nous tomberons au détour de notre âge,
>
> Effrayants de beauté sans défauts, inhumains
> De bonté sans faiblesse et justice sans haine,
> Et plus brillants de l'ombre où nous tâtons des mains (3).

Qu'il évoque les éléments ou les hommes, c'est toujours avec le sentiment qu'il appartient au poète de retrouver l'ordre de la Nature et le chiffre de l'homme. Sa poésie n'est pas une invitation à nous évader du monde, mais à le con-

---

(1) Lanza del Vasto, disciple de Gandhi, qu'il a connu aux Indes, a débuté dans les lettres par un récit biblique (*Judas*, 1938), puis a publié : *le Pèlerinage aux Sources* (1943), *Principes et préceptes du retour à l'évidence* (1944), *Commentaire de l'Evangile* (1951), *Histoire d'une amitié* (Préface à l'*Injuste Grandeur* de Luc Dietrich) ;

Des poèmes : *Le Chiffre des choses*, *Vinoba ou le nouveau pèlerinage* (1954) (aux Editions Denoël), *le Dialogue de l'amitié* (en collaboration avec Luc Dietrich, 1942), *le Chansonnier populaire*.

Sur l'homme et l'œuvre, on pourra consulter : LANZA DEL VASTO : *Etudes, témoignages, textes* (Denoël, 1955).

(2) *Le Chiffre des choses* (Denoël).

(3) *Miroir des Astres*.

naître, non dans son apparence, mais dans sa substance et
sa finalité :

> *Ah, frère humain, si ton œil est ouvert,*
> *Tente le continent que je t'ai découvert.*
>
> *Homme qui n'as pas vu mon visage de vie*
> *Connais mon vrai regard à travers ces mots-ci,*
> *Ma stature et mon pas, mon souffle aussi,*
> *Et l'exacte chaleur de mes deux mains amies.*
>
> *Car ces mots ne sont pas du vent battu*
> *Puisque aucun d'eux ne délire ou ne ment,*
> *Mais bien mon corps sans chair sorti, vois-tu,*
> *Pour devancer le Jour du Jugement.*
>
> *La clef de chaque essence est le chiffre des choses* (1).

Mais le prosateur n'est pas moins grand, ni moins poète.
Le *Pèlerinage aux Sources* (1943), vécu avant d'être écrit
sur les rives du Gange et sur celles du Nil, reste, aujourd'hui,
son plus grand livre et un monument comparable aux *Stèles*
de Ségalen ou à *Connaissance de l'Est* de Claudel. D'un bout
à l'autre de ces quatre cents pages respire un poète, attentif
à tous les murmures de la terre et venu chercher loin du pays
natal le secret perdu de la Sagesse. Qu'il évoque une nature
luxuriante ou les grands livres de l'Inde, l'enseignement de
Gandhi ou celui des yogis, c'est toujours avec la même
musique mystérieuse :

> *Mer, ô mer partout la même, mer que j'entends et qui ne parle*
> *pas, mer que j'aime et qui ne m'aime pas, lien inhumain entre*
> *les hommes divers...*
> *Les bois autour de Kandy ne sont pas fréquentés par les fauves.*
> *Ils deviennent pourtant, la nuit, redoutables au solitaire. Quand*
> *les crapauds et les oiseaux nocturnes se mettent à sonner comme*
> *les tambours et les flûtes du temple ; quand les verdures se sont*
> *refermées sur son dos, nocturnes même le jour ; quand les*
> *lucioles s'allument au chandelier des hautes branches ; alors*
> *quelque chose de plus terrible que les fauves lui coupe le souffle :*

(1) *Le Chiffre des choses.*

*la présence de Dieu en ces demeures feuillues qui ressemblent
au premier Paradis...*

*Ce n'est pas une chèvre, ce n'est pas un cheval que l'ascète
immole et brûle au feu de Shiv ; ce n'est pas un peu de riz
ou de sésame ni du beurre clarifié qu'il verse dans la flamme ;
mais c'est le souffle de sa gorge, c'est la parole de sa bouche, ce
sont les mouvements de ses membres, les attachements de son
cœur, les ornements de sa pensée, toutes ses forces et toutes les
heures de sa vie.*

Le discrédit actuel de Lanza del Vasto — engagé dans un
chemin qui l'éloigne chaque jour davantage de notre monde —
ne doit pas nous empêcher de reconnaître le souffle et l'accent de sa poésie, d'entendre cette « plainte du poète qui
nous atteint d'autant plus qu'elle vient comme malgré lui»,
dont parlait Luc Dietrich.

2

JEAN GROSJEAN, POÈTE DE L'ANCIEN TESTAMENT

« A l'âge où les poètes se rassemblent, et cherchent à se
ressembler, Jean Grosjean était séminariste, donc parfaitement isolé du monde poétique visible. Il ne lisait guère que
Claudel, en fait de contemporains, mais n'ignorait rien en
revanche des *Psaumes* de David et des cantiques de saint Jean
de la Croix. Rimbaud, qui ne doit pas traîner dans les sémi-
naires, vint à lui on ne sait trop comment...» — ces mots
de Jean Rousselot (1) éclairent la naissance du poète Jean
Grosjean (2) qui unit dans son œuvre l'accent de l'Ecriture
sainte à la naïveté des conteurs arabes.

Dans une poésie où la situation historique et une éthique

(1) *Panorama critique des nouveaux poètes français* (Seghers).
(2) Jean Grosjean est né le 21 décembre 1912, à Paris. Après ses études
secondaires, il a travaillé deux ans comme ajusteur et séjourné en Egypte,
en Palestine et au Liban, où il fit différents métiers. Ordonné prêtre en 1939,
et fait prisonnier, il fut vicaire de Vitry-Port avant de quitter l'Eglise en 1950.
Jean Grosjean a publié (aux éditions Gallimard) : *Terre du temps* (Prix de
la Pléiade, 1946), *Hypostases* (1950), *le Livre du juste* (1952), *Fils de l'homme*
(1954), *les Prophètes* (1955), *Majestés et Passants* (1956).
Il collabore à la *N.N.R.F.* et a traduit, pour le Club Français du Livre,
e *Marchand de Venise* de Shakespeare.

révoltée commandent l'attitude du poète, c'est peu dire que
de constater que Jean Grosjean se tient à l'écart — à l'écart
de plusieurs siècles. Le paysage qu'il contemple n'est pas
notre terre bouleversée, mais le doux pays d'Éden, sous le
regard attendri des premiers hommes :

> ... Ta compagnie est une ébriété
> Tant tes regards sont de fortes liqueurs.
> La rose qui s'effeuille a la couleur
> Et la douceur de ta timidité.
> Ta chevelure est comme une rivière
> Peignée de ciel au bas de la colline,
> Ta main légère est comme une gamine
> Qui se repose au seuil de la lumière (1).

Peu à peu, la langue de Jean Grosjean s'est affermie ; il
a appris l'art de clore une strophe sur un dernier vers qui
tombe comme un couperet :

> Adam, tu sais maintenant la saveur
> de ta compagne et que le paradis
> des Kéroubim flambant de pierreries
> n'est plus qu'un souvenir dans les rumeurs
> où ta douleur approfondit la nuit.
> Quand t'abandonnent, aux coteaux de nos ombres,
> toute la paix dont ton être est formé,
> prophète tu connais pour les goûter
> de quelle argile et de quel amour tendre
> est cette épouse à qui Dieu t'a livré (2).

Et lorsqu'il a traduit de l'hébreu les prophètes, il a su
transcrire les cris d'amour et de colère du Dieu rétributeur
et vengeur, du terrible Yaweh :

> Puisqu'ils n'ont pas voulu rechercher l'Eternel
> Il leur coupe en un jour tête et queue, palme et jonc,
> Le notable et l'ancien, le devin et l'enfant.
> Les chefs se sont trompés, le peuple s'est perdu.
> Dieu n'épargnera pas l'orphelin ni la veuve.
> Tout le peuple est impie, tous les propos sont fous.
> Rien n'éteint sa fureur, sa main reste levée (3).

(1), (2) et (3) *Les Prophètes* (Gallimard, 1955).

3

JEAN CAYROL OU LE PÈLERIN HUMILIÉ

Jean Cayrol — nous l'avons souligné dans l'étude que nous consacrions plus haut au romancier (1) — fut poète avant d'être romancier. D'ailleurs, la langue et l'accent de ses récits restent ceux d'un poète — non d'un rhéteur éloquent, mais d'un homme qui parle à voix basse, familièrement, sur un ton de confidence fraternelle qui n'exclut pas une musique sourde :

On n'entend pas sa voix dans les rues... Il vous a frôlé sur le trottoir ; il vous a peut-être demandé du feu. Vous n'aimez pas son visage, sa façon d'allumer longuement sa cigarette à la vôtre. Peut-être avez-vous eu peur qu'il ne vous demande autre chose ?

... Vous avez peur de ses mains (on ne tremble pas comme cela quand on a le cœur pur). Vous avez peur de ses lèvres (mais parle donc !) Vous avez peur de son regard (vous avez vu ses prunelles toutes rouges ?)... Vous n'êtes pas sûr de ses yeux, vous vous sentez sans paroles sur sa bouche, vous êtes sale dans ses mains... (2).

L'inspiration « lazaréenne » des romans de Jean Cayrol se retrouve dans sa poésie. Première ébauche du héros de *Je vivrai l'amour des autres*, son *Hollandais volant* était un étranger sur la terre, un homme perdu entre le ciel et l'eau, cherchant à échapper à cette damnation qu'est la solitude. Et tous ses poèmes décrivent la même errance de l'homme qui doute, qui n'espère plus trouver une issue à sa quête inter-

---

(1) Cf. pp. 385-389. Rappelons les titres des derniers recueils poétiques de J. Cayrol : *Miroir de la Rédemption* (1944), *Poèmes de la Nuit et du Brouillard* (1945), *Passe-Temps de l'Homme et des Oiseaux* (1947), *la Vie répond* (1948), *le Charnier natal* (1950), *les Mots sont aussi des demeures* (1952), *Pour tous les temps* (1955).

Avant la guerre, Jean Cayrol avait publié : *le Hollandais volant*, *les Phénomènes célestes*, *l'Age d'Or* et *le Dernier homme*.

(2) *On vous parle* (Seuil).

minable, n'en peut plus de « crier et d'être seul», de marcher
à travers la nuit et le brouillard.

Ce qui sera le thème central de l'œuvre romanesque est
déjà celui de cette poésie humiliée : le temps des héros et des
saints est passé, il n'y a plus que des vagabonds de la grande
Espérance, d'autant plus hommes qu'ils sont plus défigurés,
d'autant plus dignes d'être aimés qu'ils sont plus incapables
de vivre et de servir. Le poète ne peut que prendre conscience
de ce délaissement : faire un « pacte de souffrance avec Dieu»
— poésie-limite d'âmes au Purgatoire, qui tremblent dans
l'attente de l'Apocalypse.

4

Luc Estang, poète des Béatitudes

Si Jean Cayrol n'est pas moins sombre dans ses poèmes
que dans ses récits, Luc Estang (1) exorcise au contraire
dans son œuvre poétique les stigmates de ses romans. Sans
se berner d'une fausse sécurité, il est le poète de l'état de
grâce, du mystère apprivoisé, des béatitudes promises au
chrétien. Son œuvre poétique est une méditation sur la vocation de l'homme où il ne s'écarte guère de la réponse qu'il
avait donnée dans le Passage du Seigneur : « le chrétien fait
crédit à l'homme pour ce que son Dieu répond de lui». Mais
Luc Estang ne se fait pas de la foi une idée soumise et paisible, au contraire, il place en elle une interrogation passionnée :

> Seigneur, pourquoi la terre a-t-elle tant de prix
> Pour vous qui nourrissez le beau bûcher des âmes ?

Dans ses derniers recueils, Luc Estang s'efforce de déchiffrer
le symbolisme du monde, de tirer la leçon des quatre éléments
qu'éclaire la vision biblique de l'Esprit, battant des ailes
sur les eaux.

(1) Cf. pp. 389-391. Rappelons les principaux recueils poétiques de Luc
Estang : Au-delà de moi-même (1938), Transhumances (1939), Puissance du
Matin (1941), le Mystère apprivoisé (1943), les Béatitudes (N.R.F.), le Poème
de la Mer (G.L.M.), les Quatre Eléments (N.R.F.). — Un essai : Invitation
à la poésie.

5

UNE POÉSIE LITURGIQUE :
L'ŒUVRE DE JEAN-CLAUDE RENARD

Dernier venu des poètes d'inspiration chrétienne, Jean-Claude Renard, sans se montrer toujours pleinement assuré de sa démarche, est, ce qui compte davantage, l'un des plus vrais. Pour lui, le langage n'est pas une fin en soi, mais une ouverture sur quelque chose qui le dépasse. Le poète vit *dans* ce monde, il n'est pas *de* ce monde. Pourtant, Jean-Claude Renard accepte l'héritage de la prosodie traditionnelle, qu'il met au service de son mouvement vers l'Etre.

Son premier poème, *Juan*, le montrait proche de Valéry, au point de frôler le pastiche :

> *Quel adorable ennui te ramène en ces lieux...*
> *Quel souvenir en toi mûrit comme un remords ?*

Puis, ses *Cantiques pour des pays perdus* accusèrent l'influence de Patrice de la Tour du Pin :

> *Quand il n'y aura plus que des femmes malades,*
> *quand tous les étrangers auront aimé l'enfer,*
> *assouvi des péchés tristes comme des stades*
> *et que la solitude entrera dans leur chair,*
>
> *quand plus rien ne saura le paradis désert*
> *et que les séparés seront morts dans les landes,*
> *il viendra du silence un enfant de la mer,*
> *un enfant fabuleux qui dira des légendes.*

Dans l'alexandrin de Péguy, s'exprimait une conception chrétienne de la mort :

> *Les pays inhumains ont désolé la mort,*
> *l'ont envoûtée pour eux d'absence et de silence,*
> *l'ont chargée d'une chair pareille à la mémoire*
> *qui ne laisse qu'un trou à la place des morts...*

> *... Ceux qui n'ont pas senti qu'il y a dans la mort*
> *le secret d'un départ chavirant de voyages*
> *ne seront que des morts stériles pour la mort,*
> *la vraie mort qui mûrit les corps exorcisés.*
>
> *Il faut croire à la mort qui n'égalise pas,*
> *à la mort où l'on entre avec son rite exact,*
> *chacun avec soi-même et chacun reconnu,*
> *chacun pour n'y trouver que ce qu'il a commis.*
>
> *Car la mort est ce cri qui définit les hommes...*

Désormais, l'inspiration métaphysique allait prendre la première place dans ces vers réguliers et sages où la forme n'est que l'humble servante d'une théologie. *Haute Mer*, sous un prétexte orphique, nous invite à méditer sur la purification qui nous attend :

> *Leur âme n'aura plus à brûler dans un corps,*
> *à laver dans les os d'une changeante race*
> *des péchés plus profonds que la première mort*
> *dont nul n'a pu sonder le mystère et la trace.*
> *Mais rendue à son Signe, arrachée à l'écorce*
> *par le dieu musical qui compose son sang,*
> *elle entendra l'Esprit ressusciter Adam*
> *dans les Soleils secrets où mûrit toute force.*

Avec *Métamorphose du Monde* (1951), s'affirme la maîtrise du poète, qui échappe à la tyrannie de l'alexandrin :

> *Mon corps d'herbe et d'arbres de mer,*
> *mon corps mûr des temps végétaux,*
> *des jours d'eau et des jours de lune*
> *je l'ai porté hors de la mort,*
> *mon corps de nuit, mon corps de mal*
> *je l'ai changé en corps d'oiseaux,*
> *en corps doux, en corps transparents*
> *où la terre s'est faite pure.*

Pesanteur et transparence y composent un ballet de signes, orienté par la découverte de « l'identité véritable de l'homme» (1). Tout est symbole et « le sens ultime de la métamorphose est l'aspiration à la spiritualité... l'apparition du corps céleste» (2). Au climat de nostalgie mystique des *Cantiques pour des pays perdus* succède une orchestration symphonique du thème de la Parousie, où « la terre et la Jérusalem céleste esquissent à traits étincelants le fascinant fantôme de leur future unité » (3).

Après *Fable*, consacrée à d'autres recherches, *Père, voici que l'homme* (1955) devait consacrer en Jean-Claude Renard un grand poète religieux — un poète-théologien qui « a su donner au thème de la créature confrontée avec le Créateur une dimension prométhéenne où passent les plus beaux accents qu'on ait entendus depuis Péguy» (4). C'est l'espérance de la Résurrection qui traverse ce poème d'offrande et d'action de grâces, dont la morale tient en ces quatre vers :

> *Père, si l'homme est né libre devant le Père,*
> *il est né devant soi libre de faire l'homme,*
> *de porter dans le Christ son sens et son mystère*
> *ou séparé de lui de se fermer à l'homme...*

Mais ce sont les damnés (ceux que nous appelons tels, et sur qui le poète appelle une grâce mystérieuse) qui lui arrachent les plus beaux de ses cris :

> *O corps pétrifiés dans la dernière mort,*
> *corps qui vous êtes seuls scellés et condamnés*
> *à n'être plus sans Dieu que l'absence des corps,*
> *que des corps interdits, que des corps étrangers,*
>
> *que des corps de refus refusés à la vie,*
> *ô grands corps descendus dans votre éternité*
> *hors de la vigne mûre et du seul corps qui lie*
> *pour n'avoir fait de vous que des corps possédés...*
>
> *... voici que vous dormez d'un sommeil si profond...*
> *... d'un sommeil à jamais si vide et si désert,*

---

(1) JULIETTE DECREUS : *Poésie et Transcendance* (Points et Contrepoints, 1957).
(2) X. TILLIETTE (*Etudes*, avril 1952).
(3) MICHEL CARROUGES (*Paru*, juin 1952).
(4) ALAIN BOSQUET.

> *que vous êtes trop loin, trop éloignés du feu*
> *pour rejoindre celui qui reste encor le Père,*
>
> *qui reste votre Père au-delà de l'absence,*
> *ô grands corps endormis comme des enfants morts,*
> *mais un Père inconnu, perdu dans le silence,*
> *et qui pourtant sur vous veille peut-être encore* (1) !

On a rattaché l'œuvre de Jean-Claude Renard, tantôt à la tradition gnostique, et tantôt à la dialectique ascendante du Père Teilhard de Chardin. Quelles que soient les correspondances qu'évoque son œuvre et cette « transcendance intérieure de l'homme sur sa condition charnelle » (2) où elle puise son inspiration, il importe plus de savoir qu'il s'agit d'un *vrai* poète (encore trop souvent tenté par la répétition mélodique, au détriment du mot propre) qui réconcilie l'homme et le monde dans un hymne de reconnaissance envers la création.

6

Autres chrétiens

Certes, la poésie chrétienne d'aujourd'hui ne se borne pas à ces quelques noms. Parmi les nouveaux venus, il faudrait citer au moins Charles le Quintrec (3), Jean Tordeur, René-Salvator Catta, André Marissel (4) et Claude Vigée (5) dont le verbe a de la puissance, une exaltation qui manque parfois de mesure, mais qui frôle souvent la grandeur dans ses invocations pathétiques à la création. Parmi les poètes canadiens, il faut saluer d'abord Saint-Denys-Garneau (6) (1912-1943) ; son œuvre, encore peu connue en France, est d'un frère de

(1) *Père, voici que l'homme...* (Le Seuil).
(2) J. Decreus, *op. cit.*
(3) Cf. pp. 569-570.
(4) Né en 1928, André Marissel a publié des poèmes : *Le Poète responsable* et *l'Homme et l'Abîme* et des études sur P. Emmanuel et J. Rousselot.
(5) Né en 1921 à Bischwiller, Claude Vigée a publié : *la Lutte avec l'ange, Avent, Aurore souterraine,* ainsi que des traductions remarquées de Rilke et d'Eliot. Il dirige la revue *les Lettres.*
(6) Saint-Denys-Garneau, né à Montréal en 1912, mort accidentellement en 1943, a publié : *Regards et jeux dans l'espace* (1937), *les Solitudes,* des *Poésies Complètes* (1949) et un *Journal* (1934).

Keats et de Shelley, comme eux frappé en pleine sève (à trente et un ans), mais mystérieusement accordé aux douleurs et aux grâces du calvaire ; à ses côtés plaçons aussi, mais bien vivante, sa sœur en détresse, Anne Hébert (1).

Dans la génération précédente, Alliette Audra (2), qu'Edmond Jaloux louait d'avoir su donner « un style éternel aux choses de la vie visible et invisible qui n'en posséderaient pas sans elle», Henriette Charasson (3) poète populaire de la famille et de la maternité dont l'accent a quelque chose d'antique et de familier à la fois qui rappelle Marie Noël, Pierre-Louis Flouquet (4), animateur exemplaire du *Journal des Poètes* qui médite sur la Passion dans le mètre inspiré de Claudel, les essayistes Roger Bodart (5) — qui fait songer à un Lamartine moins conventionnel, à un Supervielle moins libre — Georges Cattaui et Jean Roussel (6) ou, du côté des protestants, le barthien Edmond Jeanneret ont déjà trouvé leur vraie place. Beaucoup d'autres, surgissant du flot des plaquettes à compte d'auteur et des publications confidentielles, sauront un jour faire entendre leur voix.

(1) Née à Québec en 1916, Anne Hébert a publié deux recueils de poèmes (*les Songes en équilibre*, 1942 ; *le Tombeau des Rois*, 1953), des contes (*le Torrent*, 1950), et un roman (*les Chambres de bois*, 1958)

(2) Mme Alliette Audra a publié des poèmes (*Ce que disent les souffles, Du côté de la neige, Rêvé à l'aube, Poèmes pour un marin perdu*) ainsi qu'un recueil de *Lettres*.

(3) Mme Henriette Charasson (épouse du critique René Johannet, qui fut le compagnon de Péguy) a publié (à la librairie Flammarion) :

Des poèmes : *Attente* (1920), *les Heures du foyer* (Prix de Littérature spiritualiste 1926), *Deux petits hommes et leur mère* (1929), *Mon Seigneur et mon Dieu* (1935), *Sur la plus haute branche* (1938), *Attente de la délivrance* (1939-1944), *le Sacrifice du Soir* (1954) ;

Des récits et essais : *Le Livre de la mère* (1944), *l'Amour et quelques couples* (Prix Alice Barthou 1947).

(4) Né à Paris en 1900, Pierre-Louis Flouquet anime à Bruxelles le *Journal des Poètes, la Maison du Poète* et a lancé les *Biennales internationales de Knokke-le-Zoute*. Il a publié notamment : *Corps et Ame, l'Ecolier du ciel, le Lys noir, Psaumes de l'amour et de la mort*.

(5) Né en 1910 à Givet, Roger Bodart a publié des poèmes (*les Mains tendues*, 1930 ; *les Hommes dans la nuit; Office des ténèbres; la Tapisserie de Pénélope*) et des essais (*Dialogues africains, Dialogues européens, Charles Plisnier*). Membre de l'Académie royale de Belgique.

(6) Disciple de Péguy et ami de Charles Plisnier, rédacteur en chef de *l'Age Nouveau*, Jean Roussel (1902-1957) a publié des poèmes (*les Aubes ferventes, les Clartés éternelles, Pouvoir de la Source*) et des essais sur *Péguy, Lamennais* et *Plisnier*.

III

POÈTES D'INSPIRATION MARXISTE

UNE philosophie de grand espace comme le marxisme, capable de transformer le monde, se devait d'avoir ses poètes. Aragon et Eluard ont été, en France, les homologues des Blok, des Pasternak, des Maïakovski, qui, mieux que des romanciers étroitement soumis aux règles du réalisme socialiste, ont en U.R.S.S., chanté la nouvelle épopée matérialiste. Mais le vrai *ferment* de leur poésie a été le surréalisme.

L'œuvre de Jacques Prévert (1) illustre cette influence ; l'homme a tenu, depuis la Libération, le rôle d'enchanteur d'un public populaire et sentimental, occupé trente années auparavant par Paul Géraldy. La poésie de Prévert n'est pas exempte d'intentions ni même d'« idées » ; mais ce n'est pas le marxisme qui les lui a fournies : dans sa poésie cocasse et révoltée, le drapeau noir des anarchistes du XIXᵉ siècle surgit au milieu des couleurs de l'arc-en-ciel surréaliste.

Deux hommes coexistent en Prévert. L'un est un Savonarole laïc, dressé contre les sottises et les atrocités du temps, qui tantôt retrouve l'accent génial de Daumier (dans le fameux *Dîner de Têtes à Paris-France*) et tantôt tombe dans l'à-peu-près, l'injure et le mauvais goût ; la note humaine

---

(1) Né en 1900, Jacques Prévert a participé autour de 1930 au surréalisme. On lui doit des scénarios et des dialogues de films (*Drôle de Drame, les Visiteurs du soir, les Enfants du Paradis, les Portes de la Nuit*), des poèmes (*Paroles*, 1946 ; *Histoires*, en collaboration avec André Verdet, 1946 ; *Spectacle*, 1951 ; *la Pluie et le Beau Temps*, 1955) et des textes accompagnant des photographies (*Des Bêtes*, avec photos d'Ylla, 1950 ; *le Grand Bal du printemps*, photos d'Izis, 1951).

sensible et vraie se mêle dans ses poèmes au goût vicieux
du coq-à-l'âne et des contrepetteries éculées. Prévert ne se
méfie pas assez de l'écume qui fait déborder ses recueils et
gâte ses meilleures recettes. L'autre Prévert est l'ami tendre
et délicat des amoureux, des pauvres, des humiliés, le poète
des bancs et des jardins publics, d'une humanité mélancolique et souriante. Mais il met indifféremment les mêmes
procédés (la répétition, l'antithèse, le rapprochement inattendu) au service d'une haine vigilante, quand il fouaille :

Ceux qui pieusement...
Ceux qui copieusement...
Ceux qui tricolorent
Ceux qui inaugurent...
Ceux qui chantent en mesure
Ceux qui brossent à reluire...
Ceux qui savent découper le poulet
Ceux qui sont chauves à l'intérieur de la tête
Ceux qui debout les morts !
Ceux qui donnent des canons aux enfants
Ceux qui donnent des enfants aux canons
Ceux qui flottent et ne sombrent pas
Ceux qui ne prennent pas le Pirée pour un homme...
Ceux qui mettent un loup sur leur visage quand ils mangent du
                                                    [mouton...
Ceux qui mamellent de la France (1).

et quand il évoque, avec tendresse, la figure d'un amour
disparu :

> *Rappelle-toi Barbara*
> *Il pleuvait sans cesse sur Brest ce jour-là*
> *Et tu marchais souriante*
> *Epanouie ravie ruisselante*
> *Sous la pluie*
> *Rappelle-toi Barbara...*
> *N'oublie pas*
> *Un homme sous un porche s'abritait*
> *Et il a crié ton nom*

(1) *Paroles* (Gallimard).

> *Barbara...*
> *Et tu as couru vers lui sous la pluie*
> *Ruisselante ravie épanouie*
> *Et tu t'es jetée dans ses bras*
> *Rappelle-toi cela Barbara*
> *Et ne m'en veux pas si je te tutoie*
> *Je dis tu à tous ceux que j'aime...* (1).

Ce Prévert humain et fraternel, hostile à toute rhétorique, amateur de bons mots, de parler populaire, ce protecteur des amants, ce bourru bienfaisant qui n'a *jamais écrit le mot haine,* est plus digne de son immense succès que le fabricant laborieux de versets sans queue ni tête, assemblés sans rime ni raison pour la seule joie des amateurs d'excentricités *(Un conservateur de Samothrace avec une victoire de cimetière — Un remorqueur de famille nombreuse avec un père de haute mer. — Un membre de la prostate avec une hypertrophie de l'Académie française.)*

Avant cette guerre, Prévert avait déjà tiré son feu d'artifice : il s'est borné à en recueillir les étincelles dans *Paroles* (1946) qui demeure l'exemple le plus caractéristique du surréalisme populaire, et dont certains textes, dans leur innocence provocante et le bonheur inattendu de certaines trouvailles, sont des manières de chefs-d'œuvre. Mais on ne tire pas indéfiniment le même feu d'artifice : Prévert n'a pas eu le courage de rompre avec le style — brillant mais *daté,* donc éphémère — qui avait fait sa fortune. A dates fixes, il nous donne encore d'amusantes représentations. Mais beaucoup de ces feux ne sont plus que des pétards mouillés... Au moins Prévert reste-t-il très libre à l'égard des principes et des préceptes de la poésie révolutionnaire. En décalquant ses procédés sans se soucier d'y infuser une sève nouvelle, ses innombrables imitateurs en ont seulement accusé l'artifice.

D'autres ont lu sous le vocable : «réalisme socialiste» une enseigne tout autre : «Poésie nationale». Prenant au pied de la lettre les leçons vétilleuses d'Aragon, ils ont quitté les ruelles de l'inconscient pour chanter, comme au patronage, les saines joies du travail, de la famille et de la patrie.

_____

(1) *Paroles* (Gallimard).

Le premier recueil de Guillevic (1) — *Terraqué* (1942),
salué comme une révélation par Drieu la Rochelle dans la
N.R.F. — annonçait une poésie originale, brutale et fruste,
dénuée de musique, collée aux choses, dont l'inspiration n'est
pas sans faire songer au matérialisme de Francis Ponge :

> *Ils ne le sauront pas les rocs*
> *Qu'on parle d'eux.*
> . . . .
>
> *Ils n'ont pas le besoin du rire*
> *Ou de l'ivresse.*
>
> *Ils ne font pas brûler*
> *Du soufre dans le noir.*
>
> *Car jamais*
> *Ils n'ont craint la mort.*
>
> *De la peur*
> *Ils ont fait un hôte.*
>
> *Et leur folie*
> *Est clairvoyante* (2).

« Arracher aux choses ce qu'elles savent de l'homme : tel
est son propos» (3) ; pourtant, ses versets brefs et secs enferment parfois une morale élémentaire :

> *Il arrive qu'un bloc*
> *Se détache et tombe.*
>
> *Tombe à perdre haleine*
> *Dans la mer liquide.*
>
> *Ils n'étaient donc bien*
> *Que des blocs de pierre.*

---

(1) Guillevic est né en 1907 à Carnac (Morbihan). Il a publié successivement :
*les Rocs, Terraqué, Fractures, Amulettes, les Chansons d'Antonin Blond, Envie
de vivre, Terre à bonheur.*

Sur l'homme et l'œuvre on pourra consulter : PIERRE DAIX : *Guillevic*
(Seghers).

(2) *Les Rocs* (Gallimard).

(3) G. PICON : *Panorama de la nouvelle littérature française.*

> *Un lieu de la danse*
> *Que la danse épuise.*
>
> *Mais le pire est toujours*
> *D'être en dehors de soi*
>
> *Quand la folie*
> *N'est plus lucide* (1).

Mais Guillevic ne s'en est pas tenu à cette tâche de miné-
ralogiste anthropomorphiste. L'action l'a requis — ou plutôt
la propagande. Après avoir consacré de brèves et saisissantes
évocations aux charniers de la Résistance (dans *Fractures*),
obsédé par le péril imminent de la guerre atomique, il s'est
fait prêcheur — en style d'affiche. À la fin de 1953, il s'est
mis au sonnet. Fini la réserve scrupuleuse, le langage elliptique, la méfiance envers la rime qui caractérisaient ses premiers vers. Maintenant, devenu « un Rastignac du bien »,
il a droit aux félicitations d'Aragon, heureux de saluer, dans
une abondante préface, le « dangereux gaillard » qui avait
fait « dérailler l'histoire littéraire d'une classe » en précipitant
à l'abîme « le vers libre, l'écriture automatique et l'art du
non-dire » ! Malheureusement, on retrouve dans ces « sonnets
dans le goût ancien » le prosaïsme des premiers vers de Guillevic, mais non plus ce qui faisait sa force : la sourde coha-
bitation du poète avec les objets et les éléments. S'ils n'étaient
signés d'un poète, présentés par un poète de la race royale,
on prendrait ces vers pour quelque pastiche dérisoire :

> *Je pense à toi, Boris. Au mur est ta peinture*
> *L'Abattoir de la Ferme et c'est tellement vrai*
> *Que de ce veau qui saigne encore l'on pourrait*
> *Toucher le flanc et voir de plus près la texture.*

S'agit-il de poésie dans ce bilan naïf :

> *Des affaires ? Bien sûr qu'on en fait, des affaires.*
> *Exemple : un Parisien achète en Israël*
> *Des camions d'Amérique et vend ce matériel*
> *Au Maroc. Pour payer son vendeur il espère*

(1) *Les Rocs* (Gallimard).

> *Que l'Administration voudra bien qu'il opère*
> *Dans le clearing franco-yougoslave officiel*
> *Dont la balance, comme il est habituel,*
> *Du côté yougoslave est trop déficitaire...*

Et comment qualifier cet « envoi» d'un sonnet consacré au « printemps à Paris» ?

> *Colline de Chaillot, c'est sur ton flanc, pourtant,*
> *Qu'ils se sont rassemblés, maîtres et marionnettes,*
> *Pour célébrer leur pacte et consacrer l'O.T.A.N.*

Aragon (dans *les Yeux et la Mémoire*) avait donné le feu vert au passage des poètes dans l'avenue, hier encore réservée aux pompiers et aux orphéons de la «poésie nationale» estampille commode pour les rimailleurs engagés ; au même moment le pavillon du «réalisme socialiste» couvrait les mornes énumérations plastiques d'un Fougeron. Sans doute faut-il distinguer entre les refrains de Claude Roy et ceux, trop souvent inclinés vers la propagande, d'un Dobzynski pourtant violemment doué (1) et la jeune maîtrise de Claude Sernet (2), l'humanisme simple et profond d'un René-Guy Cadou, ou même la poésie militante, réglée comme une marche mais vivante, d'un Jean Marcenac (3).

> *Quand le chanteur le cœur usé par sa chanson*
> *Vient demander son bien au langage commun*
> *Il aborde couvert de l'écume du deuil*
> *A la falaise noire où l'homme a fait son nid*
> *Et tourne ses regards vers l'horizon terrestre.*

> *C'est vrai j'ai vu mourir les plus justes des hommes*
> *Et leur mémoire est devant nous*
> *Comme des yeux sur un visage*
> *Ils supportent mal le silence*
> *Ils n'ont que nos voix pour parler.*

(1) Né en 1929, Charles Dobzynski a publié : *La Question décisive, Notre amour est pour demain, Dans les jardins de Mitchourine, Au clair de l'Amour.*
(2) *Poèmes dus, D'une suite sans fin.*
(3) Né en 1911, auteur de : *Le Ciel des fusillés, le Cavalier de coupe, la Marche de l'homme.*

« Mais aussi, il est temps de mettre en évidence cette escroquerie, qui non seulement trahit la poésie mais ridiculise le réalisme socialiste. C'est aller à l'encontre même d'un art national que de vouloir redire ce que de très grands poètes ont mieux dit, et c'est mépriser le peuple que de lui offrir comme art le discours, la reproduction et la copie, alors que tous les arts venus vraiment du fond des peuples parlent contre ce naturalisme.» Les trois poètes — Jean Bouhier, Pierre Garnier et Marc Alyn — qui ont signé ce manifeste citaient ensuite le dernier Aragon :

> *On allait déjeuner à Longchamp sur l'herbette*
> *On est tous les phonos à saphir plus ou moins*
> *On ne se trouvait pas en caleçon l'air bête*
> *Mais au ciné voir couronner Elisabeth*
> *C'est ça qui vous donne la gueule du témoin.*

D'où cette conclusion évidente :

« Cette énorme médiocrité qui veut se donner un air populaire, ce fade amour des inversions gratuites et du style pompeux sous son apparence simple, cette fâcheuse tendance au discours, au déballage, à l'étalage ne seraient que mauvaise littérature s'ils ne tentaient pas à s'identifier à des idées qui sont réelles et à tenter de les rendre par là même méprisables : c'est là que se cache l'escroquerie littéraire. Quoi ? pensent partisans et adversaires du réalisme socialiste, est-ce là la poésie nouvelle d'une nouvelle société ? Est-ce que le réalisme socialiste se confond avec l'image pour calendrier agricole de Fougeron et avec le pathos de Louis Aragon ; est-ce que le réalisme socialiste s'est condamné à être un vague naturalisme d'histoire, un miroir déformant, une maquette, une décalcomanie, un art à la hauteur des petits fonctionnaires ! »

IV

LA POSTÉRITÉ DU SURRÉALISME

Il n'est pas nécessaire de rappeler longuement ici ce qu'a tenté le surréalisme, quelle expérience il a proposée au poète : il lui a demandé de rivaliser avec la Création, de s'identifier aux Cieux. Cette ambition n'a pas été seulement celle des grands Mages de l'entre-deux-guerres, celle de Breton, de Péret ou de leurs disciples, groupés, vers 1930, autour du *Grand Jeu* (Rolland de Renéville, Daumal, Vailland, Roger Gilbert-Lecomte, Léon Pierre-Quint) ; elle anime encore, d'Alain Bosquet à Henri Pichette, nombre de jeunes poètes. Une génération intermédiaire, celle de 1930-1935 (de Jean Rousselot à Loys Masson) s'est efforcée de réhumaniser le langage poétique, sans rejeter pour autant les conquêtes du surréalisme, lequel, comme toute Eglise, garde ses dévots, ses catéchumènes et ses hérétiques. Comme un vrai patriarche, Breton a des héritiers légitimes — Julien Gracq, André Pieyre de Mandiargues, Schéhadé — et des enfants naturels : poètes de la chanson comme Léo Ferré, Georges Brassens et Mouloudji. N'oublions pas non plus les cousins d'Amérique (Aimé Césaire) ou de l'île Maurice (Malcolm de Chazal, Magloire Sainte-Aude), ni les parents moins avouables, portés sur l'érotisme : Joyce Mansour, Gérard Legrand, Boris Vian ; nommons encore Fernand Marc, Jacques Baron, Maurice Blanchard, Jean-Joël Barbier, François Dodat...

Les meilleurs représentants de cette deuxième génération surréaliste sont des essayistes et des prosateurs : Pieyre de Mandiargues, Julien Gracq, Rolland de Renéville, Joë Bousquet, Léon-Gabriel Gros, Malcolm de Chazal, Armand Lanoux (1) ; et parmi les derniers venus, Marc Alyn (2).

(1) Né en 1913, le romancier Armand Lanoux (cf. pp. 361-363) a publié de nombreux poèmes : *le Colporteur* (Prix Apollinaire 1953), *la Licorne joue de l'orgue dans le jardin*, 1954, *le Photographe délirant*, 1956.

(2) Né en 1937, Marc Alyn a obtenu à vingt ans le Prix Max Jacob pour

Rien d'étonnant à cela : les surréalistes ne font nulle distinction entre une prose devenue sa propre fin et l'acte poétique qu'ils se refusent à contenir dans les limites du poème. La lente approche des choses qui caractérise l'art romanesque de Julien Gracq, l'habile détection de l'insolite où se manifeste celui de Mandiargues (qui marie, dans *Astyanax*, le surréalisme et la mythologie), pour n'avoir rien à voir avec nos mesures habituelles, n'en ont pas moins des vertus poétiques incontestables (1). Joë Bousquet (2) (muré dans sa ville natale par une blessure de guerre) était devenu le conquérant immobile d'un langage et d'un moi nouveaux, l'observateur privilégié d'un monde réduit au niveau de l'horizon — celui de l'animal, de la maladie, de la mort. « Frère de l'ombre», Joë Bousquet évoque la nuit qui l'entoure :

> *L'air est bleu de tourterelles*
> *Le ciel, le vent se sont tus*
>
> *Et, pareil à la colombe*
> *Qui meurt sans toucher le sol,*
> *Entre l'absence et la tombe*
> *L'oubli referme son vol.*
>
> *Mais il survit du murmure*
> *Où tout se berce en mourant,*
> *L'amour des choses qui dure*
> *Au cœur d'un mort qui m'attend* (3).

Mais il est d'autres amants de cette inaccessible pureté dont Joë Bousquet s'était fait le héraut. Rolland de René-

---

le Temps des Autres. Il a publié ensuite : *Liberté de voir* et *Cruels divertissements* (Seghers).

(1) Grand mutilé de la guerre de 1914-1918, Joë Bousquet (1897-1950) a passé ses trente-trois dernières années dans une chambre obscure de Narbonne, condamné à une vie recluse en poésie. Il laisse des recueils poétiques (*Une Passante bleue et blonde, le Passeur s'est endormi, la Tisane de Sarments, la Connaissance du Soir*), des réflexions critiques (*Duns Scot ou les Capitales de Jean Paulhan*) un *Journal* et de nombreux écrits posthumes.

(2) Dans une perspective voisine, on signalera aussi les « Pseudopoèmes», de Gabriel Dheur, dont les maximes et les conseils (*Vrai et usage de vrai*) pour n'être pas habillés de rimes, ont une vertu poétique incontestable.

(3) *La Connaissance du Soir* (Gallimard).

ville (1), Yvan Goll (2), « arrière-petit-fils des Tantalides»,
Jean sans terre à la recherche de la connaissance perdue,
« cachant sa faim dans les vergers d'autrui», Jean de Boschère (3), compagnon de Milosz, de Joyce et d'Artaud, qui
s'intitulait lui-même« l'Obscur», trop orgueilleux pour quêter
les suffrages de la foule, resté toute sa vie un étranger sur la
terre, grand prêtre d'un sacerdoce hermétique à tout autre
qu'à lui-même, Marcello Fabri, en quête d'une métaphysique
de la chair.

La petite troupe d'admirateurs (Luc Estang, Georges-
Emmanuel Clancier) qui avait soutenu Jean de Boschère
dans sa retraite, s'est retrouvée pour porter aux nues une
« découverte» de Jean Paulhan, introduite par lui à la
N.R.F. en 1948 : Malcolm de Chazal (4), venu, comme Loys
Masson, de la lointaine île Maurice. Si Malcolm de Chazal
est poète — et la question reste posée — c'est tantôt à la
manière de Michaux ou de Francis Ponge et tantôt à celle des
grands prosateurs inspirés, de Lautréamont à Antonin
Artaud et à Samuel Beckett...

Sens plastique (1948) rassemblait des aphorismes piquants
(« La bouche est la gare de départ du rire... la graine est le
sac à main des plantes... la bouche est un sexe au ralenti...
les anges sont des désincarnés du moi», ingénieux, parfois
poétiques, mais dont la plupart étaient des lieux communs
déguisés en farces et attrapes. Mais la seconde manière de
Chazal a fait oublier ces trouvailles : la veine prophétique l'a

(1) Né à Tours en 1903, Rolland de Renéville a publié des essais (*Rimbaud
le voyant, l'Expérience poétique, Univers de la Parole*) et des poèmes (*la Nuit,
l'Esprit, les Ténèbres peintes*).

(2) Yvan Goll (1891-1950) a publié : *Requiem pour les morts de l'Europe,
le Nouvel Orphée, la Chanson de Jean sans terre, Elégie de Iphetonga, le Char
triomphal de l'Antimoine, Cercle magique, les Géorgiques parisiennes.* En collaboration avec Claire Goll : *Poèmes d'amour, Poèmes de la jalousie, Poèmes
de la vie et de la mort, Dix mille aubes.* De Claire Goll seule : *Les Larmes pétri-
fiées et Chansons indiennes.*

(3) Jean de Boschère (1878-1953) a publié : *Lumières sur l'obscur, Pièces
anciennes, Derniers poèmes de l'obscur, Héritiers de l'abîme* (1941-1949).

(4) Né à Vacoas le 12 septembre 1902, Malcolm de Chazal descend d'une
famille forézienne, fixée dans l'île Maurice depuis cent soixante-quinze ans ;
l'un de ses aïeux fut l'ami et le secrétaire du comte de Saint-Germain. Naguère
ingénieur-sucrier, il appartient à l'administration des téléphones. Il a publié,
outre deux traités d'économie politique, sept recueils de pensées, tirés à cent
exemplaires chacun, *Sens plastique* (1948), *la Vie filtrée* et *Petrusmok*.

définitivement emporté. Parfois, le délire du poète atteint une sorte de grandeur :

— *Mesure d'hommes ! dit l'Apocalypse.*
— *Le Carré ! dit l'ange.*
— *Le Quatre ! dit l'espace.*
— *Le Triangle doublé ! dit la trinité.*
— *Quadruplé ! disent les quatre êtres vivants.*
— *Arrête ! crie la nuit. Je suis le cercle et j'ai toutes les mesures.*
— *Qui es-tu, Nuit ?*
— *Je suis la quadrature du cercle résolue : j'héberge le feu.*
— *Où, Nuit ?*
— *Dans mon corps de lumière.*
— *Et qu'est-ce corps ?*
— *C'est le nu, c'est l'absolu.*

Mais souvent, il l'égare dans une interminable diatribe (contre la Religion, le Pape — c'est le « Bourgeois universel », autrement dit l'Antéchrist — la Civilisation et l'Humanité — cette « espèce à part qui n'a pas de fiche cosmique » :

L'homme est absurde. Lui seul est bête parmi toutes les choses vivantes, car lui seul conçoit quelque chose qui n'est pas la vie. L'animal regardant un homme y voit un animal fou et dangereux.

Abandonné par la rue Sébastien-Bottin, Malcolm de Chazal est retourné dans son désert et nul n'a plus entendu parler de lui.

*
**

Une seconde équipe de poètes n'a retenu du surréalisme que son ambition « faustienne ». Elle a longuement médité, à la suite de Léon-Gabriel Gros (1) sur la fonction de la poésie. Quelques-uns de ses meilleurs représentants ont peu à peu accédé à une forme aussi convaincante que personnelle :

_____

(1) Né à Marseille en 1901, animateur, avec Jean Ballard, des *Cahiers du Sud*, Léon-Gabriel Gros a publié des poèmes (*Raisons de vivre*, *Saint-Jean du Désert*, *Corps glorieux*) et une étude sur les *Poètes contemporains*.

c'est le cas de Robert Ganzo (1) et de Gabriel Audisio (2),
que la « mesure méditerranéenne» (pour parler comme
Camus) a préservés du fracas, des convulsions et des extrémités auxquels se sont livrés certains disciples d'André
Breton. Le premier, qui ne répugne pourtant à aucune audace,
impose à l'aventure poétique les vertus du Parnasse :

> *Le ciel pense sous son fardeau*
> *Au vol passé des hirondelles*
> *Pour dire une peine éternelle*
> *Des soupirs meurent à fleur d'eau.*
>
> *Le jour regarde. Une colline*
> *répand jusqu'à nous des oiseaux,*
> *des arbres en fleurs et des eaux*
> *dans l'herbe verte qui s'incline.*
>
> *Tes yeux appris au paysage*
> *Je les apprends en ce matin*
> *immuable à travers les âges.*

Moins classiques, Audisio, Robert Goffin (3), Louis Brau-
quier peignent aussi les merveilles de la nature.

L'exubérance de Goffin, sa joie de vivre, son goût du monde
moderne, son amour du jazz évoquent l'adolescence frénétique
du siècle — celle d'Apollinaire, de Morand, de Cendrars.

C'est pourquoi le plus caractéristique de ses poèmes reste
peut-être l'hymne, syncopé et grandiose, qu'il a consacré
aux Etats-Unis.

---

(1) Né en 1898 à Caracas, Robert Ganzo a publié de nombreux recueils de
poèmes (*Orénoque, Lespugne, Rivière, Domaine, Langage, Tracts, Chansons,
Colères*).

(2) Né en 1900 à Marseille, essayiste et critique d'*Inspirations méditerranéennes*, Gabriel Audisio a publié : *Antée, Poèmes du Lustre noir, Rapsodies
de l'Amour terrestre* et *Feuilles de Fresnes*.

(3) Né à Ohain (Belgique) le 21 mai 1898, docteur en droit, avocat à la cour
d'Appel de Bruxelles, membre de l'Académie royale et président du P. E. N.-
Club belge, Robert Goffin a publié des romans et des biographies. (On citera
le *Roman des Anguilles* et le *Roman de l'Araignée*, chez Gallimard.)

Passionné de jazz, il est surtout connu par ses essais sur la poésie (*Rimbaud
et Verlaine vivants, Entrer en poésie, Mallarmé vivant*) et ses recueils de poèmes
(*la Proie pour l'ombre, le Voleur de feu, Foudre natale, Etats-Unis*).

Orégon bleu pâle et ses crinolines odorantes de vergers en
                                                      [*fleurs*
Névada au nom d'hermine...
Utah des Mormons barbus...
Légende de Rudolf Valentino dernière ombre muette désincarnée
Cadavre du bel embaumé conduit au ciel par trente mille
                                                      [*désespérés*
Adieu divinités diaphanes d'une infernale et désespérante
                                                      [*mythologie.*

Maintenant je traverse seul Harlem la capitale des ténèbres
Un étrange ghetto ; au crépuscule les hommes ont des gestes de
                                                      [*proscrit*
Les yeux humides des filles, les paumes roses, les tailles de guêpe
Trois cent cinquante mille noirs cernés par les citadelles du
                                                      [*mépris...*

Chez des poètes comme Lucien Becker (1), Louis Guillaume (2), Michel Manoll (3), Luc Decaunes (4), René Lacôte (5), Alain Borne (6), Louis Parrot (7), l'action du surréalisme et l'influence d'un Reverdy se combinent avec celle
d'autres poètes contemporains : Fargue, Supervielle.

Quelques-uns cherchent une issue du côté du fantastique : non seulement Mandiargues, mais Marcel Béalu (8),

(1) Né en 1911 à Metz, Lucien Becker a publié : *Passager de la terre*, *le
Monde sans joie*, *Rien à vivre*, *le Désir n'a pas de légende*, *les Pouvoirs de l'amour*,
les Dimensions du jour.
(2) Né à Paris en 1907, Louis Guillaume a publié : *Sirène de brume*, *Occident*,
Pleine absence, *Noir comme la mer*, *Chaumière*.
(3) Né en 1911, Michel Manoll a publié : *la Première chance* (1937), *Gouttes
d'ombre* et des études sur *Reverdy*, *René-Guy Cadou* et la poésie contemporaine.
(4) Né en 1913 à Marseille, Luc Decaunes a publié : *l'Indicatif présent*,
A l'œil nu, *le Cœur en ordre*, *le Droit de regard*.
(5) René Lacôte, né en 1913, a publié : *Frontières*, *Métamorphoses*, *Claude*,
Vent d'ouest, *Où finit le désert*.
(6) Né en 1915 à Paris, Alain Borne a publié : *Neige et vingt poèmes*, *Contre-
jeu*, *Terre de l'été*, *Poèmes à Lisléi*, *l'Eau fine*.
(7) Critique et romancier (*Nous reviendrons*, 1946), Louis Parrot a écrit
des poèmes et un essai sur Eluard.
(8) Né en 1908, Marcel Béalu a publié : *Mémoires de l'ombre*, *Journal d'un
mort*, *l'Expérience de la nuit*, *la Pérégrination fantasque*, *Ocarina*.

Gisèle Prassinos (1), René de Obaldia, René de Solier.
 D'autres, comme Jean Tardieu (2), sont passés avec aisance
d'une sobriété classique à la contestation surréaliste pour
aboutir à une sorte d'académisme à rebours, proche de celui
de Raymond Queneau. D'autres encore (Marcel Lecomte,
Edith Boissonnas, Armen Lubin) exploitent les ressources
presque inépuisables des objets qui nous entourent et dont
ils font des natures mortes à la manière de Francis Ponge.
D'autres, enfin, sont restés d'irréductibles révoltés (Maxime
Alexandre, Roger Vitrac, Noël Arnaud, Pierre Naville, Léo
Mallet, Mathias Lubeck, Jean-François Chabrun, Jean-
Pierre Duprey, Daniel Mauroc).
 Tel est le cas de Michel Leiris (3). L'étonnant analyste
de *l'Age d'homme* ajoute aux cruautés de style sado-maso-
chiste, qu'il exorcise dans *Haut Mal* (1943), « un penchant
au solennel» comme s'il voulait retrouver ce Sacré qu'il nie.
 « Puisque la vie est vaine, puisqu'elle n'est que vide, on ne
pourra la supporter qu'en inventant des rites complexes, des
sacrifices qui revêtiront d'une forme tragique notre informe
existence (4).» Un érotisme cérébral et compliqué relie ces
poèmes où la nature humaine est crucifiée : « rite de l'amour,
il est lié à cette horreur de la nature» qui fait de Leiris un
héritier exaspéré de Baudelaire et de Rimbaud. Les poèmes
d'amour de Leiris évoquent, parfois à s'y méprendre, les
tableaux surréalistes de Max Ernst, de Magritte, de Dali,
de Miro ou de Man Ray :

Alors trois bûches se calcinèrent dans la cheminée
le lit s'ouvrit
et j'aperçus sortant à mi-corps de sa grève
une femme belle et dénudée

---

(1) Née en 1920, Gisèle Prassinos a publié : *la Sauterelle arthritique, le Feu
maniaque, Quand le bruit travaille, la Lutte double, Calamités des origines,
Félicité crépusculaire, le Rêve.*
 (2) Né en 1903, Jean Tardieu a publié : *Accents* (1939), *Poèmes* (1944),
Jours pétrifiés (1948), *le Témoin invisible, Monsieur,'Monsieur, un Mot pour
un autre.*
 (3) Né en 1901 à Paris, ethnologue, essayiste et romancier (cf. p. 262),
Michel Leiris a publié aussi des poèmes : *Simulacre* (1925), *Haut Mal* (1943),
Abanico para los toros, la Rose du désert.
 (4) Georges-Emmanuel Clancier : *Panorama critique de Rimbaud au surréalisme* (Seghers).

qui jetait à la mer ses vêtements défaits.
... Tout entière tu disparus et la grève refermée ne garda même
[*pas*
l'odeur exquise de ton corps.
... Seuls les vêtements cinglèrent vers d'autres sommeils (1).

Pour Leiris, le poète est ce prédestiné, ce démiurge qui traque l'absolu, se déchaîne contre le Temps, la Société et la Mort, avec l'espoir d'entrer vivant dans l'Eternité, « ayant vaincu son destin d'homme à l'aide des mots».

*
**

D'autres tenteront d'intégrer dans un ordre nouveau les conquêtes verbales du surréalisme, de retrouver, par les voies du lyrisme traditionnel, cet humanisme « que la machine infernale d'André Breton et de ses amis avait voulu détruire» (2). En poussant l'expérience poétique à sa limite, ils ont pris conscience de l'irréductible unité de l'esprit. Tel est, notamment, le cas de René Ménard (3), de Péricle Pattocchi, de Gilbert Trolliet (4), d'Alain Bosquet (5), d'Armand Lanoux (6) qui, tout en assimilant les apports du surréalisme, ont su accéder peu à peu à une rigueur presque classique. Ainsi a-t-on vu Lanoux, après avoir gentiment déliré dans des ballets-poèmes syncopés, faire chanter le vieux vers français, avec une préférence marquée pour l'octosyllabe ; on voit ainsi :

(1) *Haut Mal* (Gallimard, 1943).
(2) G.-E. CLANCIER, *op. cit.*
(3) Cf. p. 498.
(4) Né en 1907 en Suisse romande, animateur de *la Revue de Suisse*, puis de *Présences*, Gilbert Trolliet a publié : *Itinéraire de la mort, Offrandes, l'Inespéré, la Colline.* Parmi les poètes de Suisse romande, depuis Ramuz et Charles-Albert Cingria, on trouve toutes les tendances de la poésie française, du surréalisme à la tradition avec une nuance provinciale. Aux noms déjà cités de Péricle Pattocchi et d'Edmond Jeanneret (*Comme dans un miroir, le Soupir de la Création*). Nous ajouterons seulement ici ceux de Sherlin, Corboz, Junod, Dériaz, Claude Aubert, Louis Bolle, Philippe Jaccottet, sans oublier Edith Boisonnas, Raymond Tschumi, Constantin Mavromichalis, Charles Mouchet, Georges Piroué, qui assurent la continuité du lyrisme romand.
(5) Cf. pp. 509, 511.
(6) Cf. p. 547.

> *La veuve au corps de jeune fille*
> *allait au pays des élans*
> *les yeux ouverts sur les flottilles*
> *bercée par les valses du vent*

succéder à des refrains plus allègres :

> *Comme les catleyas*
> *fleurissait la trahison.*
> *L'étranger guettait les pas de nos polkas*
> *piquées pour piston.*

Ces derniers héritiers du surréalisme justifieront-ils Aragon, qui le louait, paradoxalement, d'avoir discipliné une poésie écartelée par Dada ? « Avec le Surréalisme meurt le mythe des mots en liberté. La phrase renaît. Elle redevient l'unité du délire avec ses traditions, ses ressources. On réhabilite la période, le balancement des propositions... Cela sera sans doute ce que l'avenir retiendra : cette remise sur le carreau poétique de tout ce que le goût négateur en avait peu à peu rejeté. Le surréalisme rendait droit de cité dans l'écriture à tous les mots progressivement bannis. Il avait mis le point final au procès Dada du langage. *Il n'en avait point prononcé le verdict* (1). »

---

(1) *Europe*, juin 1947.

V

L'HUMANISME

1

RENÉ-GUY CADOU ET L'ÉCOLE DE ROCHEFORT

L'HUMANISME, ce mot prostitué par les politiciens, ne reprend vraiment tout son sens que lorsqu'il emprunte la voix des poètes. La plus pure est peut-être celle d'un disparu : René-Guy Cadou (1). Ce poète mort à trente et un ans, sans avoir jamais quitté son bocage natal (si ce n'est pour un voyage à Saint-Benoît sur-Loire, chez Max Jacob, ou pour des vacances en Auvergne) — est le frère de l'héritier naturel des grands poètes de la province française, d'Alain-Fournier à Patrice de la Tour du Pin. Son œuvre — fleur unique au milieu d'une poésie urbaine et cérébrale — chante la campagne, les halliers et les humbles — et, par-dessus tout, l'amitié. Avec lui, l'humanisme cesse d'être un mot éloquent et vide pour désigner tout l'amour qu'un homme peut porter aux autres hommes. Chaque poème

---

(1) Né le 15 février 1920, à Sainte-Reine-de-Bretagne (Loire-Maritime), mort à Louisfert le 4 mars 1951, l'instituteur René-Guy Cadou, disciple de Max Jacob et fondateur de « l'Ecole de Rochefort», a publié de nombreux recueils poétiques, parmi lesquels : *Brancardiers de l'Aube* (1937), *Forges du Vent* (1938), *Retour de flamme* (1940), *Années lumière* (1941), *Morte-saison, Bruits du Cœur* (1942), *la Vie rêvée* (1944), *Pleine poitrine* (1946), *les Visages de solitude* (1947), *Hélène ou le Règne végétal* (1952). Des *Poèmes choisis* (1944-1950) ont paru en 1950.

Sur l'homme et l'œuvre, on pourra consulter : MICHEL MANOLL : *René-Guy Cadou* (Seghers, 1954) et surtout l'excellent *Florilège poétique* de René-Guy Cadou, établi par GEORGES BOUQUET et PIERRE MENANTEAU (L'Amitié par le Livre, 1957).

de Cadou est rempli de cet amour pour l'Autre, fût-il un inconnu :

> *Je suis là enchaîné à la fenêtre ouverte*
> *Au bord du monde bleu qui porte ma maison*
> *Le soir n'allume plus les campagnes désertes*
> *Rien ne peut plus fixer le toit de l'horizon.*
>
> *Je songe à des printemps étouffés d'aubépine*
> *A ces amis d'un jour qui puisaient dans mon cœur*
> *Mais ceux que j'attendais sont morts dans les usines*
> *Et le vent verse au loin sa corne de malheur.*
>
> *O sang frais du matin inonde mon visage*
> *Homme jamais aimé demeure mon tourment*
> *Je cherche dans ma nuit des rêves de mon âge*
> *Qui me rendra jamais mon butin de froment.*

Le second thème de Cadou est l'amour : Hélène inspire « la vie rêvée » :

> *Mon amour tu es là comme une herbe qui penche*
> *Sa longue écriture douce sur la page*
> *Et je lis dans tes yeux et tu peux bien baisser*
> *Ta paupière pareille à du genêt mouillé...*

Mais le dernier thème, poignant, est celui de la mort — cette mort qui l'a privé, tout jeune, de ses parents, et, très tôt, l'a lui-même guetté ; c'est son triste alphabet qu'il décline, avec un demi-sourire :

> *O mort parle plus bas on pourrait nous entendre...*
>
> *Je te reconnais bien c'est ton même langage*
> *Les mains, que tu croisais sur le front de mon père*
> *Pour toi j'ai délaissé les riches équipages*
> *Et les grands chemins bleus sur le versant des mers*
>
> *O mort pressons le pas le ciel est en retard...*

La métamorphose du poète est remarquable : parti d'un certain « tohu-bohu verbal », séquelle du surréalisme, il a été

gagné par le rythme, puis par la rime, et enfin par ces « grandes
laisses d'alexandrins » (1) qui donnent à sa poésie un mouvement presque lamartinien. Et ce poète communiste devait
retrouver au seuil de la mort un Dieu sensible au cœur, auquel
il adresserait le bouleversant appel de son *Nocturne* :

... Considérez que je vous suis parent par quelque femme de
Et par quelque vaurien d'ancêtre   [village
L'une adorait votre visage
L'autre s'est payé votre tête...

Autour de Jean Bouhier, de René-Guy Cadou et de Michel
Manoll s'est développée, à partir du printemps 1941, « l'Ecole
de Rochefort » (2). Celle-ci, disait Cadou, n'est pas une école,
« tout au plus une cour de récréation », un groupe amical qui
réunissait dans ce village d'Anjou, autour de quelques chopines
de vin blanc, chez Jean Bouhier, Marcel Béalu, Luc Bérimont,
Jean Rousselot ; ces poètes étaient unis par la conviction
commune d'une délivrance par la poésie.

Jean Rousselot, poète inégal, connu dès 1933, fait depuis
dix ans figure de chef de file (il est aussi critique et romancier) (3) consacré, notamment par un poème publié dans les
Cahiers du Sud en 1943 ; son humanisme poétique est simple,
direct et, comme il l'a dit lui-même, « à hauteur d'homme ». Le
seul reproche qu'on pourrait faire à son œuvre, c'est la distance qu'elle accuse entre une ambition peut-être excessive
(refaire l'homme et le monde) et les moyens (solides, probes,
mais rarement ailés, presque *physiques)* de sa prosodie. Si
Rousselot, comme tout poète, mesure sa solitude en face des
autres hommes, il n'en ressent pas moins « un immense
besoin d'adhérer, de participer, de rompre le cercle infernal

(1) Bouquet et Menanteau : *Florilège poétique de René-Guy Cadou.*
(2) Cf. l'*Anatomie poétique de l'Ecole de Rochefort* (1941) et les cahiers édités
par les *Amis de Rochefort* (de J. Bouhier, L. Parrot, P. Chaulot, R. Toulouse,
etc...).
(3) Cf. p. 365. Rappelons les titres des recueils poétiques de Jean Rousselot (né à Poitiers en 1913) : *le Goût du pain, Refaire la nuit, la Mansarde,
le Sang du ciel, l'Homme en proie, Poèmes choisis 1934-1948, les Moyens d'existence, Il n'y a pas d'exil, le Temps d'une cuisson d'ortie, Agrégation du temps.*
Il a publié aussi des romans et des essais (sur Max Jacob, Verlaine, Milosz,
Poe, Cendrars).
   Sur l'homme et l'œuvre, on pourra consulter : André Marissel : *Jean
Rousselot, poète et romancier (Visages de ce temps,* Subervie).

de l'isolement». En réclamant des cœurs « capables de se donner et de recevoir », son enseignement rejoint celui de Cadou :

LE PAIN SE FAIT LA NUIT

La nuit, dans des faubourgs délayés par la pluie,
J'ai marché sur l'asphalte avec des inconnus...
Qui m'acceptaient tel que je suis (...)

Et j'ai senti que je germais dans ce silence,
Qu'on attendait mon grain, que je n'étais pas seul
Puisque j'avais des mains pour prendre et pour donner (...)

Pour les hommes, pas d'autre église que ce pain
Qu'on prend à bras le corps comme une fiancée.

Volontiers, Rousselot se hausse à l'éloquence :

Tout est risque, fors Dieu, la mort et le silence !
Risque, le moindre pas que l'on fait dans le songe !
Risque, le plus petit rameau qui se balance !
Risque, la liberté, l'amour et le mensonge !...

Tout est risque à celui qui jamais ne refuse
Le défi du langage, enfant de son désir...

Mais ce risque allégrement couru
De mourir de silence ou de dévergondage,
De coups d'épingle ou de martèlement bourru,
Ah, laissez-moi l'aimer, et toujours davantage.

Puisqu'il a fait de moi ce sursitaire
Toujours prêt à rêver ce qui ne se peut vivre,
Mais prêt aussi, d'un cri d'amour ou de colère,
A raturer mille ans de férule et de cuivres ;

A répondre présent aux couteaux du désir,
A la sommation du vent et de l'averse,
Aux trains que l'on égorge au fond de l'avenir,
Aux amis pourrissants que le givre transperce...

(Le Jeu et la Chandelle, 1957.)

Faute de pouvoir leur faire une place suffisante, bornons-nous à citer, dans la même perspective poétique, les noms de Jean Bouhier *(Croire à la Vie)* de Luc Bérimont (1) — toujours plein d'aisance, de naturel, volubile, un peu trop expansif peut-être — de Marcel Béalu (2), d'André Silvaire, de Georges-Emmanuel Clancier (3), de Claudine Chonez, D'Emmanuel Looten (4).

Comme l'a remarqué André Dhotel (dans la préface d'*Une Voix*), G.-E. Clancier recherche « la terre éternelle» dans le secret d'un monde livré à l'ignorance et à la mort, il voudrait « l'arracher à l'ombre et au rêve pour l'instituer comme l'unique réalité ». Le vocabulaire épelle deux grands thèmes « non pas opposés comme chez les philosophes, mais étrangers» : l'enfance et la mort, la beauté et le désespoir, la promesse de l'aube et la nuit fatale. Le poète voudrait assumer la beauté fragile et toujours menacée d'un monde sauvé de la mort par l'amour.

Et il demande :

> *Faudra-t-il oublier ces plaines et ces villes*
> *Ces fleuves voyageurs ces saisons de cristal*
> *Et ces amis, ces espoirs et ces jeunes amantes*
> *O fruits dont la terre prochaine était chargée...*
>
> *Ou bien n'aurons-nous su que trahir et ternir*
> *Des lèvres, du regard, de nos doigts, de nos cœurs*
> *Un vaste un fragile et trop lointain sourire (5).*

(1) Né en 1915 à Magnac-sur-Touvre (Charente), André Leclerq (en littérature, Luc Bérimont) a publié des poèmes *(Epinal, me voici, Lyre à feu, la Huche à pain, la Ballade de Hurle-Cœur, les Mots germent la nuit, le Grand Verger)* et des romans *(les Loups de Malenfance), l'Office des Ténèbres, le Carré de la Vitesse).*

(2) Cf. p. 552.

(3) Né le 3 mai 1914 à Limoges, Georges-Emmanuel Clancier, romancier (cf. pp. 77, 361) et critique *(Panorama critique, de Rimbaud au surréalisme ; André Frénaud)* a publié de nombreux recueils poétiques *(le Paysan céleste, Journal parlé, Terre secrète, l'Autre Rive, Vrai visage, une Voix).*

(4) Né à Bergues en 1908, Emmanuel Looten a publié de nombreux recueils poétiques parmi lesquels : *A cloche-rêve* (1939), *Flamme* (1942), *Masque de cristal* (1944), *Sur la Rive de chair* (1945), *l'Opéra fabuleux* (Prix Verlaine 1947), *Sortilèges* (1948), *le Grenier sur l'eau* (1949), *Sangs bruts* (1952), *Maison d'herbe* (1953), *Horizon absolu* (Seghers, 1957).

(5) *Une voix* (Gallimard).

2

JEAN FOLLAIN OU L'HUMANITÉ DES CHOSES

Dans ce nouvel humanisme poétique, Jean Follain (1)
n'occupe pas une place négligeable. « Sa poésie est faite avec
des objets » (Max Jacob) et ne veut oublier aucun des rustiques
amis qui nous entourent — de ces « choses données » qui définissent notre condition d'homme. Le prosaïsme apparent
du poète, son goût pour les natures mortes simples et familières, son affectation de ne pas se prendre au sérieux, ses
clins d'œil au lecteur font parfois songer à Raymond Queneau.
Il emprunte ses images à la réalité quotidienne :

> *Avec les os des bêtes,*
> *l'usine avait fabriqué ces boutons*
> *qui fermaient*
> *un corsage sur un buste*
> *d'ouvrière éclatante*
> *lorsqu'elle tomba*
> *l'un des boutons se défit dans la nuit*
> *et le ruisseau des rues*
> *alla le déposer*
> *jusque dans un jardin privé*
> *où s'effritait*
> *une statue en plâtre de Pomone*
> *rieuse et nue* (2)

s'arrête volontiers chez l'épicier ou chez le bistrot du village
et ne se gêne pas pour pousser un consommateur du coude au
passage d'une belle fille, dont il apprécie le corsage en connais-
seur. De ces rencontres inattendues, il tire une philosophie
souriante et sans prétention (« Le père lisait la grande vie

---

(1) Né en 1903 à Canisy, magistrat de profession, Jean Follain a publié :
Usage du Temps (1933-1943), *Main chaude*, *l'Epicerie d'enfance*, *Exister* (1947),
Chef-lieu, *les Choses données*, *Territoires* (1953), *Tout instant* (1958).
    Sur l'homme et l'œuvre on pourra consulter : ANDRÉ DHOTEL : *Jean Follain*
(Seghers).

    (2) *Les Choses données* (Seghers).

dans les romans salis des bibliothèques de quartiers »). Il
explore en familier les richesses du « paysage humain » :

> *O paysage humain*
> *une femme y entre puis en sort*
> *et sourit vers l'horizon*
> *alors on revoit les arbres*
> *la plaine*
> *et la route dure*
> *la maison avec ses nids*
> *la bête un peu alarmée*
> *qui boit le lait sous la lune*
> *avec un bruit si léger*
> *puis revoilà le corsage*
> *et le corps de la beauté* (1).

3

Un chanteur de charme : Maurice Fombeure

Maurice Fombeure incarne une tradition, essentiellement
populaire et musicale, qui s'oppose aux principaux courants
de notre poésie d'aujourd'hui. Il parle une langue que tous
peuvent entendre : celle de Villon, du gentil Marot, celle de
la chanson française. « Il existe, en France, une espèce de
préjugé en faveur des poètes tristes. Les grands élégiaques,
les braillards, les pleureurs ont toujours fait prime sur le
marché. Le poète doit avoir souffert. Chacun sait cela. Et,
pour nous émouvoir, il sied qu'il vienne gratter devant nous
ses incurables plaies. Il lui convient de prendre le ciel et la
terre pour témoins de ses souffrances indomptables.»
Cette déclaration juvénile de Fombeure (2) que rapporte

---

(1) *Territoires* (Gallimard).
(2) Maurice Fombeure est né à Jardres (Vienne) en 1906, dans une famille
de paysans. Entré à l'école normale d'instituteurs de Poitiers, puis à l'Ecole
normale de Saint-Cloud. Carrière dans l'enseignement, en province, puis à
Paris, depuis 1937. Principaux ouvrages : *Silences sur le toit* (1930), *la Rivière
aux oies* (1932), *les Moulins de la Parole* (1936), *Chansons de la Grande Hune*,
D'amour et d'aventure (Debresse, 1942), *Arentelles* (Gallimard, 1943), *Greniers
des Saisons* (Seghers, 1942), *les Etoiles brûlées* (Gallimard, 1950), *Pendant*

son ami Jean Rousselot, situe le propos de ce poète, divertissant et de belle humeur — un de nos bons poètes populaires plus spontané, plus humain que Prévert. Il a débuté par des pastiches surréalistes :

> Le grand-père est à la fenêtre
> Assis sur les genoux du chat,
> Les oies jouent de la trompette,
> L'araignée compte sur ses doigts.

Ce paysan de Saint-Sulpice qui joue avec les | mots « comme un écolier avec ses billes » (1) n'a jamais oublié son Poitou, la flore, la faune et l'humanité d'un terroir qu'il contemple avec un humour attendri. Ses lais rappellent ceux de l'ancien temps. Il chante les saisons :

> Automne, automne, automne, oh,
> La saison de l'ancolie
> La saison où les tonneaux
> Se remplissent de folie,
> Saison du blaireau, du loir
> Et des premiers doigts du froid,
> Bords de la Loire et du Loir
> — Monte la fumée des rois — (2)

l'amour :

> Celle que j'aime est un ruisseau
> Qui me caresse de sa source.
> Celle que j'aime est un berceau
> Où je m'endors au bruit des sources (3)

mais son goût le plus vif reste celui du canular que lui inspire un humour virtuose et rabelaisien.

que vous dormez (Gallimard, 1953), *Une forêt de charme* (Gallimard, 1955). Souvenirs : *les Godillots sont lourds* (Gallimard, 1948). Essai : *la Vie aventureuse de M. de Saint-Amant* (Ferenczi, 1947). Théâtre : *Orion le tueur* (Bordas, 1947).

Sur l'homme et l'œuvre, on pourra consulter : JEAN ROUSSELOT : *Maurice Fombeure* (Seghers, 1957).

(1) Yves Gandon.

(2) *Pluie du Soir* (in *D'amour et d'aventure*, Debresse).

(3) *Pendant que vous dormez* (Gallimard).

A condition de ne pas prendre cet îlot pour un continent (comme le fait Jean Rousselot, emporté par l'amitié), on aura toujours plaisir à y aborder. Mises ou non en musique (par un Florent Schmitt, un Francis Poulenc, un Louis Beydts, s'il vous plaît...) les chansons de Maurice Fombeure, qui font déjà figure de classiques populaires, feront un jour le tour du monde.

4

L'APPEL DE L'HISTOIRE

A ces poètes, familiers du quotidiens, d'autres s'opposent, dont l'œuvre se définit par référence à l'Histoire. Beaucoup sont nés à la poésie au moment de la catastrophe qui les appelait à témoigner : ils ont incarné « l'Honneur des Poètes » (1). A leur tête, Pierre Seghers (2) devait, tout en restant un poète exigeant et difficile, devenir leur grand éditeur.

Ce poète-métaphysicien, disciple et compagnon d'Eluard et de Desnos, cherche sans cesse le contact humain, mais trouve plus facilement celui des idées-mères :

Vagabond sur le pont des nuits, amateurs d'insectes et d'étoiles
Berger du grand troupeau des astres, contemplateur, je vois
Les années-lumière dévaler avec l'appel de la chouette
Et sous le souffle d'un seul instant les graminées partir au
[bal... (3)

A ses côtés, André Frénaud (4), dont l'œuvre est née en captivité, est passé maître dans un genre qu'on pourrait définir comme celui de « l'invective métaphysique » — à la

---

(1) Cf. p. 75.
(2) Né à Paris en 1906, Pierre Seghers a publié : *Bonne Espérance, le Chien de pique, le Domaine public, le Futur antérieur, Jeune Fille, Six poèmes pour Véronique et des Poèmes choisis.*
(3) *Six poèmes pour Véronique* (Seghers).
(4) Né à Montceau-les-Mines en 1907, André Frénaud a publié : *les Rois Mages, Soleil irréductible, Poèmes de dessous le plancher, la Noce noire, Source entière, la Femme de ma vie, les Paysans.*
Sur l'homme et l'œuvre, on pourra consulter : G.-E. CLANCIER : *André Frénaud* (Seghers).

manière de Rimbaud et des grands témoins de la Révolte. Mais cette poésie exigeante et tendue est dépourvue de musique.

Celle de Benjamin Fondane, poète d'Israël mort en déportation, semble l'écho des lamentations des captifs de Babylone:

> *Amer le goût de notre sort !*
> *— à quoi servent sanglots et plaintes ?*
> *pour le vieux pain d'un passeport*
> *on a pris nos empreintes...*

comme on le voit dans cette *Chanson de l'émigrant* (*Ulysse*, Maison du Poète).

La révolte et l'espoir se retrouvent dans les poèmes de Paul Chaulot (1), d'Alexandre Toursky (2), d'Ilarie Voronca, de Roger Michaël, de Guy Lévis-Mano, de Pierre Béarn, de Jean l'Anselme. Paul Chaulot proteste contre les souffrances des humbles et des faibles :

> *J'écris sur les pavés pour dire*
> *L'étrange forme de l'amour*
> *Quand le soleil saisi de honte*
> *N'ose plus frapper aux mansardes,*
> *L'étrange saveur des baisers*
> *Lorsque la faim sèche les lèvres* (3)

Roger Michaël (4) évoque les instants, simples et poignants, d'une chambre d'hôpital :

> *Toute ma vie je reverrai*
> *La jeune infirmière de garde*
> *Eponger mon corps ruisselant*

---

(1) Né en 1914, Paul Chaulot a publié : *Contre-terre*, *A main armée*, *Comme un vivant*, *la Ville à témoin*.

(2) Né en 1917 à Cannes, Alexandre Toursky a publié : *les Armes prohibées*, *Connais ta liberté*, *Ici commence le désert*, *Christine ou la connaissance du temps*.

(3) *Contre-Terre* (le Cheval d'Ecume).

(4) Le poète Roger Michaël (1907-1957), maçon de son métier, puis entrepreneur, a publié : *Sérénades indiennes* (1934), *Contacts* (1939), *Magie verte* (1946), *Matins du monde* (1948), *Passe noire* (1949), *Poèmes terre à terre* (1953), *Grandeur nature* (1954) et *Signes particuliers* (1955).

Comme un arbre nu sous l'orage,
Et sur les roses de ses mains
Me tendre une chemise sèche
Dont la blanche et rugueuse écorce
Trompait l'épaisseur de ma nuit.

O soleil, balancier fidèle
Des nuits, des jours et des saisons,
Chaque minute était un siècle
Lorsque tu tardais à paraître
Aux vitres de mon pavillon (1).

Guy Lévis-Mano (2), Pierre Béarn (3), Jean l'Anselme (4), Pierre Garnier, Jean-François Chabrun, disent la communion des hommes dans le travail, la souffrance et la mort, leur foi dans la puissance de l'amour. La forme implacable et parfois rocailleuse de Jean Breton et de Bruno Durocher *(A l'image de l'homme)* accuse davantage l'influence du surréalisme. Hubert Juin (5) marie curieusement Claudel et Bloy, le progrès et la métaphysique. Chez tous ces poètes, un même sentiment se fait jour : l'appartenance à cette race humaine menacée de disparaître au moment même où elle se sent promise au rang des dieux.

---

(1) *Passe noire* (Le Sablier).

(2) Imprimeur-éditeur, Guy Lévis-Mano a publié *Mal à l'homme, Il n'y a pas plus solitaire que la nuit.*

(3) Né en 1902 à Bucarest, Pierre Béarn a publié : des romans, des nouvelles et des poèmes : *Mains sur la mer* (1941), *Maraudeuse de mon chagrin* (1944), *Mes cent Amériques* (1944), *Couleurs d'usine* (1951), *Couleurs de cendre* (1952), *Couleurs d'ébène* (1953), *Dialogues de mon amour* (Printemps, Eté, Automne, Hiver) (Prix Verlaine 1957).

(4) Né en 1919 à Longueau (Somme), Jean Minotte (en littérature Jean l'Anselme) a publié : *le Tambour de ville, un Jour, Noé, Cahier d'histoires naturelles, Chansons à hurler sur les toits.*

Sur l'homme et l'œuvre, on pourra consulter : ANDRÉ MARISSEL : *Un enfant triste, Jean l'Anselme.*

(5) Né au Luxembourg en 1926, Hubert Juin a publié des poèmes *(Le Livre des Images, la Pierre aveugle)*, des romans *(les Bavards, les Sangliers)* et des essais *(Pouchkine, Léon Bloy).*

VI

CINQ JEUNES POÈTES

ARMI tous les poètes de la nouvelle génération qui n'appartiennent encore à aucune école, nous en avons choisi cinq pour l'authenticité de leur voix.

1

ALAIN BOSQUET OU LE MONDE DÉSINTÉGRÉ PAR L'HUMOUR

Du surréalisme, Alain Bosquet (1) accepte à peu près tout — sauf la langue. L'auteur de *Langue morte* a fini par adopter une écriture traditionnelle ; et c'est dans une prosodie presque classique qu'il met le monde en accusation, préférant aux évocations familières ou saugrenues de ses premiers recueils, une dialectique plus exigeante. Mais qu'il évoque :

> *Paris d'exil,*
> *Paris absent,*
> *Paris qu'on cache dans sa peau,*

(1) Alain Bosquet est né en 1919. Après des études à l'Université libre de Bruxelles, il a gagné l'Amérique (à New York il a été, de 1943 à 1945, secrétaire de rédaction du journal gaulliste *la Voix de la France*). Après avoir appartenu au G.Q.G. allié (1944-1945), il a été chargé de mission au Conseil de Contrôle quadripartite à Berlin (1945-1951).

Critique littéraire à *Combat*, la *N.N.R.F.*, *la Table ronde*, Alain Bosquet a publié des poèmes (*la Vie est clandestine*, Corrêa, 1945 ; *A la mémoire de ma planète*, Sagittaire, 1948 ; *Langue morte*, Prix Guillaume Apollinaire 1951, Sagittaire ; *Quel royaume oublié ?*, Mercure de France, 1955 ; *Premier testament*, Prix Sainte-Beuve 1957, Gallimard) ; deux romans (*la Grande Eclipse*, Gallimard, 1952 et *Ni singe ni dieu*, La Table Ronde, 1953) ; des essais (*Saint-John Perse*, Seghers, 1953 ; *Emily Dickinson*, Seghers, 1957) ; des anthologies et des traductions.

le bon vieux temps ou seulement :

> *La vie, ce vieux péché ;*
> *la vie, cette fontaine ;*
> *la vie, ce chien fâché*
> *que tout le monde traîne,*

la terre reste pour lui un royaume dont nous sommes exilés.
Le poète survit à la catastrophe et son œuvre n'est qu'un
testament :

> *Je suis seul, je suis seul, c'est l'heure des tempêtes.*
> *Les mots à qui je parle ont peur de me parler.*
> *La nuit m'entoure, je m'accroche à ma planète.*
> *Le sud est-il au nord ? Mon étoile a coulé.*
>
> *Je t'oubliais, mon Dieu, toi qui n'es que moi-même.*
> *Je voulais m'affirmer, revivre en te créant.*
> *Pour un homme si lâche, ô lâche stratagème !*
> *Créateur ou créé, nous sommes le néant.*

Constamment, le poète se moque ainsi de lui-même, sans
pouvoir s'empêcher de se sacrifier à une création qui n'est
ni une réponse ni une excuse à l'absurdité du monde.

> *Poésie, mon poème est son propre poète*
> *Et son art poétique au mystère épuisé.*
> *Il est son ennemi et son seul interprète.*
> *Il s'aime, il se déteste, il est désabusé* (1).

L'auteur de *Premier Testament* a ainsi renouvelé le vieux
thème du néant (car il fait sienne l'esthétique de son ami
Samuel Beckett : *Nommer, non, rien n'est nommable ; dire,
non, rien n'est dicible*), à force de désinvolture, d'audace et
d'imagination. Il ne lui manque peut-être qu'un peu de
gravité, de satisfaction de soi, pour être déjà considéré comme
le grand poète qu'il sera peut-être un jour.

(1) *Premier Testament* (Gallimard).

2

Un Rimbaud chrétien : Charles le Quintrec

Très différent est l'art de Charles le Quintrec (1) : ici, le souffle et la puissance l'emportent sur l'humour et l'allusion. *Les Temps obscurs* (Prix Gérard de Nerval 1954) — le troisième de ses recueils — avaient révélé un libre disciple de Villon, un Rimbaud chrétien, chez qui la révolte ne parle jamais plus haut que l'amour. Les souvenirs d'une enfance pauvre, d'une adolescence malade, n'ont pu ébranler la foi de ce Breton têtu, qui répond aux injures de la vie en s'enracinant dans ses certitudes :

> *Je suis navré d'être le même*
> *Qu'au temps voyou de mes quinze ans*
> *Par un clair de nuit de carême*
> *Le vent latin dit sa neuvaine*
> *Et ses chapelets sont poignants*
> *Je suis quelqu'un de pas méchant*
> *Tête d'oiseau ventre de chêne*
>
> *... Je reste celui qui vous aime*
> *O mon beau chapelet de buis*
> *Qui se cherche n'a pas compris*
> *Ce que vaut le sel du baptême*
> *Tristesse d'un beau vendredi*
> *Un Dieu se meurt — un Dieu quand même*
> *Chacun le blesse d'un blasphème*
> *Chacun le vend à vil prix* (2).

Les Noces de la Terre sont un acte de reconnaissance envers la création ; l'enfant est venu trop tard dans un monde divisé, il en a éprouvé la solitude et l'atonie spirituelle, mais

(1) Né en 1926 à Plescop (Morbihan), cinquième d'une famille de neuf enfants, Charles le Quintrec a publié : *La lampe du corps* (1949) (Prix du Goéland 1950), *les Temps obscurs* (Prix Gérard de Nerval 1954) et *les Noces de la Terre* (Grasset, 1957) (Bourse Del Duca 1958).
(2) *Les Temps obscurs* (Debresse, 1953).

en dépit de ses épreuves, il reste fidèle à sa terre, à sa famille,
à ses amis — et, par-dessus tout, à son Dieu :

> *En ce temps-là, je fréquentais la communale*
> *Et ramassais les pluies dans mon pauvre sarrau...*
>
> *Mon frère dénichait les grives, les fauvettes,*
> *Mes sœurs sauvages s'échappaient d'un fabliau,*
> *Moi je disais mon Dieu, pour le frapper peut-être,*
> *Pour le trahir et le livrer à ses bourreaux.*
> *J'avais hâte de vivre à la hauteur des bêtes*
> *Hâte aussi de répandre un juste sang nouveau* (1).

La prosodie n'est pas exemplaire, il s'en faut ; mais l'accent, venu de l'âme, emporte tout :

> *Ombre, je n'étais pas sorti d'entre les ombres*
> *Et déjà je savais que je vivrais trop tard.*
> *J'arrachais au soleil les insectes du soir*
> *Et transi, je touchais le Dieu de ma mémoire*
> *D'un peu de boue vivante et de salive simple.*
> *Ce Dieu je le voulais d'amour sans le savoir.*

3

Un poète joyeux : Robert Sabatier

Romancier, Robert Sabatier (2) est le plus naturellement
poète des trois : il a le sens du rythme, des mots qui font
image, des rimes pleines et des assonances qui l'emportent
au gré de leurs sollicitations :

> *En nos mains tu chantas longtemps avant de naître*
> *Nos regards t'attendaient pour ne pas te trahir*
> *Et tu connus des mots si légers pour les lèvres*
> *Qu'il naissait un enfant de ton moindre soupir*

---

(1) *Les Noces de la Terre* (Grasset, 1957).
(2) Le romancier Robert Sabatier, né en 1923 (cf. p. 365) a publié un
recueil de poèmes : *les Fêtes solaires* (Albin Michel, Prix Guillaume Apollinaire 1955).

> *Cœur ouvert à demi pour que l'amour l'emplisse*
> *Doigts faits pour un silence impossible à saisir*
> *Parmi nous tu reviens, comme un cygne tu glisses*
> *Et nous avons très peur de vivre sans ta vie* (1).

Robert Sabatier se distingue de ses frères en poésie (pour qui, décidément, le monde est trop triste pour n'être pas absurde) par la confiance qu'il met en la vie, par la facilité avec laquelle il accueille les êtres, les animaux, et même les choses.

4

UN ANGE NOIR : JEAN-CLAUDE IBERT

Il s'agit là d'une exception ; car les jeunes poètes vivent au contraire dans un climat de tension, de tragique verbal, qu'ils poussent volontiers au noir. Ils ont grandi trop vite, « au hasard des intempéries, chardons parmi les ruines, herbes folles entre les tombes». « On eut beau nous passer en guise de harnais les habits du dimanche, dit le poète Jacques Dupin (2), nous portions le noir avec tant d'élégance que l'agressive nudité traversait l'ordre des ténèbres.» Nous y sommes : en poésie, comme dans le roman, *le noir se porte*.

Révolté, Jean-Claude Ibert, qu'assiège la vision d'un monde désintégré, ne fait donc pas exception à la règle : ce fils d'un grand musicien (3) se refuse à la musique, à

---

(1) *les Fêtes solaires* (Albin Michel, 1955).

(2) Né en 1927 à Privas, Jacques Dupin a publié : *Cendrier du voyage* (G.L.M., 1950) et *les Brisants* (G.L.M., 1956).

(3) Né en 1928, fils du compositeur Jacques Ibert, Jean-Claude Ibert s'est fait connaître par sa collaboration aux *Nouvelles Littéraires* et aux *Temps Modernes*, par ses traductions de l'italien et par une œuvre poétique et critique très personnelle. Il dirige une collection à la librairie Hachette.

Poèmes : *Portes ouvertes* (1951), *le Péril de vivre* (Seghers, 1951), *l'Espace d'une main* (Seghers, 1952), *le Saut de l'Ange* (Editions de Minuit, 1957).

Critique : *Saint-Exupéry* (Editions Universitaires, 1953).

Traductions : *la Montre* (1953) et *la Peur de la liberté* (1955) de Carlo Levi (Gallimard).

laquelle il préfère la métaphysique ; et sa langue rocailleuse
est chargée de concepts (1) :

> *Langue d'origine au pays des corps*
> *le craquement des racines distordues*
> *sous le coup d'un vent héraut d'orages rouges,*
> *l'écoutez-vous, chiens de marais ivres de sève ?*
> *Et le cri de la chauve-souris qu'achève*
> *l'arbre sur son ombre incliné dans sa blessure,*
> *en captez-vous l'écho au creux de graves souches,*
> *chiens qui hurlez à la lune l'effroi du sol*
> *quand se glace la dernière source où boire un ciel ? (2).*

Du *Péril de Vivre* au *Saut de l'Ange*, une ambition n'a cessé
d'habiter ce « surromantique » : à force de tension, de courage
et d'exigence, s'égaler à la création — que l'homme, cet
éphémère, vive « aussi longtemps que Dieu est mort ». Et
e Dieu qu'il insulte n'est qu'une image de l'homme :

> *Seigneur, tu m'apparais puisqu'il faut te nommer*
> *et qu'ici le mot décide et du sens et du signe,*
> *l'homme bat le tambour et sa lâcheté résonne...*

> *Seigneur, je t'aime et t'insulte, ô frère apprivoisé*
> *bien que sauvage à barbe imbu d'éternité...*

5

LILIANE WOUTERS

C'est le poète belge Roger Bodart, grand découvreur de
jeunes talents (il a lancé Gérard Prévot, Jean Mogin, Jean
Tordeur, Charles Bertin), qui a présenté au public français
la première œuvre de sa jeune compatriote, Liliane Wouters.

---

(1) « Le Surromantique, écrit Jean-Claude Ibert, dont les préceptes rappellent les maximes de René Char, doit exprimer le maximum d'idées et de
sentiments avec le minimum de mots :
« Etre loup dans la bergerie du désespoir, »
« Allier la tranquillité du doute à la sagesse de l'inquiétude. »
« A chaque mort d'homme, Dieu risque son existence : l'imiter. »
(2) *Le Saut de l'Ange* (Editions de Minuit, 1957).

Il admirait en elle un auteur assez ignorant de nos contemporains pour ne devoir rien qu'à lui-même ou à des prédécesseurs disparus (les imagiers du Moyen Age, Breughel, et peut-être Apollinaire). Comme plus d'un poète de sa race, Liliane Wouters marie une sensualité fruste à un mysticisme ardent et sombre ; mais elle reste fidèle aux mesures de la vieille poésie française et ses vers évoquent souvent nos anciens lais :

> Lorsque je songe à Cléopâtre
> Qui s'en alla par le venin,
> plutôt qu'aimer au coin de l'âtre
> dans le couvent, j'irais nonnain...

> ... Amour profane en ses caresses
> nous prend le cœur, et puis s'en vont
> au vent d'hiver, galants, promesses.
> Adieu Lisette, adieu Manon.

Mais la conclusion dément ces promesses trop sages :

> ... mais en courant la prétentaine
> dans le ruisseau, j'ai vu mon cœur.

> Ce n'est point là grain de nonnette
> à dormir sous l'édredon.
> J'ai trouvé mieux qu'une cornette
> et j'ai dansé le rigodon.

Souvent le vers se fait plus ample, l'injonction pressante :

> Plages et goémons, que savez-vous de moi ?
> Forme vivante, forme où le soleil pénètre.
> Buvez à lents frissons l'azur où je décrois...
> Plages et goémons, que savez-vous du temps ?
> Et toi dont la présence a su doubler ma vie,
> Amour que je souhaite et fuis au même instant,
> la plus humaine part, la plus inassouvie,
> c'est toi qui l'as reçue. Elle est sans lendemain.
> Nous sommes tous les deux enfants de ce royaume
> où la plus douce fleur saura brûler nos mains.
> Prends garde à ce qui dort en tes fragiles paumes...

En une strophe, c'est toute la douleur d'être homme qu'elle étreint :

> *Je vous revois, les bras en croix, baignés d'aurore,*
> *couchés tous deux, main dans la main, ensanglantés.*
> *O Terre, Terre, combien d'anges tu dévores !*
> *Qu'est-ce donc que la mer sur le sable a jeté ?*

La mort de Dieu, dont toute une poésie moderne fait un point de départ, inspire à Liliane Wouters un tableau sombre et désolé, comme un paysage flamand sous la neige :

> *Tous les anges sont morts et Dieu les a rejoints.*
> *J'ai vu son grand cortège*
> *de prêtres et de fous, de rois et de témoins*
> *Passer dessous la neige.*

> *César venait d'abord sur son petit cheval...*

Mais il ne suffit pas d'enterrer Dieu, il faudrait pouvoir l'oublier :

> *Enfin le voilà mort, enfin nous serons seuls !*

> *Mais comme il a grandi ! Depuis qu'il n'est plus là*
> *il prend toute la place.*
> *En vain nous avons mis la corde et le holà*
> *il vit par contumace...* (1).

(1) *La Marche forcée.*

VII

L'AVANT-GARDE

Il y a quarante ans, Apollinaire demandait pitié pour « ceux qui combattent aux frontières de l'illimité, de l'avenir». Aujourd'hui, une telle prière est sans objet : on fait carrière dans l'avant-garde ; en prônant l'absolue liberté des mots, fût-ce aux dépens de la pensée, on se donne, souvent à peu de frais, un brevet d'audace toute verbale et de révolution sans risques. « La multitude des styles, la rupture des traditions, le mépris des usages, l'inconséquence des méthodes, les caprices de l'inspiration » font de la poésie « une aventure dont le hasard guide souvent le dénouement» (1).

A l'exception de Henri Pichette et d'Yves Bonnefoy, dont les dons littéraires sont éclatants et dont l'œuvre paraît assurée de survivre, les noms que nous citerons ici, entre cent autres, ne constituent qu'un premier sondage. Le lettrisme, que nous aborderons en conclusion, nous montrera jusqu'où peut aller la contestation du langage : jusqu'à la négation du verbe humain.

1

Henri Pichette, poète de la Révolution

Dès la parution des *Apoèmes* (1947), il a fallu saluer en

----

(1) Jean Paris : *Anthologie de la Poésie nouvelle* (Editions du Rocher).

Henri Pichette (1), si bouillant iconoclaste qu'il osât se montrer, un écrivain de race, plus chaleureux qu'inspiré, mais si doué qu'il pouvait épouser, tour à tour et sans aucune gêne, la langue de Racine ou celle des surréalistes. De père américain, de mère française, Pichette, qui venait de se battre en Alsace et en Allemagne, semblait *l'homme de la situation* — né à la vie de l'esprit dans un monde en guerre, à jamais incapable de retrouver l'ancienne douceur et la légèreté de la vie (« Mon amour, de même que les enfants de notre âge, nous avons connu trop tôt la lucidité. Quelque chose me dit que notre rôle d'imagiers touche à sa fin.») Il hésitait : sa poésie serait-elle un holocauste ou une prophétie ? Décrirait-elle la fin des temps ou annoncerait-elle un autre âge ? Des *Apoèmes* à *Nucléa*, la poésie de Pichette n'a cessé de vibrer entre ces deux pôles avant de céder aux tentations de l'engagement et de substituer à l'invention poétique « la simplicité et la brutalité du constat» (2).

A l'origine, le lyrisme emportait tout :

Hommes, souvenez-vous des marches et des haltes.
Hommes, la gorge en feu nous bûmes aux fontaines.
Hommes, penchés dehors les trains vous emportaient.
Hommes, je vous revois offrir des roses rouges.
Hommes, mes délicats, vous tuiez des oiseaux.

Et l'énumération reprenait, insistante :

Dockers, coolies chinois, batteurs de tam-tam nègres,
Chômeurs américains, caravaniers arabes,

---

(1) Né en 1924 à Châteauroux, de père américain et de mère française, Henri Pichette s'engage en 1944 dans la Première Armée ; puis il devient correspondant de guerre en Allemagne et en Autriche. Il a publié des poèmes : *Apoèmes* (Editions Fontaine, 1947), *le Point vélique* (Mercure de France, 1950) ; des essais sur la jeune littérature, sur Joyce et Chaplin (*Rond-Point*, Mercure de France, 1950), *Xylophonie pour la grande presse et son petit public* (en collaboration avec Antonin Artaud). Collabore à : *Mercure de France, Esprit, Fontaine, les Temps Modernes* et aux *Lettres Françaises.* A reçu, en 1953, le Prix du C. N. E. et participé au Congrès de la Paix à Vienne.

Un recueil groupant *Apoèmes, les Armes de Justice* et *Evolution de la Révolution* est paru au Mercure de France sous le titre *les Revendications* (1958).

Au théâtre : *les Epiphanies* (1947) et *Nucléa* (1952).

(2) J. Paris, *op. cit.*

Iroquois peints sur des mustangs amadoués...
Hommes plongeant les doigts dans des raisins dorés...

Je vous nomme. C'était...

C'était au temps parfait des blés et des bluets,
Orgie de l'existence idéale! Après quoi
Les lingères battirent agenouillées,
Les bleus de fondeurs, les soies d'amants, les tabliers
D'élèves, les draps lourds... Elles oignèrent leurs
Mains de l'huile sainte du fleuve; et s'en allèrent.
... Alors tomba l'hiver comme un beau tambour blanc (1).

Parce que son premier mouvement est d'un lyrisme authentique — *nommer* les choses pour qu'elles *soient* — Pichette,
en dépit d'une inspiration « révoltée», s'affirme ici comme un
poète cérémoniel ; mais il veut que le poète dénonce les
injustices du monde et participe à la vie des hommes : il
prône le « voyage actif» aux usines, aux ateliers, aux prisons,
aux maisons de redressement, aux plantations, et « l'émula-
tion scientifique ouvrière poétique», autrement dit le *communisme par l'art* — un art compris comme l'hygiène de la
Révolution.

De ce double effort, la partie négative l'emporte jusqu'ici ;
de cette mise en accusation du vieux monde, *les Epiphanies*
— « interminable martyrologe» ponctué d'explosions — restent l'exemple le plus impressionnant. Puis *Nucléa* accusa
le disparate de la composition, tandis que Pichette, préférant
l'engagement révolutionnaire au symbolisme de la révolte,
tombait parfois dans la litanie. Fallait-il déplorer, avec tel
de ses critiques, « non seulement une coupable docilité à
une rhétorique que n'appelle en rien la conjoncture révolutionnaire, mais encore une curieuse éclipse de l'imagination» (2) ? Ou simplement, constater que Pichette n'avait
encore trouvé le style qui correspondait à ses dons ?

Pichette ne fut jamais si convaincant que dans les
Apoèmes, cri d'une génération trahie — condamnée à vivre
dans le désordre et la décadence. Il apostrophait les syndics
de cette faillite :

(1) *Apoème 3 (les Revendications).*
(2) J. PARIS, *op. cit.*

« Vous avez fait de Paris un boudoir, de New York un bordel, de Londres une croix, de Nagasaki un trait de feu... Fameuse inflation occidentale ! Mais prochainement l'Homme Blanc n'aura plus de répit... Pauvres imbéciles copieurs *à qui la chose échappe*, avez-vous fait le test du soleil... ? Connaissez-vous seulement les Cordes graves africaines, ou le Talon des amériques rouges ? Moi, je connais *pour y avoir tiré un quart de siècle* vos aciéries, vos points stratégiques, vos hôpitaux vétustes, vos abris de ciment armé, vos avenues de migraine, vos singes de cheminées, leurs huit-reflets de havane... je vois sur toutes les coutures la Mort rire de toutes ses dents à la vie, la Mort, locataire fardée de votre civilisation coprophage (1). »

Dans cet *Apoème 4* où fleurissent les sortilèges usés du surréalisme, voici l'occupation allemande vue par un héritier de Rimbaud : « ... *l'ennemi crut avoir la partie facile, lorsqu'il arpenta mes rues*... Nous créâmes une respiration artificielle, un code secret tablé sur nos lilas, nos vignes, nos chênes, nos troupeaux... *en vain, aux sons de ses fifres, de ses triangles, ses cymbales, ses tubas et ses tambours, l'occupant, parmi les frontispices, les rideaux, les feux éteints, les femmes froides, les enfants graves, le mépris et les regards qui gomment, l'occupant, toujours plus près de la surprise, marcha superbement (quel pas que le pas de l'oie !) au-devant de Pégase... Il se croyait les ailes de Samothrace ; il chantait victoire ; faisait le libéral, restituait (ô translation !) les cendres de l'Aiglon... grisé, il en oublia ses faiblesses...* L'agneau, à force de fixer le loup, découvrit la vérité... *la poésie tira les plans de l'existence et fut sacrée vengeresse. Portée secrètement en triomphe, elle déclencha la Résistance en regard du soleil.* L'occupant blêmit. La force aveugle balbutia. »

Le martyrologe de l'humanité lui arrache ses plaintes les plus amères, les plus poignantes ; ainsi, dans *Nucléa*, cette évocation d'un jeune mort qui n'est pas sans rappeler le premier Rimbaud :

Un jeune mort à l'orée d'un bois.
Lui aussi avait eu faim, sa chair et son esprit, et plus
        qu'il n'était normal d'en souffrir.

(1) *Apoème 7 (les Revendications).*

Lui aussi avait eu soif de vin vineux et de justice, et voulu,
* coupe en main, porter la santé des vendangeurs sous le soleil.*
Lui aussi attendait de redorer ses forces dans le blé sommeillant,
d'abandonner sa fièvre et les offenses
dans l'eau fertile de la mer.
Lui aussi.
Un jeune mort...
Il a été cueilli cette matinée.
La sève tout le jour l'a pleuré dans son arbre...
Un jeune mort...

La mort violente a mis fin aux paroles harmonieuses : le poète ne cessera plus d'entendre son cri strident. Il lui semble parfois qu'il attend encore une impossible résurrection ; il fait le siège de l'éternité. Mais s'il ferme les yeux, ce qu'il aperçoit :

> *c'est le cachot des torturés*
> *ou le lit d'un affaibli*
> *dont l'esprit en lambeaux*
> *reçoit le ciel bleu comme une offense,*
> *c'est un attroupement de mutilés*
> *autour d'un homme fait*
> *qui serait bel et bien image de Dieu,*
> *c'est une jeune mère au ventre froid*
> *plus que nulle pierre au monde,*
> *c'est un enfant malingre*
> *qui ne dort ni ne veille*
> *dans un jardin de pluie amère et de douleur*
> *muette* (1).

Telle est la croix du poète : elle est plus vraie que sa révolte. Henri Pichette commence à découvrir l'impuissance des mots — fussent-ils les plus rares, les plus fastueux, les plus insolites, les plus violents — devant la peine des hommes et le sang des martyrs. Son dernier recueil, *les Revendications* (1958) paraît annoncer la recherche d'un nouvel humanisme. De l'exaltation de la Résistance à celle des vaincus de Budapest, la ferveur révolutionnaire n'a pas faibli. Mais elle se réclame d'une Foi plus vaste ou la vision cosmique d'un Teilhard de Chardin prend l'accent de Hugo et de Péguy.

(1) *Connaissance de la guerre* (les Revendications).

2

RÉSURRECTION D'UNE PARQUE :
LA POÉSIE D'YVES BONNEFOY

Un seul poème, publié au Mercure de France, au printemps de 1953, a révélé le nom d'Yves Bonnefoy (1), critique d'art et spécialiste des fresques romanes. *Du mouvement et de l'immobilité de Douve* annonçait un poète-philosophe, dont la voix grave frappait davantage encore par ce qu'elle ne disait pas que par ce qu'elle laissait paraître.

Un grand art de la litote et du sous-entendu marque ces strophes inégales dont l'inspiration fait songer à celles d'autres maîtres du clair-obscur — à la prose d'un Julien Gracq, par exemple. Une figure mystérieuse fait l'unité de ces pages : Douve, forme fragile à mi-chemin de la femme et du symbole, dont les métamorphoses rappellent celles de la Parque valéryenne, et figurent le destin de la poésie. Muse tragique dont le poète célèbre la passion :

> ... *Je t'ai vue ensablée au terme de ta lutte,*
> *Hésiter aux confins du silence et de l'eau,*
> *Et la bouche souillée des dernières étoiles*
> *Rompre d'un cri l'horreur de veiller dans ta nuit.*

> ... *Etre défait que l'être invincible rassemble,*
> *Présence ressaisie dans la torche du froid,*
> *O guetteuse toujours je te découvre morte*
> *Douve disant Phénix je veille dans ce froid.*

La comparaison avec *la Jeune Parque* est instructive. Que de chemin parcouru depuis 1917 ! La Parque de Valéry, célébrée par des vers lumineux *(O paupières qu'opprime une nuit de trésor, Je priais à tâtons dans vos ténèbres d'or,*

---

(1) Né en 1923 à Tours, licencié de philosophie, Yves Bonnefoy a publié : des essais : *Traité du pianiste* (1946), *la Révolution la nuit*, *les Peintures murales de la France gothique* (Hartmann, 1954) ; des poèmes : *Du mouvement et de l'immobilité de Douve* (Mercure de France, 1954), *Hier régnant désert* (Mercure, 1958) et des traductions de Shakespeare. Il a publié également une étude sur *les Tombeaux de Ravenne* (*Lettres Nouvelles*, mai 1953) et il prépare une thèse sur Piero della Francesca.

*Poreuse à l'éternel qui me semblait m'enclore, Je m'offrais
dans mon fruit de velours qu'il dévore...)* portait en elle la
promesse de sa résurrection.

Si l'*argument* d'Yves Bonnefoy rappelle celui de Valéry
(*Il te faudra franchir la mort pour que tu vives, La plus pure
présence est un sang répandu*) le *ton* diffère profondément.
La mort a perdu son prestige ; elle n'est plus l'éclatement
d'un fruit qui s'ouvre à la lumière, mais le déchirement
viscéral, l'agonie interminable dont s'enivre aujourd'hui
toute notre littérature. Douve accède lentement aux « étages
inférieurs » où « les Princes noirs hâtent leurs mandibules »
sur sa chair dépecée ; il faut qu'elle aille jusqu'au bout de son
supplice pour qu'elle puisse faire entendre une parole pure.
Car :

> *La lumière profonde a besoin pour paraître*
> *D'une* terre rouée *et craquante de nuit.*
> *C'est* d'un bois ténébreux *que la flamme s'exalte.*
> *Il faut à la parole même une matière,*
> Un inerte rivage au-delà de tout chant (1).

En attendant, les éléments ont pris possession de Douve ;
c'est aux arbres que le poète s'adresse comme aux derniers
témoins de son agonie :

> *Impassibles garants que Douve même morte*
> *Sera lumière encore n'étant rien.*
>
> *Vous, fibreuse matière et densité,*
> *Arbres, proches de moi quand elle s'est jetée*
> *Dans la barque des morts et la bouche serrée*
> *Sur l'obole de faim, de froid et de silence,*
>
> *J'entends à travers vous quel dialogue elle tente*
> *Avec les chiens, avec l'informe nautonier...*
> *Et je vous appartiens par son cheminement*
> *A travers tant de nuit et malgré tout ce fleuve.*

C'est en passant du mouvement à l'immobilité, et de la
parole inféconde au silence substantiel de la création que

---

(1) C'est nous qui soulignons.

Douve subit sa métamorphose. Elle commencera par accuser son inutile bavardage : « Oui, c'est bientôt périr de n'être que parole. » Elle veut mourir « et que tout soit défait » pour chercher le « *locus patriæ* », le « vrai lieu » où sa parole ressuscitée pourra s'accomplir « comme un destin dans la vive lumière ». Sa tombe sera l'urne où s'accomplira l'alchimie de la création : « l'argile la plus grave où le grain ait dormi » en une dialectique subtile et forte à propos de laquelle on a pu citer Hegel (« La vie de l'esprit ne s'effraie point devant la mort et n'est pas celle qui s'en garde pure. Elle est la vie qui la supporte et se maintient en elle. ») Loin d'être obstacle, la connaissance de la mort devient garantie et fondement du sérieux, de l'authenticité de la vie... « On reconnaît ici les démarches de Heidegger, de Sartre, de Malraux, de Georges Bataille. La possibilité de la vie, la possibilité de la parole sont à conquérir sur la réalité de la mort et du silence (1) ».

Cet éclatant début, suivi d'un nouveau recueil universellement salué par la critique *(Hier, régnant désert*, 1958), annonce un grand poète-métaphysicien. Il lui reste à se débarrasser d'une gangue de mots impurs et d'images impropres. Mais déjà, telle de ses strophes est d'un grand poète :

> *Cassandre, dira-t-il, mains désertes et peintes*
> *Regard puisé plus bas que tout regard épris,*
> *Accueille dans tes mains, sauve dans leur étreinte*
> *Ma tête déjà morte où le temps se détruit.*
>
> *L'idée me vient que je suis pur et je demeure*
> *Dans la haute maison dont je m'étais enfui.*
> *Oh pour que tout soit simple aux rives ou je meurs*
> *Resserre entre mes doigts le seul livre et le prix.*
>
> *Lisse-moi, farde-moi. Colore mon absence.*
> *Désœuvre ce regard qui méconnaît la nuit.*
> *Couche sur moi les plis d'un durable silence,*
> *Eteins avec la lampe une terre d'oubli.*

(1) G. PICON, *op. cit.*

3

D'UN ÉSOTÉRISME POÉTIQUE

Il n'est pas étonnant qu'au roman ésotérique corresponde
une poésie ésotérique, hantée, elle aussi, par l'ambition mal-
larméenne de faire une œuvre avec rien, « d'aboutir quelque
jour au poème du vide : la page blanche. Et de fait, sur cette
page, les vagues sentences qui s'inscrivent ne semblent naître
du néant que pour y retomber. Privées de souffle, de matière,
elles se consument sans laisser d'autres traces que quelques
mots cendreux (1)».

Le langage, comme la vie, est frappé d'une malédiction :

> *Toute œuvre est étrangère, toute parole absente*
> *Et le poème rit et me défie de vivre*

écrit Roger Giroux (2).

Nous montre-t-on un paysage, on n'y voit ni forme ni
visage, on n'y entend aucune voix : aucun signe, et le silence
est partout. Impossible de « retrouver la parole» : « toute
bouche est mensonge». Un ciel de plomb, des murs de plâtre,
une terre délavée, voilà le paysage d'un André du Bouchet (3).
Jean Laude (4) donne une signification historique à ce dénuement : un séisme a dévasté la terre.

> *Les villes sont désertes, les jours pervertis. Le spectre de la*
> *louve rase les murs de ruines.*
> *L'espoir remis en cause, il n'est question que de lichens et de*
> *feu sombre où habiter.*
> *On se fait pierre et parfois les pierres chantent.*

---

(1) J. PARIS, *op. cit.*
(2) *Retrouver la Parole* (Falaize). Né en 1925 à Lyon, Roger Giroux, licencié
d'anglais et traducteur de W. B. Yeats, a publié : *Retrouver la Parole* (Eléments, 1951).
(3) Né en 1924 à Paris, André du Bouchet a fait ses études à l'Université
Harvard. Il a publié : *Air* (Aubier, 1950), *Sans couvercle* (G.L.M., 1953),
Au deuxième étage (Dragon, 1956), *le Moteur blanc* (G.L.M., 1956) ainsi que
divers textes dans *les Temps Modernes.*
(4) Né en 1922 à Dunkerque, licencié ès lettres, collaborateur du Musée de
l'Homme, Jean Laude a publié : *Entre deux morts* (G.L.M., 1947) et *le Grand
Passage* (Dragon, 1955), ainsi que des études sur Ségalen, Eluard, la peinture
moderne, etc., publiées dans *Critique, la Revue d'Esthétique* et les *Cahiers du Sud.*

La parole du poète « atteint enfin son crépuscule » et lui inspire des descriptions d'une monotonie pathétique :

Pour, en ce lieu nul à dormir et de seul sable, pour, en ce lieu,
*   gravir la table désolée,*
Pour, en ce froid d'étoile, pour, en l'effroi des landes, orienter
*   le bleu où s'effacent les pas...*
Pour, en ce lieu, pour, en ce ciel au bord des cils, pour, en
*   l'effroi d'une marche intérieure, orienter la mort,*
Je marche.

Les mots « s'ensablent » ou filtrent « comme la lueur honteuse des lampes sous les portes ». Selon leur ambition ou leurs ressources, ces jeunes poètes inscrivent ou non une protestation métaphysique dans cet inventaire du néant (Romain Weingarten, Jacques Dupin) ou lui échappent, comme Pierre Oster (1) en appelant au secours la beauté qui les fuit :

... Le jour s'ouvre ; j'unis le jour à ses orages,
Je charme d'une feuille, attentive hauteur,
L'écho désespéré du vent buccinateur.
Eté, ton pur secret soupire, un jour se fait,
Une lourde couronne à la couleur de lait
Déferle sans mourir sur tes longues forêts...

Ravissement ! Le matin vit la chair profonde
La chair apprend le vent. Et l'onde
Se découvre dans l'entrelacement des ombres... (2).

Mais ces oasis sont rares. Dans un monde devenu chaos, à quoi bon faire entendre une parole humaine ? La vie a déserté le monde et les poètes attendent l'Apocalypse en regardant « les devantures et les mots morts » dont parlait Henri Pichette : « Deux mondes divorcent et sont à un fil de se quitter. Qu'une fois encore la poésie mesure de la

---

(1) Né en 1933 à Nogent-sur-Marne, élève à l'Institut d'Etudes politiques de Paris, Pierre Oster a publié ses premiers poèmes dans la *N.N.R.F.*, avant de les rassembler dans *le Champ de Mai* (Gallimard, 1955). Il collabore aussi au *Mercure de France* et aux *Lettres Nouvelles*.

(2) *Quatrième poème* (*N.N.R.F.*).

main des poètes... quittons ce monde défendu. Tournons le
dos aux livres. L'encre éclabousse. La nourriture nous paralyse... Je vais refaire ma vie.» Ce mot de la fin, c'est aussi
la fin de la poésie... (1).

4

ISIDORE ISOU ET LE LETTRISME

« *Que la poésie meure de la main des poètes...*» — depuis
le surréalisme, cette devise n'a pas cessé d'avoir cours comme
si la poésie ne pouvait naître que de ce qui la nie, être fondée
à nouveau sans la destruction préalable des formes qui l'ont
précédée. Sans doute peut-on soutenir avec Aragon (2) que
le surréalisme, en rendant droit de cité aux mots bannis par
un goût trop étroit (comme l'avait fait, un siècle plus tôt,
le jeune Hugo) n'était pas allé jusqu'à cette proscription du
langage, réclamée par Dada dès 1916. C'est cette condamnation que le « lettrisme» prononce, sans se soucier de savoir si
les mots mis en liberté pourront reconstituer un langage.

La poésie de la Résistance avait réhabilité les mots. Ce fut
seulement vers 1946 (3) que les lettristes ressuscitèrent — sous
l'impulsion d'Isidore Isou (4) — l'entreprise de démolition de
Dada.

(1) On notera avec intérêt qu'il existe une jeune poésie canadienne, surréaliste, parfaitement accordée aux exigences et au style de la nôtre, groupée
autour de Jean-Guy Pilon et des éditions de l'Hexagone.

(2) Cf. p. 555.

(3) Le lettrisme (que ses promoteurs orthographient *létrisme*) est né en 1946
avec le *Manifeste* d'Isidore Isou, publié en octobre 1947 par la revue *Fontaine*.
Isou accusait le mot de « fracturer le rythme» et « d'assassiner les sensibilités»:
« On apprend les mots comme les belles manières ».

Isou, qui se présentait comme l'héritier spirituel et le « Messie» de toute la
poésie française depuis Baudelaire — passée en un siècle du poème à la phrase,
puis au mot, et enfin à leur destruction (Tzara) — entendait substituer au
mot « le grand niveleur», la « parole libre» et la lettre.

Le mouvement a compté parmi ses membres Gabriel Pomerand, Dufrène,
Wolman, Lambaire, Swensen et Maurice Lemaître, auteur de *Qu'est-ce que
le lettrisme ?* (Fischbacher, 1953), d'un *Bilan lettriste* (Richard Massé, 1955)
et d'un scénario (*le Film est déjà commencé*, 1951).

(4) Né à Botosani (Roumanie) en 1925, Isidore Goldstein — en littérature :
Isidore Isou — a publié aux éditions Gallimard des essais : *Introduction à une
nouvelle poésie et à une nouvelle musique* et des romans : *L'agrégation d'un nom*

Le lettrisme — ou plutôt la *Lettrie* — n'accepte d'autre matière que celle des Lettres. Isou affirme qu'il « n'existe rien dans l'esprit qui ne soit pas ou qui ne puisse devenir lettre » ; il se vante d'avoir ouvert l'alphabet « croupi depuis des siècles dans ses vingt-quatre lettres artério-sclérosées » et de lui avoir « entassé dans le ventre dix-neuf lettres nouvelles », afin de tirer de ce langage remodelé des sonorités nouvelles. Il s'agissait, en somme, de mettre à jour cette *épaisseur sémantique du langage* présente en chacun des signes alphabétiques dont parlait Francis Ponge.

Mais Isou entonnait prématurément un chant de victoire : « On ne pourra, disait-il, détruire la lettrie qu'en la surpassant. » Le lettrisme, poésie de l'âge atomique, était la langue que notre siècle attendait, l'« unique substance inédite jaillie du massacre », faite des cris des hommes, de leurs râles, de leurs expirations, de leurs soupirs et de leurs gémissements, « arrachés d'une voix originelle devenue anthropophage ».

En fait, et même si l'on admettait que nos phrases aient épuisé leurs vertus poétiques, on ne voit pas bien comment la seule lettre pourrait les remplacer. Incapable de résoudre et de reconstruire, l'expérience lettriste participe à ce mouvement de *décréation* qui, de l'Antiroman à l'Antithéâtre, s'affirme dans toute une part de la littérature. Malheureusement, les poèmes lettristes que nous avons pu lire sont pour la plupart d'une affligeante pauvreté. Qu'on en juge plutôt par ces deux exemples empruntés, l'un à François Dufrène, et l'autre à Clément Swensen ; on peut les réciter et les mimer sur une musique exotique ; on ne peut pas les comprendre sans les traduire :

DANSE DE LUTINS
(Accelerendo, crescendo)

I	II
Dolce, dolce.	*Yulce, Yulce*
Yaase folce	*Youduli dulce*
Dolce, dolce,	*Yulce, yulce,*
Yoli deline	*Kzill odaline*

et d'un messie (1947), *Isou ou la Mécanique des Femmes* (1949), Prix du Cinéma d'avant-garde au Festival de Cannes, 1952.

III

Jalce, jalce,
Yahanti galce
Jalce, jalce
Blouzi psiline

IV

Djilce, djile
Hando bokjile,
Djilce, djile
Yli zlideline

Epithalame

Enn lonn gueuseurs
Lonn gueusalonn,
Dours ongueur deurs
Iri-barnn; flonn

Vol Volomb, omb!
Gliss Kolomb verss
Alk-dar ke derss
Cal ke ri; bomb!

N'allons pas plus loin : on juge un arbre à ses fruits (1)...

(1) Ces poèmes reproduits dans le *Panorama* de Jean Rousselot sont les plus lisibles. On en trouvera d'autres dans l'*Introduction à une Nouvelle Poésie* d'Isou et dans le *Bilan Lettriste* de Lemaitre. Chacun d'eux nécessite une mise en musique et une explication. Cette poésie et ses formes dérivées (« lettrisme sériel », « Dadalettrie », « Hyperphonie », « Hypergraphologie ») avec ses modes d'emploi compliqués, achève de séparer public et créateurs.

VIII

POÈTES D'OUTRE-MER

Nous avons déjà souligné à propos du roman ce phénomène surprenant, bien significatif de l'époque, ce
moment dialectique de notre civilisation : nous avons
donné notre langue à des hommes d'une autre race et ceux-ci
s'en servent pour contester notre souveraineté, pour affirmer
contre elle leur existence d'hommes et leur liberté. Au
moment où nous découvrons, pour l'assimiler à notre génie,
l'héritage des continents perdus, où la statuaire du Bénin,
les masques polynésiens, les fétiches donnent à notre art
une secousse féconde, des écrivains d'Afrique ou d'Asie
prennent place dans notre patrimoine poétique. Nés à la
conscience en parlant notre langue, c'est par elle qu'ils s'expriment sans rien renoncer de leur âme et qu'ils nous crient
leur révolte. Nos mots, devenus rebelles, se retournent contre
nous.

Le temps n'est plus où Kipling pouvait chanter les vic-
toires de l'homme blanc ; sur toutes les terres qu'il a conquises
et défrichées, l'Occident recule et le processus de *décoloni-
sation* amorcé par deux guerres mondiales semble maintenant
irréversible. L'Européen a perdu sa force et son prestige.

« L'homme blanc, blanc parce qu'il était homme, blanc
comme le jour, blanc comme la vérité, blanc comme la vertu,
éclairait la création comme une torche, dévoilait l'essence
secrète et blanche des êtres. Aujourd'hui, des hommes noirs
nous regardent et notre regard rentre dans nos yeux ; des
torches noires à leur tour éclairent le monde et nos têtes
blanches ne sont plus que des petits lampions balancés par
le vent... notre blancheur devient un étrange vernis blême

qui empêche notre peau de respirer, un maillot blanc, usé aux coudes et aux genoux, sous lequel, si nous pouvions l'ôter, on trouverait la vraie chair humaine, la chair couleur de vin noir (1).»

Sans prendre trop à la lettre le lyrisme de Jean-Paul Sartre, ni les imprécations anticolonialistes, nouveau credo de l'écrivain de couleur (credo aussi obligatoire et parfois aussi peu convaincant que l'était, hier, l'hommage servile de l'indigène à peine émancipé à la civilisation occidentale), il convient de reconnaître l'importance de cette littérature dont l'apparition prend, selon le mot d'André Breton, « la valeur d'un signe des temps». Ce que l'auteur de l'*Amour fou* disait d'Aimé Césaire — « c'est un noir qui est non seulement un noir, mais tout l'homme, qui en exprime toutes les interrogations, toutes les angoisses, tous les espoirs et toutes les extases et qui s'imposera de plus en plus comme le prototype de la dignité» — pourrait s'appliquer à toute une poésie, malgache, africaine, algérienne, antillaise ou indienne. Chez Césaire, Keita Fobeda, L.-G. Damas *(Black-Label, Pigments)*, René Depestre *(Traduit du Grand Large)*, Bernard Dadié *(Afrique, debout; Rites millénaires)*, Jacques Rabemananjara, Edouard Glissant, Kateb Yacine, parce qu'elles sont vécues du dedans, la révolte et la poésie s'accordent spontanément. Le Césaire du *Cahier d'un retour au pays natal*, le Senghor d'*Hosties noires*, le Glissant d'*Indes* impriment à leurs revendications l'accent majeur du pays natal. Leur engagement politique ne se superpose pas à leur vocation lyrique : il s'agit d'un seul et même mouvement que le marxisme s'est hâté d'utiliser (2). En rejetant les habits d'emprunt du colonialisme, ils remontent en même temps vers leur source. Mais, en accédant à la conquête de leur Moi national, ils continuent à rêver d'un humanisme universel dont l'Europe — dont ils méconnaissent la grandeur parce qu'ils n'en ont vu que le côté oppressif — leur a donné l'exigence.

---

(1) Préface à l'*Anthologie de la nouvelle poésie nègre et malgache* de Léopold Sedar Senghor (P.U.F., 1948).

(2) Sartre observe : « Ce n'est pas par hasard que les chantres les plus ardents de la négritude sont en même temps des militants marxistes. » Certes, de bons poètes antillais — Aimé Césaire, Jacques Roumain, Nicolas Guillen — ont adhéré au communisme. Mais Césaire a quitté le P. C. en 1956, et il ne s'ensuit pas que celui-ci représente *toute* la poésie indigène.

Césaire (1) chante un monde délivré, rajeuni, rendu à sa
force primitive, lavé de ses humiliations par la révolte et le
triomphe de sa jeune liberté ; Senghor (2) psalmodie sur les
vieux instruments du Sénégal le nouvel amour en qui se récon-
cilieront les races ennemies ; Glissant (3) célèbre les Conquis-
tadores partis sur l'Atlantique à la recherche des Indes, le
fabuleux voyage où le meilleur et le pire coexistent, « l'ambiguïté d'une Europe où se mêlent humanisme et soif de
puissance, mystique et férocité, lucre et courage », à l'image
d'une mer « impure et pure, terrifiante et propice, complice
et indifférente, qui joint les rives du soleil, la terre des bour-
reaux à celle des victimes » (4).

> *Mer, ô savante*
> *Par où commencent d'être sues, et la folie de l'homme,*
> *et sa rapine et sa beauté.*

Ce jeune poète veut nous faire entendre le chant du monde,
la voix de ses négriers et de ses missionnaires, de ses esclaves
et de ses libérateurs, depuis le port de Gênes où l'aventure
se noue, l'année 1542, jusqu'à la révolte des peuples asservis.
Chez les poètes de couleur, l'accent du tam-tam rejoint
curieusement celui des surréalistes. Ils revendiquent à la face
du ciel cette « négritude » hier encore subie comme une injure,
et la liquidation du « complexe d'infériorité » originel est
devenue un des thèmes essentiels de leur poésie. L'Antillais
Nicolas Guillen se rit du

> *... nègre singeur*
> *Qui ouvre grands ses yeux devant l'auto des riches,*

(1) Né en 1912 à la Martinique, professeur puis député, Aimé Césaire a
publié : des poèmes : *Cahier d'un retour au pays natal* (1947), *Batouque;* une
tragédie : *Et les chiens se taisaient.*
   Sur l'homme et l'œuvre, on pourra consulter : HUBERT JUIN : *Aimé Césaire,
poète noir* (Présence Africaine).
(2) Né en 1906 à Joal (Sénégal), agrégé de lettres, professeur, puis député
et homme d'Etat (plusieurs fois ministre, leader de la *Convention africaine*)
Léopold Sedar Senghor a publié : *Chants d'ombre* (Seuil), *Hosties noires* (Seuil),
Chants pour Naëtt (Seghers).
(3) Né en 1928 au Lamentin (Martinique), Edouard Glissant, licencié de
philosophie et d'ethnologie, a publié : *Un champ d'îles* (Dragon, 1953), *la Terre
inquiète* (Dragon, 1956), *les Indes,* poèmes : un essai, *Soleil de la conscience*
(Falaize, 1956), et un roman : *la Lézarde* (Seuil, 1958).
   Il collabore aux *Temps Modernes,* à *Esprit,* à *Critique* et aux *Lettres Nouvelles.*
(4) J. PARIS, *op. cit.*

> *Et qui se sent honteux devant sa peau si noire,*
> *Alors que son poing est si dur !*

Aimé Césaire crie sa filiation d'esclave : « Et l'on nous marquait au fer rouge et nous dormions dans nos excréments et l'on nous vendait sur les places. » Dépositaire du ressentiment de sa race, il se fait le « commissaire de son sang », et fustige « ceux qui ne se consolent point de n'être pas faits à la ressemblance de Dieu mais du diable, ceux qui considèrent que l'on est nègre comme commis de seconde classe...»

Comme l'observe Daniel Guérin (1), la prise de conscience raciale ne produit pas seulement une nouvelle culture ; les poètes ne se bornent pas à chanter, ils appellent leurs frères de couleur à la révolte :

> *Nègre petit nègre*
> *Violet et frisé*
> *Debout ! dans la rue !*
> *Car le soleil darde ;*
> *Dites réveillé*
> *Ce que vous pensez.*
> *Que meure le maître !*
> *Qu'il meure grillé ! (2).*

> *Eh bien voilà :*
> *Nous autres*
> *Les nègres*
> *Les sales nègres*
> . . . .
> *Nous n'acceptons plus*
> *Ça vous étonne*
> *De dire : oui missié*
> *En cirant vos bottes (3).*

Africains, Antillais ou Malgaches flétrissent la bonne conscience des blancs. Peignant notre vieux monde « horriblement las de son effort immense», d'aucuns se donnent le

---

(1) Dans *les Antilles décolonisées* (Présence Africaine).
(2) NICOLAS GUILLEN : *Chansons cubaines et autres poèmes* (1955).
(3) JACQUES ROUMAIN : *Gouverneurs de la Rosée* (1950).

luxe de demander pitié pour leurs « vainqueurs omniscients et naïfs».

Pour un Senghor, un Césaire, un Depestre, un Rabemananjara, la poésie n'est que la voix d'un peuple étouffé, depuis des siècles, sous des sédiments étrangers — toute prête à se muer en éloquence. Ne voulant plus rien devoir à l'Europe latine et chrétienne, ils se réclament d'une Afrique panthéiste et sensuelle :

Oho ! Congo couchée sur ton lit de forêts,
reine sur l'Afrique domptée
Que les phallus des monts portent haut ton pavillon
Car tu es femme par ma tête, par ma langue
car tu es femme par mon ventre

Ne t'étonne pas mon amie si parfois ma mélodie se fait sombre
Si je délaisse le roseau suave pour le khalam et le tama
Et l'odeur verte des rizières pour le galop grondant des tabalas
Peut-être demain mon amie tomberai-je ho ! sur un sol inapaisé
En regrettant tes yeux couchants et le tam-tam brumeux des
mortiers tout là-bas
Et tu regretteras dans la pénombre la voix brûlante qui chantait
ta beauté noire (1).

Plus directement politique et nationale, la poésie de Césaire se veut aussi libre à l'égard des orthodoxies ; Césaire a fini par rompre avec le parti communiste qui prétendait imposer à son peuple une dialectique qui n'était pas la sienne, un jargon de classe, et la férule d'un singulier maître d'école, Louis Aragon, promu à la direction des consciences.

C'est que la poésie noire (2) est rebelle aux mécanismes

---

(1) LÉOPOLD SEDAR SENGHOR : *Chansons pour Naëtt* (Seghers).
(2) Faute de pouvoir analyser ici l'œuvre de chaque poète, on se bornera à rappeler : pour l'Afrique noire : les noms d'Alioune Diop, de F. Morisseau-Leroy, de Roland Dorcely, Bernard-B, Dadié *(Légendes africaines, Afrique debout, la Ronde des jours*, de Paul Niger *(Initiation)*, de Charles Calixte, de Keita Fodeba *(Poèmes africains)*, de D. Mandessi, de G.-F. Tchicaya, de Birago Diop, d'Anoma Kanie, de C. Médedji, Martial Sinda *(Premier chant du départ)*, de Thew'Adjie ; pour les Antilles, ceux de A. R. Bolamba *(Esanzo)*, d'Aimé Césaire *(Cahiers d'un retour au pays natal)*, de René Depestre *(Minerai noir, Traduit du Grand Large)*, de David Diop *(Cours de pilon)*, d'Emmanuel Flavia-Léopold ; pour Madagascar : J.-J. Rabearivelo, Jacques Rabemananjara

hégéliens ; elle communique avec la nature ; plus qu'intellectuelle, sa révolte est sœur de l'anarchie ; elle se soucie peu de se définir, de se limiter et refuse de se mettre au service d'une cause qui n'est pas la sienne.

Beaucoup d'écrivains français ont su gré aux noirs d'« enrichir notre vieille culture cérémonieuse ; embarrassée dans ses traditions et son étiquette, elle a bien besoin d'un apport neuf ; chaque noir qui cherche à se peindre au moyen de nos mots et de nos mythes, c'est un peu de sang frais qui circule en ce vieux corps». Mais la présence africaine a cessé d'être celle d'un enfant dans le cercle de famille, pour incarner « un remords ou un espoir» (1).

*
**

Plus ardentes que le cri de la race, la lutte contre un « colonialisme» abhorré et la revendication du droit à l'existence nationale donnent leur caractère à la nouvelle poésie musulmane d'Afrique du Nord. Celle-ci a d'abord accepté la langue, les idées et la culture de la France : à Tunis, Armand Guibert *(Enfants de mon silence, Oiseau privé)*, au Maroc, Henri Bosco ont eu, chez les deux communautés, de multiples imitateurs, et ceux-là mêmes qui refusent la colonisation française (2) ne songent pas encore à récuser une langue et une culture qui leur ont permis de prendre conscience de leur personnalité.

Mais, de plus en plus, l'inspiration politique l'emporte sur le choix des moyens ; le temps n'est plus où Jean Amrouche se contentait d'exhumer les poèmes berbères de Kabylie ; la guerre d'Algérie, succédant à une longue rancœur,

(Sur les Marches du Soir, Rites millénaires), Flavien Renaivo (*l'Ombre et le Vent*).

On pourra consulter les numéros spéciaux de *Présence Africaine*, revue culturelle du monde noir, d'*Ariane* et les *Poètes d'Expression française*, de Léon G. Damas.

(1) J.-P. Sartre, *op. cit.*

(2) Le romancier Albert Memmi s'en est expliqué dans son *Portrait du Colonisé* (Corrêa) : « Pour beaucoup d'entre nous, qui refusions le visage de l'Europe en colonie, il ne s'agissait nullement de refuser l'Europe tout entière. Nous souhaitions seulement qu'elle reconnaisse nos droits. »

fait lever dans cette Afrique hier encore française, une moisson ardente. Chez ces poètes nés de la guerre, une révolte
qui s'accorde au climat tendu de l'époque parle souvent plus
haut que la difficile exigence de la forme ; aussi n'est-il pas
facile de départager le meilleur et le pire. Dans cette génération crispée, qui l'emportera de la passion intolérante ou de
la raison ? C'est le secret de demain.

En Tunisie, on citera les noms de Mahmoud Aslan, Musta-
pha Kourda, Ahmed Chergui, Salah Farhat, Salak Essri,
Abd el Majid Tlatli ; au Maroc, ceux d'Ahmed ben Ghabrit
(*Interférences*, 1954), d'Ahmed Sefrioui (*Je chante la mer,
Ecoute la chanson de l'eau*).

Le Moyen-Orient était, lui aussi, une terre privilégiée
pour la culture et la langue françaises ; le nom d'un Taha
Hussein reste, en dépit d'un passé récent, le symbole de la
greffe féconde de notre esprit sur le génie arabe. Si Damas
ou Le Caire récusent aujourd'hui notre influence, à Beyrouth,
la dernière génération littéraire, fidèle à l'héritage des Victor
Klat et des Michel Chiha, continue de s'abreuver à nos
sources, comme en témoignent des poètes comme Andrée
Chedid et Georges Schéhadé, des romanciers comme Vahé
Katcha et Farjallah Haïk, pour ne citer que les plus connus.
Ce n'est pas un hasard si l'expression poétique est la première
langue de ces écrivains, la mieux accordée à leur génie propre
comme à l'héritage culturel de l'Orient. Le dépouillement
d'Andrée Chedid, le don des symboles de Schéhadé (qui est
passé d'une sorte de néo-surréalisme plein d'humour à un
lyrisme incantatoire) ouvrent sur un arrière-plan mystérieux :

> *Etre l'oiseau être la chair*
> *la maison le vivant*
> *être l'exilé et la blanche sagesse*
> *Etre la folie et la grave moisson*

murmure la première, insoucieuse de

> *la mort la facile mort cette lampe multipliée*

Et le second décrit, sans s'arrêter aux mots, « l'enchevêtrement inextricable de la vie fragile, du temps qui passe, de l'amour et du bonheur incertains, du destin et de la mort irrémédiables».

> *Nous reviendrons corps de cendre ou rosier*
> *Avec l'œil cet animal charmant*
> *O colombe*
> *Près des puits de bronze où de lointains*
> *Soleils sont couchés*
> *Puis nous reprendrons notre courbe et nos pas*
> *Sous les fontaines sans eau de la lune*
> *O colombe*
> *Là où les grandes solitudes mangent la pierre...*
> *Tout passe comme si j'étais l'oiseau immobile...*

Autre terre marquée par notre génie : le Viet-Nam, où une nouvelle génération plus engagée, a pris la relève de la vieille culture eurasienne. Après Nguyen Van Vinh et Pham Quynh (fusillé en 1944), parmi ceux qui écrivent encore en français, citons le romancier diplomate Pham Duy Khiêm, Pham Van Ky, Nguyen Tien Lang, Makhali Phal.

POUR CONCLURE

LA poésie française est aujourd'hui le lieu d'une guerre inexpiable : pas de point commun ni de terrain de rencontre entre la Tradition et la Révolution. Apparemment, pas de compromis possible entre ceux qui acceptent de soumettre le langage à la règle, à la mesure, à la raison, et ceux qui ne veulent connaître que les injonctions incontrôlables de l'inconscient. Faute de croire que la Beauté puisse jaillir, toute armée, de nos rêves, devrons-nous donc nous résigner au déjà dit, aux lieux communs ? N'avons-nous fui l'académisme que pour tomber dans l'incohérence ?

« *On a touché au vers*. Cette nouvelle annoncée par une plume illustre semble bien faible aujourd'hui. On a fait plus que de toucher au vers. On l'a trituré, déchiqueté, désossé. On a oublié qu'il était un organisme pour ne lui vouloir qu'une physionomie. On a donné honteusement raison aux esthètes qui ne sachant pas que la poésie est une langue à part, s'imaginent qu'elle consiste en une certaine manière d'employer la leur.

« Bref, une école confuse ne sait plus ni lire ni écrire. Une vague scolaire et inculte nous submerge. Elle veut imposer un tiroir vide. Elle le baptise trésor (1).»

Ces lignes ne sont pas, comme on pourrait le croire, de quelque héritier de Boileau, mais d'un poète qu'on ne vit jamais en retard d'une mode ni d'un scandale puisqu'il s'agit de Jean Cocteau — dont les propos devaient trouver, quelques mois plus tard, une éclatante confirmation dans le triomphe équivoque fait à Minou Drouet.

A l'automne 1955, un public qui n'avait même pas entendu

_____

(1) JEAN COCTEAU, *Lettre à Robert Goffin*, reproduite en tête de *Foudre natale* (Dutilleul, 1955).

parler des *Poèmes Cathares* de Laurence de Beylié (1) et
connaissait tout juste le nom de Saint-John Perse, fut invité,
par une presse délirante, à applaudir les poèmes d'une enfant
de huit ans, non comme un recueil d'images gracieuses,
mais comme l'expression authentique du génie.

Douée pour tous les arts, l'enfance l'est aussi pour la
poésie. Mais — Rilke, après bien d'autres, l'a rappelé — l'important n'est pas de naître poète, c'est de le rester, une fois
évanouis les privilèges éphémères de l'enfance.

Que Minou Drouet (née en 1947) soit une enfant très
douée, nul ne peut en douter depuis la publication d'*Arbre,
mon ami.*

> *Arbre, mon ami,*
> > *mon pareil à moi,*
> > > *si lourd de musique*
> *Sous les doigts du vent*
> > *qui te feuillettent*
> > > *comme un conte de fées,*
> *Arbre*
> > *qui comme moi*
> > > *connais la voix du silence*
> *Arbre pareil à moi*
> > *console-moi*
> > > *d'être seulement moi* (2).

Cette petite fille qui se refusait à devenir « une abominable
grande personne » avait été gavée par la plus autoritaire des
mères adoptives de lectures et de musique, mais les influences
multiples d'une éducation qui n'était d'ailleurs dépourvue
ni d'intelligence, ni de goût, n'avaient pas entamé un naturel
sensible et spontané. Déjà, pourtant, ses *lettres* étaient inquié-
tantes : faussement poétiques, avec de petites roueries mal
déguisées, des pointes de vulgarité, et, naturellement, de
nombreuses fautes d'orthographe. Puis, une publicité éhontée

---

(1) Présentés à la *N.N.R.F.* par Denis Saurat, comme des poèmes traduits
de la langue d'oc, ces poèmes, directement inspirés par les mystiques (Ruys-
broek, Suso), représentent, dans la poésie française d'aujourd'hui, une remarquable survivance du climat austère et tendu qui, des Albigeois aux Jansé-
nistes, a marqué toute une spiritualité française.

(2) *Arbre, mon ami* (Julliard).

s'empara de l'enfant prodige, habituée des générales et des
studios, exhibée comme une vedette dans les casinos et les
grands magasins.

Que restera-t-il demain de ce talent, hier encore si frais et
si vrai ? Une femme de lettres adulée, pourra-t-elle chanter
encore, comme l'enfant ivre de Bach, les mains ailées de son
professeur de piano ?

> *Mains plus riches qu'un jardin d'été*
> *Mains si lourdes de musique*
> *Même quand vous vous taisez sur une table*
> *Comme deux oiseaux*
> *Encore tout chantants*
>
> *... Mains*
> *Dernières fées*
> *Oubliées sur la terre*
> *Mains glissantes comme un nuage*
> *Profondes comme la mer*
> *Attirantes comme elle*
>
> *... Mains de petite fille gaie*
> *Car il paraît*
> *Qu'il y a des petites filles gaies*
> *Mains qui câlinent*
> *Qui tiennent dans leurs creux doux*
> *Tout mon cœur*
> *Mains à qui je dois toute ma vie...*

*
* *

Au moins le succès de Minou Drouet atteste-t-il l'intérêt
persistant du grand public pour la chanson. Qu'elle ait pour
auteur Apollinaire ou Villon, Fombeure ou Francis Carco,
Brassens ou Léo Ferré, celle-ci recueillera toujours les suffrages obstinément refusés à la poésie informe ou chiffrée.

Si l'on estime que le poète doit s'adresser à tout un peuple,
on souhaitera donc qu'il parle sa langue, et non celle de
l'absence, de l'absurde ou du surréel. On cherchera dans le
vers une musique et l'on refusera de se soumettre aux dictats
de l'hermétisme et de l'écriture automatique. Est-ce à dire

qu'il faille rejeter les efforts de ces poètes difficiles, héritiers
de Mallarmé et de Valéry, qu'on a pu comparer à des cruci-
verbistes dont « le chemin de croix est un damier avec des
chicanes et des clôtures : le five o'clock de l'abstraction
collective (1) » ? Certes non ! quoi qu'en pense Léo Ferré,
trop habile préfacier de ses propres œuvres dont les refrains
ne vaudraient pas grand-chose sans la voix prenante qui leur
ouvre l'espace. Mais on peut souhaiter que s'atténue le
divorce qui sépare aujourd'hui les artisans des ingénieurs et
la chanson du laboratoire. Si la poésie française du demi-
siècle attend encore son Baudelaire, c'est peut-être parce qu'il
n'existe aucune communication entre ces deux mondes, et
que nos ingénieurs, passés maîtres dans la désintégration du
verbe, ne se soucient pas de faire bénéficier de leurs découvertes
un public réduit à la bonne volonté d'artisans plus ou moins
adroits.

Mais sans doute, est-ce un signe important qu'il se soit
trouvé, en l'an de grâce 1957, neuf poètes (2) venus de tous
les horizons — de Pierre Emmanuel à Liliane Wouters —
pour refuser, en une sorte de manifeste illustré par leurs propres vers, « la désintégration du langage qui est aussi désintégration de l'humain». Leur respect du langage prend ici
la valeur d'une promesse et d'un espoir.

(1) Léo Ferré : *Poète... vos papiers!* (La Table Ronde).
(2) Ces neuf poètes sont : Lucien Becker, Alain Bosquet, Pierre Emmanuel,
Jean Grosjean, Charles le Quintrec, Robert Mallet, Robert Sabatier, Pierre
Seghers et Liliane Wouters. « Ils ne sont pas tous du même âge ; ils appartiennent pourtant au même âge... Conscients que l'homme menacé dans son
être l'est par là même dans sa parole, ils veulent répondre à ce danger par un
souci d'ordre et de durée. L'emploi d'un appareil verbal rigoureux et d'une
pensée exigeante leur paraît compatible avec la fonction historique de la
langue française, telle qu'elle s'est exprimée des origines jusqu'à nos jours.»
(*Neuf*, Seghers, 1957.)

TROISIÈME PARTIE

LE THÉATRE

A TORT ou à raison, nous nous faisons du théâtre une idée simple : il s'agit de mettre en scène, sous forme de dialogues, les passions humaines et leurs conflits, traduits en un langage accessible au plus grand nombre. La situation dramatique se distingue du récit en ceci qu'elle doit frapper avant même de convaincre ; au théâtre, il ne sert à rien d'expliquer : il faut *faire voir*. Plus qu'aucun autre genre littéraire, l'art dramatique exige des moyens qui lui sont propres ; l'action y est simplifiée et accélérée, les motifs psychologiques grossis, le langage tend à faire passer rapidement le spectateur de l'image au symbole et du symbole au mythe.

C'est peut-être pour cette raison que « les vrais créateurs dramatiques de ces trente dernières années ne sont pas les auteurs, mais les metteurs en scène » (1). A eux seuls, Gordon Craig, Copeau ou Stanislavski — pour ne citer que les plus grands — ont renouvelé le climat de l'action dramatique. En France même, depuis Antoine, l'histoire du théâtre peut se confondre avec celle de la mise en scène et l'apogée du Cartel a correspondu tout naturellement à la révélation de Pirandello, de Crommelynck et de Giraudoux.

L'entre-deux-guerres fut brillant et fertile ; il réintroduisit la poésie dans le théâtre, d'où l'avaient expulsée la comédie bourgeoise et le réalisme scrupuleux du « Théâtre libre ». Cependant, dès 1924, Jacques Copeau (1879-1949) devait fermer le Vieux-Colombier : il n'avait pas trouvé dans ses amis de la *N.R.F.* (Claudel, Gide, Schlumberger, Ghéon, Martin du Gard, Duhamel et Romains) des écrivains également doués pour le théâtre ; passé le triomphe du *Paquebot Tenacity* (1920), Charles Vildrac ne tint pas tous les espoirs qu'il avait fait naître, non plus qu'André Obey *(Noé, le Viol*

(1) JEAN VILAR, *De la Tradition théâtrale* (l'Arche, 1955).

de Lucrèce, le Trompeur de Séville) et que Jean Giono. Mais
Copeau, réfugié en Bourgogne, laissait derrière lui Dullin
et Jouvet. Aussi orgueilleux qu'incompris, Charles Dullin
(1885-1949) s'obstina à monter de grandes machines dont il
était la principale vedette (les meilleures furent *Volpone* et
les Mouches) ; entre ces pièces plus ou moins jouables, il inter-
calait des divertissements éphémères au nombre desquels on
retrouve les premières pièces de Marcel Achard, de Bernard
Zimmer, d'Alexandre Arnoux, d'André de Richaud. Entre
un Dullin mort de chagrin dans un théâtre (Sarah-Bernhardt)
impossible à remplir, et un Jouvet devenu le conseiller officiel
de la Direction des Arts et des Lettres, et frappé en pleine
gloire, le contraste est saisissant. Plus adroit ou moins
orgueilleux que son rival, Jouvet (1887-1951) a voulu former
une équipe et y a réussi pleinement ; mais, s'il joua *Knock*
de Jules Romains (1) et le *Malbrough s'en va-t-en guerre* de
Marcel Achard, sa seule *découverte* — de taille, il est vrai —
reste celle de Giraudoux (2). Gaston Baty (1885-1953) n'eut
même pas ce bonheur et dut se contenter, outre Molière et
Musset, de Gandillon, de J.-V. Pellerin, de Jean-Jacques
Bernard, de Denys Amiel, apôtres un peu gris d'un « théâtre
de l'inexprimé». Quant à Georges Pitoeff (1887-1939), s'il a
introduit à Paris, Oscar Wilde, Tchékhov *(les Ttrois Sœurs)*,
Bernard Shaw *(Sainte Jeanne)*, et Bruckner (3), il n'a guère
monté d'œuvre française vraiment marquante, à moins d'y
faire figurer le théâtre de Stève Passeur et de Henri-René
Lenormand *(les Ratés, les Mangeurs de Rêves)*. De sorte que
c'est Lugné-Poe qui fut le vrai « flaireur de talents nouveaux» (4), puisqu'il a fait débuter à l'Œuvre Crommelynck
(le Cocu magnifique, 1921), Sarment, Salacrou et Marcel
Achard.

Depuis la dernière guerre, les distinctions sont devenues
plus tranchées, tandis qu'une nouvelle génération de specta-

(1) Monté par Jacques Hébertot.

(2) Jouvet ignora toute sa vie le génie du jeune secrétaire auquel il avait
prêté pour ses noces le mobilier de *Siegfried*. Ce secrétaire s'appelait Jean
Anouilh. Pourtant, il a monté *les Bonnes*, de Jean Genêt (à l'Atelier, en 1946),
pièce qu'il avait lui-même « commandée » — ce qui représente un courage certain.

(3) Quant à Pirandello, introduit à Paris par Dullin, il fut imposé par le
triomphe de *Six personnages en quête d'auteur*, mis en scène chez Hebertot par
Pitoëff.

(4) RENÉ LALOU, *le Théâtre en France depuis 1900* (P.U.F.).

teurs demandait au théâtre non plus un divertissement mais
un exemple et une leçon. C'est à ce public, jeune et populaire, dans le meilleur sens du terme, que devait répondre,
des Festivals de Provence au Théâtre National Populaire
(depuis 1951), l'admirable effort de Jean Vilar, qui a donné
aux œuvres immortelles de Corneille et de Kleist, comme
aux grandes machines de Brecht et aux tentatives de Pichette, la vaste audience qu'elles méritaient. Par ailleurs, la
venue tardive sur la scène de quelques-uns de nos plus grands
écrivains a relégué dans le Purgatoire doré du Boulevard
des auteurs dont l'habileté scénique avait masqué jusque-là
la banalité du style. Enfin, un troisième type de théâtre est
né, qui ne doit rien aux deux autres (le Boulevard et le
théâtre d'idées). Il se caractérise par sa volonté de rompre
avec tout ce qui s'est fait depuis le XVIIe siècle. Il espère
ainsi retrouver une forme très ancienne du tragique : celle
qui s'exprima dans les tragiques grecs et dans les mystères
du Moyen Age. Libéré des contingences de la scène « à l'italienne», l'auteur dramatique s'adresserait ainsi de nouveau,
par le moyen du mythe, à l'âme collective du public.

Nous analyserons l'une après l'autre ces grandes divisions
de l'art dramatique.

CHAPITRE PREMIER

DU DRAME BOURGEOIS AU BOULEVARD

Qu'est-ce que le Boulevard ? Faute d'une définition précise, prenons ce terme dans son acception la plus large : appartiennent au Boulevard tous ceux qui ne demandent qu'à plaire, sans regarder au choix des moyens.

A de tels auteurs, ce n'est pas le talent qui manque — au contraire — c'est l'audace, la volonté de sortir des chemins battus.

Rénovateur, avec l'aide du Cartel, de la Comédie-Française, Edouard Bourdet (1887-1945) laisse une œuvre fragile ; chaque reprise de ses pièces (1), de *Vient de Paraître* au *Sexe faible*, accuse la distance qui nous sépare de cette psychologie trop « parisienne». *Topaze* (1928) excepté, qui n'est pas un chef-d'œuvre, Marcel Pagnol (2) ne s'est jamais évadé du petit canton provençal — mi-Marseille, mi-Aubagne — dont il s'est fait le conteur et le chantre. On peut contester les triomphes de la célèbre trilogie de *Marius*, où il relève d'humour marseillais et d'une certaine poésie fruste, une psychologie qui côtoie souvent celle de Clochemerle ; le style de Pagnol — et c'est la faiblesse de l'œuvre — n'a rien d'un grand style de théâtre : il est fort proche du parler populaire de Pézenas ou du vieux port de Marseille. Mais cette bonho-

(1) Edouard Bourdet (qui fut administrateur du Théâtre-Français de 1936 à 1940), a fait jouer notamment : *le Rubicon* (1910), *la Prisonnière* (1926), *Vient de Paraître* (1927), *le Sexe faible* (1929), *les Temps difficiles* (1934), *Fric-Frac* (1936).

(2) Marcel Pagnol, né à Aubagne en 1895, surveillant puis professeur d'anglais à Marseille, a fait jouer : *les Marchands de Gloire* (avec Paul Nivoix, 1924), *Jazz* (1926), *Topaze* (1928), *Marius, Fanny et César* (1928-1931) *Judas*; au cinéma : *la Femme du Boulanger*, *la Fille du Puisatier*, *la Belle Meunière*, *Angèle*, *les Contes de mon Poulin*. Membre de l'Académie française (1946). Il est l'auteur de souvenirs exquis, *la Gloire de mon père*, *le Château de ma mère* (Pastorelly) et d'une traduction en vers des *Bucoliques* de Virgile (Grasset, 1958).

mie souriante, ce mélange de galéjades et d'émotion rapprochent la rampe de la vie. Plus à l'aise au cinéma (où il fut
servi par la présence si humaine de Raimu) qu'à la scène,
Pagnol appartient en fait au théâtre populaire — un théâtre
qui se cherche et qui ne s'est pas encore trouvé.

Faut-il rattacher au Boulevard l'unique tentative de
Colette (*Chéri*, 1921) (1) ? Oui, si l'on estime qu'elle accuse
encore à la scène les rides d'une œuvre sans grandeur, reflet
d'une époque médiocre. Henri Jeanson (2) a fini par situer
avec adresse, dans ses dialogues de films, des boutades dont
le comique appuyé était plus à sa place dans les colonnes du
Canard enchaîné qu'à la scène. Claude-André Puget (3),
Jacques Deval (4), Michel Duran (5), Gabriel Arout, Alfred
Adam, Jean-Bernard Luc, ont tâté de tous les genres avec
des bonheurs inégaux. Roger Ferdinand, célèbre avec un
document truculent d'une époque (*les J3*, 1943), est passé
de l'autre côté du rideau en prenant la direction du Conservatoire National d'Art Dramatique.

Mais les deux maîtres du genre — depuis la mort de Sacha
Guitry (6) qui n'était pas notre Molière, mais auquel on ne
saurait reprocher de nous avoir divertis à peu de frais —

---

(1) Adapté avec l'aide de Léopold Marchand.

(2) Né en 1900, collaborateur de *Bonsoir* et du *Canard enchaîné*, dialoguiste
de très nombreux films, Henri Jeanson avait fait jouer : *Toi que j'ai tant
aimée* (1928) et *Amis comme avant* (1929).

(3) Né en 1905, le poète Claude-André Puget a fait jouer : *Pas de taille* (avec
Henri Jeanson, 1931), *la Ligne de Cœur*, *Valentin le Désossé* (1932), *Tourte-
relle* (1934), *Nuit et Jour*, *les Jours heureux* (1938), *un Petit Ange de rien du
tout* (1940), *Echec à Don Juan* (1941), *le Grand Poucet* (1943), *le Saint-Ber-
nard* (1946), *la Peine capitale* (1948), *un Nommé Judas* (1954, en collaboration avec Pierre Bost), *le Cœur-Volant* (1957).

(4) Né en 1895, Jacques Deval a fait jouer : *Une faible femme* (1920), *Une
tant belle fille* (1928), *Tovaritch*, *Etienne* (1930), *Mademoiselle* (1932), *Prière
pour les Vivants* (1933), *la Manière forte* (1946), *Ce soir à Samarcande* (1950),
la Prétentaine (1957).

(5) Michel Duran est l'auteur d'*Amitié* (1931), *Liberté provisoire* (1934),
Mon Cœur balance (1957), etc.

(6) Né à Saint-Pétersbourg en 1885, mort à Paris en 1957, fils de l'acteur
Lucien Guitry, Sacha Guitry a écrit et joué lui-même, de 1902 à sa mort,
plus de cent vingt pièces, parmi lesquelles : *le Page* (1902), *le Veilleur de Nuit*,
la Prise de Berg-op-Zoom, *Debureau*, *Pasteur*, *N'écoutez pas Mesdames*, etc.
Il a créé et tourné aussi de nombreux films dont les plus célèbres sont : *le
Roman d'un Tricheur*, *Remontons les Champs-Elysées*, *Si Versailles m'était
conté*, *Napoléon*.

sont Marcel Achard (1) et André Roussin (2). La fantaisie,
l'humour du premier s'approchent et parfois de très près, de
la poésie ; le second est meilleur technicien et ses éblouissants
dialogues parviennent à masquer le côté élémentaire d'un
thème (l'éternel triangle) qu'il ne renouvelle guère (3).

(1) Né en 1899, Marcel Achard est l'auteur de *Celui qui vivait sa mort* (1923),
Voulez-vous jouer avec moâ, *Malborough s'en va-t-en guerre* (1924), *Je ne vous
aime pas* (1926), *la Vie est belle* (1928), *Jean de la Lune* (joué par Louis Jouvet,
Michel Simon et Valentine Tessier à la Comédie des Champs-Elysées en 1929),
la Belle Marinière (1929), *Domino* (1931), *Pétrus* (1933), *le Corsaire* (1938),
Savez-vous planter des choux ? (1947), *Nous irons à Valparaiso* (1948), *la Demoiselle de petite vertu* (1949), *Patate* (1956).

(2) André Roussin, né le 22 janvier 1911 à Marseille, fils d'industriel, a
débuté sous l'occupation, avec son ami Louis Ducreux, avant de trouver le
succès et la célébrité avec *Nina*, *Bobosse*, *la Petite Hutte* (1950), *les Œufs de
l'Autruche*, *Lorsque l'Enfant paraît*, *la Mamma* (1957). Il a publié des *Souvenirs*
à la librairie Plon.

(3) On notera la permanence, même du côté des jeunes auteurs, du théâtre
de Boulevard, attestée par les récents succès d'un Michel André, d'un Claude
Magnier *(Monsieur Mazure; Oscar)*, d'un Albert Husson *(la Cuisine des
Anges)*.

CHAPITRE DEUXIÈME

LE THÉATRE D'IDÉES

L'irruption des idées au théâtre n'est pas une nouveauté : sans remonter au théâtre classique, où les thèmes comptent autant que les caractères, il y a moins d'un siècle, des auteurs aussi oubliés qu'Hervieu, Brieux, Curel, n'avaient-ils pas, eux aussi, comme Dumas fils, la réputation de « penseurs » ? A quelques exceptions près, leurs pièces n'ont pas tenu parce que la fusion entre les dialogues et l'action n'y était pas réalisée : les Paroles restent, les Avariés, les Fossiles... autant d'exemples de pièces à thèse, où la démonstration remplace la nécessité dramatique.

A ces « techniciens » trop ambitieux, devaient succéder des amateurs de génie : écrivains du premier rang (Giraudoux, Montherlant) venus tardivement au théâtre, en pleine possession de leurs pouvoirs, peu soucieux de se plier aux recettes traditionnelles (Claudel). Ces « amateurs » ont donc imposé leur style, leurs idées et leurs personnages sans guère se soucier des « règles ». Poétique avec Claudel, Giraudoux, Cocteau, Supervielle, Audiberti, Georges Neveux, rhétorique avec Montherlant, idéologique ou politique avec Salacrou, Sartre, Camus, Simone de Beauvoir, Thierry Maulnier, Jules Roy, catholique avec Bernanos, Gabriel Marcel, Mauriac et Julien Green, polémique avec Marcel Aymé et Félicien Marceau, ce théâtre frappe davantage par sa valeur littéraire, son écriture quelquefois didactique, que par ses vertus proprement théâtrales. Seul, Jean Anouilh, né dans le sérail, a réalisé, comme d'instinct, la fusion des idées et du théâtre.

I

LE THÉATRE POÉTIQUE

1

CLAUDEL ET GIRAUDOUX

LE théâtre de Claudel se moque de la psychologie romantique ou bourgeoise comme de l'architecture classique (1) ; l'auteur de *Partage de Midi* renoue avec le
lyrisme des Grecs (il a d'ailleurs traduit Eschyle), de Shakespeare et de Lope de Vega, et découvre un verset accordé à
la fonction

*Par laquelle l'homme absorbe la vie, et restitue, dans l'acte
suprême de l'expiration, une parole intelligible.*

Commencée dès la fin du XIXe siècle, son œuvre dramatique,
pour l'essentiel (*Tête d'Or* date de 1889, *la Jeune Fille Violaine* de 1892, la première version de *la Ville* et celle de
l'Echange de 1894, *le Repos du Septième Jour* de 1896, *Partage de Midi* de 1906, *l'Annonce faite à Marie* de 1912) était
composée avant la guerre de 1914 ; mais elle a mis cinquante
ans à trouver un public.

Il serait vain de vouloir résumer cette épopée discontinue,
où le burlesque succède sans transition au sublime, et où le
vrai prouve surabondamment qu'il peut n'être pas vrai-
semblable. L'œuvre dramatique la plus typique de Claudel
est sans doute *le Soulier de Satin*, pièce de la maturité, où les
tentations de la chair et du monde (d'un monde où l'amour

---

(1) Claudel n'a pas dédaigné cependant les *effets* du théâtre bourgeois comme
le prouve sa trilogie de l'*Otage*. Mais l'invraisemblance de ses données historiques y est aussi plus choquante, sauf dans *le Pain dur*, où la trame est plus
serrée.

est certes un désordre et une faute, mais aussi la brèche par
où Dieu se glisse dans les cœurs les mieux cuirassés), contre-
disent la vocation du chrétien de « rappeler l'univers entier
à son rôle ancien de paradis » ; la poursuite de Rodrigue et
de Prouhèze est le symbole de cette confrontation à l'échelle
de la planète qui prend le rythme inattendu d'un ballet
superbe et cocasse (1).

L'entreprise de Claudel (la recherche d'un théâtre poétique
total, qui se moque des moyens comme du public) n'a pas
d'égale dans notre siècle. Elle n'a pas eu non plus de continuateurs (sinon, sur un plan mineur, Henri Ghéon) dans un
monde où cette vision théocentrique paraissait, aux chrétiens
eux-mêmes, singulièrement anachronique.

Comme le théâtre de Claudel, mais pour de tout autres
raisons, celui de Giraudoux (2) brille, lui aussi, d'un éclat
solitaire. Le 3 mai 1928, en portant à la scène, contre l'avis

---

(1) Cf. pp. 188-193.

Paul Claudel a écrit successivement pour le théâtre (les dates en italique
sont celles de leur création ; les autres dates celles des principales publications) : l'*Endormie 1883*, 1925, 1947), *Fragment d'un Drame* (*1888*, 1892, 1931),
Tête d'or (*1889*, 1890 ; seconde version : *1894*, 1901, 1911), *la Ville* (*1890*,
1893 ; seconde version : *1897*, 1901, 1911), *la Jeune Fille Violaine* (*1892*,
1926 ; seconde version : *1898*, 1901, 1911), l'*Echange* (*1894* ; version scénique :
1955), *le Repos du Septième Jour* (*1896*, 1901, 1912), *Agamemnon* (*1894*, 1896,
1912) *les Choéphores* (*1916* 1920), *les Euménides* (*1916*, 1920) (les deux pièces
sont de libres traductions d'Eschyle), *Partage de Midi* (*1905*, 1906), l'*Otage*
(*1909*, 1911 ; édition définitive : 1919), l'*Annonce faite à Marie* (*1910*, 1912 ;
version scénique : 1948), *Protée* (*1913*), *le Pain dur* (*1914*, 1918), *le Père
humilié* (*1916*), l'*Ours et la lune*, l'*Homme et son désir* (1917), *le Soulier de
Satin* (1919, *1924* ; version intégrale : 1930 ; version scénique : 1944), *Sous
le rempart d'Athènes* (*1927*), *le Livre de Christophe Colomb* (*1927*, 1935), *Jeanne
d'Arc au bûcher* (*1939*), l'*Histoire de Tobie et de Sara* (*1942*).

Une édition collective du théâtre, en deux volumes, a paru à la *Bibliothèque
de la Pléiade* (introduction et notes de Jacques Madaule).

(2) Cf. pp. 197-198.

Jean Giraudoux a fait jouer : *Siegfried* (1928), *Amphitryon 38* (1929), *Judith*
(1931), *Intermezzo* (1933), *Tessa* (1934), *la Guerre de Troie n'aura pas lieu* (1935),
Supplément au voyage de Cook (1935), *Electre* (1937), l'*Impromptu de Paris*
(1937), *Cantique des Cantiques* (1938), *Ondine* (1939), l'*Apollon de Marsac*
(1942), *Sodome et Gomorrhe* (1943), *la Folle de Chaillot* (1945), *Pour Lucrèce*
(1953).

Toutes ces pièces ont été publiées aux éditions Bernard Grasset. Une édition
complète du théâtre (en 16 volumes) a paru aux *Ides et Calendes* (1945-1953).

Sur l'œuvre dramatique de Giraudoux, on pourra consulter : R.. M. AL-
BÉRÈS, *Esthétique et morale chez Jean Giraudoux* (Nizet, 1957).

des augures, son roman de *Siegfried*, l'auteur de *Provinciales*
avait gagné sa bataille d'*Hernani*. Le succès venu, sans négliger les conseils de Louis Jouvet, il resta lui-même : bien
moins « l'amuseur » qu'on a tant célébré qu'un poète-philosophe, un homme décidé à mettre son œuvre au service,
sinon tout à fait d'une morale, du moins d'une esthétique
platonicienne. Il aurait pu, comme l'observe R.-M. Albérès,
« ne faire autre chose qu'imaginer un univers débarrassé de
toute vulgarité, et on a souvent cru qu'il n'avait fait autre
chose » (1) ; mais le sourire de Giraudoux n'est pas exempt
de gravité. Certes, l'évasion guette, comme une tentation
permanente, les plus chers de ses héros, de *Siegfried* à *Intermezzo*. Mais ils n'en cherchent pas moins l'accès du monde
réel. Ils sont les messagers de l'auteur, ils relient son rêve à
la réalité, sa morale à la vie.

L'auteur d'*Ondine* pensait que le théâtre est fait pour
purifier l'âme du public, pour effacer la banalité quotidienne,
mais il savait qu'il n'y pourrait réussir qu'en respectant
« sa noblesse qui est le verbe et son honneur qui est la vérité ».
On pourrait même rapprocher Giraudoux, fils de Jean-Paul
et du romantisme allemand, de Claudel, le solide et fidèle
laboureur de la terre de Dieu : car tous les deux savent qu'il
y a dans l'univers *un mystère à surprendre* ; leurs héros ne
sont pas des « étrangers » dans un monde auquel ils donnent
une mesure et un sens. L'un et l'autre ont eu le culte du mot
juste, dussent-ils attendre un peu plus pour être compris du
grand nombre.

Le théâtre poétique compte d'autres noms ; les expériences dramatiques de Jean Cocteau, de Supervielle, de
Georges Neveux, d'Audiberti, sont parmi les plus attachantes.
Mais seuls Claudel et Giraudoux ont créé une *œuvre* entièrement originale, imposé un langage neuf, et une forme
nouvelle de l'action ; la liberté humaine (qu'elle parle par la
bouche de Rodrigue ou de Judith, d'Ysé ou d'Electre) y est
traquée par une destinée qui, chez Claudel, prend la figure
de la Providence, chez Giraudoux, celle de la fatalité.

---

(1) *Esthétique et morale chez Jean Giraudoux* (Nizet, 1957).

2

JEAN COCTEAU, SUPERVIELLE, G. NEVEUX, ETC.

Dès l'enfance, Jean Cocteau (1) semblait promis au théâtre. Mais il a mis longtemps à se délivrer d'influences et d'ambitions contradictoires. Son théâtre n'est pas *signé* comme l'est celui de Claudel ou de Giraudoux, il n'obéit pas à une inspiration unique, il ressemble plutôt à une série de variations musicales qui tantôt s'avancent dans une direction originale et tantôt frôlent parfois le pastiche.

Mais surtout, *Cocteau excelle à rajeunir les mythes* : ceux de la Grèce (n'a-t-il pas traduit *Antigone* et *Œdipe-Roi ?*) — *Orphée* (1935) résume le mystère et la vocation mortelle du poète ; *la Machine infernale* (1934) ressuscite la rencontre d'Œdipe et du Sphinx — mais aussi ceux du Graal, avec la belle légende des *Chevaliers de la Table Ronde* (1937), transcrite en alexandrins néo-romantiques qui oscillent entre le sublime et le ridicule. Ses deux réussites n'ont cependant pas besoin d'un prétexte historique : *la Voix humaine* (1930), tragédie tout intérieure ; *les Parents terribles* (1938), pièce incestueuse, mais comme l'est *Phèdre*, « un sujet de Diderot vu par Jean Racine» où les héros favoris de Cocteau, murés dans une chambre qui ressemble à une « roulotte de romanichels», meurent dès qu'ils possèdent l'ordre et la vérité à aquelle ils croyaient aspirer.

L'auteur a paru moins heureux dans ses pièces d'après-guerre : *l'Aigle à deux Têtes* (1946), d'un romantisme échevelé dont l'intrigue (inspirée par l'histoire des Wittelsbach) est si compliquée qu'elle défie le bon sens, a fait l'effet d'un mélodrame : c'est *Ruy Blas* — sans les alexandrins de Hugo. *Bacchus* (créé le 20 décembre 1951 par Jean-Louis Barrault),

---

(1) Jean Cocteau (cf. p. 471) a écrit pour le théâtre : *Œdipe-Roi* (1926), *Orphée* (1927), *Roméo et Juliette* (1928), *Antigone* (1928), *les Mariés de la Tour Eiffel*, *la Voix humaine* (1930), *la Machine infernale* (1934), *les Chevaliers de la Table Ronde* (1939), *les Parents terribles* (1939), *les Monstres sacrés* (1940), *la Machine à écrire* (1941), *Renaud et Armide* (1943), *l'Aigle à deux têtes* (1946), *Bacchus* (1951).

Sur l'œuvre dramatique, on pourra consulter : J. DUBOURG, *Dramaturgie de Jean Cocteau* (Grasset, 1954).

— prétexte d'une querelle à grand spectacle montée par François Mauriac, quittant la générale, révolté par des plaisanteries, plus anodines que sacrilèges, à l'égard de l'Eglise — sent trop l'influence de Sartre : l'idiot du village, qui se prend à la faveur des vendanges et d'une élection rituelle pour un nouveau Luther, ressemble fort au Goetz de Sartre et fait, dans sa manie réformatrice, l'unanimité contre lui. Mais le troisième acte, où le Cardinal impose à Hans mourant (« Un peu d'encre, lui dit-il, éviterait beaucoup de sang... Un peu d'encre... Un peu d'encre et les cloches sonnent. Elles parlent plus haut que les tambours.») un dénouement fictif d'où jaillira une vérité historique apaisante, a de réelles beautés.

A l'étroit sur la scène, Cocteau a trouvé dans le cinématographe un théâtre à sa mesure...

Comme Jean Cocteau, plusieurs poètes ont cru échapper aux périls de la scène en se réfugiant derrière les paravents de la mythologie.

Qu'il transpose *le Voleur d'enfants*, qu'il ressuscite (dans *la Belle au Bois*) les personnages de Perrault ou (dans *la Première Famille*) nos ancêtres Adam et Eve, ou qu'il rajeunisse *Shéhérazade* ou *Robinson*, Supervielle (1) n'oublie jamais qu'il est poète, mais ses trouvailles font souvent figure d'ornements poétiques (parfois exquis) surajoutés à l'architecture d'œuvres auxquelles ils ne s'incorporent pas toujours. L'auteur de *Bolivar*, plutôt que de demeurer le prisonnier d'un monde sans beauté ni vérité, nous entraîne dans la féerie. Son œuvre dramatique, beaucoup plus que celle de Giraudoux, mérite donc l'épithète de théâtre d'évasion.

Georges Neveux (2), lui, n'a pas été insensible à l'exemple de Giraudoux. Cet adroit utilisateur du surréalisme tire du rêve des effets trop concertés pour être tout à fait convaincants. Au moins nous amène-t-il à nous interroger sur le mystère des êtres. Le procureur impérial de *Plainte contre inconnu* finira lui-même par se tuer, une fois qu'il se sera

---

(1) Cf. pp. 472-473.

Jules Supervielle a écrit, pour le théâtre : *la Belle au Bois* (1932), *Comme il vous plaira* (d'après Shakespeare, 1935), *Bolivar*, *la Première Famille* (1936), *le Voleur d'enfants*, *Robinson* (1955), *Shéhérazade*.

(2) Georges Neveux est né à Poltava (Russie), en 1900. Ses principales pièces sont : *Juliette ou la Clé des Songes* et *le Bureau central des Rêves* (1930), *un Voyage de Thésée* (1943), *Plainte contre inconnu* (1946) et *Zamore* (1956).

reconnu incapable de justifier sa vie. Cette interrogation
suffit — à défaut du style, sans éclat ni brillant — à signaler
la place de Georges Neveux.

Moins habile, mais plus authentique écrivain, Julien
Gracq (1) a porté à la scène le thème magnifique et périlleux
du *Roi pêcheur* (1946). Audiberti (2) reste, au théâtre, l'inventeur délirant, désordonné et saugrenu que vingt romans et
d'innombrables poèmes finiront bien par mettre un jour au
premier rang. Ses pièces elles-mêmes, servies par les meilleurs
acteurs du temps (Suzanne Flon dans *le Mal court*, Pierre
Brasseur dans une *Mégère apprivoisée* (1957) qui n'a plus
grand-chose à voir avec celle de Shakespeare), n'ont pu encore
l'imposer sans contestation. Pourtant, le début de *Quoat-
Quoat*, le premier acte du *Mal court* (1947), le bref et farceur
Ampélour sont d'étourdissantes réussites.

L'astucieuse virtuosité d'André de Richaud (3), dramaturge *(le Château des Papes, Hécube, Carmen)* et romancier
qui est aussi un poète délicat ; celle de Jean Tardieu (4) dont
le *Théâtre* publié laisse bien augurer d'une carrière dramatique
où il bénéficiera d'une langue aussi habile à rivaliser avec la
dignité classique qu'avec les entourloupettes surréalistes,
méritent au moins une mention. Nous retrouverons Henri
Pichette et Georges Schéhadé au titre de l'*Antithéâtre* (un
Antithéâtre poétique), mais nous inscrirons dès maintenant
l'œuvre de Maurice Clavel (5), jeune révélation de l'après-
guerre, qui fut l'un des espoirs de sa génération, à la suite
de Montherlant et de Thierry Maulnier. *Les Incendiaires*
(1946) révélaient en lui un lyrique du drame, qui mettait
une rhétorique somptueuse (trop somptueuse peut-être) au

(1) Cf. pp. 298-302.

(2) Cf. p. 261.

Jacques Audiberti a écrit, pour le théâtre : *la Bête noire* (1945), *Quoat-Quoat*
(1946), *le Mal court* (1947), *les Femmes du Bœuf* (1948), *le Cavalier seul* (1955),
ainsi qu'une adaptation très libre de *la Mégère apprivoisée* de Shakespeare
(1957).

(3) Cf. p. 604. Né en 1908, le poète André de Richaud a fait jouer :
Village (1931), *le Château des Papes* (1932), *Hécube* (1937), *Carmen* (1942).

(4) Cf. p. 553.

(5) Né en 1921, ancien élève de l'Ecole Normale supérieure, Maurice Clavel,
chef des F.F.I. d'Eure et-Loir, a donné des pièces de théâtre *(les Incendiaires,
la Terrasse de midi, Maguelonne, Canduela, Balmaseda, les Albigeois, la Grande
Pitié)* et deux romans : *Une fille pour l'été* et *Djemila* (Julliard).

service d'une action d'autant plus dramatique que l'événement historique (la Résistance) y redoublait l'erreur et la fatalité de l'amour. *La Terrasse de Midi* (1948) empruntée à Shakespeare (où Hamlet avait pris une parure romantique) et *Maguelonne* (1951) n'ont, hélas ! pas tenu ces promesses. La langue a fait soudain l'effet d'un ornement rapporté. Il est vrai que *Maguelonne* poussait la gageure jusqu'à ressusciter le théâtre en vers. Pour que naisse l'enchantement poétique, il ne suffit pas de ressusciter la forme qui, naguère, l'accompagnait. La prose moderne de Giraudoux et d'Alexandre Arnoux (1) y parvient plus aisément : leçon d'humour, d'efficacité, de modestie.

(1) Alexandre Arnoux (cf. p. 240), traducteur du *Second Faust* de Gœthe et de trois comédies de Calderon, a créé pour la scène : *Huon de Bordeaux* (1922), *Petite lumière de l'Ourse* (1924), *l'Amour des trois oranges* (1947) et *les Taureaux* (1949).

II

UN THÉATRE LITTÉRAIRE : L'ŒUVRE DRAMATIQUE
DE MONTHERLANT

L'ŒUVRE dramatique de Montherlant (1) constitue l'illustration la plus caractéristique du théâtre *littéraire* de ces quinze dernières années. Sa première pièce date de la guerre de 1914 ; largement autobiographique, *l'Exil* témoignait au moins d'une étonnante adresse technique. Puis, en 1929, l'auteur du *Songe* avait ébauché un drame d'inspiration catholique, *Don Fabrique*, commencé *les Crétois* (dont il devait extraire *Pasiphaé*), songé à tirer une pièce du *Port-Royal* de Sainte-Beuve (il en acheva la première version en 1942) et à porter à la scène le sujet de *la Relève du Matin* (dont il tira beaucoup plus tard *la Ville dont le Prince est un enfant*). En 1941, Jean-Louis Vaudoyer, alors administrateur de la Comédie-Française, lui suggéra d'adapter une pièce de l'Andalou Luis Velez de Guevara (*Régner après sa mort*) dont Montherlant fit *la Reine morte*. Depuis, Montherlant n'a plus écrit que des pièces de théâtre.

---

(1) Cf. pp. 250-253.

Henry de Montherlant a fait jouer ou publié les pièces suivantes : *l'Exil* (1929), *la Reine morte* (1942), *Fils de Personne, un Incompris* (1943), *Malatesta* (1946), *le Maître de Santiago* (1947), *Demain, il fera jour, Pasiphaé* (1949), *Celles qu'on prend dans ses bras* (1950), *la Ville dont le Prince est un enfant* (1951), *Port-Royal* (1954), *Brocéliande* (1956), *Don Juan* (1958) (toutes ces pièces aux éditions Gallimard).

Une édition complète du *Théâtre*, préfacée et annotée par Jacques de Laprade, a paru dans la *Bibliothèque de la Pléiade*.

Sur l'œuvre dramatique de Henry de Montherlant, on pourra consulter : MICHEL DE SAINT-PIERRE, *Montherlant, bourreau de soi-même* (Gallimard, 1949) ; JACQUES DE LAPRADE, *le Théâtre de Montherlant* (Jeune Parque, 1950).

Le thème de la *Reine morte* est d'une rigueur toute classique ; l'amour de l'infant Don Pedro pour Inès de Castro s'oppose à son union avec l'infante de Navarre que lui destinait son père le roi Ferrante : c'est le conflit de l'amour et de la raison d'Etat. Ferrante est un faible sous le masque d'un roi de fer ; au contraire, la frêle Inès cache une âme bien trempée. « Vouloir définir le roi, c'est vouloir construire une statue avec l'eau de la mer.» Ferrante se résigne à laisser tuer Inès, mais il sera lui-même trahi par celui auquel il n'avait pas pris garde : le petit Dino del Moro.

La pièce abonde en formules brillantes : Ferrante est un « grand arbre qui doit faire de l'ombre à des milliers d'êtres». Las de son royaume, de ses injustices et de ses bienfaits, il ne désire plus qu'une chose — trancher « ce nœud épouvantable de contradictions» qui sont en lui. « Qu'un instant au moins avant de cesser d'être, je sache enfin ce que je suis.» La pièce a fait une belle carrière : mais une récente reprise en a accentué le côté oratoire et didactique.

Fils de Personne, tragédie en veston, écrite en 1943, reprenait un thème des *Jeunes Filles* : un enfant est sacrifié par son père à « une certaine idée que celui-ci se fait de l'homme» et par sa mère à« un certain besoin que celle-ci a de l'homme». Les parents parlent souvent des sacrifices qu'ils consentent pour leur enfant, mais en définitive, « le seul à être sacrifié, c'est lui». Exposant un cas sans défendre une thèse, *Fils de Personne* illustre un drame de la *qualité humaine* : un père rejette son fils parce que celui-ci lui semble de « mauvaise qualité» (1). La mère aime ce fils tel qu'il est ; le père tel qu'il devrait être. Montherlant donnait raison au père avant de le condamner dans *Demain, il fera jour* (1949) — mais alors, l'avocat vieilli sera devenu, comme le roi Ferrante, sa propre caricature.

En *Malatesta* (écrit à la fin de l'occupation, créé en 1950 par la Compagnie Jean-Louis Barrault) Montherlant a choisi de peindre les passions d'un homme de la Renaissance. Tour à tour chef de guerre, érudit, mécène, assassin, amant volage, époux empressé, « assez frivole pour bâtir une église

---

(1) « Le père, voyant clair, raisonne : il sera donc le parleur de la pièce. De là le public pourra croire qu'il exprime les idées de l'auteur. Je tiens à marquer que cela n'est pas...»

où il n'y a que des symboles païens... assez religieux pour
mourir en chrétien», soucieux de vivre avec gloire, de tuer,
mais d'être pardonné, avec un cynisme qui n'est exempt ni
d'une pointe de folie, ni d'un grain d'humour (1), ni même de
quelque candeur, Malatesta partage l'aveuglement de Ferrante et sa conduite devient vite incohérente. « Il se met
dans la main du pape, et celui-ci abuse de sa confiance. Il
veut combattre pour la plus grande gloire de l'Eglise, et
l'Eglise lui en enlève les moyens. Il revient à Rimini, grâce à
Isotta, et s'empresse de la tromper. Il croit à sa chance, un
quart d'heure avant d'être assassiné.» Sa femme Isotta est
une des figures les plus touchantes de Montherlant.

Celles qu'on prend dans ses bras pourrait servir d'épilogue
aux *Jeunes Filles* : « Voycz-vous, il n'y a qu'une façon d'aimer
les femmes, c'est l'amour. Il n'y a qu'une façon de leur faire
du bien, c'est de les prendre dans ses bras. Tout le reste,
amitié, estime, sympathie intellectuelle sans amour, est un
fantôme cruel, car ce sont les fantômes qui sont cruels :
avec les réalités, on peut toujours s'arranger.» C'est une
tragi-comédie du désir, un sujet de Bernstein ou de Bataille,
sauvé par le style ; les personnages y parlent constamment
un ton au-dessus d'eux-mêmes.

Voilà pour la « veine profane». Mais c'est dans sa « veine
chrétienne» (2) que Montherlant a trouvé ses plus grands
succès.

Ecrit en 1945, mais créé seulement au théâtre Hébertot
en janvier 1948, *le Maître de Santiago*, salué comme un chef-
d'œuvre, reste« la pièce type de Montherlant, la plus conforme
à l'idée que l'on se fait de cet écrivain» (3). Don Alvaro Dabo,
noble chevalier de l'Ordre de Santiago, est une sorte d'Alceste ;

---

(1) Malatesta offre à la Fortune « une année entière de vie vertueuse»,
pourvu qu'il tue le pape : « le tuer sera ma prière».

(2) « Il y a dans mon œuvre, a écrit Montherlant dans sa Postface au *Maître
de Santiago*, une veine chrétienne et une veine profane (ou pis que profane),
que je nourris alternativement, j'allais dire simultanément. De la première
veine, *la Relève du Matin*, *la Rose de Sable*, *Service inutile*, les *Lettres* de Costals
à Thérèse, dans les *Jeunes Filles*, *Fils des autres*, *Port-Royal*, *le Maître de Santiago*. De la seconde, *les Olympiques*, *Aux Fontaines du désir*, *la Petite Infante*,
les quatre livres des *Jeunes Filles*. Dans le *Solstice de Juin*, j'ai entremêlé les
deux veines au cœur d'un même livre ».

(3) Georges Bordonove, *Henry de Montherlant* (Editions Universitaires).

comme le Prométhée de Gide, il n'aime pas les hommes, mais ce qui les dévore :

« Vous ne savez pas, dit-il à son ami don Bernal, à quel point je suis affamé de silence et de solitude : quelque chose de toujours plus dépouillé... Tout être humain est un obstacle pour qui tend à Dieu. Les mouvements que Dieu me fait la grâce de mettre en moi, je ne puis les percevoir que dans une abstraction complète, comme ceux qui écoutent la musique les yeux fermés. Ce qu'il me faudrait, ce sont des journées vides, si vides... Tout ce qui y entrerait, et l'amitié même, et l'affection surtout, n'y entrerait que pour les troubler. » Alvaro sacrifiera tout, y compris le bonheur de sa fille Mariana, à la conception qu'il se fait de son salut. « Eh bien ! périsse l'Espagne, périsse l'Univers ! Si je fais mon salut... tout est sauvé. » Ce n'est certes pas un chrétien modèle, mais il a de la grandeur ; il est, dit Jacques Lemarchand, de la « race de ces intransigeants que la mauvaise conscience de leurs frères persécute incessamment sur la terre ».

Après avoir pris l'avis de l'archevêque de Paris, Montherlant a renoncé à faire représenter *la Ville dont le Prince est un enfant*, œuvre pure sur un sujet qui prête à l'équivoque. De ce thème de Roger Peyrefitte, il a fait une tragédie de palais, à la fois simple et brûlante. La *Ville* est tissée d'amours contrariés : amour de l'abbé de Pradts pour ses élèves, d'André Servais pour le jeune Sandrier ; du supérieur envers l'abbé de Pradts. Rien de vil ou de bas dans ces « amitiés particulières », de sorte que Daniel-Rops a pu répondre d'avance aux détracteurs de la *Ville :* « Ma conviction, quant à moi, est faite : ne la jugeront scandaleuse que les pharisiens. »

En guise d'adieu à la scène, Montherlant avait décidé d'écrire la tragédie de *Port-Royal.* Une postface du *Maître de Santiago* nous avait déjà appris quelle résonance avait éveillée en lui cette simple phrase de Sainte-Beuve : « Port-Royal ne fut qu'un retour et un redoublement de foi à la divinité de Jésus-Christ. » Montherlant avait alors fait cet aveu : « S'il m'arrivait quelque jour d'être foudroyé par la Grâce, je me mettrais dans une ligne que je serais tenté d'appeler la ligne de cœur du christianisme, parce qu'il me semble la voir courir, comme la sève dans un arbre, au cœur du christianisme ; elle est une tradition qui va de l'Evangile à Port-

Royal en passant par saint Paul et par saint Augustin (ne frôle-t-elle pas Calvin ?). La devise que je lui donne est le cri de Bossuet : « Doctrine de l'Evangile, que vous êtes sévère ! » et sa figure celle de la voie qui toujours se rétrécit.

« Dans le jansénisme je trouvais aussi des solitaires, des rigoureux, des dissidents, et une minorité : cette famille est et ne cessera jamais d'être la mienne. »

L'action de *Port-Royal* (écrit en 1940-1942, repris en 1953, et joué à la Comédie-Française en 1954) se situe en 1664, à l'heure où commence l'agonie du jansénisme. L'auteur a ramassé en une seule journée les deux jours historiques des 21 et 26 août 1664 où l'archevêque de Paris, Mgr Péréfixe de Beaumont, était venu exiger des religieuses qu'elles signassent le *formulaire* de renonciation à la doctrine de Jansénius. Faute d'obtenir satisfaction, l'archevêque leur avait interdit les sacrements, puis avait fait sortir douze religieuses du monastère.

L'événement joue ici le rôle d'un *révélateur* : Sœur Angélique perd une foi qui semblait indéracinable tandis que Sœur Françoise, plus fragile, semble-t-il, remonte à la source qui est Dieu. Montherlant s'est refusé à toute concession « spectaculaire » : les adieux de Sœur Angélique à Sœur Françoise sont un modèle de pathétique sobre et discret. Cependant, *Port-Royal* ne touche pas l'âme des spectateurs au même titre que les *Dialogues des Carmélites* de Bernanos ; c'est un bel exercice littéraire ; — la langue retrouve sans effort le ton du XVIIe siècle — qui s'adresse à l'intelligence, plus qu'au cœur.

Comme on l'a souvent remarqué, le théâtre de Montherlant, se place sous le signe de l'exil. Georges Bordonove y décèle « la quête acharnée d'on ne sait quel royaume de jeunesse perdu, d'on ne sait quelle assemblée de purs, dévots de l'Amour Immuable, étrange ». Etrange pente chez un « incroyant » (1). Ce théâtre réintroduit la souffrance dans une œuvre qui refusait apparemment d'en tenir compte ; il s'efforce de retrouver ce qu'Anouilh avait cherché au même moment avec *Antigone* : la tragédie grecque, avec sa simplicité, son dénuement, son style oratoire, son sens du destin. La partie forte de ce théâtre est celle que touche l'aile chrétienne et,

(1) G. BORDONOVE, *op. cit.*

singulièrement, cette « trilogie catholique» que forment
le *Maître de Santiago*, *la Ville dont le Prince est un enfant*
et *Port-Royal*; les parties fragiles, celles où Montherlant
tend au réalisme. Mais Montherlant — c'est sa faiblesse —
reste prisonnier de son style ; la superbe rhétorique qu'il
sécrète imite la vie mais ne la recrée pas.

* *
*

Parvenu au sommet de son œuvre avec *Port-Royal*, Montherlant avait manifesté l'intention de s'en tenir à cet épilogue. « Les auteurs, observait-il, ont tendance à se laisser
gagner à la main par les travaux forcés de la célébrité, mais
aussi par ceux de la création même : on les voit saisis d'une
sorte d'angoisse s'ils ne publient pas régulièrement leur
bouquin par an ; pour se soutenir sur la terre, ils ont besoin
d'un grand bruit. J'aime un autre bruit. J'aime ce bruit grand
et doux de conquêtes perdues que fait l'océan quand il se
retire des grèves. J'aime finir (1)...»

Mais ce bel adieu au théâtre, que Jacques de Laprade
comparait imprudemment à la retraite de Racine, ne devait
être... qu'un adieu de théâtre. Pour se délasser d'un travail
de longue haleine (Les Mémoires d'un consul romain sous
Caracalla), Montherlant devait revenir à la scène avec *Brocéliande* (monté en 1956 par la Comédie-Française) dont le
héros, M. Persilès, est un bourgeois pantouflard mais qui se
croit de sang royal. Ce brave homme, qui tremble devant
l'employé du gaz, prend, pour dénoncer les travers du temps,
le ton de Bossuet, peu capable de se rendre compte qu'il est
trop petit pour le rôle qu'un ami chartiste entend lui faire
jouer : celui de fils de Saint Louis. « Tout ce qui est mal me
blesse, et, d'être trop blessé, on meurt», pourrait dire, parodiant les *Carnets*, cet honnête homme qui ne peut supporter
de voir que« tout ce qui est déshonoré se porte bien». Ce nouveau visage d'Alceste n'est pas le plus persuasif. Et voici
qu'après un *Don Juan* discuté (1958) — d'aucuns disent :
désastreux — Montherlant annonce un *Cardinal d'Espagne*.
Félicitons-nous en tout cas de le voir ainsi repris par le génie
du théâtre !

(1) Postface à *Port-Royal*.

III

LE THÉATRE IDÉOLOGIQUE

Du théâtre d'idées, on passe insensiblement au théâtre idéologique. Le premier anime de grands thèmes ; le second y ajoute des panneaux électoraux ; le premier ne renonce pas à séduire, le second veut combattre, frapper et prouver.

1

JEAN-RICHARD BLOCH, ARMAND SALACROU

L'évolution de Jean-Richard Bloch (1) en est une démonstration frappante. Inspiré dans ses jeunes années par Barrès et par Gobineau, par Georges Sorel et par Romain Rolland, l'auteur de *la Nuit kurde* s'est plié si complètement aux exigences de la démonstration politique qu'il a perdu peu à peu toute originalité. Il rêvait d'une dramaturgie nouvelle, universelle et populaire, qu'il avait définie dans *Destin du Théâtre* (1930) et esquissée sur la scène, du *Dernier Empereur* (1926) à *Naissance d'une Cité* (1937). Mais son *Toulon* (1945), composé à Moscou, n'est plus qu'une machine de propagande, lourde, encombrante, et dont les coups sont mal ajustés.

(1) Ecrivain communiste, Jean-Richard Bloch, né à Paris en 1884, mort en 1947, a publié :

Des romans : *Lévy* (1912), *la Nuit kurde* (1925), *Sybilla* (1932) ;

Des essais : *Carnaval est mort*, *Destin du Théâtre* (1930), *Destin du Siècle* (1931), *Offrande à la Politique* (1933), *Naissance d'une Culture* (1936) ;

Et des pièces de théâtre : *le Dernier Empereur* (1926), *Naissance d'une Cité* (1937), *Toulon* (1945).

On pourra juger de l'œuvre sur le choix « orienté» que constituent : *Les plus belles pages de Jean-Richard Bloch*, présentées par ARAGON (1948).

Au contraire, Armand Salacrou (1) qui a, lui aussi, appartenu au parti communiste, a su garder toute sa liberté d'esprit. Ses débuts, comme ceux de Giraudoux, datent de l'entre-deux-guerres. Le jeune pharmacien du Havre chercha longtemps sa voie ; il entendait donner une expression dramatique à une inquiétude métaphysique qui était celle de toute sa génération : comment vivre dans un monde qui ne sait rien de la vie ? « Rien n'a de sens, sauf la solitude et la mort... il faut changer la morale, ou bien que Dieu revienne. » A la veille de la guerre, *l'Inconnue d'Arras* (1935), *un Homme comme les autres* (1936), *la Terre est ronde* (1936), ainsi qu'une *Histoire de rire* (1939) dans le goût du Boulevard, avaient fini par imposer son nom. A la Libération, on le vit dans *les Nuits de la Colère* (1946), documentaire sur l'occupation monté par Jean-Louis Barrault, rivaliser avec le Sartre de *Morts sans sépulture* en évoquant la Résistance avec plus de pudeur et moins d'emphase (son dialogue entre le Résistant et l'Attentiste échappe au péril du genre : l'éloquence) avant de revenir avec *l'Archipel Lenoir* (1947) et *Une Femme trop honnête* (1955) à la satire bourgeoise de ses débuts. Mais, dans celle-ci comme dans ses pièces d'idées, Salacrou met en scène des personnages qui, si engagés soient-ils dans l'action quotidienne, cherchent leur vérité — une vérité qui, parfois, les brûle. Ce qui fait la noblesse de ce théâtre, c'est l'exigence morale qu'il traduit.

---

(1) Armand Salacrou est né au Havre en 1899. Venu à Paris à dix-sept ans, il fait deux années de médecine et une licence de philosophie (avec Dubuffet, Georges Limbour et Raymond Queneau). Devenu communiste, il entre comme journaliste à *l'Humanité*, puis à *l'Internationale*, participe au Surréalisme, puis lance une affaire de publicité pharmaceutique qui fait sa fortune, avant de se consacrer au théâtre. Il a été élu, en 1949, à l'Académie Goncourt.

Armand Salacrou a fait jouer successivement : *Tour à Terre* (1925), *le Pont de l'Europe* (1927), *Patchouli* (1930), *Atlas-Hôtel* (1931), *la Vie en rose* (1931), *Frénétiques* (1934), *Une Femme libre* (1934), *l'Inconnue d'Arras* (1935), *la Terre est ronde* (1938), *Histoire de rire* (1939), *la Marguerite, les Fiancés du Havre* (1944), *les Nuits de la Colère* (1946), *l'Archipel Lenoir* (1948), *Poof, le Soldat et la Sorcière, Une femme trop honnête* (1955), *le Miroir, Dieu le savait ou la vie n'est pas sérieuse*.

Sur l'homme et l'œuvre, on pourra consulter : José Van der Esch : *Armand Salacrou* (1947).

2

L'EXISTENTIALISME AU THÉÂTRE :
JEAN-PAUL SARTRE, SIMONE DE BEAUVOIR

L'œuvre dramatique de Jean-Paul Sartre (1) est l'illustration frappante et rigoureuse des thèmes du philosophe.
Les meilleures de ses pièces épousent même la forme d'un
théorème parfaitement clair qui pourrait se formuler ainsi :
« L'Homme n'est rien d'autre que ce qu'il se fait ; si Dieu
existe, l'homme n'existe pas ; l'homme est condamné à être
libre.» Le centre de ce théâtre et son moteur idéologique est
— on ne s'en étonnera pas — la notion de *liberté*. « Il faut
montrer au théâtre, dit Sartre, des situations simples et
humaines et des libertés qui se choisissent dans ces situations...
Ce que le théâtre peut montrer de plus émouvant est un
caractère en train de se faire, le moment du choix qui engage
une morale et une vie.» Mais ce théâtre de *situations* est un
théâtre réaliste qui ne répugne pas à user des moyens classiques du drame bourgeois comme des ressources d'une mise
en scène expressionniste.

La première pièce de Sartre — *les Mouches* — représentée
en 1943, avait grande allure ; elle amorçait une nouvelle
étape de son œuvre, marquée par la guerre, la captivité, la
résistance. Ses premiers récits *(la Nausée, le Mur)* n'avaient
guère été qu'une violente critique de la comédie humaine.
A la satire, *les Mouches* ajoutaient une contrepartie positive,
la conquête d'une liberté par une vie d'homme. Argos noyée
dans la peur et la mauvaise conscience, c'était la cité moderne
où les dieux achèvent de mourir et où l'homme n'a pas encore
pris leur place. Les anciennes valeurs s'écroulent, mais les
nouvelles ne sont pas encore édifiées. Un monde clos agonise,

(1) Cf. pp. 105-114.
Jean-Paul Sartre a fait jouer successivement : *les Mouches* (1943), *Huis
clos* (1944), *Morts sans sépulture* (1946), *la Putain respectueuse* (1946), *les Mains
sales* (1948), *le Diable et le Bon Dieu* (1951), *Kean* (d'après Alexandre Dumas)
(1954), *Nekrassov* (1955) (toutes ces pièces chez Gallimard, à l'exception de *la
Putain respectueuse*, chez Nagel).
On lui doit aussi deux scénarios de films : *l'Engrenage* et *les Jeux sont faits*
(Nagel).

l'homme cherche à tâtons sa liberté ; il s'aperçoit que les idoles sont pourries, que les dieux sont faux. Cette découverte est une libération. Répondant au Giraudoux d'*Electre*, Sartre affirmait : « Que m'importe Jupiter, la justice est une affaire d'homme et je n'ai pas besoin d'un dieu pour me l'enseigner. Le secret douloureux des dieux et des rois, c'est que les hommes sont libres et Dieu n'est rien d'autre que la peur que les autres ont de son mythe.» Oreste veut leur montrer leur existence, délivrée des oripeaux dont la Religion et la Société l'ont recouverte. Sans doute l'apprentissage de la liberté ne va-t-il pas sans une impression de solitude, de délaissement : « Ah, soupire Oreste, comme je suis libre et quelle superbe absence que mon âme !» Que vient-il faire dans cette ville qui n'est pas *sa* ville, parmi ces souvenirs qui ne sont pas les siens ? Pour devenir *un homme de quelque part*, *un homme parmi les hommes*, il revendique sa place au milieu de ces gens d'Argos qui l'ont oublié. Un acte va le délivrer de ses angoisses et de ses velléités et lui donner droit de cité parmi les siens : cet acte est un crime, sa raison de vivre et son orgueil. Egisthe assassiné, Oreste est devenu responsable, non seulement de sa propre destinée, mais aussi de celle de ses concitoyens. Il a tout pris sur lui : sa *responsabilité* a pris valeur de *témoignage*.

Huis clos, joué en 1944, est peut-être la pièce la plus typique de Sartre. C'est une tragédie de la solitude et de la lâcheté. L'idée dramatique était admirable : il s'agissait de donner de l'enfer une image où toute notion de bien ou de mal fût exclue. Un traître, une lesbienne, une femme facile sont condamnés à vivre ensemble leur éternité. Ni bourreau, ni bûcher, ni soufre, ni pal... une chambre d'hôtel sans fenêtre, où l'on ne dort jamais, où l'on continue à vivre les yeux ouverts. Pas besoin de supplices : *l'enfer, c'est les autres*, puisque l'amour est exclu et le remords impossible. Si Garcin le lâche prend dans ses bras Estelle l'infanticide, il suffit qu'Inès les observe pour qu'ils desserrent leur étreinte ; leur châtiment naît d'un seul regard, d'une présence qui n'aura pas de fin. L'enfer n'est ici qu'un décor symbolique : la vérité de la pièce, c'est que tout se joue sur la terre. Garcin a rêvé trente ans qu'il avait du cœur mais, à l'heure du danger, il a pris le train pour Mexico — rien à faire, le vin est tiré, il faut le boire, Garcin est un lâche pour l'éternité. Il proteste :

« Je suis mort trop tôt ! », mais Inès lui répond : « Tu n'es
rien d'autre que ta vie. »

Morts sans sépulture, mélodrame politique tiré de la
Résistance, développe un thème analogue : faits comme des
rats, « oubliés de la terre entière », un groupe de résistants
subit l'épreuve de la solitude ; prisonniers, ils sont condamnés
à ne plus recevoir d'autrui, mais de leur propre courage, leur
justification. A l'un de ses camarades qui flanche, Canoris
rappelle : « Si tu meurs aujourd'hui, on tire le trait... c'est
fixé pour toujours. Si tu vis... rien n'est arrêté, c'est sur ta
vie entière qu'on jugera chacun de tes actes. » L'indifférence
d'un destin « absurde » inspirera la conclusion : tous les prisonniers — les courageux comme les lâches — mourront
fusillés par les miliciens.

Peu à peu Sartre allait s'engager davantage encore dans la
réalité politique. *La P... respectueuse* (1946) est la satire
d'une certaine comédie sociale, de la mauvaise foi, de l'hypocrisie, de l'Amérique et, essentiellement, du racisme. Pour
sauver un notable du *Deep South*, on persuade Lizzie, la petite
prostituée blanche, d'accuser un noir de l'avoir violée. Cette
pièce, d'un naturel parfait, est un chef-d'œuvre scénique,
mais, comme *le Mur* ou *la Nausée*, elle ne fait qu'illustrer
un *cas*, elle ne propose pas d'éthique positive.

Après le problème noir, Sartre analyse dans *les Mains sales*
(1948) le problème de la fin et des moyens tel qu'il se pose
aux militants communistes : le chef communiste Hoederer
est assassiné par le militant Hugo pour avoir mené une négociation qui répugnait à la masse du parti.

Hugo est un jeune bourgeois venu au parti par idéalisme.
Placé auprès d'Hoederer pour l'assassiner, il découvre sa
future victime et se met à l'aimer : n'est pas assassin qui
veut. Il a quitté sa famille pour échapper à la solitude bourgeoise, mais le parti ne l'a pas remplacée, il n'a pas résolu
les problèmes de cet Hamlet moderne, qui hésite à se salir
les mains.

Hoederer, au contraire, ignore ces complications subjec-
tives. Il n'a rien sacrifié de lui-même puisqu'il a tout demandé
à son action. Il n'y a pas de décalage entre ses actes et ses
idées ; c'est un homme sans mystère, un bloc dont les années
ont trempé l'acier. Il ne s'embourbe pas dans le choix des
moyens, sait ce qu'il veut et où il va. Son destin serait sans

bavure, infléchissable si Hoederer n'avait une faiblesse :
il est humain, et même bienveillant, il aime faire confiance ;
« les mains sales jusqu'au coude, plongées dans la merde et le
sang», c'est lui le juste, lui le pur. Comme dans *Morts sans
sépulture*, un malentendu fournit le dénouement : Hugo
trouve sa femme dans les bras d'Hoederer, qu'il abat. La
passion l'a emporté sur la raison. La pièce est d'une virtuosité
technique étonnante, et jusqu'à la dernière minute, nous
sommes tenus en haleine.

Le *Diable et le Bon Dieu* (1951) est-il une réplique au
Soulier de Satin ? En tout cas, Sartre y prend le contrepied
de la vision claudélienne, puisqu'il y expose l'incompatibilité
de la liberté humaine et de l'existence divine. La pièce se
passe à Worms, au XVIe siècle, au début de la révolte des
paysans allemands. Le héros, Goetz, est un chef de bande,
un soudard brutal, un fanfaron de vices ; mais il est l'allié
de l'archevêque dont le peuple s'est révolté. Goetz fait le mal
et tout lui réussit. Qu'il torture ou qu'il tue, c'est pour se
venger de Dieu qui l'a fait naître bâtard. En outre, Dieu est
le seul ennemi qui soit digne de lui. « C'est Dieu que je cruci-
fierai cette nuit, sur vingt mille hommes, parce que sa souffrance est infinie et qu'elle rend infini celui qui le fait souffrir.
Cette ville va flamber, Dieu le sait, en ce moment, il a peur.»
Mais un petit prêtre « démocrate», Heinrich, va persuader
Goetz qu'il prend beaucoup de peine pour rien, que le bien
est autrement difficile à accomplir que le mal. « Si tu veux
mériter l'enfer, il suffit que tu restes dans ton lit. Le monde
est iniquité ; si tu l'acceptes, tu es complice, si tu le changes,
tu es bourreau.» Ce raisonnement pique Goetz au vif. « J'étais
criminel, je me change, je retourne ma veste et je parie d'être
un saint.» Il joue aux dés le bien et le mal, s'arrange pour
perdre, devient « bon». « L'étrange métamorphose : c'est
comme si on me changeait en femme ou en cloporte..., il
faudra tout découvrir.»

Goetz aux prises avec le bien s'apercevra vite que ce bien
est pire que le mal. Un moine vendeur d'indulgences le supplan-
tera dans l'esprit du peuple auquel il a donné ses terres ;
pour reconquérir sa confiance il devra simuler un miracle.
Les paysans qu'il a libérés seront massacrés. Goetz reviendra
donc à sa nature primitive: « Ma façon d'aimer sera d'être
détesté, ma façon d'obéir sera de commander. » Seul, avec

un « ciel vide au-dessus de sa tête», il redevient bourreau et
boucher parce que c'est sa seule manière d'être un homme.

Les pièces de Sartre forment ainsi les divers éléments
d'une vaste scène unique, illustrant une nouvelle sorte de
tragique : la découverte de la liberté prenant la place du
destin, l'homme se dressant contre Dieu, *devenant Dieu*,
assumant toute l'humanité. Mais le polémiste l'a peu à peu
emporté sur le dramaturge ; à la rigueur exemplaire de
Huis clos et des *Mouches*, ont succédé un grossissement
excessif des effets et une simplification abusive des thèmes.

Ces défauts, déjà sensibles dans *le Diable et le Bon Dieu*, le
sont davantage encore dans *Nekrassov* (1955), satire des
mœurs de la presse capitaliste. L'idée scénique est bonne :
un financier véreux, nommé Georges de Valéra, a pris la fuite ;
il se fait passer pour le ministre de l'Intérieur de l'Union
Soviétique ; aussitôt pris au sérieux par la grande presse,
entretenu à prix d'or, il révèle les noms des vingt mille pro-
chaines victimes du communisme, jusqu'au jour où, démas-
qué, il redevient un escroc international recherché par la
police. Il y a quelques bons moments dans cette pièce interminable (un dialogue saisissant entre deux médiocres, un
inspecteur de police et un journaliste). Mais Sartre a visé
trop bas et sa pièce finit par tomber au niveau d'une revue
de chansonnier. Dans ces personnages poussés à la caricature,
dans l'épaisse vulgarité des dialogues, comment reconnaître
l'auteur des *Mains sales* ? S'il continue à suivre cette pente,
Sartre finira dans le mélodrame. Sans avoir renouvelé le langage et l'architecture dramatiques, Sartre a été, ces quinze
dernières années, l'un des maîtres du théâtre d'idées. Lorsque
celles-ci auront perdu leur actualité, faudra-t-il ranger l'œuvre
dans la perspective du théâtre à thèse de l'ère bourgeoise,
à la suite de Dumas fils et d'Hervieu ? Ce n'est pas impossible...

*
* *

« *Les Bouches inutiles*» *de Simone de Beauvoir.*

On doit à Simone de Beauvoir (1) une courte pièce — pièce
à thèse, schématique et quelque peu moralisante, mais remar-

(1) Cf. p. 114.

quable de rigueur et de sobriété : *les Bouches inutiles*. L'action
se passe au XIVe siècle dans une cité flamande, assiégée par
son duc. Il lui faudrait tenir trois mois pour attendre les
secours du roi de France, mais elle n'a que six semaines de
vivres. Le conseil décide donc de se débarrasser des « bouches
inutiles ». « Notre ville ne cessera pas d'exister parce que nos
femmes et nos enfants seront morts, déclare un courageux
citoyen ; nous trouverons d'autres épouses qui nous donne-
ront d'autres fils. — D'autres fils, répond le généreux Louis,
de quels yeux nous regarderont-ils ? et quels mots devrons-
nous leur dire ? » Aussi la population décidera-t-elle d'adopter
des moyens plus dignes d'elle en tentant une sortie en masse.
Cette illustration du thème de la solidarité humaine en face
du destin est traitée avec une conviction un peu scolaire,
plus méritoire que séduisante.

3

L'EXPÉRIENCE THÉATRALE D'ALBERT CAMUS

Albert Camus (1) a toujours manifesté le goût le plus vif
et le plus exigeant du théâtre. Tout jeune homme, il montait
à Alger avec quelques amis une adaptation du *Temps du
Mépris* de Malraux, puis une pièce en quatre actes : *Révolte
dans les Asturies*, inspirée par le soulèvement des mineurs
d'Oviedo en 1934 (2), dont on retrouve l'écho dans *l'Etat de
siège*. *L'Equipe* (c'était le nom de sa compagnie) monta
encore : *le Paquebot Tenacity* de Vildrac, *les Frères Karamazov* et le *Prométhée* d'Eschyle.

Sa première pièce vraiment personnelle est *le Malentendu* (3)
— tiré d'un fait divers qui l'a si vivement frappé qu'on en
retrouve le thème tout au long de son œuvre : « Un homme
était parti d'un village tchèque pour faire fortune. Au bout

(1) Cf. pp. 125-130.
Albert Camus a fait jouer : *le Malentendu* (1944), *Caligula* (1945), *l'Etat
de siège* (1948) et *les Justes* (1950). Il a adapté *Requiem pour une Nonne* de
Faulkner (1956) (toutes ces pièces sont publiées chez Gallimard).
(2) La pièce, interdite par la municipalité d'Alger, a été publiée chez
Charlot en 1936.
(3) Créé au théâtre des Mathurins par Marcel Herrand en 1944, joué par
Hélène Vercors et Maria Casarès.

de vingt-cinq ans, riche, il était revenu avec une femme et un enfant. Sa mère tenait un hôtel avec sa sœur dans son village natal. Pour les surprendre, il était allé chez sa mère qui ne l'avait pas reconnu. Par plaisanterie, il avait eu l'idée de prendre une chambre. Il avait montré son argent. Dans la nuit, sa mère et sa sœur l'avaient assassiné.»

Cette anecdote avait en effet une incontestable valeur dramatique. Mais sur la scène, Camus la réduit à une abstraction. C'est que, pour lui, le « malentendu» n'est autre que l'absurde. « Ce lieu désert peuplé de criminels, c'est notre univers absurde ; Jan, l'étranger qui frappe à la porte, c'est la question posée, le cadavre qui pourrit contre le barrage de la rivière, c'est la réponse (1).» Seul dans cette chambre d'un hôtel inquiétant, Jan, le héros, a peur :

« C'est ainsi dans toutes les chambres d'hôtel, toutes les heures du soir sont difficiles pour l'homme seul. Et voici maintenant ma vieille angoisse, là au creux de mon corps, comme une mauvaise blessure que chaque mouvement irrite. Je connais son nom. Elle est peur de la solitude éternelle, crainte qu'il n'y ait pas de réponse.»

La réponse, ce sera ce meurtre absurde.

Mais la conclusion, c'est Martha qui la tirera :

« A quoi bon ce grand appel de l'être, cette alerte des âmes ? Pourquoi crier vers la mer ou vers l'amour ? Cela est dérisoire... La réponse, c'est cette maison épouvantable où nous serons enfin serrés les uns contre les autres. Comprenez que votre douleur ne s'égalera jamais à l'injustice qu'on fait à l'homme. Priez votre Dieu qu'il vous fasse semblable à la pierre, c'est le seul vrai bonheur.»

Camus devait bientôt creuser la psychologie du héros absurde ; pour l'incarner, il choisit *Caligula* (2), dont il fait tour à tour un enfant boudeur et capricieux, un potentat oriental, et un bourreau sadique que la hantise d'une liberté absurde conduit jusqu'à la folie :« Ce monde tel qu'il est fait n'est pas supportable, j'ai donc besoin de la lune ou du bonheur ou de l'immortalité, de quelque chose qui soit dément peut-être, mais qui ne soit pas de ce monde.» Caligula est

---

(1) ROBERT DE LUPPÉ : *Albert Camus* (Editions Universitaires, 1952).
(2) Créé au théâtre Hébertot le 26 décembre 1945, Gérard Philipe tenant le rôle de Caligula (mise en scène de Paul Œttly).

parti d'une vérité toute simple et toute claire, un peu bête, mais difficile à découvrir et lourde à porter : Drusilla, la femme qu'il aimait, est morte — « rien ne dure... Les hommes meurent et ils ne sont pas heureux». L'empereur, révolté, veut changer l'ordre du monde. A quoi lui sert le pouvoir s'il existe des frontières à sa liberté ? Ne peut-il exiger que le soleil se couche à l'est ? Il s'engage donc dans un jeu qui n'a pas de limites et qui ressemble à la récréation d'un fou. Mais partout « le même poids d'avenir et de passé» l'accompagne ; les êtres qu'il a tués empoisonnent sa solitude; il a cru les arracher par la violence à leur horrible sécurité, là où il n'aurait fallu qu'un peu d'amour. Devant un empire plein de morts, il apprendra que « tuer n'est pas la solution» et il ne trouvera pas même un juge dans « ce monde où personne n'est innocent».

Après le héros absurde, voici dans *l'Etat de siège* (1) une ville et une humanité absurdes. En portant à la scène un des thèmes de *la Peste*, Camus entendait incarner l'opposition entre une mécanique qui tue et une révolte éprise d'amour et de liberté ; chaque personnage incarne un aspect de sa philosophie : « le fou Nada symbolise la négation de tout, Victoria le bonheur individuel, Diégo, la révolte, et ainsi de suite... Mais l'intérêt dramatique est faible parce que les personnages ne sont pas vivants» (2). Le lieu où se déroule la pièce — l'Espagne — est lui-même irréel, et le spectacle — où Camus a voulu mêler toutes les formes de l'expression dramatique, depuis le monologue lyrique jusqu'au chœur en passant par le jeu muet, le mime, le dialogue et la farce — s'évanouit sous le poids des symboles.

Avec *les Justes* (3), le dialogue d'idées a pris heureusement la place du monologue lyrique. En voici le thème, résumé par Camus :

« En février 1905, à Moscou, un groupe de terroristes, appartenant au parti socialiste révolutionnaire, organisait un attentat à la bombe contre le grand-duc Serge, oncle du Tsar. Cet attentat et les circonstances singulières qui l'ont

(1) Créé au théâtre Marigny le 27 octobre 1948, par la Compagnie Madeleine Renaud-Jean-Louis Barrault, avec une musique d'Arthur Honegger.

(2) R. DE LUPPÉ, *op. cit.*

(3) Créé au théâtre Hébertot le 15 décembre 1949, dans la mise en scène de Paul Œttly.

précédé et suivi font le sujet des *Justes*. Tous mes personnages ont réellement existé et se sont conduits comme je le
dis... J'ai même gardé au héros des *Justes*, Kaliayev, le nom
qu'il a réellement porté.»

Les trois personnages principaux sont Stepan Fedorov,
Yanek Kaliayev et Dora. Pour Stepan, la fin justifie les
moyens. Tout est bon pour ruiner ce monde d'injustice et
d'opprobre. A ce nihilisme inspiré par la haine, Kaliayev
oppose un humanisme militant : il combat pour la vie, non
pour la mort ; pour Stepan (comme pour les terroristes des
premiers romans de Malraux), la bombe seule est révolutionnaire et la révolution légitime tous les crimes ; Yanek, au
contraire, se refuse à tuer les enfants du grand-duc. Stepan
n'aime pas la vie, mais « la justice qui est au-dessus de la
vie » ; Yanek a soif d'une justification plus humaine. Il
aime « la beauté, le bonheur » ; il est poète : « La Révolution,
bien sûr, s'écrie-t-il, mais la Révolution pour la vie, pour
donner une chance à la vie.»

A Stepan qui l'insulte, il répond :

« Moi, j'aime ceux qui vivent aujourd'hui sur la même
terre que moi. C'est pour eux que je lutte et que je consens
à mourir. Et pour une cité lointaine, dont je ne suis pas sûr,
je n'irai pas frapper le visage de mes frères. Je n'irai pas ajouter à l'injustice vivante pour une justice morte... tuer des
enfants est contraire à l'honneur. Et si... la révolution devait
se séparer de l'honneur, je m'en détournerais... J'ai choisi
d'être innocent.»

C'est son parti que prend Dora, — le personnage le plus
significatif des *Justes* — et c'est son sort qu'elle suivra. Elle
aussi réclame « les êtres, les visages... l'amour plutôt que la
justice». Elle aussi demande pitié pour les justes condamnés
à se retrancher de ce monde, dont elle voudrait, « ne fût-ce
qu'une heure », oublier l'atroce misère. Mais peut-être parce
qu'il est « plus facile de mourir de ses contradictions que de
les vivre», elle trouvera, comme Yanek, sa vérité profonde
dans le sacrifice final. Ils ne seront plus alors que deux êtres
qui « renonçant à toute joie, s'aiment dans la douleur, sans
pouvoir s'assigner d'autre rendez-vous que celui de la douleur».

Camus a moins le sens du théâtre qu'Anouilh ou Sartre.
Ses pièces sont nobles et généreuses, leur langage est élevé,

mais elles manquent de vie et d'action. Valeurs et symboles ne trouvent pas toujours leur poids de chair pour s'incarner. Pourtant, la direction de sa recherche fait l'importance de ce théâtre orienté vers la création des valeurs.

De récentes adaptations ont confirmé l'intérêt de Camus pour un théâtre à signification métaphysique. Après *les Esprits* (de Pierre de Larivey) et *la Dévotion à la Croix* (de Pedro Calderon de la Barca) on l'a vu transcrire *Requiem pour une Nonne* (de Faulkner) dont le dernier acte (où la domestique noire Nancy Manigoe, assassin par amour, confesse sa foi) rend un son presque authentiquement chrétien — et l'on a posé la question « Camus se convertirait-il ?» Naturellement, l'auteur de *la Peste* a aussitôt protesté qu'il n'en était rien...

4

LE THÉÂTRE DE THIERRY MAULNIER

Thierry Maulnier (1) apporte au théâtre les ressources de son intelligence et de sa culture, et ce qui fait le mérite de son expérience dramatique en marque en même temps les limites. *La Course des Rois* (1947) n'était guère que le brillant exercice d'un normalien frotté d'hellénisme. Créé au festival d'Avignon dès juillet 1950, *le Profanateur* fut repris à Paris au théâtre du Vieux-Colombier, puis à l'Athénée et finalement recueilli au théâtre Hébertot, sans que ces avatars puissent l'empêcher de faire une longue et brillante carrière. L'action du *Profanateur* se passe en Allemagne au XIIIe siècle. Wilfrid

----

(1) Né en 1909, Jacques Talagrand (en littérature Thierry Maulnier) fut à l'Ecole Normale le camarade et l'ami de Robert Brasillach. Agrégé de lettres, il devait bientôt se consacrer à la littérature et au journalisme.

Il a publié notamment :

Des essais politiques : *la Crise est dans l'Homme, Mythes socialistes, Au delà du Nationalisme, Violence et Conscience, la Face de méduse du communisme ;*

Des études littéraires : *Nietzsche, Racine* (1936), *Introduction à la poésie française* (1939), *Lecture de Phèdre ;*

Et fait jouer des pièces de théâtre : *la Course des Rois* (1947), *Jeanne et les Juges* (1949), *le Profanateur* (1950), *la Maison de la Nuit* (1951), *la Condition humaine* (adaptée du roman d'André Malraux, 1952).

de Montferrat commande la ville pour le compte de Frédéric II qui vient d'être excommunié. Placé entre son devoir de soldat et la révolte du peuple, il hésite. En fait, il n'a pas la vocation de l'héroïsme, mais celle du bonheur, représenté ici par deux femmes qu'il courtise tour à tour. On a comparé ce « Profanateur» (ainsi nommé parce qu'il ne dédaigne pas le blasphème) au Goetz de Sartre, dont il est loin d'avoir la stature ; c'est plutôt un Don Juan sans morale qu'un révolté, « moins fidèle à son empereur qu'à lui-même et moins à lui-même qu'à ce qui lui vaut de vivre» (1). Un Don Juan romantique qui, tout en aspirant au « sommet sublime de la liberté humaine», cède aisément à la douce violence du plaisir : c'est ce dernier penchant qu'il devra payer de son sang. L'œuvre, aussi ambiguë dans sa morale qu'elle était sévère et grave dans son écriture, obtint un succès mérité.

Après *Jeanne et les Juges*, tirée du martyre de Jeanne d'Arc, *la Maison de la Nuit* (1954) (2) mettait en scène les problèmes politiques et moraux du communisme : l'action se déroule en trois heures, en pleine nuit, dans une maison de passeur située sur une frontière d'Europe centrale que cherchent à franchir des réfugiés politiques — en l'espèce Franz Werner, ministre libéral du gouvernement de la zone orientale, qui vient de choisir la liberté ; mais avec lui passent deux militants du régime populaire décidés à l'empêcher de fuir. Tandis que le premier court appeler la police, le second, Hagen, retarde le départ de Werner, jouant de la pitié de l'homme d'Etat pour la femme qu'il abandonne. Pris à son propre jeu, Hagen finira pourtant par se livrer à l'officier venu arrêter les fugitifs ; au dernier moment, il a été ému par l'image de Lise, par cette petite vie en déroute, harcelée par un mal incompréhensible : la pitié l'a abattu d'un seul coup, la même pitié qu'il avait éprouvée jadis devant le sacrifice d'un taureau à Valence. « Un homme peut toujours s'arranger avec sa propre souffrance si c'est un homme, dit-il à son compagnon, mais avec la souffrance de l'univers, avec la souffrance des enfants et celle des bêtes, avec cette souffrance sans limite, sans repos, sans répit, la pitié ne peut s'arrêter nulle part,

ou elle n'est pas la pitié. Celui sur qui elle a posé sa griffe en
est possédé pour toujours. »

Humain, trop humain, comme Hoederer ou Hugo des
Mains sales, Hagen est, pour ses camarades restés fidèles au
parti, un homme fini, à jamais irrécupérable.

Depuis *la Course des Rois* jusqu'à *la Maison de la Nuit*,
l'œuvre théâtrale de Thierry Maulnier témoigne d'un effort
continu vers plus de rigueur, de dépouillement, de vérité.
On devra mentionner, enfin, la gageure qu'il a tenue en portant à la scène (1) *la Condition humaine* de Malraux avec un
succès qui, compte tenu des difficultés de l'entreprise, a été
plus qu'honorable. Cependant, on ne saurait dire que cette
adaptation, de style expressionniste, plus proche du cinéma
que du théâtre, ait satisfait les admirateurs du livre. Des
jeux de scène violents, parfois macabres, n'ont pu remplacer
la méditation du roman. Mis dans la bouche des personnages,
les morceaux lyriques du monologue intérieur ont pris, en
perdant leur rapport avec l'action, un faux accent littéraire,
et c'est seulement dans les derniers tableaux (dont Malraux
a récrit lui-même la scène finale) que le « poème » du roman
passe la rampe, à la faveur d'un dénouement tragique.

5

QUELQUES DÉBUTS DRAMATIQUES : DE JULES ROY
A ROBERT MALLET

Des passions simples, un style sévère, peu d'imagination...
ces traits qui brident en Jules Roy le romancier (2) devaient,
tout naturellement, le conduire, comme son ami Camus et
pour les mêmes raisons, à s'intéresser au théâtre. *Beau Sang*,
sa première pièce (1952), met en scène l'histoire du Temple
— une histoire qui l'a toujours hanté parce que l'Ordre du
Temple unit jusqu'au martyre les vertus du cloître et celles
de l'Armée. Nous sommes au début du XIVe siècle : un chevalier du Temple qui fuit les policiers de Philippe le Bel, frappe

(1) Créée le 19 décembre 1954, au théâtre Hébertot (mise en scène de Marcelle Tassencourt).
(2) Cf. pp. 295-297. *Beau Sang* et *les Cyclones* ont paru chez Gallimard.

à la porte d'un château délabré pour demander asile. Recueilli,
il céderait aux charmes de la belle épouse de son hôte si l'un
de ses compagnons ne survenait et ne le ramenait à sa voie,
celle de l'exil. Cette pièce trop schématique est une nouvelle
définition du courage, telle que la formule Jules Roy : non
pas braver la mort, mais refuser de la fuir, accepter son destin
et lutter dans la solitude contre les tentations de tout ordre.
Il est dommage qu'une pièce au ressort si dramatique frôle
le mélodrame, notamment lorsqu'on assiste au châtiment
du héros par son jeune compagnon.

Avec *les Cyclones*, Jules Roy devait emprunter au monde
de l'aviation une image moderne du merveilleux qui sert de
cadre à un conflit moral et psychologique presque cornélien.
Nous sommes en temps de paix dans une base aérienne. Une
escadrille expérimente un nouvel appareil à réaction — *le
Cyclone* — qui doit donner la suprématie aérienne au pays
qui l'a inventé. Cet avion mystérieux peut atteindre 4.000 ki-
lomètres à l'heure et monter en flèche à 30.000 mètres, c'est
dire qu'il franchit couramment le mur du son. D'enthousiasme, de jeunes pilotes se sont portés volontaires pour
éprouver cette redoutable machine.

Mais voici une série d'accidents étranges, inexplicables :
en pleine vitesse, le pilote ne répond plus au radar et s'écrase
au sol, sans qu'on puisse savoir ce qui s'est passé. Pour Marc,
le chef d'escadrille, comme pour Beaufort, le commandant
de la base, il n'y a qu'une explication : les calculs de l'ingénieur Guillaume sont faux. L'un et l'autre se refusent à
envoyer plus longtemps leurs hommes au massacre. Mais Guillaume défend sa machine : « Quand un cavalier se tue parce
que son cheval l'a vidé, ce n'est pas toujours la faute du
cheval », dit l'ingénieur auquel Beaufort réplique : « Votre
Cyclone est vicieux. » Le chef d'état-major arbitre ce conflit
de l'homme et de la technique ; il décide de continuer les
essais ; si la guerre devait éclater, ceux qui auraient arrêté
la construction d'une telle arme endosseraient une trop lourde
responsabilité. Dans ces conditions, Marc n'accepte de garder
le commandement de l'escadrille qu'à la condition de piloter
lui-même le *Cyclone*. Le troisième acte se situe dans le bureau
du commandant de la base pendant que se déroule cette
expérience capitale ; le pilote reviendra sain et sauf et donnera
l'explication : les pilotes se sont laissé griser par la vitesse,

ses camarades et lui ont « cédé à un mouvement de jeunesse ».
Ils ont tenté une figure d'acrobatie qui les a portés jusqu'à
50.000 mètres, altitude supérieure au plafond de l'appareil,
là où le brûleur s'éteint et où la chute commence.

Cette œuvre solide et virile, interprétée avec autorité
par Pierre Fresnay, a été accueillie avec succès, mais elle fait
songer davantage à une belle et sévère épure qu'à du vrai
théâtre.

Voici maintenant des œuvres de jeunes écrivains qui sont
autant de promesses d'un renouvellement du théâtre par les
vertus du langage. Bornons-nous à citer ici Henri Troyat
(*les Vivants*, 1945), Denis Marion (*le Juge de Malte*, 1948),
Robert Mallet (*l'Equipage au complet*, 1956), François Ponthier
(*l'Homme de guerre*, 1958), José-André Lacour, J.-C. Brisville. Quant à Emmanuel Roblès, âpre et vigoureux romancier (1), il a porté à la scène, par l'intermédiaire des sept
victimes symboliques de *Montserrat* (1948), à la fois l'horreur
et la grandeur de la guerre — celle de l'indépendance sud-
américaine au moment de Bolivar.

Autre début, celui de Roger Vailland avec un portrait
d'*Héloïse et Abélard* (1949), semé d'intentions politiques et
morales, pièce provocante, souvent blasphématoire, mais
dont le talent n'était pas discutable. En revanche, le *Colonel
Foster plaidera coupable* n'est guère qu'une œuvre de propagande.

La même saison, le poète belge Jean Mogin (2) inscrivait
avec *A chacun selon sa faim* — une femme, âme orgueilleuse,
mystique, s'arroge le droit de distribuer les sacrements —
un nom à retenir au palmarès des dramaturges.

(1) Cf. p. 409.
(2) Né à Bruxelles en 1921, fils du poète belge Géo Norge, Jean Mogin a
fait jouer : *A chacun selon sa faim* (1949), *la Reine de neuf jours*, *l'Entrevue
de Chinon*.

IV

INCARNATIONS CHRÉTIENNES

1

LES « DIALOGUES DES CARMÉLITES » DE BERNANOS

TIRÉ du néant, au début du siècle, par Péguy, Claudel et Ghéon, le théâtre catholique a trouvé avec Mauriac, Gabriel Marcel et Julien Green, de nouveaux illustrateurs. Mais avec une seule œuvre posthume et qui n'était même pas destinée à la scène — car les *Dialogues des Carmélites* devaient être un scénario de film — Bernanos (1) domine encore ce nouveau théâtre catholique.

Les *Dialogues des Carmélites* ont été sa dernière œuvre : Bernanos venait de l'achever quand il s'alita pour ne plus se relever (mars 1948). Les *Dialogues* ont pour source un fait historique : le martyre (le 17 juillet 1794) des seize carmélites de Compiègne, qui avait déjà inspiré à la grande romancière allemande, Gertrud von Le Fort, le roman intitulé *la Dernière à l'échafaud*. Bernanos doit ses personnages, à commencer par celui de Blanche de la Force, à sa devancière, mais il les a placés sous sa propre lumière, devant les affres de la tentation et de l'agonie. Toute mort ne reflète-t-elle pas celle de Notre Seigneur ?

« Du Jardin au Calvaire, sache que Notre Seigneur a connu et exprimé par avance toutes les agonies, même les plus

(1) Cf. pp. 149-153, 243-244.

humbles, les plus désolées, — la tienne par conséquent. Cette passion n'est pas un jeu de prince ! La sueur de sang, la naïve prière du mont des Oliviers, jusqu'au décisif *Ego Sum*, ce n'est pas un Dieu qui joue l'homme, comme Marie-Antoinette jouait, à Trianon, à la paysanne. Beaucoup de théologiens supposent que la nature humaine, dans Jésus-Christ, était alors abandonnée à toute sa sensibilité.»

Le ressort dramatique est simple : comment des personnages de chair, de simples femmes, pourront-ils affronter la hideuse peur, attendre sans faiblir la délivrance de l'aube ? La petite Blanche — sœur Blanche de la Sainte Agonie — est le principal témoin de ce drame : fille de la Peur, elle sera sauvée par le Fils de l'Homme, car « la peur est tout de même la fille de Dieu, rachetée la nuit du Vendredi Saint».

Du mystère de la communion des saints, Bernanos a tiré d'autre part une admirable leçon : « Nous mourons les uns pour les autres et peut-être les uns à la place des autres», dit la petite sœur Constance. Mère Lidoine, la prieure roturière, opposée au vœu du martyre, devra soutenir le courage de ses filles et monter avec elles sur l'échafaud ; Mère Marie, qui aspirait au martyre se le verra refuser. Les deux religieuses auront contribué, chacune à leur manière, à préparer leurs sœurs à une mort qui n'a rien d'une défaite : Mère Lidoine en les maintenant dans l'obéissance et la simplicité, puis en versant son sang ; Mère Marie en sacrifiant ce qu'elle croit être son honneur.

A la surprise de ses compagnes, Sœur Blanche montera sans peur à l'échafaud : la prieure aura pris sur elle au cours d'une agonie pitoyable les affres de l'agonie que sa petite sœur n'aurait pu supporter ; c'est ce que Sœur Constance explique ingénument lorsqu'elle dit que le Bon Dieu s'est trompé de mort. En dépit d'une conclusion qui côtoie le mélodrame, *les Dialogues des Carmélites* sont une des pièces les plus fortes et les plus pures de ce temps ; il ne s'agit pas, comme dans le *Port-Royal* de Montherlant, d'un bel exercice de rhétorique : les mystères chrétiens se trouvent ici vécus de l'intérieur et assumés par des âmes authentiques et religieuses.

Une telle œuvre manifeste « un équilibre, une concentration, une mesure qui contrastent avec tout ce que Bernanos avait écrit jusque-là, et permettent de croire qu'il se fût

mieux accompli encore au théâtre que dans l'essai et le
roman. Le langage réduit à l'indispensable, nous saisit comme
les véritables *ultima verba* de l'écrivain et du croyant» (1).

2

L'ŒUVRE DRAMATIQUE DE GABRIEL MARCEL

Philosophe et critique, Gabriel Marcel (2) est aussi l'auteur
d'une œuvre théâtrale abondante et déjà ancienne (*le Cœur
des Autres* est de 1920), directement inspirée par les positions du métaphysicien et les préoccupations du moraliste.
« Mon œuvre dramatique, dans son ensemble, dit-il, peut
être considérée comme le théâtre de l'âme en exil. J'ai
tenté d'y montrer le tragique de l'aliénation sous toutes ses
formes.» Cependant, Gabriel Marcel s'est toujours défendu
de porter à la scène des thèmes déjà traités dans l'abstrait,
de faire, comme l'en accusait Pierre-Aimé Touchard (3),
du théâtre à thèse. La vocation dramatique n'est-elle pas chez
lui plus ancienne encore que la vocation musicale ? N'a-t-il
pas écrit à l'âge de sept ans sa première tragédie, puis un drame
romantique, avant de transposer, encore adolescent, un drame
familial qui devait devenir le *Quatuor en fa dièse ?*

(1) LOUIS CHAIGNE : *Georges Bernanos* (Editions Universitaires).
(2) Gabriel Marcel est né à Paris le 7 décembre 1889 (son père, Henri Marcel,
fut Conseiller d'Etat, ambassadeur de France et administrateur de la Bibliothèque Nationale). Ami de Henri Franck et de Jacques Rivière, converti au
catholicisme, il a fait une double carrière de philosophe et d'auteur dramatique.
Collaborateur de la *N.R.F.*, puis critique dramatique des *Nouvelles Littéraires*,
il est membre de l'Institut (Académie des Sciences morales et politiques).
Grand Prix National des Lettres 1958, pour l'ensemble de son œuvre.
Gabriel Marcel a écrit pour le théâtre : *la Grâce* (1911), *le Palais de Sable*
(1913), *le Quatuor en fa dièse* (1917), *Un Homme de Dieu* (1922), *la Chapelle
ardente* (1925), *le Monde cassé* (1932), *le Chemin de Crête* (1935), *le Dard* (1936),
la Soif (1937), *l'Emissaire, le Signe de la Croix*, (1945), *Rome n'est plus dans
Rome* (1951), *la Dimension Florestan* (1952), *Mon temps n'est pas le vôtre* (1953).
(Cf. p. 710 la liste de ses principaux ouvrages philosophiques.)
Sur l'homme et l'œuvre on pourra consulter : JOSEPH CHENU : *le Théâtre
de Gabriel Marcel et sa signification métaphysique* (Aubier, 1948) ; LOUIS
CHAIGNE : *Vies et œuvres d'écrivains*, IV (Lanore, 1954).
(3) Dans *Dionysos*.

Les conceptions dramatiques de Gabriel Marcel vont à l'opposé du Boulevard qu'il a connu dans son enfance : l'auteur veut éclairer à la scène « les grands à-pic de l'âme ». Mais il entend que le tragique jaillisse directement du dialogue ou de la situation des personnages, sans interposition d'idées ou d'opinions. En fait, ses pièces correspondent aux différentes étapes de sa pensée philosophique et religieuse : *la Grâce* (1921), *le Regard neuf* (1922), *la Chapelle ardente* (1925) et *le Palais de Sable*, illustrent la prise de conscience dont témoigne le célèbre *Journal métaphysique* ; *le Chemin de Crête* (1936), *le Dard* (1937) et *le Fanal* (1938) mettent en scène les ambiguïtés fondamentales de la condition humaine ; *l'Emissaire, Rome n'est plus dans Rome* traitent de problèmes politiques : collaboration, résistance, fuite des Occidentaux devant le péril totalitaire et la menace de la guerre.

Faute de pouvoir analyser en détail chacune de ces pièces, choisissons-en deux parmi les plus significatives. *Un Homme de Dieu* (1922) a attendu vingt-sept ans avant de subir l'épreuve de la scène. Pourtant, son thème — celui du pardon — était original et riche. L'homme a pardonné à sa femme adultère — par amour, pense sa femme, par fidélité, par devoir, pense l'époux — en fait, par lâcheté, par respect humain. Lorsque sa femme découvre la vérité, l'homme se sent incapable de faire respecter par sa fille cette morale dont il croyait être le héros. L'audience qui a fini par accueillir *Un Homme de Dieu* et *le Chemin de Crête* montre que les thèmes les plus élevés peuvent aujourd'hui passer la rampe.

En revanche, *Rome n'est plus dans Rome* (1951) a dû à une actualité brûlante (la guerre froide et la menace soviétique) le meilleur de son succès. On y voyait un intellectuel français, faute de sang-froid, démoralisé par les événements, fuir à l'avance une occupation hypothétique. Les dernières pièces de Gabriel Marcel : *la Dimension Florestan, Mon temps n'est pas le vôtre*, où joue le décalage des générations, ont semblé moins pertinentes, tandis que le principal ressort de son *Théâtre comique* (publié en 1947) a paru n'être qu'une « ironie grinçante» (1).

L'art dramatique de Gabriel Marcel, même lorsqu'il critique un temps que l'auteur a caractérisé comme « le déclin

(1) René Lalou.

de la sagesse », s'inscrit dans cette perspective de la conscience déchirée qui est celle de notre « monde cassé ». Il est dommage que l'exigence intellectuelle qui s'y affirme n'ait pu aller de pair avec cette incantation musicale que Gabriel Marcel place, comme Valéry et comme Giraudoux, à la clef de tous les arts.

3

LA TENTATIVE DE FRANÇOIS MAURIAC

A l'appel de son ami Edouard Bourdet qui l'avait aidé de ses conseils et de son expérience, François Mauriac (1) avait, en 1938, fait une incursion brillante au théâtre avec *Asmodée*, que dominait de très haut l'envoûtant personnage de Blaise Coûture.

Ecrits dès 1938, mais joués seulement en 1945, *les Mal Aimés* mettaient à nouveau en scène une de ces familles bourgeoises que Mauriac excelle à plonger dans la boue. On y voit, dans l'inévitable décor landais, deux sœurs se disputer un homme ; la plus jeune, Marianne, avec l'aide du père, a volé le fiancé de l'aînée, qu'Alain, marié malgré lui, n'a cessé de regretter ; revenu en visite chez son beau-frère, au bout d'un an de mariage, il se déclare à sa belle-sœur qui accepte de le suivre ; les amants vont partir en auto lorsque la jeune fille se ravise : elle restera finalement avec son père, alcoolique et incapable de se passer d'elle. « Nous appartenons les pieds liés aux êtres qui nous aiment et que nous n'aimons pas. Père a pris ma vie, et Marianne la tienne, nous sommes leurs proies jusqu'à la mort », dit Elisabeth de Virelade à l'amant qu'elle perd pour la seconde fois. Le mot de la fin, sublime, n'est qu'un mot de théâtre : « Et pourtant, nous nous aimons ! »

Dans *Passage du Malin* (1947) — qui fut « un four noir » — Mauriac a tenté de se renouveler. On y voyait un Don Juan de sous-préfecture s'acharner après Emilie Tavernas, soi-

---

(1) Cf. pp. 244-246.

François Mauriac a fait jouer successivement : *Asmodée* (Grasset, 1938), *les Mal Aimés* (Grasset, 1945), *Passage du Malin* (La Table Ronde, 1948) et *le Feu sur la Terre* (Grasset, 1951).

disant pour capter son âme. Scènes et dialogues rendaient
un son faux à crier. Mauriac devait prendre sa revanche avec
le Feu sur la Terre ou *le Pays sans chemin* (1950). Ce pourrait
bien être la pièce mauriacienne type, tant les personnages
y sont odieux, et tous les sentiments poussés au noir. Le feu,
c'est l'incendie qui décime la forêt et ruine les familles ; le
« pays sans chemin » c'est le vase clos où mijotent les passions.
Et quelles passions ! L'amour du père, celui de l'époux, de la
fiancée, de la sœur... pas un qui ne soit dénaturé. La jalousie
d'une sœur — Laure de la Sesque, abusivement comparée
à Eugénie de Guérin (1) — ruine tout autour d'elle. Quant au
personnage de l'homme, il incarnerait la vie humaine sans
Dieu, le besoin d'absolu sans absolu, le péché sans la grâce.
Ici encore, l'atmosphère, qui rappelle celle des romans, ne
suffit pas toujours à faire passer la rampe à des répliques
sans rapport direct avec l'action, et l'intrigue est si compliquée
qu'elle frise l'invraisemblance. Mais l'inlassable progression
dans l'ignoble donne au dernier acte une force amère, iné-
galable.

On s'est souvent interrogé sur le (relatif) échec de Mauriac
au théâtre. Marc Beigbeder se le demandait à propos de
Passage du Malin : « D'où vient cette incapacité à séduire
vraiment au théâtre ?... C'est que Mauriac *ajoute à la nature*
de ses personnages, il la truque... En un mot, il cuisine les
âmes... Claudel, s'il met en scène un Chinois, *c'est un Chinois*,
un Juif, *c'est un Juif*... et s'il veut nous montrer un chrétien,
il n'ira pas exorciser quelque païen ou quelque juif. Au contraire, Mauriac fourrage pour découvrir un christianisme là
où il n'y en a plus miette... il agite Montparnasse comme un
flacon pour faire mousser une imaginaire inquiétude religieuse (2). »

Mais cette réponse est insuffisante. Plus probablement,
la poésie du roman ne passe pas la rampe, car les admirables
morceaux de musique qui relient, chez le romancier, les
grands moments où l'action se noue, ne rachètent plus, ici,
le sordide réalisme des situations et des dialogues. Il reste
la vulgarité des propos, que rien n'enrobe...

(1) Dont l'amour pour Maurice de Guérin, exclusif peut-être, était, lui, sans
bassesse ni souillure.
(2) *Esprit*, février 1948.

4

UN THÉATRE DE L'AMBIGUÏTÉ :
L'EXPÉRIENCE DE JULIEN GREEN

Comme Mauriac et comme Montherlant, Julien Green (1) est venu au théâtre — en 1953, avec *Sud* — après une brillante carrière de romancier.

Depuis son enfance, il portait au fond de lui-même le décor, sinon le sujet de sa première pièce : ces grands arbres drapés dans leurs rideaux de mousse comme des sorciers dans leurs haillons, devinés derrière les hautes fenêtres d'une vaste demeure de style colonial, ces miroirs qui reflètent de longues avenues mystérieuses, ces personnages vêtus à l'ancienne mode qui surgissent soudain entre de hautes colonnes blanches, ce décor contemporain de la guerre de Sécession, Julien Green l'a puisé dans ses souvenirs, dans les propos que lui tenait sa mère. Le fameux *Deep South* américain qui ne s'est jamais relevé de la guerre civile, mais qui n'a jamais renoncé à ses traditions, le pays d'*Autant en emporte le vent* était le décor grandiose de la pièce.

Le sujet de *Sud* est plus difficile à décrire. Il a pour centre l'histoire du lieutenant Wicziewski que ses mœurs isolent de ses semblables. Le héros pourra échapper à sa condition et devra choisir la mort parce qu'il est incapable d'affronter la vie.

Nous sommes au seuil de la guerre de Sécession. Dans la grande maison de campagne d'Edouard Broderick où il est reçu comme un fils, le lieutenant Wicziewski a fait malgré lui la conquête de Régina, la nièce de son hôte. Rebutée, Régina essaye de se persuader qu'elle hait celui qui l'écarte et qui a déjà fixé ses regards sur un jeune homme en noir, Erik Mc Clure. Mais Erik, qu'aime en secret Wicziewski, est lui-même amoureux d'Angélina, la toute jeune fille de leur hôte, et est aimé d'elle. Wicziewski cependant n'est pas complètement abandonné : son hôte l'a deviné — sans doute

---

(1) Cf. pp. 246-247.

Julien Green a fait jouer depuis *Sud* (1953), *l'Ennemi* (1954) et *l'Ombre* (1956) (ces trois pièces ont été publiées à la librairie Plon).

parce qu'il est victime de la même anomalie. Que peut faire
le lieutenant à une époque où l'homosexualité ne conduit à
aucun Prix Nobel, mais au déshonneur et à la prison ?
« Amoureux comme jamais aucun être humain ne l'a été»,
incapable de vivre puisqu'il ne peut même pas avouer son
amour, il va se « jeter contre son destin comme on se jette
contre un mur ». C'est ce qu'il déclare au petit Jimmy (il a
choisi cet enfant pour soulager son cœur parce que Jimmy
est le seul être qui ne risque pas de le comprendre). Pour en
finir, le lieutenant provoquera Erik en duel et ne se défendra
pas. Wicziewski mort, Erik partira pour la guerre et le rideau
tombe tandis qu'éclatent les premières salves. Mais nous
comprenons que le lieutenant continuera de vivre dans le
souvenir de tous et singulièrement dans la mémoire du petit
Jimmy qui ne saura peut-être jamais pourquoi il fut choisi
pour recevoir ce dernier témoignage. Dans un décor admirable
de Wakhévitch, la pièce illustrait, avec une rigueur et une
intensité classique, la « purification d'une passion dangereuse
par une libération véhémente » — définition de la tragédie
selon Aristote.

Comme celle de *Sud*, l'action de *l'Ennemi* (1954) se situe
à une charnière de l'histoire — ici la Révolution française.
Dans un vaste château solitaire, déjà battu par l'émeute,
Elisabeth, Philippe et Jacques de Silleranges voient arriver
leur frère bâtard, Pierre. Philippe, devenu impuissant, ne
peut remplir son rôle d'époux ; Elisabeth, sa femme, a pris
pour amant son beau-frère Jacques, qu'elle n'aime pas. Le
nouveau venu qu'elle découvre en face d'elle, le jeune rustre,
le bâtard, si différend des hommes qu'elle a connus, la frappe
comme l'incarnation de son destin. Il lui parle comme jamais
l'on n'a parlé à Silleranges, et délivre une Elisabeth fascinée
de toutes les fadeurs de la vie, de la mélancolie dont elle
souffrait. Il lui offre d'échapper à « l'inexorable ennui qui
forme le fond de toute vie humaine et dont les passions, les
plaisirs les plus délicats, la souffrance même ne peuvent nous
distraire qu'un instant». Elisabeth finira par comprendre
que Pierre, moine défroqué, est le serviteur de l'Ennemi,
qu'en la séduisant, il la livrera pour toujours au prince de ce
monde, qu'il n'est venu à Silleranges que par sa volonté.
Aussi le fuit-elle, et devient folle.

Comme l'a écrit Pierre Gaxotte, « l'horrible et délicieuse

fascination du monde visible sur une âme pour qui l'invisible
devient chaque jour plus vrai que n'importe quoi », est un
des thèmes majeurs de *l'Ennemi*, où le salut d'une âme est
la cause d'un naufrage humain. Mais la pièce paraît souvent
invraisemblable et les personnages sont écrasés sous leur
symbole.

L'Ombre (1956) illustre le pouvoir des souvenirs sur un être
faible : Philip Anderson, repris par l'ombre de sa première
femme (assassinée par son meilleur ami), malade de son passé,
acculé au suicide... Œuvre trop complexe, trop mystérieuse
pour être convaincante.

Au terme de ce panorama, devrons-nous donc souscrire
à cette observation de Francis Ambrière : « Chaque fois qu'un
romancier-né s'est avancé sur la scène, ça a été à son détriment. L'art du roman et l'art du théâtre sont essentiellement
différents et réclament des dons contradictoires ; M. Green,
après Charles Plisnier, Charles Plisnier après François Mauriac,
ne sont pas à leur place au théâtre, art de synthèse et de mouvement. » Jugement excessif ? Sans doute ! mais plus d'une
pièce contemporaine démontre la justesse de cette mise en
garde.

D'autres pièces, auraient pu figurer dans ce chapitre —
d'abord *les Étendards du roi*, de Costa du Rels (1) (consacrés
au problème des prêtres-ouvriers) et accueillis au Vieux-
Colombier (1956) comme une révélation —, le *Savonarole* de
Roger Bésus, telle pièce de Madeleine Deguy ou l'admirable
Miguel Mañara de Milosz.

---

(1) Diplomate bolivien, ancien président de la S.D.N., Adolphe Costa du
Rels a publié des romans, des essais (*les Croisés de la Haute Mer*, Prix Rivarol
1953) et fait jouer au Vieux-Colombier *les Etendards du Roi* (1956, mise en
scène de Marcelle Tassencourt).

V

LE THÉÂTRE DE JEAN ANOUILH

Dès sa jeunesse, Jean Anouilh (1) a voué sa vie au théâtre. Le mobilier de ses noces ne fut-il pas celui de *Siegfried*, prêté par Louis Jouvet, dont Anouilh était le secrétaire ? La noire *Hermine*, sa première pièce, qu'il écrivit à vingt ans, dénotait déjà un exceptionnel

(1) Le plus secret des écrivains d'aujourd'hui est né à Bordeaux le 23 juin 1910 ; il a fait ses études à Paris, à l'école primaire supérieure Colbert, puis au collège Chaptal, enfin à la Faculté de Droit, qu'il ne fréquenta pas très longtemps, une situation matérielle difficile l'ayant obligé à entrer dans une maison de publicité où il prit « des leçons de précision et d'ingéniosité qui lui ont tenu lieu d'études poétiques».

Deux ans secrétaire de Louis Jouvet, après son service militaire, il épouse Monelle Valentin et se consacre au théâtre : une folie qu'il ne devait pas regretter. Le 22 avril 1932, la répétition générale de *l'Hermine* au théâtre de l'Œuvre le rend célèbre en une soirée. Depuis, sa vie se confond avec l'histoire de ses pièces.

Après les pièces de jeunesse : *Humulus le Muet*, *l'Hermine*, *Y'avait un Prisonnier* (1934), puis celles du réalisme poétique — le *Bal des Voleurs* (1932), *la Sauvage* (1934), *le Rendez-vous de Senlis* (1937), *Léocadia* (1939) — vinrent les pièces mythologiques, de *Jézabel* (1932) et du *Voyageur sans bagage* (1936) à *Médée* (1946) et à *Roméo et Jeannette* (1946) en passant par *Eurydice* (1941) et par *Antigone* (1944). L'alternance des pièces « roses » — *l'Invitation au Château* (1947), *la Répétition ou l'Amour puni* (1949), *Cécile ou l'Ecole des Pères* (1955) — et des pièces « noires » — *Ardèle ou la Marguerite* (1948), *Colombe* (1951), *la Valse des Toréadors* (1954), *Ornifle ou le courant d'air* (1956), *Pauvre Bitos* (1956) — se succède. Entre les deux, il faut mettre à part *l'Alouette* (1955).

Les pièces de Jean Anouilh ont été publiées :

Aux Editions Calmann-Lévy : « Pièces noires» (*l'Hermine, la Sauvage, le Voyageur sans bagage, Eurydice*) et « Pièces roses» (*le Bal des Voleurs, le Rendez-vous de Senlis, Léocadia*) (1945) ;

Aux Editions de la Table Ronde : « Nouvelles pièces noires» (*Jézabel, Roméo et Jeannette, Antigone, Médée*), 1948 ; « Pièces brillantes» (*l'Invitation*

« tempérament » dramatique (1). On y voyait un jeune
révolté, Franz, tuer la duchesse de Granat, moins pour
devenir riche et pour pouvoir épouser Monime que pour
satisfaire un ressentiment plus profond, parce que cet argent
haï, trop envié, était devenu le prix de sa pureté. L'année
suivante (1932), au *Bal des Voleurs*, pièce « rose », charmant
divertissement de ville d'eaux style 1880, succédait *Jézabel*,
pièce « noire » où s'affrontaient deux mondes incommuni-
cables : celui des misérables et celui des gens « de bien »,
thème repris en 1934 dans *la Sauvage*.

Anouilh avait vingt-quatre ans lorsqu'il peignit cette
fresque qu'on peut tenir pour un de ses chefs-d'œuvre
(l'autre étant *Antigone*). L'opposition entre pauvres et riches
n'y est plus seulement individuelle, mais sociale, et quasi
métaphysique. Au premier plan, la famille Tarde — minable
orchestre pour cafés — : le maximum de bassesse souligné
par le maximum de prétention. Le père, un raté sordide,
se croit « fait pour une autre vie » : « Que tu le veuilles ou
non, dit-il à sa fille, sous le vieux bohème, c'est le bourgeois d'ancienne souche qui parle » ; mais il ne se contente
pas de parler ; il rote, se saoule, il pète à table, emprunte
les habits de son futur gendre... ; la mère Tarde est sa digne
compagne : depuis treize ans la maîtresse du pianiste Gosta,
et prête à tout pour le garder, jusqu'à lui livrer sa fille. C'est
dans ce monde louche, plein de petites saletés, de misères
morales et physiques que Thérèse a grandi — Thérèse, « la
seule sale, la seule pauvre, la seule honteuse », la seule pure :
la Sauvage.

Tout d'un coup elle rencontre le bonheur, sans savoir
comment l'accueillir. Le compositeur Florent France s'est
mis à l'aimer et à vouloir l'épouser. Il est non seulement la
richesse et la gloire, mais « la bonté même, l'intelligence, la
joie même ».

au Château, Colombe, la Répétition, l'Ecole des Pères), 1951 ; « Pièces grin-
çantes » (*Ardèle, la Valse des Toréadors, Ornifle, Pauvre Bitos*), 1956.
    Sur l'homme et l'œuvre, on pourra consulter : H. Gignoux : *Jean Anouilh*
(Temps Présent, 1946) ; P. de Boisdeffre : *Métamorphose de la Littérature*,
II (Alsatia, 1951).

(1) « Il y manque tout — sauf l'essentiel ! » s'écria un critique à la représentation générale.

Mais il est riche et Thérèse est pauvre : l'amour lui-même
ne pourra délivrer Thérèse de ses anciennes souillures. Quant
à Florent, il ne sait rien du malheur des pauvres ; sa fiancée
le lui jette au visage :

« Florent... tu m'as torturée et tu es bon, tu sais, et ce n'est
pas ta faute, parce que tu ne sais rien.

« Tu ne sais rien ! Vous ne savez rien, vous autres, vous
avez ce privilège de ne rien savoir. Ah ! Je me sens grosse
ce soir de toute la peine qui a dû serrer, depuis longtemps,
le cœur des pauvres quand ils se sont aperçu que les gens
heureux ne savaient rien...»

Florent a beau faire, il peut bien regarder les pauvres
avec une mauvaise conscience apitoyée, jeter ses billets à
la tête du couple Tarde... Donnerait-il tous ses biens aux
pauvres qu'il continuerait à se *sentir riche;* il ressemble à
ces gens qui n'ont jamais assez de monnaie pour les mendiants, aux rois d'autrefois, auxquels tout fut donné à pro-
fusion de ce que les autres payaient de leur travail et de leur
vie, et comme eux, il se sent étranger sur la terre, frustré
de quelque chose :

« Vous m'accusez, proteste-t-il, comme si c'était ma faute.
Ce n'est pas facile... d'apprendre à ne plus être heureux...
Avant, je sentais quelquefois que j'étais embusqué parmi
les hommes ; que je ne paierais jamais rien d'un cri ou d'une
larme... Je trouvais cela commode. Je comprends ce soir
que la souffrance aussi est un privilège qui n'est pas donné
à tout le monde.»

En vain, Thérèse s'efforcera-t-elle d'accepter son bonheur ;
elle est de la race des pauvres, elle ne pourrait, sans se renier,
devenir la nièce de la candide madame Bazin. Florent s'est
mis au piano, d'où monte une petite phrase sans ratures ;
Thérèse ne l'entend déjà plus, la mystérieuse mélodie du
bonheur, elle a regagné son passé, la triste patrie des Pauvres.
Elle aurait beau « tricher et fermer les yeux de toutes ses
forces... il y aura toujours un chien perdu quelque part qui
l'empêchera d'être heureuse».

Chacun de nous a son histoire : comment pourrait-il lui
échapper ? Tel est le thème, que traite une série de pièces, de
Y'avait un prisonnier (1935) à *Eurydice* (1941). *Y'avait un
prisonnier* et le *Voyageur sans bagage* (1936) brodent sur le

thème giralducien de l'amnésie. Dans la première de ces
pièces, un homme revient dans sa famille et s'enfuit épouvanté avec un humble ami des années amères, le clochard
sourd et muet La Brebis ; dans la seconde, un amnésique
de guerre, revenu parmi les siens, refuse de s'identifier au
désolant jeune homme qu'il a été et s'évade en compagnie
d'un petit garçon sans famille, car il serait criminel de ne pas
user de ce privilège : redevenir aussi neuf qu'un enfant.
Dans *le Rendez-vous de Senlis*, comédie rose et noire, Georges
quitte aussi son ancienne vie pour aller vivre avec Isabelle,
et dans *Eurydice* qui transpose dans une réalité vulgaire le
mythe de Tristan et d'Yseult, c'est dans une double mort
que les amants trouveront la vie qu'ils méritaient : seule la
mort pourra rendre à Orphée une Eurydice intacte, une
Eurydice au vrai visage que la vie ne lui aurait jamais donnée.

Après *Léocadia*, simple bluette, Anouilh a donné son chef-
d'œuvre avec *Antigone* (1). L'Antigone de Sophocle est
devenue une maigre fille, noiraude et renfermée, que personne ne prend au sérieux dans sa famille.

Créon en habit, des gardes en cotte de cuir : dans ce décor
d'un modernisme provocant, rien ne rappelle le conflit grec
entre la loi écrite et l'autre ; pour Anouilh, comme pour tous
les témoins de l'absurde depuis Nietzsche, Dieu est mort,
et nulle cité n'est assez grande pour forger une obligation
morale. Contre tous ces gens qui jouent un rôle trop bien
appris, Antigone refuse celui qu'on veut lui faire endosser, elle
déchire le réseau des mensonges. L'aventure de la petite
Antigone, libre à nous d'y voir la lutte de l'individu contre
la cité, de l'esprit de résistance contre la soumission au
pouvoir, mais c'est surtout l'histoire d'un être qui ne saurait
accepter de personne une vie qu'il n'aurait pas choisie. Voilà
pourquoi, née elle aussi pour le simple bonheur et pour
l'amour d'Hémon, innocente et neuve, tendre et faible,
Antigone saura gagner à pas fermes le redoutable pays de
la mort.

Ce débat si grave, et qui vaut par le témoignage qu'il constitue, il semble qu'Anouilh se soit ingénié à le rendre gratuit,
presque absurde, à tel point que nous sommes tentés de jus-

(1) Créée à l'Atelier le 4 février 1944.

tifier Créon, dont le métier consiste simplement à « rendre l'ordre de ce monde un peu moins absurde, si c'est possible ». Créon explique donc à Antigone que les deux fils d'Œdipe ne valaient pas plus cher l'un que l'autre ; pour les besoins de la cause, on a rendu l'un glorieux, tandis qu'on refusait à l'autre une sépulture... Lorsque Antigone paraît faiblir, Créon commet la faute d'insister lourdement sur sa victoire : il parle d'un bonheur qu'il s'agit de défendre « comme un os ». Le bonheur ! Antigone ne veut pas de ces consolations dérisoires : « Vous me dégoûtez tous avec votre bonheur ! » Elle refuse de mentir, de se vendre et de laisser mourir en détournant le regard ; même l'amour d'Hémon ne pourra la retenir, si Hémon n'est pas « dur et jeune... exigeant et fidèle » comme elle — et Créon, poussé à bout, sera contraint d'appeler les gardes pour en finir une fois pour toutes avec la petite Antigone. « Un grand apaisement triste tombe sur Thèbes et sur le palais vide où Créon va commencer à attendre la mort (1). »

Contre la cité et ses lois absurdes, Antigone n'a trouvé d'autre refuge que la mort ; ni les plaintes de sa nounou, ni le regret d'Hémon, ni l'affection d'Ismène — ni l'amour de la vie — ni la peur — pas même l'ambiguïté d'une cause perdue d'avance n'ont suffi à la retenir. Pourquoi meurt-elle ? Elle ne le sait même pas ; à Créon qui l'interroge, et qui croit voir en elle « l'orgueil d'Œdipe », elle ne sait que répondre : « Pour personne. Pour moi », et ce mot suffit à rendre sa décision absurde, inhumaine. « Je ne sais plus pourquoi je meurs », avouera-t-elle un peu plus tard... Rien de commun avec l'Antigone de Sophocle qui s'écriait : « Je ne suis pas née pour partager la haine, mais l'amour ! » Celle d'Anouilh meurt seule, sans raison, pour rien », comme l'Oreste des *Mouches*. Antigone, héros absurde, était bien le reflet de l'époque.

Cependant, avant tout homme de théâtre, Anouilh n'est pas un philosophe. Plutôt que d'affronter, comme Sartre ou Camus, les grands problèmes de la condition humaine (liberté et fatalité, dans *Antigone*), il préfère les évoquer sous des biais psychologiques divers. Mais il faut bien constater que *ses héros ne s'accomplissent pas ;* et comment ne pas voir dans l'attachement pathétique d'Anouilh envers une

(1) *Antigone*, p. 127.

enfance irréelle (1) une démission devant les exigences de la
vie ?

Mais l'enfance s'éloigne vite ; l'amour est une duperie,
l'amitié elle-même abandonne les héros d'Anouilh (le voyageur sans bagage apprend qu'il a estropié son meilleur ami ;
Robert et Georges, dans *le Rendez-vous de Senlis*, en viennent
à se haïr) qui retombent tôt ou tard dans leur invincible
solitude ; alors, il ne leur reste plus que la mort ou l'évasion
pour sortir d'un univers absurde.

Après l'échec de *la Sauvage*, la mort d'*Antigone*, Anouilh
a choisi la solution facile : l'évasion dans la satire ou dans la
comédie. (On se presse de rire de tout pour ne pas être obligé
de pleurer.) Il s'est souvenu de Giraudoux, de ses détours
poétiques ; on l'a vu traiter des sujets de Labiche à la manière
de René Clair *(Mandarine, le Bal des Voleurs)*, puis marier
le rose et le noir, la fiction et la réalité ; à sa propre histoire,
le voyageur sans bagage préfère un passé imaginaire ; Georges,
dans *le Rendez-vous de Senlis*, imagine pour Isabelle toute une
vie attendrissante et désuète, et, se laissant prendre au jeu,
quitte sa vraie famille, lorsque la supercherie est découverte,
pour s'en aller vers l'aventure. *L'Invitation au Château* est
une transcription « rose » de *la Sauvage*, *Ardèle* un déguise-
ment à la Feydeau pour un drame d'Edouard Bourdet.
Comme le maître d'hôtel du *Rendez-vous de Senlis*, après
avoir eu naturellement la tragédie à sa disposition, Anouilh
s'est mis à « jouer sa vie sur un vaudeville ».

Après les pièces noires, les pièces roses, après les pièces
roses, des comédies de salon. Au faîte d'une carrière comblée,
Anouilh se replie sur Musset et sur Marivaux. Il ressuscite
la Répétition (2) qu'il enchâsse, non sans virtuosité, dans
une pièce nouvelle. Le comte ressemble vaguement à Florent,
Héro rappelle les amis aigris et malchanceux des premières
pièces, Lucile a un petit quelque chose de Thérèse, mais tous
ces personnages semblent pâlis et décolorés, on dirait un

---

(1) Le héros du *Voyageur sans bagage* ne peut « rien trouver de plus conso-
lant qu'un reflet de son enfance dans les yeux d'un petit garçon ». Cet attachement à l'enfance est à la fois *irrésistible* et *irrationnel* : les propres paroles d'Antigone le soulignent : « Je veux tout et tout de suite, et que ce soit aussi beau
que quand j'étais petite. »

(2) *La Répétition ou l'Amour puni* a été créée par Jean-Louis Barrault, au
Théâtre Marigny, le 25 octobre 1950.

pastiche attendri qui tourne au mièvre ; il n'y a plus en eux
cette ferveur, cette dureté que nous admirions chez leurs
premiers modèles.

Puis, la satire grinçante a repris ses droits ; dans *Ardèle*
(1948) comme dans *Colombe* (1951) — et ce thème sera repris
dans *la Valse des Toréadors* — nous assistons à la dégradation
de l'amour charnel. En outre, *Colombe* raille cruellement le
couple sacré que forment la grande tragédienne et l'auteur
célèbre (on songe malgré soi à Sarah Bernhardt et à Edmond
Rostand) ; Colombe elle-même, la timide fleuriste, découvre
sa vraie nature : celle d'un petit animal fait pour le luxe, le
plaisir, la facilité. Une fois de plus, une société corrompue
et corruptrice a triomphé d'un être jeune.

« Tu veux que je te dise tout, dit Colombe à son pauvre et
stupide mari, depuis que tu es parti, je suis heureuse. Je me
réveille, il fait soleil, j'ouvre mes persiennes, et il n'y a rien
de tragique dans la rue pour la première fois. Le rempailleur
de chaises qui est au coin du Crédit Lyonnais me crie : « Bonjour, beauté ! Je t'adore !» et je lui réponds : « Bonjour !»
et ce n'est pas un drame pour toute la matinée de lui avoir
répondu. Et si le facteur sonne et que je lui ouvre en chemise,
ce n'est pas un drame non plus. Je ne suis pas une femme
perdue, figure-toi ! Nous sommes une fille et un facteur
contents l'un de l'autre, voilà tout : lui, que je sois en chemise
et moi d'y être et que cela ait l'air de lui faire plaisir... Ah !
mon pauvre biquet ! Tu ne le sauras sans doute jamais, mais
si tu pouvais te douter comme c'est facile, la vie — sans toi !»

Dans *la Valse des Toréadors* (1952), un général qui ne peut
se résigner à vieillir auprès d'une femme infirme qui le hait,
s'accroche à une chair jeune et vivante. Le général Saint-Pé
se souvient d'avoir été — c'était hier ! — le lieutenant
Saint-Pé, sorti second de Saumur, qui rencontrait un soir de
bal mademoiselle de Saint-Euverte. Un instant, le masque
de la parodie tombe, et nous découvrons le tragique de la
vieillesse, la solitude, l'impossibilité d'être aimé ; mais vite
la comédie reprend ses droits : Madame Dupont-Fredaine
entre en scène.

L'Alouette (1955), saluée comme un chef-d'œuvre, témoigne
d'une virtuosité étourdissante : sur la scène se succèdent
Jeanne d'Arc à Domrémy, Jeanne à Vaucouleurs devant le
Sire de Baudricourt, Jeanne au Palais de Charles VII, Jeanne

devant ses juges (Cauchon devient un juge humain, compré-
hensif et compatissant). La pièce finit « bien », au détriment
de l'histoire, car « la vraie fin de l'histoire de Jeanne, la vraie
fin qui n'en finira plus, celle qu'on se redira toujours quand
on aura confondu ou oublié les noms, ce n'est pas dans ses
misères de bête traquée à Rouen, c'est l'alouette en plein ciel,
c'est Jeanne à Reims dans toute sa gloire ! » L'enchaînement
des sketches est d'une habileté qui confond, mais Anouilh
a raconté l'histoire de Jeanne « comme si Jeanne d'Arc était
la fille du bistrot du coin » (1).

On a pu attendre beaucoup de Jean Anouilh. A la révolte
que lui inspirait une société de pharisiens, nous devons les
belles scènes noires de l'*Hermine*, de *la Sauvage* et d'*Antigone*,
et la destruction des mythes révolutionnaires, véritable psychanalyse politique des Français qu'est *Pauvre Bitos* (1956).

Vivre avilit : telle est son unique certitude ; pour retrouver
le paradis perdu de l'enfance, il faudrait oublier toutes les
images sales, tous les tristes mots entendus. « Il te tarde
d'être grand, toi ? demande Créon à l'un de ses pages — Oh
oui, Monsieur ! — Tu es fou petit, il faudrait ne jamais devenir
grand. »

Telle est la morale d'Anouilh : l'amour lui-même n'échappe
pas à la dégradation du temps. « C'est perdu d'avance parce
qu'un soir, dans un an, dans dix ans, vous croirez tenir votre
petit copain dans vos bras, vous vous apercevrez que vous ne
tenez qu'une femme, que vous ne tenez rien ! » dit Lucien dans
Roméo et Jeannette. Les amants d'âge mûr qu'Anouilh met
en scène en sont réduits à se jouer les rôles éculés du réper-
toire (2).

Avec ses dernières pièces « brillantes » ou « grinçantes »
Anouilh ne sollicite plus l'approbation de ses auditeurs, mais
leur *complicité*.

(1) Morvan Lebesque.
(2) Le mépris mêlé de honte qu'Anouilh manifeste envers la physique de
l'amour (« Nous sommes de mauvais amants », disait Monime dans *l'Hermine*,
et Eurydice : « C'est laid, les gestes ») se conjugue ici avec une haine, presque
pathologique, du temps qui avilit tout, de ce naufrage qu'est la vieillesse. Pour
résister au temps, pour « tenir », il faudrait vivre comme la duchesse de Granat
« en ne se donnant à rien, ni à l'amour, ni à la charité, ni au vice. Chaque
volupté, chaque dévouement, chaque enthousiasme nous abrège ». Mais
vieillir ainsi, c'est épouser le visage même du Temps, devenir cette « vieille
femme ignoble dont ils auront tous horreur ! ... »

Sûr de ses moyens et peut-être « incapable désormais de faire un faux pas » il aurait dit pour toujours adieu à sa jeunesse, comme s'il s'était mis à penser que rien vraiment n'a plus d'importance, sinon de « donner et redonner le morceau qui a fait son succès, qu'il détaille mieux que personne, que tout le monde reconnaît et chantonne en l'accompagnant les yeux clos de plaisir » (1).

Si cette opinion devait se vérifier, Jean Anouilh, après avoir occupé depuis quinze ans une grande place dans l'histoire du théâtre, verrait diminuer celle qu'il tient dans notre littérature.

(1) Jacques Lemarchand.

VI

LA SATIRE

L A satire est un genre dangereux : pour en manier le
fouet, il faut être bien sûr que ce dernier ne se retour-
nera pas contre vous. Parfaitement maître de ses
répliques, Anouilh s'y est risqué dans ses dernières pièces,
avec une verve grinçante, si cruelle qu'elle a fait frémir
(la Valse des Toréadors, Pauvre Bitos). Mais il y a loin de cette
satire de type classique, à la contestation radicale qui anime
l'œuvre de Jean Genêt.

1

MARCEL AYMÉ, FÉLICIEN MARCEAU

Marcel Aymé (1), après s'y être exercé dans ses tableaux
salaces de la vie paysanne et dans ses portraits sarcastiques
de la Libération, est monté sur la scène avec ses gros sabots,
pour faire jouer, à la fin de 1947, une pièce écrite quinze ans
plus tôt : *Lucienne et le Boucher*. On y trouve, poussée jusqu'à
la caricature, la peinture de la vie quotidienne dans un petit
bourg, avec les prétentions de ses habitants, les fausses notes
de sa musique municipale, ses amours clandestines, relevée
par un troisième acte impitoyable où une femme égoïste et
sensuelle sacrifie avec allégresse son malheureux horloger
d'époux — meurtre bientôt mis au compte de son amant

---

(1) Marcel Aymé (cf. pp. 257-259) a fait jouer, depuis 1947 : *Lucienne et
le boucher* (1947), *Clérambard* (1950), *la Tête des Autres* (1952), *les Oiseaux de
Lune* (1955), *la Mouche bleue* (1957).

à qui elle n'hésitera pas à réclamer — puisqu'elle est devenue veuve — des dommages-intérêts !

Etonnante farce, *Clérambard* (1950) pourrait bien être la meilleure pièce de Marcel Aymé. Les personnages sont épais, vigoureux, peu ordinaires, mais toujours humains. Pitoyable hobereau de province, Monsieur de Clérambard a soudain décidé (comme le Goetz de Sartre) de devenir un saint. En conséquence, il prétend faire épouser à son fils, jeune vicomte boutonneux, la femme dont il était épris, la prostituée La Langouste. Et l'action se développe dans un mouvement étonnant sous les signes alternés de saint François d'Assise et du Père Ubu.

Dans *la Tête des Autres* (1952), Marcel Aymé s'en est pris à la magistrature, non sans une certaine prudence puisqu'il a placé l'action de sa pièce en Moldavie. Le procureur Maillard, qui vient d'obtenir aux assises la tête d'un accusé, rentre chez lui où sa femme et ses amis le félicitent d'un succès si beau. Roberte, sa maîtresse — épouse d'un magistrat — est moins à son aise, surtout lorsque surgit le condamné — évadé dans la propre voiture du procureur, qui vient de le transporter sans le savoir jusqu'à son domicile ; or, le malheureux a passé la soirée du crime avec Roberte. Et le drame peut se résumer ainsi : Maillard va-t-il sacrifier à la vérité et à la justice la réputation d'une femme qui est à la fois sa maîtresse, celle d'un condamné et l'épouse d'un magistrat ?

Les deux premiers actes de *la Tête des Autres* sont de la bonne, sinon de la grande comédie. Puis, la pièce s'enlise dans une sorte de sadisme vulgaire. Dommage !

Les Oiseaux de Lune (1955) partent d'une idée charmante, bien dans la manière du Marcel Aymé des *Contes :* croyez-vous qu'un homme puisse en changer d'autres en oiseaux ? Si vous le croyez, tout devient possible. Un malheureux petit pion que chacun persécute jouit de ce pouvoir ; du jour où il se décide à en user, les gags s'enchaînent avec une logique imperturbable : de sa belle-mère aux policiers venus l'arrêter, en passant par les élèves les plus chahuteurs, par leurs parents et par les gêneurs de tout acabit, il met tout le monde en cage... *La Mouche bleue* (1957), satire trop appuyée du règne du dollar, de l'*American way of life*, de ses idées sur mesure et de ses tabous sexuels, a paru beaucoup moins convaincante.

Félicien Marceau.

Jacques Duby avait assuré le succès des *Oiseaux de Lune*.
Le même acteur devait, sur la même scène de l'Atelier, faire
triompher Magis, héros et porte-parole du romancier Félicien
Marceau (1) dans *l'Œuf* (2). Sa première pièce avait été une
imitation de Shakespeare, noble et froide, *Caterina*. *L'Œuf*
est un long monologue (dont la substance se trouvait déjà
dans un roman de Félicien Marceau, écrit à la première
personne, *Chair et Cuir*), dit et mimé de bout en bout par
Émile Magis — un garçon pas sot, qui paraît naïf parce qu'il
constate avec indignation des évidences et qu'il ne peut se
faire à ce qu'il appelle le « système» — autrement dit, la vie.
Il ausculte avec rage les lieux communs — cette phrase, par
exemple, qui l'exaspère : « Il se réveilla frais et dispos» —,
tourne et retourne entre ses doigts nerveux ce monde menteur
et clos, opaque et rond, comme un œuf. C'est un Don Quichotte amer, avec un bon grain de cynisme, qui part à la
conquête des moulins du xxe siècle. Chemin faisant, il se
livre à des expériences peu morales — par plaisir, pour *voir*.
Mais il arrive aussi que celles-ci l'entraînent plus loin qu'il ne
l'aurait voulu : il se retrouve ainsi fonctionnaire et marié,
vite trompé. Agençant une de ces mécaniques diaboliques
dont il a le secret, il se débarrasse de sa femme et met le crime
sur le dos du rival, aux dépens duquel il a vécu. Le « système»
l'en débarrassera définitivement — en le condamnant à vingt
ans de travaux forcés.

Cette pièce amère et forte, où l'intelligence ne s'éloigne
jamais de la réalité qu'elle décrit, laissait présager un des bons
écrivains de théâtre de notre temps. Sans doute *la Bonne
Soupe* (1958) accuse-t-elle la vulgarité des personnages et
l'insistance du procédé. Mais il sera difficile d'égaler son
succès. Un Pierre Gascar (*les Pas Perdus*, 1957), un Roland
Laudenbach (*Bille en Tête* a été joué en 1957 par Pierre
Fresnay à la Michodière), qui hésite encore entre Anouilh et
Marcel Aymé, s'y essaieront peut-être. Et pourquoi Jean-
Jacques Gautier ne porterait-il pas à la scène les monologues
impitoyables que lui inspirent tant de pièces de ses confrères ?

(1) Cf. pp. 322-324.
(2) Comédie en deux actes, créée à l'Atelier, le 18 décembre 1956, dans une
mise en scène d'André Barsacq.

2

Un théâtre de contestation :
l'œuvre dramatique de Jean Genêt

Veut-on d'autres exemples d'un théâtre où la littérature l'emporte sur la vie, où l'action compte moins que le style ? Alors on citera *les Bonnes* et *le Balcon* de Jean Genêt (1). Que l'impudeur du sujet ne nous égare pas : ici s'exprime un amateur de théâtre d'une exceptionnelle intelligence : la préface des *Bonnes* n'est pas moins digne de figurer dans les anthologies dramatiques que le *Théâtre et son Double* d'Antonin Artaud — Artaud condamnait avec violence la psychologie mise à la mode par quatre siècles de théâtre, de Racine à Bernstein (« Des histoires d'argent, d'angoisses pour de l'argent, d'arrivisme social, d'affres amoureuses où l'altruisme n'intervient jamais, de sexualités saupoudrées d'un érotisme sans mystère ne sont pas du théâtre si elles sont de la psychologie ») et demandait que l'on fasse du théâtre, au sens propre du mot, *une fonction*.

Jean Genêt condamne lui aussi ce type de spectacle exhibitionniste qui, loin d'appeler les hommes à communier dans un même élan, les divertit, c'est-à-dire les aide à se replier dans leur solitude, comme si un public fatigué et démoralisé chargeait l'auteur dramatique de « représenter à sa place non des thèmes héroïques mais des personnages rêvés ». Pourtant, Jean Genêt accepte cet art équivoque — comme il accepte une Société cruelle et la compagnie des criminels — « Je ne sais ce que sera le théâtre dans un monde socialiste, mais dans le monde occidental, de plus en plus touché par la mort et tourné vers elle, il ne peut (qu'être)... un reflet de reflet qu'un jeu cérémonieux pourrait rendre exquis et proche de l'invisibilité. Si l'on a choisi de se regarder mourir délicieusement, il faut poursuivre avec rigueur, et les ordonner, les symboles funèbres. »

---

(1) Cf. pp. 281-284. *Les Bonnes* comportent deux versions : l'une a été jouée (par la compagnie Louis Jouvet) au théâtre de l'Athénée en 1946, l'autre au théâtre de la Huchette en 1954. (Les deux versions précédées d'une lettre de l'auteur ont été publiées en un volume chez Jean-Jacques Pauvert en 1954.)

Ce que fait très exactement Genêt : il reprend un sujet de Becque ou de Mirbeau — ici deux bonnes qui assassinent leur maîtresse, là des notables qui se retrouvent dans une maison de rendez-vous — et le traite avec une gravité cérémonieuse, qui fuit l'humour et ne laisse pas de repos à l'esprit.

Il avait fallu toute l'autorité de Jouvet pour imposer (non sans protestations) *les Bonnes* au public de l'Athénée. *Le Balcon*, pour lequel Jean-Paul Sartre a rompu des lances, n'a pas eu la même chance : ce général, cet évêque, ce préfet de police, qui trouvent leur vérité en se dépouillant au milieu des miroirs et des filles d'une défroque illusoire, ont fait redouter le scandale.

En mettant ainsi les procédés du théâtre bourgeois au service de thèmes scabreux ou sordides, Jean Genêt conteste en fait, aussi sûrement que s'il l'attaquait de front, un théâtre d'apparence, simple reflet de l'« Ordre» bourgeois.

Par là, cet impeccable rhétoriqueur ouvre la voie à l'Antithéâtre.

CHAPITRE TROISIÈME

L'ANTITHÉATRE

L'« *Antithéâtre*» *est à la scène bourgeoise ce que l'«* Anti- *roman*» *est au récit traditionnel : une approche nouvelle des êtres qui ne doit rien aux procédés psychologiques classiques. Une fois de plus, la « raison» se voit dévalorisée.*

Le spectateur doit être mis, directement et sans explication, en face de la situation dramatique, hors de tout « problème» idéologique ou social. De grands initiateurs étrangers comme Pirandello, Lorca, Bruckner, Brecht surtout, ont contribué à ouvrir la scène française à ce théâtre sans intrigue et sans « situations» où l'insolite, le fantastique et l'atroce frappent comme autant d'expressions de l'absurde.

Pour beaucoup d'observateurs (comme Pierre-Aimé Tou- chard) la dernière guerre, avec les chocs effroyables subis par notre sensibilité, et la menace atomique, en « contraignant les .moins imaginatifs à envisager l'avenir sous la forme d'une catastrophe cosmique, ont brusquement vulgarisé ce sentiment d'inconfort, puis d'angoisse éprouvé seulement jusqu'alors par les artistes et les poètes. Et, du même coup, le désarroi traduit seulement par les arts « individuels», par ceux qui n'atteignent les hommes qu'un à un (la peinture, la poésie et parfois la musique) s'est trouvé exprimé à son tour par le théâtre, c'est-à-dire par l'art collectif par excellence, par l'art qui ne peut obtenir de chance de survie que si la presque totalité des spectateurs rassemblés donne son adhésion immédiate à l'œuvre représentée (1)».

Fait significatif, ce phénomène — la grande peur du XXe siè- cle — a été exprimé et rendu avec une force singulière, dramatique (le mot, ici, convient doublement) par trois écrivains étrangers d'expression française : Samuel Beckett, Arthur Adamov et Eugène Ionesco, qui sont aujourd'hui les représentants les plus illustres de l'« Antithéâtre*». Auparavant, quelques poètes avaient déjà préparé ce renouvellement de notre panorama théâtral : c'est à eux qu'il nous faut, d'abord, faire une place.*

(1) P.-A. Touchard, *Dionysos* (Seuil).

I

L'ANTITHÉÂTRE POÉTIQUE : HENRI PICHETTE, GEORGES SCHÉHADÉ, MICHEL DE GHELDERODE

1

DEUX JEUNES POÈTES : HENRI PICHETTE, GEORGES SCHÉHADÉ

O^N n'a pas oublié la prédication poétique et révolutionnaire de Henri Pichette (1).

   « Tant que le poète ne participera pas authentiquement aux épreuves, QU'IL n'écrira pas ou n'exercera
pas avec ses muscles, ses nerfs, son sang, QU'IL ne se rendra
pas et visible et audible, QU'IL ne quittera pas son alcôve
ou sa tour d'ivoire pour concourir en plein air, QU'IL ne res-
pirera pas dedans la fleur ou ne tombera pas avec le fruit
ou ne parlera pas le langage du fruit, de la fleur et de l'arbre,
QU'IL n'aura pas l'intelligence, la mémoire ou l'agressivité
plastique-morale de chaque chose, affirmait-il avec une
éloquence juvénile, la poésie méritera d'être taxée d'ampu-
tation idéaliste, d'onanisme intellectuel, de jeu de société,
ou de ni bonne ni mauvaise manie.» Pichette, ne faisant pas
de distinction entre la poésie et le théâtre, estime que l'art
dramatique ne saurait se borner à exprimer les passions, les
conflits, les comportements ou les ridicules des humains,
mais qu'il doit devenir, comme la poésie elle-même, une
« performance sportive », un voyage de l'esprit vers les
choses et les lieux les plus divers. En fait le « moteur » idéologique de cet art, c'est la révolte.

(1) Cf. pp. 575-579.

Mais il y a loin des intentions aux actes, Pichette s'en aperçut dès sa première tentative (*les Epiphanies*, 1948) ; en voulant substituer à l'action dramatique un théâtre purement poétique et lyrique, il s'engageait dans une impasse : celle d'une rhétorique immobile. Plus ambitieux, *Nucléa* (monté en 1951 au T.N.P. par Jean Vilar) accentuait la portée symbolique de sa protestation — contre la guerre, le vieux monde, les civilisations soumises — en opposant à la dramaturgie classique un seul élan verbal, indissociable en scènes, en répliques ou en mots. Mais *Nucléa* n'est pas *Mère Courage*, il n'est qu'une esquisse rageuse de ce « théâtre total» que cherche Pichette. Il ne le trouvera pas tant que ses personnages ne seront que des *machines verbales*, des automates éloquents sans liberté, donc sans vérité humaine.

* *
*

On trouve plus de poésie vraie et même d'intuition dramatique dans l'œuvre de Georges Schéhadé (1). Celle-ci ne se contente pas de proposer une nouvelle mythologie, elle éclaire l'action scénique d'une lumière poétique particulière.

Dès *Monsieur Bob'le*, sa première pièce jouée en France en 1951, la critique se partageait en deux camps violemment opposés ; les thuriféraires du poète n'avaient pas assez de sarcasmes pour ceux qui, tel Robert Kemp, osaient faire la petite bouche (2).

---

(1) Georges Schéhadé est né au Caire d'une vieille famille libanaise de culture française. (Une de ses sœurs a publié des poèmes en français.)

Il a fait une partie de ses études à Paris, avant de devenir secrétaire général de l'Ecole Supérieure des Lettres de Beyrouth. Il a publié des poésies (*N.R.F.* 1952) et fait jouer successivement *Monsieur Bob'le* (Théâtre de la Huchette, Compagnie Georges Vitaly, 1951), *la Soirée des Proverbes* (Petit Théâtre Marigny, Compagnie Jean-Louis Barrault, 1954), *Histoire de Vasco* (Théâtre Sarah Bernhardt, Compagnie Jean-Louis Barrault, 1956). (Ces trois pièces ont paru aux éditions Gallimard.)

(2) « Ces messieurs de la critique théâtrale, dit l'un de ces fervents, cracheraient, s'ils pouvaient, sur *le Songe d'une Nuit d'été* et sur *Katherine de Heilbronn*. On les a vus écumer devant *le Baladin du monde occidental* et *Locus solus*, hoqueter devant *le Roi pêcheur*. Chaque fois qu'ils se répandent en turpitudes, à la façon des « gloutons» dans les cérémonies indiennes, on peut être sûr que toute la poésie est en jeu. Nul mieux que Georges Schéhadé n'est en mesure de leur déboucher au nez le flacon dont parle Baudelaire. On veut

Il est difficile de résumer *Monsieur Bob'le.* Le héros en est
une sorte de devin qui se joue du temps et de l'espace, change
de personnage comme de masque tout en restant lui-même,
et rend des oracles mystérieux.

Monsieur Bob'le reconstruisait dans un rêve un amour
déçu, plus beau que le vrai ; une rose dans sa valise, il quitte
sa petite ville en quête d'imprévu, de mystère et d'amour —
voyage symbolique qui l'amènera jusqu'au terme, vers cette
mort qui est la délivrance et la récompense du poète. C'est
le même secret que tentent de deviner les héros de *la Soirée
des Proverbes* (1954), « Bohémiens d'une profonde image »
qui s'enfoncent dans la forêt enchantée pour y retrouver
leur jeunesse. « Dans une salle d'auberge, l'insolite se glisse
et le plus naturellement du monde. Il est introduit par des
personnages qui ne semblent étranges que parce qu'ils parlent
seuls un peu plus fort que ne le font les gens que nous croi-
sons chaque jour ; ils disent combien ils se soucient peu les
uns des autres, et combien les passionnent leurs manies.
Cela ne va pas sans ces confusions, ces ridicules vrais et d'une
absurdité charmante que l'auteur souligne avec un sens du
comique souvent délicieux. »

« Ce que découvrent au cours de leur aventure les héros de
Schéhadé, nous le savions déjà : que nous trahissons notre
jeunesse avec une constance déplorable et que nous aurions
accepté la mort comme une délivrance si nous avions pu voir
à vingt ans nos visages quadragénaires (1). »

Histoire de Vasco (montée au théâtre Sarah-Bernhardt
par la compagnie Jean-Louis Barrault pour la rentrée
théâtrale d'octobre 1957) a suscité d'âpres polémiques, comme
si les critiques ne pouvaient s'en tenir qu'à l'apologie sans
mesure ou au dénigrement hargneux. Comme tous les héros
de Schéhadé, Vasco est un innocent qui traverse la vie réelle
comme un somnambule avant d'être fusillé par les soldats
d'une société sans âme. Une fois encore, le héros, tel l'hermine,
a préféré la mort à la souillure de la vie. Cette fantaisie un
peu lâche, qui fait songer aux impromptus poétiques de

espérer que le public ne se laissera pas impressionner par leurs aboiements et
qu'en particulier la jeunesse aura à cœur de défendre en *Monsieur Bob'le*
une œuvre d'exceptionnelle beauté. »

(1) Jacques Lemarchand.

Supervielle, est relevée de morceaux de bravoure dont le plus étonnant est le monologue d'un vieux général (superbement exprimé, à la scène, par Pierre Bertin), et d'une satire de la guerre, ni méchante, ni corrosive, mais pas très neuve.

Sans doute Georges Schéhadé ne conduit-il pas ses intrigues d'une main suffisamment ferme. Mais le théâtre poétique n'a pas, en France, tant de défenseurs pour que nous puissions négliger l'effort de cet Oriental conquis à notre langue, et les trouvailles de cette poésie mélancolique et tendre, grave (et même déchirante) sans être jamais lourde, ni même forcée.

Certes, ses pièces ne s'adressent pas au spectateur fatigué qu'il faut rassurer, et réveiller au bon moment « par l'injection de ces excitants habilement dosés et éprouvés depuis des générations — flagrant délit d'adultère, coup de revolver d'un crime ou d'un suicide» (1), mais à un spectateur assez intelligent pour goûter un dépaysement inattendu.

L'alternative qui s'offre aujourd'hui à Schéhadé est claire. Il peut rester le prospecteur ébloui du rêve et d'une infraréalité poétique qui efface à ses yeux la nôtre — dans ce cas, ses héros demeureront en marge de la vie, donc du théâtre — ou renoncer à créer un théâtre poétique pour raconter des paraboles, animer des moralités où ne subsistera de poésie que juste ce que tolèrent les nécessités de l'action. A Schéhadé de savoir si ses charmants personnages peuvent porter le poids d'une vérité qu'ils devront, non plus rêver, mais *vivre*.

2

Le théatre de Michel de Ghelderode

Joué depuis plus de vingt ans dans sa Flandre natale, le dramaturge belge Michel de Ghelderode (2) fut tiré de

(1) Gaëtan Picon.
(2) Michel de Ghelderode a publié (aux éditions Gallimard) 5 volumes de théâtre :
I. — *Hop Signor!*, *Escurial*, *Sire Halewyn*, *Magie Rouge*, *Mademoiselle Jaïre*, *Fastes d'Enfer* ;
II. — *Le Cavalier bizarre*, *la Ballade du Grand Macabre*, *Trois Acteurs*, *Un*

l'ombre par André Reybaz et Catherine Toth, animateurs
de la jeune compagnie du *Myrmidon*. En présentant en 1946,
Hop Signor! et en 1949 *Fastes d'Enfer*, celle-ci révélait au
public parisien stupéfait une œuvre profondément originale,
mûrie pendant toute une vie ; pleine de violence, de passion,
de retournements cocasses, qui passe du drame sombre au
gros comique, mystique et sensuelle à la fois, « une œuvre
qui éclate de rire et de terreur, qui fuit l'ennui comme une
peste et qui est née dans la plus flamande des familiarités
avec la vie quotidienne, avec la mort, son terme naturel,
avec ses rois, ses bouffons, ses femmes de chair et ses pantins,
ses purs amants et ses hommes de cœur» (1). *Hop, Signor!*
n'est qu'une farce, mais *Fastes d'Enfer* est un monde — issu
d'un Moyen Age terrifiant où la chapelle ouvre sur le cloaque,
la salle de bal sur la chambre de tortures, où des prélats sata-
niques détiennent encore les formules sacrales, celles qui
changent la substance des choses et le cœur des hommes,
« rituel noir à la gloire d'hérésiarques chantant dans les
flammes, beaux comme des démons rentrés en grâce» (2).

Avec *Escurial* (créé en 1948 par Michel Vitold à l'Œuvre),
*Sire Halewyn, Mademoiselle Jaïre, Magie Rouge, la Ballade
du Grand Macabre*, alternent avec le drame de bonnes et
solides blagues flamandes, comme si le poète voulait égaler
la drôlerie des choses cruelles à la profonde méchanceté des
choses burlesques.

On y voit des terreurs de l'an mil ravager des principautés
imaginaires, des fabliaux poussés à l'épopée, et tout cela dans
« un grand mouvement de verve populaire, généreuse, bla-
gueuse, mais passionnée de justice et de saine équité ; les
amers, les avares, les longues figures, les méchants périssent,

Drame, Christophe Colomb, les Femmes au Tombeau, la Farce des Ténébreux ;
III. — *La Pie sur le gibet, Pantagleize, D'un Diable qui prêcha merveilles,
Sortie de l'Acteur, l'Ecole des Bouffons* ;
IV. — *Un Soir de pitié, Don Juan, le Club des Menteurs, les Vieillards, Marie
la Misérable, Masques ostendais* ;
V. — *Le Soleil se couche..., les Aveugles, Barabbas, le Ménage de Caroline,
la Mort du Docteur Faust, Adrian et Jusemina, Piet Bouteille.*
Chez d'autres éditeurs :
La Flandre est un songe, études et chroniques (Durandal, Bruxelles, 1953) ;
les Entretiens d'Ostende, dialogue radiophonique (L'Arche, Paris, 1956).

(1) Jacques Lemarchand, préface au *Théâtre* de Ghelderode.
(2) Jean Mauduit *(Etudes).*

et survivent les amants jeunes, les rêveurs et les fous. Quelques soudards aussi : de quoi refaire toute l'histoire de l'humanité (1) ».

Un titre annonce-t-il une farce ? C'est un drame que l'on nous offre — voici *l'Ecole des Bouffons* (monté à l'Œuvre par Marcel Lupovici). Des bouffons représentent devant leur maître une petite pièce où celui-ci revit la tragique histoire de sa fille abandonnée par l'homme qu'elle aimait, et qui s'est donné la mort pour fuir les embrassements d'un bouffon épousé par dépit. Frappé par cette affreuse évocation, le maître, après une courte défaillance, reprend en main ses comédiens et les ramène à leur condition d'esclaves, car il ne peut y avoir de grand art sans cruauté.

Autre aspect d'un talent multiple, ce *Barabbas* (créé à l'Œuvre en 1950) qui renouvelle notre vision du Calvaire. Le drame est suivi de l'autre côté du Golgotha par la bande de tire-laine et d'escarpes que le Galiléen est aussi venu sauver ; le « royaume des gueux » dont rêve Barabbas n'aura pas plus de chance ici-bas que le royaume des Cieux, et le condamné rejoindra son modèle dans la mort.

Mais ce serait plus de vingt pièces qu'il nous faudrait encore analyser, de *Magie Rouge* aux *Aveugles* et du *Cavalier bizarre* à *la Farce des Ténébreux*. Ghelderode reprend à son compte les grands rôles du théâtre — de Don Juan à Faust — et de l'histoire — de Christophe Colomb à Charles Quint — pour les éclairer de sa lumière propre, à la fois tragique et bouffonne. Ses pièces ne méritent pas toutes la même estime (il en est d'ubuesques et d'injouables), mais aucune ne nous laisse indifférent : car le pathétique de Ghelderode s'alimente aux sources mêmes du tragique — la mort, la volupté, la haine — il porte chaque passion à l'incandescence, dût-il brûler ses propres personnages, livrés aux flammes d'un enfer qui commence ici-bas.

---

(1) J. Lemarchand, *préface* citée.

II

L'ANTITHÉATRE MÉTAPHYSIQUE :
ARTHUR ADAMOV, EUGÈNE IONESCO

1

ARTHUR ADAMOV

LE théâtre de Ghelderode est inactuel ; l'homme et l'œuvre n'appartiennent pas à notre temps, mais à un Moyen Age énorme et fabuleux. C'est un autre dépaysement que nous proposent Adamov et Ionesco (1) dans des œuvres de rupture, qui poussent tout au symbole, et semblent n'avoir retenu de ce siècle qu'une mythologie absurde, que la conquête du monde par le Néant.

La saison 1950-1951 vit jouer les premières pièces d'Arthur Adamov (2) : *l'Invasion* et *la Grande et la Petite Manœuvre*. L'originalité d'Adamov — compte tenu de tout ce qu'il doit à l'expressionnisme allemand — est de nous proposer un

---

(1) Nous avons préféré insister sur ces deux œuvres, plutôt que de nous éparpiller dans l'énumération de pièces qui participent du même esprit. En matérialisant sur la scène les cauchemars d'un enfant fiévreux et en faisant discuter ces êtres imaginaires avec des personnages réels, Jean Davray annonçait déjà, dans *Quarante et quatre*, certains des procédés qu'utiliseront Adamov ou Ionesco. De même, *le Capitaine Bada* de Jean Vauthier (caricature du héros qui perd peu à peu toute existence jusqu'au moment où un employé des pompes funèbres lui annonce qu'il est mort) ressemble-t-il comme un frère aux personnages des *Chaises* ou de *l'Invasion*. Tandis que *les Coréens*, de Michel Vinaver, annoncent peut-être un nouvel « engagement » du théâtre.

(2) Arthur Adamov a fait représenter : *la Parodie*, *l'Invasion*, *la Grande et la petite manœuvre*, *Tous contre tous*, *le Professeur Taranne* (Gallimard, 1953), *Paolo Paoli* (1957).

théâtre dépouillé à l'extrême ; l'attitude, les gestes, le comportement physique de ses personnages suffisent à les libérer des conventions du langage. Toute intervention de la rhétorique, toute « mise en scène» se trouvent donc exclues. En se privant volontairement des ressources du dialogue ou de l'intrigue, Adamov prétend rendre à l'œuvre dramatique sa probité. Il oppose donc aux plus vieilles traditions de notre art (qui a toujours emprunté son efficacité au prestige de l'action, du verbe, de l'invention scénique) *un théâtre réduit à sa seule signification métaphysique.*

La Grande et la Petite Manœuvre reprend un procédé du Grand Guignol : au lever du rideau, un personnage possède ses quatre membres ; après le premier tableau, il a deux bras en moins ; après le deuxième, il s'est défait d'une jambe ; au suivant, il revient dans une voiture de cul-de-jatte. Mais ce n'est pas tout : chaque fois, la perte d'un membre est le signe d'une mutilation morale. L'attrait ou la répulsion que cette pièce suscite chez le spectateur est au premier chef physique. Le théâtre remplit ici la mission que lui assignait Antonin Artaud d'être « une fête de destruction ». Le langage lui-même participe à ce jeu. « Il n'a plus la transparence un peu triste de celui de *l'Invasion ;* plus simple et plus dénudé il porte mieux et plus loin, survolté en quelque sorte d'une ironie parfois féroce (1). »

Parce qu'il a profondément ressenti cette insécurité qui étreint les hommes dès qu'ils ne font plus confiance à leur verbe, Adamov pose l'anxiété et la terreur au début de ses pièces. « Il renverse ainsi l'ordre suivi par les autres dramaturges : au lieu de découvrir la folie ou la bouffonnerie au terme de l'expérience banale, Adamov tient que les hommes connaissent déjà cette détresse qu'il affirme sans la désigner. Ainsi constituée, la situation est donnée pour que les personnages viennent se détruire et se mutiler les uns les autres. Personne n'a d'oreille pour personne dans ce théâtre parce que l'auteur a déjà arraché aux hommes la possibilité de s'entendre, fût-ce sur un malentendu. Ainsi incarnent-ils tous une sorte de lyrisme de la névrose (2). »

(1) Bernard Dort.
(2) Jean Duvignaud.

Dans *Nous sommes comme nous avons été*, un jeune homme, sur le point de se marier, redevient un enfant par la faute de sa mère et de sa grand-mère qui miment au chevet de son lit une enfance qui n'est pas la sienne. Pourquoi les croit-il ? Parce qu'il est le prisonnier des *mots*.

Le Professeur Taranne (en qui nous supposons, comme tout le monde, au début de la pièce, un universitaire bardé de diplômes) a eu le tort de s'exhiber tout nu sur une place devant des enfants. En vain proteste-t-il de son innocence auprès du commissaire de police qui vient l'interroger ; même la sympathie de ses collègues et de ses élèves lui fait défaut : dégoûtés, ceux-ci refusent de le reconnaître ; de plus, il apprend qu'on lui a réservé une place sur un bateau bien qu'il ne projette aucun voyage. Un dernier coup enfin : la lettre du recteur d'une université étrangère lui apprend qu'il n'est qu'un misérable, qui a volé toutes ses théories à un vrai savant, inconnu. Et Taranne, resté seul, commence à se déshabiller.

Il a suffi de quelques épisodes, somme toute assez vraisemblables, pour que nous quittions le domaine de la vie «normale», pour que nous accédions à « l'inquiétude métaphysique», ici personnifiée par cet esprit de persécution qui nous anime tous, souvent à notre insu, et qui est « à la fois naturel, imbécile, criminel et mortel pour chacun de nous». Cette pièce n'est pas *située*, on n'en connaît avec précision ni le lieu ni le temps, elle se développe comme un rêve mais qui nous concernerait tous (1).

La Parodie (1950) nous fait assister aux mésaventures d'un voyageur anonyme à la poursuite d'une femme qu'il a entrevue au cours de ses pérégrinations dans une ville inconnue ; pièce dans laquelle on reconnaît l'influence de Kafka, celui du *Procès* et du *Château*. La « parodie» est poussée ici jusqu'à ses limites extrêmes ; elle est la parodie de la vie, de son absurdité, et celle d'une ville dont l'organisation fait de cette absurdité même un système.

---

(1) Dans la présentation qu'il a faite de sa pièce, Adamov a lui-même évoqué ce rêve banal : nous nous trouvons dans une tenue indécente en plein boulevard ou au beau milieu d'un salon. La honte que nous éprouvons à nous montrer ainsi n'a d'égale que notre surprise en constatant que personne ne semble remarquer notre tenue. Pour Jacques Lemarchand, cette sorte de dédoublement est le thème du *Professeur Taranne*.

Ainsi, au théâtre descriptif (le Boulevard), rhétorique
(Montherlant) ou lyrique (de Claudel à Pichette), Adamov
en oppose un autre, fondé sur la litote et le symbole. Jean Vilar,
que son rôle d'animateur et son exemple ont placé, ces dernières années, à la pointe du mouvement pour un nouvel art
dramatique, n'hésitait pas à poser la question : « Adamov ou
Claudel ? » et à répondre : « Adamov ! » Pourtant, il avait
aussi monté *Nucléa* ; et le théâtre de Pichette, si révolutionnaire soit-il, reste fondé sur la rhétorique, donc aux antipodes de celui d'Adamov. L'originalité de ce dernier réside
dans sa contestation du langage ; un décor volontairement
pauvre, une situation volontairement simple lui suffisent
pour démonétiser la banalité quotidienne. Adamov choisit
des héros ordinaires mais il les mine de l'intérieur, il rend leur
comportement dérisoire. Il y a toujours une action mais
celle-ci change de rôle et finit par « détruire et les héros et
leur univers » (1).

2

Eugène Ionesco

C'est à ce même type de théâtre qu'appartient l'œuvre
d'Eugène Ionesco (2).

« Ce n'est pas un théâtre psychologique, ce n'est pas un
théâtre symboliste, ce n'est pas un théâtre social, ni poétique
ni surréaliste. C'est un théâtre qui n'a pas encore d'étiquette,
qui ne figure encore sur aucun rayon de confection. C'est

(1) Bernard Dort.
(2) Eugène Ionesco est né à Slatina (Roumanie) en 1912. Etudes à la faculté
des Lettres de Bucarest. Critique littéraire (auteur d'un essai sur « l'identité
des contraires »), il vient en France en 1938 et se lie avec l'équipe des *Cahiers
du Sud*.
Au théâtre, il fait jouer successivement : *la Cantatrice chauve* (Noctambules,
1949), *la Leçon* (1950), *Jacques ou la soumission*, *les Chaises* (1952), *Victimes
du Devoir* (1953), *Amédée, ou comment s'en débarrasser ?* (1954, Prix du Cente-
naire), *le Nouveau Locataire* (1954).
Eugène Ionesco collabore à la *N.N.R.F.* et aux *Lettres Nouvelles*.
Il a publié (aux éditions Gallimard) deux tomes de théâtre comprenant
notamment : *les Chaises, la Cantatrice chauve, la Leçon, Jacques ou la soumission,
Victimes du devoir, Amédée ou Comment s'en débarrasser ?* (I, 1954) ; *l'Impromptu
de l'Alma, Tueur sans gages, le Nouveau locataire*, etc... (II, 1958).

un théâtre sur mesure», a dit de lui Jacques Lemarchand,
qui ajoute : « Il est pour moi un théâtre d'aventure», prenant
ce mot dans le sens même où l'on parle de roman d'aventure.
« Il est théâtre de cape et d'épée, illogique comme l'est *Fanto-
mas*, invraisemblable comme l'est *l'Ile au Trésor*, aussi irrationnel que *les Trois Mousquetaires*. Mais comme eux, poétique et burlesque, et exaltant, et comme eux passionnant.
Il viole constamment, je le sais, « la règle du jeu». Il est pourtant le contraire d'un théâtre tricheur. »

Etrange, spontanément original, ce théâtre, d'abord confiné
à la rive gauche, n'a pas tardé à surprendre, sinon tout à fait
à conquérir le grand public. *La Cantatrice chauve, la Leçon*
(1951), *Victime du Devoir, Comment s'en débarrasser ?* (1954)
ont été les principales étapes de cette conquête.

Un vieux ménage de concierges évoque des souvenirs
mi-vécus, mi-réels ; toutes les apparences du théâtre sont
respectées, mais insensiblement, nous entrons bientôt dans
l'absurde ; le couple reçoit des amis imaginaires, adresse ses
discours à des chaises inoccupées.

Tel est le mécanisme de ce théâtre : l'absurde s'y glisse au
milieu du banal, un incident, d'abord comique, se mue en
une tragédie avant de redescendre au niveau du grotesque
(la Leçon) ; tantôt, le réalisme de la scène est en lui-même
une caricature *(la Cantatrice chauve)*, tantôt l'horreur d'exister naît d'un univers oppressant où la matière s'épaissit, où
les objets prolifèrent *(Victime du devoir, Comment s'en
débarrasser)*, où les choses, ou s'allègent ou perdent poids
et substance (comme dans *les Chaises* où d'aucuns ont reconnu
l'expression dramatique du « vide ontologique ») — tels sont
les éléments assurément contradictoires sur lesquels se fonde
le tragique de Ionesco.

« Dans l'univers de Ionesco, tout commence par être naturel, tout s'achève dans le fantastique. Mais ce fantastique
de la fin n'est jamais que le naturel du début, grossi mille
fois à travers une loupe.

« A travers la loupe de Ionesco, nous voyons des meubles
se multiplier au cours d'un déménagement et bloquer de
proche en proche tout Paris. *(Le Nouveau Locataire.)* Deux
époux découvrir avec surprise, à la fin de leur vie, qu'ils
n'ont jamais cessé d'habiter ensemble, et même d'avoir un
enfant. *(La Cantatrice chauve.)* Un cadavre qu'on a oublié

de déclarer, se mettre à grandir dans l'appartement, et à menacer tout le monde d'étouffement. *(Comment s'en débarrasser.)* Une petite enquête policière se muer peu à peu en séance de psychanalyse, et les interrogés se mettre à chanter, à mimer, à danser leurs secrets devant les rideaux de leur fenêtre devenus soudain rideaux de théâtre. *(Victimes du devoir.)* A toutes ces pièces nous rions, mais notre rire s'accompagne toujours d'un malaise. Car ces personnages qui tiennent ces propos absurdes, nous nous apercevons très vite qu'ils nous ressemblent, qu'ils nous ont volé nos paroles et aussi nos arrière-pensées, qu'ils sont *nous* (1).»

Parfois le mécanisme se dérègle : le moteur comique s'emballe et nous cessons d'être sensibles à l'insistance lassante du thème. Ainsi, dans *Comment s'en débarrasser* (1954) l'apparition du cadavre dans le modeste appartement bourgeois est saisissante, mais la suite (le cadavre augmente de volume, et les champignons prolifèrent sur les murs) devient vite monotone. Le symbole lui-même perd de son efficacité. Ce cadavre, ces champignons, c'étaient notre destinée inscrite sur les murs de la chambre — le mort qui saisit le vif et qui s'installe. En se matérialisant, le fantôme efface l'obsession : nous passons du théâtre au Grand Guignol...

Ce théâtre original a sa date (2), porte donc en lui-même sa propre négation. Il n'est pas, en dépit des apparences, exempt de *recettes*. A propos de la seule *Cantatrice chauve* de Ionesco, Alain Bosquet en a compté *trente-six* (parmi lesquelles : la confusion de personnage, la répétition, le pseudo-exotisme, la logique illogique, le coup des sosies, la fausse candeur, l'amnésie, l'antithèse, l'attrape-nigaud, l'histoire de fous, la lapallissade, le proverbe surréaliste, etc.) ! Il

---

(1) Georges Neveux.

(2) On notera avec plaisir qu'un auteur aussi chevronné que Jean Anouilh n'a pas hésité (en 1951) à propos des *Chaises* de Ionesco, à saluer, dans *le Figaro*, l'Antithéâtre :

« *En attendant Godot* est un des deux chefs-d'œuvre du jeune théâtre dont je parlais, une des rares pièces qui m'ait plongé, dans mon âge mûr (avec *Clérambard*), dans ce désespoir du créateur maladroit qui n'a rien à voir avec la jalousie, comme le pense le vulgaire... car la jalousie, elle, n'est jamais recouverte, pour finir, par la joie...

« Quel que soit le talent de Beckett et celui de l'insondable Marcel Aymé, je croyais pouvoir souffler un peu. L'expérience m'a appris que les chefs-d'œuvre étaient rares. Et voilà que Ionesco sort ses *Chaises*, je ne sais d'où...»

serait souhaitable qu'une certaine critique « d'avant-garde » ne traite pas ces artifices comme s'il s'agissait d'autant de traits de génie et n'élève pas cette « rhétorique absurde » à la dignité d'un nouveau style de théâtre, trop vite promu au rang d'exemple. Dans ce cas, ce théâtre né du silence et de la protestation contre les vieux trucs ou la vaine éloquence (1), aurait érigé sur les ruines de la scène classique une forteresse contre laquelle une nouvelle révolte deviendrait alors nécessaire — car les révolutions arrivées deviennent vite des réactions...

(1) Refusant le théâtre « aristotélicien », qui ne correspond plus au style de notre époque, Ionesco rêve d'un théâtre « irrationnaliste », où le dynamisme de la psychologie vienne remplacer le vieux principe de l'identité des caractères. « Quant à l'action, à la causalité, n'en parlons plus. Nous devons les ignorer totalement. Plus de drame ni de tragédie. Le tragique se fait comique, le comique est tragique... » (*Victimes du Devoir*).

III

L'ANTITHÉATRE TOTAL :
SAMUEL BECKETT OU LA MORT DE L'HOMME

IL est peu probable qu'une telle crainte se réalise en ce qui concerne le théâtre de Samuel Beckett (1) ; il s'agit, trop évidemment, d'un *théâtre-limite*, comme sa prose est une *prose-limite*, bornée par la vision terrifiante de notre fin prochaine ; déjà en voie d'anéantissement, un monde condamné s'y survit dans l'attente. de sa fin.

L'apparition, un soir d'hiver de 1953, de *En attendant Godot* sur l'étroite scène du théâtre de Babylone (2) sera peut-être considérée comme l'événement théâtral de notre temps : pour la première fois, des spectateurs ont été mis en face de leur mort ; ils ont vu l'angoisse et l'absurdité du monde

---

(1) Samuel Beckett (Cf. pp. 303-304), a fait jouer : en 1952, *En attendant Godot* ; en 1957, *Fin de Partie*, suivi de *Acte sans parole* et *Tous ceux qui tombent* pièce radiophonique).

En attendant Godot et *Fin de Partie*, montés à Paris par Roger Blin, ont été traduits et joués dans les pays suivants : Allemagne, Argentine, Belgique flamande, Brésil, Danemark, Espagne, Etats-Unis, Finlande, Grande-Bretagne, Grèce, Hollande, Hongrie, Indonésie, Israël, Italie, Japon, Mexique, Norvège, Pologne, Portugal, Turquie et Yougoslavie. Ils ont été publiés aux Editions de Minuit.

(2) En mai 1952, le théâtre de Babylone avait ouvert ses portes, boulevard Raspail, avec l'ambition avouée de refaire, à l'intention de notre temps, ce que Jacques Copeau avait fait du Vieux-Colombier, voici trente ans. Sans doute n'a-t-il eu finalement qu'une existence éphémère, mais il a marqué la vie intellectuelle de ces dernières années en montant d'importantes pièces de Pirandello et de Strindberg et en faisant, d'Adamov à Beckett et à Ionesco, une large place à cet « antithéâtre » dans lequel il avait vu le théâtre de demain.

s'incarner en des personnages inoubliables. Le premier acte, surtout, était saisissant : deux clochards, Estragon et Vladimir, devisaient en attendant l'arrivée d'un personnage mythologique — Godot, leur avenir et peut-être leur salut ; Pozzo et Lucky — le maître et l'esclave — entrés sur ces entrefaites, jouaient un extraordinaire numéro de haute voltige : on y voyait le misérable Lucky penser (ou plutôt réciter une pensée apprise) sous la menace du fouet.

Mais le deuxième acte s'achevait sans qu'Estragon ni Vladimir aient aperçu Godot. « On se pendra demain, concluaient-ils, à moins que Godot ne vienne».

On s'était alors demandé si cette longue attente n'ouvrirait pas un jour sur l'espoir, si « Godot » ne viendrait pas éclairer cette œuvre d'une beauté farouche, en dépit de son décor, et ce monde en perdition sans doute, mais non encore définitivement condamné — en sursis. Samuel Beckett a répondu — et pas dans le sens de l'optimisme — en ajoutant à *En attendant Godot*, devenu simple intermède, un épilogue terrifiant, mille fois plus sinistre : *Fin de Partie*. Cette vie dont le héros de *Molloy* parlait, tantôt comme d'une chose finie, tantôt comme d'une plaisanterie qui dure (elle est, pour Beckett, les deux à la fois) devient, sous cet éclairage mortel, une longue agonie vécue par des misérables qui attendent une fin qui ne vient jamais, et qui ne saurait être pire qu'elle.

Fin de Partie, jouée à Londres (1) avant de l'être à Paris, forme un seul acte où quatre personnages — Nagg, Nell, Hamm et Clov — achèvent de mourir sous une « lumière grisâtre» et dans un «intérieur sans meubles». Condamnés, comme nous tous, mais en sursis, comme nous tous encore, ils confrontent leur misère, leur abjection, et la malédiction qui pèse sur leur destin ; Clov murmure, le regard fixe, la voix blanche : « Fini, c'est fini, ça va finir, ça va peut-être finir. Les grains s'ajoutent aux grains, un à un, et un jour, soudain, c'est un tas, un petit tas, un petit tas, l'impossible tas. On ne peut plus me punir.» Clov attend vaguement quelqu'un : « Je regarderai le mur, en attendant qu'il me siffle.» Mais ce quelqu'un ne pourra lui annoncer que sa mort — la fin du

---

(1) Créée (en français) le 1er avril 1957 au Royal Court Theatre, puis reprise, le 26 avril 1957, au Studio des Champs-Elysées dans la mise en scène de Roger Blin.

supplice. Ils sont infirmes — Hamm ne peut se lever, Clov ne peut s'asseoir, et les deux derniers ne peuvent sortir d'une poubelle. Le monde qu'ils habitent n'est déjà plus le nôtre ; leur seul truchement est le langage, la seule expression permise à leur agonie immobile. Ils sont là, cloués au sol comme des cloportes, comme les atroces vestiges d'un monde frappé de mort — après la bombe, ou la folie... Ils agonisent mais on ne peut dire qu'ils soient jamais nés ; ils souffrent, mais on ne peut dire qu'ils aient jamais cessé de souffrir ; ils parlent, mais on ne peut dire qu'ils aient jamais rien compris à leur sort.

Ils pensent que la mort les expulsera de leur cercueil-poubelle, mais ils n'en sont pas très sûrs. Ils ne savent même pas s'ils doivent l'espérer ou le craindre. Ils ne sont sûrs que d'une chose, c'est de souffrir : « Que fait Nagg ? — Il pleure. — Donc il vit. » La seule consolation de Hamm, c'est de prophétiser la souffrance des autres. C'est presque avec volupté qu'il murmure à son compagnon d'infortune : « Un jour tu seras aveugle. Comme moi. Tu seras assis quelque part, petit plein perdu dans le vide, pour toujours, dans le noir. Comme moi. (Un temps.) Un jour tu te diras : Je suis fatigué, je vais m'asseoir, et tu iras t'asseoir. Puis tu diras : J'ai faim, je vais me lever et me faire à manger. Mais tu ne te lèveras pas. Tu te diras : J'ai eu tort de m'asseoir, mais puisque je me suis assis, je vais rester assis encore un peu, puis je me lèverai et je ferai à manger. Mais tu ne te lèveras pas et tu ne te feras pas à manger. Tu regarderas le mur un peu, puis tu te diras : Je vais fermer les yeux, peut-être dormir un peu, après ça ira mieux, et tu les fermeras. Et quand tu les rouvriras il n'y aura plus de mur. L'infini du vide sera autour de toi, tous les morts de tous les temps ressuscités ne le combleraient pas, tu y seras comme un petit gravier au milieu de la steppe. (Un temps.) Oui, un jour tu sauras ce que c'est, tu seras comme moi, sauf que toi tu n'auras personne, parce que tu n'auras eu pitié de personne et qu'il n'y aura plus personne de qui avoir pitié. »

Ici s'achève le voyage au bout de la nuit de toute une littérature. Ne parlons plus d'art, ni même de création à propos de ces êtres infra-humains, qui échangent des répliques déchirantes, des cris, des rires qui font mal. Une inexistence viscérale se fait jour, hors de toute littérature — hors de tout.

QUATRIÈME PARTIE

LA VIE DES IDÉES

CHAPITRE PREMIER

LA CRITIQUE ET L'ESSAI

Si la littérature est la conscience de la vie, la critique est la conscience de la littérature. Elle ne saurait donc se borner à constater et à classer, elle joue le rôle d'un phare et quelquefois celui d'un moteur. C'est elle qui baptise les mouvements littéraires ; ce que Boileau fit pour le classicisme, André Gide et Jacques Rivière l'ont fait pour l'école de la N.R.F. ; cette « critique de soutien » manqua cruellement au surréalisme.

En tout cas, l'invasion des idées dans les lettres et de la philosophie dans le roman, un certain dessèchement cérébral des créateurs (1) ont placé, depuis quinze ans, les critiques — devenus les intercesseurs obligatoires des œuvres auprès d'un public qui n'en possédait pas encore les bonnes clés — en tête du mouvement littéraire : nous sommes, dans les deux sens du mot, à « l'âge critique » de la littérature.

---

(1) Né à Coulonges-sur-l'Autize (Deux-Sèvres), le docteur Henri Martineau (1882-1958), fonda en 1909 la revue *le Divan* (où parut en 1912 sa première étude s'est montrée infiniment plus riche en critiques qu'en écrivains créateurs, à tel point qu'il est devenu de plus en plus difficile de trouver des écrivains créateurs de qui parler. »

I

L'HISTOIRE LITTÉRAIRE

L'HISTOIRE et l'érudition littéraires gardent, surtout dans l'Université, de remarquables spécialistes : hellénistes comme Mario Meunier et André Bonnard ; médiévistes comme Gustave Cohen. Le XVIᵉ siècle a Pierre Jourda, l'abbé Marcel et Raymond Lebègue ; le XVIIᵉ, Antoine Adam, Jean Pommier, Raymond Picard *(la carrière de Racine)*, Georges Mongrédien et Maurice Rat ; Pascal, Jean Orcibal et Louis Lafuma ; le jansénisme, l'abbé Steinmann et Lucien Goldmann (premier interprète marxiste des *Pensées*) ; le XVIIIᵉ siècle, Daniel Mornet ; le romantisme a Pierre Moreau, Verdun Saulnier, Henri Guillemin, Maurice Allem, Henri Clouard, Albert Béguin (1) *(l'Ame romantique et le Rêve)*, P.-G. Castex *(le Conte fantastique)* ; le symbolisme, André Lebois. Nos poètes ont bénéficié des travaux de Marcel Raymond (2) *(de Baudelaire au surréalisme)*, d'Adéma et de Marie-Jeanne Durry (3).

(1) Né à la Chaux-de-Fonds (Suisse) en 1901, mort à Paris en 1957, Albert Béguin, professeur de littérature française à la Faculté des Lettres de Bâle, prit à la mort d'Emmanuel Mounier la direction de la revue *Esprit*. On lui doit, notamment, un ouvrage important sur *l'Ame romantique et le rêve* (1937), un *Balzac visionnaire* et des essais sur *Pascal* et *Bernanos*.

(2) Né à Genève (1897-1957), Marcel Raymond, docteur ès lettres de l'Université de Paris, occupait depuis 1936 la chaire de littérature française de l'Université de Genève. Traducteur et historien, ses ouvrages de critique font autorité : *L'Influence de Ronsard sur la poésie française* (1927), *De Baudelaire au surréalisme* (1933), *Paul Valéry et la tentation de l'esprit* (1946), *Baroque et Renaissance poétique* (1955).

(3) Professeur de littérature française à la Sorbonne, directrice de l'Ecole normale supérieure féminine de Sèvres, poète *(le Huitième jour, la Cloison courbe, Effacé)* et critique, Mᵐᵉ Marie-Jeanne Durry a consacré des ouvrages à la vieillesse de Chateaubriand, à Stendhal, Flaubert, Jules Laforgue, Gérard de Nerval et Apollinaire.

Les investigations minutieuses de Marcel Bouteron, de l'abbé Bertault, de Bernard Guyon et du docteur Lotte ont fait progresser les études balzaciennes tandis que Stendhal, veillé avec piété par Henri Martineau (1), Pierre Martino, Louis Roger et François Michel (2), faisait l'objet des grandes thèses de Jean Prévost *(la Création chez Stendhal)*, de Maurice Bardèche *(Stendhal romancier)* et de Francine Marill Albérès *(le Sentiment religieux chez Stendhal)*.

La comtesse de Pange a continué d'animer les études staëliennes ; Chateaubriand demeure le point de mire de curiosités et d'amitiés vigilantes (celles de Levaillant, de Marie-Jeanne Durry, de la comtesse d'Andlau). Tirée de l'ennui où son œuvre avait sombré par une excitante biographie d'André Maurois *(Lélia)*, George Sand a retrouvé des fidèles (Maurice Toesca, Jean Larnac, Edith Thomas) ; biographes de Sainte-Beuve, André Billy et Maurice Allem ont tiré parti du labeur de bénédictin de Jean Bonnerot, éditeur de sa *Correspondance*, tandis que Maurice Parturier donnait tous ses soins à celle de Mérimée. De même le vivant *Baudelaire* de Pascal Pia doit-il beaucoup aux célèbres travaux de Jacques Crépet (poursuivis par Georges Blin et par Claude Pichois) comme aux études de Marcel Ruff et d'Yves-Gérard Le Dantec.

---

(1) Né à Coulonges-sur-l'Autize (Deux-Sèvres), le docteur Henri Martineau (1882-1958) fonda en 1909 la revue *le Divan* (où parut en 1912 sa première étude sur Stendhal), puis en 1922, sa librairie-maison d'édition de la place Saint-Germain-des-Prés.

Grand Prix de littérature de l'Académie française en 1951, Henri Martineau a publié des poèmes (*Fumée*, 1902) et les *Œuvres complètes* de Stendhal (79 volumes, 1924-1936) auquel il a consacré la majeure partie de son œuvre : *le Calendrier de Stendhal* (1950), *l'Œuvre de Stendhal* (1951), *le Cœur de Stendhal*, *P.-J. Toulet et ses amis*.

(2) François Michel (1889-1956), industriel et polytechnicien, a collaboré aux *Soirées du Stendhal-Club* et laisse un important volume d'*Etudes stendhaliennes* (Mercure de France, 1957).

II

LE PORTRAIT, LA BIOGRAPHIE, LES MÉMOIRES

Un peu en marge de la critique, tributaire de l'histoire et parfois du roman, la biographie est restée un genre extrêmement vivant. André Maurois a trouvé des continuateurs en Marcel Brion, Alfred Fabre-Luce, Henri Perruchot, Armand Lanoux *(Bonjour, Monsieur Zola!)*. Le premier (1), curieux de tous les siècles et de tous les arts, unit dans sa galerie les rois barbares à Gœthe, en passant par les peintres de la Renaissance. Le second (2), d'une intelligence plus sèche et plus amère, s'intéresse surtout à l'actualité politique, qu'il observe avec l'œil froid de Machiavel et de Talleyrand, ses héros préférés. Si ce mémorialiste a des ambitions d'historien, Gérard Bauer (3), lui, veut rester chroniqueur — d'instants parfaits et éphémères — le poète d'une ville — Paris — qu'il aime entre toutes et dont il défend avec passion la beauté menacée.

(1) Marcel Brion a publié des romans *(un Enfant de la terre et du ciel)*, des biographies *(Alaric, Théodoric, Laurent le Magnifique, Giotto, Botticelli, Michel-Ange, Gœthe, Léonard de Vinci, Machiavel, Savonarole, Schumann, Mozart)* et de nombreux essais *(Histoire de l'Egypte, de César à Charlemagne, les Mains dans la peinture, l'Art abstrait.* Grand Prix de littérature de l'Académie française.

(2) Né à Paris en 1899, Alffed Fabre-Luce a publié un *Journal de la France, 1939-1944* et une *Histoire de la Révolution européenne* (1954), un pamphlet *(Au nom des Silencieux)*, des biographies (de *Talleyrand, Caillaux, D.H. Lawrence, Benjamin Constant)*, des essais : *la Victoire, Locarno sans rêves, A quoi rêve le monde, le Secret de la République, une Tragédie royale, le Siècle prend figure, Gaulle deux*, des reportages, des récits et des pièces de théâtre.

(3) Né à Paris en 1889, fils du critique Henry Bauer (1851-1915), Gérard Bauer, membre de l'Académie Goncourt, signe du nom de Guermantes ses chroniques du *Figaro*. Principaux ouvrages : *Recensement de l'Amour à Paris* (1923), *Instants et Visages de Paris* (1951), *l'Europe sentimentale* (1954) et deux volumes de *Billets de Guermantes*.

Parmi les bons exemples de la biographie littéraire — tant attaquée par les critiques qui, tel André Rousseaux, ne veulent connaître que la substance interne d'une œuvre — on citera le *Rousseau* de Guéhenno et celui de Starobinski ; le *Diderot* d'André Billy et celui de Henri Lefebvre, le *Mallarmé* et l'*Alain* de Henri Mondor, les *Trois Dumas* et le *Hugo* de Maurois, le *Proust* de Léon Pierre-Quint et celui de Georges Cattaui. Signalons aussi la succès de collections biographiques et critiques telles que : *Poètes d'aujourd'hui* (1), *Écrivains de toujours* (2), *Classiques du XXe siècle* (3) où ont paru le *Descartes* de Silvestre de Sacy, le *Saint-Simon* de François-Régis Bastide, le *Hugo* de Henri Guillemin et le *Lamartine* de François-Marius Guyard, le *France* et le *Flaubert* de Jacques Suffel, le *Francis Jammes* de Robert Mallet, le *Saint-Exupéry* de Luc Estang et celui de Jean-Claude Ibert, le *Sartre* de R.-M. Albérès et le *Camus* de Robert de Luppé, qui, tous, éclairent l'œuvre à la lumière de la vie. Une collection comme *Vocations*, qu'anime Henri Mondor, en nous apprenant comment se forme un écrivain, illustre cette nouvelle « psychologie génétique » (4).

Longtemps fermée à la connaissance des œuvres étrangères, la critique française ne mérite plus ce reproche, comme en témoignent les travaux de nos germanistes (Eugène Minder, Edmond Vermeil, Jean de Pange, Robert d'Harcourt, Jeanne Ancelet-Hustache, Louis Leibrich), de nos italianisants (Jules Chaix-Ruy, Maurice Vaussard, Henri Bédarida), de nos anglicistes (René Lalou, Raymond las Vergnas, Henri Fluchère, traducteur du théâtre élisabéthain, Marius-François Guyard, Robert Escarpit, Jean Paris, Victor de Pange) et de nos hispanisants (Jean Cassou, Francis de Miomandre, J.-L. Schonberg, Claude Couffon, Georges Pillement). Et la Sorbonne n'a pas hésité à élever au rang des grandes dis-

(1) Editions Pierre Seghers (62 volumes parus).
(2) Editions du Seuil (41 volumes parus).
(3) Editions Universitaires (30 volumes parus).
(4) On doit aussi signaler la renaissance de la biographie à sujet religieux. Aux spécialistes (Gaëtan Bernoville, les RR. PP. Daniélou, Bruno, Olphe-Galliard, le chanoine Bardy, l'abbé Combes, l'abbé Laurentin) se sont joints des écrivains comme Jean Guitton (sa biographie du *Cardinal Saliège* et surtout son *Portrait de Monsieur Pouget* sont des modèles du genre), Franz Hellens, André Dhôtel ou Marcel Jouhandeau, qui ont pris brillamment la suite de Mauriac et de Daniel-Rops.

ciplines littéraires, *la littérature comparée* qu'ont enrichie les
travaux d'un Jean-Marie Carré, d'un Charles Dédeyan, d'un
R.-M. Albérès.

*
* *

Les *Mémoires* apportent, parfois, à la littérature les plus
beaux de ses fleurons. Tel est le cas des *Mémoires de Guerre* (1)
du général de Gaulle ; les jeunes Français pourraient apprendre
à l'école le beau portrait de la France par lequel ils débutent :
« Toute ma vie, je me suis fait une certaine idée de la France.
Le sentiment me l'inspire aussi bien que la raison. Ce qu'il y
a en moi d'affectif imagine naturellement la France... comme
vouée à une destinée exceptionnelle. J'ai, d'instinct, l'impression que la Providence l'a créée pour des succès achevés ou
des malheurs exemplaires. S'il advient que la médiocrité
marque, pourtant, ses faits et gestes, j'en éprouve la sensation
d'une absurde anomalie, imputable aux fautes des Français,
non au génie de la patrie. Mais aussi, le côté positif de mon
esprit me convainc que la France n'est réellement elle-même
qu'au premier rang... que notre pays doit, sous peine de
danger mortel, viser haut et se tenir droit. Bref, à mon sens, la
France ne peut être la France sans la grandeur. » Ce style de
destin, naturellement accordé à celui d'une grande histoire, la
structure latine de la phrase, l'éloquence lapidaire des formules — « Vers l'Orient compliqué, je volais avec des idées
simples » — « Je le vis, je le convainquis, et désormais tra-
vaillai avec lui »), l'acuité des portraits, la flamme janséniste
qui l'anime mettent le livre à part.

Notre temps a vu fleurir les confidences et les souvenirs
plus ou moins étroitement liés à l'actualité politique. Des
Mémorables de Maurice Martin du Gard aux portraits *Pris
sur le vif* de Denise Bourdet, des souvenirs de Léon Blum,
d'Henri Massis, de Jean Guéhenno, de Julien Luchaire et de
vingt autres, venus de tous les horizons, se dégage le vivant
portrait d'une époque.

---

(1) Deux volumes parus chez Plon : *l'Appel (1940-1942)* et *l'Unité (1942-
1944)*. Le général de Gaulle avait déjà publié : *la Discorde chez l'ennemi* (1924),
le Fil de l'Epée (1932), *Vers l'Armée de métier* (1934), *Discours et messages* (1946),
chez Berger-Levrault, et, chez Plon, *la France et son armée* (1938).

III

LA CRITIQUE MILITANTE

Plus connus du grand public que les universitaires, mais bénéficiant de leurs travaux, les « humanistes » occupent toujours les principaux feuilletons de la presse littéraire : Emile Henriot (1) et André Billy (2) n'oublient pas qu'ils ont été, avant de parler *ex cathedra*, des « courriéristes » ; Robert Kemp (3) reste fidèle à la tradition impressionniste de Jules Lemaître : il préfère Debussy à Hegel, l'esprit à l'absurde, et la clarté au mystère ; René Lalou (4), Henri Clouard (5) sont plus nettement historiens ; sans être insensible à la nouvelle littérature (il s'est battu

(1) Cf. p. 238.
(2) Cf. p. 239.
(3) Né à Paris en 1885, professeur de lettres, puis journaliste (à l'*Aurore* en 1909, puis à *la Liberté*, à l'*Echo de Paris* et au *Temps*), critique des *Nouvelles littéraires* (où il a succédé, en 1945, à Edmond Jaloux) et critique dramatique du *Monde*, Robert Kemp préside le Syndicat de la critique. Elu à l'Académie française en 1956, il a publié des biographies (*Sainte Cécile, patronne des musiciens*, 1942 ; *Edwige Feuillère*, 1952) et des recueils d'articles (*Lectures dramatiques, d'Eschyle à Giraudoux*, 1947 ; *la Vie des livres*, Albin Michel, 1955 ; *la Vie du théâtre*, 1956 ; *Au Jour le Jour*, 1958).
(4) Né à Boulogne en 1889, agrégé de lettres, professeur de première supérieure au lycée Henri-IV, René Lalou a publié des traductions de l'anglais (Shakespeare, Keats, Edgar Poe), des essais *(Défense de l'homme, le Clavecin non tempéré)*, des monographies littéraires (sur Gide, Martin du Gard, Barrès) et une *Histoire de la littérature française contemporaine, de 1870 à nos jours* (2 volumes, 1921).
(5) Né à Constantine le 7 octobre 1885, Henri Clouard a publié des éditions critiques d'André Chénier, de Gérard de Nerval et de Maurice de Guérin, une vie d'Alexandre Dumas (Albin Michel, 1955) et une monumentale *Histoire de la littérature française, du symbolisme à nos jours* (2 volumes, Albin Michel, 1949).

pour Joyce et pour Larbaud) Marcel Thiébaut (1) apparaît
comme l'héritier de Bidou et de Jaloux, moins sensible aux
idées qu'au style et aux systèmes qu'à la vie ; André Rousseaux (2) se veut un critique engagé et combattant ; c'est
tout ce qu'il a gardé de ses maîtres de l'*Action française ;*
dédaigneux des salons, sinon des modes, il fait songer à un
Bernanos réconcilié avec l'avant-garde. A cette critique,
politique et passionnée, s'oppose celle d'un Marcel Arland (3)
surtout sensible à la « grâce d'écrire », d'un André Thérive,
amateur de beau langage, d'un Marcel Berger *(Criticus)*
qui dissèque le style au microscope. L'œuvre du premier
et la direction de la *N.N.R.F.* lui valent une double influence.

Ces maréchaux de la critique voient déjà poindre leurs
successeurs : les scrupuleux Robert Coiplet (4) et Jean
Blanzat (5) ; Pierre Brodin (6), propagandiste de notre
littérature aux Etats-Unis, Robert Mallet (7), auquel Léautaud a dû sa tardive célébrité (on lui doit les passionnantes
Correspondances de Claudel, de Gide et Valéry), Maurice
Nadeau qui s'est institué, à *Combat* puis à *France-Observateur,*

---

(1) Critique littéraire et auteur dramatique (*Doris*, 1946 ; *le Prince d'Aqui-
taine*, 1947 ; *les Bonnes Cartes*, 1949), directeur de la *Revue de Paris*, Marcel
Thiébaut a publié une biographie d'Edmond About (1936), un essai sur Léon
Blum et un volume d'*Evasions littéraires* (1935).

(2) Né à Paris le 23 mars 1896, André Rousseaux, critique du *Figaro littéraire*, a publié des recueils critiques (*Littérature du XXᵉ siècle*, 6 volumes ;
le Monde classique, 3 volumes) et de nombreux essais (*l'Art d'être Européen,
Chronique de l'Espérance, la Passion de Primavera, Corneille et Racine, le
Prophète Péguy*). (Chez Albin Michel.)

(3) Cf. p. 259.

(4) Robert Coiplet est le courriériste littéraire du *Monde.*

(5) Le romancier Jean Blanzat (cf. p. 261) assure, dans *le Figaro littéraire*,
la chronique des romans.

(6) Né à Paris en 1909, agrégé d'histoire, docteur ès lettres, doyen de la
Faculté des lettres de l'Ecole des Hautes Etudes de New York, Pierre Brodin
a publié de nombreux travaux : *le Roman régionaliste américain* (1937), *les
Idées politiques des Etats-Unis d'aujourd'hui, les Ecrivains français de l'entre-
deux-guerres* (1942), *Maîtres et témoins de l'entre-deux-guerres* (1945), *les Ecrivains américains de l'entre-deux-guerres* (1946), *les Maîtres de la littérature
américaine* (1948), *Présences contemporaines* (3 volumes, Debresse, 1954-1957),
Julien Green (Editions Universitaires, 1957).

(7) Le poète Robert Mallet (cf. p. 203), Prix de la Critique 1955 pour
son essai *Une mort ambiguë*, a publié les *Correspondances Jammes-Gide,
Claudel-Gide, Suarès-Gide, Gide-Valéry* (chez Gallimard), des *Entretiens*
avec Paul Léautaud ainsi qu'une étude sur *Francis Jammes.*

la conscience littéraire de la gauche, André Berry (1), trou-
badour converti à la critique, Gaëtan Picon (2), R.-M.
Albérès (3) que des *Panoramas* remarquablement informés
ont mis au premier plan de la jeune critique, Alain Bosquet (4), ouvert à toutes les cultures de l'Europe et particulièrement à l'anglo-saxonne. Ces chroniqueurs et quelques
autres (Jean Mistler, Robert Poulet, Pascal Pia, Henri Petit,
Kléber Haedens, Robert Kanters (5), Claude Mauriac (6),
Alain Palante, Luc Estang, Lucien Guissard, Louis Chaigne (7)

(1) A. Berry (cf. pp. 511, 516), collabore à *Combat*. Il faudrait citer aussi les
chrétiens, René Johannet (né en 1884), Jacques Madaule, Stanislas Fumet,
Etienne Borne, Franz Weyergans ; en province : Henri Amouroux, Albert
Thumann.

(2) Né en 1915 à Bordeaux, agrégé de philosophie en 1948, Gaëtan Picon
a enseigné en province, puis à l'étranger (à Florence et à Gand). Il a publié
des essais sur Bernanos et sur Malraux, un *Panorama de la Nouvelle Littérature
française* (1950), un *Panorama des Idées contemporaines* (en collaboration,
Gallimard, 1957), ainsi que le premier volume d'une *Introduction à une Esthétique de la Littérature* (*L'Ecrivain et son ombre*, Gallimard, 1955).

(3) Né en 1921 à Perpignan, ancien élève de l'Ecole Normale supérieure,
docteur ès lettres (avec une thèse sur *Giraudoux*, 1957), R.-M. Albérès, professeur à l'Institut français de Florence, après avoir été, de 1946 à 1954, secrétaire
général de l'Institut français de Buenos Aires, a publié un roman (*Velléda*,
1951), des monographies littéraires (*Jean-Paul Sartre*, 1953 ; *Gérard de Nerval*,
1955 ; *Miguel de Unamuno*, 1957, aux Editions Universitaires), des portraits
de Saint-Exupéry et de Gide et de nombreux essais : *Portrait de notre héros*,
1945 ; *la Révolte des écrivains d'aujourd'hui* (Prix Sainte-Beuve 1949), *l'Aventure intellectuelle du XXᵉ siècle*, 1950 ; *les Hommes traqués*, 1952 ; *Bilan littéraire du XXᵉ siècle* (Aubier, 1956).

(4) Traducteur, poète et romancier, Alain Bosquet (cf. pp. 337, 482) est
l'auteur d'anthologies critiques (*Anthologie de la Poésie américaine*, Stock,
1956 ; *les Vingt meilleures nouvelles françaises*, Seghers, 1956 ; *les Vingt meilleures
nouvelles américaines*, Seghers, 1957) et d'essais consacrés à *Saint-John Perse*
(Seghers, 1952) et à *Emily Dickinson* (Seghers, 1957). Il collabore à la page
littéraire de *Combat*.

(5) Journaliste, Robert Kanters a publié un *Essai sur l'avenir de |la religion*,
une *Anthologie littéraire de l'occultisme* (avec Robert Amadou), une enquête :
Vingt ans en 1951 (avec Gilbert Sigaux) et un recueil de critiques : *Des écrivains et des hommes* (1953).

(6) Né à Paris en 1914, fils de François Mauriac, critique cinématographique du *Figaro littéraire*, Claude Mauriac a publié de nombreux essais
(*Conversations avec André Gide*, *Hommes et idées d'aujourd'hui*, *l'Amour du
cinéma*, *Aimer Balzac*, *la Trahison d'un clerc*, *Malraux*, *Marcel Proust*, *l'Alittérature contemporaine*, et un roman : *Toutes les femmes sont fatales* (1957).

(7) Né en 1899 à Talmond (Vendée), poète (*Figures*, *La Couronne d'Ariane*),
et critique, Louis Chaigne a publié : *Vies et Œuvres d'Ecrivains* (5 volumes)

n'ont pas le pouvoir de rendre un inconnu célèbre ou scandaleux (ce privilège appartient aux échotiers) ni même celui de lui donner un public (seul, Emile Henriot peut ainsi lui faire cadeau de 3.000 lecteurs), mais leurs suffrages, accumulés de livre en livre (leur mémoire est fidèle) constituent le bien le plus précieux d'un écrivain, car ils annoncent l'adhésion plus ou moins lointaine du public. Un observateur (1) les comparait naguère à des poissons, qui font rarement surface, mais connaissent bien les fonds, les caches, les courants. « Chacun d'eux possède sa zone d'influence, sa façon possible de vous imposer. C'est le bavardage pour un Jean Denoël, la radio pour un Robert Mallet, la télévision pour un Max-Pol Fouchet. Un critique, à la condition de n'être pas un des grands académisés ou académisables, peut beaucoup. Chacun d'eux détient au moins le pouvoir de faire parler de vous dans un hebdomadaire ou une revue. »

Ne nous y trompons pas, cependant : si les rez-de-chaussée et les chroniques servent celui qui en est l'objet (même et *surtout* lorsqu'il s'agit d'un éreintement), ils ne profitent guère à ceux qui les écrivent. Le journalisme épuise l'écrivain sans enrichir l'homme. Ici comme ailleurs, les exceptions confirment la règle : elles s'appelaient hier Sainte-Beuve, Maurras ou Alain, aujourd'hui Aragon, Mauriac et Camus. Mais elles se font rares. Le prestige d'un critique ne se mesure pas à la dimension de ses feuilletons, mais à la valeur des livres qu'il a signés (autres exceptions : André Chaumeix, Robert Kemp sont entrés à l'Académie sur le seul piédestal de leurs articles). On ne le tiendra pas quitte de cette règle parce qu'il aura réuni quelques dizaines d'études sous un même dossier, qu'un éditeur complaisant aura publiées, sans illusion sur leur vente. On l'écoutera davantage s'il est l'homme d'un seul livre. Ceux de Marcel Raymond, de Georges Poulet (2) *(Etudes sur le Temps humain)*, de Wla-

des biographies du Maréchal De Lattre et de Sainte Thérèse de Lisieux, et des essais sur Bernanos et Claudel.

(1) FRANÇOIS NOURISSIER *(les Chiens à fouetter)*.

(2) Frère du romancier et critique belge Robert Poulet, Georges Poulet, professeur à l'Université d'Edimbourg, puis à la John's Hopkins University (U.S.A.) et à l'Université de Zürich, a publié (chez Plon) deux volumes d'*Etudes sur le Temps humain* consacrés à analyser la place du temps dans les grandes œuvres de notre littérature. Le premier de ces volumes a obtenu le Prix Sainte-Beuve 1950, le second *(la Distance intérieure)* a reçu le Prix de la Critique 1952.

dimir Weidlé *(les Abeilles d'Aristée)*, de Jean Starobinski (1),
de Gabriel Bounoure *(Marelles sur le Parvis)*, ont suffi à leur
réputation.

---

(1) Né à Genève en 1920, le Dr Jean Starobinski, professeur de littérature et
psychiatre, a publié deux essais sur *Montesquieu* (Seuil) et *J.-J. Rousseau*
(Plon, Prix Fémina-Vacaresco 1958).

IV

LA MÉTACRITIQUE

S I la critique d'humeur (1) garde de nombreux adeptes même dans la nouvelle génération, comme en témoignent Etiemble, Armand Hoog (2), Pascal Pia, Bernard Frank ou Claude Roy (3), c'est en fonction d'une perspective idéologique, sinon toujours d'une doctrine, que se situent les

(1) La critique « de droite » est généralement une critique « d'humeur» comme en témoignent les essais de ses chefs de file, Jacques Laurent (*Paul ou Jean-Paul*, Grasset, 1951) ou Roger Nimier (*Le Grand d'Espagne*, La Table Ronde, 1950). Il y a cependant des exceptions : celles de Pierre Boutang (*les Abeilles de Delphes*), de Paul Sérant (*Gardez-vous à gauche*, Fasquelle, 1956), de Pierre Andreu (*Drieu la Rochelle, témoin et visionnaire*, Grasset, 1956), de Michel Mourre (*Charles Maurras*, Editions Universitaires, 1953 ; *Lamennais ou l'hérésie des Temps modernes*, Amiot-Dumont, 1955) ; de Pol Vandromme (*Robert Brasillach*, Plon 1957, *la Politique littéraire de François Mauriac*, 1957), de Manuel de Diéguez, qui ont le sérieux et l'information de l'historien. En revanche, il existe une critique d'humeur qui siège à gauche : Etiemble, Max-Pol Fouchet, Claude Roy, Bernard Frank, Georges Mounin, Jean Cathelin, Olivier de Magny. Mais l'humour, de règle du côté d'*Arts* ou de *la Parisienne*, est proscrit aux *Temps Modernes* (où Jean Pouillon, Jean Cau, Bernard Dort exercent la critique comme une juridiction...)

(2) Armand Hoog est né à Paris en 1912. Elève d'Alain au Lycée Henri-IV, puis à l'Ecole Normale supérieure. Agrégé de lettres, carrière universitaire au Caire, à Strasbourg et, depuis 1951, en Amérique. Prisonnier en 1940, il écrit *Littérature en Silésie* (1944). Armand Hoog a aussi publié deux romans : *l'Accident* (Prix Sainte-Beuve 1948), et *le Dernier Tonnerre* (1958) (Grasset).

(3) Claude Orland (en littérature Claude Roy) est né à Paris en 1915. Etudes en province, à Angoulême et à Bordeaux, puis à la Sorbonne. Campagne de 1939-1940 dans les chars. Fait prisonnier, Claude Roy s'évade. D'abord ami de Brasillach et camelot du Roy, il subit l'influence d'Aragon et adhère au parti communiste en 1944. Exclu en 1956. Correspondant de guerre en 1944-1945, journaliste et reporter (aux Etats-Unis, en Europe et en Chine), il a publié : des poèmes (Cf. p. 526) ; des romans (*la Mer à boire*, 1944 ; *la Nuit est le manteau des pauvres*, 1948 ; *le Malheur d'aimer*, 1958) ; des essais (*Supervielle*, *Aragon*, Seghers, 1945), *Descriptions critiques* (4 volumes, 1949-1958 dont un volume sur les peintres : *l'Amour de la peinture* (Gallimard, 1956) ; et des

plus engagés de nos critiques. On compte sur les doigts ceux d'entre eux qui oseraient parler littérature avec la légèreté divinatoire d'un Giraudoux, ou la liberté impertinente d'un Brasillach : on croirait à les entendre qu'ils subissent encore la triste férule de Julien Benda (1). Si Thierry Maulnier (2) trouve grâce à leurs yeux, c'est que son iconoclaste *Introduction à la Poésie française* (1939) est la fille d'une esthétique sévère qui doit autant aux rigueurs de Valéry qu'à l'anti-romantisme irascible de Maurras ; de même Roger Caillois (3) unit-il aux ambitions du sociologue *(L'Homme et le Sacré)* et du philosophe *(Le Mythe et l'Homme, Description du marxisme)* la science du grammairien *(Poétique de Saint-John Perse)*.

La *psychanalyse* a naturellement exercé ses ravages sur la critique. Encore heureux lorsque de véritables spécialistes — Charles Baudoin (4), à propos de Victor Hugo et de Verhaeren, Charles Mauron (5) et Charles Chassé à propos de

reportages (*Clefs pour l'Amérique*, Gallimard, 1949 ; *Clefs pour la Chine*, Gallimard, 1953 ; *le Soleil sur la Terre*, Julliard, 1956).

(1) Né et mort à Paris (1867-1956), Julien Benda s'est fait l'apôtre, exclusif jusqu'à l'intolérance, des « valeurs spirituelles conçues dans l'absolu, dans le *non-historique*». Au nom de la logique et de la raison, il a combattu avec la même passion non seulement Sorel, Bergson et Péguy, mais toute la littérature de son temps, dans ce qu'elle avait d'original (de Gide à Valéry et de Proust à Claudel). Romancier médiocre (avec *l'Ordination*, 1912 ; les *Amorandes*, 1922 ; et la *Croix des Roses*), il est surtout l'auteur de pamphlets déguisés en essais philosophiques : *le Bergsonisme ou une Philosophie de la Mobilité* (1912), *Belphégor* (1918), *Dialogue* et *Délice d'Eleuthère*, *Lettres à Mélissande*, la *Trahison des Clercs* (1927), *la Fin de l'Eternel*, *la France byzantine* (1945). On lui doit aussi des ouvrages philosophiques *(Essai d'un discours cohérent sur les rapports de Dieu et du monde)* et politiques *(Esquisse d'une histoire des Français dans leur volonté d'être une nation*, 1932 ; *Discours à la nation européenne*, 1933 ; *la Grande épreuve des démocraties*, 1942) et des souvenirs *(Un Régulier dans le siècle)*.

(2) Cf. pp. 640-641.

(3) Né en 1913, ancien élève de l'Ecole Normale supérieure (1933), Roger Caillois a publié des essais philosophiques (*le Mythe et l'Homme*, 1938 ; *l'Homme et le Sacré*, 1939 ; *le Rocher de Sisyphe*, 1942 ; *Description du marxisme*, 1951 ; *Quatre essais de sociologie contemporaine*, 1952 ; *l'Incertitude qui vient des rêves*, 1956 ; *les Jeux et les Hommes*, 1958) et des études littéraires ; *Procès intellectuel de l'Art*, 1935 ; *les Impostures de la Poésie*, *Puissances du roman*, *Babel*, 1948, *Poétique de Saint-John Perse*, *Art poétique*, 1958).

(4) *Le symbole chez Verhaeren*, 1924 ; *Psychanalyse de l'art*, 1929 ; *Psychanalyse de Victor Hugo*, 1943.

(5) *Introduction à la psychanalyse de Mallarmé* (1950).

Mallarmé, ou le professeur Jean Delay (dans sa magistrale *Jeunesse d'André Gide*) — la font bénéficier de leurs lumières ! Mais il arrive que la psychanalyse — dont Gaston Bachelard a tiré si grand profit pour interpréter les quatre éléments — ne soit qu'un prétexte à fouiller les alcôves (on a vu ainsi Henri Guillemin déshonorer Alfred de Vigny, George Sand et Marie Dorval, et démarquer les carnets de blanchisseuse de Victor Hugo) ou à avilir de grands hommes, sans profit pour la connaissance d'une œuvre (Roland Barthes a cru pouvoir expliquer le génie de Michelet par l'érotisme ; Charles Briand celui de Proust par l'inceste maternel).

Le *marxisme* a servi de point de départ à toute une critique prompte à expliquer toute œuvre littéraire par les structures matérielles dont elle dépend ; mais le marxisme français attend encore son Lucaks ou son Gramsci. Pour un *Descartes* et un *Zola* de Jean Fréville, pour un *Diderot* de Henri Lefebvre, pour une *George Sand* de Jean Larnac, que de travaux aussi médiocres que péremptoires où la critique semble n'avoir d'autre objet que de situer une œuvre en fonction de rapports de classe déterminés à l'avance ! Si Claude Roy a conservé l'essentiel de son esprit critique, c'est peut-être à la double influence de Brasillach et d'Aragon qu'il le doit (1).

Marxisme et psychanalyse font parfois d'étranges mariages. On l'a vu avec le fielleux *Baudelaire* de Sartre, comme avec le scandaleux *Michelet* de Roland Barthes, qui montrent assez combien les idées générales peuvent faciliter la mutilation d'une œuvre lue avec les lunettes colorées d'un amateur de romans policiers. Et l'on pourrait faire la même observation à propos du *Laclos* de Roger Vailland ou des portraits critiques de Roger Stéphane.

Dans une perspective marxiste orthodoxe, le critique n'est plus un amateur d'âmes, mais un contrôleur des poids et mesures. La littérature elle-même devient la servante de l'Histoire : on ne demande plus à l'écrivain de se créer un langage incomparable, mais de traduire en images une vérité imposée d'en haut. L'écrivain n'exerce plus qu'une *fonction sociale*, il ne perd plus son temps à chercher la vérité dans une œuvre : il se borne à rédiger une sentence. « Dans l'univers

(1) On lira avec curiosité l'essai où Dionys Mascolo analyse la situation de l'écrivain communiste (*le Communisme*, Gallimard, 1953).

stalinien, où la définition, c'est-à-dire la séparation du Bien et du Mal, occupe désormais tout le langage, il n'y a plus de mots sans valeur, et l'écriture a finalement pour fonction de faire l'économie d'un procès (1).» Cette rigueur contraste avec les efforts d'autres révolutionnaires, qui, depuis le surréalisme, ne se contentent plus de faire éclater les cadres traditionnels du langage, mais récusent l'ordre logique qui reliait les faits, les mots et les idées pour en revenir à ce « degré zéro de l'écriture» que prône Roland Barthes.

En tout cas, marxiste ou non, la philosophie tend à s'emparer de la critique. Les excitantes *Situations* de Sartre où marxisme et phénoménologie commandent une explication des œuvres en fonction de l'histoire du public, ont ici servi d'exemples. Des autodidactes comme Michel Carrouges (2) ou Maurice Nadeau (3) *(Littérature présente)*, des professeurs comme Claude-Edmonde Magny (4) *(les Sandales d'Empédocle)*, R.-M. Albérès *(la Révolte des écrivains d'aujourd'hui, Bilan littéraire du XXe siècle)*, Jean Grenier (qui fut le maître de Camus), P.-H. Simon (5), J.-P. Richard (6), des « intel-

---

(1) Roland Barthes : *le Degré zéro de l'écriture.* Mais il n'y a pas de procès sans appel, de Terreur sans rémission. On retrouve, dans le petit jeu alterné de blâmes, de réhabilitations et d'appels du pied à l'adversaire fraternel ou au compagnon de route réticent, auquel se livrent les directeurs de l'intelligentzia communiste (Laurent Casanova ou Jean Kanapa), l'image réfractée de la dialectique de la Terreur et du compromis qui préside à la politique soviétique.

(2) Michel Carrouges est né le 22 février 1910 à Poitiers. Il a publié des ouvrages sur *Eluard et Claudel* (Seuil), *Franz Kafka* (Labergerie) et des essais : *la Mystique du surhomme, André Breton et les données fondamentales du surréalisme, les Machines célibataires* (Gallimard).

(3) Maurice Nadeau, né en 1911, instituteur, puis critique littéraire à *Combat* et à *France-Observateur*, directeur de la revue *Lettres Nouvelles*, a publié une *Histoire du surréalisme* et un recueil d'articles *Littérature présente* (Corrêa, 1953).

(4) Mme Claude-Edmonde Magny, professeur de littérature française à Cambridge, puis à Princeton, a publié : *Précieux Giraudoux, les Sandales d'Empédocle, l'Age du roman américain* et le premier tome d'une *Histoire du Roman français depuis 1918* (Seuil).

(5) Essayiste plus libre et plus convaincant qu'il n'est romancier (cf. p. 403), Pierre-Henri Simon, a publié de nombreux essais politiques *(Destin de la Personne,* 1935 ; *la France à la recherche d'une conscience,* 1944 ; *Contre la Torture,* 1957 ; *la France a la fièvre,* 1958) et littéraires *(l'Homme en procès,* 1949 ; *Procès du Héros,* 1950 ; *Mauriac,* 1953 ; *Témoins de l'homme,* 1957), ainsi qu'une *Histoire de la Littérature française contemporaine* (2 vol. Colin, 1956).

(6) Né à Marseille en 1922, ancien élève de l'Ecole Normale supérieure, agrégé de lettres, professeur de littérature à l'Institut français de Londres,

lectuels engagés» comme Bernard Dort ou Francis Jeanson, et, naturellement, des philosophes comme Brice Parain, Georges Bataille, Maurice Blanchot, Gaëtan Picon ou Robert de Luppé (1) ne voient guère dans la littérature que de la « morale en action», quitte à définir cette morale en des termes diamétralement opposés. L'aspect formel d'une œuvre les intéresse moins que la manière dont elle exprime « une structure permanente ou momentanée du monde humain » (2).

Parmi ces métaphysiciens de la critique, Georges Bataille et Maurice Blanchot occupent une place éminente. Là où Bataille (3), mystique sans Dieu, s'installe dans l'absurde comme dans un oratorio sublime, là où Beckett passe son temps à ruminer le cancer qui ronge l'espèce, Maurice Blanchot (4) (dont les romans immobiles appartiennent au même type de littérature repliée sur elle-même, où les personnages n'arrivent pas à se dégager de leur plasma métaphysique) s'interroge sur l'« expérience du néant», sur la recherche d'un « absolu négatif» qui inspire les œuvres de Kierkegaard, de Kafka, de Rilke ou de Mallarmé et sur « la transcendance de la mort » vers laquelle elles convergent. Pour lui, écrire, c'est se livrer à la fascination de l'absence, de la mort et du néant, et en s'y livrant, lui échapper : « l'espace littéraire» est un *no man's land* entre la vie, la conscience, entre le désir et la peur de créer ; l'écrivain qui s'y engage perd le pouvoir de dire « Je», il recueille une vérité venue d'ailleurs, une parole dont la nécessité le dépasse et à laquelle il doit se sacrifier.

L'écrivain selon Blanchot mesure ainsi son propre vide et découvre « l'existence de l'inexistence» ; l'authenticité d'une telle expérience fonde sa propre vérité. C'est là ce que

Jean-Pierre Richard a publié (aux éditions du Seuil) deux volumes d'essais : *Littérature et Sensation* (1954) et *Poésie et Profondeur* (1955).

(1) Né en 1922, professeur de philosophie à l'Ecole des Roches, Robert de Luppé a publié un essai sur la *Catharsis* (*Délivrance par la littérature*, Aubier, 1946) et une présentation de l'œuvre d'*Albert Camus* (Editions Universitaires, 1952).

(2) J.-C. CARLONI et J. FILLOUX : *La Critique littéraire* (P.U.F.).

(3) Romancier (cf. pp. 334-336), Georges Bataille voit dans le *Mystère du mal*, la source de toute création authentique ; essayiste, il est littéralement fasciné par l'érotisme : « la sexualité et la mort ne sont que les moments aigus d'une fête que la nature célèbre avec la multitude inépuisable des êtres».

(4) Cf. pp. 338-342.

nie E. M. Cioran (5) que le *Précis de Décomposition* (1949)
a mis au premier rang de nos essayistes. Ce que Beckett a fait
pour le théâtre et le roman, Cioran, analyste impitoyable
d'une condition humaine dépouillée de tous ses prestiges, le
fait pour la critique : il la pousse à sa limite, la débarrassant
de toute prétention à la vérité, à la logique, à l'universalité.
L'exil a été, pour cet observateur implacable de notre décadence, une « école de vertige » qui l'a mené jusqu'à l'extrémité
du vide et de la conscience. Ce ne sont pas seulement le monde
et les hommes qui sont frappés par lui d'absurdité, mais toute
littérature et toute création, coupables de nous offrir des
recours imaginaires, de dévaloriser nos misères, de commenter
inutilement le péché originel. Ayant fait table rase de tout ce
qui existe, épuisé ses réserves de négation et la négation
elle-même, Cioran se trouvera-t-il un jour au seuil d'une
vérité nouvelle ? En tout cas, il a posé clairement la question
qui est celle de toute l'intelligentzia européenne : restée
seule et sans armes au milieu d'un champ de ruines, se bor-
nera-t-elle à répondre à l'« absurdité » du monde par l'apologie du silence, de la révolte et du néant, ou tentera-t-elle
de la dépasser en trouvant à l'homme de nouvelles justifications ? Mais est-ce le rôle des critiques de relayer ainsi les
philosophes ?

Ce chapitre laisse de côté la critique d'art et la critique
de théâtre, qui mériteraient pourtant de longs développements. La première n'est-elle pas devenue — depuis Eugénio
d'Ors, Woëfflin, Berenson, Elie Faure (*l'Esprit des Formes*,
1933) — une branche maîtresse de la pensée contemporaine ?
En effet, l'esthétique suppose une philosophie : celle du
Claudel de l'*Introduction à la peinture hollandaise* n'a rien
à voir avec celle du Malraux de la *Psychologie de l'Art*, et
celle de Paul Guillaume n'est pas la même que celle d'Etienne
Souriau (*la Correspondance des Arts*, 1947) ; il faut être
René Huyghe (*Dialogue avec le visible*, 1955) pour n'ignorer
rien des unes et des autres. Dans le domaine de la critique
d'art, les noms abondent : historiens comme Pierre du

---

(5) Né en Roumanie en 1911 (fils d'un prêtre orthodoxe), E. M. Cioran
a obtenu pour *Sur les cimes du désespoir*, en 1933, le Prix des Jeunes Ecrivains
Roumains. Depuis 1949, il écrit en français. Il a publié, chez Gallimard :
Précis de décomposition (1949), *Syllogismes de l'amertume* (1952) et *la Tentation
d'exister* (1956). Il collabore à la *N.N.R.F.*

Colombier, Fred Bérence ou Pierre Francastel, techniciens du musée comme Germain Bazin, Jean Cassou (*Situation de l'Art moderne*, 1951), Bernard Dorival (*Histoire de la Peinture française depuis le cubisme*), amateurs éclairés comme Stanislas Fumet, Marcel Brion (*l'Art abstrait*, 1957), Georges Charensol, Claude Roger-Marx, Max-Pol Fouchet (1), Jean Lescure, Pierre Descargues, Henri Perruchot, Jean Mouton, « orfèvres » comme André Lhote (*Traité du Paysage*, 1939, *Peinture d'abord*, 1942, *Traité de la Figure*, 1951) et Roger Bezombes *(l'Orient dans l'art)*. La biographie des grands artistes a trouvé avec Antonina Vallentin *(le Greco, Picasso)*, Marcel Brion, Henri Perruchot (2) *(Van Gogh)* et Jean de Beucken, des interprètes de premier ordre.

La critique théâtrale, elle, groupe plus d'amateurs (qui sont parfois, comme Gabriel Marcel, des professionnels) que de théoriciens. *Les Propos de Théâtre* de Pierre Brisson, la *Galerie dramatique* de Francis Ambrière, les rez-de-chaussée redoutés où Jean-Jacques Gautier brille aux dépens des œuvres qu'il analyse, les honnêtes devoirs de Thierry Maulnier et jusqu'aux séduisantes partitions de Jacques Lemarchand (qui répare, au *Figaro littéraire*, les injustices de son homologue quotidien) appartiennent, en effet, à la critique d'humeur. Seule, une petite équipe, groupée autour du T.N.P. et qui essaime à *Lettres nouvelles*, à l'Alliance française (Georges Lerminier) et aux *Cahiers* de Jean-Louis Barrault, milite avec obstination pour le nouvel art théâtral qu'exige le public de demain, où la masse prendra la relève d'une « élite ». Mais le dogmatisme des jeunes paladins de l'Antithéâtre fait parfois regretter la bonhomie de Robert Kemp ou la finesse de Marcel Thiébaut.

---

(1) Né en 1913, Max-Pol Fouchet a publié des poèmes *(les Limites de l'Amour)*, plusieurs anthologies poétiques, des livres de voyages *(les Peuples nus)* et des essais sur l'art *(Signification de l'Art contemporain*, Bissière).

(2) Né en 1917, à Montceau-les-Mines, Henri Perruchot a publié :

Des romans : *le Maître de l'homme*, 1946 ; *les Grotesques*, 1948 ; *Patrice*, 1947 ; *Sous la lumière noire*, nouvelles, 1948.

Des essais : *Port-Royal*, 1947 ; *Nous voulons sauver l'homme*, 1949 ; *la Haine des Masques* (Montherlant, Camus, Shaw, la Table Ronde, 1955) ;

Et des *Vies* de *Van Gogh*, 1955 ; *Cézanne*, 1956 ;

Des études sur *Gauguin*, 1948 et le *Douanier Rousseau*, 1957 (Editions Universitaires), *Toulouse-Lautrec*, 1958 (Hachette).

CHAPITRE DEUXIÈME

LE MOUVEMENT DES IDÉES

I

LA PHILOSOPHIE

L A philosophie est redevenue, comme au Moyen Age,
le *Spiritus Rector* des arts littéraires. D'un côté, elle
touche à l'essai, de l'autre à l'histoire, d'un troisième
à la science. Il ne s'agit pas ici de déployer un panorama
complet de l'activité philosophique de ces vingt dernières
années, dont les aspects techniques échappent à notre inventaire, mais de signaler les œuvres qui ont agi sur notre littérature et qui inspirent encore l'activité créatrice de nos
écrivains.

1

Le règne de la phénoménologie

La phénoménologie domine, depuis plus de vingt ans, la
création philosophique. Venue d'Allemagne (où Husserl,
Heidegger et Jaspers ont secoué la torpeur du néo-kantisme),
introduite en France par Sartre et Merleau-Ponty, en Belgique par Alphonse de Waehlens, elle se caractérise par un
retour au concret de la philosophie : Husserl part, non pas de
postulats théoriques mais de la description des choses elles-
mêmes. « Il s'agit de décrire, et non pas d'expliquer ni
d'analyser.»
Si Merleau-Ponty (1) reste fidèle à Husserl, c'est à Hei-

(1) Né en 1908, ancien élève de l'Ecole Normale supérieure, agrégé de philosophie, professeur à la Sorbonne, puis au Collège de France, Maurice Merleau-
Ponty a publié des ouvrages de philosophie : *la Structure du comportement*
(P.U.F., 1941), *Phénoménologie de la perception* (Gallimard, 1945), *les Aventures de la dialectique* (Gallimard, 1955) et des essais : *Humanisme et terreur*.

degger que Sartre (1) emprunte sa distinction célèbre de *l'En-Soi* (qui coïncide à tout moment avec son Moi immobile, c'est-à-dire avec son passé) et du *Pour-Soi* (surgissement de l'Etre qui prend conscience de son propre néant) : « Etre, pour le pour-soi, c'est néantiser l'en-soi, qu'il est.» Entre ces deux éléments de la conscience, l'existence d'autrui introduit un « troisième homme» qui est en fait une irréductible menace.

Sartre a résumé cette intuition fondamentale dans la célèbre devise : « L'Enfer, c'est les autres. » Son œuvre théâtrale comme son œuvre romanesque en offrent de multiples illustrations. Mais il ne s'agit là que d'un aspect d'une pensée riche et forte.

2

DISSIDENCES « PERSONNALISTES »

Mais le rigide athéisme sartrien — qui ajoute un nouveau monde d'abstractions cohérentes aux grands romans métaphysiques des Kant et des Spinoza — ne recouvre pas, il s'en faut, toute la pensée existentielle d'aujourd'hui, non moins influencée par Kierkegaard et par des écrivains religieux comme Chestov, Berdiaeff, Max Scheler ou Maurice Blondel. Si Gabriel Marcel ou Emmanuel Mounier reconnaissent l'ambiguïté dramatique de la condition humaine, ils mettent l'accent sur la vocation transcendante de la *personne* et contestent que l'absurde puisse avoir le dernier mot : si c'était le cas, toutes les valeurs ne seraient-elles pas

---

(1) Cf. pp. 105-114. Rappelons les œuvres philosophiques de Sartre : *L'Imagination* (1936), *Esquisse d'une théorie des émotions* (1939), *l'Imaginaire*, psychologie phénoménologique de l'imagination (Gallimard, 1940), *l'Etre et le néant*, essai d'ontologie phénoménologique (Gallimard, 1943). Il faut leur ajouter de nombreux articles recueillis dans *Situations* (sur *l'Intentionnalité* de Husserl et *la Liberté cartésienne*; *Matérialisme et Révolution* dans *Situations III*) ou parus en revue (dans *les Temps Modernes* : *Réponse à Claude Lefort*, avril 1953 ; *Questions de méthode*, *Existentialisme et Marxisme*, septembre-octobre 1957).

Sur l'œuvre philosophique de Sartre, on pourra consulter : D. TROISFONTAINES : *Le Choix de J.-P. Sartre* (Aubier, 1945) ; G. VARET : *L'Ontologie de Sartre* (P.U.F., 1948).

dévalorisées ? demande Gabriel Marcel (1) pour qui l'essence de la valeur réside dans sa *translucidité* qui fait d'elle le miroir de notre destinée. Gabriel Marcel reconnaît volontiers qu'il prend le contre-pied de la grande majorité des philosophes contemporains, qui refusent de trouver dans la transcendance divine une solution aux problèmes du monde moderne.

Au monde de la *totalité* (dont la cosmogonie hégélienne est le modèle dont procèdent aujourd'hui toutes les doctrines qui divinisent l'Etat ou l'Histoire), Gabriel Marcel, Emmanuel Mounier (2) et son école (Jean Lacroix, Paul-Louis Landsberg, Paul Ricœur), Jean Wahl (3), rénovateur des études kierkegaardiennes, Maurice Nédoncelle (4), apôtre de la philosophie « interpersonnelle », opposent des conceptions moins ambitieuses, plus respectueuses aussi de l'autonomie de la personne.

3

Aspects de la tradition

Le succès, ou, pour mieux dire, l'*actualité* des doctrines existentielles, relègue au second plan les formes tradition-

(1) Cf. pp. 646-650. Les principaux ouvrages philosophiques de Gabriel Marcel sont : *Journal métaphysique* (Gallimard, 1927), *Etre et Avoir* (Aubier, 1935), *Du refus à l'invocation* (Gallimard, 1940), *Homo Viator* (Aubier, 1945), *Positions et approches concrètes du mystère ontologique* (Vrin, 1949) *le Mystère de l'Etre* (2 volumes, Aubier, 1951), *les Hommes contre l'Humain* (La Colombe, 1951).

(2) Cf. pp. 122-125.

(3) Né en 1888, professeur à la Sorbonne, Jean Wahl est l'animateur du Collège philosophique. Il a publié notamment : *Etudes kierkegaardiennes* (1937), *Existence humaine et transcendance, le Malheur de la conscience dans la philosophie de Hegel* (1951), *Du rôle de l'idée de l'instant dans la philosophie de Descartes* (1953), *les Philosophies de l'existence* (1954).

(4) L'abbé Maurice Nédoncelle, professeur à la Faculté de théologie catholique de l'Université de Strasbourg, a publié :

Des ouvrages de philosophie : *la Réciprocité des consciences* (Aubier, 1942), *la Personne humaine et la nature, Introduction à l'esthétique, De la fidélité, Existe-t-il une philosophie chrétienne ?* (Fayard), *Vers une philosophie de l'amour et de la personne* (1957) ;

Des études anglaises : *la Philosophie religieuse en Grande-Bretagne de 1850 à nos jours, la Philosophie religieuse de Newman*, etc. ;

Et divers essais.

nelles de la recherche philosophique. Aussi nous bornerons-
nous à mentionner des œuvres aussi importantes que celles
d'un Léon Brunschvicg (1) (dont l'œuvre se situe dans la
perspective, aujourd'hui dépassée, du kantisme), d'un Alain
(lecteur original, « proposier» fécond plutôt que philosophe),
d'un Louis Lavelle (2) (qui prolongea, avec plus de talent
littéraire que d'efficacité dogmatique, le spiritualisme berg-
sonien), d'un Maurice de Gandilhac, d'un Ferdinand Alquié (3)
(qui s'efforce de mesurer le dualisme de l'Etre et de la conscience), d'un Amédée Ponceau *(la Musique et l'Angoisse)*.
Quant à Marcel de Corte (4) et à Gustave Thibon (5), ils
se situent dans la perspective d'un catholicisme nettement
« réactionnaire ». Du moins Gustave Thibon aura-t-il eu l'incomparable mérite de révéler l'œuvre d'une inconnue qui
avait tout pour lui déplaire : Simone Weil. Le discrédit dont
souffre depuis la Libération l'auteur de *l'Echelle de Jacob*
(considéré, à tort ou à raison, comme le « penseur de Vichy»)
n'a pas épargné Jean Guitton (6), mais l'auteur du *Portrait*

(1) On doit à Léon Brunschvicg (1869-1944), outre un ouvrage sur Spinoza
(Spinoza et ses contemporains, 1944), des ouvrages de philosophie des sciences
(les Etapes de la philosophie mathématique, 1912 ; *l'Expérience humaine et la
causalité physique*, le *Progrès de la conscience dans la philosophie occidentale,
les Ages de l'intelligence* (1927) et des études de psychologie religieuse (sur
Pascal : *De la vraie et de la fausse conversion*, 1950).

(2) Professeur au Collège de France, membre de l'Académie des Sciences
morales et politiques, Louis Lavelle (1883-1951) a fondé (avec René Le Senne)
la collection *la Philosophie de l'Esprit* (Aubier). Œuvres principales : *la Dialectique du monde sensible* (1921), *de l'Etre* (1928), *de l'Acte* (1937), *la Connaissance
de soi* (1933), *la Présence totale* (1934), *l'Erreur de Narcisse* (1939), *le Mal et la
souffrance* (1940), *Du temps et de l'éternité* (1945), *Quatre saints* (1951).

(3) Né en 1906, Ferdinand Alquié défend la raison dans ses *Leçons de Philosophie* (1931-1951) et dans sa *Nostalgie de l'Etre*. On lui doit aussi des *Notions
de psychologie générale* (1935), un portrait de *Descartes* (1956) et une *Philosophie du Surréalisme*.

(4) Né en 1905 à Genappe-en-Roman (Belgique), élève de l'Ecole Normale
supérieure, professeur à l'Université de Liège, Marcel de Corte a publié : *Incarnation de l'Homme* (1942), *Philosophie des mœurs contemporaines* (1944), *Essai
sur la fin d'une civilisation* (1949), *Mon pays où vas-tu ?* (1951), *Deviens ce que
tu es* (Prix des Ecrivains catholiques de Belgique 1957).

(5) Gustave Thibon a publié : *Diagnostics* (1939), *l'Echelle de Jacob* (1944).

(6) Né à Saint-Etienne en 1901, ancien élève de l'Ecole Normale supérieure,
agrégé de philosophie, docteur ès lettres, professeur à la Sorbonne (1955),
Jean Guitton a publié : des ouvrages de philosophie *(le Temps et l'éternité
chez Plotin et saint Augustin, Justification du Temps, Essai sur l'amour humain,
l'Existence temporelle, Pascal et Leibnitz)* ; des études religieuses *(le Cantique*

de Monsieur Pouget semble en bonne voie de gagner son procès en appel. Encore faudrait-il que les appas académiques
ne l'éloignent pas définitivement de la philosophie !

Bien que les grands thèmes de la pensée religieuse aient
été réintroduits dans la philosophie, dès la fin du siècle dernier par Blondel, le Père Laberthonnière et Edouard Le
Roy (1), aucun de leurs héritiers — ni Jacques Chevalier (2),
ni Auguste Valensin (3) — dont le nom reste scandaleusement ignoré du grand public — n'ont joué ce rôle de
« maître » qui fut celui de Bergson ou de Renan. Et le *néo-
thomisme*, qui, entre les deux guerres, brilla, grâce aux travaux d'Etienne Gilson (4), à l'influence agissante de Jacques
Maritain (5), d'un si vif éclat, ne rayonne plus guère au-delà

---

*des Cantiques, la Vierge Marie, la Pensée moderne et le Catholicisme, le Problème
de Jésus)* et des biographies *(Portrait de Monsieur Pouget, l'Abbé Thellier de
Poncheville, le Cardinal Saliège).*

(1) Disciple de Henri Poincaré, mathématicien converti à la métaphysique,
Edouard le Roy (1870-1954), professeur à la Sorbonne, puis au Collège de
France, membre de l'Académie française, s'est efforcé dans son œuvre (*Dogme
et Critique*, 1907 ; *l'Exigence idéaliste et le fait de l'Evolution*, 1927 ; *les Origines
humaines et l'évolution de l'Intelligence*, 1928 ; *le Problème de Dieu*, 1929 ;
Introduction à l'étude du problème religieux, 1944) d'éclairer les problèmes de
la nature à la lumière d'un finalisme idéaliste ; en ce sens il annonce déjà
Lecomte du Nouy et Teilhard de Chardin.

(2) Ancien élève de l'Ecole Normale supérieure, agrégé de philosophie,
doyen de la Faculté des Lettres de Grenoble (1931-1934), puis secrétaire d'Etat
à l'Education nationale dans le gouvernement de Vichy, Jacques Chevalier
(né en 1882) a publié des ouvrages sur *Pascal, la Vie de l'esprit, l'Idéal et le
Réel, la Vie morale et l'au-delà* et une monumentale *Histoire de la Pensée*
(Flammarion, 1955-1957).

(3) Né à Marseille en 1879, élève de Maurice Blondel, entré au noviciat des
jésuites en 1899, le Père Auguste Valensin (mort à Nice en 1953) fut l'ami de
Valéry, de Gide, de Roger Martin du Gard et du Père Teilhard de Chardin.
Professeur de philosophie à Lyon, puis au Centre Universitaire méditerranéen,
il laisse des études philosophiques (sur Fichte, Pascal et Dante) ; des essais
spirituels *(la Joie dans la Foi)* et littéraires (*Regards*, 4 volumes), des traductions de Dante et de Platon, et une importante *Correspondance* (Aubier).

(4) Etienne Gilson est né à Paris le 13 juin 1884 ; agrégé de philosophie,
docteur ès lettres, professeur de philosophie aux Universités de Lille, Strasbourg et Harvard, à la Sorbonne, puis au Collège de France et à l'Institut
d'Etudes médiévales de Toronto (Canada), ancien sénateur M.R.P. ; membre
de l'Académie française (1946) et de l'Académie Pontificale de Saint Thomas
d'Aquin. Célèbre par ses travaux sur la philosophie du Moyen Age : *le Thomisme, la Philosophie de saint Bonaventure, Dante et la philosophie, la Théologie
mystique de saint Bernard, la Philosophie au Moyen Age* (Vrin, 1947), *l'Etre
et l'essence* (Vrin, 1948), *Christianisme et philosophie* (Vrin, 1949).

(5) Jacques Maritain est né à Paris le 18 novembre 1882, d'une illustre

des milieux catholiques, peut-être parce que ses deux plus illustres chefs de file ont, l'un et l'autre, gagné l'Amérique. Les jeunes philosophes chrétiens — catholiques comme Mikaël Dufrenne, ou l'abbé Henry Duméry, protestants comme Charles Gusdorf, Roger Mehl, Paul Ricœur, ou P. Burgelin — se montrent plus attirés par les philosophies existentielles.

Peut-être l'hésitation des chrétiens en face des offensives de l'humanisme athée, la considération qu'ils lui témoignent, le prestige que le marxisme exerce souvent sur eux (1) expliquent-ils, tout autant que le retard de l'Eglise à s'adapter aux besoins modernes — l'expérience avortée des prêtres-ouvriers a souvent été considérée comme un test — la désaffection d'esprits qui vont chercher dans des mystiques de remplacement ce qu'ils ne trouvent plus dans l'Eglise du Christ : pour quelques-uns, l'Orient et l'Inde ont pris le relais de l'Evangile. Tandis qu'un Lanza del Vasto tente d'accorder à sa foi catholique l'enseignement de Gandhi, René Guénon (2), Mircea Eliade (3) ou Jean Grenier (4) trouvent dans la tradition orientale (le Tao, l'Inde et l'Islam), Raymond Abellio (1) et Robert Amadou (2) dans l'occultisme, des réponses à leurs inquiétudes métaphysiques. Quant à l'Islam, il suscite également des curiosités passionnées, dont les travaux d'un Louis Massignon (3), d'un Godefroy-Demombynes, d'un Dermenghem se sont faits l'écho.

4

UN MOT DES TECHNIQUES

D'autres ont cherché dans les techniques issues de la philosophie une nouvelle approche, plus concrète, de l'homme : René Le Senne et Gaston Berger dans la *caractérologie*, Henri Piéron dans la *psychotechnique*, Jean Piaget dans l'*épistémologie génétique*, Claude Lévi-Strauss dans l'*ethnologie (Tristes Tropiques)*. Mais l'inventaire des progrès de la science française dans des domaines aussi vastes que la psychologie appliquée ou la sociologie, nous entraînerait trop loin de la littérature. La psychanalyse mériterait à elle seule un chapitre, car en mettant à jour, sous les comportements conventionnels qu'imposent l'éducation et la société, les impulsions primaires de l'homme, elle a fourni à la littérature un vaste champ d'exploration. Tout comme les psychanalystes, les romanciers cherchent les sources profondes de l'homme, explorent sa mémoire, traquent ses instincts et ses rêves : un court récit nous en apprend souvent davantage

(1) Cf. pp. 332-333.

(2) Né en 1924, Robert Amadou a fait des études de psychologie à la Sorbonne et prépare une thèse de doctorat sur Claude de Saint-Martin. Fondateur de la Société française de Parapsychologie, il dirige la revue *la Tour Saint-Jacques*. Il a publié des études sur : *Louis-Claude de Saint-Martin* et *le Martinisme* (1946), *l'Occultisme*, *Albert Schweitzer* (1952), *Raymond Lulle* (1953), *la Parapsychologie* (1954) ainsi qu'un essai sur *les grands médiums* (Denoël, 1957). Dans la même direction, signalons encore les recherches de Marcel Berger *(Quinze ans chez les médiums, la Voyance m'a appris)*.

(3) Né en 1883, ancien professeur au Collège de France et à l'Ecole des Hautes Etudes, président de l'Institut des Hautes Etudes iraniennes et secrétaire du Comité France-Islam, Louis Massignon a publié des ouvrages sur Marie-Antoinette, Charles de Foucauld, Al-Hallâj et les mystiques de l'Islam.

sur les névroses et les comportements paranormaux que de
longs rapports des congrès de Psychanalyse. Et J.-F. Revel
n'a pas eu de peine à ridiculiser dans un pamphlet féroce (1),
le pédantisme de spécialistes dont le vocabulaire rivalise
avec celui de Trissotin.

5

LA PENSÉE POLITIQUE ET L'HISTOIRE

La pensée politique a fait ces vingt dernières années, figure
de parente pauvre (n'était-ce pas une des raisons de la myopie
d'un appareil gouvernemental qui vivait au jour le jour, sans
souci de prévoir ou d'inventer ?). Maurras, Georges Sorel,
Alain, qui renouvelèrent au début du siècle la critique et la
philosophie politiques, n'ont pas été remplacés.

L'observateur le plus lucide de la réalité politique reste,
aujourd'hui encore, André Siegfried (2), dont l'œuvre doit
plus à la psychologie des peuples, à la géographie économique
et à la sociologie électorale qu'à la pensée politique. Mais
s'il n'ignore rien des transformations du monde moderne,
l'auteur des *Etats-Unis d'aujourd'hui* reste attaché, par ses
origines et par sa sensibilité, à ce xxe siècle où « la race blanche occidentale avait réalisé sous sa direction une forme d'unité
mondiale qui rappelait celle de l'empire romain » et où le
monde civilisé était encore cette « république mercantile
internationale » dont parlait Elie Halévy. Grand spécialiste
des échanges internationaux et de la civilisation anglo-
saxonne, André Siegfried aura été aussi un des témoins
lucides du malaise français. Son *Tableau politique de la France*

(1) *Pourquoi des philosophes ?* (Julliard, 1956).
(2) Né au Havre en 1875, professeur aux Sciences politiques et au Collège
de France, membre de l'Institut, puis de l'Académie française (1944), éditorialiste du *Figaro*, président de la Fondation Nationale des Sciences Politiques,
André Siegfried a publié des *Maximes* et de nombreux essais : *la Démocratie
en Nouvelle-Zélande, l'Angleterre d'aujourd'hui* (1924), *les Etats-Unis d'aujour-
d'hui* (1927), *Tableau des partis en France* (1930), *la Crise britannique* (1931),
Mes Souvenirs de la Troisième République (1946), *l'Ame des peuples, la Suisse
démocratie-témoin, Géographie humoristique de Paris, Tableau des Etats-Unis*
(Colin, 1954), *De la Troisième à la Quatrième République* (Grasset, 1957).

de l'Ouest sous la Troisième République (1914) est à l'origine d'une science nouvelle, la géographie électorale. A sa suite, une jeune équipe de chercheurs, groupés autour de François Goguel (1) et de Maurice Duverger (2) met à jour la carte électorale de la France.

Après lui, lorsqu'on aura cité les noms de Raymond Aron (3) dont la lucidité s'appuie à la fois sur une philosophie de l'histoire et sur une connaissance approfondie des mécaniques économiques ; d'un théoricien du pouvoir comme Bertrand de Jouvenel ou d'apôtres du fédéralisme comme Denis de Rougemont (4) ou Robert Aron, on aura fait le tour des doctrines politiques (il est particulièrement regrettable qu'aucun marxiste ne se soit attaché au problème capital du dépérissement de l'Etat dans une société communiste). Du moins la critique du marxisme a-t-elle été menée vigoureusement par des adversaires comme Raymond Aron, Thierry Maulnier, Jules Monnerot, par des socialistes « réformistes» comme André Philip (5) et Jeanne Hersch (6) ou même par

---

(1) *La Politique des Partis sous la Troisième République* (Le Seuil, 1946), *Géographie des Elections françaises de 1870 à 1951* (Colin, 1951).

(2) Agrégé des Facultés de Droit, éditorialiste du *Monde*, Maurice Duverger a publié notamment : *les Constitutions de la France* (P.U.F., 1944), *Partis politiques et classes sociales en France* (Colin, 1955).

(3) Né en 1905, ancien élève de l'Ecole Normale supérieure (où il eut pour camarade Jean-Paul Sartre), agrégé de philosophie, professeur à la Sorbonne et à l'Institut d'Etudes Politiques de Paris, éditorialiste du *Figaro*, Raymond Aron a publié :

Des ouvrages de philosophie : *la Sociologie allemande contemporaine* (1934), *Essai sur la théorie de l'histoire dans l'Allemagne contemporaine* (1938), *Introduction à la philosophie de l'histoire* ;

Des essais politiques : *l'Homme contre les tyrans, De l'armistice à l'insurrection nationale, l'Age des Empires et l'avenir de la France, le Grand Schisme* (1950), *les Guerres en chaîne* (1951), *Polémiques* (Gallimard, 1954), *l'Opium des intellectuels* (Calmann-Lévy, 1955), *la Tragédie algérienne* (Plon, 1957).

(4) Né à Neufchâtel (Suisse) en 1906, Denis de Rougemont a participé (avec Dandieu et Emmanuel Mounier) à la fondation d'*Esprit* et de *l'Ordre Nouveau* (1931) ; dans *Politique de la Personne* (1933), il a lancé le mot et le thème de l'« engagement » ; passé du personnalisme au fédéralisme (rapporteur du Congrès européen de La Haye en 1948), il a fondé à Genève le Centre européen de la Culture et préside le Congrès pour la liberté de la culture.

Principaux ouvrages : *Penser avec les mains* (1936), *Journal d'Allemagne* (1938), *l'Amour et l'Occident* (1939), *la Part du Diable* (1942), *l'Aventure occidentale de l'homme* (Albin-Michel, Prix Lecomte du Nouy 1956).

(5) *Le Socialisme trahi* (Plon, 1957).

(6) *Idéologies et Réalités* (Plon, 1957).

des « renégats » comme Pierre Hervé (1). La maladie mortelle
dont souffre, chez nous, le parlementarisme, a été souvent
diagnostiquée (par Raymond Aron, Jacques Fauvet (2),
Charles Morazé (3), tandis que des chefs de file de l'entre-
deux-guerres, comme Emmanuel Berl (4) et Henri Massis (5)
s'efforçaient de remonter aux causes. Les problèmes démo-
graphiques ont fait l'objet d'études approfondies d'Alfred
Sauvy, de Louis Chevalier et de Marcel Reinhard.

On notera, le regain d'intérêt pour la politique suscité par
les événements de mai 1958. Le succès de la *Tribune libre* de
la librairie Plon, d'études, de pamphlets ou de documents
d'actualité en est une preuve.

*
* *

L'histoire est mieux partagée.

Sur le plan des synthèses, Jacques Pirenne *(les Grands
Courants de l'Histoire Universelle)* et Gonzague de Reynold
ont poursuivi leur monumentale contribution à l'histoire de
notre civilisation. Aux historiens fidèles à la tradition et à la
chronologie classiques, comme Pierre Renouvin ou Charles
Pouthas, une nouvelle génération (dont Philippe Ariès est
l'une des têtes) formée par Lucien Febvre (6) oppose sa

(1) Dans *la Révolution et les Fétiches, Lettre à Sartre* et *Dieu et César sont-ils
communistes ?* (La Table Ronde).

(2) *La France déchirée* (Fayard, 1957).

(3) Né en 1907, Charles Morazé, agrégé d'histoire, professeur à l'Institut
d'Etudes politiques de Paris et à l'Ecole des Hautes Etudes, a publié une
Introduction à l'histoire économique et des études sur *les trois âges du Brésil,
la France bourgeoise* (1946), *les Français et la République* (Colin, 1956) et les
Bourgeois Conquérants (Colin, 1957).

(4) Cf. p. 262. *La France irréelle* (Grasset, 1957).

(5) Né à Paris en 1886, Henri Massis a dirigé, de 1920 à 1944, *la Revue
Universelle.* Grand Prix de Littérature de l'Académie française (1928), il a
publié des essais politiques et littéraires : *les Jeunes gens d'aujourd'hui* (enquête
menée avec Alfred de Tarde, sous le pseudonyme d'Agathon, 1911), *Jugements*
(2 volumes, 1923 et 1924), *Défense de l'Occident* (1928), *l'Honneur de Servir*
(1938), *la Guerre de Trente Ans* (1940), *les Idées restent* (1940), *D'André Gide
à Marcel Proust* (1948), *l'Occident et son destin* (1956) ;

Des souvenirs : *Evocations,* 1931 ; *Charles Maurras et notre temps* (2 volumes,
1951).

(6) Fondateur (avec Marc Bloch) des *Annales d'Histoire économique et
sociale* (1929) et de l'*Encyclopédie française* (1934), professeur au Collège de
France et membre de l'Institut, Lucien Febvre (1878-1956) a publié une thèse

conception de « l'histoire non événementielle ». « Structura-
listes» et « conjoncturalistes» se réclament de l'héroïque
médiéviste Marc Bloch (1) (l'auteur de *la Société féodale*
est tombé sous les balles allemandes), de Gaston Roupnel
(dont l'*Histoire de la Campagne française* reste un monument
de savoir et un trésor de sagesse) et de Fernand Braudel dont
la thèse de doctorat (*la Méditerranée et le monde méditerranéen
à l'époque de Philippe II*, 1949) a donné l'impulsion à toute
une série de synthèses économico-politiques. Mais de cette
même conception de l'histoire, marxistes et spiritualistes
tirent des conclusions diamétralement opposées. Les premiers (Georges Lefebvre, Fernand Labrousse) mettent en
évidence à la suite de Mathiez, sous les superstructures
politiques, l'infrastructure économique dont elles dépendent.
Les seconds (Henri Marrou, Dupront) cherchent à dégager
les grandes structures mentales qui président à chaque
niveau de civilisation.

A noter également l'intérêt croissant de nos historiens pour
l'étude des problèmes des pays étrangers : les « slavisants»
qui ont pris la suite d'Ernest Denis et de Tapié, les « hispanisants», celle de Bataillon, ont, en ce domaine, une avance
incontestée.

Mais les plus célèbres de nos historiens se situent en dehors
de l'Université — soit qu'ils l'aient quittée après lui avoir
longtemps appartenu, soit qu'ils relèvent de disciplines
parallèles (l'Ecole des Chartes, par exemple), soit même qu'ils
se soient formés seuls (Jacques Bainville avait débuté, à
vingt ans, sans titres universitaires, par un gros essai sur
Louis II de Bavière). On trouve parmi eux des spécialistes
de l'Empire — hier Louis Madelin ou Octave Aubry — des
historiens de la France monarchique — Pierre Gaxotte ayant
pris, auprès du grand public, la succession enviée de Bainville
— ou de la Troisième République, comme Jacques Chastenet

---

sur *Philippe II et la Franche-Comté* (1911), une étude sur *la Terre et l'Evolution
humaine* (1949) et des *Combats pour l'Histoire* (1953).

(1) Né en 1906, professeur à la Faculté des Lettres de Strasbourg, puis à la
Sorbonne, entré dans la Résistance, arrêté par la Gestapo et fusillé près de
Lyon le 16 juin 1944, Marc Bloch a consacré l'essentiel de son œuvre à l'histoire
du Moyen Age (*Rois et Serfs*, 1920 ; *les Rois thaumaturges*, 1924 ; *la Société
féodale*, 2 volumes, 1939-1940). Il a laissé un lucide témoignage sur « l'étrange
défaite» de 1940 et une *Apologie pour l'Histoire*.

et Adrien Dansette, des historiens de l'Eglise comme Daniel-Rops, des polémistes comme Emmanuel Beau de Loménie *(les Responsabilités des Dynasties bourgeoises)*, ou Jacques Benoist-Méchin *(Soixante jours qui ébranlèrent l'Occident)*, d'intelligents biographes comme Philippe Erlanger *(l'Etrange Mort de Henri IV)* et Henri Guillemin *(la République des Jules)*. N'oublions pas, non plus, les fervents de l'Antiquité grecque (André Bonnard, Emile Mireaux, Georges Méautis) ou romaine (Jérôme Carcopino, Gérard Walter). Quel héros de roman pourrait faire oublier la *Bérénice* de Mireaux, les *Impératrices syriennes* de Babelon, le *César* de Walter, le *Brutus* de Roger Breuil, le *Gengis-Khan* de René Grousset, le *Saint-Just* d'Albert Ollivier ? Sans doute cette forme de vulgarisation ne fait-elle guère progresser la recherche historique mais elle en met les résultats à la portée du grand public en lui rendant accessibles des documents et des hypothèses auxquels il n'aurait pas accès de lui-même. En outre, elle l'invite à passer de l'histoire à la philosophie en l'amenant à faire, avec René Grousset, le « bilan de l'histoire ».

II

SCIENCE, ART ET CONSCIENCE NOUVELLE DU MONDE

1

SCIENCE ET CONSCIENCE NOUVELLE DU MONDE

CRITIQUES, philosophes, historiens ne sont pas les seuls responsables de l'évolution des idées : ils ne font souvent que la constater. Et, dans la métamorphose du monde, les sciences exactes occupent aujourd'hui la première place.

Sans doute, le grand public est-il encore mal familiarisé avec la théorie des Ensembles ou les travaux du groupe Bourbaki (1), mais il a au moins entendu parler de la fameuse querelle qui sépare, depuis 1925, physiciens « classiques» et « indéterministes» : un Louis de Broglie (2), théoricien de génie de la mécanique ondulatoire, des vulgarisateurs de la qualité d'André George ou de François Le Lionnais, ont fait beaucoup pour attirer son attention sur de tels problèmes.

(1) Cf. F. LE LIONNAIS, *Les grands courants de la pensée mathématique : la Science, Cinquante années de découvertes* (Editions du Seuil) ; ALAN PRYCE-JONES : *The new outline of modern knowledge* (Londres, Gollanz, 1956) ; PIERRE ROUSSEAU : *La science au XXᵉ siècle* (Hachette, 1954) ; PIERRE DE BOIS-DEFFRE : *L'homme devant la science* (Hommes et Mondes, novembre 1952).

(2) Né en 1892, le prince Louis de Broglie (frère cadet du duc Maurice de Broglie, membre de l'Académie française et de l'Académie des Sciences) a, dans sa thèse de doctorat ès sciences (1924), fondé la mécanique ondulatoire en associant, dans la théorie de la lumière, onde et corpuscule. Prix Nobel de physique en 1929, membre de l'Académie française (1945), secrétaire perpétuel de l'Académie des Sciences, il a tiré les enseignements de la nouvelle

La physique quantique et la Relativité généralisée ont achevé de démanteler notre univers cartésien.

Une logique nouvelle est née : la substitution aux principes classiques d'identité, de conservation de l'énergie, de causalité, des notions nouvelles de *dégradation*, de *complémentarité*, d'*entropie*, a semé le doute dans les esprits désormais incapables d'obtenir de la science une image « objective et conséquente » de la réalité (Erwin Schrödinger). Cette science, la voici devenue à son tour « la première énigme du monde » (Valéry).

La littérature et la philosophie d'une part, les arts plastiques de l'autre, s'accordent à l'incertitude nouvelle de la Science, à ce qu'on pourrait appeler « l'énigmatique » du xxᵉ siècle.

Ecrivains, artistes et savants ont peur : l'explosion d'Hiroshima a sonné le glas de l'optimisme occidental.

Au printemps de 1945, l'ouverture des camps de concentration a obligé l'homme européen à regarder en face ce dont il était capable : de *réifier* son semblable, de le traiter en chose et de l'exploiter comme une chose.

Ce terrifiant souvenir nous oblige à examiner avec plus de rigueur les progrès de la Science. Chaque jour, celle-ci nous permet d'intervenir un peu plus dans la vie de chacun de nous. Demain la biologie nous permettra de refaçonner l'espèce. En interrogeant un Teilhard de Chardin (1), un Alexis Carrel (2), un Lecomte du Nouy (3), un Jean Rostand (4), en parcourant les ouvrages d'un Pierre Auger, d'un

---

(1) Cf. pp. **212-215**.

(2) Prix Nobel 1912, le docteur Alexis Carrel (1873-1944) est l'auteur de *l'Homme, cet inconnu* (1936). On lui doit aussi un journal de sa conversion, une étude sur *Lourdes* et des *Réflexions sur la conduite de la vie* (1950).

(3) Pierre Lecomte du Nouy (1883-1947), physicien et biologiste, converti, comme Alexis Carrel, au catholicisme, a interprété les problèmes de l'évolution dans une perspective spiritualiste dans : *le Temps et la vie* (1936), *l'Homme devant la Science* (1939), *l'Avenir de l'Esprit* (1941), *la Dignité humaine* (1953).

(4) Né à Paris le 30 octobre 1894, Jean Rostand (fils d'Edmond Rostand et de la poétesse Rosemonde Gérard) est « le dernier des savants artisans ». Grand Prix littéraire de la Ville de Paris en 1952 et lauréat de la Fondation Singer-Polignac (1955). On lui doit des travaux scientifiques (*la Parthénogénèse des Vertébrés*, 1938 ; *la Génétique des Batraciens*, 1951), des satires sociales (*la Loi des riches*, 1921 ; *les Familiotes*, 1925) ; des essais (*Ignace ou l'Ecrivain*, 1923 ; *De la vanité*, 1925 ; *De l'amour des Idées*, 1926 ; *Journal d'un Caractère*, 1931) ; des ouvrages de vulgarisation (*De la mouche à l'homme*, 1930 ; *Biologie*

Lucien Cuénot, d'un Pierre Grassé, d'une Andrée Tétry, d'un
Albert Vandel ou d'un Albert Delaunay, le grand public
ne cherche pas seulement à savoir ce que fut l'Evolution de
l'espèce mais ce que l'homme peut en attendre. Ici, comme
ailleurs, il est devenu son propre maître.

2

L'ART ET LA DESTRUCTION DU RÉEL

L'art contemporain pousse à son paroxysme l'inquiétude
de la Science. Avec lui l'absurde pénètre les esprits en sécré-
tant ses propres mythes. Une même passion semble animer
musiciens, peintres, sculpteurs et même architectes : c'est
la destruction du réel. Le vrai n'est plus, comme aux siècles
classiques, l'idéal, la règle et la mesure de tout : il est l'ennemi
qu'il faut abattre, à tout le moins faire oublier. Statues,
tableaux et symphonies cessent d'être des spectacles intelligibles à tous ; pour les entendre, il faut apprendre un nouveau
langage. La *représentation* est honnie : seule compte la *signification* métaphysique de l'œuvre.

Dans le domaine des arts plastiques, l'évasion du réel,
encore timide au temps des impressionnistes, a pris, depuis le
cubisme, un rythme accéléré pour aboutir à l'abstraction.
Déjà l'impressionnisme, en dissolvant la matière en un faisceau de notations colorées, s'allégeait du « lest des données
matérielles » (1). Le cubisme récusa la réalité ambiante au
nom d'un sens cosmique universel : « Regarder le modèle
ne suffit plus, il faut que le peintre le pense (2). » Il prenait
ainsi place dans l'univers du discontinu que nous proposait
au même moment la physique quantique. « Il s'accorde à

et Médecine, 1939 ; *la Vie et ses problèmes*, 1939 ; *les Grands courants de la
biologie*, 1951 ; *Peut-on modifier l'homme ?*, 1956) ; des biographies (*Charles
Darwin*, 1947 ; *Hommes de vérité*) et une histoire des idées en biologie (*la
Formation de l'Etre*, 1930 ; *l'Evolution des Espèces*, 1932 ; *l'Avenir de la biologie*,
1946).

Sur l'homme et l'œuvre, on pourra consulter : ALBERT DELAUNAY : *Jean
Rostand* (Editions Universitaires, 1956).

(1) RENÉ HUYGHE, *Dialogue avec le visible* (Flammarion).
(2) GLEIZES et METZINGER : *Du Cubisme* (Arts graphiques).

un état d'esprit général... La vitesse est peut-être cause de
cette pulvérisation ; peut-être aussi les révélations de la
psychologie abyssale. En musique, on observe le même phénomène avec la disparition progressive des cohérences tonales,
et avec cette lutte entreprise depuis Stravinsky contre la
mélodie... Tout l'art cubiste est fait ainsi de pièces rapportées,
de découpages et d'exclusions, de présentations de l'objet
à son état le plus direct, à la façon d'un son pur, presque un
bruit... L'univers du continu est aboli... Le linéaire s'est
évanoui de notre existence avec le mélodique et le narré (1).»

Les peintres non figuratifs (préférons ce terme à celui
d'« abstraits», qui est ambigu : car Hegel a pu soutenir,
avant Hans Arp, que la nature était abstraite, que l'esprit
seul était concret) iront plus loin encore : ils ne chercheront
plus seulement à se libérer de la dictature du sujet, mais à le
remplacer par la « Peinture», devenue son propre objet.
Certains feront de la peinture une hallucination qui s'accepte
comme telle, comme le voulaient les surréalistes (il faut
rappeler ici le pacte signé par les peintres et les poètes —
Max Ernst donnant la main à André Breton — contre une
réalité détestée). Le même effort de dissociation devait
donner naissance (avec Schoenberg et ses disciples) à la musique atonale et au dodécaphonisme. Replacés dans le
contexte frémissant de l'époque, les efforts, parfois inco-
hérents, de nos écrivains, prennent leur vrai sens : la recherche
d'une réalité nouvelle.

Au contact de la Science, des Arts et de la Philosophie, se
forme peu à peu la conscience du monde moderne. Celui-ci
trouve dans un art de grande rupture (et les arts plastiques
en pleine ébullition, partagés entre l'appel de l'abstrait et la
recherche d'une expression dramatique, sont en avance sur
la littérature) l'expression de ses inquiétudes et de ses interrogations. A l'image d'un cosmos unifié par l'esprit ont
succédé des approches successives d'une réalité qui nous
échappe au fur et à mesure que nous croyons la posséder.

---

(1) JEAN CASSOU : *Catalogue de l'Exposition du Cubisme* (Musée National
d'Art moderne, 1953).

Faute de déduire l'univers d'une Révélation unique, nous nous efforçons de le connaître par une série d'expériences spécifiques. « La philosophie actuelle n'est pas une pensée de la science : elle est une pensée de l'Etre... La science actuelle n'est pas seulement une technique d'action... elle ne se contente pas de vivre dans le domaine du comment et de la loi, dans le domaine de l'apparence et dans celui du phénomène ; elle saisit les causes, elle traque l'ultime réalité... La religion a reculé comme phénomène social, elle n'ordonne plus le monde... mais il existe une expérience religieuse irréductible, invulnérable, qui permet d'ailleurs à celui qui l'effectue d'intervenir puissamment dans la pensée philosophique ou dans la création artistique (les cinquante premières années du XXᵉ siècle ont vu plus de grands écrivains chrétiens que le XIXᵉ siècle tout entier). L'art, lui aussi, échange son ancien statut de province soumise contre un statut d'empire... Il n'accepte plus d'être ce jeu, cette délectation qu'il fut... Aucune perspective de l'esprit n'accepte de se concevoir comme mode transitoire ou subordonné ; chacune se conçoit possession authentique de l'Etre (1).»

Les écrivains partagent la même ambition. Moins modestes que leurs devanciers du XVIIᵉ siècle, ils ne se contentent plus de reproduire ni même d'expliquer la réalité qui les entoure, ils voudraient atteindre par l'expérience de leur art, les fondements de l'Etre. Le Roman lui-même cesse d'être un simple reflet pour recouvrir une architecture de signes, révélatrice du Cosmos. C'est pourquoi, tout en plaidant pour l'autonomie, pour la spécificité de leur art, ils ne sauraient se tenir à l'écart des découvertes de la science et de la philosophie de leur temps : Malraux traduit en dialogues les grandes pages de Spengler et de Fröbenius, Sartre fonde le roman sur l'enseignement de la phénoménologie, Camus retrouve les grandes interrogations des philosophes de l'Antiquité grecque.

Tous nous offrent une littérature métaphysique.

---

(1) G. PICON : *Panorama des idées contemporaines* (Gallimard, 1957).

CONCLUSION

LA LITTÉRATURE D'AUJOURD'HUI ANNONCE-T-ELLE UN NOUVEAU LANGAGE DE FORMES ?

Au terme de ce voyage, est-il possible d'esquisser une conclu-sion ? Avant d'y parvenir, commençons par dégager quelques lignes de force. Notre littérature, avons-nous dit, est métaphy-sique. Mais cette « métaphysique » n'aboutit pas à dégager l'homme de l'Histoire. Elle insiste moins sur la « nature » humaine que sur les grandes options morales qui s'offrent à l'homme d'aujourd'hui ; et l'on peut même paradoxalement la caractériser par la préférence qu'elle donne à l'Histoire sur l'intemporel, au témoignage sur l'évasion, et à la révolte sur l'adhésion.

I

UNE LITTÉRATURE DU SALUT

LES grands témoins de ce temps — romanciers ou dramaturges comme Sartre, Malraux ou Camus, poètes comme Pierre-Jean Jouve, René Char, Pierre Emmanuel, Yves Bonnefoy, essayistes comme E.-M. Cioran, Roland Barthes ou Maurice Blanchot — sont des écrivains d'idées. Ils se soucient moins de *représenter* le monde que de le *recréer*, d'incarner des *types* humains que de nous amener à nous interroger sur la « condition humaine ». Pour eux, la littérature (comme la peinture pour Cézanne) est *un art mental* ; les sens cessent d'y occuper la première place qui est dévolue à l'intellect. L'accent est mis sur la contestation du monde. Il ne s'agit plus de faire « concurrence à l'état civil », comme le voulait Balzac, mais d'opposer à un monde perpétuellement mis en accusation une autre conception de l'existence. « Imiter le mieux possible, c'est créer le moins possible. » Depuis Mallarmé, qui rêva toute sa vie de faire un livre de rien, un livre qui n'aurait « presque pas de sujet », le dédain du réel — sacré pour un Dickens, un Balzac, un Tolstoï — n'a cessé de faire des adeptes ; tout le long de notre itinéraire, nous avons trouvé des romanciers, des dramaturges, des essayistes et des poètes qui mettent toutes les ressources de leur art au service de ce qui le nie.

« Une vision du monde orientée par une métaphysique, voilà ce que nous demandons aujourd'hui à la littérature. » D'où l'ironie d'un Jean Paulhan : « Je ne sais s'il est vrai que des hommes de lettres se soient contentés jadis (ils le disaient du moins) de distraire d'honnêtes gens. Les plus modestes de nous attendent une religion, une morale, et le sens de la vie

enfin révélé (1).» Notre littérature, sous les masques les plus
divers (révolte ou évasion, goût du scandale ou du miracle,
érotisme ou engagement) est une recherche du salut. Paradoxe, dira-t-on. S'agit-il de salut dans les obsessions sexuelles
d'un Jean Genêt ou d'un Boris Vian, dans les manifestations
politiques d'un Sartre ou d'un Camus, dans le laborieux
dérèglement des sens d'un Artaud ou d'un Michaux, dans le
stoïcisme sans alibi d'un Gascar, d'un Gary, d'un Hougron ?
En quoi le cynisme d'un Roger Vailland, les désillusions d'une
Françoise Sagan, l'apologie de l'absurde et du néant chère
à l'avant-garde poétique ou théâtrale, évoquent-ils l'idée de
salut ? A cela, on peut répondre : même ces œuvres, *surtout*
ces œuvres, posent la même question, caractéristique de notre
temps : *Comment faire son salut sans la foi ?* Question posée
voici trente ans par Malraux avec plus de romantisme :
« Que faire d'une âme s'il n'y a ni Dieu ni Christ ?»

1

L'ÉCRIVAIN, THÉOLOGIEN SANS LA FOI

Ne nous y trompons pas, en effet : si métaphysique il y a,
il ne s'agit nullement d'une métaphysique chrétienne, mais
d'une sorte de théologie sans Dieu, décalquée sur une Révélation dont on retrouve les signes, inversés et négatifs.
L'Absurde a remplacé la Providence ; l'Absence de Dieu étend
sur toutes choses une sorte de voile invisible, presque impalpable ; l'idée de la Faute et du Péché originel (mais d'une
faute inexplicable et d'un péché sans cause) demeure au fond
de consciences qui se sentent moins libérées qu'écrasées par
la rupture des liens traditionnels de l'homme avec le Cosmos (2).

Nous n'irons pas jusqu'à dire que tous les écrivains d'aujourd'hui professent une religion nouvelle où la révolte a pris
la place du salut, l'homme celle de Dieu et l'histoire celle de
la Providence, mais tous baignent dans cette philosophie

---

(1) *Les Fleurs de Tarbes ou la terreur dans les Lettres* (Gallimard, 1941).
(2) Faulkner, Joyce et Kafka, en laïcisant la notion du péché originel, ont
été les maîtres du nouveau roman métaphysique.

immanente. La plupart admettent (il y a cependant des exceptions : Malraux, après Spengler, croit à l'incommunicabilité des cultures ; Gabriel Marcel et ses disciples chrétiens fondent leur ontologie sur l'approche concrète de l'Etre…) que « l'histoire humaine n'est pas une simple somme de faits juxtaposés — décisions et aventures individuelles, idées, intérêts, institutions — » mais qu'elle est « dans l'instant et dans la succession, une totalité en mouvement vers un état privilégié qui donne le sens de l'ensemble » (1). Cette « théologie sécularisée » (2) est le substrat informulé de leur pensée. Même dans des récits aussi apparemment « dégagés » que ceux d'une Françoise Sagan, il ne serait pas difficile de relever, à l'échelle d'une mentalité bourgeoise « évoluée », les mêmes archétypes — solitude de l'homme dans un monde factice, déception de l'amour auquel l'absolu se dérobe, obsession du temps qui passe et qui rapproche une mort inutile.

2

LITTÉRATURE ET SENS DE L'HISTOIRE

Dans cette littérature, *l'Histoire* occupe souvent la première place. Certes, les démocraties occidentales n'exigent pas de l'écrivain (3) un engagement personnel qui aboutit en fait dans les démocraties populaires à la caporalisation de la littérature. Mais, s'il existe une dictature des consciences au nom du réalisme socialiste du côté communiste, l'apologie de la liberté existentielle (chez les disciples de Sartre) ou la pression d'une idéologie vague où se combinent les thèmes de la révolte et de l'absurde, l'exaltation de l'Histoire et du progrès, sans parler de tous les conformismes de l'époque, vont parfois jusqu'au chantage — à quoi s'ajoute cet autre chantage qu'exerce sur les écrivains, au nom des goûts les plus bas du public, une presse souvent médiocre, obsédée d'érotisme, avilie par l'argent.

(1) Merleau-Ponty.
(2) Raymond Aron.
(3) Sauf dans des circonstances exceptionnelles : la guerre aboutit en fait à une « mobilisation des intelligences ».

Mais l'histoire affecte surtout la signification de l'œuvre. Nos écrivains cherchent en effet à substituer à la représentation des êtres et des choses « tels qu'ils sont» une interrogation quant à leur rôle et à leur sens dans l'Histoire. Il ne s'agit plus, comme le demandait Proust, de saisir la conscience à l'instant où elle se forme et le temps dans sa substance ontologique : à cette observation « microscopique» nos auteurs entendent substituer une vue, sinon « télescopique», du moins générale et planétaire, de l'homme et de son évolution. Récusant les philosophies de la nature, ils font leur, même lorsqu'ils ne s'y réfèrent pas explicitement, la vision hégélienne de l'histoire corrigée par Marx ou par Spengler. Ils sont pénétrés du sentiment du *devenir ;* les civilisations ne sont plus pour eux des cadres stables, quasi immuables à l'échelle d'une vie humaine, mais des organismes vivants, menacés et périssables. Qu'ils donnent à la métamorphose du monde une signification politique précise, comme le font les marxistes ou les existentialistes, ou qu'ils la transcendent poétiquement en une sorte d'Apocalypse suspendue sur nos têtes, à la manière d'un Samuel Beckett, la menace qui pèse sur la condition humaine n'est jamais absente de leur méditation. Bien des œuvres caractéristiques de l'époque, du *1984* de George Orwell à *la Vingt-cinquième Heure* de C. V. Gheorgiu, et de *la Peste* à *Nucléa* et à *En attendant Godot*, s'inscrivent sous le signe de l'Apocalypse. On retrouve la même hantise, exprimée sur un mode mineur, dans les récits, moins abstraits, plus réalistes, de nos jeunes romanciers, dans les nouvelles de Pierre Gascar comme dans les récits fantastiques de Pieyre de Mandiargues, dans la *Fin des Hommes* d'un Druon comme dans tel roman de Robert Merle ou de Romain Gary, dans l'humour amer d'un Pierre Boulle comme dans la force brutale d'un Georges Arnaud.

3

L'ÉCRIVAIN EST UN TÉMOIN

Dans cette vision où l'intemporel n'a plus de place (pour s'en convaincre, il n'est que de comparer le discrédit d'un Charles Morgan, hier encore si exagérément loué, dont

l'inspiration néo-platonicienne paraît aujourd'hui si anachronique, à la popularité — peut-être aussi fragile — d'un
Graham Greene, qui emprunte au reportage, à l'exotisme
et même au roman policier, des thèmes qu'il traite en métaphysicien désespéré), le *témoignage* l'emporte sur la fiction.
On ne songe même plus à proposer une morale, à la manière
des héros souriants et désabusés chers à Anatole France et
à M. Renan. Au contraire, les tranches de vie, les expériences
rapportées sans autre souci que celui de la vérité, les reportages, n'ont jamais connu un tel succès. C'est aux conquérants de l'Anapurna, des grands espaces sous-marins, aux
aventuriers du Kon-Tiki, aux explorateurs de la préhistoire,
que le grand public réserve son meilleur accueil. Sous le romancier, on cherche l'homme et ce que son témoignage a de plus
personnel, d'irremplaçable : la guerre d'Indochine dans le
cycle de Jean Hougron, l'odyssée d'un *desperado* dans *le
Salaire de la Peur*, celle des prisonniers anglais en Malaisie
dans *le Pont de la Rivière Kwaï*, la vie d'un conducteur de
péniche ou d'un routier dans les récits de Serge Groussard,
celle d'un prêtre-ouvrier dans le célèbre roman de Gilbert
Cesbron... Les écrivains les plus populaires empruntent le
meilleur de leur prestige à des actes vite travestis en légende :
Malraux à son action révolutionnaire, Saint-Exupéry aux
exploits du pilote de ligne, Albert Schweitzer à l'apostolat
missionnaire de Lambaréné... On attend de l'écrivain qu'il
incarne une dimension exceptionnelle de l'homme. On lui
demande de témoigner, dans un monde raboté par les techniques, démystifié par l'utilitarisme, de son courage, de son
audace, ou seulement de sa vitalité. On n'en est que plus déçu
de chercher si souvent en vain dans le roman de « type courant» un grand souffle humain. Le succès même d'une Françoise Sagan va de pair avec le mépris du public pour un romanesque sans grandeur.

4

UNE MORALE DE LA RÉVOLTE

Témoin de l'homme devant l'histoire, l'écrivain d'aujour-
d'hui est constamment tenté par la *révolte*. L'adhésion d'un

Claudel à une révélation qu'il n'avait pas inventée mais reçue, son optimisme cosmique, sont une exception d'un autre âge. Témoin de son temps, l'écrivain s'élève avec violence, non seulement contre les « aliénations » du temps, mais contre l'injustice faite à l'homme par la création. Le seul dogme qu'il ne remet jamais en cause, c'est l'absurdité du monde, l'inanité de la vie humaine. Cette sensibilité romantique a contaminé jusqu'aux chrétiens : de Jean Cayrol à Roger Bésus et de Paul-André Lesort à Luc Estang, eux aussi mettent l'accent sur la tristesse d'un monde d'où Dieu est absent, où seule la grâce, voire le miracle, pourront sauver une humanité déchue.

Sur tous les diapasons, la révolte donne le *la* — une révolte hypostasiée et peu à peu déifiée. Qui ne rejette pas — du moins en paroles — les anciens cadres sociaux et moraux est suspect d'hérésie — à tout le moins, de mésintelligence des devoirs de l'esprit. Et souvent, l'exaltation de la révolte (comme en 93 celle de la liberté) revêt insensiblement les aspects du plus plat conformisme. « Je me révolte, donc je suis », ce nouveau Credo a aussi ses fanatiques : pour l'avoir montré dans *l'Homme révolté*, Albert Camus s'est vu taxé par Sartre et son école du crime des crimes, ce « modérantisme » qui, sous la Terreur, fit tomber plus d'une tête.

II

L'INVENTAIRE DES FORMES

SI cette « philosophie de la littérature » est facile à
établir (étant entendu qu'il faudrait nuancer chaque
cas particulier : le roman, surtout depuis 1950, tend à
échapper à la dictature des philosophes), cette belle unité se
disjoint dès que nous en venons à l'inventaire des formes.
Nous nous en sommes tenu, dans un souci de clarté, aux
genres traditionnels — roman, poésie, théâtre, essai... —
sans nous dissimuler ce qu'un tel classement a d'artificiel.
Au moins avons-nous tenté, non seulement de situer chaque
écrivain dans sa génération et de déterminer l'orientation de
son œuvre, mais aussi de dire quelle idée il se fait du langage.
Il est clair, en effet, que celui-ci n'a pas la même fonction
pour Paul Vialar que pour Jean Genêt, pour André Berry
que pour René Char et pour René Lalou que pour Roland
Barthes. Sans doute, la plupart de nos écrivains continuent-ils
à voir dans le langage un simple moyen de communication.
En paix avec les mots, ils ne demandent que d'être compris
sans périphrase : de Mauriac à Simone de Beauvoir et de
Camus à Françoise Sagan, l'immense majorité des romanciers
se contentent de cet intermédiaire transparent, quitte à le
colorer selon leur palette propre. Ils acceptent de représenter
la réalité, même lorsqu'ils se proposent de la transformer.

Mais déjà un petit nombre d'entre eux, quelques dramaturges, des dizaines de poètes, refusent d'accepter cette
réalité qui nous entoure. Substituant l'abstrait au concret,
et des *valeurs* aux images, ils s'efforcent de détruire le réel
et s'attaquent au langage lui-même : de même qu'il y a un
art abstrait en peinture, il existe aussi maintenant *un art
littéraire abstrait*.

Examinons d'abord le roman.

1

L'INNOMBRABLE ROMAN

Ici, la prolifération des œuvres et des tendances est telle que tout classement — on l'a vu en constatant la diversité de nos rubriques — est périlleux. L'avalanche de livres que ramène chaque automne — telle la saison des pluies en pays de mousson — décourage le critique ; comment celui-ci ne regretterait-il pas que Bernard Grasset, pour une fois bien inspiré, n'ait pu « casser les reins» au roman ? Le mieux endurci n'échappe pas à la nausée qui nous saisit devant ces récits mesquins ou stupides, ces histoires d'amour banales et médiocres, toutes ces confidences graveleuses et tristes, décorées du nom de roman ! Chaque année, 2.000 titres nouveaux, et si peu d'œuvres dignes de ce nom ! Nos romanciers ont-ils si peu d'ambition, si peu de souffle ? Comme on comprend ceux qui, renonçant aux recettes éprouvées du naturalisme, aux procédés mécaniques de la psychologie, aux laborieuses inventions de l'érotisme, tentent d'approcher — fût-ce au mépris du style ou du simple bon sens — une réalité fuyante et fruste. Tantôt ils demandent au reportage une information plus directe (Vailland, Gascar, Groussard), tantôt ils imposent au récit le cadre d'une épure rigoureuse, presque inhumaine à force de concision (Robbe-Grillet, Butor), tantôt ils s'évadent du côté du fantastique (Pieyre de Mandiargues) ou même de la Science-Fiction. On nous accusera peut-être d'avoir fait la part trop belle à la petite équipe qui, rejetant le langage noble et la psychologie classique, trop respectueux de la façade humaine, réclame une nouvelle approche de l'Etre. Le cri de « Mort au personnage !» lancé par Nathalie Sarraute n'est encore qu'un cri de guerre ; rien ne prouve qu'il dépeuplera le roman français. Mais n'y aurait-il qu'une seule chance de voir ce dernier trouver enfin son Joyce, ces recherches méritaient d'être signalées.

De l'issue du combat pacifique que se livrent partisans et adversaires d'une « Révolution» romanesque, dépend l'avenir de notre Littérature. Les premiers espèrent qu'une technique encore en pleine formation leur permettra de mieux connaître un homme qui, pour une large part, nous reste inconnu.

Comme le chirurgien moderne qui sonde les reins et les cœurs, ils mettent à jour les premiers balbutiements de la vie, sans se soucier des comportements extérieurs, du langage ni de la finalité de l'esprit. Les moins prudents (Robbe-Grillet) pensent que leurs découvertes rejetteront bientôt dans les limbes d'un passé lointain l'art trop intelligible de Stendhal et de Balzac.

Pour les romanciers de la « Tradition», l'homme, même devenu le maître du monde, n'a pas beaucoup changé depuis mille ans. Aussi ne songent-ils pas à rejeter une langue façonnée par des siècles de civilisation qui leur permet, sinon de tout dire, du moins de tout suggérer. On a même vu la génération de 1950, « sur des pensers nouveaux faisant des vers antiques», se détourner de Sartre et du roman américain pour en revenir à Benjamin Constant.

2

Métamorphose de la poésie

Si les poètes sont plus avancés que les romanciers dans la recherche d'un nouveau type de langage, on ne voit pas toujours clairement dans quelle direction ils s'orientent. On a beaucoup « taillé» mais peu « recousu» dans la poésie française depuis trente ans ; d'où l'impression de confusion, si déroutante, qu'elle donne au non-initié.

Certes, il existe encore une poésie vivante, fidèle à la tradition classique, que la guerre, en lui apportant de nouveaux et illustres suffrages (ceux d'Aragon, d'Eluard) a paru ranimer. Mais aucune restauration ne porte l'avenir dans ses flancs. D'autres œuvres, parfois commencées dès le début du siècle, brillent par l'accord d'une inspiration haute et fière et d'un langage neuf : celles de Saint-John Perse, de Pierre-Jean Jouve, de René Char, sont exemplaires. Mais quelle cacophonie du côté des jeunes poètes ! Les uns récusent l'expression poétique au nom de ses abus : « Puisque la poésie actuelle n'est que le jeu de macaques officiels ou de retardataires essoufflés, le fin du fin de la fumisterie, la courte échelle à la politique, la course aux louanges, etc... je serai *apoète*», proclame Henri Pichette. D'autres vont plus loin : c'est le

langage en tant que tel qu'ils récusent, la parole en tant
qu'« ustensile », moyen de communication entre les hommes.
Mais s'ils dénoncent ce monstre, ils ne peuvent refuser de
lui payer tribut ; de rage, les uns le mettent en pièces, les
autres se bornent à l'avilir. Bien peu osent mettre la révolution entre parenthèses et accepter avec humilité un instrument imparfait : Yves Bonnefoy, Edouard Glissant, Alain
Bosquet, après Eluard et Pierre Emmanuel, sont de ceux
qui auront élevé le poème à la dignité d'une épopée —
cosmique ici, là plus intime — sans rien sacrifier de la pureté
du langage.

3

Trois types de théâtre

Tout est plus clair au théâtre parce que la simplification
et le grossissement dramatiques mettent en évidence des
distinctions que le roman ou le poème se bornent souvent à
sous-entendre.

Nul ne conteste que le « Boulevard », s'il séduit toujours
les foules, n'appartient plus à la littérature : en choisissant
de s'y enfermer, un des plus grands acteurs de ce temps,
Pierre Fresnay, s'est délibérément coupé des formes vivantes
de l'expression scénique. Peu importe le talent : nul ne conteste
celui d'un André Roussin ou d'un Marcel Achard ; mais ils
ont choisi d'offrir au public des plats à son goût, préparés
selon des recettes qui ne diffèrent guère de celles d'Eugène
Scribe ou d'Alfred Savoir.

Le théâtre « d'idées », qui, pendant la dernière guerre, a
brillé d'un si vif éclat, avec *le Soulier de Satin, la Reine morte*
et les premières pièces de Sartre, se situe nettement au-dessus
du Boulevard. Mais que l'éclat du style — celui d'écrivains
venus au théâtre au faîte de leur carrière — ne nous abuse
pas ! Trop peu préoccupé — à l'inverse du Boulevard — des
techniques propres à l'art dramatique, le théâtre d'idées
n'ouvre pas non plus de voie nouvelle. On s'en convainc en
retournant voir jouer les pièces de Sartre, qui parurent « révolutionnaires » à leur apparition : elles s'apparentent à la
comédie bourgeoise *(la P... respectueuse)*, au drame roman-

tique *(les Mouches, Kean)*, au mélodrame *(les Mains sales, le Diable et le Bon Dieu)*, ou même à la farce *(Nekrassov)*. Aucune n'annonce un art nouveau. Faut-il donc chercher du côté de l'« antithéâtre » les formes, encore balbutiantes, d'une dramaturgie qui voudrait échapper aux conventions bourgeoises autant qu'aux unités classiques ? Ici encore, l'avenir nous dira si le théâtre de demain appartient aux épigones de Brecht et d'Adamov ou aux héritiers de Molière et de Racine.

*
* *

Cet inventaire établi, peut-on tirer une conclusion ? Ici intervient le critique — un critique qui a le droit, lui, de s'affirmer, sans réticences, philosophe et moraliste. Ce qui le frappe d'abord, dans cette littérature, c'est son caractère de contestation. Dans les deux sens du terme, nous sommes à l'âge critique — un âge ultracritique — de la littérature.

III

L'AGE CRITIQUE DE LA LITTÉRATURE

Nous avons souligné (sans pouvoir nous étendre autant que nous l'aurions souhaité dans un ouvrage avant tout consacré aux œuvres de création) la place éminente — d'aucuns disent surérogatoire — prise par la critique dans l'activité littéraire. Il ne s'agit pas seulement de ces excellents travaux auxquels nous avons eu si souvent recours pour notre inventaire, mais des essais où s'élaborent une esthétique et une philosophie de l'art littéraire — de cette *métacritique* qui est déjà une branche importante de nos lettres : Marcel Raymond, Georges Poulet, Gaëtan Picon, Roland Barthes, Jules Monnerot, Claude-Edmonde Magny, R.-M. Albérès, ont le mérite, délaissant les révélations biographiques dont le XIXᵉ siècle a abusé (et ces secrets d'alcôve ou de police qui font le bonheur d'un Henri Guillemin), de poser les questions essentielles quant à la signification d'une œuvre.

Mais il n'appartient pas à la critique de précéder la création. En ce sens, l'inflation de la critique au moment où les vertus de création se tarissent, où la métaphysique envahit et dessèche le roman, le théâtre et la poésie, est un signe aussi dangereux que la multiplication des signes monétaires lorsque la production se ralentit. Il faut remonter aux causes, chercher l'origine de ce désordre, de ce vide, de cet ennui qui inspirent aujourd'hui toute une littérature. « Un grand souffle humain ne passe pas, dans nos livres » reconnaît Françoise Sagan. Faut-il parler de « décadence » ? Si spécifique que soit notre art littéraire, il prend en effet racine dans un contexte national. Fier d'avoir éteint au ciel « des étoiles qu'on

ne rallumera plus» (Dieu, le Progrès, l'Histoire, la Science),
coupé de la réalité sociale, l'homme de lettres chemine entre
les ruines du passé et celles qu'il annonce. Le dos tourné
à la vie, il contemple avec amertume ce « fumier de siècles,
duquel s'élève à chaque instant la buée des regrets, des
remords, des doutes, et des vapeurs des gloires qui se dissi-
pent et des grandeurs qui se détendent» (1). Au monde qu'il
méprise, il oppose alors des œuvres étranges, formes vides,
idées sans visage, qui prolifèrent en mythes obscurs et
composent de fatidiques ballets de signes. Si l'antithéâtre,
la poésie informelle, le roman sans sujet et sans personnages ne sont que des recherches de laboratoire où l'on tente
une nouvelle approche de l'homme, on ne peut que les encou-
rager. Encore faut-il que le chercheur ne prenne pas son
rébus pour une œuvre aussitôt citée en exemple à la postérité.
La question à poser est celle-ci : cet effort pourra-t-il ouvrir
aux hommes une nouvelle voie de communication ou ne
manifeste-t-elle au contraire que l'impuissance de l'artiste
à sortir de son Moi ? Car l'exemple des solitaires inspirés —
Lautréamont, Rimbaud, Kafka, Joyce... — a tourné plus d'une
tête, et l'on a vu plus d'un fol prendre sa singularité pour la
marque du génie...

Parce qu'ils se placent à l'avant-garde de la littérature et
parce qu'ils se sont délivrés de la préoccupation du sujet,
les poètes nous invitent à une réflexion sur les *fins* du langage.
Il serait tentant de croire qu'il existe une relation de cause
à effet entre l'abolition de toutes les contraintes et la prolifération d'œuvres informes et ésotériques qui ne répondent
guère au beau nom d'art. Mais cette relation est secondaire :
s'il y eut des contraintes fécondes, c'est qu'elles étaient elles-
mêmes l'expression d'un monde ordonné, harmonieux et
stable. Le drame de la littérature d'aujourd'hui n'est pas
différent de celui du monde qu'elle reflète. Entre une civilisation à son apogée, le territoire qu'elle baigne et la morale
qu'elle anime, il y a plus que des correspondances : au vrai,
il s'agit d'une seule et même chose. Cela fut vrai pour l'Europe
médiévale, où la scolastique interprétait Aristote dans
l'esprit de l'Evangile, comme pour l'Europe des lumières,

(1) Valéry.

remuée par l'esprit de libre examen. Cela sera peut-être vrai
encore pour le monde communiste lorsque le réalisme socialiste
aura dépassé une scolastique étouffante et cessé de confondre
culture et esprit de parti (1). En attendant cette « *Welt-
literatur*» dont rêvait Gœthe, nous voici dans une phase
« alexandrine» qui correspond à la vieillesse inquiète de
l'Occident faustien. Nous sommes encore loin de l'agonie.
Mais cette perpétuelle mise en accusation de l'homme et du
monde pourrait, si l'on n'y prend garde, finir par stériliser
la littérature.

*
* *

Gardons-nous, pourtant, de céder au pessimisme. Certes,
si on la compare à celle du premier quart du XXe siècle — mais
la période qui va des débuts de Claudel à la mort de Proust
est l'une des plus hautes de notre littérature — ou même aux
Golden Twenties — associées aux premiers succès de Mauriac, de
Bernanos, de Montherlant, de Malraux ou de Giono —, la production littéraire de ces vingt dernières années (2) ne fait pas
« le poids». On ne pourra négliger, cependant, les deux décen-
nies où ont paru tour à tour le *Journal* de Gide et celui de
Julien Green, les romans d'Aragon et de Saint-Exupéry, *la
Peste* et *le Hussard sur le toit*, le théâtre de Sartre et celui
d'Anouilh, les premières œuvres de Camus, de Julien Gracq, de
Pieyre de Mandiargues, les poèmes de guerre d'Eluard, d'Aragon, de Desnos, *Exil* de Saint-John Perse et la *Somme de*
Patrice de la Tour du Pin, la *Psychologie de l'Art*, l'œuvre
posthume de Simone Weil et de Teilhard de Chardin — pour
citer les premiers noms qui nous viennent à l'esprit. Peut-être
sommes-nous à la veille de voir naître un nouveau langage de

(1) En fait, le « réalisme socialiste» recouvre des réalités bien différentes.
Tantôt, l'esprit de parti, la propagande, un réalisme à courte vue, l'emportent
sur toute autre considération. Tantôt, romans et poèmes expriment une sorte
de naturalisme épique, de romantisme matérialiste. D'une manière générale,
le réalisme — bourgeois ou socialiste — paraît exprimer le vouloir-vivre d'une
société qui s'édifie ; le symbolisme ou l'abstraction correspondent au contraire
à une société qui doute d'elle-même, de son avenir et de son langage.
(2) Notre enquête, rappelons-le, va de la fin de l'entre-deux-guerres au
31 décembre 1958.

formes. En attendant d'y voir plus clair, il n'était pas inutile de reconnaître les multiples chemins qu'ont ouverts à leurs héritiers les écrivains d'aujourd'hui. Jamais sans doute les eaux n'ont été si mêlées, ni moins pures ; jamais non plus les sources n'ont été moins près de se tarir. Ceci compense-t-il cela ? C'est au lecteur d'en juger.

Paris, janvier 1955 — février 1958.
juillet 1958.

APPENDICE

I

LES GRANDS PRIX LITTÉRAIRES (1)
(Liste des titulaires depuis 1938)

1

PRIX GONCOURT

1938 Henri TROYAT : *l'Araigne.*
1939 Philippe HÉRIAT : *les Enfants gâtés.*
1940 Francis AMBRIÈRE : *les Grandes Vacances.*
1941 Henri POURRAT : *Vent de mars.*
1942 Marc BERNARD : *Pareils à des enfants.*
1943 Marius GROUT : *Passage de l'Homme.*
1944 Elsa TRIOLET : *le Premier Accroc coûte deux cents francs.*
1945 Jean-Louis BORY : *Mon Village à l'heure allemande.*
1946 Jean-Jacques GAUTIER : *Histoire d'un fait divers.*
1947 Jean-Louis CURTIS : *les Forêts de la Nuit.*
1948 Maurice DRUON : *les Grandes Familles.*
1949 Robert MERLE : *Week-end à Zuydcoote.*
1950 Paul COLIN : *les Jeux sauvages.*
1951 Julien GRACQ : *Le Rivage des Syrtes.*
1952 Béatrice BECK : *Léon Morin, prêtre.*
1953 Pierre GASCAR : *les Bêtes — le Temps des Morts.*
1954 Simone de BEAUVOIR : *les Mandarins.*
1955 Roger IKOR : *les Eaux mêlées.*
1956 Romain GARY : *les Racines du Ciel.*
1957 Roger VAILLAND : *la Loi.*
1958 Francis WALDER : *Saint-Germain ou la négociation.*

2

PRIX FÉMINA

1938 Félix de CHAZOURNE : *Caroline ou le départ pour les îles.*
1939 Paul VIALAR : *la Rose de la mer.*
De 1940 1943 : **n'a pas été décerné.**
1944 Editions de Minuit.
1945 Anne-Marie MONNET : *le Chemin du soleil.*
1946 Michel ROBIDA : *le Temps de la longue patience.*
1947 Gabrielle ROY : *Bonheur d'occasion.*
1948 Emmanuel ROBLÈS : *les Hauteurs de la Ville.*
1949 Maria LE HARDOUIN : *la Dame de cœur.*
1950 Serge GROUSSARD : *la Femme sans passé.*

(1) On nous excusera de nous être limité à cette liste de neuf prix ; il en existe aujourd'hui près de quatre cents...

1951 Anne de TOURVILLE : *Jabadao.*
1952 Dominique ROLIN : *le Souffle.*
1953 Zoë OLDENBOURG : *la Pierre angulaire.*
1954 Gabriel VERALDI : *la Machine humaine.*
1955 André DHOTEL : *le Pays où l'on n'arrive jamais.*
1956 François-Régis BASTIDE : *les Adieux.*
1957 Christian MÉGRET : *le Carrefour des solitudes.*
1958 Françoise MALLET-JORIS : *l'Empire céleste.*

3

PRIX THÉOPHRASTE-RENAUDOT

1938 Pierre-Jean LAUNAY : *Léonie la Bienheureuse.*
1939 Jean MALAQUAIS : *les Javanais.*
1940 décerné en 1946 à David ROUSSET : *l'Univers concentrationnaire.*
1941 Paul MOUSSET : *Quand le temps travaillait pour nous.*
1942 Robert GAILLARD : *les Liens de chair.*
1943 André SOUBIRAN : *J'étais médecin avec les chars.*
1944 Roger PEYREFITTE : *les Amitiés particulières.*
1945 Henri BOSCO : *le Mas Théotime.*
1946 Jules ROY : *la Vallée heureuse.*
1947 Jean CAYROL : *Je vivrai l'amour des autres.*
1948 Pierre FISSON : *Voyage aux horizons.*
1949 Louis GUILLOUX : *le Jeu de patience.*
1950 Pierre MOLAINE : *les Orgues de l'enfer.*
1951 Robert MARGERIT : *le Dieu nu.*
1952 Jacques PERRY : *l'Amour de rien.*
1953 Célia BERTIN : *la Dernière innocence.*
1954 Jean REVERZY : *le Passage.*
1955 Georges GOVY : *le Moissonneur d'épines.*
1956 André PERRIN : *le Père.*
1957 Michel BUTOR : *la Modification.*
1958 Edouard GLISSANT : *la Lézarde.*

4

PRIX INTERALLIÉ

1938 Paul NIZAN : *la Conspiration.*
1939 Roger de LAFFOREST : *les Figurants de la mort.*
De 1940 à 1944 : n'a pas été décerné.
1945 Roger VAILLAND : *Drôle de jeu.*
1946 Jacques NELS : *Poussière du temps.*
1947 Pierre DANINOS : *le Carnet du bon Dieu.*
1948 Henry CASTILLOU : *Cortiz s'est révolté.*
1949 Gilbert SIGAUX : *les Chiens enragés.*
1950 Georges AUCLAIR : *un Amour allemand.*
1951 Jacques PERRET : *Bande à part.*
1952 Jean DUTOURD : *Au Bon Beurre.*
1953 Louis CHAUVET : *Air sur la quatrième corde.*
1954 Maurice BOISSAIS : *le Goût du péché.*
1955 Félicien MARCEAU : *les Elans du cœur.*

1956 Armand LANOUX : *le Commandant Watrin.*
1957 Paul GUIMARD : *Rue du Havre.*
1958 Bertrand PIERROT-DELPECH : *le Grand-Dadais.*

5

GRAND PRIX DE LA CRITIQUE LITTÉRAIRE

1949 Antoine ADAM : *Histoire de la littérature française au XVIIe siècle.*
1950 Pierre de BOISDEFFRE : *Métamorphose de la littérature.*
1951 Pierre-Georges CASTEX : *le Conte fantastique en France de Nodier à Maupassant.*
1952 Georges POULET : *la Distance intérieure.*
1953 François-Régis BASTIDE : *Saint-Simon par lui-même.*
1954 John BROWN : *Panorama de la littérature contemporaine aux U.S.A.*
1955 Robert MALLET : *Une Mort ambiguë.*
1956 Samuel S. de SACY : *Descartes par lui-même.*
1957 Jean DELAY : *la Jeunesse d'André Gide.*
1958 Dominique AURY : *Lecture pour tous.*

6

PRIX DES CRITIQUES

1945 Romain GARY : *Education européenne.*
1946 Agnès CHABRIER : *la Vie des morts.*
1947 Albert CAMUS : *la Peste.*
1948 Georges BURAUD : *les Masques.*
1949 Jules SUPERVIELLE : *Oublieuse mémoire.*
1951 André PIEYRE de MANDIARGUES : *Soleil des loups.*
1952 Georges BORGEAUD : *le Préau.*
1954 Françoise SAGAN : *Bonjour tristesse.*
1955 Alain ROBBE-GRILLET : *le Voyeur.*
1956 Michel LEIRIS : *Fourbis.*
1957 Micheline MAUREL : *Un Camp très ordinaire.*
1958 Yves RÉGNIER : *le Royaume de Bénou.*

7

GRAND PRIX DU ROMAN DE L'ACADÉMIE FRANÇAISE

1938 Jean de LA VARENDE : *le Centaure de Dieu.*
1939 Antoine de SAINT-EXUPÉRY : *Terre des hommes* (et pour son œuvre).
1940 Edouard PEISSON : *le Voyage d'Edgar* (et pour son œuvre).
1941 Robert BOURGET-PAILLERON : pour son œuvre.
1942 Jean BLANZAT : *l'Orage du matin.*
1943 J. H. LOUWICK : *Danse pour ton ombre.*
1944 Pierre LAGARDE : *Valmaurie.*
1945 Marc BLANCPAIN : *le Solitaire.*
1946 Jean ORIEUX : *Fontagre.*
1947 Philippe HÉRIAT : *Famille Boussardel*
1948 N'a pas été décerné.

1949 Yves GANDON : *Ginèvre* (au titre de 1948).
     Yvonne PAGNIEZ : *Evasions 1944.*
1950 Joseph JOLINON : *les Provinciaux. Dernières ombrelles.*
1951 Bernard BARBEY : *Chevaux abandonnés sur le champ de bataille.*
1952 Henry CASTILLOU : *le Feu de l'Etna.*
1953 Jean HOUGRON : *la Nuit indochinoise.*
1954 Pierre MOINOT : *la Chasse royale.*
     Paul MOUSSET : *Neige sur un amour nippon.*
1955 Michel de SAINT-PIERRE : *les Aristocrates.*
1956 Paul GUTH : *le Naïf Locataire.*
1957 Jacques de BOURBON-BUSSET : *Antoine, mon frère, Le Silence et la Joie.*
1958 Henri QUEFFELEC : *Un royaume sous la mer.*

8

GRAND PRIX DE LITTÉRATURE DE L'ACADÉMIE FRANÇAISE

1938 Tristan DERÈME : pour son œuvre.
1939 Jacques BOULENGER : pour son œuvre.
1940 Edmond PILON : pour son œuvre.
1941 Gabriel FAURE : pour son œuvre.
1942 Jean SCHLUMBERGER : pour son œuvre.
1943 Jean PRÉVOST : pour son œuvre.
1944 André BILLY : pour son œuvre.
1945 Jean PAULHAN : pour son œuvre.
1946 DANIEL-ROPS : pour son œuvre.
1947 Mario MEUNIER : pour son œuvre.
1948 Gabriel MARCEL : pour son œuvre.
1949 Maurice LEVAILLANT : pour son œuvre.
1950 Marc CHADOURNE : pour son œuvre.
1951 Henri MARTINEAU : pour son œuvre.
1952 Marcel ARLAND : pour son œuvre.
1953 Marcel BRION : pour son œuvre.
1954 Jean GUITTON : pour son œuvre.
1955 Jules SUPERVIELLE : pour son œuvre.
1956 Henry CLOUARD : pour son œuvre.
1957 : n'a pas été décerné.
1958 Jules ROY : pour son œuvre.

9

GRAND PRIX NATIONAL DES LETTRES

1951 ALAIN.
1952 Valery LARBAUD.
1953 Henri BOSCO.
1954 André BILLY.
1955 Jean SCHLUMBERGER.
1956 Alexandre ARNOUX.
1957 Louis MARTIN-CHAUFFIER.
1958 Gabriel MARCEL.

II

QUELQUES OUVRAGES A CONSULTER

1

Ouvrages généraux

Mémoires et études consacrés à l'histoire de ces vingt dernières années

Léon Blum : *A l'Echelle humaine* (Albin Michel, 1945).
Adrien Dansette : *Destin du catholicisme français* (Flammarion, 1957).
Jean Dutourd : *les Taxis de la Marne* (Gallimard, 1957).
Françoise Giroud : *la Nouvelle Vague* (Gallimard, 1958).
Général de Gaulle : *Mémoires de guerre* (2 vol, Plon, 1954-1956).
Jean Guéhenno : *la Foi difficile* (Grasset, 1957).
Emmanuel Hamel : *les Atouts français* (Plon, 1958).
Maurice Martin du Gard : *les Mémorables* (Flammarion, 1957).
François Mauriac : *Bloc-Notes* (Flammarion, 1958).
André Siegfried : *De la IIIe à la IVe République* (Grasset, 1956).
Pierre-Henri Simon : *la France a la fièvre* (Seuil, 1958).

2

Histoire et critique littéraires

Albérès (R.-M.) : *La Révolte des écrivains d'aujourd'hui* (la Nouvelle Edition, 1949).
— *L'Aventure intellectuelle du XXe siècle* (la Nouvelle Edition, 1950).
— *Bilan littéraire du XXe siècle* (Aubier, 1956).
Almanachs des Lettres 1947, 1948, 1949, 1950, 1951, 1952 et 1953. (Horay-Flore.)
Ariès (Philippe), Bariéty (Maurice), Bernard (Jean-Jacques), Chaigne (Louis), Daniélou (R. P.), etc. : *Cinquante ans de pensée catholique française* (Fayard, 1955).
Arland (Marcel) : *Lettres de France* (Albin Michel, 1951).
— *Nouvelles Lettres de France* (Albin Michel, 1954).
— *La Grâce d'écrire* (Gallimard, 1955).
Astorg (Bertrand d') : *Aspects de la littérature européenne depuis 1945* (Le Seuil, 1952).

BARJON (Louis) : *Le Silence de Dieu dans la littérature contemporaine* (Le Centurion, 1955).

BLANCHET (André) : *Le Prêtre dans le roman d'aujourd'hui* (Desclée de Brouwer, 1955).

BLANCHOT (Maurice) : *La Part du feu* (Gallimard, 1949).
— *L'Espace littéraire* (Gallimard, 1955).

BOISDEFFRE (Pierre de) : *Métamorphose de la littérature* (2 vol., Alsatia, 1950).
— *Des vivants et des morts* (Editions Universitaires, 1954).

BOSQUET (Alain) et SEGHERS (Pierre) : *Les Poèmes de l'année 1955* (Seghers).
— *Les Poèmes de l'année 1956* (Seghers).

BRINCOURT (A. et J.) : *Les Œuvres et les lumières* (La Table Ronde, 1955).

BRODIN (Pierre) : *Présences contemporaines* (3 vol., Debresse, 1954-1957).

CHAIGNE (Louis) : *Vies et œuvres d'écrivains* (4 vol., Lanore, 1934-1954).

CLANCIER (Georges-Emmanuel) : *Panorama critique de Rimbaud au surréalisme* (Seghers, 1954).

CLOUARD (Henri) : *Histoire de la littérature française du symbolisme à nos jours* (2 vol., Albin Michel, 1949).

ESCARPIT (Robert) : *Sociologie de la Littérature* (P.U.F., 1958).

Esprit : *Le « Nouveau Roman »* (numéro spécial, juillet-août, 1958).

ETIEMBLE (René) : *Hygiène des Lettres* (2 vol., Gallimard, 1952-1954).

HENRIOT (Emile) : *Maîtres d'hier et contemporains* (2 vol., Albin Michel, 1954-1956).

KANTERS (Robert) : *Des Ecrivains et des hommes* (Julliard, 1952).

KEMP (Robert) : *la Vie des livres* (Albin Michel, 1955).
— *La Vie du théâtre* (Albin Michel, 1956).

LALOU (René) : *Histoire de la littérature française contemporaine* (P.U.F., 1941).

LOBET (Marcel) : *La Science du bien et du mal* (Nef de Paris, 1954).

MAGNY (Claude-Edmonde) : *Histoire du roman français depuis 1918* (Le Seuil, 1950).

MAURIAC (Claude) : *L'Alittérature contemporaine* (Albin Michel, 1958)

MOELLER (Charles) : *Littérature du XXᵉ siècle et christianisme* (4 vol., Casterman, 1953-1957).

NADEAU (Maurice) : *Littérature présente* (Corrêa, 1952).

NAHAS (Hélène) : *La Femme dans la littérature existentielle* (P.U.F., 1957).

PARIS (Jean) : *Anthologie de la poésie nouvelle* (Rocher, 1957).

PICON (Gaétan) : *Panorama de la nouvelle littérature française* (Gallimard, 1949).
— *Panorama des idées contemporaines* (en collaboration, Gallimard, 1957).

POULET (Robert) : *la Lanterne magique* (Debresse, 1956).

RAYMOND (Marcel) : *De Baudelaire au surréalisme* (José Corti, 1952).

RIÈSE (Laure) : *L'âme de la poésie canadienne française* (Macmillan, Toronto, 1955).

ROUSSEAUX (André) : *Littérature du XXᵉ siècle* (5 vol., Albin Michel, 1939-1956).

ROUSSELOT (Jean) : *Panorama critique des nouveaux poètes français* (Seghers, 1952).

ROY (Claude) : *Descriptions critiques* (Gallimard, 1949).

SIMON (Pierre-Henri) : *Histoire de la littérature française contemporaine, 1900-1950* (2 vol., Armand Colin, 1956).

THIBAUDET (Albert) : *Histoire de la littérature française de 1789 à nos jours* (Stock, 1936).

3

ESSAIS, PAMPHLETS, DOCUMENTS

BARTHES (Roland) : *Le Degré zéro de l'Ecriture* (Seuil, 1952).
BRISVILLE (Jean-Claude) : *La Présence réelle* (Gallimard, 1954).
CAILLOIS (Roger) : *Babel* (Gallimard, 1948).
CARLONI (J. C.) et FILLOUX (Jean-C.) : *La Critique littéraire* (P.U.F., 1955).
CIORAN (E.-M.) : *Précis de Décomposition* (Gallimard, 1949).
DUMAY (Raymond) : *Mort de la Littérature* (Julliard, 1950).
GARNIER (Christine) : *L'Homme et son personnage* (Grasset, 1955).
IKOR (Roger) : *Mise au net* (Albin Michel, 1957).
MALLET (Robert) : *Une Mort ambiguë* (Gallimard, 1955).
NIMIER (Roger) : *Le Grand d'Espagne* (La Table Ronde, 1950).
NOURISSIER (François) : *Les Chiens à fouetter* (Julliard, 1957).
SARRAUTE (Nathalie) : *L'Ere du soupçon* (Gallimard, 1956).
SARTRE (Jean-Paul) : *Situations* (3 vol., Gallimard, 1947-1949).
— *Saint Genêt, comédien et martyr* (Gallimard, 1952).
VAN DEN BOSCH (Paul) : *Les Enfants de l'absurde* (La Table Ronde),
WEIDLÉ (Vladimir) : *Les Abeilles d'Aristée* (Gallimard, 1954).

4

ETUDES ET MONOGRAPHIES

ALBÉRÈS (R.-M.) : *Jean-Paul Sartre* (Editions Universitaires, 1953).
— *Esthétique et morale chez Jean Giraudoux* (Nizet, 1957).
JEAN AUBRY (G.) : *Valery Larbaud* (Rocher, 1949).
BÉGUIN (Albert) : *Bernanos par lui-même* (Seuil, 1954).
BERRY (Madeleine) : *Jules Romains* (Editions Universitaires, 1958),
BALTHASAR (Urs von) : *Le Chrétien Bernanos* (Le Seuil, 1956).
BEDOUIN (J.-L.) : *André Breton* (Seghers, 1950).
BERGER (Pierre) : *Robert Desnos* (Seghers, 1949).
— *René Char* (Seghers, 1951).
BERTELÉ (René) : *Henri Michaux* (Seghers, 1957).
BODART (Roger) : *Charles Plisnier* (Editions Universitaires, 1954).
BOISDEFFRE (Pierre de) : *André Malraux* (Editions Universitaires, 1952).
BOSQUET (Alain) : *Saint-John Perse* (Seghers, 1952).
CAILLOIS (Roger) : *Poétique de Saint-John Perse* (Gallimard, 1954).
CORMEAU (Nelly) : *L'Art de François Mauriac* (Grasset, 1951).
DAVY (Marie-Magdeleine) : *Simone Weil* (Editions Universitaires, 1956).
DEBIDOUR (V. H.) : *Jean Giraudoux* (Editions Universitaires, 1955).
DROIT (Michel) : *André Maurois* (Editions Universitaires, 1953).
ESTANG (Luc) : *Présence de Bernanos* (Plon, 1946).
— *Saint-Exupéry* (Seuil, 1955).
GUITARD-AUVISTE (Ginette) : *La vie de Jacques Chardonne et son art* (Grasset, 1953).
— *Paul Morand* (Editions Universitaires, 1956).
HOURDIN (Georges) : *Le cas Françoise Sagan* (Cerf, 1958).

IBERT (Jean-Claude) : *Saint-Exupéry* (Editions Universitaires, 1954).
LAPRADE (Jacques de) : *Le Théâtre de Montherlant* (La Jeune Parque, 1950).
LEFEBVE (M.-J.) : *Jean Paulhan* (Gallimard, 1949).
LUPPÉ (Robert de) : *Albert Camus* (Editions Universitaires, 1952).
MICHA (René) : *Pierre-Jean Jouve* (Seghers, 1956).
MOUNIN (Georges) : *Avez-vous lu Char ?* (Gallimard, 1946).
PARROT (Louis) : *Paul Eluard* (Seghers, 1945).
PICON (Gaétan) : *Malraux par lui-même* (Seuil, 1955).
ROBICHON (Jacques) : *François Mauriac* (Editions Universitaires, 1953).
ROCHEFOUCAULD (Edmée de la) : *Paul Valéry* (Editions Universitaires, 1954).
ROUSSELOT (Jean) : *Blaise Cendrars* (Editions Universitaires, 1955).
— *Maurice Fombeure* (Seghers, 1957).
ROY (Claude) : *Aragon* (Seghers, 1946).
— *Jules Supervielle* (Seghers, 1947).
SIPRIOT (Pierre) : *Montherlant par lui-même* (Seuil, 1953).
VANDROMME (Pol) : *Robert Brasillach* (Plon, 1956).

INDEX ALPHABÉTIQUE

Les numéros de pages composés en caractères italiques se rapportent aux textes assez étendus ou aux notes bio-bibliographiques consacrés à un même auteur.

ACHEVÉ D'IMPRIMER
SUR LES PRESSES DES
IMPRIMERIES RÉUNIES
DE CHAMBÉRY
EN FÉVRIER MCMLIX

Nº d'éditeur : 22